C Primer Plus（第五版）中文版

[美] Stephen Prata 著

云巅工作室 译

人 民 邮 电 出 版 社

北 京

图书在版编目（CIP）数据

C Primer Plus：第 5 版 /（美）普拉塔（Prata，S.）著；云巅工作室译.
—北京：人民邮电出版社，2005.2（2017.10 重印）
ISBN 978-7-115-13022-8

I. C… II. ①普…②云… III. C 语言—程序设计 IV. TP312

中国版本图书馆 CIP 数据核字（2005）第 004888 号

C Primer Plus（第五版）中文版

◆ 著 [美] Stephen Prata
译 云巅工作室
责任编辑 陈冀康
◆ 人民邮电出版社出版发行 北京市丰台区成寿寺路 11 号
邮编 100164 电子邮件 315@ptpress.com.cn
网址 http://www.ptpress.com.cn
北京鑫正大印刷有限公司印刷
◆ 开本：787×1092 1/16
印张：40
字数：1 298 千字 2005 年 2 月第 1 版
印数：272 501－274 000 册 2017 年 10 月北京第 53 次印刷

著作权合同登记号 图字：01-2004-4417 号

ISBN 978-7-115-13022-8/TP

定价：60.00 元

读者服务热线：(010)81055410 印装质量热线：(010)81055316
反盗版热线：(010)81055315

内 容 提 要

本书全面讲述了C语言编程的相关概念和知识。

全书共17章。第1、2章学习C语言编程所需的预备知识。第3到15章介绍了C语言的相关知识，包括数据类型、格式化输入输出、运算符、表达式、流程控制语句、函数、数组和指针、字符串操作、内存管理、位操作等等，知识内容都针对C99标准；另外，第10章强化了对指针的讨论，第12章引入了动态内存分配的概念，这些内容更加适合读者的需求。第16章和第17章讨论了C预处理器和C库函数、高级数据表示（数据结构）方面的内容。附录给出了各章后面复习题、编程练习的答案和丰富的C编程参考资料。

本书适合希望系统学习C语言的读者，也适用于精通其他编程语言并希望进一步掌握和巩固C编程技术的程序员。

前 言

1984 年，当 *C Primer Plus* 的第一版刚刚完稿的时候，C 还是一种相对鲜为人知的语言。这种语言从那时才开始兴起，很多人都是在该书的帮助下掌握 C 语言的。实际上，已经有超过 50 万的人购买过 *C Primer Plus* 的各个不同版本的书。

随着 C 语言从最初的非正式的 K&R 标准过渡到 1990 ISO/ANSI 标准，进而发展到 1999 ISO/ANSI 标准，*C Primer Plus* 也不断地成熟，并发展到第五版。在所有这些版本中，我的目标都是致力于编写一本富有指导性的、清晰的 C 语言教程。

本书的方法和目标

我编写这本书的目标是让人们能够把它当作一个友好的、易于使用的、便于自学的指南。为了实现这个目标，本书采用了以下的策略：

- 在介绍 C 语言细节的同时，还阐述了编程概念。本书假定读者并非专业的程序员。
- 每次通过很多简短的、易于录入的实例来说明一两个概念，因为边干边学是掌握新的信息的最有效的方式之一。
- 只用语言难以阐述的概念，采用图表来澄清。
- 突出显示的板块总结了 C 语言的主要特征，以便于参考和复习。
- 每章最后的复习题和编程练习帮助你测试和加深对 C 语言的理解。

为了求得最佳学习效果，在学习本书内容的时候，你应该尽可能地扮演一个积极的角色。不仅只是阅读例子，还要把它们输入到你的系统，然后运行。C 是一种可移植性很好的语言，但你还是会发现某个程序在你的系统下运行的结果和在我们的系统下运行的结果会有所不同。不妨做个试验，改变程序的某一部分来看看有什么效果。修改程序来做略微有些不同的事情。不必理会无关的警告，主要是看一下执行了一个错误操作时会发生什么。尝试提出问题和做练习。实践的越多，你所学到和记住的也就越多。

我希望你能够通过本书最新的版本，愉快而又高效地走入 C 语言的学习殿堂。

关于作者

Stephen Prata 在加利福尼亚州的 Kentfield 得 Marin 学院教授天文学、物理学和程序设计课程。他在加州工业学院获得学士学位，从加州大学伯克利分校获得博士学位。他最早接触计算机，始于对星河的计算机建模。Stephen 已经编写或与他人合作编写了十多本书，其中包括 *C++ Primer Plus* 和 *Unix Primer Plus*。

目　录

第1章 概　览

在本章中您将学习下列内容：

- C的历史和特性。
- 编写程序所需的步骤。
- 关于编译器和链接器的一些知识。
- C的标准。

欢迎来到C的世界！C语言是一种强大的专业化编程语言，深受业余和专业编程人员的欢迎。本章为学习和使用这一强大而流行的语言做准备，并介绍了开发C程序时最可能使用的几种环境。

首先，让我们来看一看C的起源及其特性，包括它有哪些优点和缺点。接着我们将了解编程的起源并探讨编程的一些基本原则。最后，我们讨论在一些常见系统上运行C程序的方法。

1.1 C语言的起源

贝尔实验室的Dennis Ritchie在1972年开发了C，当时他正与Ken Thompson一起设计UNIX操作系统。然而，C并不是完全由Ritchie构想出来的。它来自Thompson的B语言，而B语言则来自……噢，这又是另外一个故事了。重要的是，C是作为从事实际编程工作的程序员的一种工具而出现的，所以其主要目标是成为一种有用的语言。

多数语言都以实用为目标，但它们往往也会考虑其他一些方面。例如，Pascal的主要目标是为学习良好的编程原则提供一个扎实的基础，而BASIC则是模仿英语，以便让不熟悉计算机的学生能够轻松地学会这种语言。这些目标很重要，但它们并不总是与实际的使用需要相符。而C则是为编程人员开发的语言，这使得它成为当今人们首选的编程语言之一。

1.2 使用C语言的理由

在过去的30年中，C已经成为最重要和最流行的编程语言之一。它之所以得到发展，是因为人们尝试使用它后都喜欢它。过去10年中，许多人从C转而使用更强大的C++语言，但C有其自身的优势，仍然是一种重要的语言，而且它还是通往C++的必由之路。学习C的过程中，您将认识到它的许多优点（见图1.1）。现在让我们首先来看其中的几个优点。

1.2.1 设计特性

C是一种融合了控制特性的现代语言，而我们已发现在计算机科学的理论和实践中，控制特性是很重要的。其设计使得用户可以自然地采用自顶向下的规划、结构化的编程，以及模块化的设计。这种做法使得编写出的程序更可靠、更易懂。

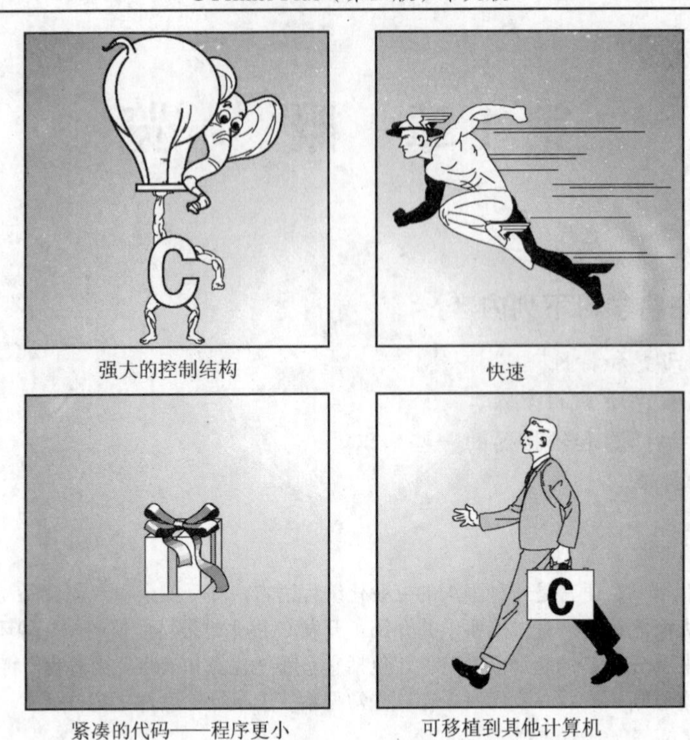

图 1.1 C 的优点

1.2.2 高效性

C 是一种高效的语言。在设计上它充分利用了当前计算机在能力上的优点。C 程序往往很紧凑且运行速度快。事实上，C 可以表现出通常只有汇编语言才具有的精细控制能力（汇编语言是特定的 CPU 设计所采用的一组内部指令的助记符。不同的 CPU 类型使用不同的汇编语言）。如果愿意，您可以细调程序以获得最大速度或最大内存使用率。

1.2.3 可移植性

C 是一种可移植语言。这意味着，在一个系统上编写的 C 程序经过很少改动或不经修改就可以在其他系统上运行。如果修改是必要的，则通常只须改变伴随主程序的一个头文件中的几项内容即可。多数语言原本都想具有可移植性，但任何曾将 IBM PC BASIC 程序转换为 Apple BASIC 程序（它们还是近亲）的人，或者试图在 UNIX 系统上运行一个 IBM 大型机 FORTRAN 程序的人都知道，移植至少是在制造麻烦。C 在可移植性方面处于领先地位。C 编译器（将 C 代码转换为计算机内部使用的指令的程序）在大约 40 种系统上可用，包括从使用 8 位微处理器的计算机到 Cray 超级计算机。不过要知道，程序中为访问特定硬件设备（例如显示器）或操作系统（如 Windows XP 或 OS X）的特殊功能而专门编写的部分，通常是不能移植的。

由于 C 与 UNIX 的紧密联系，UNIX 系统通常都带有一个 C 编译器作为程序包的一部分。Linux 中同样也包括一个 C 编译器。个人计算机，包括运行不同版本的 Windows 和 Macintosh 的 PC，可使用若干种 C 编译器。所以不论您使用的是家用计算机、专业工作站还是大型机，都很容易得到针对您的特定系统的 C 编译器。

1.2.4 强大的功能和灵活性

C 强大而又灵活（计算机世界中经常使用的两个词）。例如，强大而灵活的 UNIX 操作系统的大部分便是用 C 编写的。其他语言（如 FORTRAN、Perl、Python、Pascal、LISP、Logo 和 BASIC）的许多编译器和解释器也都是用 C 编写的。结果是，当您在一台 UNIX 机器上使用 FORTRAN 时，最终是由一个 C 程序负责生成最后的可执行程序的。C 程序已经用于解决物理学和工程学问题，甚至用来为《角斗士》这样的电影制造特殊效果。

1.2.5 面向编程人员

C 面向编程人员的需要。它允许您访问硬件，并可以操纵内存中的特定位。它具有丰富的运算符供选择，让您能够简洁地表达自己的意图。在限制您所能做的事情方面，C 不如 Pascal 这样的语言严格。这种灵活性是优点，同时也是一种危险。优点在于：许多任务（如转换数据形式）在 C 中都简单得多。危险在于：使用 C 时，您可能会犯在使用其他一些语言时不可能犯的错误。C 给予您更多的自由，但同时也让您承担更大的风险。

另外，多数 C 实现都有一个大型的库，其中包含有用的 C 函数。这些函数能够处理编程人员通常会面对的许多需求。

1.2.6 缺点

C 确实有一些缺点。和人一样，缺点和优点往往是同一特征相对的两个方面。例如，我们前面曾说过，C 在表达方面的自由会增加风险。尤其是 C 对指针（在本书后面部分将学到）的使用，意味着您可能会犯非常难以追踪的编程错误。正如以前一位计算机专家曾经指出的，自由的代价是永远的警惕。

C 的简洁性与其丰富的运算符相结合，使其可能会编写出极难理解的代码。没有谁强迫您编写含糊难懂的代码，但存在这样的可能性。试问，除 C 之外还有哪种语言存在一年一度的“含糊代码”（Obfuscated Code）竞赛呢？

此外，C 还有许多的优点，但毫无疑问，C 还有一些缺点。我们不想在这一点上多费笔墨，还是换一个新的话题吧。

1.3 C 语言的发展方向

20 世纪 80 年代初，C 在 UNIX 系统的小型机世界中已经是主导语言了。从那时开始，它已经扩展到个人计算机（微型机）和大型机（庞然大物），如图 1.2 所示。许多软件开发商都首选 C 语言来开发其子处理程序、电子表格软件、编译器和其他产品。这些公司知道，C 可以产生紧凑而高效的程序。更重要的是，他们知道这些程序易于修改而且易于适应新的计算机模式。

对于公司和熟悉 C 语言的人有益的东西，对其他用户同样有益。越来越多的计算机用户已转向使用 C 以便利用其优点。不一定非得是计算机专业人员才能使用 C。

在 20 世纪 90 年代，许多软件开发商开始转向使用 C++语言来进行大的编程项目。C++向 C 语言嫁接了面向对象编程工具（面向对象编程是一种哲学思想，它试图让语言来适应问题，而不是让问题来适应语言）。C++差不多是 C 的一个超集，意味着任何 C 程序都同时是，或差不多是一个有效的 C++程序。通过学习 C，您还会学习到 C++的许多知识。

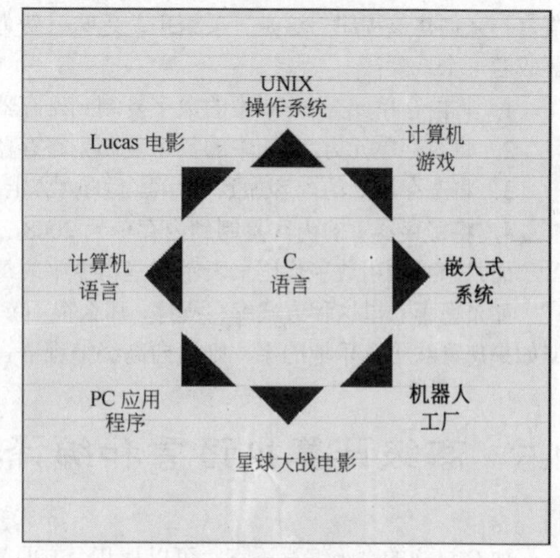

图 1.2 C 的应用领域

不管C++和Java这样较新的语言如何流行，C在软件产业中仍然是一种重要的技能，在最想获得的技能中，它一般都列在前10名。特别是在嵌入式系统的编程中，C已开始流行。也就是说，它将用来为汽车、照相机、DVD播放器和其他现代化设备中逐渐普及的微处理器编程。同样，C已开始进入长期以来一直属于FORTRAN的科学编程领域。最后，由于它是一种适合用来开发操作系统的语言，C在Linux的开发中也扮演着重要的角色。因此，在21世纪的前10年中，C仍将保持强劲的势头。

简言之，C是最重要的编程语言之一，并将继续如此。如果您想找一份编写软件的工作，则首先您应该能够回答"是"的一个问题就是："请问，您会使用C吗？"

1.4 计算机工作的基本原理

既然打算学习如何用C编程，您就应了解计算机工作原理方面的一些知识。这些知识会帮助您理解用C编写程序与运行该程序时最终会发生的事情之间的联系。

现代计算机可分为几个部件。中央处理单元（或称CPU）担负着绝大部分的计算工作；随机访问存储器（或称 RAM）作为一个工作区来保存程序和文件；永久存储器，一般是硬盘，即使在计算机关机时也能记下程序和文件；还有各种外围设备（如键盘、鼠标和监视器）用来提供人与计算机之间的通信。CPU负责处理程序，所以我们集中来讨论它的功能。

CPU的工作非常简单，至少在我们所做的这一简短描述中是这样的。它从内存中获取一个指令并执行该指令，然后从内存中获取下一个指令并执行。一个千兆CPU可以在一秒钟内进行大约一亿次这样的操作，所以 CPU 能以惊人的速度来从事其枯燥的工作。CPU 有自己的小工作区，该工作区由若干个寄存器（registers）组成，每个寄存器可以保存一个数。一个寄存器保存下一条指令的内存地址，CPU使用该信息获取下一条指令。获取一条指令后，CPU在另一个寄存器中保存该指令并将第一个寄存器的值更新为下一条指令的地址。CPU 只能理解有限的指令（指令集）。还有，这些指令是相当具体的，其中许多指令要求计算机将一个数从一个位置移动到另一个位置，例如，从内存单元移到寄存器。

这段说明中有两个有趣的地方。首先，存储在计算机中的一切内容都是数字。数字是以数字形式存储的，字符（如文本文档中使用的字母字符）也是以数字形式存储的，每个字符有一个数字代码。计算机装载到寄存器中的指令是以数字形式存储的，指令集中的每条指令具有一个数字代码。其次，计算机程序最终必须以这种数字指令代码（或称为机器语言）来表示。

明白了计算机运行方式的一个结果就是：如果您希望计算机做某件事，就必须提供一个特定的指令列表（一套程序）确切地告诉计算机要做的事及如何去做。您必须以一种计算机可以直接理解的语言（机器语言）来创建该程序。这是一项繁琐、乏味、费力的任务。即使将两个数字相加这样简单的事也必须被分解成若干个步骤：

1. 将内存单元为2000中的数字复制到寄存器1。
2. 将内存单元为2004中的数字复制到寄存器2。
3. 将寄存器2的内容加到寄存器1的内容上，答案保留在寄存器1中。
4. 将寄存器1的内容复制到内存单元2008。

而且您必须用数字代码来表示这些指令中的每一个！

如果您喜欢以这种方式编写程序，那么很不幸，您将会发现机器语言编程的黄金时期已经过去很久了。但如果您喜欢更有乐趣的事，则请向高级编程语言敞开您的心扉。

1.5 高级计算机语言和编译器

如C这样的高级编程语言，可以从几个方面简化您的编程过程。首先，您不必用数字代码表示指令。其次，您所使用的指令更接近您考虑问题的方式，而非接近计算机使用的详细操作步骤。现在您不用再考虑特定 CPU 实现特定任务所必须采取的精确步骤，而是可以在更抽象的层次上表达您的意图。例如，要对两个数求和，您可以编写下列内容：

```
total = mine + yours;
```

看到这样的代码，您就会清楚地知道它的作用。但如果看到用数字代码表示的由若干条指令组成的机器语言等价代码，则不会让人这么明白。

不幸的是，对计算机来说正好相反。对计算机来说，高级指令是不能理解的胡言乱语。而这正是出现编译器的原因。编译器是将高级语言程序解释成计算机所需的详细机器语言指令集的程序。您进行高级思考，编译器则负责乏味的琐碎工作。

采用编译器还有另一个好处。一般来说，每种计算机在设计上都有其自身特有的机器语言。所以用机器语言为一个 Intel Pentium CPU 编写的程序对 Motorola PowerPC CPU 来说什么都不是。但您可以将编译器匹配一种特定的机器语言。这样，使用正确的编译器或编译器集，您就可以将同一高级语言程序转换为各种不同的机器语言程序。您解决一个编程问题只须一次，然后可以让编译器将该解决方案解释为各种机器语言。

简言之，高级语言（如 C、Java 和 Pascal）都以更抽象的方式描述动作，并且没有与特定的 CPU 或指令集相关联。同样，高级语言更易于学习，而且用高级语言编写程序比用机器语言容易得多。

1.6 使用 C 语言的 7 个步骤

正如您所看到的，C 是一种编译性语言。如果您习惯于使用编译性语言，例如 Pascal 或 FORTRAN，您会熟悉建立 C 程序的基本步骤。然而，如果您的背景是解释性语言（例如 BASIC），或面向图形界面的语言（例如 Visual Basic），或者您根本没有任何背景，则需要学习如何进行编译。我们很快就会看到这个过程，您会看到该过程直截了当而且容易理解。首先，为了让您对编程有一个概括了解，我们将编写 C 程序的过程分解为 7 个步骤（见图 1.3）。注意这是理想化的。在实践中，尤其是在较大的项目中，您可能需要做一些反复工作，用后一步骤中所了解到的内容来改进前一个步骤。

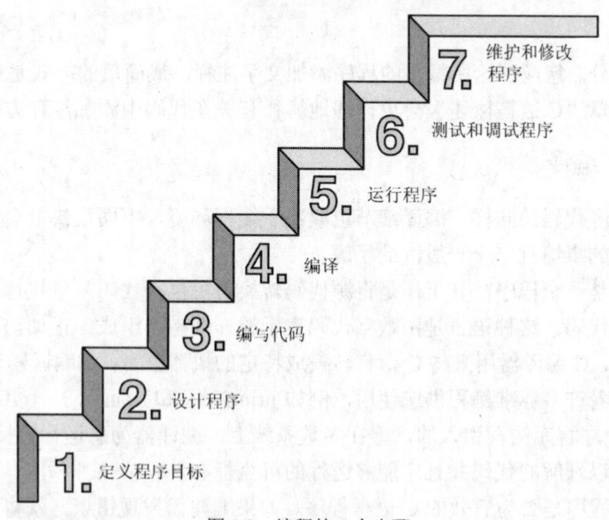

图 1.3 编程的 7 个步骤

1.6.1 第 1 步：定义程序目标

非常自然地，在开始时，您应对希望程序做什么有一个清晰的想法。考虑程序需要的信息、程序需要进行的计算和操作，以及程序应该向您报告的信息。在这一规划阶段，您应该用一般概念来考虑问题，而不是用一些具体的计算机语言术语来考虑。

1.6.2 第 2 步：设计程序

在对程序应该完成的事情有了一个概念性的认识后，您就应该决定程序如何完成它，用户界面应该是什么样的，程序应该如何组织，目标用户是谁，您有多长时间来完成这个程序？

您还需要确定在程序中（而且还可能在辅助文件中）如何表示数据，以及用什么方法来处理数据。当您开始学习使用 C 编程时，选择将是简单的，但当您处理更复杂的情况时，您会发现这些决策需要更多的思考。选择一个好的方式来表示信息通常可以使程序设计和数据处理容易很多。

再说一遍，您应该用一般的概念来考虑问题，而不是考虑具体代码，但您的某些决策可能要取决于语言的一般特征。例如，C 编程人员在数据表示方面比 Pascal 编程人员有更多的选择。

1.6.3 第 3 步：编写代码

在程序有了清晰的设计后，就可以开始通过编写代码来实现它了。也就是说，将您的程序设计解释为 C 语言。这里是您真正需要使用 C 知识的地方。您可以在纸上勾画您的想法，但最终必须将代码输入计算机。这一过程的机制取决于编程环境。我们很快会介绍一些常见环境的细节。一般来说，需要使用文本编辑器来创建一种称为源代码的文件。该文件包含您的程序设计的 C 实现形式。程序清单 1.1 显示了 C 源代码的一个例子。

程序清单 1.1 C 源代码的例子

```
#include <stdio.h>
int main (void)
{
   int dogs;

   printf ("How many dogs do you have?\n");
   scanf ("%d", &dogs);
   printf ("So you have %d dog (s) !\n", dogs);
   return 0;
}
```

作为这一步的一部分，您应该给所编写的程序添加文字注释。最简单的方式是使用 C 的注释工具向源代码中加入解释。第 2 章“C 语言概述”会更详细地解释有关在代码中添加注释方面的内容。

1.6.4 第 4 步：编译

下一个步骤是编译源代码。同样，编译细节也取决于编程环境，下面很快就会看到一些常见的环境。现在，让我们先对要做的事情有一个一般性的了解。

前面讲过，编译器是一个程序，其工作是将源代码转换为可执行代码。可执行代码是用计算机的本机语言或机器语言表示的代码。这种语言是由数字代码表示的详细指令组成。正如前面所介绍的，不同计算机具有不同的机器语言，C 编译器用来将 C 语言转换成特定的机器语言。C 编译器还从 C 的库中向最终程序加入代码。库中包含着许多标准例程供您使用，例如 printf（）和 scanf（）。（更准确地说，是一个被称为链接器（linker）的程序将库例程引入的，但在多数系统上，编译器为您运行链接器。）最后的结果是，形成一个包含计算机可以理解的代码并且您能够运行的可执行文件。

编译器还检查您的程序是否为有效的 C 语言程序。如果编译器发现错误，就将错误报告给您，而且不生成可执行文件。理解特定编译器的报错信息是您将要学习的另一种技能。

1.6.5 第 5 步：运行程序

传统上讲，可执行文件是您可以运行的一个程序。在很多公用环境（包括 MS-DOS、UNIX 和 Linux

控制台）中，要想运行某程序，只需要键入相应的可执行文件名即可。在其他环境下，例如VAX上的VMS，可能需要一个运行命令或一些其他机制。例如为Windows和Macintosh环境提供的集成开发环境（IDE）使您能够通过选择菜单中的选项或按下特殊键来编辑并执行您的C程序。所产生的程序还可以通过点击或双击文件名或图标直接从操作系统运行。

1.6.6 第6步：测试和调试程序

程序可以运行是一个好的迹象，但有可能它运行得不正确。因此，您应该进行检查，看程序是否在做要做的事情。您可能会发现一些程序有错误，在计算机行话中称之为bug。调试（Debugging）就是要发现并修正程序错误。学习中自然会犯错误，看起来编程中似乎也会犯错误，所以在将所学知识应用到编程中时，最好准备好时时想到自己很容易犯错误。当您成为本领更强、技艺更精湛的程序员时，您的错误也会变得更严重而且不易察觉。

您犯错误的机会很多。您可能会犯一个基本设计错误，可能会错误地实现了好的想法，可能会忽略了将程序搞得一团糟的意想不到的输入，可能会错误地使用C，可能会犯打字错误，也可能会将圆括号放在了错误的位置，如此等等。您还会发现自己可能犯更多的错误。

幸运的是，这并不是不可救药的情况，虽然可能会有好多次您认为已毫无办法了。编译器可以找出多种错误，而且您可以做一些事情来帮助自己追踪编译器所未能找出的错误。本书将在您的学习过程中提出调试建议。

1.6.7 第7步：维护和修改程序

在为自己或为别人创建程序时，该程序可能会有更广泛的应用。如果是这样，您可能会发现需要对其进行更改。或许会存在一个较小的bug，仅在有人输入以Zz开头的名字时该错误才显现出来，也可能您想到在程序中可以用更好的方式来完成某些事。您可以添加一个高明的新功能。您可以改编该程序使其可以在别的计算机系统上运行。如果对程序作了清楚的文字注释并采取良好的设计做法，则所有这些任务都会大大简化。

1.6.8 总结

编程工作通常不像上面讲述的过程那样是一条线。有时您必须在不同步骤间来回反复。例如，当您编写代码时，可能发现您的计划是不切实际的。您可能会看到一种更好的实现方式，或者在看到程序的运行后，让您有了改变该设计的想法。对您的编程工作加以记录有助于在各阶段之间反复改动。

很多学习者往往会忽视第1步和第2步（定义程序目标和设计该程序）而直接到第3步（编写程序）。您编写的第1个程序非常简单，可以在头脑中想象到整个过程。如果犯了错误，也容易找到。随着程序变得更长更复杂，头脑中的想象就开始无能为力了，而且错误也将变得难以发现。最终，那些忽略计划步骤的人会浪费大量时间并带来混乱和挫折，因为他们编写出了难看、功能不正常而且艰深难懂的程序。工作越大越复杂，需要的计划工作量就越大。

这里有一句忠告，那就是应该养成在编写代码前先进行规划的习惯。使用古老而可敬的笔记技术来大略记下程序的目标，并勾勒出设计概貌。如果您这样做了，最终会节省时间并感到满意。

1.7 编程机制

编写程序时必须遵循的确切步骤取决于您的计算机环境。因为C是可移植的，所以它在许多环境中可用，包括UNIX、Linux、MS-DOS（别不相信，仍有人在使用它）、Windows和Macintosh OS。本书因篇幅所限，不能讲述所有这些环境，尤其是特定的产品会发展、消逝以及被替代。

不过，让我们首先来看一看许多C环境（包括我们刚刚提到的5种）所共有的一些方面。您完全不必知道运行一个C程序后面的事情，但了解一点是一个很好的背景知识。它还可以帮助您理解为什么编写一个C程序必须经过一些特定步骤。

用C语言编写一个程序时，您将编写的内容保存在一个被称为源代码文件的文本文件中。大多数C系统，包括我们提到的那些，都需要该文件的名称以.c结尾：例如，wordcount.c和budget.c。名称中小点前的部分被称为基本名，小点后的部分被称为扩展名。因此，budget是一个基本名，c是一个扩展名。组合在一起的budget.c是文件名。该名称还应该满足特定计算机操作系统的需要。例如，MS-DOS是IBM PC及其兼容机的操作系统。它要求基本名不能大于8个字符长，所以前面提到的wordcount.c名称不是一个合法的DOS文件名。一些UNIX系统对整个文件名长度，包括扩展名在内，有14个字符的限制；其他UNIX系统允许更长的名字，最长为255个字符。Linux、Windows和Macintosh OS也允许长文件名。

这样，在我们提到名称时内容就可以更具体，我们假定有一个名为concrete.c的源文件，其中包含程序清单1.2中的C源代码。

程序清单1.2 Concrete.c程序

```
#include <stdio.h>
int main (void)
{
    printf ("Concrete contains gravel and cement.\n");
    return 0;
}
```

现在不用管程序清单1.2中显示的源代码文件的细节，第2章中您将学习这些细节问题。

1.7.1 目标代码文件、可执行文件和库

C编程的基本策略是使用程序将源代码文件转换为可执行文件，此文件包含可以运行的机器语言代码。C分两步完成这一工作：编译和链接。编译器将源代码转换为中间代码，链接器将此中间代码与其他代码相结合来生成可执行文件。C使用被划分为两部分的这一方法使程序便于模块化。您可以分别编译各个模块，然后使用链接器将编译过的模块结合起来。这样，如果需要改变一个模块，则不必重新编译所有其他模块。同时，链接器将您的程序与预编译的库代码结合起来。

中间文件的形式有多种选择。最一般的选择，同时也是我们这里讲述的实现方式所采取的选择，是将源代码转换为机器语言代码，将结果放置在一个目标代码文件（或简称为目标文件）中（这里假定您的源代码由单个文件组成）。虽然目标文件包含机器语言代码，但该文件还不能运行。目标文件包含源代码的转换结果，但它还不是一个完整的程序。

目标代码文件中所缺少的第一个元素是一种叫做启动代码（start-up code）的东西，此代码相当于您的程序和操作系统之间的接口。例如，您可以在DOS或Linux下运行一个IBM PC兼容机，在两种情况中硬件是相同的，所以都会使用同样的目标代码，但DOS与Linux要使用不同的启动代码，因为这两种系统处理程序的方式是不同的。

所缺少的第二个元素是库例程的代码。几乎所有C程序都利用标准C库中所包含的例程（称为函数）。例如，前面的concrete.c使用了函数printf()。目标代码文件不包含这一函数的代码，它只包含声明使用printf()函数的指令。实际代码存储在另一个称为“库”的文件中。库文件中包含许多函数的目标代码。

链接器的作用是将这3个元素（目标代码、系统的标准启动代码和库代码）结合在一起，并将它们存放在单个文件，即可执行文件中。对库代码来说，链接器只从库中提取您所使用的函数所需要的代码（见图1.4所示）。

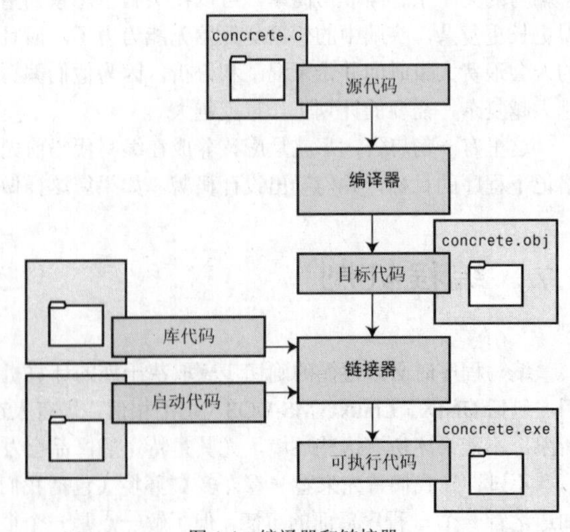

图1.4 编译器和链接器

简而言之，目标文件和可执行文件都是由机器语言指令组成的。但目标文件只包含您所编写的代码转换成的机器语言，而可执行文件还包含您所使用的库例程以及启动代码的机器代码。

在一些系统上，您必须分别运行编译和链接程序。在另外一些系统上，编译器可以自动启动链接器，所以只须给出编译命令即可。

现在我们来看一些具体的系统。

1.7.2 UNIX 系统

因为 C 的流行开始于 UNIX 系统，所以我们首先讲述该系统。

一、在 UNIX 系统上编辑

UNIX C 不具备自己的编辑器。但您可以使用一种通用 UNIX 编辑器，例如 emacs、jove、vi 或 X-Windows 等文本编辑器。

您要完成的两项重要工作是正确地输入程序并为存储该程序的文件选择一个合适的名称。如前所述，名称应以.c 结尾。注意，UNIX 是区分大小写的。因此，budget.c、BUDGET.c 和 Budget.c 是 3 个互不相同但都有效的 C 源文件名称，但 BUDGET.C 则不是有效的名称，因为它使用了大写的 C 而不是小写的 c。

使用 vi 编辑器，我们编写了下面的程序并将其存储在名为 inform.c 的文件中。

```
#include <stdio.h>
int main (void)
{
    printf ("A.c is used to end a C program filename.\n");
    return 0;
}
```

此段文本是源代码，inform.c 是源文件。此处的要点是，源文件是过程的开始，不是结束。

二、在 UNIX 系统上编译

诚然，我们的程序很出色，但对计算机来说仍是无用信息。计算机不理解诸如#include 或 printf 这样的东西（此时您可能也不理解，但很快您就会学到，而计算机则不会）。正如我们前面所讨论的，我们需要编译器将我们的代码（源代码）转换为计算机的代码（机器代码）。这些工作的结果是形成可执行文件，其中包含计算机完成任务所需的所有机器代码。

UNIX C 编译器称为 cc。要编译 inform .c 程序，您需要键入下列内容：

```
cc inform.c
```

几秒钟后，会返回 UNIX 提示，告诉您任务已经完成。如果没有正确编写程序，您可能会得到警告和错误信息，但我们假设您编写的完全正确（如果编译器指出单词 void 有错误，则表明您的系统还没有更新到 ANSI C 编译器。下面很快就会更详细地讲述标准，而此时您只须从例子中删除单词 void 就行了）。如果使用 ls 来列出文件，会发现有一个名为 a.out 的新文件（见图 1.5 所示）。这是包含程序转换（或编译）结果的可执行文件。要运行该文件，只须键入：

```
a.out
```

输出结果如下：

```
A.c is used to end a C program filename.
```

输入源代码 → 文本编辑器 → name.c 源代码 → 编译器 → a.out 可执行代码 → 通过键入文件名 a.out 运行程序

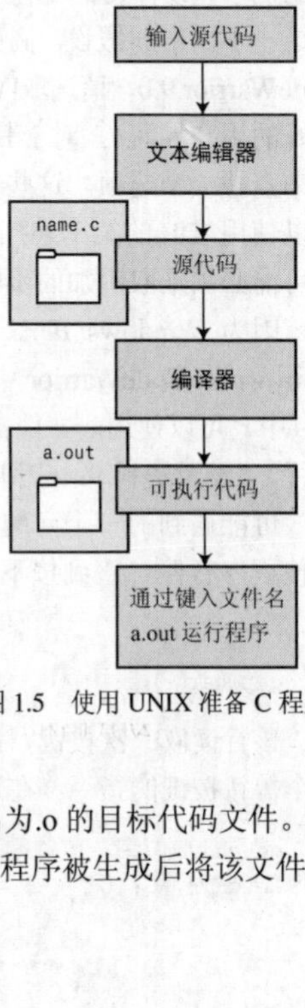

图 1.5　使用 UNIX 准备 C 程序

如果您希望保存该可执行文件（a.out），就必须对其进行重命名。否则，该文件会被下一次编译程序时产生的一个新的 a.out 替代。

如何处理目标代码呢？cc 编译器创建一个与源代码具有相同基本名但扩展名为.o 的目标代码文件。在本例中，目标代码文件名为 inform.o，但您找不到该文件，因为链接器在可执行程序被生成后将该文件删除。然而，如果原始程序使用多个源代码文件，则会保存目标代码文件。后面讨论多文件程序时，您会看到这是一个很好的主意。

1.7.3 Linux 系统

Linux 是一个流行的、开放源代码的、类似于 UNIX 的操作系统，可在包括 IBM 兼容机和 Macintoshes 在内的多种平台上运行。在 Linux 上准备 C 程序与在 UNIX 系统上几乎一样，不同之处是您要使用由 GNU 提供的被称为 gcc 的公共域 C 编译器。编译器命令将是下面的形式：

```
gcc inform.c
```

注意，在安装 Linux 时 gcc 的安装可能是可选项，所以如果原来没有安装 gcc，您必须进行安装。一般情况下，安装过程会将 cc 作为 gcc 的别名，所以如果愿意，可以在命令行使用 cc 而不是 gcc。

在 http：//www.gnu.org/software/gcc/gcc.htnl，您可以获得有关 gcc 的更进一步的信息，包括新发行版本方面的信息。

1.7.4 集成开发环境（Windows 系统下）

因为 C 编译器不是标准 Windows 包的一部分，所以需要获得并安装一个 C 编译器。许多厂商，包括 Microsoft、Borland、Metrowerks 和 Digital Mars，都提供基于 Windows 的集成开发环境——或叫 IDE（目前，大多数是结合在一起的 C 和 C++编译器）。所有编译器都具有用来装配 C 程序的快速、集成的开发环境。关键的一点是，它们都具有内置的编辑器，可用来编写 C 程序。这类开发环境一般都提供了让您可以命名和保存源代码文件的菜单，以及让您可以不离开 IDE 就能编译和运行程序的菜单。如果编译器发现任何错误，会返回到编辑器中，而且编译器可以标出有问题的行，并将它们与相应的错误消息匹配起来。

Windows IDE 最初可能让人有一点望而生畏，因为它们提供多种目标，也就是说，提供了多种可让程序在其中运行的环境。例如，它们可能提供 16 位 Windows 程序、32 位 Windows 程序、动态链接库文件（DLL）等等让您选择。许多目标都需要引入 Windows 图形界面的支持。为了管理这些（及其他）选项，通常需要创建一个项目，以便随后向其中添加将要使用的源代码文件名。具体步骤取决于所使用的产品。一般地，首先使用[File]菜单或[Project]菜单来创建一个项目。重要的是选取正确的项目形式。本书中的例子是一般性的例子，设计目的是在一个简单的命令行环境中运行。不同的 Windows IDE 提供一个或更多的选项以匹配这一不严格的假设。例如，Microsoft Visual C 7.1 提供[Win32 Console Application]选项。对于 Metrowerks CodeWarrior 9.0，请选取[Win32 C Stationery]，然后选择[C Console App]或[WinSIOUX C App]（后者具有更良好的用户界面）。对于其他系统，请使用如[DOS EXE]、[Console]或[Character Mode executable]这样的词语来查找一个选项。这些模式将在一个类似控制台的窗口中运行可执行程序。有了正确的项目类型之后，可以使用 IDE 的菜单来打开一个新的源代码文件。对于大多数产品来说，可以使用[File]菜单来做到这一点。您可能必须采取附加的步骤为项目添加源文件。

因为 Windows IDE 一般可处理 C 和 C++，所以您应该指明您需要一个 C 程序。在某些产品，如 Metrowerks CodeWarrior 中，可以使用项目类型来指明希望使用 C。而在其他一些产品，如 Microsoft Visual C++中，可以使用.c 文件扩展名来指明希望使用 C 而不是 C++。然而，大多数 C 程序也可以作为 C++程序运行。“参考资料 9：C 和 C++的差别”对 C 和 C++进行了比较。

可能遇到的一个问题是：显示程序执行的窗口在程序终止时突然消失。如果遇到这种情况，那么可以使程序暂停，直到按下[Enter]键。要做到这一点，请在程序的末尾，恰好在 return 语句之前，添加下面一行：

```
getchar ();
```

该行读取一次按键，因此程序将暂停直到按下[Enter]键时。有时，根据程序函数的需要，可能已经有一个等待按键的指令。在这种情况下，需要使用 getchar（）两次：

```
getchar ();
getchar ();
```

例如，如果程序最后做的事情是请您输入您的体重，那么就应当键入您的体重并按[Enter]键以输入数据。程序将读取体重，第1个getchar()将读取[Enter]键，第2个getchar()将导致程序暂停，直到再次按下[Enter]键。如果现在您对此还不太理解，那么在学习更多关于C输入的知识后您就明白了。

虽然各种IDE都有许多共同的原则，但在细节方面会因产品而异，而在一个产品系列中，又会因版本而异。您必须要经过一些实践，才能知道编译器的工作方式。您甚至可能必须阅读手册或尝试使用联机帮助。

1.7.5　IBM PC的DOS编译器

对很多人来说，如今在PC上运行DOS已经过时了，但是有些人的计算机资源有限，预算不多，还有些人喜欢更简单的操作系统，在这样的系统中没有窗口环境中的铃声、哨声和令人分心的事物，对这些人来说，DOS仍是一种选择。许多Windows IDE另外提供了允许您在DOS命令行环境中编程的命令行工具。在许多系统上（包括几种UNIX和Linux变体）可用的Comeau C/C++编译器，拥有一个命令行DOS版本。另外，有许多在DOS下工作的属于免费软件和共享软件的C编译器。例如，有一种基于DOS的GNU gcc编译器版本。

源代码文件应该是文本文件，而不是字处理程序文件（字处理程序文件包含字体和格式方面的附加信息）。应该使用文本编辑器，例如Windows Notepad、某些DOS版本自带的EDIT程序。如果使用字处理程序，则必须使用[Save As]来以文本格式保存文件。文件扩展名应该是.c。某些字处理程序自动为文本文件添加.txt扩展名。如果遇到这种情况，需要改变文件名，用c代替txt。

PC机的C编译器通常（但不总是）会生成以.obj为扩展名的中间目标代码文件。与UNIX编译器不同，C编译器在完成编译时通常不会删除它们。有些编译器产生带有.asm扩展名的汇编语言文件或使用其自己的特殊格式。

有些编译器在编译后就会自动运行链接器，而其他编译器可能需要您手动运行链接器。链接将产生可执行文件，该可执行文件在原始的源代码基本名后添加.EXE扩展名。例如，编译和链接一个名为concrete.c的源代码文件会产生一个名为concrete.exe的文件。有些编译器提供一个选项以创建一个名为concrete.com的文件作为代替。在任何一种情况下，都可以在命令行键入基本名来运行该程序：

```
C>concrete
```

1.7.6　Macintosh上的C

最著名的Macintosh C/C++编译器是Metrowerks CodeWarrior编译器（CodeWarrior的Windows和Macintosh版本有非常相似的界面）。该编译器提供一个与Windows编译器中所看到的相似的基于项目的IDE。通过[File]菜单中选取[New Project]来开始编译工作。编译器将提示您选择项目类型。对于较新的CodeWarrior版本，请使用[Std C Console]选项（在不同的Code Warrior版本中找到该选项的路径也不相同）。您可能不得不在68KB版本（用于Motorola 680×0系列处理器）、PPC版本（用于PowerPC处理器）或者Carbon版本（用于OS X）之间进行选择。

新的项目中有一个小的源代码文件作为初始项目的一部分。可以尝试编译和运行该程序以了解是否正确地设置了系统。

1.8　语言标准

目前，有许多C实现方式可用。理想情况下，编写C程序时，假如该程序未使用机器特定的编程技术，则它在任何实现方式中的运行应该是相同的。要在实践中做到这一点，不同的实现方式需要遵守一个公认的标准。

首先说明一点，C没有官方的标准。不过，Brian Kernighan和Dennis Ritchie编写的*The C Programming Language*第1版（1978）成为大家接受的标准，通常称为K&R C或经典C。特别是这本书附录中的“C

Reference Manual”已成为 C 实现的指南。例如，编译器都会声明它可提供一个完整的 K&R 实现。然而，虽然该附录定义了 C 语言，但是却没有定义 C 库。因为 C 比大多数其他语言更加依赖库，所以还需要一个库标准。因为缺乏任何官方标准，所以提供 UNIX 实现的库成为一个事实上的标准。

1.8.1 第 1 个 ANSI/ISO C 标准

随着 C 的发展和更加广泛地用于更多种类的系统上，使用 C 的群体意识到它需要一个更加全面、新颖和严格的标准。为满足这一要求，美国国家标准化组织（ANSI）在 1983 年设立了一个委员会（X3J11）以发展一个新的标准，该标准于 1989 年正式采用。这个新标准（ANSI C）定义了语言和一个标准 C 库。国际标准化组织于 1990 年采用了一个 C 标准（ISO C）。ISO C 和 ANSI C 实质上是同一个标准。ANSI/ISO 标准的最终版本通常被称为 C89（因为 ANSI 于 1989 年批准了该标准）或 C90（因为 ISO 于 1990 年批准了该标准）。然而，因为 ANSI 版本是首先出现的，所以人们通常使用 ANSI C 这一术语。

该委员会有一些指导原则。最有趣的可能是：保持 C 的精神。委员会表述这一精神时列出了以下几点思想：

- 相信程序员；
- 不妨碍程序员做需要完成的事情；
- 让语言保持短小简单；
- 只提供一种方法来执行一个操作；
- 使程序运行速度快，即使不能保证其可移植性。

在最后一点上委员会的用意是，一种实现应该以最适合于目标计算机上工作的条件来定义一个特定的操作，而不是试图制定一个抽象、统一的定义。在学习 C 语言的过程中，您会遇到这一思想的例子。

1.8.2 C99 标准

1994 年，修订标准的工作开始了，这一努力的结果是产生了 C99 标准。一个联合 ANSI/ISO 委员会（即 C9X 委员会）签署了 C90 标准的最初原则，包括保持语言短小而简单。他们的意图不是为语言添加新的特性，而是为了满足新的目标。新目标之一是支持国际化编程，例如，提供了处理国际字符集的方法。第二个目标是“整理现有的惯例以解决明显的缺点”。因此，在遇到需要将 C 移植到 64 位处理器时，委员会根据在真实生活中处理问题的人的经验来添加标准。第三个目标是针对科学和工程项目的重要数字计算改进 C 的适应能力。

这三点（国际化、修正其不足和改进计算的实用性）是主要的面向改变的目标。形成的关于更改的计划在性质上更加保守，例如，让与 C90 和 C++的不兼容性达到最小，让语言在概念上保持简单。用委员会的话来说就是“......委员会希望 C++成为重要的和强有力的语言”。

结果是 C99 的修改保持了 C 的本质特性，C 继续是一种简短、清楚、高效的语言。本书指出了 C99 中的许多修改。因为目前大多数编译器没有完全实现所有 C99 的修改，所以您可能会发现一些修改在您的系统上不可用。或者您可能会发现，只有修改编译器的设置以后，才能够看到一些 C99 的特性。

标准的命名惯例

本书将使用术语 ISO/ANSI C 来表示两个标准共有的特性，使用 C99 指新特性。有时也会用 C90，例如，在讲述一个特性第一次被加入到 C 时。

1.9 本书的组织结构

组织信息有多种方式，其中最直接的一种方式是介绍主题 A 的一切内容、主题 B 的一切内容，等等。这对参考来说尤其有用，这样您可以仅在一处就能找到关于给定主题的所有信息。但通常这并不是学习一个主题的最佳顺序。例如，如果您开始学习英语时首先学习所有的名词，则您表达思想的能力就会非常有限。不错，您可以指着某物并喊出其名字，但如果稍微学习一点名词、动词、形容词等等，并学习有关这几部分之间的关系的几条规则，那么您的表达能力就会大大提高。

为让您更平衡地学习知识，本书采用了螺旋式方法，即在前面的章节中引入若干话题，到后面再进行更全面的讨论。例如，理解函数对理解 C 是必要的。因此，前面的若干章包括对函数的一些讨论，这样，在看到第 9 章“函数”的全面讲解时，您已经对使用函数有了一些了解。类似地，前面的章节概述了字符串和循环，这样，在详细学习这些内容之前，您就可以开始在程序中使用这些有用的工具了。

1.10　本书体例

下面就要开始学习 C 语言本身了。本节列出了本书所用的体例。

1.10.1　字体

表示程序和计算机输入和输出内容的文本使用一种等宽字体，模仿在屏幕上或打印输出的内容上看到的效果。前面已经出现了多次，但如果您没有注意到，下面还有一个使用这种字体的例子：

```
#include <stdio.h>
int main(void)
{
  printf("Concrete contains gravel and cement.\n");
  return 0;
}
```

本书中对于希望替换的特殊术语用斜体等宽占位符表示，如下面描述的形式：

typt_name variable_name

这里，我们可以用 int 来代替 *type_name*，用 zebra_count 来代替 *variable_name*。

1.10.2　屏幕输出

从计算机的输出是以同样的格式显示的，只是用户输入以粗体显示。例如，下面是第 14 章“结构和其他数据形式”中一个输出的例子：

```
Please enter the book title.
Press [enter] at the start of a line to stop.
My Life as a Budgie
Now enter the author.
Mack Zackles
```

以标准计算机字体显示的行表示程序输出，而粗体行表示的是用户输入的内容。

您与计算机可以用许多方式进行互相通信。不过，我们将假设您使用键盘键入命令，在屏幕上读取响应。

一、特殊按键

通常，您通过按下标有[Enter]、[c/r]、[Return]或这些名称的一些变体的键来发送一行指令。我们在本书中将这些按键统称为[Enter]键。一般情况下，我们认为你在每一行输入的末尾都会使用[Enter]，但为了标示一些特定的位置时，我们会清楚地使用[Enter]符号。括号意味着您按下一个键而不是键入单词 Enter。

我们还会提到控制字符，例如 Ctrl+D。这一标记表示在按下标有[Ctrl]（或者可能为[Control]）的键的同时按下[D]键。

二、我们的系统

C 的某些方面（例如存储数字的空间大小）取决于系统。我们举例并提到“我们的系统”时，我们指的是一台在 Windows XP Professional 下运行并使用 Metrowerks CodeWarrior Development Studio 9.2,

Microsoft Visual C++ 7.1（该版本包含于 Microsoft Visual Studio .NET 2003 中）或 gcc 3.3.3 的 Pentium PC。写这本书的时候，C99 的支持尚未完成，这些编译器都不完全支持 C99 的所有特性。但是，它们包括了新标准的很大部分。大部分例子还都使用 Metrowerks CodeWarrior Development Studio 9.2 在 Macintosh G4 上进行了测试。

我们偶尔也会谈及在 UNIX 系统上运行程序。我们使用的是在 VAX 11/750 上运行的 Berkeley 公司的 BSD 4.3 版本的 UNIX。同样，有一些程序在一台运行 Linux 的 Pentium PC 上使用 gcc 3.3.1 和 Comeau 4.3.3 进行了测试。

您可以从出版商的 Web 站点 http: //www.samspublishing.com 下载例程代码。在查找框中输入本书的 ISBN 号码（不需要连字符号），然后点击查找按钮。当图书的标题显示出来以后，单击该标题就能够进入到代码下载页面。你还可以在这个网站上看到部分编程练习的解答。

三、您的系统

您需要具有一个 C 编译器或可以访问一个 C 编译器。C 可以在多种计算机系统上运行，所以您有多种选择。一定要弄清楚您使用的 C 编译器是不是针对您的特定系统设计的。本书中的一些例子要求对新的 C99 标准的支持，但大多数例子都可以使用 C90 编译器。如果您使用的编译器是早于 ANSI/ISO 的，则必须尽可能地进行调整，以便可以找到一些更新的内容。

多数编译器供应商都对学生和教育人员提供更为优惠的价格，所以如果您属于此类人员，请查看供应商的 Web 站点。

1.11 总结

C 是一种强大、简洁的编程语言。之所以流行是因为它提供了有用的编程工具和对硬件良好的控制，还因为 C 程序在从一个系统向另一个系统移植方面比大多数程序更容易。

C 是一种需要编译的语言。C 编译器和链接器是将 C 语言源代码转换为可执行代码的程序。

用 C 编程可能很费力、困难并让您感到灰心，但这一工作也可能让您着迷、兴奋和感到满意。希望您也能像我们一样，沉醉于用 C 进行编程。

1.12 复习题

您将在附录 A “复习题答案”中找到这些复习题的答案。

1．就编程而言，可移植性表示什么？

2．解释源代码文件、目标代码文件和可执行文件之间的区别。

3．编程的 7 个主要步骤是什么？

4．编译器的任务是什么？

5．链接器的任务是什么？

1.13 编程练习

我们现在还不期望您能编写 C 代码，所以此练习侧重于编程过程的早期阶段。

1．您刚刚被 MacroMuscle 有限公司（Software for Hard Bodies）聘用。该公司要进入欧洲市场，需要一个将英寸转换为厘米（1 英寸=2.54 cm）的程序。他们希望建立的该程序可提示用户输入英寸值。您的工作是定义程序目标并设计该程序（编程过程的第 1 步和第 2 步）。

第2章　C语言概述

在本章中您将学习下列内容：

- 运算符：
  =
- 函数：
  main ()，printf ()
- 编写一个简单的C程序。
- 创建整型变量，为其赋值，并在屏幕上显示该值。
- 换行字符。
- 如何在程序中加入注释，建立包含多个函数的程序，以及找出程序中的错误。
- 理解什么是关键字。

C程序是什么样子的？如果浏览过此书，您会看到许多例子。很有可能您觉得C语言有点古怪，充满了像{，cp->tort，和*ptr++这样的符号。然而读完本书后，您将发现不再对这些 C 语言所特有的符号感到陌生，而是感到非常熟悉，甚至很可能喜欢上它们。本章首先展示了一个简单的示例程序并解释了其功能。同时我们会强调C语言的一些基本特征。

2.1　C语言的一个简单实例

让我们来看一个简单的C程序。从程序清单2.1中的程序可以看出编写C程序的一些基本特征。请在看该程序的逐行注解之前通读程序清单2.1，看自己能否明白该程序所做的事情。

程序清单 2.1　first.c 程序

```
#include <stdio.h>
int main (void)                    /* 一个简单的C程序          */
{
    int num;                       /* 定义一个名为num的变量    */
    num = 1;                       /* 为num赋一个值            */

    printf ("I am a simple ");     /* 使用printf () 函数       */
    printf ("computer.\n");
    printf ("My favorite number is %d because it is first.\n", num);
    return 0;
}
```

如果您能知道该程序将在显示器上显示一些内容，那就对了！确实如此，但所要显示的确切内容并不是显而易见的，所以请运行程序来观看结果。首先，用您熟悉的编辑器（或者编译器提供的编辑器）建立一个包含有程序清单 2.1 中文本的文件。然后给文件取一个名字，并以.c 作为结尾以满足所在系统对文件名格式的要求。例如，您可以把它命名为 first.c。现在编译并运行该程序（查看第 1 章“概览”，以得到该过程的一般性指导）。如果一切运行正常，其显示结果为：

```
I am a simple computer.
My favorite number is 1 because it is first.
```

总的来说，这个结果并不使人惊讶，但是程序中的那些"\n"和"%d"起什么作用呢？并且程序中的某些语句看起来的确有些奇怪。下面将对此给出解释。

2.2 实例说明

我们来将程序的源代码分析两遍。第一遍（快速简介）着重解释每一行的含义，帮助你对整个过程有一个大概的了解。第二遍（程序细节）分析具体的内涵和细节，帮助你更深入地了解程序。

图 2.1 总结了一个 C 程序的各个部分，其中包含的基本概念比第一个例子中的多。

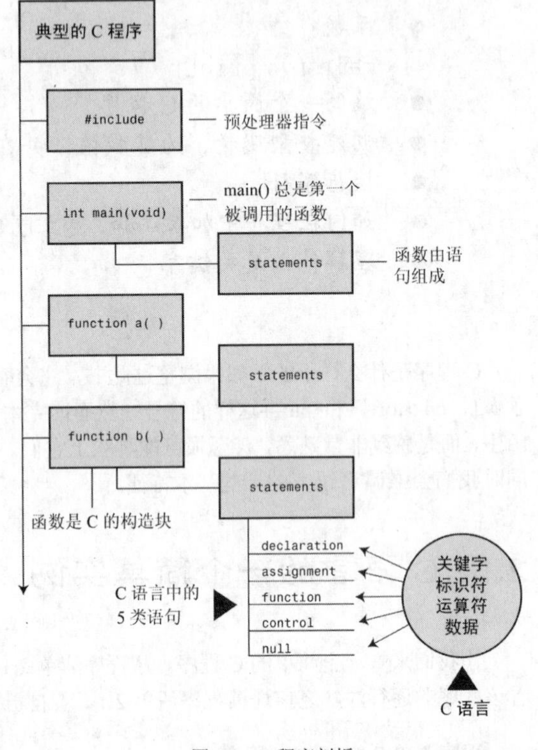

图 2.1 C 程序剖析

2.2.1 第一遍 快速简介

本小节依次在程序的每一行后面都给出一个简单的描述。下一小节则更全面地探讨这里所引起的话题。

```
#include <stdio.h>      ←包含另一个文件
```

该行告诉编译器包含文件 stdio.h 中的全部信息。文件 stdio.h 是所有 C 语言编译包的一个标准部分。这个文件对关键字输入和显示输出提供支持。

```
int main (void)  ←函数名
```

C 程序中包含一个或多个函数，它们是 C 程序的基本模块。上面这个程序包含一个名为 main 的函数。圆括号表明 main（）是一个函数的名字。int 表示 main（）函数返回一个整数，而 void 表示 main（）函数不接受任何参数。这些是我们稍后将要深入讨论的。现在，只须把 int 和 void 看作是用来定义 main（）函数的标准 ISO/ANSI C 方法的一部分（如果您使用 ISO/ANSI 之前的 C 编译器，请省略 void；为避免不兼容，您应该使用较新的 C 编译器）。

```
/*一个简单的C程序*/     ←注释
```

符号/*和*/中包含有助于使程序更清晰的注释性内容。它们只是为了帮助读者理解，在编译时将被编译器忽略。

```
{       ←函数体的开始
```

这个开始花括号标志着组成函数的语句的开始。而结束花括号（}）则标志函数的结束。

```
int num;   ←声明语句
```

这个语句表明您将使用 num 这个变量，并且它是 int（整数）类型的。

```
num = 1;    ←赋值语句
```

该语句表明把值 1 赋给 num 这个变量。

```
printf ("I am a simple");      ←一个函数调用语句
```

第一个 printf（）语句在屏幕上显示"I am a simple"，并且让光标留在同一行。这里的 printf（）是 C 标准库的一部分。用术语来讲，它是一个函数。在一个程序里使用一个函数，术语称做调用一个函数。

```
printf ("computer.\n");     ←又一个函数调用语句
```

接下来的这个 printf（）函数调用语句表示在上条语句所显示的内容后面添加"computer"。符号\n 告诉计算机要另起一行，也就是说把光标移到下一行的开始。

```
printf ("My favorite number is %d because it is first.\n", num);
```

最后使用 printf（）把 num 的值（其值为 1）内嵌在用引号引起来的词组中进行输出。%d 指示输出 num 值的位置和形式。

```
return 0;    ←返回语句
```

C 函数可以给它的使用者提供或返回一个数值。现在可以暂时认为这一行用来满足 ISO/ANSI C 对正确书写 main（）函数所做的要求。

```
}      ←结束
```

显然，程序必须以一个结束花括号终止。

2.2.2　第二遍　程序细节

既然已经浏览了一遍程序清单 2.1，我们就来仔细分析这个程序。我们再一次来考察程序中的单行语句。这次，我们以每一行代码为出发点，深入探讨隐藏在代码背后的细节，以便为更全面地了解 C 语言编程特性打下基础。

一、#include 指示和头文件

```
#include <stdio.h>
```

这是程序的第一行。该语句的作用相当于您在文件中该行所在的位置键入了文件 stdio.h 的完整内容。实际上，它是一种剪切和粘贴操作，这样可以方便地在多个程序间共享公用的信息。

#include 语句是 C 预处理器指令（preprocessor directive）的一个例子。通常，C 编译器在编译前要对源代码做一些准备工作；这称为预处理（preprocessing）。

stdio.h 文件作为所有 C 编译包的一部分提供，它包含了有关输入和输出函数（例如 printf（））的信息以供编译器使用。这个名字代表标准输入输出头文件（standard input/output header）。在 C 世界中，人们称出现在文件顶部的信息集合为头（header），C 实现通常都带有许多头文件。

最重要的是头文件包括了建立最终的可执行程序时编译器需要用到的信息。例如，它们可以定义常量，或者说明函数名以及该函数如何使用。但是函数的实际代码被包含在一个预编译代码的库文件中，而不是在头文件中。编译器的链接部分负责找到您所需要的库代码。简言之，头文件指引编译器把您的程序正确地组合在一起。

ISO/ANSI C 已经对必须提供哪些头文件制定了标准。有些程序需要包含 stdio.h 而有些则不需要。一个具体 C 实现的文档应该包括对 C 函数库中函数的描述。这些描述指出了函数所需的头文件。例如，对 printf（）的描述指明需要使用 stdio.h。不包括合适的头文件也许不会影响一个具体的程序，但是最好不要这么做。本书每次用到库函数时，都使用 ISO/ANSI 标准为这些函数指定的包含文件。

为什么不内置输入输出语句

也许您想知道为什么不自动包含像输入输出这样基本的语句。一个答案是并非所有的程序都要用到 I/O（输入/输出）包，并且 C 语言的一个基本设计原则是避免不必要的成分。这个经济地使用资源的原则使得 C 语言在嵌入式编程中非常流行，例如，为一个控制自动燃料系统的芯片编写程序。顺便说一句，#include 甚至不是 C 语言的语句！第一列中的#符号表明这一行是在编译器接手之前由 C 预处理器处理的语句。以后您将碰到更多预处理器指令的例子，第 16 章“C 预处理器和 C 库”将对它们做更详细的讲解。

二、main（）函数

```
int main (void)
```

接下来的这行代码声明了一个 main 函数。的确，main 是一个极其普通的名字，但它是惟一的选择。一个 C 程序（我们将不考虑一些例外的情况）总是从被称为 main（）的函数开始执行的。您可以对您所用的其他函数任意命名，但是 main（）必须是开始的函数。那么圆括号的功能呢？它们表明 main（）是一个函数。很快您将学到更多的函数。但现在，就请记住这个函数是 C 程序的基本模块。

int 指明了 main（）函数的返回类型。这意味着 main（）函数返回值的类型是整数。返回到哪里呢？返回给操作系统。我们将在第 6 章“C 控制语句：循环”中再来讨论这个问题。

函数名后面的圆括号一般包含传递给函数的信息。这个简单的例子没有传递任何信息，因此圆括号内包含了单词 void（在第 11 章“字符串和字符串函数”中，将介绍可以将信息从操作系统传递给 main（）函数的第二种形式）。

如果浏览老版本的 C 代码，您将发现程序常常以：

```
main ()
```

这种形式开始。C90 标准勉强允许这种形式，但是 C99 标准不允许。因此即使您当前的编译器允许，也不要这么做。

您还将看到另一种形式：

```
void main ()
```

有些编译器允许这种形式，但是还没有任何标准考虑接受它。因而，编译器不必接受这种形式，并且许多编译器也不这样做。再者说，如果坚持使用标准形式，那么当您把程序从一个编译器移到另一个编译器时也不会有问题。

三、注释

```
/*一个简单的 C 程序*/
```

包含在/* */之间的部分是程序注释。使用注释的目的是使人们（包括您自己）更容易理解您的程序。C语言的注释的一个好处就是可以被放在任意的地方，甚至是和它要解释的语句在同一行。一个较长的注释可以单放一行，或者是多行。在/*和*/之间的所有内容都会被编译器忽略掉。下面是一些正确和不正确的注释形式：

```
/* 这是有效的 C 注释。       */
/* 将注释分成两行写，
   也是可以的。             */
/*
    也可以这样写。
*/
/* 但这是无效的注释，因为没有结束标记。
```

C99 增加了另一种风格的注释，它被普遍用在 C++和 Java 里。这种新形式使用//符号，但这种注释被限制在一行里：

```
// 这种注释必须被限制在一行内。
int rigue;          // 这种注释也可以写在此处。
```

因为一行的结尾就标志着注释的结束，所以这种形式只在注释的开始处需要注释标志符号。

这种更新的形式是针对老形式存在的问题提出的。假设您有下列代码：

```
/*
希望有效。
*/
x = 100;
y = 200;
```

```
/* 下面是其他内容。 */
```

下面假设您决定删除第四行，结果不小心也删掉了第三行（*/）。代码将变成下面的样子：

```
/*
希望有效。
y = 200;
/* 下面是其他内容。 */
```

现在编译器把第一行的/*和第四行的*/组合起来，使整个四行都变成一个注释，包括应作为代码的那一行。因为//形式只能在一行起作用，所以不会发生这种导致代码消失的问题。

某些编译器可能不支持 C99 的这一特性。还有的编译器可能需要更改设置，以支持 C99 的这一特性。考虑到死板地保持一致性可能会产生令人乏味的效果，本书中使用了两种注释形式。

四、花括号，程序体和代码块

```
{
…
}
```

在程序清单 2.1 中，花括号划定了 main 函数的界线。通常，所有的 C 函数都使用花括号来表示函数体的开始与结束。它们的存在是必不可少的，因此不能丢掉它们。仅有花括号{}能起到这种作用，小括号（）和中括号[ ]都不行。

花括号还可以用来把函数中的语句聚集到一个单元或代码块中。如果您熟悉 Pascal、ADA、Modula-2，或者是 Algol，您将清楚花括号在那些语言中同样用作开始与结束。

五、声明

```
int num;
```

程序中的这一行叫做声明语句（declaration statement）。该声明语句是C语言中最重要的功能之一。这个特殊的例子声明两件事情。第一，在函数中您有一个名为num的变量。第二，int说明num是一个整数，也就是说这个数没有小数点或者小数部分（int是一种数据类型）。编译器使用这个信息为变量num在内存中分配一个合适的存储空间。句末的分号指明这一行是C语言的一个语句或指令。分号是语句的一部分，不像在Pascal中那样只是两句之间的分隔符。

单词 int 是 C 语言的一个关键字，它代表 C 中最基本的一个数据类型。关键字是用来表达语言的单词，您不能将它们用于其他目的。例如，不能把 int 用作一个函数或者是变量的名字。然而，这些关于关键字的限制在该语言之外就不起作用了，所以把一只猫或者一个很可爱的小孩叫作 int 是可以的（尽管在某些地区，当地的习俗或者法律可能不允许这种选择）。

本例中的单词 num 是一个标识符（identifier），也就是您为一个变量、函数或其他实体所选的名字。这样该声明把一个特殊的标识符和计算机内存中的一个特殊的位置联系起来，同时确定了该位置存储的信息类型（也即数据类型）。

在 C 语言中，所有变量都必须在使用之前定义。这就意味着您必须提供程序中要用到的所有变量名的列表，并且指出每个变量的数据类型。声明变量被认为是一个好的编程技术，在 C 语言中必须这样做。

传统上，C 语言要求必须在一个代码块的开始处声明变量，在这之前不允许任何其他语句。也就是说，main（）函数将如下所示：

```
int main () // traditional rules
{
    int doors;
    int dogs;
    doors = 5;
    dogs = 3;
    // other statements
}
```

现在 C99 遵循 C++的惯例，允许把声明放在代码块中的任何位置。然而，在首次使用变量之前仍然必须先声明它。因此，如果您的编译器支持这种功能，您的代码就可以像下面这样：

```
int main ()          // C99 rules
{
// some statements
    int doors;
    doors = 5;       // first use of doors
// more statements
    int dogs;
    dogs = 3;        // first use of dogs
    // other statements
}
```

为了和旧系统更好地兼容，本书将遵守初始的约定（为了让某些新的编译器支持 C99 特性，你需要去开启设置）。

现在您可能有三个问题。首先，数据类型是什么？第二，可以选择什么样的名字？第三，为什么必须对变量进行声明？下面来看这些问题的答案。

1. 数据类型

C 语言可以处理多个数据种类（或类型），例如整数、字符和浮点数。把一个变量声明为整数类型或字符类型是计算机正确地存储、获取和解释该数据的基本前提。在下一章中您将学到各种各样的可用类型。

2. 名字的选择

您应该尽量使用有意义的变量名（例如，如果你的程序用来数羊，那么使用 sheep_count 而不是 x3）。如果名字不能表达清楚，可以用注释解释变量所代表的意思。通过这种方式使程序更易读是良好编程的基本技巧之一。

能够使用的字符的数量与 C 语言的不同实现有关。C99 标准允许一个标识符最多可以有 63 个字符，除了外部标识符（见第 12 章“存储类、链接和内存管理”），后者只识别 31 个字符。与 C90 分别要求的 31 个字符和 6 个字符相比较，这是一个相当可观的进步，而更旧的编译器通常最多只允许 8 个字符。实际上，您使用的字符数量可以超过规定的最大值，但是编译器不会识别额外的字符。因此，如果一个系统最大字符数为 8，那么 Shakespeare 和 shakespencil 将被看作是一个名字，因为它们的前 8 个字符相同（如果您想要一个以 63 个字符为限的例子，您可以自己编造）。

可供使用的字符有小写字母、大写字母、数字和下划线（_）。第一个字符必须是字母或者下划线。表 2.1 给出了一些例子。

表 2.1　　正确和错误的名字

正确的名字	错误的名字
wiggles	$Z]**
cat2	2cat
Hot_Tub	Hot-Tub
taxRate	tax rate
_kcab	don't

操作系统和 C 库通常使用以一个或两个下划线开始的名字（例如_kcab），因此您自己最好避免这种用法。标准的标识符通常都以一个或两个下划线开始，例如，库标识符就是这样。这样的标识符都是保留的。这也就是说使用它们虽然不是语法错误，但是这样会导致名字的混乱。

C 语言的名字是区分大小写的，即把一个大写字母和与之对应的小写字母看作是不同的。因此，stars 不同于 Stars 或 STARS。

为了使 C 语言更加国际化，C99 通过 Universal Character Names（或称 UCN）机制提供了一套扩展的字符集。附录 B 的“参考资料 7：扩展的字符支持”将讨论这个增加部分。

3. 声明变量的四点好处

有一些老的语言，例如 FORTRAN 和 BASIC 的最初形式都允许不声明变量而直接使用。那么，为什么 C 语言不采用这种简单易行的方法呢？有如下几个原因：

- 把所有变量放在一起，可以让读者更容易掌握程序的内容。如果您赋予变量有意义的名字（例如用 taxrate 代替 r）将会更好地达到这个目的。如果名字不能表达清楚，可以用注释解释变量所代表的意思。通过这种方式使程序更易读是良好编程的基本技巧之一。
- 在您开始编写程序之前，考虑一下需要声明的变量会促使您做一些计划工作。程序需要在开始得到什么信息？到底想让程序得出什么结果？表示数据的最好方式是什么？
- 声明变量可以帮助避免程序中出现一类很难发现的细微错误，即变量名的错误拼写。例如，假设在某种语言中缺少变量声明，而您写了一个语句：

  ```
  RADIUS1 = 20.4;
  ```

  并且在程序的另一个地方错误地键入了：

  ```
  CIRCUM = 6.28 * RADIUSl;
  ```

  无意地用字母 l 代替了数字 1。那么这种语言将创建一个新的变量 RADIUSl，并且使用它可能有的任何值（可能是零，也可能是垃圾数据）。CIRCUM 将被赋予一个错误值，您可能需要花费大量的时间试图找出原因。在 C 语言中这种情况不会发生（除非您非常不明智地声明两个如此相似的变量名），因为当没有被声明过的 RADIUSl 出现时，编译器将会提出警告。
- 如果您没有声明所有变量，将不能编译您的 C 程序。如果前面的三个原因还不足以打动您，这个原因总可以让您认真地考虑一下了。

既然需要声明变量，那么在哪里声明它们？如前所述，C99 以前的 C 要求在一个代码块的开始处声明变量。遵循这条规则的好处就是把所有变量声明分组放在一起，会更易于了解程序所要做的事情。当然，像 C99 现在所允许的那样把变量声明分散放置也有好处，那就是在准备为变量赋值之前声明变量，这样就不会忘记给变量赋值。但实际上，许多编译器还不支持 C99 的这一规则。

六、赋值

```
num = 1;
```

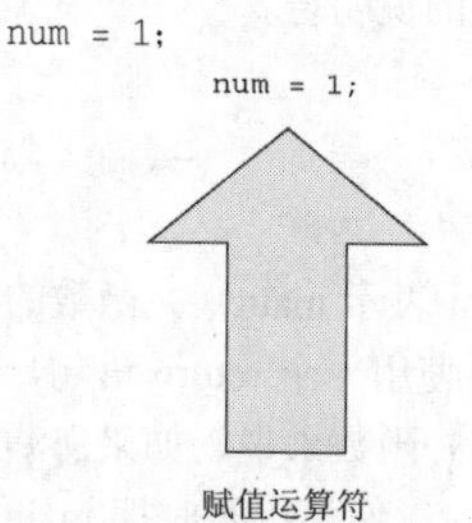

图 2.2 赋值语句是 C 语言的基本操作之一

这行程序是一个赋值语句（assignment statement）。赋值语句是 C 语言的基本操作之一。这个特殊例子的意思是“把值 1 赋给变量 num”。前面的 int num；语句在计算机内存中为变量 num 分配了空间，该赋值语句在那个地方为变量存储了一个值。如果您想的话，以后您还可以给 num 赋另一个值；这就是把 num 称为变量的原因。注意赋值语句赋值的顺序是从右到左。同样，该语句也用分号结束，如图 2.2 所示。

七、printf ( ) 函数

```
printf ("I am a simple");
printf ("computer.\n");
printf ("My favorite number is %d because it is first.\n", num);
```

所有这些行都使用了 C 语言的一个标准函数：printf ()。圆括号表明 printf 是一个函数名。圆括号中包括的内容是从函数 main()传递到函数 printf()的信息。例如，第一行把 I am a simple 传递给 printf () 函数。这样的信息被称为参数（argument），更完整的名称是函数的实际参数（actual argument）（请参见图 2.3 所示）。printf () 函数如何处理这个参数？程序将识别两个双引

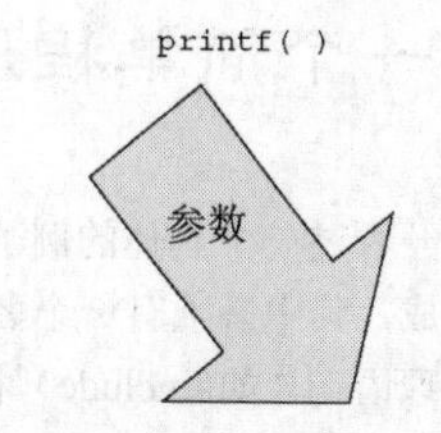

图 2.3 带有一个参数的 printf () 函数

号之间的内容并把它们显示在屏幕上。

第一行 printf（）语句是如何在 C 语言中调用（call）或请求（invoke）一个函数的例子。只须键入函数的名字，把所需的一个或多个参数放进圆括号中。当程序运行到这一行时，控制权将转给该函数（在这个例子中是 printf（））。当函数完成了它所要做的工作，控制权将返回给原来的函数（调用函数），在这个例子中是 main（）。

那么下一个 printf（）行呢？引号中有字符\n，但并没有输出它们！发生了什么事情呢？\n 字符的意思是开始新的一行。\n 组合（依次键入这两个字符）代表一个称为换行符（newline character）的字符，它意味着"在下一行的最左边开始新的一行"。换句话说，打印换行字符的效果和在普通键盘上按下回车键一样。当键入 printf（）的这个参数时，为什么不直接按回车键呢？因为那将被看作是直接针对编辑器的命令，而不是作为存在源代码中的指令。也就是说，当您按回车键时，编辑器退出您正在输入的当前行，并开始新的一行。而换行符则影响程序的输出如何显示。

换行符是转义字符（Escape Sequence）的一个例子。转义字符通常用于代表难于表达的或是无法键入的字符。其他的例子比如\t 代表 Tab 键，\b 代表退格键。每个转义字符都用斜线字符（\）开始。在第 3 章"数据和 C"中我们将回来讨论这个问题。

这样就解释了三个 printf（）语句只产生了两行输出的原因：第一个 print 指令中没有换行字符，而第二个和第三个都有。

最后一个 printf（）行中又有一个奇怪的问题：当输出这一行时%d 起什么作用？回忆一下，这一行的输出结果是：

```
My favorite number is 1 because it is first.
```

啊哈！当这一行输出时，数字 1 被符号组合%d 代替了，而 1 是变量 num 的值。%d 是一个占位符，其作用是指出输出 num 值的位置。该行和下面的 BASIC 语句类似：

```
PRINT "My favorite number is"; num; "because it is first."
```

实际上，C 比 BASIC 所做的事情多一些。%告诉程序把一个变量在这个位置输出，d 告诉程序将输出一个十进制（以 10 为基数）整数变量。printf（）函数允许多种输出变量格式，包括十六进制（以 16 为基数）整数和带小数点的数。实际上，printf（）中的 f 暗示着这是一种格式化（formating）的输出函数。每一种数据都有自己的说明符，本书在介绍新的数据类型时，也会介绍与之相应的说明符。

八、Return 语句

```
return 0;
```

return 语句（返回语句）是程序的最后一个语句。在 int main（void）中 int 表示 main（）函数的返回值应该是一个整数。C 标准要求 main（）这样做。带有返回值的 C 语言函数要使用一个 return 语句，该语句包括关键字 return，后面紧跟着要返回的值，然后是一个分号。对于 main（）函数来说，如果您漏掉了 return 语句，则大多数编译器将对您的疏忽提出警告，但仍将编译该程序。此时，您可以暂时把 main（）中的 return 语句看作是保持逻辑连贯性所需的内容。但对于某些操作系统（包括 DOS 和 UNIX）而言，它有实际的用途。第 11 章将具体讨论这个话题。

2.3 一个简单程序的结构

您已经看过一个具体的例子，下面可以了解一些 C 程序的基本规则了。程序（program）由一个或多个函数组成，其中必须有一个名为 main（）的函数。函数的描述由函数头和函数体组成。函数头（header）包括预处理语句（如#include）和函数名。可以通过圆括号识别一个函数名，圆括号里面可能是空的。而函数体（body）位于花括号（{}）中并由一系列语句组成，每个语句以一个分号结束（请参见图 2.4 所示）。本章的例子中包含一个声明语句，指出所使用的变量名和类型。然后是一个赋值语句，给变量赋一个值。接着，是 3 个输出语句，每一句都调用 printf（）函数。这些输出语句是函数调用语句的例子。最后，main（）由一个 return 语句结束。

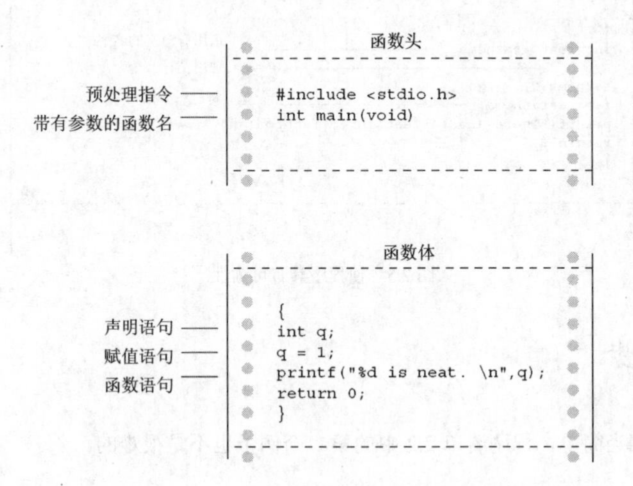

图 2.4　一个包含函数头和函数体的函数

简而言之，一个简单的标准 C 程序应该使用下面的格式：

```
#include <stdio.h>
int main (void)
{
    statements
    return 0;
}
```

2.4　使程序可读的技巧

让程序具有可读性是一个良好的编程习惯。一个可读的程序更易于理解，而且可以更容易地更正或修改它。使程序可读还有助于您自己对程序所做的事情概念更清楚。

前面您已经看到了两种提高可读性的技巧：选择有意义的变量名和使用注释。注意这两种技巧的互补性。如果变量名是 width，就不需要用注释来说明该变量表示宽度，但是如果变量名是 video_routine_4，那么就需要解释一下 video routine 4 的意义了。

另一种技巧是使用空行分隔一个函数的概念上的多个部分。例如，前面那个简单的示例程序就使用一个空行来分隔定义部分和动作部分。C 不要求有这个空行，但它可以增强程序的可读性。

第 4 个技巧就是每个语句用一行。同样，这也是提高可读性的一个约定，而不是 C 语言的要求。C 的格式比较自由，您可以把多个语句放在一行或把一个语句分成好多行。下面的语句是合法的，但不好看：

```
int main (void) { int four; four
=
4
;
printf (
          "%d\n",
four); return 0; }
```

分号可以告诉编译器一个语句在哪里结束和下个语句在哪里开始。但是如果您按照本章的例子中的约定（请参见图 2.5）做，程序逻辑将更加清晰。

```
int main(void) /* converts 2 fathoms to feet */ — 使用注释

{
int feet, fathoms;  ———— 选用有意义的名字
                    ———— 使用空行
fathoms=2;
feet=6*fathoms;     ———— 每行一个语句
printf("There are %d feet in %d fathoms!\n", feet, fathoms);
return 0;
}
```

图 2.5　使程序具有可读性

2.5　更进一步

第一个示例程序相当简单，程序清单 2.2 中的第二个例子也不是很难的。

程序清单 2.2　fathm_ft.c 程序

```
// fathm_ft.c -- 把两个 fathoms 换算成英尺
#include <stdio.h>
int main (void)
{
    int feet, fathoms;

    fathoms = 2;
    feet = 6 * fathoms;
    printf ("There are %d feet in %d fathoms!\n", feet, fathoms);
    printf ("Yes, I said %d feet!\n", 6 * fathoms);

return 0;
}
```

有什么新内容吗？这段代码提供了对程序的描述，声明了多个变量，进行了乘法运算，然后输出两个变量的值。下面让我们来更加详细地研究这些内容。

2.5.1　说明

首先，程序在开始处用一个注释（新形式的注释）说明了文件的名称和程序的目的。加入这种程序说明只需要很少的时间，它们在您以后浏览或打印这些文件时是很有帮助的。

2.5.2　多个声明

接下来，程序在一个声明语句里声明了两个变量而不是一个。为此，在声明语句中需要用一个逗号把两个变量（feet 和 fathoms）分开。也就是说，

```
int feet, fathoms;
```

和

```
int feet;
int fathoms;
```

是等同的。

2.5.3　乘法

第三，程序进行了一个计算。它利用计算机系统强大的计算能力来计算 6 乘以 2。和其他语言一样，在 C 中，*是代表乘法的符号。因此，语句

```
feet = 6*fathoms;
```

意思是“查找变量 fathoms 的值，用 6 乘这个值，然后将这个计算结果赋给变量 feet”。

2.5.4　输出多个值

最后，程序以新的方式使用了 printf ()。如果您编译并运行这个程序，结果应该是这样：

```
There are 12 feet in 2 fathoms!
Yes, I said 12 feet!
```

这次，在第一次用 printf () 时代码做了两个替代。在引号引起来的语句中，第一个%d 由引号部分后的列表中的第一个变量（feet）的值所代替，第二个%d 由列表中的另一个变量（fathoms）的值所代替。注意要输出的变量的列表出现在引号部分之后的语句尾部。还要注意每一项和其余项之间要用一个逗号隔开。

printf () 的第二处使用说明输出的值不必是一个变量；它只须结果值具有合适类型的某个式子，例如 6*fathoms。

这个程序虽然功能有限，但它是把 fathoms 转换成 feet 的程序的核心部分。我们还需要的就是能把其他值交互式地赋给 feet 的方法，这个方法将在以后的章节中介绍。

2.6　多个函数

到目前为止，这些程序只使用了标准的 printf () 函数。程序清单 2.3 说明除了 main () 函数之外，怎样把您自己的函数加入到程序中。

程序清单 2.3　two_func.c 程序

```
/* two_func.c -- 在一个文件中使用两个函数 */
#include <stdio.h>
void butler (void);    /* ISO/ANSI C 函数原型 */
int main (void)
{
    printf ("I will summon the butler function.\n");
    butler ();
    printf ("Yes. Bring me some tea and writeable CD-ROMS.\n");
    return 0;
}

void butler (void)    /* 函数定义的开始      */
{
    printf ("You rang, sir?\n");
}
```

输出应像下面这样：

```
I will summon the butler function.
You rang, sir?
Yes. Bring me some tea and writeable CD-ROMS.
```

butler () 函数在程序中出现了 3 次。第一次出现在原型中，通知编译器要用到的该函数。第二次是在 main () 函数中以函数调用的形式出现的。最后，程序给出了函数的定义，即函数本身的源代码。让我们依次看一下它在程序中的每一次出现。

C90 标准添加了原型，以前的编译器可能并不认识它们（稍后我们将告诉您使用这种编译器时应该怎样做）。原型是一种声明的形式，用于告诉编译器您正在用一个特殊的函数。它也指明了函数的属性。例如 butler () 函数原型的第一个 void 说明 bulter () 不返回值（通常，一个函数可以给调用它的函数返回一个值以供使用，但是 butler () 函数不返回值）。第二个 void，也就是 butler (void) 中的 void，意思是 butler ()

函数没有参数。因此，当编译器到达 main（）函数中 butler（）的调用处时会检查 butler（）的使用是否正确。注意 void 的意思是“空的”，而不是“无效的”。

早期的 C 支持一种形式更为有限的函数声明，其中您仅指定函数的返回类型而省略对参数的描述。

```
void butler ();
```

早期的 C 代码使用的函数声明就像前面这个一样，而不是使用函数原型。C90 和 C99 标准可识别这种旧版本的形式，但它会逐渐被淘汰，所以不要用这种形式。如果您沿用以前的 C 代码，您需要把旧形式的声明转换成原型。本书以后的章节中会继续介绍原型、函数声明和返回值。

下一步，通过简单地给出 butler（）函数的名字（包括圆括号）就可以在 main（）函数中调用它。当 butler（）执行完毕后，程序会继续执行 main（）函数的下一个语句。

最后，butler（）函数的定义方式和 main（）相同，都是用一个函数头和括在花括号中的函数体。函数头重述了原型中所给的信息：butler（）函数不接受参数也不返回值。对于老式编译器，请省略第二个 viod。

需要注意的一点是，butler（）函数的执行时间由 main（）函数调用它的位置决定，而不是由 butler（）在文件中定义的位置决定的。例如，在本程序中，您可以把 butler（）函数定义在 main（）函数的前面，程序的执行不会改变，butler（）函数仍是在两次 printf（）调用之间执行的。记住，所有的 C 程序都是从 main（）函数开始执行的，不管它在程序文件中处于什么位置。然而，C 的惯例是把 main（）函数放在开头，因为它通常为程序提供了最基本的框架。

C 标准建议您为要用的所有函数提供函数原型。标准包含文件为标准库函数提供了函数原型。例如，在标准 C 中，stdio.h 文件中含有 printf（）的函数原型。第 6 章将向您展示怎样扩展到对非 void 函数进行函数原型声明。

2.7 调试

现在您已经可以编写一个简单的 C 语言程序了，但是您可能会犯一些简单的错误。程序的错误通常叫做 bugs，而发现和修正这些错误的过程叫做调试（debugging）。程序清单 2.4 给出了一个带有一些错误的程序，看看您能找出多少。

程序清单 2.4　nogood.c 程序

```
/* nogood.c -- 含有错误的程序 */
#include <stdio.h>
int main (void)
(
    int n, int n2, int n3;
/* 该程序含有几个错误

    n = 5;
    n2 = n * n;
    n3 = n2 * n2;
    printf ("n = %d, n squared = %d, n cubed = %d\n", n, n2, n3)
    return 0;
)
```

2.7.1 语法错误

程序清单 2.4 包含了几个语法错误。如果您不遵循 C 语言的规则就会犯语法错误。它类似于英语中的语法错误。例如，考虑下面的句子：Bugs frustrate be can。句子中的英语单词都是正确的，但是没有按照正确的顺序组织句子，而且单词用得也不是非常准确。C 的语法错误是指把正确的 C 符号放在了错误的位置。

那么程序 nogood.c 中到底出现了什么语法错误呢？首先，它使用圆括号而不是花括号来包围函数体，这是正确的 C 符号用错了位置的情况。第二，声明应该采用以下形式：

```
int n, n2, n3;
```

或者采用以下形式：

```
int n;
int n2;
int n3;
```

第三，示例程序中忽略了必须用一个*/符号来结束注释（当然也可以用新形式//来替代/*）。最后，程序漏掉了结束 printf（）语句所必需的分号。

如何检测程序的语法错误？首先，在编译前浏览程序的源代码看看是否有明显的错误。其次，可以查看由编译器发现的错误，因为它的工作之一就是检测语法错误。在编译程序时，编译器会报告所找到的任何错误，同时指出每一个错误的性质和位置。

然而，编译器也会发生错误。某位置上一个真正的语法错误可能导致编译器误认为它发现了其他错误。例如，因为示例程序未能正确声明 n2 和 n3，当后面用到这些变量的时候，编译器可能认为它发现了更多的错误。实际上，不用立刻试图改正所有发现的错误，只是修改前一个或前两个，然后重新编译；其余的某些错误就可能会消失。一直这样做，直到程序能够运行为止。编译器的另一个常见毛病是发现的错误位置比真正的错误要滞后一行。例如，编译器要编译下一行时才发现上一行缺少了一个分号。因此，如果编译器指出某个具有分号的行少了一个分号，那么请检查上一行。

2.7.2　语义错误

语义错误就是在意思上的错误。例如，考虑下面的句子：Furry inflation thinks greenly。句子中形容词、名词、动词和副词的位置都很正确，所以语法没有错，但是句子却什么意思也没表达出来。在 C 中，当您正确遵循了 C 语言的规则，但是结果不正确的时候，那就是犯了语义错误。示例程序中有这样一个错误：

```
n3=n2*n2;
```

此处，原本是希望 n3 代表 n 的三次方，但是代码把它设置成了 n 的四次方。

这样的语义错误编译器是检测不到的，因为它并没有违反 C 语言的规则。编译器无法了解您的真正意图，只好留给您自己去找出这类错误。方法之一是比较程序实际得到的结果和您预期的结果。例如，假设您已经修正了示例程序中的语法错误，现在程序应该如程序清单 2.5 所示。

程序清单 2.5　stillbad.c 程序

```
/* stillbad.c -- 修正了语法错误的程序 */
#include <stdio.h>
int main (void)
{
    int n, n2, n3;
/* 该程序有语义错误 */

    n = 5;
    n2 = n * n;
    n3 = n2 * n2;
    printf ("n = %d, n squared = %d, n cubed = %d\n", n, n2, n3);
    return 0;
}
```

输出结果是：

```
n = 5, n squared = 25, n cubed = 625
```

如果您懂得立方的话，就会知道结果 625 是错误的。下一步要跟踪程序是如何得出这个答案的。对于本例，通过观察您可能会发现其中的错误，但您需要采取更为系统的方法。方法之一就是把自己想像成计算机，跟着程序的步骤一步一步地执行。现在让我们试一下这种方法。

程序体一开始是声明 3 个变量：n、n2 和 n3。您可以画 3 个盒子，并用 3 个变量的名称作为每个盒子的标签（请参见图 2.6）来模拟这种情况。下一步，程序把 5 赋给变量 n，您可以在标签为 n 的盒子上写进 5。接着，程序把 n 和 n 相乘，然后把所得结果赋值给 n2。因此我们看一下标签为 n 的盒子，发现它的值等于 5。我们用 5 和 5 相乘得到 25，于是把 25 放进 n2 盒子里。为了重现下面的 C 语句（n3=n2*n2;），我们查找到 n2=25；用 25 乘 25，得到 625，把结果放进 n3 的盒子里。哦，原来是在进行 n2 的平方而不是用 n 去相乘。

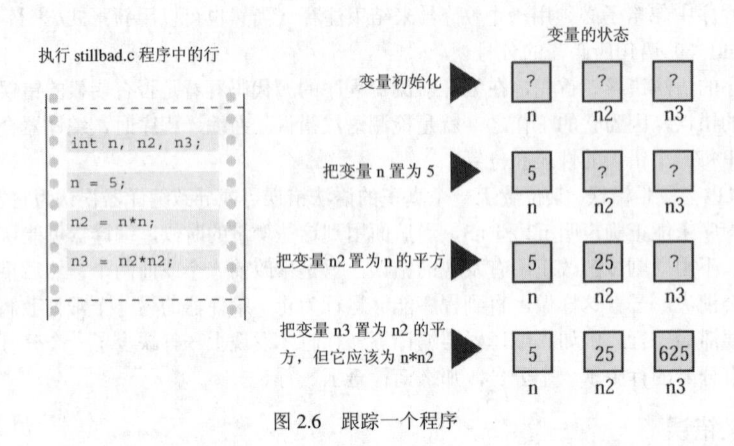

图 2.6 跟踪一个程序

对于上面的例子，这个过程可能比较烦琐一点。但用这种方式一步一步地查看程序的执行情况通常是发现程序中问题所在的最好方法。

2.7.3 程序状态

通过手工方式一步一步地跟踪程序，并记录每个变量，这样就可以监视程序状态。程序状态（program state）是指在程序执行过程中的给定点上所有变量值的集合。它是当前计算状态的一个快照。

我们刚刚讨论了跟踪程序状态的方法之一：自己逐步执行程序。然而，对于迭代 10000 次的程序，这样的任务您是不可能完成的。不过，您仍然可以跟踪其中的一小部分迭代看看程序是不是按照您所期望的方式执行的。然而，经常有这么一种可能，即您是按照您期望的那样去执行步骤，而不是按照您实际所写的代码去执行的，因此要尽量忠于实际的代码。

另一种查找语义错误的方法是，在程序的几个关键点处加入额外的 printf()语句以监视所选变量的值。通过观察变量值的变化可以了解程序的执行情况。当程序的工作让您满意之后，就可以把额外的语句去掉，然后重新编译。

检查程序状态的第三种方法是使用调试器。调试器是一种程序，让您能够一步一步地运行另一个程序并检查该程序的变量值。不同的调试器具有不同的易用性和复杂度。较高级的调试器可以显示出正在执行的源代码行。这对于有多条可选执行路径的程序来说是非常方便的，因为可以很容易地知道执行了哪条特殊路径。如果您的编译器带有调试器，那么现在请花点时间去学会怎么用它。例如，试着去调试一下程序清单 2.4。

2.8 关键字和保留标识符

关键字是 C 语言中的词汇。因为它们对 C 来说比较特殊，所以您不能将它们用作标识符，例如作为变量名。许多关键字用于指定不同的类型，比如 int。其他的关键字，比如 if，用来控制程序中语句的执行顺序。在表 2.2 中所列的 C 语言关键字中，粗体显示的关键字是由 ISO/ANSI C90 标准新增的，斜体显示的关键字是由 C99 标准新增的。

表 2.2　　**C 语言的关键字列表**

ISO/ANSI C 关键字			
auto	**enum**	*restrict*	unsigned
break	extern	return	**void**
case	float	short	**volatile**
char	for	**signed**	while
const	goto	sizeof	*_Bool*
continue	if	static	*_Complex*
default	*inline*	struct	*_Imaginary*
do	int	switch	
double	long	typedef	
else	register	union	

如果试图把一个关键字用作变量名，编译器把它作为一个语法错误捕获到。还有一些您不该用的其他字符，称为保留标识符（reserved identifier）。因为它们是合法的名字，所以并不引起语法错误。然而，C 语言已使用它们或者保留使用它们的权利，所以如果您用这些标识符表示其他意思就可能引起问题。保留标识符包括那些以下划线字符开始的标识符和标准库函数的名字，例如 printf（）。

2.9　关键概念

计算机编程是一件富有挑战性的事情。它需要抽象的、概念性的思考并细致地对待细节问题。您会发现编译器强迫您注意细节问题。当您跟朋友谈话时，您可以用错几个字，犯一两个语法错误，可能还有几个没有结束的句子，但朋友能明白您想说什么。而编译器却不允许这样做；对编译器来说，几乎正确仍然等于错误。

编译器是不会在下面讲到的这些概念性问题上帮助您的，因此本书将通过强调每一章中的关键概念来弥补这一点。

对于本章，您的目标应该是理解什么是 C 程序。您可以这么理解：程序是对您希望计算机采取何种行为的描述。编译器负责完成把您的描述转换成底层的机器语言的细节工作（作为编译器工作量的一个衡量，它能从 1KB 的源代码文件中生成 60KB 的可执行文件；大量的机器语言只是代表了一个简单的 C 程序）。由于编译器不具有真正的智能，所以必须把您对程序的描述用编译器的术语表达出来，这些术语就是 C 标准所设置的格式规则（尽管有些约束，但总比直接用机器语言表达方便得多）！

编译器希望收到特定格式的指令，这一点我们在本章中已经详细地讲述过。作为程序员，您的工作就是在一个编译器（由 C 标准指导）能成功处理的框架内表达出您关于程序应采取何种行为的想法。

2.10　总结

C 语言程序是由一个或者多个函数组成的。每一个 C 程序都必须包含一个名为 main（）的函数，因为当程序开始时要调用该函数。一个简单的函数结构如下：函数头后面紧跟着一个开始花括号，后面是构成函数体的语句，然后是起终止作用的结束花括号。

每个 C 语句都是一个针对计算机的指令，并以一个分号作为结束标志。声明语句为变量指定一个名字并指明该变量中存储的数据类型。变量名是标识符的例子。赋值语句把值赋给变量，或者更一般地说，是把值赋给存储区域。函数调用语句会导致所指定函数的执行。当被调函数执行完毕之后，程序会返回到函数调用之后的语句继续进行。

printf（）函数用于输出语句和变量的值。

一门语言的语法是一套规则，用于管理这种语言中的合法语句组织在一起的方式。语句的语义就是它所表达的意思。编译器可以帮助您发现语法上的错误，但是程序里的语义错误只有在编译完之后才能从程序的行为中表现出来。检测语义错误可能包括跟踪程序的状态，即程序每执行一步之后所有变量的值。

关键字是C语言的词汇。

2.11 复习题

您将在附录A“复习题答案”中可以找到这些复习题的答案。

1. 如何称呼C程序的基本模块？

2. 什么是语法错误？给出它的一个英语例子和C语言例子。

3. 什么是语义错误？给出它的一个英语例子和C语言例子。

4. Indiana Sloth已经编好了下面的程序，并想征求您的意见。请帮助他评定。

```
include studio.h
int main{void} /* 该程序可显示出一年中有多少周 /*
(
int s

s: = 56;
print (There are s weeks in a year.);
return 0;
```

5. 假设下面的每一个例子都是某个完整程序的一部分，它们每个将输出什么结果？

```
a. printf ("Baa Baa Black Sheep.");
   printf ("Have you any wool?\n");
b. printf ("Begone!\nO creature of lard!");
c. printf ("What?\nNo/nBonzo?\n");
d. int num;

   num = 2;
   printf ("%d + %d = %d", num, num, num + num);
```

6. 下面哪几个是C的关键字？main，int，function，char，=

7. 如何以下面的格式输出words和lines的值：“There were 3020 words and 350 lines”？这里，3020和350代表两个变量的值。

8. 考虑下面的程序：

```
#include <stdio.h>
int main (void)
{
    int a, b;

        a = 5;
        b = 2; /* 第7行 */
        b = a; /* 第8行 */
        a = b; /* 第9行 */
        printf ("%d %d\n", b, a);
        return 0;
}
```

请问在第7行、第8行和第9行之后程序的状态分别是什么？

2.12　编程练习

光读 C 语言的书是不够的。应该试着写一两个简单的程序来看看编写程序是不是像本章里看起来那样轻松。题后有一些建议，但是您应该尽量自己考虑这些问题。一些编程练习的答案可以在出版商的 Web 站点（www.samspublishing.com）上找到。

1．编写一个程序，调用 printf（）函数在一行上输出您的名和姓，再调用一次 printf（）函数在两个单独的行上输出您的名和姓，然后调用一对 printf（）函数在一行上输出您的名和姓。输出应如下所示（当然里面要换成您的姓名）：

```
Anton Bruckner      第一个输出语句
Anton               第二个输出语句
Bruckner            仍然是第二个输出语句
Anton Bruckner      第三个和第四个输出语句
```

2．编写一个程序输出您的姓名及地址。

3. 编写一个程序，把您的年龄转换成天数并显示二者的值。不用考虑平年（fractional year）和闰年（leap year）的问题。

4．编写一个能够产生下面输出的程序：

```
For he's a jolly good fellow!
For he's a jolly good fellow!
For he's a jolly good fellow!
Which nobody can deny!
```

程序中除了 main（）函数之外，要使用两个用户定义的函数：一个用于把上面的夸奖消息输出一次；另一个用于把最后一行输出一次。

5．编写一个程序，创建一个名为 toes 的整数变量。让程序把 toes 设置为 10。再让程序计算两个 toes 的和以及 toes 的平方。程序应该输出所有的 3 个值，并分别标识它们。

6．编写一个能够产生下列输出的程序：

```
Smile!Smile!Smile!
Smile!Smile!
Smile!
```

在程序中定义一个能显示字符串 smile!一次的函数，并在需要时使用该函数。

7．编写一个程序，程序中要调用名为 one_three（）的函数。该函数要在一行中显示单词"one"，再调用 two（）函数，然后再在另一行中显示单词"three"。函数 two（）应该能在一行中显示单词"two"。main（）函数应该在调用 one_three（）函数之前显示短语"starting now："，函数调用之后要显示"done!"。这样，最后的输出结果应如下所示：

```
starting now:
one
two
three
done!
```

第 3 章　数据和 C

在本章中您将学习下列内容：

- 关键字：
  int，short，long，unsigned，char，float，double，_Bool，_Complex，_Imaginary
- 运算符：
  sizeof
- 函数：
  scanf ()
- C 使用的基本数据类型。
- 整数类型和浮点数类型的区别。
- 对上述类型，如何书写常量和声明变量。
- 使用 printf ( ) 和 scanf ( ) 函数读写各种类型数据的值。

程序离不开数据。将数字、文字和单词输入计算机，目的是希望计算机能够处理这些数据。例如，要计算机计算利息支付或者显示经过排序的葡萄酒商列表。除了数据读取，本章的内容还包括更有趣的对数据的操作练习。

本章研究数据类型中的两大系列：整数类型和浮点数类型。C 语言提供属于这两个系列的多种数据类型。本章介绍这些数据类型的名称、如何声明它们、如何以及何时使用它们。您还将发现常量和变量的区别，并且作为奖励，您将很快看到第一个交互式的程序。

3.1　示例程序

这里仍以一个示例程序作为开端。正如同前面章节中那样，我们将解释您感到不熟悉的地方。该程序的大致意图应该是很清晰的，因此请试着编译并运行程序清单 3.1 中的源代码。为节省时间，输入源代码时，可略去注释。

程序清单 3.1　rhodium.c 程序

```
/* rhodium.c -- 用金属铑衡量您的体重 */
#include <stdio.h>
int main (void)
{
    float weight;      /* 用户的体重 */
    float value;       /* 相等重量的铑的价值 */
    printf ("Are you worth your weight in rhodium?\n");
    printf ("Let's check it out.\n");
    printf ("Please enter your weight in pounds: ");
```

```
/* 从用户处获取输入 */
    scanf ("%f", &weight);
/* 假设铑为每盎司 770 美元 */
/* 14.5833 把常衡制的英镑转换为金衡制的盎司 */
    value = 770 * weight * 14.5833;
    printf ("Your weight in rhodium is worth $%.2f.\n", value);
    printf ("You are easily worth that! If rhodium prices drop, \n");
    printf ("eat more to maintain your value.\n");
    return 0;
}
```

错误和警告

如果输入这个程序的过程中出现错误（error），比如少了一个分号，编译器会给出语法错误消息。即使输入正确，编译器还可能发出像这样的警告（warning）：“警告——从 double 类型转换为 float 类型时有可能丢失数据。”错误消息表明程序中存在错误，不能对其编译。警告则表明尽管代码正确但有可能不是程序员所要的。警告不终止编译。这里的警告和 C 语言怎样处理 770 这样的值有关。本例不必理会此问题，本章稍后将对这个警告消息进行说明。

输入此程序时您可以把 770 改为贵金属铑的现价，但是不要改动 14.5833，这是相当于 1 英镑的盎司数。盎司金衡制用于衡量贵金属，而英镑常衡制用于衡量人（无论贵贱）的体重。

注意，“enter your weight”的意思是输入您的体重值，然后按 Enter 或 Return 键（不要只是键入体重后就一直等着）。按回车键是用来通知计算机已经完成了键入回答的工作。程序希望您输入一个数字（比如 150），而不是单词（比如 too much）。如果键入字母而非数字，程序运行将产生问题，这个问题需要使用 if 语句解决（请参见第 7 章“C 控制语句：分支和跳转”）。所以这里先请输入数字。下面是程序的示例输出结果：

```
Are you worth your weight in rhodium?
Let's check it out.
Please enter your weight in pounds: 150
Your weight in rhodium is worth $1684371.12.
You are easily worth that! If rhodium prices drop,
eat more to maintain your value.
```

此程序中的新元素

此程序中包含 C 语言如下的一些新元素：

- 请注意代码中使用了一种新的变量声明。前面例子中只有整型变量（int），而本例中还包含了一个浮点变量（float）类型，以便处理更大范围内的数据。float 类型可以处理带有小数点的数字。
- 程序还示范了常量的几种新写法，您现在就可以使用带有小数点的数了。
- 要打印这种新的变量类型，请在 printf ( ) 代码中使用%f 说明符来处理浮点值。对%f 说明符使用.2 修饰词可以精确控制输出格式，使浮点数显示到小数点后两位。
- 使用 scanf ( ) 函数为程序提供键盘输入。%f 指示 scanf ( ) 从键盘读取一个浮点数，&weight 指定将输入值赋于名为 weight 的变量中。scanf ( ) 函数使用&符号指示 weight 变量的位置。下一章将进一步讨论&符号，现在请相信此处您需要它。
- 也许本程序最突出的新特点是它的交互性。计算机向您询问信息，并使用您输入的数字。与非交互性程序相比较，交互性程序使用起来更为有趣。更重要的是，交互性方法使程序更加灵活。例如，本示例程序可以用于任何合理的体重，而不只是 150 磅。不必每次重写，程序即可针对不同体重进行计算。scanf ( ) 和 printf ( ) 函数使这种交互性成为可能。scanf ( ) 函数从键盘读取数据并将其传递给程序，而 printf ( ) 函数则从程序读取数据并将其传递给屏幕。两个函数一起使用，就可以建立人机之间的双向通信（请参见图 3.1），这使计算机的使用更加饶有趣味。

本章解释上述新特性列表中的前两项：各种数据类型的变量和常量。第 4 章“字符串和格式化输入/输出”将介绍后 3 项，本章仍将继续使用 scanf（）和 printf（）的有限功能。

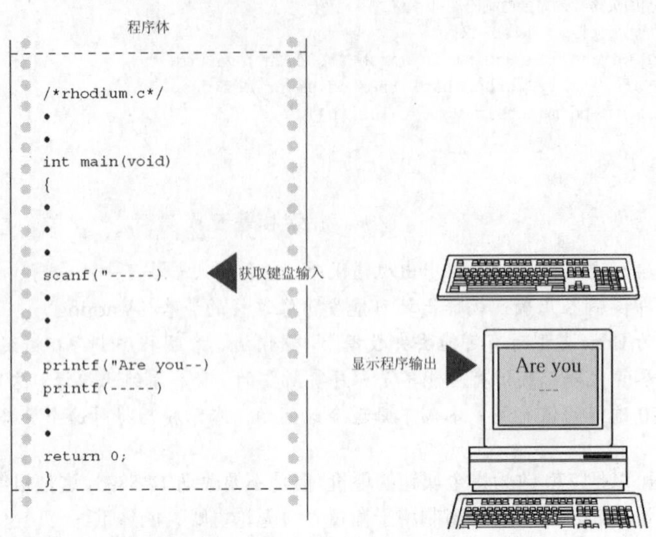

图 3.1 工作中的 scanf（）函数和 printf（）函数

3.2 变量与常量数据

在程序的指示下，计算机可以做很多事，比如数值计算、名字排序、执行语音或视频命令、计算彗星轨道、准备邮寄列表、拨电话号码、画图、做决策以及任何其他可以想象到的事。要完成这些任务，程序需要使用数据，即承载信息的数字与字符。有些数据可以在程序使用之前预先设定并在整个运行过程中没有变化，这称为常量。另外的数据在程序运行过程中可能变化或被赋值，这称为变量。在示例程序中 weight 是变量，而 14.5833 则是常量。770.0 呢？虽然铑的价格不是一成不变的，但此程序中把它作为常量来对待。变量与常量的区别在于，变量的值可以在程序执行过程中变化与指定，而常量则不可以。

3.3 数据：数据类型关键字

除了变量和常量的区别，各种数据类型间也有不同。一些数据类型是数字，而另一些则是字母（更广泛地说是字符）。计算机需要一种方法来区分和使用这些不同的类型。C 通过识别一些基本的数据类型做到这一点。如果是常量数据，编译器一般通过其书写来辨认其类型，比如：42 是整数，而 42.100 是浮点数。变量则需要在声明语句中指定其类型。稍后会介绍有关声明变量的详细内容。我们首先了解 C 语言的基本数据类型。K&R C 给出了 7 个数据类型相关的关键字。C90 标准向其中添加了 2 个关键字，C99 标准又添加了另外 3 个，如表 3.1 所示。

表 3.1 C 的数据关键字

原来的 K&R 关键字	C90 关键字	C99 关键字
int	signed	_Bool
long	void	_Complex
short		_Imaginary
unsigned		

续表

原来的 K&R 关键字	C90 关键字	C99 关键字
char		
float		
double		

int 关键字提供 C 使用的基本的整数类型。下面 3 个关键字（long、short 和 unsigned）以及 ANSI 附加的 signed 用于提供基本类型的变种。char 关键字用于表示字母以及其他字符（如#、$、%，和*）。char 类型也可以表示小的整数。float、double 和组合 long double 表示带有小数点的数。_Bool 类型表示布尔值（true 和 false）。_Complex 和_Imaginary 分别表示复数和虚数。

这些类型可以按其在计算机中的存储方式被划分为两个系列，即整数（integer）类型和浮点数（floating-point）类型。

位、字节和字

术语位、字节和字用于描述计算机数据单位或计算机存储单位。这里主要指存储单位。

最小的存储单位称为位（bit）。它可以容纳两个值（0 或 1）之一（或者可以称该位被置为“关”或“开”）。不能在一个位中存储更多的信息，但是计算机中包含数量极其众多的位。位是计算机存储的基本单位。

字节（byte）是常用的计算机存储单位。几乎对于所有的机器，1 个字节均为 8 位。这是字节的标准定义，至少在衡量存储单位时是这样（C 语言中对此有不同的定义，请参见本章“使用字符：char 类型”小节）。由于每个位或者是 0 或者是 1，所以一个 8 位的字节包含 256（2 的 8 次方）种可能的 0、1 组合。这些组合可用于表示 0 到 255 的整数或者一组字符。这种表示可以通过二进制编码（仅使用 0 或 1 方便地表示数字）来实现（第 15 章“位操作”将讨论二进制编码，如果有兴趣您可以现在浏览一下该章的介绍性内容）。

对于一种给定的计算机设计，字（word）是自然的存储单位。对于 8 位微机，比如原始的 Apple 机，一个字正好有 8 位。使用 80286 处理器的早期 IBM 兼容机是 16 位机，这意味着一个字的大小为 16 位。基于 Pentium 的 PC 机和 Macintosh PowerPC 中的字是 32 位。更强大的计算机可以有 64 位甚至更长位数的字。

3.3.1　整数类型与浮点数类型

整数类型？浮点数类型？如果您觉得这些术语非常陌生，请放松一下，下面将总结二者的含义。如果您不熟悉位、字节和字这些概念，请先阅读前面有关它们的解释。您无须了解所有的细节，就像您无须了解汽车内部引擎的原理就可以进行驾驶一样，但是了解一些计算机或汽车引擎内部所做的事情将对您有所帮助。

对于人，整数和浮点数的区别在于它们的书写。对于计算机，区别在于它们的存储方式。下面分别对它们进行介绍。

3.3.2　整数

整数（integer）就是没有小数部分的数。在 C 中，小数点永远不会出现在整数的书写中。例如 2、−23 和 2456 都是整数。数 3.14、0.22 和 2.000 都不是整数。整数以二进制数字存储。例如整数 7 的二进制表示为 111，在 8 位的字节中存储它需要将前 5 位置 0，将后 3 位置 1，如图 3.2 所示。

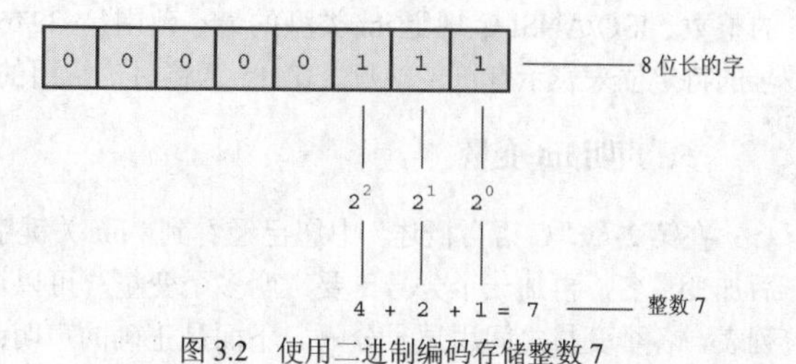

图 3.2　使用二进制编码存储整数 7

3.3.3 浮点数

浮点数（floating-point）差不多可以和数学中的实数（real number）概念相对应。实数包含了整数之间的那些数。2.75、3.16E7、7.00 和 2e–8 都是浮点数。注意，加了小数点的数是浮点型值，所以 7 是整数类型，而 7.00 是浮点型。显然，书写浮点数有多种形式。本书将在后面详细介绍 e 记数法，这里仅做简要介绍：简单地说，3.16E7 表示 3.16 乘以 10 的 7 次方（即 1 后面带有 7 个 0），7 称为 10 的指数。

这里最重要的一点是浮点数与整数的存储方案不同。浮点数表示法将一个数分为小数部分和指数部分并分别存储。因此尽管 7.00 和整数 7 有相同的值，但它们的存储方式不同。与机器中的二进制存储方式相似，在十进制中 7.0 可表示为 0.7E1，这里 0.7 是小数部分，1 是指数部分。图 3.3 所示为浮点数存储的另一个例子。当然，计算机的内部存储使用二进制数字，它使用 2 的幂而非 10 的幂。在第 15 章可以找到有关这一主题的更多讨论，这里我们只关注这两种类型在应用中的区别：

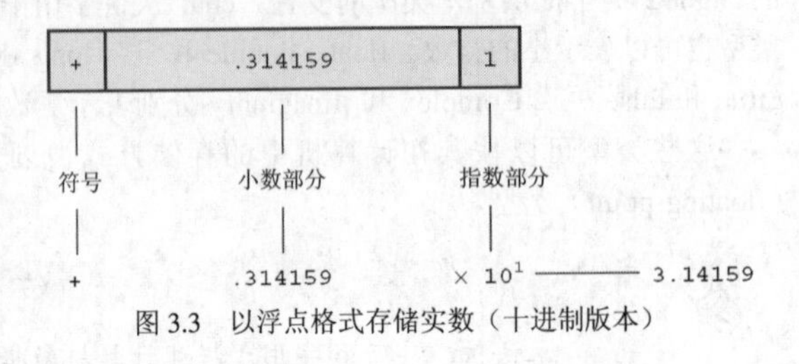

图 3.3 以浮点格式存储实数（十进制版本）

- 整数没有小数部分；浮点数可以有小数部分。
- 浮点数可以表示比整数范围大得多的数，详见本章结尾表 3.4。
- 对于一些算术运算（例如两个很大的数相减），使用浮点数会损失更多精度。
- 因为在任何区间内（比如 1.0 和 2.0 之间）都存在无穷多个实数，所以计算机浮点数不能表示区域内所有的值。浮点数往往只是实际值的近似。例如，7.0 可能以浮点值 6.99999 存储。稍后我们将讨论更多有关精度的内容。
- 浮点运算通常比整数运算慢。不过，已经开发出了专门处理浮点运算的微处理器，它可以缩小速度上的差别。

3.4 C 数据类型

现在我们详细介绍 C 使用的基本数据类型。对于每种类型，我们介绍变量声明和常量定义的方法以及典型的用法。一些早期的 C 语言编译器不支持所有这些数据类型，所以请核查相关文档以了解可用的数据类型。

3.4.1 int 类型

C 提供多种整数类型。您可能不明白为什么一种类型不够用，答案是 C 为程序员提供了针对不同用途的多种选择。具体来讲，C 的各种整数类型的区别在于所提供数值的范围，以及数值是否可以取负值。int 类型是基本选择，您还可以根据任务和机器的特殊需求选择其他类型。

int 类型是有符号整数，即 int 类型的值必须是整数，可以是正的、负的或者是 0，其取值范围依赖于计算机系统。一般地，int 类型存储在计算机的一个字中。旧的 IBM PC 兼容机有 16 位的字，因而使用 16 位来存储一个 int 值，取值范围为-32768 到 32767。目前的个人计算机上的整数一般有 32 位，使用 32 位的 int 值，详见本章结尾处的表 3.4。现在，个人计算机向着 64 位的处理器发展，自然而然将要使用更大的整数。ISO/ANSI C 规定 int 类型的最小范围是-32768 到 32767。一般地，系统通过使用一个指示正负符号的特定位来表示有符号整数。第 15 章将讨论常用的方法。

一、声明 int 变量

在第 2 章“C 语言概述”中您已经看到，int 关键字用于声明基本的整数变量。书写格式为先写“int”，后加变量名，再加一个分号。要声明多个变量，可以逐个声明每个变量；也可以在 int 后跟上一个变量名列表，各个变量之间用逗号分隔。下面是正确的声明：

```
int erns;
int hogs, cows, goats;
```

可以分别声明每个变量，也可以在一条语句中声明所有的 4 个变量。效果是一样的，都将为 4 个 int 大小的变量赋予名称并安排存储空间。

以上变量声明创建了变量但没有为其赋值。如何为变量赋值？前文已经出现了两种为变量赋值的方法。首先是直接赋值：

```
cows = 112;
```

其次，可以通过 scanf () 这样的函数为变量赋值。下面介绍第三种方法。

二、初始化变量

初始化（initialize）变量就是为变量赋一个初始值。C 语言中，可以在声明语句中初始化变量，即在变量名后跟上赋值运算符（=）和要赋给变量的值，如下所示：

```
int hogs = 21;
int cows = 32, goats = 14;
int dogs, cats = 94;  /* 该语句有效，但这种形式不是很好 */
```

最后一行中，只对 cats 进行了初始化。这种写法会让人误以为 dogs 也被初始化为 94，所以最好避免在一个声明语句中同时出现初始化和未初始化变量。

简言之，声明语句为变量创建、标定存储空间并为其指定初始值，如图 3.4 所示。

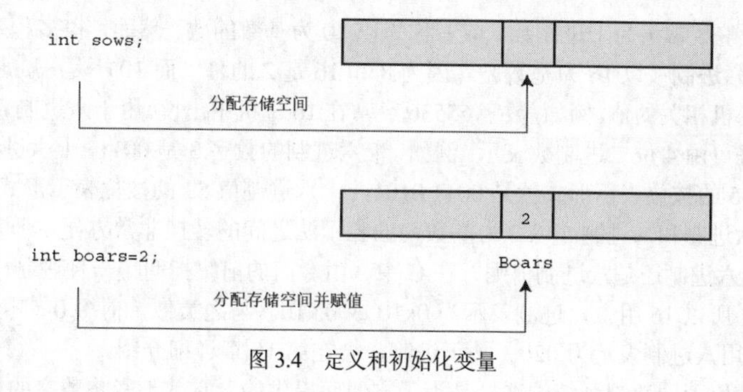

图 3.4　定义和初始化变量

三、int 类型常量

上面例子中的整数 21、32、14 和 94 都是整数常量。C 把不含小数点和指数的数当作整数，比如 22 和–44 是整数常量，而 22.0 和 2.2E1 则不是。C 把大多数整数常量看作 int 类型。如果整数特别大，则有不同的处理。详细信息请参见后面的“long 常量和 long long 常量”小节中关于 long int 类型的介绍。

四、打印 int 值

可以使用 printf () 函数打印 int 类型的值。在第 2 章我们已经介绍过，%d 符号用于指示在一行中的什么位置打印整数。%d 被称为格式说明符（format specifier），因为它指示 printf () 应使用什么格式来显示一个数值。格式串中的每个%d 都必须对应于打印项目列表中的一个 int 值。这个值可以是 int 变量、int 常量或者其他的值为 int 类型的表达式。您必须确保格式说明符的数目同待打印值的数目相同，编译器不会发现这种类型的错误。程序清单 3.2 是一个简单的程序，它初始化一个变量，并且打印了这个变量的值、一个常量的值以及一个简单表达式的值。它也演示了当您粗心犯错时会导致什么结果。

程序清单 3.2　print1.c 程序

```
/* print1.c -- 说明 printf () 的一些属性 */
#include <stdio.h>
int main (void)
{
```

```
    int ten = 10;
    int two = 2;
    printf ("Doing it right: ");
    printf ("%d minus %d is %d\n", ten, 2, ten - two);
    printf ("Doing it wrong: ");
    printf ("%d minus %d is %d\n", ten); // 忘掉了 2 个参数
    reture 0
}
```

编译并运行上面的程序，则系统输出下列结果：

```
Doing it right: 10 minus 2 is 8
Doing it wrong: 10 minus 10 is 2
```

在第一行的输出语句中，第 1 个%d 对应 int 变量 ten，第 2 个%d 对应 int 常量 2，第 3 个%d 对应 int 表达式 ten–two 的值。但第 2 次，程序使用 ten 为第 1 个%d 提供打印值，然后使用内存中的任意值为其余的两个%d 提供了打印值（您在运行该程序时获得的数值会不同于这里显示的数。不仅是因为内存中的内容可能不同，而且因为不同的编译器处理的内存位置不同）。

您可能会为编译器查不出这样明显的错误而烦恼，抱怨 printf（）的非常规设计。大多数函数有确切的参数数目，编译器可以检查数目是否正确。然而，printf（）可以有 1 个、2 个、3 个或更多的参数，这使得编译器无法使用常规的方法检查错误。记住，使用 printf（）函数时，格式说明符的数目和要显示的值的数目一定要相同。

五、八进制和十六进制

一般地，C 假设整数常量为十进制数，或者称为以 10 为基数的数。然而，很多程序员十分熟悉八进制（以 8 为基数）和十六进制（以 16 为基数）。因为 8 和 16 是 2 的幂（而 10 不是），所以这些数制可以更加方便地表示与计算机相关的值。例如，数字 65536 经常在 16 位机中出现，用十六进制表示它正好是 10000。十六进制数每位恰好可由 4 位二进制数表示。例如，十六进制的数字 3 是 0011，十六进制的数字 5 是 0101。于是，十六进制值 35 的按位表示形式就是 0011 0101，十六进制值 53 的按位表示形式就是 0101 0011。这种对应关系使得十六进制和二进制（以 2 为基数）的表示法之间的转换非常方便。但是，计算机如何知道 10000 是十进制、十六进制还是八进制值呢？在 C 中，由专门的前缀指明哪一种进制。前缀 0x 或者 0X 表示使用十六进制值，所以 16 用十六进制表示为 0x10 或 0X10。与之类似，前缀 0（零）表示使用八进制。例如，十进制数 16 用八进制表示为 020。关于进制，会在第 15 章详细介绍。

要清楚，这种使用不同数制系统的选择是为了方便而提供的，它并不影响数字的存储。无论 16、020 还是 0x10，数字都按照同样的方式，即计算机内部使用的二进制编码进行存储。

六、显示八进制数和十六进制数

C 既允许您使用 3 种数制书写数字，也允许以这 3 种数制显示数字。要用八进制而不是十进制显示整数，请用%0 代替%d。要显示十六进制整数，请使用%x。如果想显示 C 语言前缀，可以使用说明符%#o、%#x 和%#X 分别生成 0、0x 和 0X 前缀。程序清单 3.3 是一个简短的例子（回忆一下，您需要在一些为 IDE 而写的代码中插入一个 getchar（）；语句，以便程序的执行窗口不会立即关闭）。

程序清单 3.3　bases.c 程序

```
/* bases.c -- 以十进制、八进制和十六进制形式输出 100 */
#include <stdio.h>
int main (void)
{
    int x = 100;
    printf ("dec = %d; octal = %o; hex = %x\n", x, x, x);
    printf ("dec = %d; octal = %#o; hex = %#x\n", x, x, x);
    return 0;
}
```

编译并运行上面的程序，将产生下列输出：

```
dec = 100; octal = 144; hex = 64
dec = 100; octal = 0144; hex = 0x64
```

程序用 3 种不同的数制系统显示同一个值。printf（）函数做了相关的转换。注意，要显示 0 和 0x 前缀，必须在说明符中加入#符号。

3.4.2　其他整数类型

初学语言时，int 类型会满足您对整数的大多数需求。但为了给出完整的介绍，现在我们将讨论其他类型。您也可以跳过本节，直接阅读“使用字符：char 类型”小节，在以后需要的时候再阅读本节。

C 提供 3 个附属关键字修饰基本的整数类型：short、long 和 unsigned。应当记住以下几点：

- short int 类型（或者简写为 short 类型）可能占用比 int 类型更少的存储空间，用于仅需小数值的场合以节省空间。同 int 类型一样，short 类型是一种有符号类型。
- long int 类型（或者简写为 long 类型）可能占用比 int 类型更多的存储空间，用于使用大数值的场合。同 int 类型一样，long 类型是一种有符号类型。
- long long int 类型（或者简写为 long long 类型（都是在 C99 标准中引入的），可能占用比 long 类型更多的存储空间，用于使用更大数值的场合。同 int 类型一样，long long 类型是一种有符号类型。
- unsigned int 类型（或者简写为 unsigned 类型）用于只使用非负值的场合。这种类型同有符号类型的表示范围不同。例如，16 位的 unsigned int 取值范围为 0 到 65535，而带符号 int 的取值范围为 –32768 到 32767。由于指示数值正负的位也被用于二进制位，所以无符号数可以表示更大的数值。
- 在 C90 标准中，还允许 unsigned long int（简写为 unsigned long）和 unsigned short int（简写为 unsigned short）类型。C99 又增加了 unsigned long long int（简写为 unsigned long long）类型。
- 关键字 signed 可以和任何有符号类型一起使用，它使数据的类型更加明确。例如：short、short int、signed short 以及 signed short int 代表了同一种类型。

一、声明其他整数类型

其他整数类型的声明方式同 int 类型相同，下面是一些例子。一些早期的 C 语言编译器不识别最后 3 条语句，最后一条语句由 C99 标准最新引入。

```
long int estine;
long johns;
short int erns;
short ribs;
unsigned int s_count;
unsigned players;
unsigned long headcount;
unsigned short yesvotes;
long long ago;
```

二、使用多种整数类型的原因

为什么说 long 和 short 类型“可能”占用比 int 类型更多或者更少的存储空间呢？因为 C 仅保证 short 类型不会比 int 类型长，并且 long 类型不会比 int 类型短。这样做是为了适应不同的机器。例如，在一台运行 Windows 3.1 的 IBM PC 上，short 类型和 int 类型都是 16 位，long 类型是 32 位。而在一台 Windows XP 机器或 Macintosh PowerPC 上，short 类型是 16 位，int 类型和 long 类型都是 32 位。Pentium 芯片和 PowerPC G3 或 G4 芯片的自然字大小都是 32 位，这使整数可以表示大于 20 亿的数（请参见表 3.4）。在以上处理器和操作系统的组合中实现 C 时，实现者们认为没有表示更大数的需要，因此 long 类型使用和 int 类型同样的长度。很多场合不需要这么大的整数，因而创建了更节省空间的 short 类型。另一方面，早期的 IBM PC 中字长只有 16 位，这意味着在它上面的 C 实现需要比 int 类型更大的 long 类型。

现在64位处理器，如IBM Itanium、AMD Opteron和PowerPC G5正变得越来越普遍，需要64位的整数，因而引入long long类型。

目前一般的情况是，long long 类型为 64 位，long 类型为 32 位，short 类型为 16 位，int 类型为 16 位或 32 位（依机器的自然字大小而定）。但原则上，这 4 种类型代表 4 个不同大小的数值。

C 语言标准规定了每种基本数据类型的最小取值范围。对应于 16 位单位，short 类型和 int 类型的最小取值范围为–32767 到 32767；对应于 32 位单位，long 类型的最小取值范围为–2147483647 到 2147483647（注意，为了便于理解，这里使用了逗号，但是 C 代码中不允许这样）。对于 unsigned short 类型和 unsigned int 类型，最小取值范围为 0 到 65535；对于 unsigned long 类型，最小取值范围为 0 到 4294967295。long long 类型是为了支持对 64 位的需求，最小取值范围是数目可观的–9223372036854775807 到 9223372036854775807；unsigned long long 类型的最小取值范围为 0 到 18446744073709551615。如果您是在开支票，按照美国的写法这个数是 18 个百万的 3 次方，446 个千的 5 次方，744 个万亿，73 个十亿，709 个百万，551 个千，和 615。但谁会去数呢？

在诸多整数类型中选择哪一种呢？请首先考虑 unsigned 类型。把这种类型用于计数是十分自然的事，因为此时您不需要负数，而且无符号类型可以取得比有符号类型更大的正数。

当使用 int 类型不能表示一个数而使用 long 类型可以做到时，使用 long 类型。但是，在 long 类型大于 int 类型的系统中，使用 long 类型会减慢计算，所以没有必要时不要使用 long 类型。如果是在 long 类型等于 int 类型的系统中编写代码，当确实需要 32 位整数时，应使用 long 类型（而不是 int 类型），以便使程序被移植到 16 位机器上后仍然可以正常工作。

与之类似，如果需要 64 位整数，您应使用 long long 类型。一些计算机已经使用了 64 位处理器，并且 64 位的服务器、工作站甚至桌面系统不久将十分普遍。

在 int 为 32 位的系统上，如果需要 16 位的值，那么使用 short 类型可以节省存储空间。通常，只有当程序使用了使系统可用内存很紧张的较大的整数数组时，节省存储空间才是重要的。使用 short 类型的另一个原因是计算机中的一些硬件寄存器是 16 位的。

整数溢出

如果整数太大，超出了整数类型的范围会怎么样？下面分别将有符号类型和无符号类型整数设置为最大允许值加略大一些的值，看看结果是什么（printf（）函数使用%u 说明符显示 unsigned int 类型的值）。

```
/* toobig.c -- 超出您系统上的最大 int 值 */
#include <stdio.h>
int main (void)
{
    int i = 2147483647;
    unsigned int j = 4294967295;

    printf ("%d %d %d\n", i, i+1, i+2);
    printf ("%u %u %u\n", j, j+1, j+2);
    return 0;
}
```

下面是我们使用的系统的结果：

```
2147483647  -2147483648  -2147483647
4294967295 0 1
```

无符号整数 j 像一个汽车里程指示表，当达到最大值时，它将溢出到起始点。整数 i 也是同样。它们的主要区别是 unsigned int 变量 j 的起始点是 0（正像里程指示表那样），而 int 变量 i 的起始点则是–2147483648。注意到当 i 超过（溢出）它的最大值时，系统并没有给出提示，所以编程时您必须自己处理这个问题。

这里描述的现象由 C 中关于无符号类型的规则所操纵，C 标准没有定义有符号类型的溢出规则。这里的现象是比较有代表性的，但你也可能遇到不同的情况。

三、long 常量和 long long 常量

通常，在程序代码中使用 2345 这样的数字时，它以 int 类型存储。当使用 1000000 这样的数字 int 类型不能表示时，编译器会视其为 long int 类型（假定这种类型可以表示该数字）。如果数字大于 long 类型的最大值，C 会视其为 unsigned long 类型。如果仍然不够，C 会视其为 long long 类型或者 unsigned long long 类型（如果有这些类型的话）。

八进制和十六进制常量通常被视为 int 类型。如果值过于大，编译器会试用 unsigned int，如果不够大，编译器会依次试用 long、unsigned long、long long 和 unsigned long long 类型。

有时候您也许会希望编译器用 long 类型来存储一个较小的整数。例如，在编程中涉及到显式使用 IBM PC 上的内存地址时，就会产生这样的需求。一些标准的 C 函数也需要 long 类型的值。如果希望把一个较小的常量作为 long 类型对待，可以使用 l（小写的 L）或 L 后缀。使用 L 后缀是更好的选择，因为 l 同数字 1 很相近。这样，在 int 类型为 16 位、long 类型为 32 位的系统中，会把整数 7 作为 16 位数存储，而把整数 7L 作为 32 位数存储。l 和 L 后缀对八进制和十六进制数同样适用，比如 020L 和 0x10L。

与之类似，在支持 long long 类型的系统中，可以使用 ll 或 LL 后缀标识 long long 类型值，比如 3LL。u 或 U 后缀用于标识 unsigned long long 类型值，比如 5ull、10LLU、6LLU 和 9Ull。

四、打印 short、long、long long 和 unsigned 类型数

要打印 unsigned int 数字，可以使用%u 符号。打印 long 数值，可以使用%ld 格式说明符。如果系统的 int 和 long 类型具有同样的长度，使用%d 就可以打印 long 数值，但是这会给程序移植到其他系统（这两种数据类型的长度不一样的系统）带来麻烦，所以建议使用%ld 打印 long 数值。在 x 和 o 符号前也可以使用 l 前缀，因此%lx 表示以十六进制格式打印长整数，%lo 表示以八进制格式打印长整数。请注意，尽管在 C 中常量后缀可以使用大写和小写，但格式说明符只能使用小写字母。

C 还有其他几种 printf() 格式。首先，可以对 short 类型使用 h 前缀，因此%hd 表示以十进制显示 short 整数，%ho 表示以八进制显示 short 整数。h 和 l 前缀都可以同 u 结合使用以表示无符号类型。比如，%lu 表示打印 unsigned long 类型。程序清单 3.4 给出了一个例子。支持 long long 类型的系统使用%lld 和%llu 分别表示有符号类型和无符号类型。第 4 章将详细介绍格式说明符。

程序清单 3.4　print2.c 程序

```
/* print2.c -- printf () 的更多属性 */
#include <stdio.h>
int main (void)
{
    unsigned int un = 3000000000;      /* int 为 32 位 */
    short end = 200;                    /* 和 short 为 16 位的系统 */
    long big = 65537; long long verybig = 12345678908642;
    printf ("un = %u and not %d\n", un, un);
    printf ("end = %hd and %d\n", end, end);
    printf ("big = %ld and not %hd\n", big, big);
    printf ("verybig= %lld and not %ld\n", verybig, verybig);
    return 0;
}
```

下面是在某系统上的执行结果：

```
un = 3000000000 and not -1294967296
end = 200 and 200
big = 65537 and not 1
verybig= 12345678908642    and not 1942899938
```

这个例子表明如果使用了不正确的说明符，会造成意想不到的后果。首先，对无符号变量 un 使用%d 说明符会导致显示负值！这是由于在程序运行的系统中，无符号数 3000000000 和有符号数–129496296 在内存

中的表示方法是一样的（详见第 15 章）。所以，如果告诉 printf（）函数该数值是无符号的，它将打印某个值；而如果告诉 printf（）函数该数值是有符号的，它将打印另外一个值。在数值大于有符号类型最大值的时候会发生这种情况。对于小一些的正数（比如 96），有符号和无符号类型的存储和显示都是相同的。

其次，不论使用%hd 还是%d，short 类型变量 end 的显示结果相同。这是因为在传递函数参数时 C 自动将 short 类型的值转换为 int 类型。这会在您的脑子里引起两个疑问：为什么要进行这样的转换？h 修饰符的用处是什么？第一个问题的答案是：int 类型被认为是计算机处理起来最方便有效的整数类型，所以在 short 类型和 int 类型长度不同的系统中，使用 int 类型值进行参数传递的速度更快；第二个问题的答案是：可以使用 h 修饰符显示一个较长的整数被截为 short 类型值时的样子。输出的第三行就演示了这一点。把值 65537 按照二进制格式写为一个 32 位的数字时，它应该是 00000000000000010000000000000001。在 printf（）中使用%hd 说明符将使它只显示后 16 位，即显示值 1。与此类似，最后一行输出先显示了 verybig 变量的完整值，然后通过使用%ld 说明符显示了存储在它的后 32 位中的值。

前面您已经认识到应该确保说明符的数目与要显示的值的数目相匹配。这里说明了还必须根据要显示的值的类型来选用正确的说明符。

匹配 printf（）说明符的类型

使用 printf（）语句时，切记每个要显示的值都必须对应自己的格式说明符，并且显示值的类型要同说明符相匹配。

3.4.3 使用字符：char 类型

char 类型用于存储字母和标点符号之类的字符。但是在技术实现上 char 却是整数类型，这是因为 char 类型实际存储的是整数而不是字符。为了处理字符，计算机使用一种数字编码，用特定的整数表示特定的字符。美国最常用的编码是 ASCII 码，这张表在本书封二给出来了。本书也使用此编码。在 ASCII 码中，整数值 65 代表大写字母 A；因此要存储字母 A，实际只需存储数 65（许多 IBM 主机使用另一种称为 EBCDIC 的编码，但其原理是相同的。其他国家的计算机系统也许会使用完全不同的编码）。

标准 ASCII 码值的范围从 0 到 127，只需 7 位即可表示。而 char 类型通常定义为使用 8 位内存单元，该大小容纳标准 ASCII 编码是绰绰有余的。许多系统（比如 IBM PC 和 Apple Macintosh）提供的不同的扩展 ASCII 编码也使用 8 位存储单元。更普遍一些来看，C 保证 char 类型足够大，以存储其实现所在的系统上的基本字符集。

许多字符集包含远多于 127 甚至远多于 255 个值，例如，日本 kanji 字符集。商用的 Unicode 字符集建立了一个能够表示世界范围内多种字符集的系统，目前已有超过 96 000 个字符。国际标准化组织（International Organization for Standardization，ISO）和国际电工技术委员会（International Electrotechnical Commission，IEC）为字符集开发了 ISO/IEC 10646 标准。幸运的是，Unicode 标准保持了同更广泛的 ISO/IEC 10646 标准的兼容性。

采用上述集合之一作为基本字符集的平台应该使用 16 位甚至 32 位的 char 表示方法。C 把一个字节（byte）定义为 char 类型使用的位（bit）数。所以在这样的系统上，C 文档中提到的一个字节是 16 位或者 32 位，而不是 8 位。

一、声明 char 类型变量

正如您所预料的那样，char 变量同其他类型变量的声明方式相同，下面是一些例子：

```
char response;
char itable, latan;
```

这段代码创建了 3 个 char 变量：response、itable 和 latan。

二、字符常量及其初始化

假定您要把一个字符常量初始化为字母 A。计算机语言应该使事情更为简单，因此您无须记住字符的 ASCII 码。可以使用下列初始化语句把字符 A 赋给 grade：

```
char grade = 'A';
```

单引号中的一个字符是 C 的一个字符常量，编译器遇到‘A’时会将其转换为相应的编码值，其中单引号是必不可少的。看另外一个例子：

```
char broiled;     /* 声明一个 char 变量 */
broiled = 'T';    /* 可以 */
broiled = T;      /* 不可以！把 T 看作一个变量 */
broiled = "T";    /* 不可以！把"T"看作一个字符串 */
```

如果不使用单引号，编译器会将 T 视为一个变量名；如果使用双引号，编译器将其视为一个字符串。我们将在第 4 章讨论字符串。

因为字符实际上以数值的形式存储，所以也可以使用数值编码来赋值：

```
char grade = 65;  /* 对于 ASCII，这是可以的；但这是一种不好的编程风格 */
```

上面语句中，65 是 int 类型，但是它在 char 类型大小范围之内，所以这样的赋值完全允许。由于 65 是字母 A 的 ASCII 码，此语句将字符 A 赋予变量 grade。但是要注意，这个结果的假设是系统使用 ASCII 码。而使用‘A’代替 65 进行赋值则可在任意系统中正常工作。因此，推荐使用字符常量，而不是数值编码。

令人奇怪的是，C 将字符常量视为 int 类型而非 char 类型。例如，在 int 类型为 32 位和 char 类型为 8 位的 ASCII 系统中，下列代码：

```
char grade ='B';
```

意味着‘B’作为数值 66 存储在一个 32 位单元中，而赋值后的 grade 则把 66 存储在一个 8 位单元中。利用字符常量的这个特性，可以定义一个字符常量‘FATE’，这将把 4 个独立的 8 位 ASCII 码存储在一个 32 位单元中。然而，如果把这个字符常量赋给一个 char 变量，那么只有最后 8 位会起作用，因此变量的值为‘E’。

三、非打印字符

单引号技术适用于字符、数字和标点符号，但是如果浏览一下本书封二的 ASCII 表，您会发现有些 ASCII 字符是打印不出来的。例如一些动作描述：退格、换行或者让终端铃响（或扬声器蜂鸣）。怎样表示这些字符？C 提供了 3 种方法。

我们已经提到过第一种方法，就是使用 ASCII 码。例如，蜂鸣字符的 ASCII 值为 7，所以可以这样写：

```
char beep = 7;
```

第二种方法是使用特殊的符号序列，即转义序列（Escape Sequence）。表 3.2 列出了转义序列及其意义。

表 3.2　转义序列

序列	意义
\a	警报（ANSI C）
\b	退格
\f	走纸
\n	换行
\r	回车
\t	水平制表符
\v	垂直制表符
\\	反斜杠（\）
\'	单引号（'）
\"	双引号（"）
\?	问号（?）
\0oo	八进制值（o 表示一个八进制数字）
\xhh	十六进制值（h 表示一个十六进制数字）

给一个字符变量进行赋值时，转义序列必须用单引号括起来。例如，可以使用下列语句：

```
char nerf = '\n';
```

这样，打印变量 nerf 在打印机或屏幕上将表现为换行。

现在我们来研究一下每个转义序列的功能。警报字符\a（由 C90 新增）产生一个能听到或能看到的警报，这取决于计算机的硬件，蜂鸣是最常见的警报（在一些系统中警报字符不起作用）。ANSI 标准规定警报字符不改变系统的活动位置。活动位置（active position）即在显示设备（屏幕、电传打字机、打印机，等等）中下一个字符将出现的位置。也就是说，如果在程序中把警报字符输出到屏幕上，将只发出一声蜂鸣而并不移动屏幕光标。

接下来，转义序列\b、\f、\n、\r、\t 和\v 是常用的输出设备控制字符。说明它们的最好方法是描述它们对活动位置的影响。退格符\b 使活动位置在当前行上退回一个空格。走纸符\f 将活动位置移到下一页的开始处。换行符\n 将活动位置移到下一行的开始处。回车符\r 将活动位置移到当前行的开始处。水平制表符\t 将活动位置移到下一个水平制表点（通常为字符位置 1、9、17、25，等等）。垂直制表符\v 将活动位置移到下一个垂直制表点。

这些转义字符不一定适用于所有设备。例如，走纸符和垂直制表符在 PC 屏幕上产生奇怪的符号，而不会产生任何光标移动，它们只有在输出到打印机上时才会像前面描述的那样工作。

下面三个转义序列\\、\'和\"使您可以引用 \、' 和"字符常量（由于这些符号被作为 printf（）命令的一部分用来定义字符常量，所以如果您在字面上使用它们时会造成混乱）。如果要打印下面这行内容：

```
Gramps sez, "a \ is a backslash. "
```

可以使用如下代码：

```
printf("Gramps sez, \"a \\ is a backslash.\ "\n");
```

最后两个转义字符\0oo 和\xhh 是 ASCII 码的专用表示方法。如果想用一个字符的八进制 ASCII 码代表它，可以在编码值前加一个反斜杠（\）并用单引号引起来。例如：如果编译器不识别警报字符（\a），则可以使用 ASCII 码代替：

```
beep = '\007';
```

可以省去前面的 0，就是说'\07'和'\7'都可以。即使没有前缀 0，这种写法仍会使数值被解释为八进制数。

从 C90 开始，C 提供了第三种选择，即使用十六进制形式表示字符常量。在这种形式中，反斜杠后跟一个 x 或 X，再加上 1 到 3 位十六进制数字。例如，Ctrl+P 字符的十六进制 ASCII 码值为 10（相当于十进制中的 16），它可以表示为'\x10'或'\X010'。图 3.5 显示了一些有代表性的整数类型。

整数常量示例			
类型	十六进制	八进制	十进制
char	\0x41	\0101	N. A.
int	0x41	0101	65
unsigned int	0x41u	0101u	65u
long	0x41L	0101L	65L
unsigned long	0x41UL	0101UL	65UL
long long	0x41LL	0101LL	65LL
unsigned long long	0x41ULL	0101ULL	65ULL

图 3.5 书写 int 系列类型的常量

使用 ASCII 码时要注意数字和数字字符的区别。例如，字符 4 的 ASCII 码值为 52。写法'4'表示符号 4 而不是数值 4。

关于转义序列，您可能会有如下三个疑问：

- 为什么在上一个例子（printf（"Gramps sez，\"a \\ is a backslash\"\"\n"）；）中，转义序列没有用单引号引起来呢？无论普通字符还是转义序列，如果作为双引号中字符集合的一部分，则无需单引号。该例中的其他字符（G、r、a、m、p、s，等等）也没有用单引号引起来。双引号中的字符集合称为字符串（详见第 4 章）。与之类似，printf（"Hello!\007\n"）；语句将打印 Hello!并发出一声蜂鸣，而 printf（"Hello!7\n"）；语句则打印 Hello!7。不在转义字符中的数字将像普通字符那样被打印出来。
- 什么时候使用 ASCII 码，什么时候使用转义序列呢？如果要在某个转义序列和与其对应的 ASCII 码之间做出选择，则应当使用转义序列。比如选择'\f'而不是'\014'。首先，转义字符更容易记忆；其次，这样做使程序的可移植性更好。因为在不使用 ASCII 码的系统中，'\f'仍然适用。
- 当需要使用数值编码时，为什么使用'\032'而不是 032？首先，'\032'能更清晰地表达程序员表示一个字符编码的意图；其次，'\032'这样的转义序列可以嵌入到 C 字符串中，比如字符串"Hello!\007\n"中就嵌入了'\007'。

四、打印字符

printf（）函数使用%c 说明符打印一个字符。回忆一下，字符变量被存储为 1 字节长的整数值。因而，如果使用通常的%d 说明符打印 char 变量，将得到一个整数。%c 格式说明符告诉 printf（）函数打印编码值等于那个整数的字符。程序清单 3.5 显示了 char 变量的两种打印方法。

程序清单 3.5　charcode.c 程序

```
/* charcode.c -- 显示一个字符的编码值 */
#include <stdio.h>
int main (void)
{
   char ch;
   printf ("Please enter a character.\n");
   scanf ("%c", &ch);  /* 用户输入字符 */
   printf ("The code for %c is %d.\n", ch, ch);
   return 0;
}
```

下面是一个运行示例：

```
Please enter a character.
C
The code for C is 67.
```

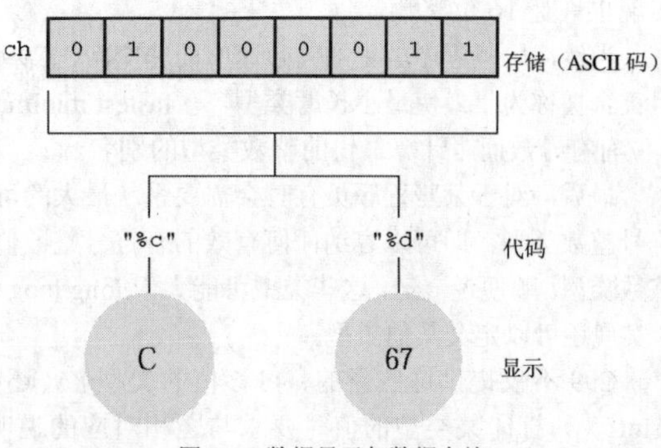

图 3.6　数据显示与数据存储

运行此程序，在键入字母后不要忘记按 Enter 或 Return 键。随后 scanf（）函数将读取您键入的字符，&符号指示把输入的字符赋给变量 ch，接着 printf（）函数把 ch 的值打印两次。首先作为字符打印（由代码中的%c 指示），然后作为十进制整数打印（由代码中的%d 指示）。注意 printf（）说明符决定数据的显示方式而不是决定数据的存储方式，如图 3.6 所示。

五、有符号还是无符号

一些 C 实现把 char 当作有符号类型。这意味着 char 类型值的典型范围为-128 到 127。另一些 C 实现把 char 当作无符号类型，其取值范围为 0 到 255。编译器手册会指明 char 的类型，或者您可以通过 limits.h 头文件检查这一信息，下一章将对该头文件做详细介绍。

根据 C90 标准，C 允许在关键字 char 前使用 signed 和 unsigned。这样，无论默认的 char 类型是什么，signed char 是有符号类型，而 unsigned char 则是无符号类型。这对于使用字符类型处理小整数十分有用。如果处理字符，则只须使用不带修饰词的标准 char 类型。

3.4.4 _Bool 类型

_Bool 类型由 C99 引入，用于表示布尔值，即逻辑值 true（真）与 false（假）。因为 C 用值 1 表示 true，用值 0 表示 false，所以_Bool 类型实际上也是一种整数类型。只是原则上它仅仅需要 1 位来进行存储。因为对于 0 和 1 而言，1 位的存储空间已经够用了。

程序使用布尔值来选择执行哪个代码分支。第 6 章“C 控制语句：循环”和第 7 章“C 控制语句：分支和跳转”将详细介绍代码的执行，我们将在那里做进一步讨论。

3.4.5 可移植的类型：inttypes.h

还有更多的整数类型吗？没有了，但是已有类型有一些别名。您可能认为自己已经接触到了足够多的名字，可是这些基本的名字不够明确。比如，知道一个变量是 int 类型并不能告诉您它有多少位，除非您查看系统文档。为解决这类问题，C99 提供了一个可选的名字集合，以确切地描述有关信息。例如：int16_t 表示一个 16 位有符号整数类型，uint32_t 表示一个 32 位无符号整数类型。

要使这些名字对于程序有效，应当在程序中包含 inttypes.h 头文件（注意，在编写本书第五版的时候，有些编译器还不支持这个特性）。这个文件使用 typedef 工具创建了新的类型名字（第 5 章“运算符、表达式和语句”中有简要介绍）。比如，该头文件会用 uint32_t 作为一个具有某种特征的标准类型的同义词或别名，在某个系统中这个标准类型可能是 unsigned int，而在另一个系统中则可能是 unsigned long。编译器会提供同所在系统相一致的头文件。这些新的名称叫作“确切长度类型”（exact width type）。注意，与 int 不同，uint32_t 不是关键字，所以必须在程序中包含 inttypes.h 头文件，编译器才能够识别它。

使用确切长度类型的一个潜在问题是某个系统可能不支持一些选择。比如，不能保证某个系统上存在一种 int8_t 类型（8 位有符号整数）。为解决这个问题，C99 标准定义了第 2 组名字集合。这些名字保证所表示的类型至少大于指定长度的最小类型，被称为“最小长度类型”（minimum width type）。例如，int_least8_t 是可以容纳 8 位有符号数的那些类型中长度最小的一个的别名。某个特殊系统的最小类型的长度也许是 8 位，而该系统上不一定会定义 int8_t 类型。但是仍然可以使用 int_least8_t 类型，它的实现也许是 16 位整数。

当然，一些程序员更加关心速度而非空间。C99 为他们定义了一组可使计算达到最快的类型集合。这组集合被称为“最快最小长度类型”（fastest minimum width type）。例如，把 int_fast8_t 定义为系统中对 8 位有符号数而言计算最快的整数类型的别名。

最后，对于某些程序员有时会需要系统最大的可能整数类型。为此，C99 把 intmax_t 定义为最大的有符号整数类型，即可以容纳任何有效的有符号整数值的类型；类似地，把 uintmax_t 定义为最大的无符号整数类型。顺便说一句，这些类型可能大于 long long 和 unsigned long 类型，因为除了要求实现的类型之外，C 实现还可以定义其他类型。

C99 不仅提供这些新的、可移植的类型名，还提供了对这些类型数据进行输入输出的方法。例如，printf（）打印某类型的值时要求与之相对应的说明符。那么如果打印 int32_t 类型值在一种定义中应使用%d 说明符，而在另一种定义中应使用%ld 说明符，您该怎么办？C99 标准提供了一些串宏来帮助打印这些可移植类型，详见第 4 章。例如，inttypes.h 头文件将定义串 PRId16 来表示打印 16 位有符号值所需的合适说明符（例如，hd 或 d）。程序清单 3.6 演示了使用一种可移植类型及其相应说明符的方法。

程序清单 3.6 altnames.c 程序

```
/* altnames.c -- 可移植的整数类型名 */
#include <stdio.h>
#include <inttypes.h> // 支持可移植类型
int main (void)
{

    int16_t me16;            // me16 是一个 16 位有符号变量

    me16 = 4593;
    printf ("First, assume int16_t is short: ");
    printf ("me16 = %hd\n", me16);
    printf ("Next, let's not make any assumptions.\n");
    printf ("Instead, use a \"macro\" from inttypes.h: ");
    printf ("me16 = %" PRId16 "\n", me16);
    return 0;
}
```

在最后的 printf ( ) 语句中，参数 PRId16 被它在 inttypes.h 里的定义"hd"所替代，因而这行语句等价于：

```
printf ("me16 = %" "hd" "\n", me16);
```

C 语言将三个连续的字符串合并为一个引号引起来的串，因而这行语句又等价于：

```
printf ("me16 = %hd\n", me16);
```

下面是输出结果，注意示例中还使用了\"转义序列来显示双引号：

```
First, assume int16_t is short: me16 = 4593
Next, let's not make any assumptions.
Instead, use a "macro" from inttypes.h: me16 = 4593
```

参考资料 6“扩展的整数类型”提供了完整的 inttypes. h 头文件中的附加类型，并列出了所有的说明符宏。

对 C99 的支持

在实现 C99 特性方面，编译器厂商有着不同的步伐和不同的优先选择。在编写本书第五版的时候，有些编译器还没有实现 inttypes.h 头文件和功能。

3.4.6 float、double 和 long double 类型

多数软件开发项目使用各种整数类型就可以工作得很好了。然而，财务和数学计算程序经常使用的是浮点数。C 语言中浮点数包括 float、double 和 long double 类型，它们对应于 FORTRAN 和 Pascal 语言中的 real 类型。我们已经提到过，浮点方法能够表示包括小数在内的更大范围的数。浮点数表示类似于科学记数法。

科学家们使用科学记数法表示很大和很小的数，这种记数法用十进制小数和 10 的幂的乘积来表示数字。表 3.3 是一些记数法的例子。

表 3.3 一些记数法的例子

数字	科学记数法	指数记数法
1 000 000 000	$= 1.0 \times 10^9$	= 1.0e9
123 000	$= 1.23 \times 10^5$	= 1.23e5
322.56	$= 3.2256 \times 10^2$	= 3.2256e2
0.000 056	$= 5.6 \times 10^{-5}$	= 5.6e−5

第一列是一般的记数法，第二列是科学记数法，第三列是指数记数法（或称为 e-记数法），即科学记

数法在计算机中的书写方式，其中 e 后面是 10 的指数。图 3.7 显示了更多的浮点数表示方法。

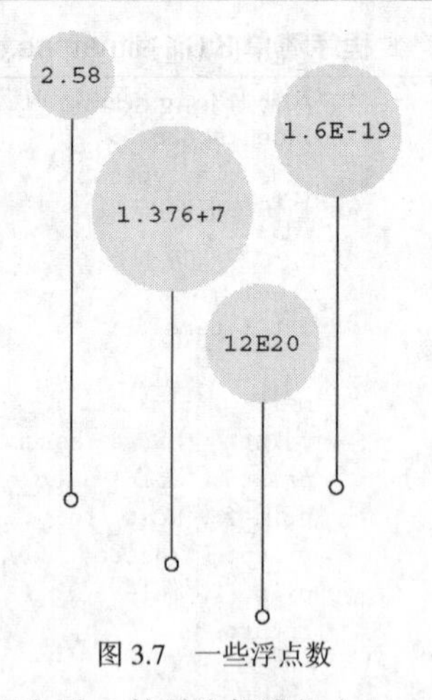

图 3.7 一些浮点数

C 标准规定，float 类型必须至少能表示 6 位有效数字，取值范围至少为 10^{-37} 到 10^{+37}。6 位有效数字指浮点数至少应能精确表示像 33.333 333 这样的数字的前 6 位。取值范围的这一规定使您可以方便地表示诸如太阳的质量（2.0e30 千克）、质子的电量（1.6e–19 库仑）以及国家债务之类的数字。通常，系统使用 32 位存储一个浮点数。其中 8 位用于表示指数及其符号，24 位用于表示非指数的部分（称为尾数或有效数字）及其符号。

C 还提供一种称为 double（意为双精度）的浮点类型。double 类型和 float 类型具有相同的最小取值范围要求，但它必须至少能表示 10 位有效数字。一般地，double 使用 64 位而不是 32 位长度。一些系统将多出的 32 位全部用于尾数部分，这增加了数值的精度并减小了舍入误差。其他的一些系统将其中的一些位分配给指数部分，以容纳更大的指数，从而增加了可以表示的数的范围。每种分配方法都使得数值至少具有 13 位有效数字，超出了 C 的最小标准规定。

C 提供了第三种浮点类型 long double 类型，以满足比 double 类型更高的精度需求。不过，C 只保证 long double 类型至少同 double 类型一样精确。

一、声明浮点变量

浮点变量的声明以及初始化方法同整型变量相同，下面是一些例子：

```
float noah, jonah;
double trouble;
float planck = 6.63e-34;
long double gnp;
```

二、浮点常量

书写浮点常量有很多种选择。一个浮点常量最基本的形式是：包含小数点的一个带符号的数字序列，接着是字母 e 或 E，然后是代表 10 的指数的一个有符号值。下面是两个有效的浮点常量：

```
-1.56E+12
2.87e-3
```

可以省略正号。可以没有小数点（2E5）或指数部分（19.28），但是不能同时没有二者。可以省略纯小数部分（3.E16）或整数部分（.45E–6），但是二者不能同时省略（那样做会什么也不会剩下）。下面是更多的有效浮点常量：

```
3.14159
.2
4e16
.8E-5
100.
```

在浮点常量中不要使用空格。

```
错误   1.56 E+12
```

默认情况下，编译器将浮点常量当作 double 类型。例如，假设 some 是一个 float 变量，您有下面的语句：

```
some = 4.0 * 2.0;
```

那么 4.0 和 2.0 被存储为 double 类型，（通常）使用 64 位进行存储。乘积运算使用双精度，结果被截为正常的 float 长度。这能保证计算精度，但是会减慢程序的执行。

C 使您可以通过 f 或 F 后缀使编译器把浮点常量当作 float 类型，比如 2.3f 和 9.11E9F。l 或 L 后缀使一个数字成为 long double 类型，比如 54.3l 和 4.32e4L。建议使用 L 后缀，因为字母 l 和数字 1 容易混淆。没有后缀的浮点常量为 double 类型。

C99 为表示浮点常量新添加了一种十六进制格式。这种格式使用前缀 0x 或 0X，接着是十六进制数字，然后是 p 或 P（而不是 e 或 E），最后是 2 的指数（而不是 10 的指数），如下所示：

```
0xa.1fp10
```

a 是 10，.1f 表示 1/16 加上 15/256，p10 表示 2^{10}（即 1024）。整个数的十进制值为 10364.0。

并非所有的 C 编译器都添加了对这一 C99 特性的支持。

三、打印浮点值

printf（）函数使用%f 格式说明符打印十进制记数法的 float 和 double 数字，用%e 打印指数记数法的数字。如果系统支持 C99 的十六进制格式浮点数，您可以使用 a 或 A 代替 e 或 E。打印 long double 类型需要%Lf、%Le 和%La 说明符。注意 float 和 double 类型的输出都使用%f、%e 或%a 说明符。这是由于当它们向那些未在原型中显式说明参数类型的函数（如 printf（））传递参数时，C 自动将 float 类型的参数转换为 double 类型，程序清单 3.7 演示了这一特性。

程序清单 3.7　showf_pt.c 程序

```
/* showf_pt.c -- 以两种方式显示浮点值 */
#include <stdio.h>
int main (void)
{
    float aboat = 32000.0;
    double abet = 2.14e9;
    long double dip = 5.32e-5;
    printf ("%f can be written %e\n", aboat, aboat);
    printf ("%f can be written %e\n", abet, abet);
    printf ("%f can be written %e\n", dip, dip);
    return 0;
}
```

输出结果如下：

```
32000.000000 can be written 3.200000e+04
2140000000.000000 can be written 2.140000e+09
0.000053 can be written 5.320000e-05
```

上例使用了默认输出效果。下一章将讨论通过设置字段宽度和小数位数来控制输出的外观。

四、浮点值的上溢和下溢

假设系统中最大的 float 值为 3.4E38，并进行如下操作：

```
float toobig = 3.4E38 * 100.0f;
print ("%e\n", toobig);
```

会发生什么？这是一个上溢（overflow）的例子。当计算结果是一个大得不能表达的数时，会发生上溢。对这种情况的反应原来没有规定，但是现在的C语言要求为toobig赋予一个代表无穷大的特殊值，printf（）函数显示此值为inf或infinity（或这个含义的其他名称）。

当除以一个十分小的数时，情况更复杂一些。回忆一下，float 数字被分为指数和尾数部分进行存储。有这样的一个数，它具有最小的指数，并且仍具有可以由全部可用位进行表示的最小的尾数值。这将是能用对浮点值可用的全部精度进行表示的最小数字。现在把此数除以 2。通常这个操作将使指数部分减小，但是指数已经达到了最小值；所以计算机只好将尾数部分的位进行右移，空出首位二进制位，并丢弃最后一位二进制值。以十进制为例，把一个包含四位有效数字的数 0.1234E-10 除以 10，将得到结果 0.0123E-10，但是损失了一位有效数字。此过程称为下溢（underflow）。C 将损失了类型精度的浮点值称为低于正常的（subnormal），所以把最小的正浮点数除以 2 将得到一个低于正常的值。如果除以一个足够大的值，将使所有的位都为 0。现在 C 库提供了用于检查计算是否会产生低于正常的值的函数。

还有另外一个特殊的浮点值 NaN（Not-a-Number）。例如 asin（）函数返回反正弦值，但是正弦值不能大于 1，所以 asin（）函数的输入参数不能大于 1，否则函数返回 NaN 值，printf（）函数将此值显示为 nan，NaN 或类似形式。

浮点数舍入误差

将一个数加上 1 再减去原数，结果为 1。如果使用浮点计算，则可能会有其他结果，如下例所示：

```
/* floaterr.c -- 说明舍入误差 */
#include <stdio.h>
int main(void)
{
    float a, b;

    b = 2.0e20 + 1.0;
    a = b - 2.0e20;
    printf("%f \n", a);
    return 0;
}
```

输出结果如下：

```
0.000000          ←older gcc on Linux
-13584010575872.000000          ←Turbo C 1.5
1.5 4008175468544.000000     ←CodeWarrior 9.0, MSVC++ 7.0
```

出现这种奇怪的结果是由于计算机缺乏足够的进行正确运算所需的十进制位数。数字 2.0e20 为 2 后面加 20 个零，如果对它加 1，那么变化的是第 21 位。如果要正确计算，至少需要存储 21 位的数字，而 float 数字只有 6、7 位有效数字。因此这个计算注定是不正确的。另一方面若使用 2.0e4 代替 2.0e20，则能得到正确的结果，因为改变的是第 5 位数字，float 数字对此足够精确。

3.4.7 复数和虚数类型

很多科学和工程计算需要复数和虚数。C99 标准支持这些类型，但是有所保留。一些自由实现中不需要这些类型，比如一些嵌入式处理器的实现（VCR 芯片就不需要复数）。同样的，虚数类型也是可选的。

简单地讲，有 3 种复数类型，分别是 float _Complex、double _Complex 和 long double _Complex。float _Complex 变量包含两个 float 值，一个表示复数的实部，另一个表示复数的虚部。与之类似，有 3 种虚数类型，分别是 float _Imaginary、double _Imaginary 和 long double _Imaginary。

如果您包含了 complex.h 头文件，则您可以用 complex 代替_Complex，用 imaginary 代替_Imaginary，用符号 I 表示-1 的平方根。

3.4.8 其他类型

现在已经介绍了所有的基本数据类型。对于有些人，类型可能太多，另一些人可能认为还需要更多的类型。C 没有字符串类型，但是它仍然可以很好地处理字符串，详细内容请参见第 4 章。

C 从基本类型中衍生出其他类型，包括数组、指针、结构和联合。尽管我们在后面章节中才会介绍指针类型，本章已经在示例中使用指针（指针（pointer）指向变量或其他数据对象的位置，scanf（）函数中就使用&前缀创建一个指向信息存储位置的指针）。

总结：基本数据类型

关键字：

基本数据类型使用 11 个关键字：int、long、short、unsigned、char、float、double、signed、_Bool、_Complex 和_Imaginary。

有符号整数：

这种类型可以取正值及负值。

- int：系统的基本整数类型。C 保证 int 类型至少有 16 位长。
- short 或 short int：最大的 short 整数不大于最大的 int 整数值。C 保证 short 类型至少有 16 位长。
- long 或 long int：这种类型的整数不小于最大的 int 整数值。C 保证 long 至少有 32 位长。
- long long 或 long long int：这种类型的整数不小于最大的 long 整数值。long long 类型至少是 64 位长。

一般地，long 类型长于 short 类型，int 类型和它们其中的一个长度相同。例如，PC 机上基于 DOS 的系统提供 16 位长的 short 和 int 类型，以及 32 位长的 long 类型；而基于 Windows 95 的系统提供 16 位长的 short 以及 32 位长的 int 类型和 long 类型。

如果您喜欢，可以使用 signed 关键字修饰任何一种有符号类型，以明确表示这一属性。

无符号整数：

无符号整数只有 0 和正值，这使得无符号数可以表达比有符号数更大的正值。使用 unsigned 关键字表示无符号数，例如：unsigned int、unsigned long 和 unsigned short。单独的 unsigned 等价于 unsigned int。

字符：

字符包括印刷字符，如 A、&和+。在定义中，char 类型使用 1 个字节的存储空间表示一个字符。出于历史原因，字符字节通常为 8 位，但出于表示基本字符集的需要，它也可以为 16 位或者更长。

- char：字符类型的关键字。一些实现使用有符号的 char，另外一些则使用无符号 char。C 允许使用 signed 和 unsigned 关键字标志 char 的符号属性。

布尔值：

布尔值表示 true 和 false；C 使用 1 代表 true，0 代表 false。

- _Bool：此类型的关键字。布尔值是一个无符号整数，其存储只需要能够表示 0 和 1 的空间。

实浮点数：

实浮点数可以有正值或负值。

- float：系统的基本浮点类型。至少能精确表示 6 位有效数字。
- double：范围（可能）更大的浮点类型。能表示比 float 类型更多的有效数字（至少 10 位，通常会更多）以及更大的指数。
- long double：范围（可能）再大的浮点类型。能表示比 double 类型更多的有效数字以及更大的指数。

复数和虚浮点数：

虚数类型是可选的类型，实部和虚部基于如下相应的实数类型：

- `float _Complex`
- `double _Complex`
- `long double _Complex`
- `float _Imaginary`
- `double _Imaginary`
- `long double _Imaginary`

总结：如何声明简单变量

1. 选择所需类型。
2. 选用合法的字符为变量起一个名字。
3. 使用下面的声明语句格式：

```
type-specifier variable-name;
```

type-specifier 由一个或多个类型关键字组成，下面是一些声明的例子：

```
int erest;
unsigned short cash; .
```

4. 可以在同一类型后声明多个变量，这些变量名之间用逗号分隔，如下例所示：

```
char ch, init, ans;
```

5. 可以在声明语句中初始化变量，如下例所示：

```
float mass = 6.0E24;
```

3.4.9 类型大小

表 3.4 和 3.5 列出了一些常见 C 环境中的类型大小（某些环境中，类型大小可以选择）。可以通过程序清单 3.8 中的示例程序列出您所在系统的各个类型的大小。

表 3.4 典型系统的整数类型大小（bit）

类　型	Macintosh Metrowerks CW（默认）	PC 机上的 Linux 系统	IBM PC 机上的 Windows XP 和 Windows NT 系统	ANSI C 规定的最小值
char	8	8	8	8
int	32	32	32	16
short	16	16	16	16
long	32	32	32	32
long long	64	64	64	64

表 3.5 典型系统的浮点数情况

类　型	Macintosh Metrowerks CW（默认）	PC机上的Linux系统	IBM PC 机上的 Windows XP 和 Windows NT 系统	ANSI C 规定的最小值
float	6 位	6 位	6 位	6 位
	-37 到 38	-37 到 38	-37 到 38	-37 到 37
double	18 位	15 位	15 位	10 位
	-4931 到 4932	-307 到 308	-307 到 308	-37 到 37
long double	18 位	18 位	18 位	10 位
	-4931 到 4932	-4931 到 4932	-4931 到 4932	-37 到 37

对于每种类型，上面的行代表有效数字位数，下面的行代表指数的范围（以 10 为基数）。

程序清单 3.8 typesize.c 程序

```
/* typesize.c -- 输出类型的大小 */
#include <stdio.h>
```

```
int main (void)
{
/* c99为类型大小提供一个%zd说明符*/

     printf ("Type int has a size of %u bytes.\n", sizeof (int));
     printf ("Type char has a size of %u bytes.\n", sizeof (char));
     printf ("Type long has a size of %u bytes.\n", sizeof (long));
     printf ("Type double has a size of %u bytes.\n",
     sizeof (double));
     return 0;
}
```

C的内置运算符sizeof以字节为单位给出类型的大小。为打印sizeof数值，一些编译器要求用%lu代替%u，这是因为C允许由具体的实现来选择sizeof返回的结果值实际使用哪种无符号整数类型。C99为此提供了%zd说明符，如果编译器支持，可以考虑使用该说明符。程序清单3.8的输出如下：

```
Type int has a size of 4 bytes.
Type char has a size of 1 bytes.
Type long has a size of 4 bytes.
Type double has a size of 8 bytes.
```

此程序只列出了4种类型的大小，对其进行简单修改即可列出感兴趣的任意类型的大小。注意，char类型肯定是1字节，因为C把char类型的长度定义为1个字节。所以在char类型长为16位，double类型长为64位的系统中，sizeof将报告double类型有4字节长。可以通过limits.h和float.h头文件获取这方面更详细的信息（下一章将进一步讨论这两个头文件）。

注意，最后一个printf（）语句被分为两行，只要不在引号内部或一个单词中间进行断行，就可以这样使用。

3.5 使用数据类型

开发程序时，应当注意所需变量及其类型的选择。一般地，使用int或float类型表示数字，使用char类型表示字符。在使用变量的函数开始处声明该变量，并为它选择有意义的名字。初始化变量使用的常量应当同变量类型相匹配。例如：

```
int apples = 3;  /* 正确          */
int oranges = 3.0;    /* 不好的形式     */
```

与Pascal语言相比，C语言对待类型不匹配现象更宽容。C编译器允许二次初始化，但是会给出警告，尤其是在您激活了较高级别警告的时候。最好不要养成这样粗心的习惯。

当为某个数值类型的变量进行初始化时，如果使用了其他类型的值，C会自动对该值进行类型转换以便和变量类型相匹配，这意味着可能会丢失一部分数据。例如，考虑下列初始化语句：

```
int cost = 12.99;          /* 把一个int变量初始化为一个double值   */
float pi = 3.1415926536;  /* 把一个float变量初始化为一个double值 */
```

第一个声明把12赋予cost。在将浮点值转换为整数时，C简单地丢弃小数部分（截尾），而不进行四舍五入。第二个声明会损失部分精度，因为float类型只能保证前6位是精确的。编译器可能会对这样的初始化语句产生警告，但这并不是它必须做的。如果进行这样的初始化，编译程序清单3.1中的程序时您可能已遇到了这种警告。

很多程序员和组织都有系统化的变量命名规则，其中变量的名字可以表示它的类型。例如：使用i_前缀表示int变量，使用us_表示unsigned short变量。这样通过名字就可以确定变量i_smart为int类型，变量us_verysmart为unsigned short类型。

3.6 参数和易犯的错误

有必要重复并深入介绍一下本章前面提到的关于 printf（）的使用。传递给函数的信息被称为参数。例如，函数调用 printf（"Hello，pal."）包含一个参数"Hello，pal."。用双引号引起来的一串字符称为字符串，详见第 4 章。现在要指出的是，不论包含多少字符和标点符号，一个字符串只是一个参数。

与之类似，函数调用 scanf（"%d"，&weight）包含两个参数："%d"和&weight。C 用逗号来隔开函数调用中的多个参数。printf（）和 scanf（）函数比较特殊，其参数数目可以不受限制。例如，我们曾经使用 1 个、2 个，甚至 3 个参数调用 printf（）函数。程序需要知道参数的数目才能正常工作。这两个函数通过第一个参数确定后续参数的个数，方法是第一个参数字符串中的每个说明符对应了后面的一个参数。例如，下面的语句包含两个格式说明符：%d 和%d。

```
printf ("%d cats ate %d cans of tuna\n", cats, cans);
```

这告诉程序后面还有 2 个参数，确实有 2 个：cats 和 cans。

程序员要保证格式说明符的数目同后面的参数数目相同。现在 C 通过一种函数原型机制检查函数调用是否使用了正确数目及类型的参数，但是这对 printf（）和 scanf（）函数不起作用，因为它们的参数数目是变化的。如果参数数目存在问题，会出现什么情况？例如，假设您编写了程序清单 3.9 中的程序。

程序清单 3.9 badcount.c 程序

```
/* badcount.c -- 不正确的参数个数 */
#include <stdio.h>
int main (void)
{
    int f = 4;
    int g = 5;
    float h = 5.0f;

    printf ("%d\n", f, g);        /* 参数太多       */
    printf ("%d %d\n", f);        /* 参数太少       */
    printf ("%d %f\n", h, g);     /* 值的类型不正确 */
    return 0;
}
```

Microsoft Visual C++ 7.1（Windows XP）的输出结果如下：

```
4
4 34603777
0 0.000000
```

在 Digital Mars（Windows XP）中结果为：

```
4
4 4239476
0 0.000000
```

下面是 Macintosh 机 Metrowerks CodeWarrior Pro 5 的输出结果：

```
4
4 3327456
1075052544 0.000000
```

注意，使用%d 显示 float 值不会把该 float 值转换为近似的 int 值，而是显示垃圾值。与之类似，使用%f 显示 int 值也不会把该 int 值转换为浮点值。而且，参数的数目不足和类型不匹配所造成的结果也将随平台不同而不同。

我们所尝试的编译器都没有对上面的代码提出异议，在运行程序时也不会报告错误。没错，有的编译器可能会捕捉到这种错误，但是 C 标准并没有要求它们这么做。因此，计算机在运行时可能不捕捉这种类型的错误。由于程序运行正常，所以您也很难觉察这样的错误。如果程序没有显示期望的值或显示了异常的值，则应当检查 printf（）函数参数个数是否正确。顺便说一下，UNIX 语法检查程序 lint 比 UNIX 编译器更为严格，它会检查出 printf（）的参数错误。

3.7 另一个例子：转义序列

下面是另一个打印程序，它使用了 C 的一些专用转义字符。程序清单 3.10 演示了退格（\b）、制表符（\t）和回车符（\r）的工作方式。这些概念从计算机使用电传打字机作为输出设备时就开始使用，但它们并不一定能成功地与现代图形接口兼容。比如，此程序不能在某些 Macintosh 实现中正确运行。

程序清单 3.10 escape.c 程序

```
/* escape.c -- 使用转义字符 */
#include <stdio.h>
int main (void)
{
    float salary;
    printf ("\aEnter your desired monthly salary: ");        /* 1 */
    printf (" $_______\b\b\b\b\b\b\b");                       /* 2 */
    scanf ("%f", &salary);
    printf ("\n\t$%.2f a month is $%.2f a year.", salary,
            salary * 12.0);                                  /* 3 */
    printf ("\rGee!\n");                                     /* 4 */
    return 0;
}
```

3.7.1 过程分析

假设在 ANSI C 环境中运行此程序，下面逐步研究此程序。第一条 printf（）语句（标为 1 的语句）发出一声警告声音（由\a 产生），并打印出下列内容：

```
Enter your desired monthly salary:
```

由于字符串结尾没有\n，所以光标仍然停留在冒号后边。

第 2 条 printf（）语句紧接着前面打印，则屏幕显示如下：

```
Enter your desired monthly salary: $_______
```

在冒号和美元符号之间有一个空格，因为第 2 条 printf（）语句中的字符串以空格开始。7 个退格字符使光标左移 7 个位置，也就是把光标向左移动过那 7 个下划线字符，使它直接紧跟在美元符的后面。通常，退格字符不删除退回时所经过的字符，但有些实现是删除的，这会和本练习有所不同。

这时，键入回答 2000.00，则屏幕显示为：

```
Enter your desired monthly salary: $2000.00
```

键入的字符代替了下划线字符。按下 Enter（或 Return）键以发出您的回答，光标将移到下一行的起始位置。

第 3 条 printf（）语句以\n\t 开始。换行符使光标移到下一行的起始位置，制表符使光标移到该行中的下一个制表点，一般是第 9 列（但不一定）。然后打印字符串其余的部分。此语句执行完毕时，屏幕显示如下：

```
Enter your desired monthly salary: $2000.00
        $2000.00 a month is $24000.00 a year.
```

由于 printf（）语句没有使用换行符，所以光标停留在句号后面。

第 4 条 printf（）语句以\r 开始，使光标移至当前行起始位置，然后显示 Gee!，接着\n 使光标移到下一行的起始位置。屏幕上最后结果为：

```
Enter your desired monthly salary: $2000.00
Gee! $2000.00 a month is $24000.00 a year.
```

3.7.2 刷新输出

printf（）函数什么时候真正把输出传送给屏幕？首先，printf（）语句将输出传递给一个被称为缓冲区（buffer）的中介存储区域。缓冲区中的内容再不断地被传递给屏幕。标准 C 规定在以下几种情况下将缓冲区内容传给屏幕：缓冲区满的时候、遇到换行符的时候以及需要输入的时候。将缓冲区内容传送给屏幕或文件称为刷新缓冲区（flushing the buffer）。例如，上例中，前两个 printf（）语句既没有填满缓冲区也不包含换行符，但是后面紧跟了一个 scanf（）语句要求输入。迫使 printf（）的输出内容被传给屏幕。

您可能会遇到早期的 C 语言版本，这样的版本中遇到 scanf（）语句不强迫缓冲区刷新，这将使程序停在那里等待您的输入，而没有显示任何提示信息。为防止此问题，可以用换行符刷新缓冲区，如下所示：

```
printf("Enter your desired monthly salary: \n");
scanf("%f", &salary);
```

不管后续的输入语句是否引起刷新缓冲区，该代码都会正常工作。但是，这样做使光标移到下一行起始位置，防止您在提示字符串的同一行输入数据。另一个解决办法是使用 fflush（）函数，详见第 13 章“文件输入/输出”。

3.8 关键概念

C 包含大量数值类型，这体现了为程序员提供方便 C 的设计这一意图。比如对于整数，C 并不认为一种整数已经足够，而是努力给程序员以多种选择（有符号和无符号），以最好的数值范围满足某个具体程序的需求。

计算机中，浮点数和整数有很大不同，它们的存储和运算都有很大区别。两个 32 位存储单元的每个位状态都相同，但是如果把一个解释为 float 类型，另一个解释为 long 类型，它们将表示完全没有关系的两个值。例如，在 PC 机中，一个存储单元表示 float 数，值为 256.0；如果把它解释为 long 数，则其值为 113246208。C 允许书写混合数据类型的表达式，但它会自动进行类型转换，以使实际的计算只使用一种类型。

计算机内存中用数值编码来表示字符。美国最常用的数值编码是 ASCII 码，C 也支持其他编码的使用。字符常量是计算机系统所使用的数值编码的符号表示，它表示为单引号中的一个字符（如'A'）。

3.9 总结

C 有多种数据类型。基本的数据类型包含两大类：整数类型和浮点类型。整数类型的两个重要特征是其类型的大小以及它是有符号还是无符号的。最小的整数类型是 char，因实现不同可以是有符号或无符号的，可以使用 signed char 和 unsigned char 确定该类型的符号属性，不过这通常用于使用此类型表示小整数而非字符编码。其他的整数类型包括 short、int、long 和 long long 类型。对于上述类型的大小，C 要求后面的类型不能小于前面的类型。上述类型都是有符号的，但可以使用 unsigned 关键字产生相应的无符号类型：unsigned short、unsigned int、unsigned long 和 unsigned long long 类型，也可以使用 signed 修饰词明确地表示一个类型为有符号类型。最后，_Bool 类型是一种无符号类型，它只包含两个值 0 和 1，对应于 false 和 true。

3 种浮点类型为 float、double 和 ANSI C 新增的 long double，后面类型的大小至少要和前面的类型一样大。有些实现中支持复数和虚数类型，方法是把_Complex 和_Imaginary 关键字同浮点类型关键字结合使用，例如 double _Complex 和 float _Imaginary 类型。

整数可以表达为十进制、八进制或十六进制形式。前缀 0 指示八进制数，前缀 0x 或 0X 指示十六进制数。例如，32、040 和 0x20 分别表示十进制、八进制和十六进制的同一个值。后缀 l 或 L 指示 long 类型值，后缀 ll 或 LL 表示 long long 类型值。

字符常量表示为放在单引号中的一个字符，比如'Q'、'8'和'$'。C 的转义序列（例如'\n'）用于表示一些非打印字符。可以使用诸如'\007'这样的形式通过字符的 ASCII 码表示一个字符。

浮点数可以书写为小数点固定的形式，比如 9393.912；或者书写为指数形式，比如 7.38E10。

printf（）函数通过对应于各种类型的转换说明符打印相应类型的数据。形式最简单的转换说明符由一个百分号和一个指示类型的字符组成，比如%d 或%f。

3.10　复习题

您将在附录 A“复习题答案”中可以找到这些复习题的答案。

1．对下面的各种数据使用合适的数据类型：

　a．East Simpleton 的人口

　b．DVD 影碟的价格

　c．本章出现次数最多的字母

　d．这个字母出现的次数

2．需要用 long 类型变量代替 int 类型变量的原因是什么？

3．获得一个 32 位的有符号整数，可以使用哪些可移植的数据类型？每种选择的原因是什么？

4．指出下列常量的类型和意义（如果有的话）：

```
a. '\b'
b. 1066
c. 99.44
d. 0XAA
e. 2.0e30
```

5．Dottie Cawm 写的下面这个程序中有很多错误，找出这些错误。

```
include <stdio.h>
main
(
  float g; h;
  float tax, rate;

  g = e21;
  tax = rate*g;
)
```

6．指出下表中各常量的数据类型（在声明语句中使用的数据类型）及其在 printf（）中的格式说明符。

常　量	类　型	说 明 符
a.	12	
b.	0x3	
c.	'C'	
d.	2.34E07	
e.	'\040'	
f.	7.0	
g.	6L	
h.	6.0f	

7．指出下表中各常量的数据类型（在声明语句中使用的数据类型）及其在 printf（）中的格式说明符，假设 int 类型为 16 位长。

常 量	类 型	说明符
a.	012	
b.	2.9e05L	
c.	's'	
d.	100000	
e.	'\n'	
f.	20.0f	
g.	0x44	

8．假设一个程序开始处有如下的声明：

```
int imate = 2;
long shot = 53456;
char grade = 'A';
float log = 2.71828;
```

在下面 printf（）语句中添上合适的类型说明符：

```
printf("The odds against the %__ were %__ to 1.\n", imate, shot);
printf("A score of %__ is not an %__ grade.\n", log, grade);
```

9．假设 ch 为 char 类型变量。使用转义序列、十进制值、八进制字符常量以及十六进制字符常量等方法将其赋值为回车符（假设使用 ASCII 编码值）。

10．改正下面程序（在 C 中/表示除法）。

```
void main(int) / this program is perfect /
{
  cows, legs integer;
  printf("How many cow legs did you count?\n);
  scanf("%c", legs);
  cows = legs / 4;
  printf("That implies there are %f cows.\n", cows)
}
```

11．指出下列转义字符的含义：

```
a. \n
b. \\
c. \"
d. \t
```

3.11 编程练习

1．通过试验的方法（即编写带有此类问题的程序）观察系统如何处理整数上溢、浮点数上溢和浮点数下溢的情况。

2．编写一个程序，要求输入一个 ASCII 码值（如 66），然后输出相应的字符。

3．编写一个程序，发出警报声，并打印下列文字：

```
Startled by the sudden sound, Sally shouted, "By the Great Pumpkin, what was that! "
```

4．编写一个程序，读入一个浮点数，并分别以小数形式和指数形式打印。输出应如同下面格式（实际显示的指数位数也许因系统而不同）：

```
The input is 21.290000 or 2.129000e+001.
```

5．一年约有 3.156×10^7s。编写一个程序，要求输入您的年龄，然后显示该年龄合多少秒。

6．1 个水分子的质量约为 3.0×10^{-23}g，1 夸脱水大约有 950g。编写一个程序，要求输入水的夸脱数，然后显示这么多水中包含多少个水分子。

7．1 英寸等于 2.54cm。编写一个程序，要求输入您的身高（以英寸为单位），然后显示该身高值等于多少厘米。如果您愿意，也可以要求以厘米为单位输入身高，然后以英寸为单位进行显示。

第 4 章　字符串和格式化输入/输出

在本章中您将学习下列内容：

- 函数：
  strlen ()
- 关键字：
  const
- 字符串。
- 如何创建和存储字符串。
- 如何使用 scanf ( ) 和 printf ( ) 读取和显示字符串。
- 如何使用 strlen ( ) 函数获取字符串的长度。
- 使用 C 预处理器的#define 指令和 ANSI C 的 const 修饰符创建符号常量。

本章重点介绍输入和输出。交互性的程序和字符串的使用可以使您的程序更加个性化。您还可以深入地了解一下两个易于使用的 C 输入/输出函数：printf（）和 scanf（）。有了这两个函数，您就有了与用户交互和按照您的需求和爱好编排输出格式所必需的编程工具。最后，您将快速了解一个重要的 C 工具，即 C 预处理器，并学会定义和使用符号常量的方法。

4.1　前导程序

到目前为止，您可能期望在每章开始处都有一个示例程序，所以我们给出程序清单 4.1。这是一个与用户对话的程序。为了使形式更加灵活多样，该代码使用了新的 C99 注释风格。

程序清单 4.1　talkback.c 程序

```
// talkback.c -- 一个能为您提供一些信息的对话程序
#include <stdio.h>
#include <string.h>    // 提供 strlen () 函数的原型
#define DENSITY 62.4  // 人的密度（单位是：英镑/每立方英尺）
int main ()
{
    float weight, volume;
    int size, letters;
    char name[40];      // name 是一个有 40 个字符的数组

    printf ("Hi! What's your first name?\n");
    scanf ("%s", name);
    printf ("%s, what's your weight in pounds?\n", name);
    scanf ("%f", &weight);
    size = sizeof name;
    letters = strlen (name);
    volume = weight / DENSITY;
```

```
    printf ("Well, %s, your volume is %2.2f cubic feet.\n",
          name, volume);
    printf ("Also, your first name has %d letters, \n",
          letters);
    printf ("and we have %d bytes to store it in.\n", size);
    return 0;
}
```

talkback.c 的运行结果如下：

```
Hi! What's your first name?
Sharla
Sharla, what's your weight in pounds?
139
Well, Sharla, your volume is 2.23 cubic feet.
Also, your first name has 6 letters,
and we have 40 bytes to store it in.
```

该程序主要的新特性如下：

- 它使用一个数组（array）来存放一个字符串。这里，某人的名字被读进这个数组中。该数组是内存中一串连续的 40 个字节，其中每个字节都可存放一个字符值。
- 它使用%s 转换说明符（conversion specification）来处理字符串的输入和输出。请注意，在 scanf（）中，weight 使用了&前缀，而 name 却没有使用（正如您稍后所见，&weight 和 name 都是地址）。
- 它使用 C 预处理器定义了代表值 62.4 的符号常量 DENSITY。
- 它使用 C 函数 strlen（）来获取字符串的长度。

C 的输入/输出方法与 BASIC 相比可能有点复杂。不过，正是这种复杂性使您可以更好地控制输入和输出，并使您的程序更有效率。而且在熟悉以后，您就会发现它惊人的简单。

接下来我们将研究这些新概念。

4.2　字符串简介

字符串（character string）就是一个或多个字符的序列。下面是一个字符串的例子：

```
"Zing went the strings of my heart!"
```

双引号不是字符串的一部分。它们只是通知编译器其中包含了一个字符串，正如单引号标识着一个字符一样。

4.2.1　char 数组类型和空字符

C 没有为字符串定义专门的变量类型，而是把它存储在 char 数组中。字符串中的字符存放在相邻的存储单元中，每个字符占用一个单元；而数组由相邻存储单元组成，所以把字符串存储到数组中是很自然的（请参见图 4.1）。

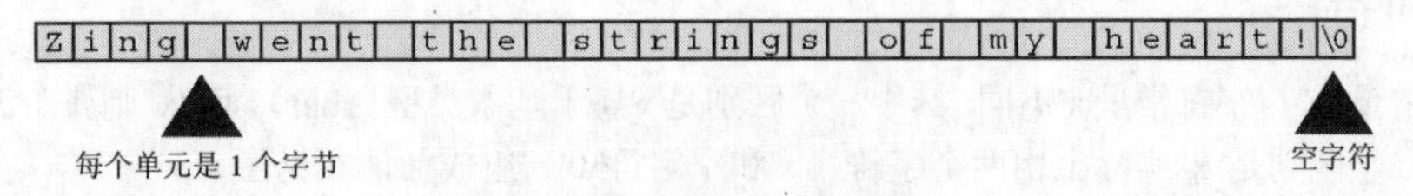

图 4.1　字符串在数组中的存储

请注意，图 4.1 中数组的最后一个位置显示字符\0。这个字符就是空字符（null character），C 用它来标记字符串的结束。空字符不是数字 0；它是非打印字符，其 ASCII 码的值为（或者等同于）0。C 的字符串存储时通常以这个空字符结束。该字符的存在意味着数组的单元数必须至少比要存储的字符数多 1。

那么究竟什么是数组呢？可以把数组看作一行中的多个存储单元。如果您更喜欢正式一点的语言，那么数组就是同一类型的数据元素的有序序列。示例程序通过使用以下声明创建了一个有 40 个存储单元（或元素）的数组，其中每个单元都可以存储一个 char 类型的值：

```
char name[40];
```

name 后面的方括号说明它是一个数组。方括号内的 40 指出数组中元素的数目。char 标识每个元素的类型（请参见图 4.2）。

使用字符串开始复杂起来了！必须创建一个数组，把字符串中的字符逐个地放进数组中，还要记着在结尾添加一个\0。幸运的是，计算机可以自己处理大多数这些细节问题。

分配 1 个字节
char ch;
类型 char
ch
分配 5 个字节
char name[5];
类型 char
name

图 4.2 声明变量与声明数组

4.2.2 使用字符串

试着运行程序清单 4.2 中的程序，您会看到使用字符串很简单。

程序清单 4.2 praise1.c 程序

```
/* praise1.c -- 使用不同类别的字符串 */
#include <stdio.h>
#define PRAISE "What a super marvelous name!"
int main (void)
{
    char name[40];

    printf ("What's your name?\n");
    scanf ("%s", name);
    printf ("Hello, %s. %s\n", name, PRAISE);
    return 0;
}
```

%s 告诉 printf（）要打印一个字符串。%s 出现两次是因为该程序要打印两个字符串：一个被存储在 name 数组中，另一个由 PRAISE 来代表。praise1.c 的运行输出应该像下面所示：

```
What's your name?
Hilary Bubbles
Hello, Hilary. What a super marvelous name!
```

您无须亲自把空字符插入 name 数组中。scanf（）在读取输入时会替您完成这项任务。也无须在字符串常量 PRAISE 中包含一个空字符。我们很快就会解释#define 语句，暂时只须注意 PRAISE 后面的一对双引号表示其中的文本是一个字符串。编译器负责插入空字符这件事情。

请注意（这是很重要的），scanf（）只读取了 Hilary Bubbles 的名字 Hilary。scanf（）开始读取输入以后，会在遇到的第一个空白字符空格（blank）、制表符（tab）或者换行符（newline）处停止读取。因此，它在遇到 Hilary 和 Bubbles 之间的空格时，就停止了扫描。一般情况下，使用%s 的 scanf（）只会把一个单词而不是把整个语句作为字符串读入。C 使用其他读取输入函数（例如 gets（））来处理一般的字符串。后面的几章将更全面地研究字符串函数。

字符串和字符

字符串常量"x"与字符常量'x'不同。其中一个区别是'x'属于基本类型（char），而"x"则属于派生类型（char 数组）。第二个区别是"x"实际上由两个字符（'x'和空字符'\0'）组成（请参见图 4.3）。

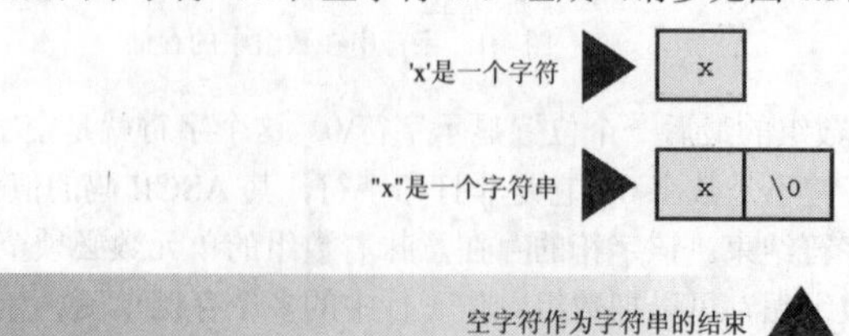
'x'是一个字符
x
"x"是一个字符串
x
\0
空字符作为字符串的结束

图 4.3 字符'x'和字符串"x"

4.2.3　strlen（）函数

上一章提到了 sizeof 运算符，它以字节为单位给出数据的大小。strlen（）函数以字符为单位给出字符串的长度。因为一个字符只占用一个字节，所以您可能认为把这两个函数应用到同一个字符串时可以得到相同的结果，然而事实并非如此。请像程序清单 4.3 中那样向前面的示例程序中添加几行，看看为什么会是这样。

程序清单 4.3　praise2.c 程序

```
/* praise2.c */
#include <stdio.h>
#include <string.h>   /* 提供 strlen () 函数的原型 */
#define PRAISE "What a super marvelous name! "
int main (void)
{
   char name[40];

   printf ("What's your name?\n") ;
   scanf ("%s", name) ;
   printf ("Hello, %s. %s\n", name, PRAISE) ;
   printf ("Your name of %d letters occupies %d memory cells.\n",
         strlen (name) , sizeof name) ;
   printf ("The phrase of praise has %d letters",
         strlen (PRAISE) ) ;
   printf ("and occupies %d memory cells.\n", sizeof PRAISE) ;
   return 0;
}
```

如果您使用的是 ANSI C 之前的编译器，那么可能需要删除下面这一行：

#include <string.h>

string.h 文件包含许多与字符串相关的函数的原型，包括 strlen（）。第 11 章“字符串和字符串函数”更全面地讨论了这个头文件（顺便提一下，一些 ANSI 之前的 UNIX 系统使用头文件 strings.h 而非 string.h 来包含对字符串函数的声明）。

更一般的情况下，C 把 C 函数库分成多个相关函数的系列，并为每个系列提供一个头文件。例如，printf（）和 scanf（）属于标准输入和输出函数系列，使用 stdio.h 头文件。strlen（）函数和其他一些与字符串相关的函数（例如字符串复制和字符串搜索的函数）同属一个系列，并在 string.h 头文件中定义。

请注意，程序清单 4.3 使用了两个方法来处理很长的 printf（）语句。第一个方法是让一个 printf（）语句占用两行（您可以在参数之间断开一行，但不要在一个字符串的中间，例如在一对引号之间断开一行）。第二个方法使用两个 printf（）语句来输出一行，换行符（\n）只出现在第二个语句中。运行该程序会产生如下交互信息：

```
What's your name?
Morgan Buttercup
Hello, Morgan. What a super marvelous name!
Your name of 6 letters occupies 40 memory cells.
The phrase of praise has 28 letters and occupies 29 memory cells.
```

看看发生了什么。根据 sizeof 运算符的报告，数组 name 有 40 个内存单元。不过只用了其中前 6 个单元来存放 Morgan，这是 strlen（）所报告的。数组 name 的第 7 个单元中放置空字符，它的存在告诉 strlen（）在哪里停止计数。图 4.4 示意了这个概念。

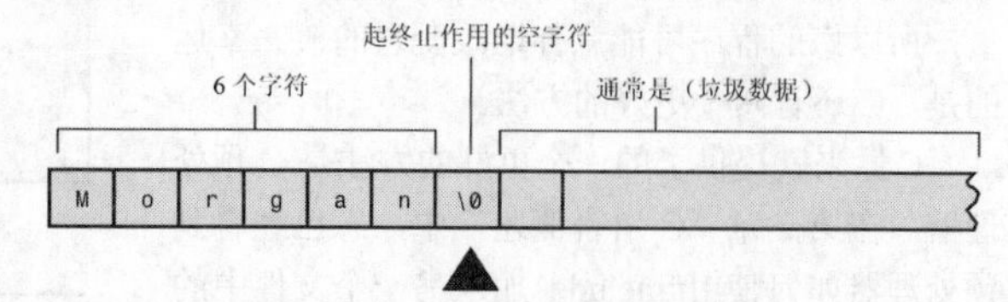

图 4.4　strlen（）函数知道在哪里停止

对于 PRAISE，您会发现 strlen（）再一次给出了字符串中字符（包括空格和标点符号）的准确数目。Sizeof 运算符提供给您的数目比前者大 1，这是因为它把用来标志字符串结束的不可见的空字符也计算在内。您并没有告诉计算机为存储该语句分配多大内存，它必须自己计算出双引号之间的字符的数目。

还有一点，前一章在 sizeof 中使用了圆括号，但是本例却没有。是否使用圆括号取决于您是想获取一个类型的大小还是想获取某个具体量的大小。圆括号对于类型是必需的，而对于具体量则是可选的。也就是说，您应该使用 sizeof（char）或 sizeof（float），但是可以使用 sizeof name 或 sizeof 6.28。不过，在所有情况下都使用圆括号会更好，例如 sizeof（6.28）。

上一个示例程序中使用 strlen（）和 sizeof 只是为了满足用户潜意识中的好奇心。然而在实际应用中，strlen（）和 sizeof 都是重要的编程工具。例如，strlen（）在各种类型的字符串程序中都很有用，您将在第 11 章中看到这一点。

下面我们来看#define 语句。

4.3 常量和 C 预处理器

有时需要在程序中使用常量。例如，可以按照如下形式给出圆的周长：

```
circumference = 3.14159 * diameter;
```

这里，常量 3.14159 代表著名的常量 pi（π）。要使用常量，只须像本例这样键入一个实际的值即可。不过，有一些强有力的理由可以说服我们使用符号常量来代替这种方法。也就是说，可以使用如下语句，并由计算机在稍后用实际值完成替换：

```
circumference = pi * diameter;
```

为什么使用符号常量比较好呢？首先，一个名字比一个数字告诉您的信息多。请比较如下两个语句：

```
owed = 0.015 * housevalue;
owed = taxrate * housevalue;
```

如果您在通读很长的程序，那么第二种形式的意义更加清楚。

而且，假设您在多个地方使用了同一个常量，并且必须改变它的值。别忘了，税率是会变动的。那么您只需要改变这个符号常量的定义，而不用在程序中查找出现这个常量的每个地方并做修改。

那么，如何建立一个符号常量呢？一个方法是声明一个变量，并设置该变量等于所需的常量。您可以这样编写：

```
float taxrate;
taxrate = 0.015;
```

这就提供了一个符号名。但 taxrate 是一个变量，所以您的程序可能意外地改变它的值。幸运的是，C 还有两个更好的方法。

C 原来就提供了的一个更好的方法是 C 预处理器。在第 2 章“C 语言概述”中，您已经看到预处理器如何使用#include 加入另一个文件中的信息。预处理器也允许定义常量。只须在程序文件的顶部添加如下信息即可：

```
#define TAXRATE 0.015
```

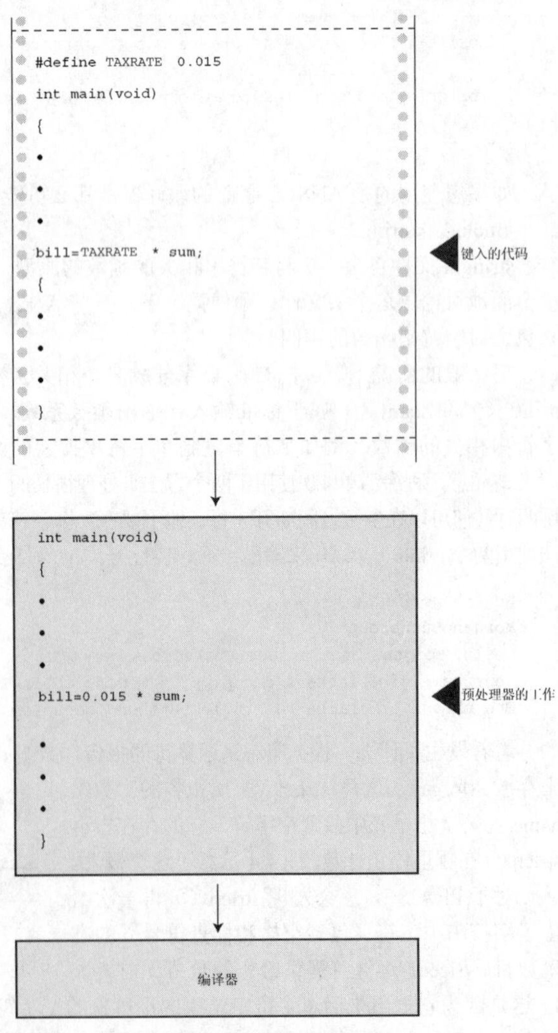

图 4.5 键入的代码与编译的代码

当编译您的程序时，值 0.015 将会在 TAXRATE 出现的每个地方替代它。这称为编译时代入法（compile-time substitution）。到您运行程序的时候，所有的替代都已经完成了（请参见图 4.5）。这样定义的常量通常被称为明显常量（manifest constant）。

请注意格式：首先是#define，其次是常量的符号名（TAXRATE），接着是常量的值（0.015）（请注意，这个结构中没有使用=符号）。所以一般的形式如下：

```
#define NAME value
```

您可以用自己选择的符号名和合适的值来代替 NAME 和 value。没有使用分号是因为这是一种替代机制，而不是 C 的语句。为什么 TAXRATE 要大写呢？键入大写的常量是一个明智的 C 传统。这样，当您在程序中间遇到大写的符号名时，您会立即知道这是一个常量而非变量。大写常量只不过是使程序更易阅读的技术之一。如果您没有大写常量，程序也会照常工作，但是应该培养大写常量的好习惯。

另外还有一个不常用的命名约定，就是在名字前面加上前缀 c_或者 k_来表示常量，从而得到像 c_level 或者 k_line 这样的名字。

符号常量所用的名字必须满足变量命名规则。可以使用大写和小写字母、数字和下划线字符。第一个字符不能是数字。程序清单 4.4 给出了一个简单的示例。

程序清单 4.4　pizza.c 程序

```
/* pizza.c -- 在这个比萨饼的例子中使用定义常量  */
#include <stdio.h>
#define PI 3.14159
int main (void)
{
    float area, circum, radius;

    printf ("What is the radius of your pizza?\n") ;
    scanf ("%f", &radius) ;
    area = PI * radius * radius;
    circum = 2.0 * PI *radius;
    printf ("Your basic pizza parameters are as follows: \n") ;
    printf ("circumference = %1.2f, area = %1.2f\n", circum,
            area) ;
    return 0;
}
```

printf（）语句中的%1.2f 使输出结果四舍五入为保留两位小数。当然，该程序并不能真正反映您对比萨饼主要关注的方面，但是它确实能说明比萨饼程序设计领域中的一个小问题。下面是一个运行示例：

```
What is the radius of your pizza?
6.0
Your basic pizza parameters are as follows:
circumference = 37.70, area = 113.10
```

#define 语句也可以用于定义字符和字符串常量。前者用单引号，后者用双引号。下面的例子是正确的：

```
#define BEEP '\a'
#define TEE 'T'
#define ESC '\033'
#define OOPS "Now you have done it! "
```

请记住，符号名后的所有内容都被用来代替它。不要犯这样的常见错误：

```
/* 下面的定义是错误的 */
#define TOES = 20
```

如果您这样做，TOES 将会被= 20 而不是 20 所代替。如果这样，那么下面的语句：

```
digits = fingers + TOES;
```

经转换后会变成下面所示的错误表示方法：

```
digits = fingers + = 20;
```

4.3.1 const 修饰符

C90 新增了一种创建符号常量的第二种方法，即可以使用 const 关键字把一个变量声明转换成常量声明：

```
const int MONTHS = 12;   // MONTHS 是一个代表 12 的符号常量
```

这就使 MONTHS 成为一个只读值。也就是说，您可以显示 MONTHS，并把它用于计算中，但是您不能改变 MONTHS 的值。这个新方法比使用#define 更灵活；第 12 章“存储类、链接和内存管理”讨论了该方法以及 const 的其他用法。实际上，C 还有第三种方法可以创建符号常量，那就是第 14 章“结构和其他数据形式”所讨论的枚举（enum）功能。

4.3.2 系统定义的明显常量

C 头文件 limits.h 和 float.h 分别提供有关整数类型和浮点类型的大小限制的详细信息。每个文件都定义了一系列应用于您的实现的明显常量。例如，limits.h 文件包含与下面类似的行：

```
#define INT_MAX       +32767
#define INT_MIN       -32768
```

这些常量代表 int 类型的最大和最小可能值。如果您的系统使用 32 位的 int，那么该文件将会为这些符号常量提供不同的值。该文件定义了所有整数类型的最小和最大值。如果您包含了 limits.h 文件，那么可以使用如下代码：

```
printf ("Maximum int value on this system = %d\n", INT_MAX);
```

如果您的系统使用 4 字节的 int，那么该系统的 limits.h 文件就会提供符合 4 字节整型限制的 INT_MAX 和 INT_MIN 的定义。表 4.1 列出了 limits.h 中的一些常量。

表 4.1 limits.h 中的一些符号常量

符 号 常 量	含 义
CHAR_ BIT	一个 char 的位数
CHAR_ MAX	char 类型的最大值
CHAR_ MIN	char 类型的最小值
SCHAR_ MAX	signed char 类型的最大值
SCHAR_ MIN	signed char 类型的最小值
UCHAR_ MAX	unsigned char 类型的最大值
SHRT_ MAX	short 类型的最大值
SHRT_ MIN	short 类型的最小值
USHRT_ MAX	unsigned short 类型的最大值
INT_ MAX	int 类型的最大值
INT_ MIN	int 类型的最小值
UINT_ MAX	unsigned int 类型的最大值
LONG_ MAX	long 类型的最大值
LONG_ MIN	long 类型的最小值
ULONG_ MAX	unsigned long 类型的最大值
LLONG_ MAX	long long 类型的最大值
LLONG_ MIN	long long 类型的最小值
ULLONG_ MAX	unsigned long long 类型的最大值

同样，float.h 文件定义了诸如 FLT_DIG 和 DBL_DIG 之类的常量，这些常量分别代表 float 类型和 double 类型支持的有效位的个数。表 4.2 列出了 float.h 中定义的一些常量（可以使用文本编辑器来打开和查看系

统使用的 float.h 头文件）。本示例与 float 类型相关。为 double 和 long double 类型也定义了相对应的常量，只是常量名中的 FLT 被 DBL 和 LDBL 所代替（该表假设系统用 2 的幂表示浮点数）。

表 4.2　limits.h 中的一些符号常量

符号常量	含义
FLT_ MANT_ DIG	float 类型的尾数位数
FLT_ DIG	float 类型的最少有效数字位数（十进制）
FLT_ MIN_10_ EXP	带有全部有效数字的 float 类型的负指数的最小值（以 10 为底）
FLT_ MAX_ 10_ EXP	float 类型的正指数的最大值（以 10 为底）
FLT_ MIN	保留全部精度的 float 类型正数的最小值
FLT_ MAX	float 类型正数的最大值
FLT_ EPSILON	1.00 和比 1.00 大的最小的 float 类型值之间的差值

程序清单 4.5 示意了如何使用 float.h 和 limits.h 中的数据（请注意，许多当前的编译器还不完全支持 C99 标准，也许还不接受 LLONG_MIN 标识符）。

程序清单 4.5　defines.c 程序

```
// defines.c -- 使用 limit.h 和 float.h 中定义的常量
#include <stdio.h>
#include <limits.h>   // 整数限制
#include <float.h>    // 浮点数限制
int main (void)
{
    printf ("Some number limits for this system: \n");
    printf ("Biggest int: %d\n", INT_MAX);
    printf ("Smallest unsigned long: %lld\n", LLONG_MIN);
    printf ("One byte = %d bits on this system.\n", CHAR_BIT);
    printf ("Largest double: %e\n", DBL_MAX);
    printf ("Smallest normal float: %e\n", FLT_MIN);
    printf ("float precision = %d digits\n", FLT_DIG);
    printf ("float epsilon = %e\n", FLT_EPSILON);
    return 0;
}
```

下面是示例的输出：

```
Some number limits for this system:
Biggest int: 2147483647
Smallest unsigned long: -9223372036854775808
One byte = 8 bits on this system.
Largest double: 1.797693e+308
Smallest normal float: 1.175494e-38
float precision = 6 digits
float epsilon = 1.192093e-07
```

C 预处理器是个极其有用的工具，所以在可能的时候要尽量利用它。在本书后面的章节中您会看到更多的相关应用。

4.4　研究和利用 printf（ ）和 scanf（ ）

printf（）和 scanf（）函数使您能够与程序通信。它们被称为输入/输出函数，或者被简称为 I/O 函数。它们不是只有您可以使用的 C I/O 函数，而且是最通用的 I/O 函数。在历史上，这些函数就像 C 函数库中的所有其他函数一样，不是 C 的定义的一部分。最初的时候 C 把输入/输出的实现留给了编译器的编写者，这样可以更好地使 I/O 与特定的机器相匹配。为了兼容性起见，不同的实现中都带有各自的 scanf（）和 printf（），但它们之间偶尔有一些差异。C90 和 C99 标准描述了这些函数的标准版本，我们将遵循这个标准。

虽然 printf（）是输出函数，scanf（）是输入函数，但是它们的工作几乎相同，都使用了控制字符串和参数列表。我们将依次给出 printf（）和 scanf（）函数的工作原理。

4.4.1 printf ( ) 函数

请求 printf（）打印变量的指令取决于变量的类型。例如，在打印整数时使用%d 符号，而在打印字符时使用%c 符号。这些符号被称为转换说明（conversion specification），因为它们指定了如何把数据转换成可显示的形式。我们将会列出 ANSI C 标准为 printf（）提供的各种转换说明，然后将示范如何使用一些较为常用的转换说明。表 4.3 给出了转换说明符和用这些转换说明符打印的输出类型。

表 4.3 转换说明符及作为结果的打印输出

转换说明	输出
%a	浮点数、十六进制数字和 p-记数法（C99）
%A	浮点数、十六进制数字和 P-记数法（C99）
%c	一个字符
%d	有符号十进制整数
%e	浮点数、e-记数法
%E	浮点数、E-记数法
%f	浮点数、十进制记数法
%g	根据数值不同自动选择%f 或%e。%e 格式在指数小于-4 或者大于等于精度时使用
%G	根据数值不同自动选择%f 或%E。%E 格式在指数小于-4 或者大于等于精度时使用
%i	有符号十进制整数（与%d 相同）
%o	无符号八进制整数
%p	指针
%s	字符串
%u	无符号十进制整数
%x	使用十六进制数字 0f 的无符号十六进制整数
%X	使用十六进制数字 0F 的无符号十六进制整数
%%	打印一个百分号

4.4.2 使用 printf ( )

程序清单 4.6 中包含的程序使用了一些转换说明。

程序清单 4.6 printout.c 程序

```
/* printout.c -- 使用转换说明符 */
#include <stdio.h>
#define PI 3.141593
int main (void)
{
    int number = 5;
    float expresso = 13.5;
    int cost = 3100;
    printf ("The %d CEOs drank %f cups of expresso.\n", number,
          expresso) ;
    printf ("The value of pi is %f.\n", PI) ;
    printf ("Farewell! thou art too dear for my possessing, \n") ;
    printf ("%c%d\n", '$', 2 * cost) ;
```

```
    return 0;
}
```

显然，输出就是：

```
The 5 CEOs drank 13.500000 cups of expresso.
The value of pi is 3.141593.
Farewell! thou art too dear for my possessing,
$6200
```

以下是 printf（）的使用格式：

```
printf(Control-string, item1, item2, ...);
```

item1，item2 等等都是要打印的项目。它们可以是变量，也可以是常量，甚至可以是在打印之前进行计算的表达式。控制字符串（control-string）是一个描述项目如何打印的字符串。正如第 3 章“数据和 C”中所提及的，控制字符串应该为每个要打印的项目包含一个转换说明符。例如，考虑如下语句：

```
printf("The %d CEOs drank %f cups of expresso.\n", number, expresso);
```

控制字符串就是双引号内的语句。它包含了分别对应于 number 和 expresso（要显示的两个项目）的两个转换说明符。图 4.6 给出了 printf（）语句的另一个示例。

下面是示例程序中的另外一行：

```
printf("The value of pi is %f.\n", PI);
```

这一次，项目列表中只有一个成员，即符号常量 PI。

正如图 4.7 所示，控制字符串包含了两种形式截然不同的信息：

- 实际要打印的字符。
- 转换说明。

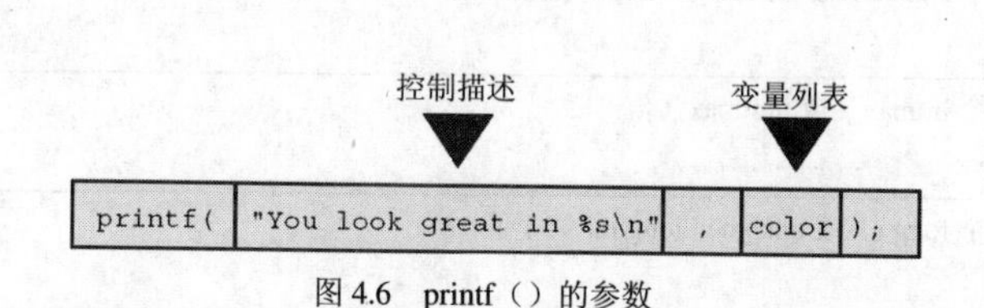

图 4.6　printf（）的参数

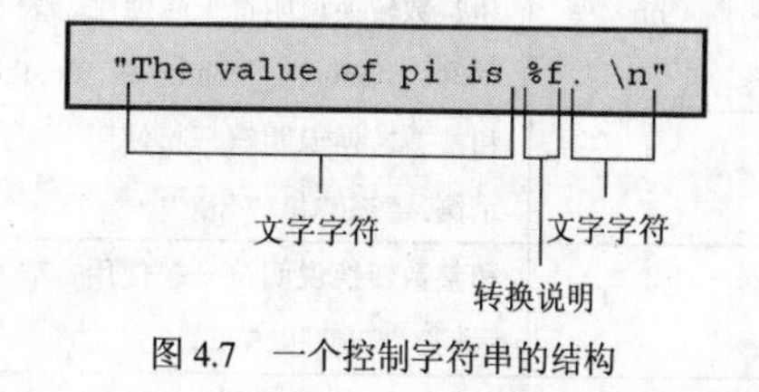

图 4.7　一个控制字符串的结构

警　告

不要忘记给控制字符串后面的列表中的每个项目都使用一个转换说明。若忘记这个基本的要求将是一件可怕的事情。千万不要写出下面这样的语句：

```
printf("The score was Squids %d, Slugs %d.\n", score1);
```

这里没有值使用第二个%d。这种错误语句的结果取决于您的系统，就算在最好的情况下，您也只能得到无意义的值。

如果您只想打印一个语句，那么您就不需要任何转换说明；如果您只想打印数据，您无须加入任何说明内容。程序清单 4.6 中，下列每个语句都是可接受的：

```
printf("Farewell! thou art too dear for my possessing,\n");
printf("%c%d\n", '$', 2 * cost);
```

请注意在第二个语句中，打印列表的第一项是一个字符常量而非变量，而第二项则是一个乘法表达式。这就说明了 printf（）使用的是值，无论该值是变量、常量还是表达式。

因为 printf（）函数使用%符号来标识转换说明，所以打印%符号本身就成了一个小问题。如果您单独使用一个%符号，那么编译器就会认为您丢掉了一个转换说明符号。解决办法很简单，就是使用两个%符号。

```
pc = 2*6;
printf ("Only %d%% of Sally's gribbles were edible.\n"s, pc) ;
```

下面是输出结果：

```
Only 12% of Sally's gribbles were edible.
```

4.4.3 printf ( )的转换说明修饰符

可以在%和定义转换字符之间通过插入修饰符对基本的转换说明加以修改。表 4.4 和 4.5 列出了可以插入的合法字符。如果使用了一个以上的修饰符，那么它们应该与其表 4.4 中出现的顺序相同。并不是所有的组合都是可能的。该表中有些是 C99 新增加的部分，您的 C 实现也许还不支持这里所示的所有选项。

表 4.4　printf ( ) 修饰符

修 饰 符	意　义
标志	五种标志（-、+、空格、#和 0）都将在表 4.5 中描述。可以使用零个或者多个标志 示例：" %-10d"
digit（s）	字段宽度的最小值。如果该字段不能容纳要打印的数或者字符串，系统就会使用更宽的字段 示例："%4d"
.digit（s）	精度。对于%e、%E 和%f 转换，是将要在小数点的右边打印的数字的位数。对于%g 和%G 转换，是有效数字的最大位数。对于%s 转换，是将要打印的字符的最大数目。对于整数转换，是将要打印的数字的最小位数；如果必要，要使用前导零来达到这个位数。只使用"."表示其后跟随一个零，所以%.f 与%.0f 相同 示例："%5.2f"打印一个浮点数，它的字段宽度为 5 个字符，小数点后有两个数字
h	和整数转换说明符一起使用，表示一个 short int 或 unsigned short int 类型数值 示例："%hu"、"%hx"和"%6.4hd"
hh	和整数转换说明符一起使用，表示一个 signed char 或 unsigned char 类型数值 示例："%hhu"、"%hhx"和"%6.4hhd"
j	和整数转换说明符一起使用，表示一个 intmax_t 或 uintmax_t 值 示例："%jd"和"%8jX"
l	和整数转换说明符一起使用，表示一个 long int 或 unsigned long int 类型值 示例："%ld"和"%8lu"
ll	和整数转换说明符一起使用，表示一个 long long int 或 unsigned long long int 类型值（C99） 示例："%lld"和"%8llu"
L	和浮点转换说明符一起使用，表示一个 long double 值 示例："%Lf"和"%10.4Le"
t	和整数转换说明符一起使用，表示一个 ptrdiff_t 值（与两个指针之间的差相对应的类型）（C99） 示例："%td"和"%12ti"
z	和整数转换说明符一起使用，表示一个 size_t 值（sizeof 返回的类型）（C99） 示例："%zd"和"%12zx"

浮点型参数的转换

有用于打印浮点类型 double 和 long double 的转换说明符，但没有用于 float 的说明符。原因是在 K&R C 中 float 值在被用于表达式中或者被用作参数之前，会被自动转换为 double 类型。一般情况下，ANSI C 不会自动把 float 转换成 double。不过，为了保护大量现有的假设 float 参数会被转换成 double 的程序，printf ( ) 和其他任何不使用显式原型的 C 函数的所有 float 参数仍然会自动被转换成 double。因此，不管是 K&R C 还是 ANSI C，都无需专门的转换说明符来显示 float 类型。

表 4.5　printf ( ) 的标志

标　志	意　义
-	项目是左对齐的；也就是说，会把项目打印在字段的左侧开始处 示例："%-20s"
+	有符号的值若为正，则显示带加号的符号；若为负，则带减号的符号 示例："%+6.2f"
（空格）	有符号的值若为正，则显示时带前导空格（但是不显示符号）；若为负，则带减号符号。+标志会覆盖空格标志 示例："% 6.2f"
#	使用转换说明的可选形式。若为%o 格式，则以 0 开始；若为%x 和%X 格式，则以 0x 或 0X 开始。对于所有的浮点形式，#保证了即使不跟任何数字，也打印一个小数点字符。对于%g 和%G 格式，它防止尾随零被删除 示例："%#o"、"%#8.0f"和"%+#10.3E"
0	对于所有的数字格式，用前导零而不是用空格填充字段宽度。如果出现-标志或者指定了精度（对于整数）则忽略该标志 示例："%010d"和"%08.3f"

一、使用修饰符和标志示例

我们开始使用这些修饰符，先来看看打印整数时字段宽度修饰符的作用。考虑程序清单 4.7 中的程序。

程序清单 4.7　width.c 程序

```
/* width.c -- 字段宽度 */
#include <stdio.h>
#define PAGES 931
int main(void)
{
    printf("*%d*\n", PAGES);
    printf("*%2d*\n", PAGES);
    printf("*%10d*\n", PAGES);
    printf("*%-10d*\n", PAGES);
    return 0;
}
```

程序清单 4.7 使用 4 个不同的转换说明把相同的值打印了 4 次。它使用一个星号（*）来标识出每个字段的开始和结尾。输出结果如下：

```
*931*
*931*
*       931*
*931       *
```

第一个转换说明是不带任何修饰符的%d。它生成了一个与要打印的整数宽度相同的字段。这是默认选项；也就是说，如果您没有进一步给出命令，这就是打印的结果。第二个转换说明是%2d。它指示应该产生宽度为 2 的字段，但是由于该整数有 3 位数字，所以字段自动扩展以适应数字的长度。下一个转换说明是%10d。这将产生一个有 10 个空格那么宽的字段，于是在星号之间有 7 个空白和 3 个数字，并且数字位于整个字段的右端。最后一个说明是%-10d。它也产生宽 10 个空格的字段，标志"-"把数字放到左端，就像广告中那样。您习惯以后，该系统就易于使用，并使您能够很好地控制输出结果的外观。试着改变 PAGES 的值，看看不同位数的数字是如何打印的。

现在来看一些浮点格式。请输入、编译并运行程序清单 4.8 中的程序。

程序清单 4.8　floats.c 程序

```
// floats.c -- 一些浮点数的组合
#include <stdio.h>

int main (void)
{
    const double RENT = 3852.99;  // 以 const 方法定义的常量

    printf ("*%f*\n", RENT);
    printf ("*%e*\n", RENT);
    printf ("*%4.2f*\n", RENT);
    printf ("*%3.1f*\n", RENT);
    printf ("*%10.3f*\n", RENT);
    printf ("*%10.3e*\n", RENT);
    printf ("*%+4.2f*\n", RENT);
    printf ("*%010.2f*\n", RENT);
    return 0;
}
```

这一次，程序使用关键字 const 创建了一个符号常量。输出为：

```
*3852.990000*
*3.852990e+03*
*3852.99*
*3853.0*
*  3852.990*
* 3.863e+03*
*+3852.99*
*0003852.99*
```

本例以默认格式%f 开始。在这种情形下，有两个默认项目：字段宽度和小数点右边的数字的数目。第二个默认项目的值是 6 个数字，字段宽度就是容纳数字所用的空间。

接下来是%e 的默认格式。它在小数点的左侧打印一个数字，在小数点的右侧打印 6 个数字。我们得到了一堆数字！解决方法是指定小数点右边小数位的数目，本段中接下来的 4 个示例就是这样做的。请注意，第 4 个和第 6 个示例对输出进行了四舍五入。

最后，+标志使得结果数字和它的代数符号一起打印，在这里该符号就是加号符号；0 标志产生前导零以使结果填充整个字段。请注意，在说明符%010 中第一个 0 是一个标志，剩余的数字（10）指定字段宽度。

您可以修改 RENT 值来看看不同大小的值如何打印。程序清单 4.9 给出了另外一些组合。

程序清单 4.9　flags.c 程序

```
/* flags.c -- 一些格式标志的使用示例 */
#include <stdio.h>
int main (void)
{
    printf ("%x %X %#x\n", 31, 31, 31);
    printf ("**%d**% d**% d**\n", 42, 42, -42);
    printf ("**%5d**%5.3d**%05d**%05.3d**\n", 6, 6, 6, 6);
    return 0;
}
```

输出如下：

```
1f 1F 0x1f
**42** 42**-42**
**    6**  006**00006**  006**
```

首先，1f 等于 31 的十六进制数。x 说明符输出 1f，而 X 说明符输出 1F。使用#标志使输出以 0x 开始。

第二行示范了如何在说明符中使用空格以在正值之前产生一个前导空格（在负值之前不产生前导空

格）。这将使有效位相同的正值和负值以相同字段宽度打印输出，因此结果看起来会令人舒服一些。

第三行说明如何在整数格式中使用精度说明符（%5.3d）来产生足够的前导零以填满要求的最小数字位数（这里是 3）；而使用 0 标志将会用前导零填满整个字段宽度；最后，如果 0 标志和精度说明符同时出现，那么 0 标志就会被忽略。

现在我们查看一些有关字符串的选项。考虑程序清单 4.10 中的示例：

程序清单 4.10　strings.c 程序

```
/* strings.c - 字符串的格式化 */
#include <stdio.h>
#define BLURB "Authentic imitation! "
int main (void)
{
    printf ("/%2s/\n", BLURB) ;
    printf ("/%24s/\n", BLURB) ;
    printf ("/%24.5s/\n", BLURB) ;
    printf ("/%-24.5s/\n", BLURB) ;
    return 0;
}
```

下面是输出：

```
/Authentic imitation!    /
/    Authentic imitation!/
/                   Authe/
/Authe                   /
```

请注意系统如何扩展字段以包含所有指定的字符。同时请注意：精度说明符是如何限制所打印的字符的数目的。格式说明符中的.5 告诉 printf（）只打印 5 个字符。另外，"-"修饰符使文本左对齐输出。

二、应用您的知识

现在，您已经看到了几个示例。如何用一个语句打印如下形式的内容？

```
The NAME family just may be $XXX.XX dollars richer!
```

这里，NAME 和 XXX.XX 代表由程序中的变量（比如说 name[40]和 cash）所提供的值。

解决方法如下：

```
printf ("The %s family just may be $%.2f richer!\n", name, cash);
```

4.4.4　转换说明的意义

我们深入探讨一下转换说明的意义。它把存储在计算机中的二进制格式的数值转换成一系列字符（一个字符串）以便于显示。例如，数字 76 的内部存储形式可能是二进制的 01001100。%d 转换说明符将之转换成字符 7 和 6，并显示成 76。%x 转换则把相同的值（01001100）转换成十六进制的表示法 4c。%c 把相同的值转换成字符表示法 L。

术语“转换”（conversion）可能会带来误导，因为它可能意味着用转换后的值代替原值。转换说明实际上就是翻译说明；%d 意为“把给定的值翻译成十进制整数文本表示，并打印出来”。

一、不匹配的转换

显然，应该使转换说明与要打印的值的类型相匹配。通常情况下都有多种选择。例如，如果想打印一个 int 类型值，可以使用%d、%x 或%o，所有这些说明符都假定打印一个 int 类型的值；它们仅仅提供该值不同的表示形式。同样，也可以使用%f、%e 或%g 来表示 double 类型的值。

如果转换说明与类型不匹配会怎样呢？上章中您已看到不匹配会导致一些问题。这一点是非常重要的，一定要牢记。所以程序清单 4.11 又给出了整数系列内几个不匹配的示例。

程序清单 4.11 intconv.c 程序

```
/* intconv.c -- 一些不匹配的整数转换 */
#include <stdio.h>
#define PAGES 336
#define WORDS 65618
int main (void)
{
    short num = PAGES;
    short mnum = -PAGES;

    printf ("num as short and unsigned short: %hd %hu\n", num, num);
    printf ("-num as short and unsigned short: %hd %hu\n", mnum, mnum);
    printf ("num as int and char: %d %c\n", num, num);
    printf ("WORDS as int, short, and char: %d %hd %c\n",
            WORDS, WORDS, WORDS);
    return 0;
}
```

我们的系统产生如下结果：

```
num as short and unsigned short: 336 336
-num as short and unsigned short: -336 65200
num as int and char: 336 P
WORDS as int, short, and char: 65618 82 R
```

请看第一行，您会看到%hd 和%hu 产生 336 作为变量 num 的输出，这没有任何问题。然而，mnum 的%u（无符号）版本的输出结果则为 65200，而非您所期望的 336。这是由于有符号 short int 值在我们的参考系统中的表示方式所造成的。首先，它们的大小为 2 字节。其次，该系统使用一种被称为 2 的补码（two's complement）的方法来表示有符号整数。在这种方法中，数字 0 到 32767 代表它们本身，而数字 32768 到 65535 则代表负数，65535 代表–1、65534 代表–2，以此类推。因此，–336 由 65536–336，也即 65200 来表示。所以当被解释成一个有符号整数时，65200 代表–336；而被解释成无符号整数时，65200 则代表 65200。一定要谨慎！一个数字可以被解释成两个不同的值。不是所有的系统都用该方法来表示负整数。虽然如此，还是有一个准则：不要期望%u 转换能把数字和符号分开。

第二行显示如果您试图把一个大于 255 的值转换成字符，将会发生什么事情。在该系统上，一个 short int 占用 2 个字节，一个 char 占用 1 个字节。当 printf（）使用%c 打印 336 时，它只查看用于存放 336 的两个字节中的 1 个字节。这种截断（请参见图 4.8）相当于用 256 除一个整数，并取其余数。在这种情况下，余数是 80，也就是字符 P 的 ASCII 码值。更技术一些，您可以说，该数字被解释成"以 256 为模"（modulo 256），意即使用数字被 256 除的余数。

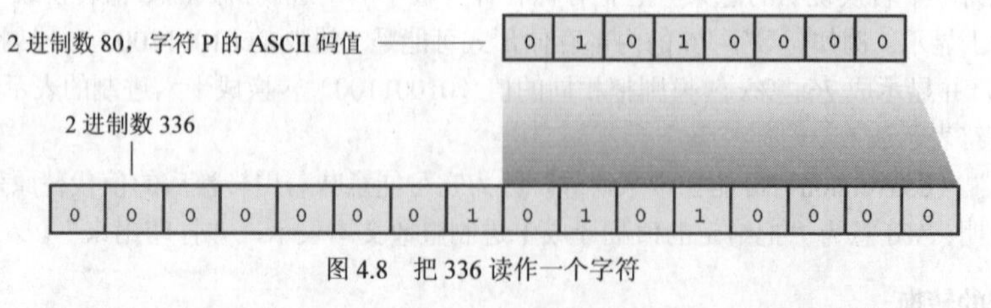

图 4.8 把 336 读作一个字符

最后，我们试着打印一个比系统允许的最大的 short int（32767）大的整数（65618）。这次计算机又进行了模运算。我们的系统根据数字 65618 的大小，将它存储为 4 个字节的整数值。当我们使用%hd 说明打印它时，printf（）只使用最后 2 个字节。这相当于使用被 65536 除后得到的余数。在这里，余数是 82。鉴于负数的存储方法，在 32767 和 65536 之间的余数会被打印成负数。整数大小不同的系统将会做出相同的动作，但是会产生不同的数值。

当混淆了整数和浮点类型时，结果更是千奇百怪。例如，考虑程序清单 4.12。

程序清单 4.12 floatcnv.c 程序

```
/* floatcnv.c -- 不匹配的浮点数转换 */
#include <stdio.h>
int main (void)
{
    float n1 = 3.0;
    double n2 = 3.0;
    long n3 = 2000000000;
    long n4 = 1234567890;

    printf ("%.1e %.1e %.1e %.1e\n", n1, n2, n3, n4);
    printf ("%ld %ld\n", n3, n4);
    printf ("%ld %ld %ld %ld\n", n1, n2, n3, n4);
    return 0;
}
```

在我们的系统上，程序清单 4.12 产生如下输出：

```
3.0e+00 3.0e+00 3.1e+46 1.7e+266
2000000000 1234567890
0 1074266112 0 1074266112
```

输出的第一行显示，使用%e 说明符并没有把整数转换成浮点数。例如，考虑当您试图使用%e 说明符打印 n3（long 类型）时，发生了什么。首先，%e 说明符使 printf（）期望一个 double 类型值，在本系统这是一个 8 字节的值。当 printf（）查看 n3（它在本系统中是一个 4 字节值）时，它也查看邻近的 4 个字节。因此，它查看了一个 8 字节的单元，其中只有一部分是真正的 n3。接着，它把该单元内的位解释成一个浮点数。例如，一些位将会被解释成指数。所以即使 n3 的位数正确，在%e 作用下和%ld 作用下它们的解释也是不同的。最终结果是无意义的。

第一行也说明了前面所提到的：当被用作 printf（）的参数时，float 被转换成 double。在本系统中，float 是 4 字节的，但是 n1 会被扩展到 8 字节以使 printf（）能够正确显示它。

输出的第二行显示，如果使用的说明符正确，printf（）就可以正确打印 n3 和 n4。

输出的第三行表明，如果 printf（）语句在其他地方出现不匹配错误，即使正确的说明符也会产生虚假的结果。正如您能料到的，试图用%ld 说明符打印一个浮点数会失败。但是在这里，试图使用%ld 打印一个 long 类型居然也失败了！问题出在 C 把信息传递给函数的方式中。失败过程的确切细节是依赖于实现的，下面这段文字针对一个具有代表性的系统进行了讨论。

参数传递

参数传递的机制随实现不同而不同。下面是参数传递在我们的系统中的工作原理。函数调用如下：

```
printf ("%ld %ld %ld %ld\n", n1, n2, n3, n4);
```

该调用告诉计算机把变量 n1、n2、n3 和 n4 的值传递给计算机，计算机把它们放置到被称为堆栈（stack）的一块内存区域中来实现。计算机根据变量的类型而非转换说明符把这些值放到堆栈中。所以，n1 在堆栈中占用 8 个字节（float 被转换成了 double）。同样，n2 占用 8 个字节，而 n3 和 n4 则分别占用 4 个字节。然后控制转移到 printf（）函数。该函数从堆栈把值读出来，但是在读取时，它根据转换说明符去读取。%ld 说明符指出，printf（）应该读取 4 个字节，所以 printf（）在堆栈中读取前 4 个字节作为它的第一个值。这就是 n1 的前半部分，它被解释成一个长整数（long integer）。下一个%ld 说明符再读取 4 个字节；这就是 n1 的后半部分，它被解释成第二个长整数（long integer）（请参见图 4.9）。同样，%ld 的第三个和第四个实例使得 n2 的前半部分和后半部分被读出，并被解释成两个长整数（long integer）。所以，虽然 n3 和 n4 的说明符都正确，但是 printf（）仍然读取了错误的字节。

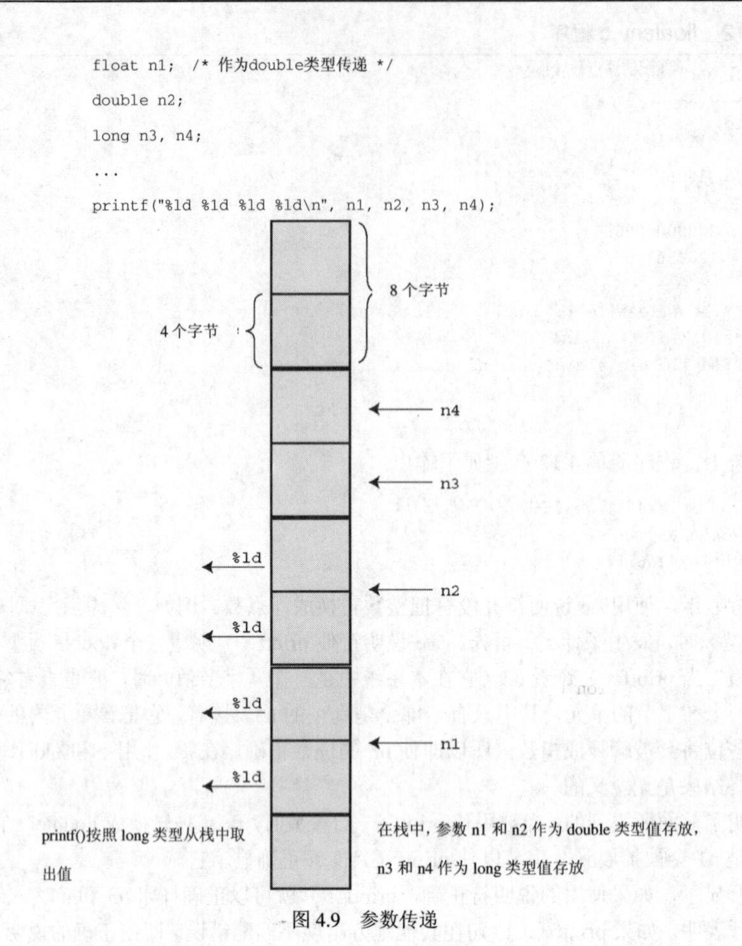

图 4.9 参数传递

二、printf（）的返回值

正如第 2 章中所提到的，C 函数一般都有一个返回值。这就是由函数计算并返回给调用程序的值。例如，C 函数库包含一个 sqrt（）函数，它接受一个数字作为参数，并返回该参数的平方根。返回值可以赋给一个变量，也可以用在计算中，还可以作为参数传递。总之，它可以像任何其他值那样使用。printf（）函数也有一个返回值，它返回所打印的字符的数目。如果有输出错误，那么 printf（）会返回一个负数（printf（）的一些老版本会有不同的返回值）。

printf（）的返回值是其打印输出用途的附带功能，通常很少被用到。使用返回值的一个可能原因是要检查输出错误。在向文件中输出而非向屏幕上输出的时候，这是很常用的。如果一张已满的软盘拒绝写入，那么您的程序应该采取正确的行动，例如使终端蜂鸣 30 秒钟。不过，在那样做之前，您必须了解 if 语句。程序清单 4.13 中的简单示例给出了确定返回值的方法。

程序清单 4.13 prntval.c 程序

```
/* prntval.c -- 发现 printf () 函数的返回值 */
#include <stdio.h>
int main (void)
{
    int bph2o = 212;
    int rv;

    rv = printf ("%d F is water's boiling point.\n", bph2o);
```

```
    printf ("The printf () function printed %d characters.\n",
              rv) ;
    return 0;
}
```

输出如下：

```
212 F is water's boiling point.
The printf () function printed 32 characters.
```

首先，程序使用了 rv = printf（...）；形式将返回值赋给 rv。因此，该语句执行两项任务：打印信息和对变量赋值。其次，请注意计数针对所有的打印字符，包括空格和不可见的换行字符。

三、打印较长的字符串

有时，printf（）语句会很长，以至于不能在一行被放下。因为空白字符（空格、制表符和换行符）如果不是用来分隔元素，那么 C 将忽略它们，所以可以在多行放置一个语句，只要在元素之间放置换行符即可。例如，程序清单 4.13 使用两行来放置一个语句。

```
printf ("The printf () function printed %d characters.\n",
     rv) ;
```

该行在逗号和 rv 之间断开。为了让读者知道该行未完，示例缩进了 rv。C 忽略了多余的空格。

不过，您不能在引号括起来的字符串中间断行。如果您试图执行如下语句：

```
printf ("The printf () function printed %d
        characters.\n", rv) ;
```

C 将抱怨您在字符串常量中使用了一个非法字符。您可以在字符串中使用\n 符号来表示换行字符，但是在字符串中不能通过回车（Enter 或 Return）键产生实际的换行字符。

如果您必须分割一个字符串，有三个选项可供选择，如程序清单 4.14 所示。

程序清单 4.14　longstrg.c 程序

```
/* longstrg.c -- 打印较长的字符串 */
#include <stdio.h>
int main (void)
{
    printf ("Here's one way to print a ") ;
    printf ("long string.\n") ;
    printf ("Here's another way to print a \
long string.\n") ;
    printf ("Here's the newest way to print a "
           "long string.\n") ; /* ANSI C */
    return 0;
}
```

下面是输出：

```
Here's one way to print a long string.
Here's another way to print a long string.
Here's the newest way to print a long string.
```

方法 1 是使用多个 printf（）语句。因为打印的第一个字符串没有以\n 字符结束，所以第二个字符串紧跟第一个字符串输出。

方法 2 是用反斜线符号（/）和回车键的组合来结束第一行。这就使得屏幕上的文本另起一行，并且在字符串中不会包含换行字符。其效果就是在下一行继续该字符串。不过，下一行必须像代码中那样从行的最左边开始。如果缩进了该行，比如说缩进了 5 个空格，那么这 5 个空格会变成字符串的一部分。

方法 3 采用字符串连接的方法，它是 ANSI C 的新方法。如果在一个用双引号引起来的字符串后面跟有另一个用双引号引起来的字符串，而且二者之间仅用空白字符分隔，那么 C 会把该组合当作一个字符串来处理，所以以下三种形式是等同的：

```
printf("Hello, young lovers, wherever you are.");
printf("Hello, young"    "lovers"  ", wherever you are.");
printf("Hello, young lovers"
      ", wherever you are. ");
```

在所有这些方法中，您应该在字符串内部包含所有必需的空格："young" "lovers"变成"younglovers"，但是组合"young " "lovers"就是"young lovers"。

4.4.5 使用 scanf ( )

现在，我们从输出转到输入，来看一下 scanf（）函数。C 函数库包含了多个输入函数，scanf（）是其中最常用的一个，因为它可以读取各种格式的数据。当然，从键盘输入的是文本，因为那些键生成文本字符：字母、数字和标点。比如说，当您想输入整数 2004 时，您键入字符 2、0、0 和 4。如果想把它们存储成一个数值而非字符串，那么您的程序必须把这个字符串逐个字符地转换成数值，这就是 scanf（）所做的工作！它把输入的字符串转换成各种形式：整数、浮点数、字符和 C 的字符串。它是 printf（）的逆操作，后者把整数、浮点数、字符和 C 的字符串转换成要在屏幕上显示的文本。

跟 printf（）一样，scanf（）使用控制字符串和参数列表。控制字符串指出输入将被转换成的格式。主要的区别是在参数列表中。printf（）函数使用变量名、常量和表达式；而 scanf（）函数使用指向变量的指针。幸运的是，要使用该函数，不必对指针有任何了解；只需要记住下面这些简单规则：

- 如果使用 scanf（）来读取前面讨论过的某种基本变量类型的值，请在变量名之前加上一个&。
- 如果使用 scanf（）把一个字符串读进一个字符数组中，请不要使用&。

程序清单 4.15 给出了一个短程序来说明这些规则。

程序清单 4.15 input.c 程序

```
// input.c -- 什么情况下使用&
#include <stdio.h>
int main(void)
{
    int age;          // 变量
    float assets;     // 变量
    char pet[30];     // 字符串

    printf("Enter your age, assets, and favorite pet.\n");
    scanf("%d %f", &age, &assets);  // 此处需要使用&
    scanf("%s", pet);               // 对 char 数组不需使用&
    printf("%d $%.2f %s\n", age, assets, pet);
    return 0;
}
```

下面是一个交互结果的示例：

```
Enter your age, assets, and favorite pet.
38
92360.88 llama
38 $92360.88 llama
```

scanf（）函数使用空格（换行、制表符和空格）来决定怎样把输入分成几个字段。它依次把转换说明与字段相匹配，并跳过它们之间的空格。请注意我们分两行进行了输入。同样，也可以分一行或 5 行输入，只要在每个输入项目之间至少键入一个换行符、空格或者制表符。惟一的例外就是%c 说明，即使下一个字符是空白字符，它也会读取那个字符。我们很快还会再讨论这个主题。

scanf（）函数所用的转换说明字符与 printf（）所用的几乎完全相同。主要的区别在于 printf（）把%f、%e、%E、%g 和%G 同时用于 float 类型和 double 类型，而 scanf（）只把它们用于 float 类型，而用于 double 类型时要求使用 l 修饰符。表 4.6 列出了 C99 标准中描述的主要转换说明符。

表 4.6　ANSI C 中 scanf ( ) 的转换说明符

转换说明符	意　义
%c	把输入解释成一个字符
%d	把输入解释成一个有符号十进制整数
%e，%f，%g，%a	把输入解释成一个浮点数（%a 是 C99 标准）
%E，%F，%G，%A	把输入解释成一个浮点数（%A 是 C99 标准）
%i	把输入解释成一个有符号十进制整数
%o	把输入解释成一个有符号八进制整数
%p	把输入解释成一个指针（一个地址）
%s	把输入解释成一个字符串；输入的内容以第一个非空白字符作为开始，并且包含直到下一个空白字符的全部字符
%u	把输入解释成一个无符号十进制整数
%x，%X	把输入解释成一个有符号十六进制整数

也可以在表 4.6 所示的转换说明符中使用修饰符。修饰符出现在百分号和转换字符之间。如果在一个说明符内使用多个修饰符，那么它们出现的顺序应该与在表 4.7 中出现的顺序相同。

表 4.7　scanf ( ) 的转换修饰符

修　饰　符	意　义
*	滞后赋值（请参见书中的文字部分） 示例："%*d"
digit（s）	最大字段宽度；在达到最大字段宽度或者遇到第一个空白字符时（不管哪个先发生都一样）停止对输入项的读取 示例："%10s"
hh	把整数读作 signed char 或 unsigned char 示例："%hhd" "%hhu"
ll	把整数读作 long long 或者 unsigned long long（C99） 示例："%lld" "%llu"
h，l 或 L	"%hd"和"%hi"指示该值将会存储在一个 short int 中。"%ho"、"%hx"和"%hu"指示该值将会存储在一个 unsigned short int 中。"%ld"和"%li"指示该值将会存储在一个 long 中。"%lo"、"%lx"和"%lu" 指示该值将会存储在一个 unsigned long 中。"%le"、"%lf"和"%lg"指示该值以 double 类型存储。将 L（而非 l）与 e、f 和 g 一起使用指示该值以 long double 类型存储。如果没有这些修饰符，d、i、o 和 x 指示 int 类型，而 e、f 和 g 指示 float 类型

正如您所看到的，转换说明符的使用比较复杂，而且这些表省略了一些特性。这些省略了的特性主要便于从高度格式化的源（例如穿孔卡或者其他数据记录媒介）读取选定的数据。因为本书主要是把 scanf（）用作向程序提供交互式数据的一种便利方式，所以我们就不再讨论这些更深奥的特性。

一、从 scanf ( ) 的角度看输入

我们更仔细地研究 scanf（）怎样读取输入。假定您使用了一个%d 说明符来读取一个整数。scanf（）函数开始每次读取一个输入字符，它跳过空白字符（空格、制表符和换行符）直到遇到一个非空白字符。因为它试图读取一个整数，所以 scanf（）期望发现一个数字字符或者一个符号（+或者-）。如果它发现了一个数字或一个符号，那么它就保存之并读取下一个字符；如果接下来的字符是一个数字，它保存这个数字，并读取下一个字符。就这样，scanf（）持续读取和保存字符直到它遇到一个非数字的字符。如果遇到了一个非数字的字符，它就得出结论：已读到了整数的尾部。scanf（）把这个非数字字符放回输入。这就意味着当程序下一次开始读取输入时，它将从前面被放弃的那个非数字字符开始。最后，scanf（）计算它

读取到的数字的相应数值，并将该值放到指定的变量中。

如果您使用了字段宽度，那么 scanf()在字段结尾或者在第一个空白字符处（二者中最先到达的一个）终止。

如果第一个非空白字符不是数字，将会发生什么呢？比如说，是 A 而非一个数字？这时 scanf（）会停在那里，并把 A（或者不管是什么）放回输入。没有把任何值赋给指定的变量，程序下一次读取输入时，它就在 A 处重新开始。如果程序中只有%d 说明符，scanf（）永远也不会越过那个 A（去读下一个）。而且，如果您使用带有多个说明符的 scanf（）语句，ANSI C 要求函数在第一个出错的地方停止读取输入。

使用其他数字说明符读取输入与使用%d 的情况相同。主要的区别在于 scanf（）也许会把更多的字符看作数字的一部分。例如，%x 说明符要求 scanf（）识别十六进制数字 a 到 f 和 A 到 F。浮点说明符要求 scanf（）识别小数点、指数记数法（e-notation）、新的 p 记数法（p-notation）。

如果使用%s 说明符，那么空白字符以外的所有字符都是可接受的，所以 scanf（）跳过空白字符直到遇到第一个非空白字符，然后保存再次遇到空白字符之前的所有非空白字符。这就意味着%s 使 scanf（）读取一个单词，也就是说，一个不包含空白字符的字符串。如果使用字段宽度，scanf（）在字段的结尾或者第一个空白字符处停止。不能通过字段宽度使得 scanf（）用一个%s 说明符读取多于一个字的输入。最后一点：当 scanf（）把字符串放在一个指定的数组中时，它添加终止的'\0'使得数组内容成为一个 C 字符串。

如果使用%c 说明符，那么所有的输入字符都是平等的。如果下一个输入字符是一个空格或者换行符，将会把这个空格或换行符赋给指定的变量；不会跳过空白字符。

实际上，scanf（）不是 C 最常用的输入函数。这里提到它是因为它的用途很多（它可以读取所有不同的数据类型），但是 C 还有其他几个输入函数，例如 getchar（）和 gets（）。它们更适用于专门的任务，例如读取一个字符或者读取包含空格的字符串。我们将在第 7 章“C 控制语句：分支和跳转”、第 11 章“字符串和字符串函数”和第 13 章“文件输入/输出”中讨论这样的一些函数。同时，如果需要一个整数、小数、字符或者字符串，您都可以使用 scanf（）。

二、格式字符串中的常规字符

scanf（）函数允许您把普通字符放在格式字符串中。除了空格字符之外的普通字符一定要与输入字符串准确匹配。例如，如果无意间把逗号放在两个说明符之间：

```
scanf ("%d, %d", &n, &m);
```

scanf（）函数将其解释成，您将键入一个数字，键入一个逗号，然后再键入一个数字。也就是说，您必须像下面这样输入两个整数：

```
88, 121
```

因为在格式字符串中逗号紧跟在%d 后面，所以您必须紧跟 88 输入一个逗号。不过，因为 scanf（）会跳过整数前面的空白字符，所以在输入时可以在逗号后面键入一个空格或换行符。也就是说，下面的两种输入方式也可以接受：

```
88, 121
```

或者

```
88,
121
```

格式字符串中的空格意味着跳过下一个输入项之前的任何空格。例如下面的语句：

```
scanf ("%d, %d", &n, &m);
```

将会接受下列任何一个输入行：

```
88, 121
88 , 121
88,  121
```

请注意，“任何空格”的概念包括没有空格的特殊情况。

除了%c 以外的说明符会自动跳过输入项之前的空格，所以 scanf（"%d%d"，&n，&m）与 scanf（"%d %d"，&n，&m）的行为是相同的。对于%c 来说，向格式字符串中添加一个空格将导致一些区别。例如，如果在格式字符串中%c 之前有一个空格，那么 scanf()会跳到第一个非空白字符处。也就是说，命令 scanf（"%c"，&ch）读取在输入中遇到的第一个字符，而 scanf（" %c"，&ch）则读取遇到的第一个非空白字符。

三、scanf ( ) 的返回值

scanf（）函数返回成功读入的项目的个数。如果它没有读取任何项目（当它期望一个数字而您却键入了一个非数字字符串时就会发生这种情况），scanf（）会返回值 0。当它检测到“文件结尾”（end of file）时，它返回 EOF（EOF 是在文件 stdio.h 中定义的特殊值。一般，#define 指令把 EOF 的值定义为-1）。我们将会在第 6 章“C 控制语句：循环”中讨论“文件结尾”，并在本书稍后利用 scanf（）的返回值。在您学会 if 语句和 while 语句后，可以使用 scanf（）返回值来检测和处理不匹配的输入。

4.4.6　printf ( ) 和 scanf ( ) 的*修饰符

printf（）和 scanf（）都可以使用*修饰符来修饰说明符的意义，但是它们的方式不同。首先，我们看看*修饰符能为 printf（）做什么。

假定您不想事先指定字段宽度，而是希望由程序来指定该值，那么您可以在字段宽度部分使用*代替数字来达到目的，但是您也必须使用一个参数来告诉函数字段宽度应该是什么。也就是说，如果转换说明符是%*d，那么参数列表中应该包括一个*的值和一个 d 的值。该技术也可以和浮点值一起使用来指定精度和字段宽度。程序清单 4.16 就是表明这个工作原理的简短示例。

程序清单 4.16　varwid.c 程序

```
/* varwid.c -- 使用可变宽度的输出字段 */
#include <stdio.h>
int main (void)
{
    unsigned width, precision;
    int number = 256;
    double weight = 242.5;

    printf ("What field width?\n");
    scanf ("%d", &width);
    printf ("The number is: %*d: \n", width, number);
    printf ("Now enter a width and a precision: \n");
    scanf ("%d %d", &width, &precision);
    printf ("Weight = %*.*f\n", width, precision, weight);
    return 0;
}
```

变量 width 提供字段宽度，而 number 就是要打印的数字。因为在说明符中*在 d 前面，所以在 printf（）的参数列表中 width 在 number 前面。同样，width 和 precision 共同提供了打印 weight 的格式化信息。下面是一个运行示例：

```
What field width?
6
The number is:    256:
Now enter a width and a precision:
8 3
Weight =  242.500
Done!
```

在这里，第一个问题的答案是 6，所以 6 就是所用的字段宽度。与之类似，第二个答案指示字段宽度为 8，并且小数点右边有 3 位数字。更一般地，一个程序应根据 weight 的值来决定这些变量的值。

在 scanf（）中*提供截然不同的服务。当把它放在%和说明符字母之间时，它使函数跳过相应的输入项目。程序清单 4.17 提供了一个示例。

程序清单 4.17　skip2.c 程序

```
/* skip2.c -- 跳过输入的头两个整数 */
#include <stdio.h>
int main (void)
{
    int n;

    printf ("Please enter three integers: \n");
    scanf ("%*d %*d %d", &n);
    printf ("The last integer was %d\n", n);
    return 0;
}
```

程序清单 4.17 中的 scanf（）命令指示：跳过两个整数，并把第三个整数复制给 n。下面是一个运行示例：

```
Please enter three integers
2004 2005 2006
The last integer was 2006
```

如果程序需要读取一个文件中某个特定的列（该文件的数据以统一的列排列），那么该功能将非常有用。

4.4.7　printf 的用法提示

在想打印几列数据时，指定固定字段宽度是很有用的。因为默认的字段宽度是数字的宽度，所以如果同一列中的数字大小不同，那么下列语句：

```
printf ("%d %d %d\n", val1, val2, val3);
```

如果被执行多次，将会输出参差不齐的列。例如，输出可能是这样的：

```
   12   234    1222
    4     5      23
22334   2322    10001
```

（这里假定变量的值在各个 print 语句之间发生了变化）。

可以通过指定足够大的固定字段宽度使输出更加整齐清晰。例如，使用下列语句：

```
printf ("%9d %9d %9d\n", val1, val2, val3);
```

产生如下结果：

```
   12       234   1222
    4         5     23
22334      2322  10001
```

在两个转换说明之间放一个空白字符，可以确保即使一个数字溢出了自己的字段，它也不会闯入下一个数字一起输出。这是因为控制字符串中的常规字符（包括空格）会被打印出来。

另一方面，如果语句中要嵌入一个数字，那么指定一个和期望的数字宽度同样小或者更小的字段宽度通常会比较方便。这使得数字的宽度正合适，而无需不必要的空白符。例如，下列语句：

```
printf ("Count Beppo ran %.2f miles in 3 hours.\n", distance);
```

可能产生：

```
Count Beppo ran 10.22 miles in 3 hours.
```

把转换说明更改为%10.2f 会产生如下结果：

```
Count Beppo ran      10.22 miles in 3 hours.
```

4.5 关键概念

C的char类型表示一个字符。要表示一个字符序列，C使用字符串。字符串的一种形式是字符常量，其中字符用双引号括起来，例如"Good luck，my friend"。也可以在字符数组中存储一个字符串，字符数组由内存中相邻的字节组成。字符串，无论是表达成一个字符常量还是存储在一个字符数组中，都要以一个被称为空字符的隐藏字符来结束。

在程序中最好使用#define或是关键字const以符号代表数字常量。符号常量使程序可读取性更强、更易于维护和修改。

标准C输入和输出函数scanf（）和printf（）都使用一个系统，在这个系统中必须使第一个参数中的类型说明符与后续参数中的值相匹配。比如说，把诸如%d这样的int说明符与一个浮点值相匹配会产生奇怪的结果。必须小心谨慎，以确保说明符的数目和类型与函数的其余参数相匹配。如果是scanf（），一定要记得给变量名加上地址运算符前缀（&）。

空白字符（制表符、空格和换行符）对于scanf（）如何处理输入起着至关重要的作用。除了在%c模式（它读取下一个字符）下外，在读取输入时，scanf（）会跳过空白字符直到第一个非空白字符处。然后它会一直读取字符，直到遇到空白字符，或遇到一个不符合正在读取的类型的字符。我们考虑如果让几个不同的scanf（）输入模式读取相同的输入行，将会产生什么情况。假设有如下输入行：

```
-13.45e12# 0
```

首先，假定我们使用%d模式，scanf（）会读取三个字符（-13）并在小数点处停止，将小数点作为下一个输入字符。然后，scanf（）将会把字符序列-13转换成相应的整数值，并将该值存储在目标整型变量中。接着，假定scanf（）以%f模式读取相同的行，它将会读取字符-13.45E12，并在#符号处停止，将它作为下一个输入字符。然后它把字符序列-13.45E12转换成相应的浮点数值，并将该值存储在目标浮点型变量中。假定scanf（）以%s模式读取相同的行，它将会读取-13.45E12#，并在空格处停止，将这个空格作为下一个输入字符。然后它将把这10个字符的字符代码存储到目标字符数组中，并在结尾附加一个空字符。最后，假定scanf（）使用%c说明符读取相同的行，它将会读取并存储第一个字符，在这里是一个空格。

4.6 总结

字符串是作为一个单位处理的一系列字符。在C中，以空字符结束的一系列字符代表一个字符串，空字符就是ASCII码为0的字符。字符串可以存储在字符数组中。一个数组就是一系列项目或元素，并且所有这些项目或元素的类型都相同。要声明名为name并有30个char类型的元素的数组，请使用以下语句：

```
char name[30];
```

请确保分配足够多的元素来存放整个字符串（包括空字符）。

字符串常量用双引号引起来的字符串表示：

```
"This is an example of a string"
```

strlen（）函数（在string.h头文件中定义）可以用于获得一个字符串的长度（不包括标示终止的空字符）。scanf（）函数在使用%s说明符时，可以用于读取包含一个单词的字符串。

C预处理器在源代码程序中搜索预处理器指令（预处理器指令以#符号开始），并在程序开始编译之前处理它们。#include指令使处理器把另一个文件的内容添加到文件中该指令所在的位置。使用#define指令可以创建明显常量，也就是代表常量的符号。limits.h和float.h头文件使用#define定义了一套表示整数和浮点类型的各个属性的常量。也可以使用const修饰符来创建符号常量。

printf（）和 scanf（）函数对输入和输出提供多种支持。二者都使用一个包含内嵌转换说明符的控制字符串来指示将要读取或打印的数据项的类型和数目。还可以使用转换说明符来控制输出的外观：字段宽度、小数点位置和字段内的布局。

4.7 复习题

在附录 A“复习题答案”中可以找到这些题目的答案。

1. 再次运行程序清单 4.1，但是在要求您输入名字时，请输入您的名字和姓氏。发生了什么？为什么？
2. 假定下列每个示例都是某个完整程序的一部分。它们的打印结果分别是什么？

```
a. printf("He sold the painting for $%2.2f.\n", 2.345e2);
b. printf("%c%c%c\n", 'H', 105, '\41');
c. #define Q "His Hamlet was funny without being vulgar. "
      printf("%s\nhas %d characters.\n", Q, strlen(Q));
d. printf("Is %2.2e the same as %2.2f?\n", 1201.0, 1201.0);
```

3. 在问题 2c 中，应进行哪些更改以使字符串 Q 引在双引号中输出？
4. 找出下列程序中的错误。

```
define B booboo
define X 10
main(int)
{
    int age;
    char name;

    printf("Please enter your first name. ");
    scanf("%s", name);
    printf("All right, %c, what's your age?\n", name);
    scanf("%f", age);
    xp = age + X;
    printf("That's a %s! You must be at least %d.\n", B, xp);
    rerun 0;
}
```

5. 假设一个程序这样开始：

```
#define BOOK "War and Peace"
int main(void)
{
    float cost =12.99;
    float percent = 80.0;
```

请构造一个 printf（）语句，使用 BOOK、cost 和 percent 打印下列内容：

```
This copy of "War and Peace" sells for $12.99.
That is 80% of list.
```

6. 您会使用什么转换说明来打印下列各项内容？
   a. 一个字段宽度等于数字位数的十进制整数。
   b. 一个形如 8A、字段宽度为 4 的十六进制整数
   c. 一个形如 232.346、字段宽度为 10 的浮点数
   d. 一个形如 2.33e+002、字段宽度为 12 的浮点数
   e. 一个字段宽度为 30、左对齐的字符串
7. 您会使用哪个转换说明来打印下列各项内容？
   a. 一个字段宽度为 15 的 unsigned long 整数

b．一个形如 0x8a、字段宽度为 4 的十六进制整数

c．一个形如 2.33E+02、字段宽度为 12、左对齐的浮点数

d．一个形如+232.346、字段宽度为 10 的浮点数

e．一个字符串的前 8 个字符，字段宽度为 8 字符

8．您会使用什么转换说明来打印下列各项内容？

a．一个字段宽度为 6、最少有 4 位数字的十进制整数

b．一个字段宽度在参数列表中给定的八进制整数

c．一个字段宽度为 2 的字符

d．一个形如+3.13、字段宽度等于数字中字符个数的浮点数

e．一个字符串的前 5 个字符，字段宽度为 7、左对齐

9．为下列每个输入行提供一个对其进行读取的 scanf（）语句，并声明语句中用到的所有变量或数组。

a．101

b．22.32 8.34E–09

c．linguini

d．catch 22

e．catch 22（但是跳过 catch）

10．什么是空白字符？

11．假设您想在程序中使用圆括号代替花括号。以下方法可以吗？

```
#define ({
#define )}
```

4.8　编程练习

1．编写一个程序，要求输入名字和姓氏，然后以“名字，姓氏”的格式打印。

2．编写一个程序，要求输入名字，并执行以下操作：

a．把名字引在双引号中打印出来。

b．在宽度为 20 个字符的字段内打印名字，并且整个字段引在引号内。

c．在宽度为 20 个字符的字段的左端打印名字，并且整个字段引在引号内 。

d．在比名字宽 3 个字符的字段内打印它。

3．编写一个程序，读取一个浮点数，并且首先以小数点记数法，然后以指数记数法打印之。输出使用下列形式（在指数位置显示的数字的位数可能会随系统而不同）：

```
a. The input is 21.3 or 2.1e+001
b. The input is +21.290 or 2.129E+001
```

4．编写一个程序，要求输入身高（以英寸为单位）和名字，然后以如下形式显示：

```
Dabney, you are 6.208 feet tall
```

使用 float 类型，使用/作为除号。如果您愿意，可以要求以厘米为单位输入身高，并以米为单位进行显示。

5．编写一个程序，首先要求用户输入名字，然后要求用户输入姓氏。在一行打印输入的姓名，在下一行打印每个名字中字母的个数。把字母个数与相应名字的结尾对齐，如下所示：

```
Melissa Honeybee
      7        8
```

然后打印相同的信息，但是字母个数与相应单词的开始对齐。

```
Melissa Honeybee
7       8
```

6．编写一个程序，设置一个值为 1.0/3.0 的 double 类型变量和一个值为 1.0/3.0 的 float 类型变量。每个变量的值显示三次：一次在小数点右侧显示 4 个数字，一次在小数点右侧显示 12 个数字，另一次在小数点右侧显示 16 个数字。同时要让程序包括 float.h 文件，并显示 FLT_DIG 和 DBL_DIG 的值。1.0/3.0 的显示值与这些值一致吗？

7．编写一个程序，要求用户输入行驶的英里数和消耗汽油的加仑数。接着应该计算和显示消耗每加仑汽油行驶的英里数，显示方式是在小数点右侧显示一个数字。然后，根据 1 加仑约等于 3.785 升，1 英里约等于 1.609 公里的规则，它应该把每加仑英里数转换成每 100 公里的升数（欧洲通用的燃料消耗表示法），并显示结果，显示方式是在小数点右侧显示一个数字（请注意，美国方案测量每单位距离消耗的燃料数，而欧洲方案测量每单位燃料的行驶距离）。用符号常量表示两个转换系数（使用 const 或#define）。

第5章 运算符、表达式和语句

在本章中您将学习下列内容：

- 关键字：
  while，typedef
- 运算符：
  =-*/
  %++ --（type）
- C的各种各样的运算符，其中包括用于普通数学运算的运算符。
- 运算符的优先级以及术语“语句”和“表达式”的含义。
- 简单的while循环。
- 复合语句、自动类型转换和类型指派。
- 如何编写带有参数的函数。

既然您已经熟悉了表示数据的方式，那么我们就来探究一下如何处理数据。为此，C提供了大量的操作。您可以进行算术计算、比较值的大小、修改变量、逻辑地组合关系，等等。我们先从基本的算术运算：加、减、乘和除开始。

处理数据的另一个方面是组织您的程序，以使程序能以正确的顺序执行正确的步骤。C有几个语言特性来帮您处理组织程序的任务。其中之一是循环，本章中您将窥其大概。循环能使您重复执行动作，使您的程序更加有趣和更加强大。

5.1 循环简介

程序清单5.1显示了一个示例程序，该程序做了一点算术运算来计算穿9码鞋（男人的）的脚用英寸表示的长度。为了增强您对循环的理解，程序的第一版演示了不使用循环编程的局限性。

程序清单5.1 shoes1.c程序

```
/* shoes1.c -- 把一双鞋的尺码转换为英寸 */
#include <stdio.h>
#define ADJUST 7.64
#define SCALE 0.325
int main(void)
{
    double shoe, foot;
    shoe = 9.0;
    foot = SCALE * shoe + ADJUST;
    printf("Shoe size (men's) foot length\n");
    printf("%10.1f %15.2f inches\n", shoe, foot);
    return 0;
}
```

这是一个使用了乘法和加法的程序。该程序假设您穿9码的鞋，然后告诉您用英寸表示您的脚是多长。您说“但是我可以手工解决这个问题，并且比敲程序还要快。”说的很对。只进行一只鞋的尺码计算的程序是在浪费时间和精力。您可以通过将程序写为一个交互式程序来使程序更加有用，但是这仍未利用计算机的潜能。

您需要的是某种让计算机为连续的鞋尺码做重复计算的方法。毕竟做重复运算才是使用计算机做算术的主要原因。C提供了几种方法来做重复计算，我们在这里简单介绍一种。该方法是所谓的while循环，它能使您更有趣地利用运算符。程序清单5.2给出了改进后的计算鞋尺码的程序。

程序清单 5.2 shoes2.c 程序

```
/* shoes2.c -- 计算多个鞋尺码对应的英寸长度 */
#include <stdio.h>
#define ADJUST 7.64
#define SCALE 0.325
int main (void)
{
    double shoe, foot;

    printf ("Shoe size (men's)    foot length\n");
    shoe = 3.0;
    while (shoe < 18.5)          /* while循环开始 */
    {                            /* 代码块开始     */
        foot = SCALE*shoe + ADJUST;
        printf ("%10.1f %15.2f inches\n", shoe, foot);
        shoe = shoe + 1.0;
    }                            /* 代码块结束     */
    printf ("If the shoe fits, wear it.\n");
    return 0;
}
```

下面是shoes2.c的输出，其中有删节：

```
Shoe size (men's)  foot length
      3.0          8.62 inches
      4.0          8.94 inches
      ...          ...
      17.0         13.16 inches
      18.0         13.49 inches
If the shoe fits, wear it.
```

（顺便提一下，用于此转换的常量是在对鞋店的暗地访问时取得的。鞋子的尺码是针对男士鞋的尺码。那些对女士鞋的尺码感兴趣的人将不得不亲自去鞋店了。另外，该程序也做了不太现实的假设，假设鞋的尺码有一个合理的统一的系统）。解释一下while循环是如何工作的。当程序第一次到达while语句时，检查圆括号内的条件是否为真。在这个例子里，条件表达式是下面的式子：

```
shoe < 18.5
```

符号<的意思是“小于”。变量shoe被初始化为3.0，它当然小于18.5。所以，条件为真，程序继续执行下一个语句，将该尺码转换为英寸。然后程序打印结果。下一个语句将shoe增加1.0，使shoe变成4.0：

```
shoe = shoe + 1.0;
```

此时，程序返回while部分去检查条件。为什么在这点呢？因为后面是一个结束花括号（}），而代码使用一对花括号（{}）来标出while循环的范围。在两个花括号之间的语句是被重复执行的语句。花括号和在花括号里的程序部分被称为一个代码块（block）。现在回到程序中。值4小于18.5，所以跟在while后的被括起来的全部命令（代码块）将被重复执行（在计算机术语中，称程序“循环”执行这些语句）。这个重复过程一直继续，直到shoe的值达到19.0。

因为此时19.0不再小于18.5，所以，下面的条件现在就变成了假：

```
shoe < 18.5
```

因而控制转到紧跟着 while 循环的第一个语句。在此例中，转到最后的 printf（）语句。

您可以很容易地修改该程序用来做其他转换。例如，将 SCALE 变成 1.8，将 ADJUST 变成 32.0，您就有了一个将摄氏温度变成华氏温度的程序。将 SCALE 变成 0.6214，将 ADJUST 变成 0，就可以将公里转化为英里。如果您做了这些改变，还应该更改打印的消息以防止引起迷惑。

While 循环提供了灵活方便的控制程序的方法。现在，我们讨论可以在程序中使用的各种基本运算符。

5.2　基本运算符

C 使用运算符（operator）来代表算术运算。例如，+运算符使在它两侧的值加在一起。如果术语“运算符”对您来说很奇怪，那么请您记住那些东西总得有个名称。与被称之为“那些东西”或“算术处理器”相比较，被称为“运算符”看起来的确是一个更好的选择。现在我们看一下用于基本算术运算的运算符：=、+、-、*，以及/（C 没有指数运算符。然而，标准 C 的数学库为此提供了一个 pow（）函数。例如，pow（3.5，2.2）返回 3.5 的 2.2 次幂）。

5.2.1　赋值运算符：=

在 C 里，符号=不表示“相等”，而是一个赋值运算符。下面的语句将值 2002 赋给名字为 bmw 的变量：

```
bmw = 2002;
```

也就是说，符号=的左边是一个变量名，右边是赋给该变量的值。符号=被称为赋值运算符（assignment operator）。再次强调不要把这行读为“bmw 等于 2002”，而应该读为“将值 2002 赋给变量 bmw”。赋值运算符的动作是从右到左。

或许变量的名字和变量值之间的区别看起来微乎其微，但是请考虑下面的常用计算机语句：

```
i = i + 1;
```

在数学上，该语句没有任何意义。如果您给一个有限的数加 1，结果不会“等于”开始的那个数，但是作为计算机赋值语句，它却是很合理的。它意味着“找到名字为 i 的变量的值；对那个值加 1，然后将这个新值赋给名字为 i 的变量”（请参见图 5.1）。

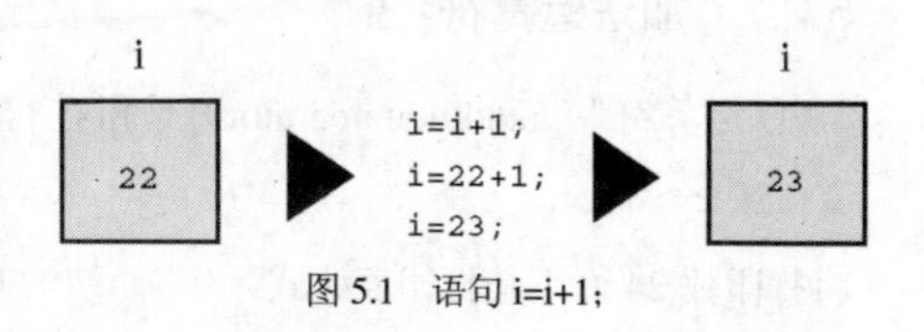

图 5.1　语句 i=i+1;

像下面这样的语句：

```
2002=bmw;
```

在 C 中是没有意义的（确切地说是无效的），原因是 2002 只是一个常量。您不能将一个值赋给一个常量；那个常量本身就是它的值了。所以，当您准备键入代码时请记住在符号=左边的项目必须是一个变量的名字。实际上，赋值运算符左边必须指向一个存储位置。最简单的方法是使用变量的名字，但是以后您会看到，“指针”也可以用于指向一个存储位置。更普遍地，C 使用术语“可修改的左值”（modifiable lvalue）来标志那些我们可以为之赋值的实体。“可修改的左值”或许不是那么直观易懂，所以我们先看看一些定义。

几个术语：数据对象、左值、右值和操作数

“数据对象”（data object）是泛指数据存储区的术语，数据存储区能用于保存值。例如，用于保存变量或数组的数据存储区是一个数据对象。C 的术语左值（lvalue）指用于标识一个特定的数据对象的名字或表达式。例如，变量的名字是一个左值。所以对象指的是实际的数据存储，但是左值是用于识别或定位那个存储的标识符。

因为不是所有的对象都是可更改值的，所以 C 使用术语“可修改的左值”来表示那些值可以被更改的

对象。所以，赋值运算符的左边应该是一个可修改的左值。lvalue 中的 l 确实来自于 left，因为可修改的左值可以用在赋值运算符的左边。

术语“右值”（rvalue）指的是能赋给可修改的左值的量。例如，考虑下面的语句：

```
bmw = 2002;
```

这里 bmw 是一个可修改的左值，2002 是一个右值。您可能猜到 rvalue 里的 r 来自于 right。右值可以是常量、变量或者任何可以产生一个值的表达式。

在您学习事物的名称时，我们称之为“项目”的东西（比如在“符号=左边的项目”中的“项目”）的正确术语是“操作数”（operand）。操作数是运算符操作的对象。例如，您可以把吃一个汉堡描述为用“吃”运算符操作“汉堡”这个操作数。与之相似，您可以说=运算符的左操作数是可修改的左值。

C 的基本赋值运算符有点与众不同。试一下程序清单 5.3 里的短程序。

程序清单 5.3 golf.c 程序

```
/* golf. c -- 高尔夫锦标赛记分卡 */
#include <stdio.h>
int main(void)
{
    int jane, tarzan, cheeta;

    cheeta = tarzan = jane = 68;
    printf ("                    cheeta tarzan jane\n");
    printf ("First round score %4d %8d %8d\n", cheeta, tarzan, jane);
    return 0;
}
```

许多程序语言将在本程序里的三重赋值处卡壳，但是 C 可以顺利接受它。赋值是从右到左进行的。首先 jane 得到值 68，然后 tarzan 得到值 68，最后 cheeta 得到值 68。所以输出结果如下：

```
                    cheeta tarzan jane
First round score    68     68    68
```

5.2.2 加法运算符：+

“加法运算符”（addition operator）使得在它两侧的值被加到一起。例如，语句：

```
printf("% d", 4 + 20);
```

将打印数 24 而不是打印表达式：

```
4 + 20
```

被加的值（操作数）可以是变量也可以是常量。所以语句：

```
income = salary + bribes;
```

使计算机先查找右边的两个变量的值，将它们加起来，最后将这个和赋给变量 income。

5.2.3 减法运算符：-

“减法运算符”（subtraction operator）从它前面的数中减去它后面的数。例如，下面的语句将值 200.0 赋给 takehome：

```
takehome = 224.00 - 24.00;
```

+和-运算符被称为二元（binary）或双值（dyadic）运算符，这表示它们需要两个操作数。

5.2.4 符号运算符：- 和 +

负号可以用于指示或改变一个值的代数符号。例如，下面的语句序列：

```
rocky = -12;
smokey = -rocky;
```

把值 12 赋给 smokey。

当这样使用负号时，称它为一元运算符（unary operator），表示它只需要一个操作数（请参见图 5.2）。

C90 标准将一元+运算符加进了 C 中。这个运算符不改变它的操作数的值或符号；它只是使您能使用像下面这样的语句：

```
dozen = + 12;
```

而不会得到编译器的报错信息。这种结构在以前是不允许的。

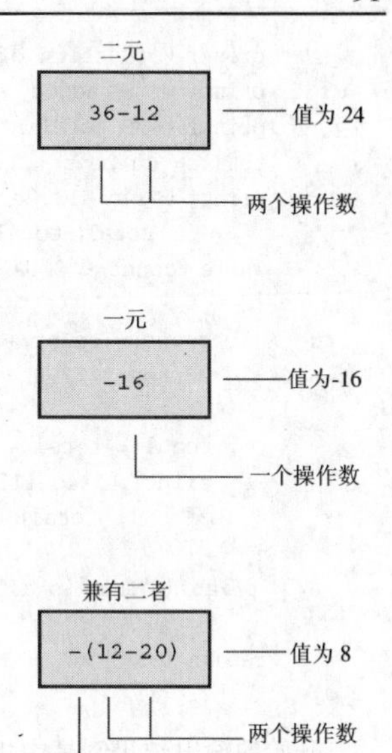

图 5.2　一元和二元运算符

5.2.5　乘法运算符：*

乘法由符号*表示。语句：

```
cm = 2.54 * inch;
```

用 2.54 乘以变量 inch，然后将结果赋给 cm。

有时候，您可能会需要一个平方表。C 没有计算平方的函数，但是正如程序清单 5.4 所示，您可以使用乘法来计算平方。

程序清单 5.4　squares.c 程序

```
/* squares.c -- 产生前 20 个整数的平方表 */
#include <stdio.h>
int main(void)
{
    int num = 1;

    while (num < 21)
   {
        printf("%4d %6d\n", num, num * num);
        num = num + 1;
    }
    return 0;
}
```

正如您自己验证的那样，该程序打印了前 20 个整数和它们的平方。我们看一个更为有趣的例子。

指数增长

您可能听说过这个故事，有一位强大的统治者想奖励一位对他做出突出贡献的学者。他问这位学者他想要什么，这位学者指着棋盘说，在第 1 个方格里放 1 粒小麦，在第 2 个方格里放 2 粒，在第 3 个方格里放 8 粒，依次类推。由于缺乏丰富的数学知识，统治者惊讶于此请求的谦逊，因为他原本准备奖励很大一笔财产。如程序清单 5.5 的运行结果所示，这显然是跟统治者开了一个玩笑。它计算了每个方格里应放多少粒小麦，并计算了总数。您可能对小麦的产量不是很熟悉，所以这个程序将这个总数与美国小麦年产量的粗略估计进行了比较。

程序清单 5.5　wheat.c 程序

```
/* wheat. c -- 指数增长 */
#include <stdio.h>
#define SQUARES 64      /* 棋盘上的方格数           */
#define CROP 1E15       /* 以粒计的美国小麦产量  */
int main(void)
{
    double current, total;
    int count = 1;

    printf("square  grains  total  ");
```

```
    printf ("fraction of \n");
    printf ("    added      grain     ");
    printf ("US total\n");
    total = current = 1.0;  /* 开始时是1粒   */
    printf ("%4d %13.2e %12.2e %12.2e\n", count, current,
            total, total/CROP);
    while (count < SQUARES)
    {
        count = count + 1;
        current = 2.0 * current; s
                                  /* 下个方格的粒数加倍 */
        total = total + current; /* 更新总数 */
        printf ("%4d %13.2e %12.2e %12.2e\n", count, current,
                total, total/CROP);
    }
     printf("That's all.\n");

    return 0;
}
```

开始的输出结果倒是中规中矩：

```
square      grains added       total grains      fraction of
                                                 US total
1           1.00e+00           1.00e+00          1.00e-15
2           2.00e+00           3.00e+00          3.00e-15
3           4.00e+00           7.00e+00          7.00e-15
4           8.00e+00           1.50e+01          1.50e-14
5           1.60e+01           3.10e+01          3.10e-14
6           3.20e+01           6.30e+01          6.30e-14
7           6.40e+01           1.27e+02          1.27e-13
8           1.28e+02           2.55e+02          2.55e-13
9           2.56e+02           5.11e+02          5.11e-13
10          5.12e+02           1.02e+03          1.02e-12
```

10 个方格以后，该学者只得到略超过 1000 粒的小麦，但是看看到 50 个方格时发生了什么！

```
50     5.63e+14     1.13e+15     1.13e+00
```

总量已经超过了整个美国每年的总产量！如果您想看看到第 64 个方格时发生了什么，不妨自己运行一下这个程序。

这个例子演示了指数增长的现象。世界人口增长和我们对能源的使用都遵循同样的模式。

5.2.6 除法运算符：/

C 使用符号/来表示除法。/左边的值被它右边的值除。例如，下面的语句把值 4.0 赋给 four：

```
four = 12.0/ 3.0;
```

整型数的除法运算和浮点型数的除法运算有很大的不同。浮点类型的除法运算得出一个浮点数结果，而整数除法运算则产生一个整数结果。整数不能有小数部分，这使得用 3 去除 5 很让人头痛，因为结果有小数部分。在 C 中，整数除法结果的小数部分都被丢弃。这个过程被称为截尾（truncation）。

试一下程序清单 5.6 中的程序，看看截尾如何进行，以及整数除法与浮点数除法有什么不同。

程序清单 5.6 divide.c 程序

```
/* divide.c -- 我们所知的除法 */
#include <stdio.h>
```

```
int main (void)
{
    printf ("integer division: 5/4 is %d \n", 5/4);
    printf ("integer division: 6/3 is %d \n", 6/3);
    printf ("integer division: 7/4 is %d \n", 7/4);
    printf ("floating division: 7./4. is %1.2f \n", 7./4.);
    printf ("mixed division:    7./4 is %1.2f \n", 7./4);
    return 0;
}
```

程序清单 5.6 包括了一个"混合类型"的实例：用一个整数值去除一个浮点类型的值。C 是比较宽容的语言，它允许您这样做，但是正常情况下您应该避免混合类型。输出结果如下：

```
integer division: 5/4  is 1
integer division: 6/3  is 2
integer division: 7/4  is 1
floating division: 7./4. is 1.75
mixed division:   7./4 is 1.75
```

注意，没有把整数除法运算的结果四舍五入到最近的整数，而是进行截尾，即舍弃整个小数部分。当您对整数与浮点数进行混合运算时，结果是浮点数。实际上，计算机不能真正用整数去除浮点数，所以编译器将两个操作数转变成一致的类型。在这种情况下，做除法运算之前将整数转化为浮点数。

C99 标准之前的 C 语言给了实现者一些空间，让他们来决定对于负数整数除法如何工作。可以使用这样的方法，即舍入过程采用小于或等于该浮点数的最大整数。当然，3 相对于 3.8 而言是符合上面描述的。那么-3.8 呢？最大整数方法会建议将其四舍五入为-4，因为-4 小于-3.8。但是另外一种舍入方法是简单地丢弃小数部分，这种称为"趋零截尾"的解释方法建议将-3.8 转换成-3。在 C99 以前，不同实现采用不同的方法。但是 C99 要求使用"趋零截尾"，所以应把-3.8 转换成-3。

整数除法的属性在处理某些问题时是很方便的。很快您就会看到一个例子。首先，还有另一个重要的事情：当您在一个语句中进行多种运算时将发生什么？这就是下面要讨论的问题。

5.2.7 运算符的优先级

考虑下面的代码行：

```
butter = 25.0 + 60.0 * n / SCALE;
```

此语句有一个加法运算，一个乘法运算和一个除法运算。哪个运算会先发生？是 25.0 先加到 60.0，然后用 n 乘以前面的结果 85.0，最后将得到的结果用 SCALE 来除吗？还是先用 n 乘以 60.0，得到的结果加上 25.0，最后再用 SCALE 去除前面得到的结果？还是其他顺序？我们取 n 为 6.0，SCALE 为 2.0。如果您使用这些值对这个语句进行计算，您将发现第一个方法得到 255，第二个方法得到 192.5。C 程序必定采用了某种其他顺序，因为该程序给出 butter 的值为 205.0。

显然，执行各种操作的顺序很重要，所以 C 需要关于执行顺序的明确规则。C 通过建立一个运算符的优先顺序来满足上述需求。将一个优先级赋予每个运算符。正像在普通的算术运算中那样，乘法和除法具有比加法和减法更高的优先级，所以先执行乘法和除法运算。如果两个运算符有相同的优先级将会发生什么？如果它们共享一个操作数，会根据它们在语句里出现的顺序执行它们。对于大多数的运算符，该顺序是从左到右的（=运算符是这个规则的例外）。所以，在下面的语句中：

```
butter = 25.0 + 60.0 * n / SCALE;
```

运算顺序如表 5.1 所示：

表 5.1 运算顺序

60.0*n	表达式里的第一个*或/（假设 n 的值为 6，所以 60.0*n 的结果为 360.0）
360.0/SCALE	然后，表达式里的第二个*或/
25.0+180	最后（因为 SCALE 的值是 2.0），表达式里的第一个+或-的结果为 205.0

许多人喜欢用一种称为“表达式树”（expression tree）的图表来表示赋值的顺序。图 5.3 是这种图表的例子。此图表显示了最初的表达式是如何逐步简化为一个值的。

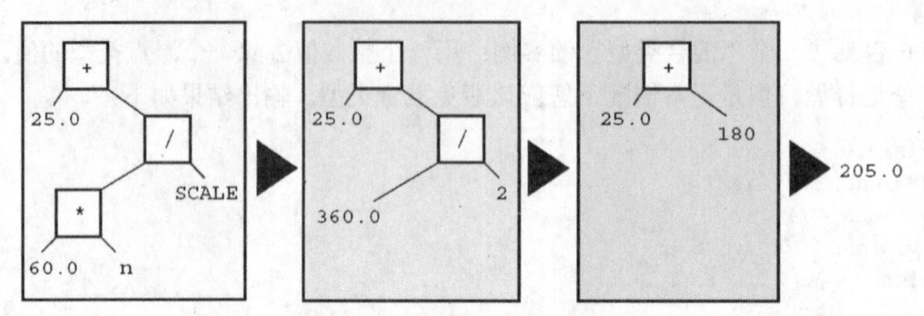

图 5.3 图示运算符、操作数和求值顺序的表达式树

如何让加法在除法之前执行？您可以像下面这样：

```
flour = (25.0 + 60.0 * n) / SCALE;
```

最先被执行的是圆括号中包含的部分。在圆括号内部，运算按正常的规则进行。在本例中，先执行乘法运算，然后是加法。圆括号内的表达式就是如此完成的。现在可以用 SCALE 去除这个结果了。

表 5.2 总结了迄今为止用到的运算符的规则（本书的封三包括了涉及到的所有运算符的表）。

表 5.2 按优先级递减顺序排列的运算符

运 算 符	结 合 性
()	从左到右
+ -（一元运算符）	从右到左
* /	从左到右
+ -（二元运算符）	从左到右
=	从右到左

注意减号的两种用法具有不同的优先级，加号的两种用法也是如此。结合性那一列指出运算符如何与其操作数相结合。例如，一元减号与它右边的量相结合，在除法中用右边的操作数去除左边的操作数。

5.2.8 优先级和求值顺序

运算符的优先级为决定表达式里求值的顺序提供了重要的规则，但是它并不决定所有的顺序。C 留下了一些由实现者自己来决定的选择。考虑下面的语句：

```
y = 6 * 12 + 5 * 20;
```

当两个运算符共享一个操作数时，优先级规定了求值的顺序。例如，12 既是*运算符的操作数又是+运算符的操作数，根据优先级的规定乘法运算先进行。与之相似，优先级规定了对 5 进行乘法操作而不是加法操作。总之，两个乘法运算 6*12 和 5*20 在加法运算之前进行。优先级没有确定的是这两个乘法运算中到底哪个先进行。C 将这个选择权留给实现者，这是因为可能一种选择在一种硬件上效率更高，而另一种选择在另一种硬件上效率更高。不管先执行哪个乘法运算，表达式都会简化为 72+100，所以对于这个具体的例子，这个选择不影响最终的结果。您说“但是乘法的结合是从左到右的顺序。难道这不意味着先执行最左边的乘法吗？”（可能您没有那样说，但是有人可能会这么说）。结合规则适用于共享同一操作数的运算符。例如，在表达式 12/3*2 里，有相同优先级的/和*运算符共享操作数 3；所以，从左到右的原则适用于这个例子。这个表达式将被简化为 4*2，即 8（如果从右到左计算，结果将是 12/6，即 2，这种选择对该例产生了影响）。在前面的例子中，两个*运算符不共享一个操作数，所以，从左到右的规则对它并不适用。

试验一下规则

我们用更复杂的例子来试一下这些规则。请看程序清单 5.7。

程序清单 5.7　rules.c 程序

```
/* rules.c -- 优先级规则的试验 */
#include <stdio.h>
int main (void)
{
    int top, score;
    top = score = - (2 + 5) * 6 + (4 + 3 * (2 + 3));
    printf ("top = %d \n", top);
    return 0;
}
```

这个程序将打印什么值？猜测一下，然后运行该程序或阅读下面的描述来检查您的答案。

首先，圆括号有最高的优先级。先计算-（2+5）*6 里的圆括号，还是先计算（4+3*（2+3））里的圆括号？像我们刚刚讨论过的那样，这有赖于不同的实现。在本例中每个选择都将导致同样的结果，所以我们先执行左面的计算。圆括号的高优先级意味着在子表达式-（2+5）*6 中，您先计算（2+5）并得到 7。下一步，您对 7 应用一元负运算符得到-7。现在这个表达式变为：

```
top = score = - 7 * 6 + (4 + 3 * (2 + 3))
```

下一步是计算 2+3 的值。表达式变为：

```
top = score = - 7 * 6 + (4 + 3 * 5)
```

下一步，因为在圆括号里*又高于+的优先级，所以表达式变成：

```
top = score = - 7 * 6 + (4 + 15)
```

然后：

```
top = score = - 7 * 6 + 19
```

用 6 乘以-7 得到下面的表达式：

```
top = score = - 42 + 19
```

然后进行加法运算，得到：

```
top = score = - 23
```

现在 score 赋值为-23。最后，top 得到值-23。记住=运算符的结合是从右到左的。

5.3　其他运算符

C 有大约 40 个运算符，其中有些运算符比其他运算符要常用得多。我们已经讨论过的那些是最常用的，现在我们将接着介绍 4 个比较有用的运算符。

5.3.1　sizeof 运算符和 size_t 类型

在第 3 章“数据和 C”中，您看到了 sizeof 运算符。回顾一下，sizeof 运算符以字节为单位返回其操作数的大小（在 C 中，1 个字节被定义为 char 类型所占用空间的大小。在过去，1 个字节通常是 8 位，但是一些字符集可能使用更大的字节）。操作数可以是一个具体的数据对象（例如一个变量名），或者一个类型。如果它是一个类型（如 float），操作数必须被括在圆括号里。程序清单 5.8 的例子演示了这两种形式的用法。

程序清单 5.8 sizeof.c 程序

```
// sizeof.c -- 使用 sizeof 运算符
// 使用 C99 的%z 修饰符。如果不能使用%zd，请使用%u 或%lu
#include <stdio.h>
int main (void)
{
    int n = 0;
    size_t intsize;
    intsize = sizeof (int);
    printf ("n = %d, n has %zd bytes; all ints have %zd bytes.\n",
          n, sizeof n, intsize);
    return 0;
}
```

C 规定 sizeof 返回 size_t 类型的值。这是一个无符号整数类型，但它不是一个新类型。相反，与可移植类型（如 int32_t 等）相同，它是根据标准类型定义的。C 有一个 typedef 机制（在 14 章“结构和其他数据形式”中将对此做进一步讨论），它允许您为一个已有的类型创建一个别名。例如：

```
typedef double real;
```

使 real 成为 double 的别名。现在您可以声明一个 real 类型的变量：

```
real deal;    // 使用由 typedef 定义的类型
```

编译器将会看到单词 real，回想起 typedef 语句把 real 定义为 double 的别名，于是它把 deal 创建为一个 double 类型的变量。与此相似，C 的头文件系统可以使用 typedef 来使 size_t 在系统中作为 unsigned int 或 unsigned long 的同义词。这样当您使用 size_t 时，编译器会用适合您的系统的标准类型代替之。

C99 更进一步，把%zd 作为用来显示 size_t 类型值的 printf（）说明符。如果您的系统没有实现%zd，您可以试着使用%u 或%lu 代替它。

5.3.2 取模运算符：%

取模运算符（modulus operator）用于整数运算。该运算符计算出用它右边的整数去除它左边的整数得到的余数。例如，13%5（读作“对 13 除以 5 取模”）所得值为 3，因为 13 除以 5 得 2 并余 3。不要对浮点数使用该运算符，那将是无效的。

乍一看，您可能认为这个运算符是数学家使用的深奥工具，但是它实际上相当实用。一个常见的用途是帮助您控制程序的流程。例如，假设您正在编写一个预算账单的程序，该程序被设计为每三个月就加进一笔额外的费用，只需让程序对月份进行除以 3 的取模操作（即，month%3）并检查结果是否为 0。如果是，程序就加进额外的费用。学习了第 7 章“C 控制语句：分支和跳转”中的 if 语句后，您对此将会有更好的理解。

程序清单 5.9 是使用%运算符的另外一个例子。同时，它也展示了使用 while 循环的另一种方法。

程序清单 5.9 min_sec.c 程序

```
// min_sec.c -- 把秒转换为分钟和秒
#include <stdio.h>
#define SEC_PER_MIN 60       // 每分钟的秒数
int main (void)
{
    int sec, min, left;

    printf ("Convert seconds to minutes and seconds!\n");
    printf ("Enter the number of seconds (<=0 to quit):\n");
    scanf ("%d", &sec);          // 读入秒数
```

```
    while(sec>0)
    {
      min = sec / SEC_PER_MIN; // 截尾后得到的分钟数
      left = sec % SEC_PER_MIN; // 剩下的秒数
      printf ("%d seconds is %d minutes, %d seconds.\n", sec, min,
            left);
      printf("Enter next value (<=0 to quit):\n");
      scanf("%d", &sec);
    }
    printf("Done!\n");

    return 0;
}
```

下面是一个输出示例：

```
Convert seconds to minutes and seconds!
Enter the number of seconds (<=0 to quit):
154
154 seconds is 2 minutes, 34 seconds.
Enter next value (<=0 to quit):
567
567 seconds is 9 minutes, 27 seconds.
Enter next value (<=0 to quit):
0
Done!
```

程序清单5.2使用一个计数器来控制while循环。当计数器超出给定的大小，循环终止。而程序清单5.9则使用scanf()来获得一个新的值赋给变量sec。只要这个变量是正数，循环就会继续。当用户输入0或者一个负值的时候，循环就会停止。两种情况中同样重要的一点在于，每次循环都会修改被测试的变量的值。

负数的取模运算应遵照什么规则？在 C99 为整数除法规定“趋零截尾”规则之前，该问题的处理方法有很多可能。但有了这条规则之后，如果第一个操作数为负数，那么得到的模也为负数；如果第一个操作数为正数，那么得到的模也为正数：

```
11 / 5 is 2 and 11 % 5 is 1
11 / -5 is -2 and 11 % -2 is 1
-11 / -5 is 2 and -11 % -5 is -1
-11 / 5 is -2 and -11 % 5 is -1
```

如果您的系统有不同的行为，那么它还没有遵循 C99 标准。该标准实际上规定：不管在什么情况下，如果 a 和 b 都是整数值，您可以通过从 a 中减去（a/b）*b 来计算 a%b。例如，您可以像这样来计算-11%5 的值：

```
-11 - (-11/5) * 5 = -11 - (-2) *5 = -11 - (-10) = -1
```

5.3.3　增量和减量运算符：++和--

“增量运算符”（increment operator）完成简单的任务，即将其操作数的值增加 1。这个运算符以两种方式出现。在第一种方式中，++出现在它作用的变量的前面，这是前缀（prefix）模式。在第二种方式中，++出现在它作用的变量的后面，这是后缀（postfix）模式。这两种模式的区别在于值的增加这一动作发生的准确时间是不同的。我们先解释它们的相似之处，然后再解释其区别。程序清单 5.10 中的简短例子说明了增量运算符是如何工作的。

程序清单 5.10　add_one.c 程序

```
/* add_one.c -- 增量：前缀和后缀 */
#include <stdio.h>
int main (void)
```

```
{
    int ultra = 0, super = 0;
    while (super < 5)
    {
        super++;
        ++ultra;
        printf ("super = %d, ultra = %d \n", super, ultra);
    }
    return 0;
}
```

运行 add_one.c 程序，输出结果如下：

```
super = 1, ultra = 1
super = 2, ultra = 2
super = 3, ultra = 3
super = 4, ultra = 4
super = 5, ultra = 5
```

这个程序两次同时计数到 5。通过使用如下语句代替两个增量语句，您可以得到相同的结果：

```
super = super + 1;
ultra = ultra + 1;
```

这些是很简单的语句。为什么要不辞辛苦地创建两个缩写形式呢？一个原因是这种精简的形式使您的程序更为整洁，更易于阅读。这些运算符使您的程序看起来很美观，可以赏心悦目。例如，您可以如此重写 shoes2.c（程序清单 5.2）中的一部分代码：

```
shoe = 3.0;
while (shoe < 18.5)
{
    foot = SCALE*size + ADJUST;
    printf ("%10.1f %20.2f inches\n", shoe, foot);
    ++shoe;
}
```

然而，您仍未充分利用增量运算符的好处。您可以像下面这样缩短这段程序：

```
shoe = 2.0;
while (++shoe < 18.5)
{
    foot = SCALE*shoe + ADJUST;
    printf ("%10.1f %20.2f inches\n", shoe, foot);
}
```

这里您已经将增量的过程和 while 循环的比较合并成一个表达式。这种结构在 C 中很普遍，所以值得我们进一步观察分析。

首先，这个结构是如何工作的？很简单。shoe 的值增加 1，然后与 18.5 进行比较。如果小于 18.5，花括号里的语句将被执行一次。然后 shoe 再次增加 1，并且重复这个循环，直到 shoe 变得太大了为止。将 shoe 的初始值从 3.0 改为 2.0 来补偿在第一个 foot 计算以前被增加的 shoe（请参见图 5.4）。

第二，这种方法有什么好处？它更简洁。更重要的是它在一个地方集中了控制循环的两个处理过程。主要处理过程是判断是否继续循环。在本例中，判断是检查看看鞋子的尺码是否小于 18.5。附带的处理过程是改变判断的元素：在本例中，是增加鞋子的尺码。

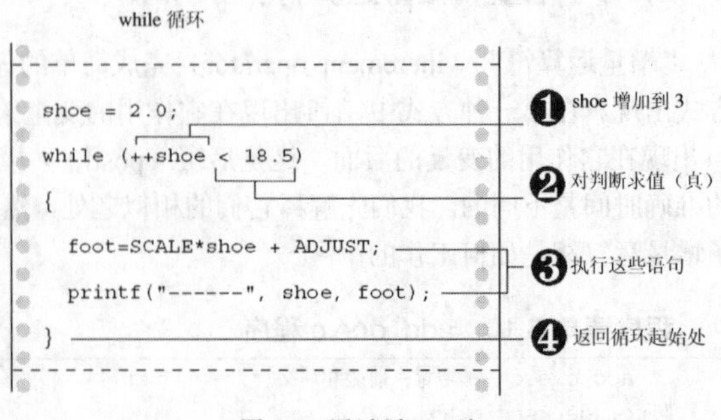

图 5.4　通过循环一次

假设您忘了改变鞋子的尺码，于是 shoe 将总是小于 18.5，循环将永不结束。计算机陷于一个无限循环（infinite loop）中，产生一行行相同的东西。最后，您只能无奈地以某种方式强行关闭这个程序。在同一个位置执行循环的判断和循环的改变可以防止您忘记更新循环。

缺点是将两个运算合并到一个单一的表达式里将使代码难于理解，并易于产生计数错误。

增量运算符的另一个优点是它通常产生更高效的机器语言代码，因为它与实际的机器语言指令相似。然而，随着商家推出更好的 C 编译器，这个好处可能会消失。一个智能编译器能识别出 x=x+1，并把它与 ++x 相同对待。

最后，这两个运算符还有另外一个特性，有时在某些微妙的场合这个特性很有用。为了发现这个特性，试着运行在程序清单 5.11 里的程序。

程序清单 5.11　post_pre.c 程序

```
/* post_ pre.c -- 后缀和前缀 */
#include <stdio.h>
int main (void)
{
    int a = 1, b = 1;
    int aplus, plusb;

    aplus = a++; /* 后缀 */
    plusb = ++b; /* 前缀 */
    printf ("a aplus b plusb \n");
    printf ("%1d %5d %5d %5d\n", a, aplus, b, plusb);
    return 0;
}
```

如果您和您的编译器都正确无误地做了每一件事，那么您将得到下列结果：

```
a   aplus   b   plusb
2     1     2     2
```

像我们所能预料到的，a 和 b 都增加了 1。然而，aplus 具有 a 改变之前的值，而 plusb 具有 b 改变之后的值。这就是前缀形式和后缀形式的不同之处（请参见图 5.5）。

```
aplus = a++;      /* 后缀：使用 a 的值之后改变 a  */
plusb = ++ b;     /* 前缀：使用 b 的值之前改变 b  */
```

前缀

```
q = 2*++a;
```

首先，a增加1

然后，用 2 乘以 a 并将结果赋给 q

后缀

```
q = 2*a++;
```

首先，用2乘以a并将结果赋给q

然后，a 增加 1

图 5.5　前缀和后缀

当单独使用这些增量运算符之一时（像在一个独立的语句 ego++；中那样），您使用哪种形式无关紧要。然而当运算符及其操作数是一个更大的表达式的一部分时，比方说在您刚才看到的赋值语句中，选择就很重要了。在这种情况下，您必须考虑到您想要的结果。例如，回忆一下我们曾建议使用下面的代码：

```
while (++shoe < 18.5)
```

这个判断条件提供了一个尺码直到 18 的表。如果您使用 shoe++而不是++shoe，这个表将达到尺码 19，因为 shoe 将在比较之后而不是之前增加。当然，您可以仍然使用下面这种不太精致的形式：

```
shoe = shoe + 1;
```

但是没人会相信您是一个真正的 C 程序员。

当您继续读这本书的时候，您应该更加留意增量运算符的例子。自问一下您是否能互换地使用前缀和后缀形式，或者是否环境决定了必须使用某个特定的选择。

也许一个更为明智的原则是避免那种前缀形式和后缀形式将导致不同效果的代码。例如，不要使用下列语句：

```
b = ++ i;  // 如果使用 i++，b 将会有不同的结果
```

而是使用下列语句来代替它：

```
++ i;   // 第 1 行
b = i;  // 如果在第 1 行使用了 i++，b 的结果仍会是相同的
```

然而，有时不那么小心翼翼会更有趣。所以，本书将不总是遵循这个明智的建议。

5.3.4 减量：--

每种形式的增量运算符都有一种形式的减量运算符（decrement operator）与之对应，只须使用--来代替++：

```
-- count;   /* 减量运算符的前缀形式 */
count --;   /* 减量运算符的后缀形式 */
```

程序清单 5.12 说明了计算机可以是位熟练的抒情诗人。

清单 5.12 bottles.c 程序

```
#include <stdio.h>
#define MAX 100
int main (void)
{
    int count = MAX + 1;

    while (--count > 0) {
        printf ("%d bottles of spring water on the wall, "
                "%d bottles of spring water!\n", count, count);
        printf ("Take one down and pass it around, \n");
        printf ("%d bottles of spring water!\n\n", count - 1);
    }
    return 0;
}
```

其输出以如下形式开始：

```
100 bottles of spring water on the wall, 100 bottles of spring water!
Take one down and pass it around,
99 bottles of spring water!

99 bottles of spring water on the wall, 99 bottles of spring water!
Take one down and pass it around,
98 bottles of spring water!
```

然后，输出继续进行，最后以如下方式结束：

```
1 bottles of spring water on the wall, 1 bottles of spring water!
Take one down and pass it around,
0 bottles of spring water!
```

显然，这位熟练的抒情诗人在复数的表达上有点问题，但是这可以通过使用第 7 章“C 控制语句：分支和跳转”里的条件运算符来解决。

顺便提一下，>运算符代表“大于”。与<（“小于”）相似，它是一个关系运算符（relational operator）。在第 6 章“C 控制语句：循环”中您将会更深入地了解关系运算符。

5.3.5 优先级

增量和减量运算符有很高的结合优先级；只有圆括号比它们的优先级高。所以，x*y++代表（x）*（y++）而不是（x*y）++。幸亏后者无效，增量运算符和减量运算符只能影响一个变量（或者更一般地讲，一个可修改的左值），而组合 x*y 本身不是一个变量，尽管它的各个部分是变量。

不要将这两个运算符的优先级和求值的顺序相混淆。假设您有下列代码：

```
y = 2;
n = 3;
nextnum = (y + n++) *6;
```

nextnum 的值是什么？用值来代替变量可以得到：

```
nextnum = (2 + 3) *6 = 5*6 = 30
```

只有当使用了 n 之后，n 的值才增加到 4。优先级告诉我们++只属于 n，而不属于 y+n。它也告诉我们什么时候使用 n 的值计算表达式，而增量运算符的性质决定了什么时候改变 n 的值。

当 n++是表达式的一部分时，您可以认为它表示“先使用 n；然后将它的值增加”，另一方面，++n 的意思是“先将 n 值增加，然后再使用它”。

5.3.6　不要太聪明

如果您企图一次使用太多的增量运算符，可能连自己都会被弄糊涂。例如，您可能认为您可以改进 squares.c 程序（程序清单 5.4），方法是使用下面的代码代替 while 循环来打印整数和它们的平方：

```
while (num < 21)
    {
    printf ("%10d %10d\n", num, num*num++);
    }
```

这看起来是合理的。您打印数值 num，然后用它本身来乘它以得到平方值，最后将 num 增加 1。事实上，这个程序可能只在某些系统上可以正常工作，但不是所有的系统上都可以。问题是当 printf（）获取要打印的值时，它可能先计算最后一个参数的值，从而在计算其他参数之前增加 num 的值。所以，不是打印成：

```
5        25
```

而是可能打印成：

```
6        25
```

它甚至可能从右往左计算，用 5 替换最右边的一个 num，而用 6 替换另外两个 num，从而得出：

```
6        30
```

在 C 中，编译器可以选择先计算函数里哪个参数的值。这个自由提高了编译器的效率，但是如果在函数参数里使用了增量运算符就会带来麻烦。

另一个麻烦的可能来源是像这样的语句：

```
ans = num/ 2 + 5* (1 + num++);
```

问题依然是编译器可能不以您想象的顺序来操作。您可能认为编译器应该先找到 num/2，然后继续进行；但是它可能先做最后的项目，即先增加 num 的值，然后在 num/2 中使用新值。这些都是没有保证的。

另一个麻烦的例子如下：

```
n = 3;
y = n++ + n++;
```

当然在该语句被执行后，n 的值比以前大 2，但是 y 的值是不确定的。一个编译器可能在计算 y 值时使用 n 的旧值两次，然后将 n 增加两次。这使 y 的值为 6，n 的值为 5。或者编译器使用 n 的旧值一次，然后增加 n 的值一次，在表达式里再使用第二个 n 值，最后第二次增加 n 的值。这种方法使 y 的值为 7，n 的值为 5。两种选择都是允许的。更准确地说，这个结果是不确定的，这意味着 C 标准没有定义结果将是什么。

通过如下原则，您可以很容易地避免这些问题：

- 如果一个变量出现在同一个函数的多个参数中时，不要将增量或者减量运算符用于它上面。
- 当一个变量多次出现在一个表达式里时，不要将增量或减量运算符运用到它的上面。

另一方面，关于什么时候执行增量动作，C 还是做出了一些保证的。我们在本章稍后的“副作用和顺序点”部分讨论到顺序点时会回到这个主题。

5.4 表达式和语句

我们已经在前几章里多次使用了术语表达式和语句，现在该进一步学习它们的意思了。语句组成了 C 的基本的程序步骤，并且大多数语句由表达式构造而成。这一事实建议您先了解一下表达式。

5.4.1 表达式

表达式（expression）是由运算符和操作数组合构成的（回忆一下，操作数是运算符操作的对象）。最简单的表达式是一个单独的操作数，以此作为基础可以建立复杂的表达式。下面是一些表达式：

```
4
-6
4+21
a*（b + c/d）/20
q = 5*2
x = ++q % 3
q > 3
```

正如您所看到的，操作数可以是常量、变量或者是二者的组合。一些表达式是多个较小的表达式的组合，这些小的表达式被称为子表达式（subexpression）。例如，c/d 是第 4 个例子的子表达式。

每一个表达式都有一个值

C 的一个重要的属性是每一个 C 表达式都有一个值。为了得到这个值，您可以按照运算符优先级描述的顺序来完成运算。我们所列出的前几个表达式的值很明显，但是有=的表达式的值是什么呢？那些表达式与=左边的变量取得的值相同。所以，表达式 q=5*2 作为一个整体的值为 10。表达式 q>3 呢？这样的关系表达式如果条件为真取得的值为 1，如果条件为假取得的值为 0。表 5.3 中是一些表达式和它们的值：

表 5.3　一些表达式和它们的值

表 达 式	值
-4+6	2
c=3+8	11
5>3	1
6+（c=3+8）	17

最后的表达式有点奇怪！然而，它在 C 中是完全合法的（但是不建议使用），因为它是两个子表达式的和，每一个子表达式都有一个值。

5.4.2 语句

语句（statement）是构造程序的基本成分。程序（program）是一系列带有某种必需的标点的语句集合。一个语句是一条完整的计算机指令。在 C 中，语句用结束处的一个分号标识。所以：

```
legs = 4
```

只是一个表达式（它可能是一个较大语句的一个部分），而：

```
legs = 4;
```

是一个语句。

什么构成了一条完整的指令？首先，C 把任何后面加有一个分号的表达式看作是一个语句（它们被称为表达式语句）。所以，C 将不反对像下面的各行：

```
8;
3 + 4;
```

但是这些语句对您的程序不做任何事情，不能被认为是有作用的语句。更典型地，语句会改变值和调用函数：

```
x = 25;
++x;
y = sqrt (x);
```

尽管一个语句（或者至少是一个有作用的语句）是一条完整的指令，但不是所有的完整的指令都是语句。考虑下面的语句：

```
x = 6 + (y = 5);
```

在此语句中，子表达式 y=5 是一个完整的指令，但是它只是一个语句的一部分。因为一条完全的指令不必是一个语句，所以分号被用来识别确实是语句的指令。

到目前为止，您已经遇到了 4 种语句。程序清单 5.13 给出了使用这 4 种语句的简短的例子。

程序清单 5.13　addemup.c 程序

```
/* addemup.c -- 4种类型的语句 */
#include <stdio.h>
int main (void)              /* 求出前20个整数的和 */
{
    int count, sum;          /* 声明语句            */

    count = 0;               /* 赋值语句            */
    sum = 0;                 /* 同上                */
    while (count++ < 20)     /* while               */
        sum = sum + count;   /* 语句                */
    printf ("sum = %d\n", sum); /* 函数语句         */
    return 0;
}
```

我们讨论程序清单 5.13。此时，您一定很熟悉声明语句了。但是，我们将提醒您它用于建立变量的名字和类型并导致为它们分配内存空间。注意一个声明语句不是一个表达式语句。也就是说，如果您从声明里去掉分号，您所得到的不是一个表达式，也不具有一个值：

```
int port                  /* 不是一个表达式，也没有值 */
```

赋值语句（assignment statement）被许多程序广为使用：它为一个变量分配一个值。它的结构是一个变量名，变量后面紧跟着一个赋值运算符，赋值运算符后跟一个表达式，表达式后面跟上一个分号。注意在 while 循环语句中包含了一个赋值语句。赋值语句是表达式语句的特例。

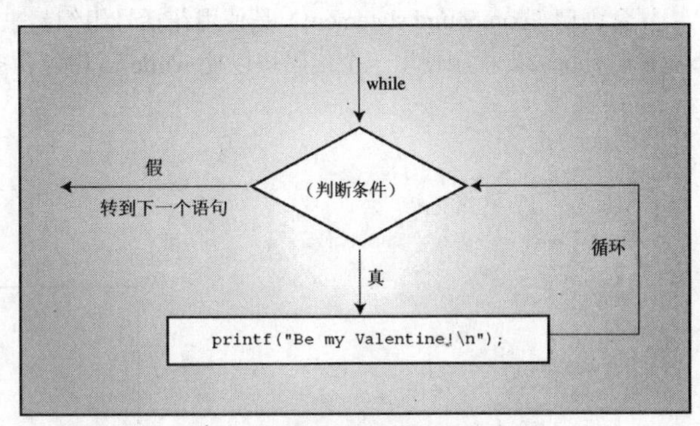

图 5.6　一个简单的 while 循环的结构

函数语句（function statement）引起函数的执行。在这个例子里，调用了 printf ( ) 函数来打印结果。while 语句有三个不同的部分（请参见图 5.6）。首先是关键字 while，然后是在圆括号里的一个判断条件，最后是满足判断条件时将执行的语句。包含在循环里的可以是一个像本例中那样的简单语句，这个简单语句不需要用花括号来划分出来；也可以像以前的例子中那样是一个复合语句，复合语句需要有花括号。后面马上就要讨论有关复合语句的内容。

while 语句属于一类有时被称为"结构化语句"（structured statement）的语句，因为它们的结构比一个简单的赋值语句复杂。在后面的章节里，我们将遇到许多其他的结构化语句。

副作用和顺序点

现在我们再讨论一些 C 的术语。副作用（side effect）是对数据对象或文件的修改。例如，语句：

```
states = 50;
```

的副作用是将变量 states 的值设置为 50。这是副作用？这看起来更像是主要目的！然而，从 C 的角度来看，主要目的是对表达式求值。给 C 一个表达式 4+6，C 将计算它的值为 10。给 C 一个表达式 states=50，C 将计算它的值为 50。计算这个表达式的副作用就是把变量 states 的值改变为 50。跟赋值运算符一样，增量运算符和减量运算符也有副作用，它们主要由于副作用而被使用。

一个顺序点（sequence point）是程序执行中的一点；在该点处，所有的副作用都在进入下一步前被计算。在 C 中，语句里的分号标志了一个顺序点。它意味着在一个语句中赋值运算符、增量运算符及减量运算符所做的全部改变必须在程序进入下一个语句前发生。在后续章节中我们将要讨论的一些运算符也有顺序点。任何一个完整的表达式的结束也是一个顺序点。

什么是完整的表达式呢？一个完整的表达式（full expression）是这样一个表达式——它不是一个更大的表达式的子表达式。完整表达式的例子包括一个表达式语句里的表达式和在一个 while 循环里作为判断条件的表达式。

顺序点帮助阐明后缀增量动作何时发生。例如，考虑下面的代码：

```
while (guests++ < 10)
    printf ("%d \n", guests);
```

有时 C 的初学者会设想在本程序中“先使用该值，然后增加它的值”的意思是在使用了 printf（）语句后再增加 guest 的值。然而，因为 guests++<10 是 while 循环的判断条件，所以它是一个完整表达式，这个表达式的结束就是一个顺序点。因此，C 保证副作用（增加 guest 的值）在程序进入 printf（）前发生。同时使用后缀形式保证了 guest 在与 10 比较后才增加。

现在考虑这个语句：

```
y = (4 + x++) + (6 + x++);
```

表达式 4+x++不是一个完整表达式，所以 C 不能保证在计算子表达式 4+x++后立即增加 x。这里，完整表达式是整个赋值语句，并且分号标记了顺序点，所以 C 能保证的是在程序进入后续语句前 x 将被增加两次。C 没有指明 x 是在每个子表达式被计算后增加还是在整个表达式被计算后增加，这就是我们要避免使用这类语句的原因。

5.4.3 复合语句（代码块）

复合语句（compound statement）是使用花括号组织起来的两个或更多的语句；它也被称为一个代码块（block）。shoes2.c 程序使用一个代码块以使 while 语句包含多个语句。比较下面的两个程序段：

```
/* 程序段 1 */
index = 0;
while (index++ < 10)
    sam = 10 * index + 2;
printf ("sam = %d\n", sam);

/* 程序段 2 */
index = 0;
while (index++ < 10)
{
    sam = 10 * index + 2;
    printf ("sam = %d\n", sam);
}
```

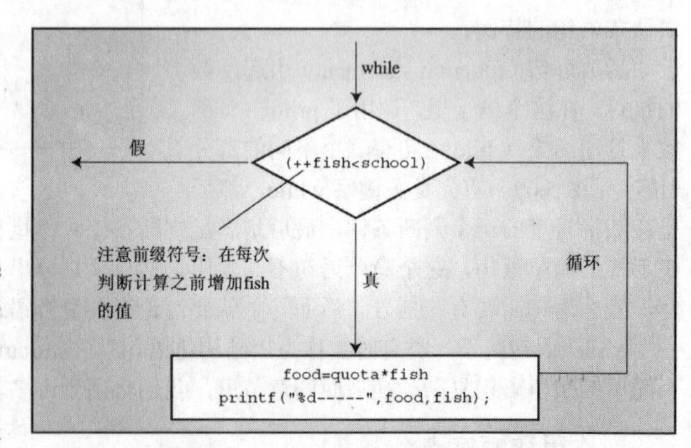

图 5.7　一个具有复合语句的 while 循环

在程序段 1 中，只有赋值语句包含在 while 循环中。在没有花括号的情况下，while 循环语句的范围是从 while 到下一个分号。printf（）函数只在循环结束后被调用一次。

在程序段 2 中，花括号确保两个语句都是 while 循环的一部分，所以每次循环执行时都将调用 printf（）。根据 while 语句的结构（请参见图 5.7），整个复合语句被认为是一个语句。

风 格 提 示

再看一下这两个 while 程序段，注意缩排是如何划分出每一个循环体的。缩排对编译器不起作用，编译器使用花括号和 while 循环结构自身的知识来决定如何解释您的指令。缩排是为了使您一眼就可以看出这个程序是如何组织的。此例子显示了用花括号来指明一个代码块或复合语句的一种流行风格。另一个常用的风格是这样的：

```
while (index++ < 10) {
   sam = 10*index + 2;
   printf ("sam = %d \n", sam);
}
```

这个风格突出了该代码块是附在 while 循环后面的。前面那种风格强调这些语句形成一个代码块。对于编译器而言，两种形式是相同的。总之，使用缩排可以为读者指明程序的结构。

总结：表达式和语句

表达式：

表达式（expression）是运算符和操作数的组合。最简单的表达式只有一个常量或一个变量而没有运算符，例如 22 或者 beebop。更复杂的例子是 55+22 和 vap=2*（vip+（vup=4））。

语句：

语句（statement）是对计算机的命令。有简单语句和复合语句。简单语句（simple statement）以一个分号结束，如下面这些例子：

声明语句：　`int toes;`

赋值语句：　`toes = 12;`

函数调用语句：　`printf ("%d\n", toes);`

结构化语句：　`while (toes < 20) toes = toes + 2;`

空语句：　`;  /*  什么也不做  */`

复合语句（compound statement）或代码块（block）由一个或多个括在花括号里的语句（这些语句本身也可能是复合语句）构成。下面的 while 语句中含有一个例子：

```
while (years < 100)
{
     wisdom = wisdom * 1.05;
     printf ("%d %d\n", years, wisdom);
     years = years + 1;
}
```

5.5　类型转换

语句和表达式通常应该只使用一种类型的变量和常量。然而，如果您混合使用类型，C 不会像 Pascal 那样停在那里死掉。相反，它使用一个规则集合来自动完成类型转换。这可能很方便，但是它也很危险，尤其是在您无意地混合使用类型的情况下（许多 UNIX 系统都有自带的 lint 程序可以检查类型“冲突”。如果您选择了一个更高的错误等级，许多非 UNIX 的 C 编译器将报告可能的类型问题）。您最好能有一些类型转换规则的知识。基本的规则如下：

1．当出现在表达式里时，有符号和无符号的 char 和 short 类型都将自动被转换为 int，在需要的情况下，将自动被转换为 unsigned int（如果 short 与 int 有相同的大小，那么 unsigned short 比 int 大；在那种情况下，将把 unsigned short 转换为 unsigned int）。在 K&R C 下，但不是当前的 C 下，float 将被自动转换为

double。因为是转换成较大的类型，所以这些转换被称为提升（promotion）。

2．在包含两种数据类型的任何运算里，两个值都被转换成两种类型里较高的级别。

3．类型级别从高到低的顺序是 long double、double、float、unsigned long long、long long、unsigned long、long、unsigned int 和 int。一个可能的例外是当 long 和 int 具有相同大小时，此时 unsigned int 比 long 的级别更高。之所以 short 和 char 类型没有出现在此清单里，是因为它们已经被提升到 int 或也可能被提升到 unsigned int。

4．在赋值语句里，计算的最后结果被转换成将要被赋予值的那个变量的类型。像规则 1 中一样，这个过程可能导致提升；但也可能导致降级（demotion），降级是将一个值转换成一个更低级的类型。

5．当作为函数的参数被传递时，char 和 short 会被转换为 int，float 会被转换为 double。像在第 9 章"函数"中讨论的那样，可以通过函数原型来阻止自动提升的发生。

提升通常是一个平滑的无损害的过程，但是降级可能导致真正的问题。原因很简单：一个较低级别的类型可能不够大，不能存放一个完整的数。一个 8 字节的 char 变量可以存放整数 101，但是不能存放整数 22334。当把浮点类型降级为整数类型时，它们被趋零截尾或舍入。这意味着 23.12 和 23.99 都被截尾成 23，-23.5 被截尾成-23。程序清单 5.14 说明了这个规则。

程序清单 5.14　convert.c 程序

```
/* convert.c -- 自动类型转换 */
#include <stdio.h>
int main (void)
{
    char ch;
    int i;
    float fl;

    fl = i = ch = 'A';                                    /* 第 9 行  */
    printf ("ch = %c, i = %d, fl = %2.2f\n", ch, i, fl);  /* 第 10 行 */
    ch = ch + 1;                                          /* 第 11 行 */
    i = fl + 2 * ch;                                      /* 第 12 行 */
    fl = 2.0 * ch + i;                                    /* 第 13 行 */
    printf ("ch = %c, i = %d, fl = %2.2f\n", ch, i, fl);  /* 第 14 行 */
    ch = 5212205.17;                                      /* 第 15 行 */
    printf ("Now ch = %c\n", ch);
    return 0;
}
```

下面是运行 convert.c 产生的结果：

```
ch = C, i = 67, fl = 67.00
ch = D, i = 203, fl = 339.00
Now ch = -
```

下面是在 8 位 char、32 位 int 的系统上运行程序的过程分析：

- **第 9 行和第 10 行**：字符'C'被作为 1 字节的 ASCII 值存储在 ch 里。整数变量 i 接受由'C'转换成的整数，即 67，它以 4 个字节存储。最后，fl 接受由 67 转换成的浮点数，即 67.00。
- **第 11 行和第 14 行**：字符变量'C'被转换成整数 67，然后把该整数加 1。结果的 4 字节的整数 68 被截为 1 字节并存储在 ch 里。当使用%c 说明符进行打印时，68 被解释为'D'的 ASCII 码。
- **第 12 和第 14 行**：为了和 2 相乘，ch 的值被转换为一个 4 字节的整数（68）。乘积整数（136）为了和 fl 相加而被转换为浮点类型。结果（203.00f）被转换成 int 类型并存储在 i 中。
- **第 13 和第 14 行**：为了和 2.0 相乘，ch 的值（'D'，即 68）被转换为浮点类型。为了做加法，i 的值（203）被转换为浮点类型。结果（339.00）被存储在 fl 中。
- **第 15 和第 16 行**：在这里，示例程序尝试了一个降级的实例，把 ch 设置为一个很大的数。在截去高位后，ch 最终变成连字符这一字符的 ASCII 码。

指派运算符

通常您应该避免自动类型转换，尤其是避免降级。但是倘若您小心使用，有时候它对做类型转换很方便。到目前为止我们已经讨论的类型转换是自动完成的。然而，您也有可能需要准确的类型转换，或者需要在程序中表明您是知道您正在做类型转换的。完成这一任务的方法被称为指派（cast），其步骤是在某个量的前面放置用圆括号括起来的被希望转换成的类型名。圆括号和类型名一起构成了指派运算符（cast operator）。指派运算符的一般形式如下：

(type)

用实际所需的类型（例如 long）来代替 type。

考虑下面两个代码行，其中 mice 是一个 int 变量。第二行包含两个向 int 类型的指派。

```
mice = 1.6 + 1.7;
mice = (int) 1.6 + (int) 1.7;
```

第一个例子使用了自动转换。首先，1.6 和 1.7 相加得到 3.3。然后这个数通过截尾被转换成整数 3 来匹配 int 类型变量。第二个例子中，在相加前，1.6 被转换成一个整数（1），1.7 也是如此。所以 mice 被赋值为 1+1，即 2。这两个形式本质上没有哪个比另一个更准确；只有通过考虑具体编程问题的上下文才能判断哪一个更有意义。

通常，您不应该混合使用类型（这就是为什么一些语言不允许这样做），但是偶尔它也是有用的。C 的原则是避免给您设置障碍，但由您承担起不滥用自由的责任。

总结：C 中的运算

表 5.4 中列出的是到目前为止我们已经讨论过的运算符：

表 5.4　C 的一些运算符

赋值运算符：	
=	将它右边的值赋给它左边的变量
算术运算符：	
+	将它右边的值和它左边的值相加
-	从它左边的值里减掉它右边的值
-	作为一元运算符，改变它右边值的符号
*	用它左边的值乘以它右边的值
/	用它右边的值去除它左边的值。如果两个操作数都是整数，那么结果被截尾
%	当它左边的值被它右边的值除时，得到的余数（只对整数）
++	对它右边的值加 1（前缀模式），或者对它左边的值加 1（后缀模式）
--	与++类似，只不过是减 1
其他运算符：	
Sizeof	给出它右边的操作数的字节大小。操作数可以是在圆括号里的一个类型说明符，例如 sizeof (float)；或者是一个具体的变量、数组等的名字，例如 sizeof foo
(*type*)	作为指派运算符，它将跟在它后面的值转换成由圆括号中的关键字所指定的类型。例如，(float) 9 将整数 9 转换成浮点数 9.0

5.6　带有参数的函数

现在您已经很熟悉使用函数的参数了。要掌握函数的下一步是学习如何编写自己的使用参数的函数。

现在我们演示一下这个技巧（此时，您可能需要复习第 2 章“C 语言概述”结尾处的 butler（）函数例子，它说明了如何编写不使用参数的函数）。程序清单 5.15 包含一个 pound（）函数，它打印指定数目的英镑符号（#）。这个例子也将说明一些有关类型转换的应用。

程序清单 5.15 pound.c 程序

```
/* pound.c -- 定义带有一个参数的函数                  */
#include <stdio.h>
void pound (int n); /* ANSI 风格的原型              */
int main (void)
{
    int times = 5;
    char ch = '!';      /* ASCII 码值为 33            */
    float f = 6.0;
    pound (times);      /* int 参数                   */
    pound (ch);         /* char 参数自动转换为 int 类型 */
    pound ((int) f);    /* 指派运算符把 f 强制转换为 int 类型 */
    return 0;
}

void pound (int n)      /* ANSI 风格的函数头           */
{                       /* 说明该函数接受一个 int 参数   */
    while (n-- > 0)
          printf ("#");
    printf ("\n");
}
```

运行该程序产生下列输出：

```
#####
#################################
######
```

首先，我们研究一下函数头部分：

```
void pound (int n)
```

如果函数不接受参数，函数头里的圆括号将包含关键字 void。因为此函数接受一个 int 类型的参数，所以圆括号里包含一个名字为 n 的 int 类型变量的声明。您可以使用符合 C 的命名规则的任何名字。

声明一个参数就创建了一个被称为形式参数（formal argument）或形式参量（formal parameter）的变量。在本例中，形式参数是叫做 n 的 int 类型变量。像 pound（10）这样的函数调用会把 10 赋给 n。在本程序中，函数调用 pound（times）把 times 的值（5）赋给 n。我们称函数调用传递一个值，这个值被称为实际参数（actual argument）或者实际参量（actual parameter）；所以函数调用 pound（10）把实际参数 10 传递给函数，然后函数把 10 赋给形式参量（变量 n）。也就是说，main（）中的变量 times 的值被复制给 pound（）中的新变量 n。

参数（argument）与参量（parameter）

尽管术语参数和参量可以互换地使用，但 C99 文档已经规定：对实际参数或者实际参量使用术语参数，对形式参量或者形式参数使用术语参量。遵循这个约定，我们可以说参量是变量，而参数是由函数调用提供的值，并且将它赋给相对应的参量。

函数中的变量名字是局部的。这意味着在一个函数里定义的名字不会与其他地方相同的名字发生冲突。如果您在 pound（）里使用 times 代替 n，将产生一个与 main（）里的 times 不同的变量。也就是说，您有两个同名的变量，但是程序可以分清楚它们。

现在我们看看函数调用。第一个函数调用是 pound（times），正如我们所提到的，该函数调用导致 times 的值 5 被赋给 n。这导致函数打印 5 个英镑符号和一个换行符。第二个函数调用是 pound（ch）。这里 ch

是 char 类型。它被初始化为!字符，在 ASCII 系统里它意味着 ch 的数值为 33。自动提升机制把 char 类型提升到 int 类型，（在此系统中）它把存储在 1 个字节的 33 转换为存储在 4 个字节中的 33，所以值 33 现在以正确的形式被用作函数的参数。最后的调用 pound（（int）f）使用类型指派来将 float 类型的变量转变成这个参数的正确类型。

假设您漏掉了类型指派，如果使用现代 C，程序将为您自动完成类型指派。这是因为在文件头部声明了该函数的 ANSI 原型：

```
void pound (int n);   /* ANSI 风格的原型    */
```

原型（prototype）是一个函数声明，它描述了函数的返回值和它的参数。这个函数原型说明了关于 pound（）函数的两件事情：

- 函数没有返回值。
- 函数接受一个 int 类型的参数。

因为编译器在 main（）使用 pound（）之前看到了这个原型，所以编译器知道 pound（）应该有什么类型的参数；并且在需要使实际参数的类型与原型保持一致时，编译器会插入一个类型指派。例如，函数调用 pound（3.859）将被转换成为 pound（3）。

5.7 一个示例程序

程序清单5.16列出了一个举例说明本章的几个概念的程序，（对于一小部分特定的人）这个程序会派上一定用场。它看起来有些长，但是所有的计算都在接近末尾的6行里被执行。程序的大部分用于在计算机和用户之间传递信息。我们已经试着使用大量的注释来使程序的意义清晰明白。请通读此程序，在您读完后我们将给出几点说明。

程序清单 5.16 running.c 程序

```
// running.c -- 一个对于长跑运动员有用的程序
#include <stdio.h>
const int S_PER_M = 60;     // 每分钟的秒数
const int S_PER_H = 3600;   // 每小时的秒数
const double M_PER_K = 0.62137;  // 每公里的英里数
int main (void)
{
    double distk, distm;     // 分别以公里和英里计的跑过的距离
    double rate;             // 以英里/小时为单位的平均速度
    int min, sec;            // 跑步用时的分钟数和秒数
    int time;                // 用秒表示的跑步用时
    double mtime;            // 跑完 1 英里所用的时间，以秒计
    int mmin, msec;          // 跑完 1 英里所用的时间，以分钟和秒计
    printf ("This program converts your time for a metric race\n");
    printf ("to a time for running a mile and to your average\n");
    printf ("speed in miles per hour.\n");
    printf ("Please enter, in kilometers, the distance run.\n");
    scanf ("%lf", &distk); // %lf 表示读取一个 double 类型的数值
    printf ("Next enter the time in minutes and seconds.\n");
    printf ("Begin by entering the minutes.\n");
    scanf ("%d", &min);
    printf ("Now enter the seconds.\n");
    scanf ("%d", &sec);
// 把时间转换为全部用秒表示
    time = S_PER_M * min + sec;
// 把公里转换为英里
    distm = M_PER_K * distk;
// 英里/秒 × 秒/小时=英里/小时
```

```
    rate = distm / time * S_PER_H;
// 时间/距离=跑完每英里的用时
    mtime = (double) time / distm;
    mmin = (int) mtime / S_PER_M; // 求出分钟数
    msec = (int) mtime % S_PER_M; // 求出剩余的秒数
    printf ("You ran %1.2f km (%1.2f miles) in %d min, %d sec.\n",
        distk, distm, min, sec);
    printf ("That pace corresponds to running a mile in %d min, ",
        mmin);
    printf ("%d sec.\nYour average speed was %1.2f mph.\n", msec,
        rate);
    return 0;
}
```

程序清单 5.16 使用以前在 min_sec 里使用的方法来将最后的时间转变成分钟和秒，但是它也使用了类型转换。为什么？因为程序中把秒转换为分钟的那部分需要整型参数，但是把公里转换为英里的那部分涉及浮点数的运算。我们已经使用了指派运算符来使这些转换更为明显。

实际上，可以只使用自动转换来写该程序。我们的确也曾经那样做过，使用 int 型的 mtime 来强制时间计算转换成整数形式。然而，在我们进行试验的 11 个系统中，那个版本的程序在 1 个系统上不能运行。那个编译器（一个有点老的版本）没有遵守 C 规则。使用类型指派使您的目的不但对读者很明显，就是对编译器也很明显。

下面是一个输出示例：

```
This program converts your time for a metric race
to a time for running a mile and to your average
speed in miles per hour.
Please enter, in kilometers, the distance run.
10.0
Next enter the time in minutes and seconds.
Begin by entering the minutes.
36
Now enter the seconds.
23
You ran 10.00 km (6.21 miles) in 36 min, 23 sec.
That pace corresponds to running a mile in 5 min, 51 sec.
Your average speed was 10.25 mph.
```

5.8 关键概念

C 使用运算符来提供多种服务。每个运算符的特性包括所需操作数的数量、优先级和结合性。当两个运算符共享一个操作数时，最后两个特性决定了先应用哪一个运算符。运算符与值结合可以产生表达式，并且 C 的每一个表达式都有一个值。如果您不了解运算符的优先级和结合性，您可能会构造出不合法的或者是与您期望的值不同的表达式；这可不利于您作为一个程序员的声望。

C 允许您写出将不同的数值类型组合在一起的表达式。但是算术运算要求操作数是同一类型的，所以 C 进行自动转换。然而，不依赖于自动转换是一个很好的编程习惯。您应该通过选择变量的正确类型或通过使用类型指派来使类型选择更明显。那样您就不必担心出现您不希望的自动转换。

5.9 总结

C 有多种运算符，例如在本章中讨论的赋值和算术运算符。总的来说，一个运算符作用于一个或多个操作数来产生一个值。带一个操作数的运算符（例如负号和 sizeof）称为一元运算符。要求两个操作数的运算符（例如加法和乘法运算符）称为二元运算符。

表达式是运算符和操作数的组合。在C里，每一个表达式都有一个值，其中包括赋值表达式和比较表达式。运算符优先级的规则帮助决定当对表达式进行求值时，如何组合表达式里的各项。当两个运算符共享一个操作数时，具有较高优先级的运算符先被运算。如果运算符有相同的优先级，结合性（从左到右或者从右到左）决定了哪个运算符先被应用。

语句是对计算机的完整指示，在C中通过一个分号来标识。到目前，您已经使用了声明语句、赋值语句、函数调用语句和控制语句。包含在一对花括号里的语句构成了一个复合语句或者代码块。一个特殊的控制语句是while循环，只要判断条件保持为真，该循环就重复执行循环体里的语句。

在C里，许多类型转换会自动发生。当char和short类型出现在表达式里或者作为函数的参数时，它们都将被提升为int类型。当float类型作为一个函数参数时被提升为double类型。在K&R C（而不是ANSI C）下，当float用于表达式里时也被提升为double类型。当把一种类型的值赋给另一种类型的变量时，该值被转换成和那个变量相同的类型。当较大类型的值被转换成较小类型的值（例如，long变成short，或者double变成float）时，它们可能丢失数据。根据本章概括的规则，在混合类型的算术运算的情况下，较小的类型被转换成较大的类型。

当您定义了一个接受一个参数的函数时，您在函数定义里声明了一个变量，或称形式参数。然后在函数调用中传入的值会赋给这个变量，现在就可以在函数里使用该值了。

5.10 复习题

您将在附录A“复习题答案”中可以找到这些复习题的答案。

1．假定所有的变量都是int类型。找出下面每一个变量的值：

```
a. x = (2 + 3) * 6;
b. x = (12 + 6) /2*3;
c. y = x = (2 + 3) /4;
d. y = 3 + 2* (x = 7/2);
```

2．假定所有的变量都是int类型。找出下面每一个变量的值：

```
a. x = (int) 3.8 + 3.3;
b. x = (2 + 3) * 10.5;
c. x = 3 / 5 * 22.0;
d. x = 22.0 * 3 / 5;
```

3．您怀疑下面的程序里有一些错误。您能找出这些错误吗？

```
int main (void)
{
    int i = 1,
    float n;
    printf ("Watch out! Here come a bunch of fractions!\n");
    while (i < 30)
      n = 1/i;
      printf ("%f", n);
    printf ("That's all, folks!\n");
    return;
}
```

4．这是程序清单5.9的另一种设计方法。表面上看，它使用一个scanf()函数替代了程序清单5.9中的两个scanf()。但是该程序不令人满意。和程序清单5.9相比，它有什么缺点？

```
#include <stdio.h>
#define S_TO_M 60
int main (void)
```

```
{
    int sec, min, left;
    printf ("This program converts seconds to minutes and ");
    printf ("seconds.\n");
    printf ("Just enter the number of seconds.\n");
    printf ("Enter 0 to end the program.\n");
    while (sec > 0) {
      scanf ("%d", &sec);
      min = sec/S_TO_M;
      left = sec % S_TO_M;
      printf ("%d sec is %d min, %d sec. \n", sec, min, left);
      printf ("Next input?\n");
      }
    printf ("Bye!\n");
    return 0;
}
```

5. 下面的程序将打印出什么？

```
#include <stdio.h>
#define FORMAT "%s! C is cool!\n"
int main (void)
{
    int num = 10;

    printf (FORMAT, FORMAT);
    printf ("%d\n", ++num);
    printf ("%d\n", num++);
    printf ("%d\n", num--);
    printf ("%d\n", num);
    return 0;
}
```

6. 下面的程序将打印出什么？

```
#include <stdio.h>
int main (void)
{
    char c1, c2;
    int diff;
    float num;

    c1 = 'S';
    c2 = 'O';
    diff = c1 - c2;
    num = diff;
    printf ("%c%c%c: %d %3.2f\n", c1, c2, c1, diff, num);
    return 0;
}
```

7. 下面的程序将打印出什么？

```
#include <stdio.h>
#define TEN 10
int main (void)
{
    int n = 0;
    while (n++ < TEN)
            printf ("%5d", n);
    printf ("\n");
    return 0;
}
```

8. 修改上一个程序，让它打印从a到g的字母。

9. 如果下面的片段是一个完整程序的一部分，它们将打印出什么？

```
a.
int x = 0;
while (++x < 3)
    printf ("%4d", x);
b.
int x = 100;

while (x++ < 103)
    printf ("%4d\n", x);
    printf ("%4d\n", x);
c.
char ch = 's';

while (ch < 'w')
{
    printf ("%c", ch);
    ch++;
}
printf ("%c\n", ch);
```

10. 下面的程序将打印出什么？

```
#define MESG "COMPUTER BYTES DOG"
#include <stdio.h>
int main (void)
{
    int n = 0;

    while (n < 5)
        printf ("%s\n", MESG);
        n++;
    printf ("That's all.\n");
    return 0;
}
```

11. 构造完成下面功能（或者用一个术语来说，有下面的副作用）的语句：

    a. 把变量x的值增加10
    b. 把变量x的值增加1
    c. 将a与b之和的两倍赋给c
    d. 将a与两倍的b之和赋给c

12. 构造具有下面功能的语句：

    a. 把变量x的值减1
    b. 把n除以k所得的余数赋给m
    c. 用b减去a的差去除q，并将结果赋给p
    d. 用a与b的和除以c与d的乘积，并将结果赋给x

5.11　编程练习

1. 编写一个程序。将用分钟表示的时间转换成以小时和分钟表示的时间。使用#define或者const来创建一个代表60的符号常量。使用while循环来允许用户重复键入值，并且当键入一个小于等于0的时间时终止循环。

2．编写一个程序，此程序要求输入一个整数，然后打印出从（包括）输入的值到（包括）比输入的值大 10 的所有整数值（也就是说，如果输入为 5，那么输出就从 5 到 15）。要求在各个输出值之间用空格、制表符或换行符分开。

3．编写一个程序，该程序要求用户输入天数，然后将该值转换为周数和天数。例如，此程序将把 18 天转换成 2 周 4 天。用下面的格式显示结果：

```
18 days are 2 weeks, 4 days.
```

使用一个 while 循环让用户重复输入天数；当用户输入一个非正数（如 0 或-20）时，程序将终止循环。

4. 编写一个程序让用户按厘米输入一个高度值，然后，程序按照厘米和英尺英寸显示这个高度值。允许厘米和英寸的值出现小数部分。程序允许用户继续输入，直到用户输入一个非正的数值。程序运行的示例如下所示：

```
Enter a height in centimeters: 182
182.0 cm = 5 feet, 11.7 inches
Enter a height in centimeters (<=0 to quit): 168
168.0 cm = 5 feet, 6.1 inches
Enter a height in centimeters (<=0 to quit): 0
bye
```

5. 改写用来找到前 20 个整数之和的程序 addemup.c（程序清单 5.13）（如果您愿意，可以把 addemup.c 程序看成是一个计算如果您第一天得到$1，第二天得到$2，第三天得到$3，以此类推，您在 20 天里会挣多少钱的程序）。修改该程序，目的是您能交互地告诉程序计算将进行到哪里。也就是说，用一个读入的变量来代替 20。

6．现在修改编程练习 5 中的程序，使它能够计算整数平方的和（如果您喜欢，可以这样认为：如果您第一天得到$1，第二天得到$4，第三天得到$9，以此类推您将得到多少钱。这看起来像一个很好的买卖）。C 没有平方函数，但是您可以利用 n 的平方是 n*n 的事实。

7．编写一个程序，该程序要求输入一个 float 型数并打印该数的立方值。使用您自己设计的函数来计算该值的立方并且将它的立方打印出来。main（）程序把输入的值传递给该函数。

8．编写一个程序，该程序要求用户输入一个华氏温度。程序以 double 类型读入温度值，并将它作为一个参数传递给用户提供的函数 Temperatures（）。该函数将计算相应的摄氏温度和绝对温度，并以小数点右边有两位数字的精度显示这三种温度。它应该用每个值所代表的温度刻度来标识这 3 个值。下面是将华氏温度转换成摄氏温度的方程：

```
Celsius = 1.8 * Fahrenheit + 32.0
```

通常用在科学上的绝对温度的刻度是 0 代表绝对零，是可能温度的下界。下面是将摄氏温度转换为绝对温度的方程：

```
Kelvin = Celsius + 273.16
```

Temperatures（）函数使用 const 来创建代表该转换里的 3 个常量的符号。main（）函数将使用一个循环来允许用户重复地输入温度，当用户输入 q 或其他非数字值时，循环结束。

第6章 C控制语句：循环

在本章中您将学习下列内容：

- 关键字：
  for
  while
  do while
- 运算符：
  < > >=
  <= != == +=
  *= -= /= %=
- 函数：
  fabs()
- C的三种循环结构：while、for和do while。
- 使用关系运算符构建控制循环的表达式。
- 其他一些运算符。
- 循环中常用的数组。
- 编写具有返回值的函数。

强壮、聪明、全能和有用！我们多数人都喜欢人们这样描述自己。使用C，您至少可以有机会让人们这样描述您的程序。诀窍就在于对程序流进行控制。根据计算机科学（目前为止仍是关于计算机的科学，而不是计算机来研究的科学），一种好的语言应该能够提供以下三种形式的程序流：

- 顺序执行语句序列（顺序）。
- 在满足某个条件之前反复执行一个语句序列（循环）。
- 通过进行一个判断在两个可选的语句序列之间选择执行（分支）。

第一种形式您已经很熟悉了，前面的所有程序都是由这种语句序列组成的。While 循环是第二种形式的一个例子。本章将详细地介绍while循环以及另外两种循环结构：for循环和do while循环。最后一种形式在几种可能的不同执行路线之间进行选择，它使程序更加“智能”并极大地增加了计算机的用途。这部分内容将在下一章介绍。本章也介绍了数组，因为它使您可以运用有关循环的新知识，本章还继续介绍有关函数的知识。我们首先从学习while循环开始。

6.1 再探 while 循环

您已经多少有点熟悉 while 循环了。让我们用一个程序来回顾一下，这个程序对从键盘输入的整数进行求和（请参见程序清单6.1）。这个例子使用了 scanf() 的返回值来结束输入。

程序清单6.1 summing.c程序

```
/* summing.c -- 对用户输入的整数求和 */
```

```
#include <stdio.h>
int main (void)
{
    long num;
    long sum = 0L; /* 把 sum 初始化为零 */
    int status;

    printf ("Please enter an integer to be summed. ");
    printf ("q to quit): ");
    status = scanf ("%ld", &num);
    while (status == 1) /* ==的意思是“等于” */
    {
            sum = sum + num;
            printf(“Please enter next integer (q to quit): “);
            status = scanf ("%ld", &num);
    }
    printf ("Those integers sum to %ld.\n", sum);
    return 0;
}
```

程序清单 6.1 使用类型 long 来允许较大的数。尽管 C 的自动转换允许您简单地使用 0，但程序为了保持一致性，把 sum 初始化为 0L（类型为 long 的零）而不是 0（类型为 int 的零）。

下面是一个运行示例：

```
Please enter an integer to be summed (q to quit): 44
Please enter next integer (q to quit): 33
Please enter next integer (q to quit): 88
Please enter next integer (q to quit): 121
Please enter next integer (q to quit): q
Those integers sum to 286.
```

6.1.1　程序注解

我们首先看一下 while 循环。这个循环的判断条件是以下表达式：

```
status == 1
```

==运算符是 C 的相等运算符（equality operator）；也就是说，这个表达式判断 status 是否等于 1。不要把它与 status=1 相混淆，后者把值 1 赋给 status。使用 status= =1 作为判断条件，那么只要 status 等于 1，循环就会重复执行。在每次循环中，循环体把 num 的当前值加到 sum 上，这样 sum 就始终保持为总和。当 status 的值不为 1 时循环终止，然后程序报告 sum 的最终结果。

要使程序正确运行，在每次循环中应该为 num 获取一个新值，并且重置 status。程序使用 scanf（）的两个不同功能来做到这一点。首先，使用 scanf（）来尝试为 num 读入新值。然后，使用 scanf（）的返回值来报告执行是否成功。回忆一下第 4 章“字符串和格式化输入/输出”，scanf（）返回成功读入的项目的个数。如果 scanf（）成功读入了一个整数，就把这个整数放在 num 中并返回值 1，随后值 1 被赋给 status（请注意输入值赋给 num，而不是 status）。这样就更新了 num 和 status 的值，while 循环也经过了另一个周期。如果您输入的不是数字，例如输入 q，那么 scanf（）就不能读入一个整数，所以它的返回值和 status 都为 0。这将使循环终止。因为输入的字符 q 不是数字，所以它又被放回到输入队列中，不能被读取（实际上，不仅仅是 q，任何非数字的输入都将使循环终止，但是提示用户输入 q 比提示用户输入一个非数字字符要简单一些）。

如果 scanf()在尝试转换一个数值前遇到了问题（例如，检测到文件的尾部或者遇到一个硬件问题），它就会返回一个特殊值 EOF，这个值一般被定义为-1。这个值同样也会导致循环终止。

scanf（）的双重用法避免了在循环中进行交互式输入时的一个棘手的问题：您如何告诉循环什么时候停止？例如，假定 scanf（）没有返回值，那么在每次循环中惟一改变的就是 num 的值。您可以使用 num 的值来终止循环，比如使用 num>0（num 大于 0）或 num!=0（num 不等于 0）来作为判断条件，但是这使您不能输入特定的值，例如-3 或 0。您也可以在循环中添加新的代码，例如在每次循环中询问“Do you wish to continue? < y/ n>”，然后进行判断来看用户是否输入了 y。这有些笨拙，而且也减慢了输入。使用 scanf（）的返回值避免了这些问题。

现在我们更仔细地看一下程序结构。可以进行总结如下：

```
initialize sum to 0
prompt user
read input
while the input is an integer,
    add the input to sum,
    prompt user,
    then read next input
after input completes, print sum
```

顺便说一下，这是个伪代码（pseudocode）的例子，伪代码是一种用简单的英语来表示程序的方法，它与计算机语言的形式相对应。伪代码有助于设计程序的逻辑。在认为逻辑正确之后，就可以把伪代码翻译成实际的编程代码。伪代码的一个好处是它可以使您专注于程序的逻辑与组织，使您不必同时担心如何用计算机语言来表达您的想法。例如，您可以使用缩排来代表一块代码而不用担心要求花括号的 C 语言语法。另一个好处是伪代码不与某一特定的语言相联系，这样同一伪代码可以被翻译为多种计算机语言。

总之，因为 while 循环是一个入口条件循环，所以程序必须在进入循环体之前获取输入并检查 status 的值。这就是程序在 while 之前有一个 scanf（）调用的原因。要使循环继续执行，在循环中需要一个读语句，这样程序才可以得出下一个输入的状态。这就是程序在 while 循环的结尾处还有一个 scanf（）的原因，它为下一次循环做准备。可以把如下用法作为循环的标准格式：

```
get first value to be tested
while the test is successful
    process value
    get next value
```

6.1.2　C 风格的读循环

按照伪代码中显示的设计方法，程序清单 6.1 也可以用 Pascal、BASIC 或 FORTRAN 书写。然而 C 提供了更快捷的形式。下面的结构：

```
status = scanf ("%ld", &num);
while (status == 1)
{
        /* loop actions */
        status = scanf ("%ld", &num);
}
```

可以用下列形式代替：

```
while (scanf ("%ld", &num) == 1)
{
            /* loop actions */
}
```

第二种形式同时使用了 scanf（）的两种不同用法。首先，如果调用成功，函数会把一个值放在 num 中；第二，函数的返回值（1 或 0，而不是 num 的值）用来控制循环。因为在每次重复过程中都对循环条件进行判断，所以在每次循环中都调用 scanf（）来提供新的 num 值和新的判断。换句话说，C 的语法特性使您可以用以下的精简版本来代替标准的循环格式：

```
while getting and testing the value succeeds
    process the value
```

现在我们更为正式地看一下 while 语句。

6.2 while 语句

以下为 while 循环的一般形式：

```
while (expression)
      statement
```

statement 部分可以是一个带有分号的简单语句，也可以是花括号中的一个复合语句。

迄今为止的例子使用关系表达式作为循环的 expression 部分，也就是说，例子中的 expression 是一个值的对比关系。更一般地，您可以使用任何表达式。如果 expression 为真（或者更一般地说，非零），那么就执行一次 statement 部分，然后再次判断 expression。在 expression 变为假（零）之前要重复这个判断和执行的循环。每次循环都被称为一次迭代（请参见图 6.1）。

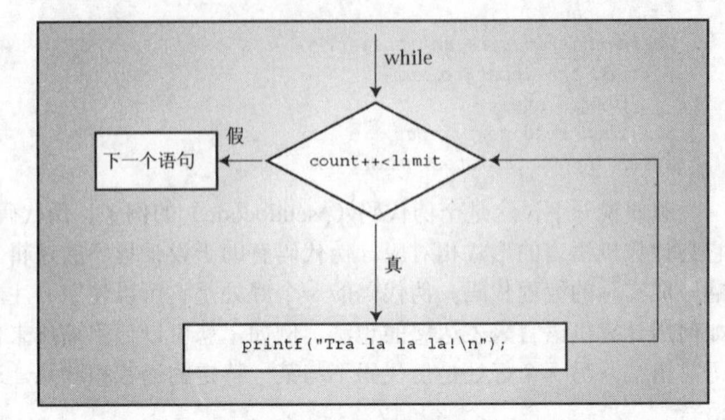

图 6.1 while 循环的结构

6.2.1 终止 while 循环

这是对 while 循环至关重要的一点：当您构造一个 while 循环时，循环中必须包含能改变判断表达式的值来使表达式的值最终变为假。否则循环永远不会终止（实际上，您也可以使用 break 和 if 语句来终止循环，这将在后续的章节中介绍）。考虑以下的例子：

```
index = 1;
while (index < 5)
    printf ("Good morning!\n");
```

上面的代码段无限期地打印这个令人愉快的消息。为什么？因为在循环中不能改变 index 的值，这样它就一直为 1。现在看一下这个：

```
index = 1;
while (--index < 5)
    printf ("Good morning!\n");
```

后面的代码段也好不到那里去，它改变了 index 的值，但是却是朝着错误的方向。至少这个版本最后还可以终止，那要等 index 减小到比系统可以处理的最小的负数还小并变成最大的可能的正数的时候了（第 3 章“数据和 C”中的 toobig.c 程序说明了最大的正数一般如何加 1 就变成一个负数，同样，最小的负数如何减 1 就能产生一个正数）。

6.2.2 循环何时终止

要知道只有在计算判断条件的值时才决定是终止循环还是继续执行，这一点很重要。例如，考虑程序清单 6.2 中的程序。

程序清单 6.2 when.c 程序

```
// when.c -- 何时退出一个循环
#include <stdio.h>
int main (void)
{
    int n = 5;
```

```
    while (n < 7)                    // 第7行
    {
        printf ("n = %d\n", n);
        n++;                         // 第10行
        printf ("Now n = %d\n", n);  // 第11行
    }
    printf ("The loop has finished.\n");
    return 0;
}
```

运行程序清单 6.2 会产生下列输出：

```
n = 5
Now n = 6
n = 6
Now n = 7
The loop has finished.
```

在第二次循环中，变量 **n** 在第 10 行首次获得值 7。然而程序此时并不退出。相反，它结束本次循环（第 11 行），并在对第 7 行的判断条件第三次求值时才退出循环（变量 **n** 在第一次判断时为 5，第二次判断时为 6）。

6.2.3　while：入口条件循环

while 循环是使用入口条件的有条件循环。它被称为有条件是因为语句部分的执行要依赖于判断表达式中的条件，例如（**index<5**）。这个表达式是一个入口条件是因为在进入循环体之前必须满足这个条件。在下面的情况中，程序永远不会进入循环体，因为条件一开始就为假：

```
index = 10;
while (index++ < 5)
    printf ("Have a fair day or better.\n");
```

把第一行改为：

```
index = 3;
```

就可以执行这个循环了。

6.2.4　语法要点

在使用 **while** 时要谨记的一点是，只有位于判断条件之后的单个语句（简单语句或复合语句）才是循环的部分。缩进是为了帮助读者而不是计算机。程序清单 6.3 说明了如果您忘记这一点会发生什么。

程序清单 6.3　while1.c 程序

```
/* while1.c -- 注意花括号的使用 */
/* 拙劣的代码产生了一个无限循环   */
#include <stdio.h>
int main (void)
{
    int n = 0;

    while (n < 3)
        printf ("n is %d\n", n);
        n++;
    printf ("That's all this program does\n");
    return 0;
}
```

程序清单 6.3 产生下列输出：

```
n is 0
n is 0
n is 0
n is 0
n is 0
```

（……等等，直到您强行关闭这个程序为止）。

尽管这个例子缩进了 n++；语句，但是并没有把它和前面的语句放在一个花括号中。这样就只有紧跟在判断条件之后的打印语句构成了循环部分。变量 n 永远不会得到更新，条件 n<3 一直保持为真，在您强行关闭这个程序之前它将不断地打印 n is 0。这是一个无限循环的例子，没有外部干涉它就不会退出。

要记住 while 语句本身在语法上算做一个单独的语句，即使它使用了复合语句。该语句从 while 开始，到第一个分号结束；在使用了复合语句的情况下，到终结花括号结束。

使用分号时也要小心。例如，考虑程序清单 6.4 中的程序。

程序清单 6.4　while2.c 程序

```
/* while2.c -- 注意分号的使用 */
#include <stdio.h>
int main(void)
{
    int n = 0;

    while (n++ < 3);                /* 第7行 */
        printf("n is %d\n", n);     /* 第8行 */
    printf("That's all this program does.\n");
    return 0;
}
```

程序清单 6.4 产生下列输出：

```
n is 4
That's all this program does.
```

像我们前面所说的那样，循环在判断条件之后的第一个简单或复合语句处就结束了。在第 7 行的判断条件之后马上就有一个分号，循环将在此处终止，因为一个单独的分号也算做一个语句。第 8 行的打印语句就不是循环的一部分，所以 n 在每次循环都增加 1，而只在退出循环之后进行打印。

在这个例子中，判断条件后紧跟一个空语句（null statement），它什么都不做。在 C 中，单独的分号代表空语句。有时候，程序员有意地使用带有空语句的 while 语句，因为所有的工作都在判断过程中进行。例如，假定您想要跳过输入直到第一个不为空格或数字的字符，您可以使用这样的循环：

```
while (scanf("%d", &num) == 1)
    ;        /* 跳过整数输入 */
```

只要 scanf() 读入一个整数，它就返回 1，循环就会继续。请注意，为了清楚起见，应该把分号（空语句）放在下面的一行而不是在同一行中。这使得在阅读程序时更容易看到空语句，也可以提醒您空语句是有意放在那里的。更好的方法是使用在下一章中要讨论的 **continue** 语句。

6.3　比较大小：使用关系运算符和表达式

因为 while 循环经常要依赖于进行比较的判断表达式，所以比较表达式值得我们进一步研究。这样的表达式称为关系表达式（relational expression），其中出现的运算符称为关系运算符（relational operator）。您已经使用过了一些，表 6.1 列出了 C 中的关系运算符的完整列表。这个表覆盖了数值关系的所有可能性。

表 6.1　关系运算符

运 算 符	含 义
<	小于
<=	小于或等于
==	等于
>=	大于或等于
>	大于
!=	不等于

关系运算符用来构成在 while 语句和我们将要讨论到的其他 C 语句中使用的关系表达式。这些语句检查表达式为真还是为假。下面是包含了关系表达式实例的三个不相关的语句。它们的意思是显而易见的。

```
while (number < 6)
{
    printf ("Your number is too small.\n");
    scanf ("%d", &number);
}

while (ch != '$')
{
    count++;
    scanf ("%c", &ch);
}

while (scanf ("%f", &num) == 1)
    sum = sum + num;
```

在第二个例子中，请注意关系表达式也可以用于字符的比较。进行比较时使用的是机器的字符代码（我们假定为 ASCII）。然而，不能使用关系运算符来比较字符串。第 11 章“字符串和字符串函数”将介绍如何对字符串进行比较。

关系运算符也可以用于浮点数。但要小心，在浮点数比较中只能使用<和>。原因在于舍入误差可能造成两个逻辑上应该相等的数不相等。例如，3 和 1/3 的乘积应该是 1.0。但是如果您用 6 位小数来表示 1/3，乘积就是.999999 而不等于 1。使用在 math.h 头文件中声明的 fabs（）函数可以方便地进行浮点数判断。这个函数返回一个浮点值的绝对值（即没有代数符号的值）。例如，您可以使用类似程序清单 6.5 的方法来判断一个数是否接近一个想要的结果。

程序清单 6.5　cmpflt.c 程序

```
// cmpflt.c -- 浮点数比较
#include <math.h>
#include <stdio.h>
int main (void)
{
    const double ANSWER = 3.14159;
    double response;
    printf ("What is the value of pi?\n");
    scanf ("%lf", &response);
    while (fabs (response - ANSWER) > 0.0001)
    {
        printf ("Try again!\n");
        scanf ("%lf", &response);
    }
    printf ("Close enough!\n");
    return 0;
}
```

在用户的答案与正确值的误差小于 0.0001 之前，这个循环反复地请求输入答案：

```
What is the value of pi?
3.14
Try again!
3.1416
Close enough!
```

每个关系表达式都被判定为真或假（永远没有也许）；这引起了一个有趣的问题。

6.3.1 什么是真

您可以回答这个古老的问题，至少对于 C 是如此。回忆一下，C 的表达式通常具有一个值。像程序清单 6.6 显示的那样，即使对关系表达式也是如此。在这个程序中，您打印了两个关系表达式的值，一个为真，一个为假。

程序清单 6.6 t_and_f.c 程序

```
/* t_and_f.c -- C中的真和假 */
#include <stdio.h>
int main (void)
{
    int true_val, false_val;

    true_val = (10 > 2);          /* 一个真表达式的值 */
    false_val = (10 == 2);  /* 一个假表达式的值 */
    printf ("true = %d; false = %d \n", true_val, false_val);
    return 0;
}
```

程序清单 6.6 把两个关系表达式的值赋给两个变量。直接地说，它把一个真表达式的值赋为 true_val，把一个假表达式的值赋为 false_val。运行这个程序会产生下列简单的输出：

```
true = 1;  false = 0
```

原来，对 C 来说，一个真表达式的值为 1，而一个假表达式的值为 0。确实，有些 C 程序使用以下的循环结构，这意味着它会永远运行，因为 1 永远为真：

```
while (1)
{
...
}
```

6.3.2 还有什么是真

既然可以使用 1 或 0 来作为 while 语句的判断表达式，那么还可以使用其他数字吗？如果可以，会发生什么？我们试试程序清单 6.7 中的程序来做个实验。

程序清单 6.7 truth.c 程序

```
// truth.c -- 哪些值为真?
#include <stdio.h>
int main (void)
{
    int n = 3;

    while (n)
        printf ("%2d is true\n", n--);
    printf ("%2d is false\n", n);
    n = -3;
    while (n)
```

```
        printf ("%2d is true\n", n++);
    printf ("%2d is false\n", n);
    return 0;
}
```

下面是结果：

```
3 is true
2 is true
1 is true
0 is false
-3 is true
-2 is true
-1 is true
0 is false
```

第一个循环在 n 为 3、2 和 1 时得到执行，而在 n 为 0 时结束。类似地，第二个循环在 n 为-3、-2 和-1 时得到执行，而在 n 为 0 时结束。更一般地，所有的非零值都被认为是真，只有 0 被认为是假。C 对真的范围放得非常宽！

可以说只要 while 循环的判断条件的值非零，它就可以执行循环。这使得判断条件是建立在数值的基础上而不是在真/假的基础上。要谨记如果关系表达式为真，它的值就为 1；如果为假，它的值就为 0。因此这样的表达式实际上是数值的。

很多 C 程序员对判断条件的这一属性加以利用。例如，while（goats!=0）语句可以被 while（goats）代替，因为表达式（goats!=0）和（goats）都是只有在 goats 的值为 0 时才为 0 或假。第一种形式可能对那些刚学这种语言的人来说更清楚一些，但是第二种形式是 C 程序员最常使用的。您应该努力去熟悉 while（goats）这样的形式，使它对您来说看上去是自然的。

6.3.3　真值的问题

C 对真值的范围放得很宽，这可能引起一些问题。例如，我们对程序清单 6.1 的程序做一些细微的更改，就产生了程序清单 6.8 中的程序。

程序清单 6.8　trouble.c 程序

```
// trouble.c -- 误用=
// 将导致无限的循环
#include <stdio.h>
int main (void)
{
    long num;
    long sum = 0L;
    int status;

    printf ("Please enter an integer to be summed. ");
    printf (" (q to quit) :");
    status = scanf ("%ld", &num);
    while (status = 1)
    {
        sum = sum + num;
        printf ("Please enter next integer (q to quit) : ");
        status = scanf ("%ld", &num);
    }
    printf ("Those integers sum to %ld.\n", sum);
    return 0;
}
```

程序清单 6.8 产生了以下这样的输出：

```
Please enter an integer to be summed (q to quit): 20
```

```
Please enter next integer (q to quit): 5
Please enter next integer (q to quit): 30
Please enter next integer (q to quit): q
Please enter next integer (q to quit):
Please enter next integer (q to quit):
Please enter next integer (q to quit):
Please enter next integer (q to quit):
```

（……等等，直到您强行关闭这个程序。所以也许您不应该实际运行这个例子）。

这个麻烦的例子改变了 while 的判断条件，用 status=1 代替了 status==1。前一个表达式是一个赋值语句，它把 status 赋值为 1。而且赋值表达式的值就是其左侧的值，这样 status=1 的值也为 1。因此，实际上这个 while 循环就等于是使用了 while（1），也就是说循环永远不会退出。输入 q，status 被设置为 0，但是循环在判断时又把 status 重置为 1 并开始另一次循环。

您可能感到迷惑，因为程序将保持循环，并且用户在输入 q 之后根本没有机会进行更多的输入。当 scanf（）未能读取指定形式的输入时，它就留下这个不相容的输入，以供下次进行读取。当 scanf（）试着把 q 作为整数读取并失败时，它就把 q 留在那里。在下次循环中读取前面留下来的 q 时，scanf（）再次失败。所以这个例子不但建立了一个无限循环的例子，它也建立了一个无限失败的循环，这是一个可怕的概念。幸运的是计算机目前尚未具有感情。对计算机来说，无限地执行愚蠢的指令与成功地预测未来 10 年的股票市场没有什么区别。

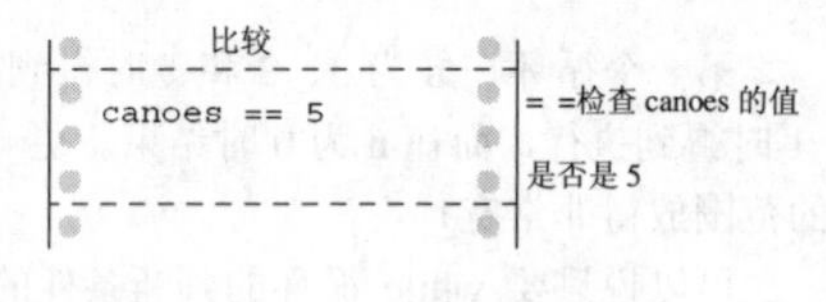

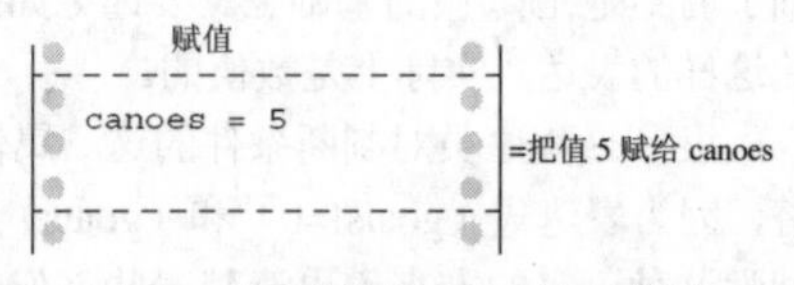

图 6.2 关系运算符= =和赋值运算符=

不要在应该使用= =的地方使用=。的确，有些计算机语言（例如 BASIC）为赋值运算符和关系等于运算符使用相同的符号，但这两个运算符有很大的差别（请参见图 6.2）。赋值运算符把一个值赋给左边的变量，而关系等于运算符检查左边与右边的值是否相等，它并不改变左边变量的值（如果左边是一个变量）。

canoes = 5	把 canoes 赋值为 5
canoes == 5	检查 canoes 的值是否为 5

要确保使用正确的运算符。编译器允许您使用错误的形式，产生您不希望的结果（但是太多的人错误地使用=，以致于今天的大多数编译器都会产生一个警告以提示可能您的意思不是要做这个）。如果进行比较的双方中有一个是常量，则可以把它放在比较表达式的左边，这样做有助于发现错误：

5 = canoes	语法错误
5 == canoes	检查 canoes 的值是否为 5

关键之处在于为常量赋值是非法的，所以编译器可以把赋值运算符的这种用法识别为语法错误。很多程序员在构建相等判断表达式时都习惯把常量放在前面。

总之，关系运算符被用来构成关系表达式。关系表达式在为真时值为 1，为假时值为 0。通常使用关系表达式作为判断条件的语句（例如 while 和 if）可以使用任何表达式作为判断，非零值被认为是“真”，而零值被认为是“假”。

6.3.4 新的_Bool 类型

在 C 中，表示真/假的变量一直是由 int 类型来表示的。C99 专门为这种类型的变量添加了_Bool 类型。这种类型是以英国数学家 George Boole 的名字来命名的，他开发了用代数来表示并解决逻辑问题的系统。在编程领域，表示真或假的变量开始时被称为布尔变量（Boolean variable）。这样_Bool 就是布尔变量的 C 类型名。一个_Bool 变量只可以具有值 1（真）或 0（假）。如果您把一个_Bool 变量赋为一个非零的数值，变量就被设置为 1。这说明 C 把任何非零的值都认为是真。

程序清单 6.9 纠正了程序清单 6.8 中的判断条件，并用_Bool 变量 input_ is_ good 来代替 int 变量 status。通常习惯为布尔变量取一个表明真或假值的名字。

程序清单 6.9　boolean.c 程序

```
// boolean.c -- 使用_Bool 变量
#include <stdio.h>
int main (void)
{
    long num;
    long sum = 0L;
    _Bool input_is_good;
    printf ("Please enter an integer to be summed. ");
    printf( "(q to quit): ");

    input_is_good = (scanf ("%ld", &num) == 1);
    while (input_is_good)
    {
            sum = sum + num;
            printf( "Please enter next integer (q to quit): ");
            input_is_good = (scanf ("%ld", &num) == 1);
    }
    printf ("Those integers sum to %ld.\n", sum);
    return 0;
}
```

注意代码是如何把比较的结果赋值给变量的：

```
input_is_good = (scanf ("%ld", &num) == 1);
```

这是有意义的，因为= =运算符的返回值为 1 或 0。顺便说一句，把= =表达式括起来的圆括号不是必需的，因为= =运算符的优先级比=要高，但是它们可以使代码更容易阅读。同时也要注意变量名称的选择使 while 循环判断更容易理解了：

```
while (input_is_good)
```

C99 还提供了一个 stdbool.h 头文件。包含这个头文件可以使用 bool 来代替_Bool，并把 true 和 false 定义成值为 1 和 0 的符号常量。在程序中包含这个头文件可以写出与 C++兼容的代码，因为 C++把 bool、true 和 false 定义为关键字。

如果您的系统还不支持_Bool 类型，则可以使用 int 来代替_Bool，这个例子会进行同样的工作。

6.3.5　关系运算符的优先级

关系运算符的优先级要低于包括+和-在内的算术运算符，但是要高于赋值运算符。这意味

```
x > y + 2
```

也意味着：

```
x > (y + 2)
```

也就是说：

```
x=y>2
```

意味着：

```
x=(y>2)
```

换句话说，如果 y 大于 2，x 为 1；否则 x 为 0。就是并没有把 y 的值赋给 x。

关系运算符比赋值运算符的优先级要高，所以

```
x_bigger = x > y;
```

意味着：

```
x_bigger = (x > y);
```

关系运算符本身也分为两组不同的优先级。

高优先级的组：	< <= > >=
低优先级的组：	== !=

像大多数其他的运算符一样，关系运算符从左到右进行结合。这样：

```
ex != wye == zee
```

就等于：

```
(ex != wye) == zee
```

C 首先检查 ex 与 wye 的值是否不相等；然后结果值 1 或 0（真或假）再与 zee 的值进行比较。我们不希望您使用这种结构，但是有必要对其进行说明。

表 6.2 显示了迄今为止学习过的运算符的优先级，参考资料 2“C 运算符”有全部运算符的完整优先级列表。

表 6.2 运算符优先级

运算符（优先级从高到低）	结 合 性
()	从左到右
- + ++ -- sizeof（type）（所有的一元运算符）	从右到左
* / %	从左到右
+ -	从左到右
< > <= >=	从左到右
== !=	从左到右
=	从右到左

总结：while 语句

关键字：

while

总体注解：

while 语句创建了一个在判断表达式变为假（或零）之前重复执行的循环。While 语句是一个入口条件循环，也就是说，是否执行循环的决定是在进入循环之前就做出的。因此，循环有可能永远不被执行。该形式的 statement 部分可以是一个简单语句或一个复合语句。

形式：

```
while (expression)
    statement
```

在 expression 变为假（或 0）之前重复执行 statement 部分。

例如：

```
while (n++ < 100)
    printf (" %d %d\n", n, 2 * n + 1);        /* 单个语句 */

while (fargo < 1000)
{                                             /* 复合语句 */
    fargo = fargo + step;
    step = 2 * step;
}
```

总结：关系运算符和表达式

关系运算符：

每个关系运算符都把它左边的值与它右边的值进行比较。

<	小于
<=	小于或等于
==	等于
>=	大于或等于
>	大于
!=	不等于

关系表达式：

一个简单的关系表达式由一个关系运算符及其两侧的操作数组成。如果关系为真，关系表达式的值为 1；如果关系为假，关系表达式的值为 0。

例如：

5 > 2 为真，则该关系表达式的值为 1。

(2 + a) == a 为假，则该关系表达式的值为 0。

6.4　不确定循环与计数循环

有些 while 循环的例子是不确定（indefinite）循环。也就是说，在表达式变为假之前您不能预先知道循环要执行多少次。例如，程序清单 6.1 使用一个交互式的循环来计算整数的和，事先您并不知道会输入多少个整数。其他的例子是计数（counting）循环，它们循环执行预先确定的次数。程序清单 6.10 是 while 计数循环的一个的简短例子。

程序清单 6.10　sweetie1.c 程序

```
// sweetie1.c -- 一个计数循环
#include <stdio.h>
int main (void)
{
    const int NUMBER = 22;
    int count = 1;                                    // 初始化

    while (count <= NUMBER)                           // 判断
    {
        printf ("Be my Valentine!\n");                // 动作
        count++;                                      // 更新计数
    }
    return 0;
}
```

尽管程序清单 6.10 中使用的形式可以很好地工作，但它并不是这种情况下最好的选择，因为定义循环的动作没有被组织在一起。我们来详细说明这一点。

在建立一个重复执行固定次数的循环时涉及到三个动作：

1. 必须初始化一个计数器。
2. 计数器与某个有限的值进行比较。
3. 每次执行循环，计数器的值都要递增。

While 循环条件执行比较的动作，增量运算符执行递增的动作。在程序清单 6.10 中，递增在循环的结尾处执行。这种选择使得有可能不小心漏掉递增的动作。所以更好的方法是使用 count++ <= NUMBER 来把判断与更新动作结合在一个表达式中，但使用这种方法时计数器的初始化仍然是在循环之外进行的，这样就有可能忘记初始化。实践告诉了我们有可能发生的事情最后总是会发生的，所以我们来看一种可以避免这些问题的控制语句。

6.5 for 循环

for 循环把所有这三种动作（初始化、测试、更新）都放在一起。通过使用 for 循环，您可以用程序清单 6.11 中的程序来代替前一个程序。

程序清单 6.11 sweetie2.c 程序

```
// sweetie2.c -- 一个使用 for 的计数循环
#include <stdio.h>
int main (void)
{
    const int NUMBER = 22;
    int count;

    for (count = 1; count <= NUMBER; count++)
        printf ("Be my Valentine!\n");
    return 0;
}
```

在关键字 for 之后的圆括号中包含了由两个分号分开的三个表达式。第一个表达式进行初始化，它在 for 循环开始的时候执行一次。第二个表达式是判断条件，在每次执行循环之前都要对它进行求值。当表达式为假（count 大于 NUMBER）时，循环就结束了。第三个表达式进行改变或称为更新，它在每次循环结束时进行计算。程序清单 6.10 使用它来递增 count 的值，但是并没有限制一定要这样使用它。这之后的一个简单或复合语句结束了 for 语句。三个控制表达式中的每一个都是完整的表达式，所以任意一个控制表达式的任何副作用（例如把一个变量的值递增）都在程序求下一个表达式的值之前生效。图 6.3 总结了 for 循环的结构。

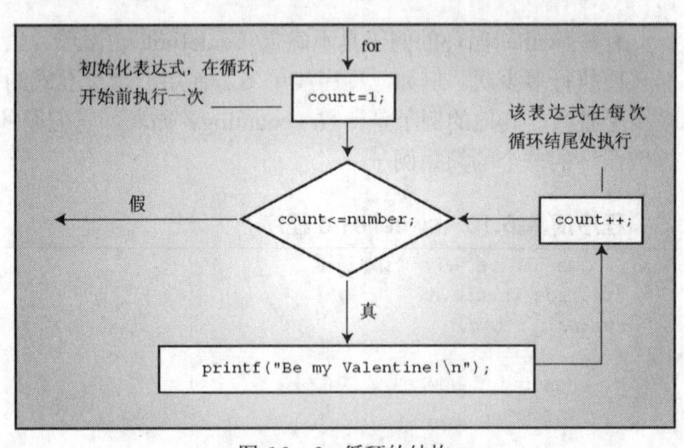

图 6.3 for 循环的结构

我们来看另外一个例子，程序清单 6.12 在一个打印立方表的程序中使用了 for 循环。

程序清单 6.12 for_cube.c 程序

```
/* for_cube.c -- 使用一个 for 循环产生一个立方表 */
#include <stdio.h>
int main (void)
{
    int num;

    printf ("    n   n cubed\n");
    for (num = 1; num <= 6; num++)
        printf ("%5d %5d\n", num, num*num*num);
    return 0;
}
```

程序清单 6.12 打印出了从 1 到 6 的整数以及它们的立方。

```
n   n cubed
1     1
2     8
3    27
4    64
5   125
6   216
```

for 循环的第一行告诉我们关于循环参数的所有信息：num 的初始值，num 的最终值以及 num 在每次循环的增量。

利用 for 的灵活性

尽管 for 循环看上去类似于 FORTRAN 的 DO 循环、Pascal 的 FOR 循环以及 BASIC 的 FOR...NEXT 循环，但实际上 for 循环比它们中的任何一种都要灵活得多。这种灵活性来自于在一个 for 语句中如何使用三个表达式。迄今为止的例子使用第一个表达式来初始化计数器，第二个表达式来表达对计数器的限制，第三个表达式来把计数器的值加 1。当使用这种方法时，C 的 for 语句与我们提到的其他语句非常相似。但是还有更多其他的可能性，下面是其中的 9 种：

1. 您可以使用减量运算符来减小计数器而不是增加它。

```
/* for_down.c */
#include <stdio.h>
int main (void)
  {
    int secs;

    for (secs = 5; secs > 0; secs--)
        printf ("%d seconds!\n", secs);
    printf ("We have ignition!\n");
    return 0;
}
```

下面是它的输出：

```
5 seconds!
4 seconds!
3 seconds!
2 seconds!
1 seconds!
We have ignition!
```

2. 如果需要，您可以让计数器依次加 2，加 10，等等：

```
/* for_13s.c */
#include <stdio.h>
int main (void)
  {
    int n; /* 以 13 计数 */
    for (n = 2; n < 60; n = n + 13)
        printf ("%d \n", n);
    return 0;
}
```

这个例子在每次循环中把 n 增加 13，打印输出如下：

```
2
15
28
41
54
```

3．您也可以用字符代替数字来进行计数：

```
/* for_char.c */
#include <stdio.h>
int main (void)
{
    char ch;

    for (ch = 'a'; ch <= 'z'; ch++)
        printf ("The ASCII value for %c is %d.\n", ch, ch);
    return 0;
}
```

部分输出如下：

```
The ASCII value for a is 97.
The ASCII value for b is 98.
...
The ASCII value for x is 120.
The ASCII value for y is 121.
The ASCII value for z is 122.
```

这段程序可以工作，因为字符是以整数的形式进行存储的，所以这个循环实际上仍然是用整数来计数的。

4．您可以判断迭代次数之外的条件。在 for_cube 程序中，您可以将：

```
for (num = 1; num <= 6; num++)
```

用 `for (num = 1; num*num*num <= 216; num++)` 来代替

如果与限制循环次数相比，您更关心限制立方的大小，就可以使用这种判断条件。

5．您也可以让数量几何增加而不是算术增加；也就是说，不是每次加一个固定的数，而是乘上一个固定的数：

```
/* for_geo.c */
#include <stdio.h>
int main (void)
  {
    double debt;

    for (debt = 100.0; debt < 150.0; debt = debt * 1.1)
        printf ("Your debt is now $%.2f.\n", debt);
    return 0;
}
```

这段程序在每次循环中把 debt 的值乘以 1.1，即每次把它增加 10%。输出看上去是这个样子：

```
Your debt is now $100.00.
Your debt is now $110.00.
Your debt is now $121.00.
Your debt is now $133.10.
Your debt is now $146.41.
```

6．在第三个表达式中，您可以使用所需的任何合法表达式。无论您使用的是什么，在每次循环中都会得到更新。

```
/* for_wild.c */
#include <stdio.h>
int main (void)
{
    int x;
    int y = 55;

    for (x = 1; y <= 75; y = (++x * 5) + 50)
        printf ("%10d %10d\n", x, y);
    return 0;
}
```

这个循环打印出x与代数表达式++ x* 5+50的值。输出看上去是这个样子：

```
1    55
2    60
3    65
4    70
5    75
```

注意判断中涉及到y，而不是x。for循环控制中的三个表达式可以使用不同的变量（注意尽管这个例子是合法的，它并不是好的编程风格。如果不是使用一个代数计算来进行更新，这个程序将会更清楚）。

7. 您甚至可以让一个或多个表达式为空（但是不要遗漏分号）。只须确保在循环中包含了一些能使循环最终结束的语句。

```
/* for_none.c */
#include <stdio.h>
int main (void)
{
    int ans, n;

    ans = 2;
    for (n = 3; ans <= 25;)
        ans = ans * n;
    printf ("n = %d; ans = %d.\n", n, ans);
    return 0;
}
```

下面是输出：

```
n = 3;  ans = 54.
```

在循环中n的值保持为3。变量ans的值开始为2，然后增加到6、18，最后为54（18小于25，所以for循环再执行一次，用18乘以3来得到54）。顺便说一句，中间的那个控制表达式为空会被认为是真，所以下面的循环会永远执行：

```
for (;;)
    printf ("I want some action\n");
```

8. 第一个表达式不必初始化一个变量，它也可以是某种类型的printf（）语句。要记住第一个表达式只在执行循环的其他部分之前被求值或执行一次。

```
/* for_show.c */
#include <stdio.h>
int main (void)
{
    int num=0;

    for (printf ("Keep entering numbers!\n"); num != 6;)
        scanf ("%d", &num);
    printf ("That's the one I want!\n");
    sreturn 0;
}
```

这段程序只把第一条消息打印一次，然后在您输入6之前不断地接收数字：

```
Keep entering numbers!
3
5
8
6
That's the one I want!
```

9. 循环中的动作可以改变循环表达式的参数。例如，假定您有一个这样的循环：

```
for (n = 1; n < 10000; n = n + delta)
```

如果执行几次循环之后，程序觉得 delta 的值太小或太大，循环中的 if 语句（第 7 章“C 控制语句：分支和跳转”）就可以改变 delta 的大小。在交互式程序中，delta 的值可以在循环运行时由用户进行改变。这种调节有一点危险，例如把 delta 设置为 0 会使您（和循环）停步不前。

简言之，因为您拥有选择 for 循环的控制表达式的自由，这使得您在执行固定次数的循环之外还可以做更多的事情。通过使用我们马上要讨论的一些运算符，for 循环的有效性可以得到进一步的提高。

总结：for 语句

关键字：

for

总体注解：

for 语句使用由分号分开的三个控制表达式来控制循环过程。initialize 表达式只在循环语句执行之前执行一次。然后对 test 表达式求值，如果该表达式为真（或非零）循环就被执行一次。然后计算 update 表达式，接着再次检查 test 表达式。for 语句是一个入口条件循环，即是否再次执行循环的决定是在循环执行之前做出的。因此，有可能循环一次也不执行。该形式的 statement 部分可以是一个简单语句或一个复合语句。

形式：

```
for (initialize; test; update)
    statement
```

在 test 为假（或零）之前重复执行循环。

例如：

```
for (n = 0; n < 10; n++)
    printf ("%d %d\n", n, 2 * n + 1);
```

6.6 更多赋值运算符：+=、-=、*=、/=和%=

C 有多个赋值运算符。最基本的一个当然是=，它简单地把其右边表达式的值赋给其左边的变量。其他赋值运算符对变量进行更新，每个这样的赋值运算符在使用时都是左边为变量名，右边为一个表达式。变量被赋予一个新的值，这个新值是它原来的值根据右边表达式的值进行调整得到的。确切的调整方式要依赖于运算符，例如：

`scores += 20`	等于	`scores = scores + 20`
`dimes -= 2`	等于	`dimes = dimes - 2`
`bunnies *= 2`	等于	`bunnies = bunnies * 2`
`time /= 2.73`	等于	`time = time / 2.73`
`reduce %= 3`	等于	`reduce = reduce % 3`

前面的列表中，运算符的右边使用了简单的数。但是这些运算符还可以与更复杂的表达式一起工作，例如：

`x *= 3 * y + 12`　　等于　　`x = x * (3 * y + 12)`

我们讨论的这些赋值运算符具有与=同样低的优先级，也就是说低于+或*的优先级。这种低优先级在上一个例子中得到反映，在与 x 进行相乘之前把 12 加到了 3 * y 上。

C 并不要求您使用这些形式。但是它们更加简洁，与更长的形式相比可能会产生效率更高的机器代码。当您想在一个 for 循环语句中塞进一些复杂的东西时，这些复合赋值运算符就特别有用了。

6.7 逗号运算符

逗号运算符扩展了 for 循环的灵活性，因为它使您可以在一个 for 循环中使用多个初始化或更新表达式。例如，程序清单 6.13 中的程序打印一类邮资费率（在写作本书时，该费用为第 1 个盎司 37 美分，然后每增加 1 盎司费用增加 23 美分。您可以查看 www.usps.gov 来了解当前的费用）。

程序清单 6.13　postage.c 程序

```
// postage.c -- 一类邮资费率
#include <stdio.h>
int main (void)
{
    const int FIRST_OZ = 37;
    const int NEXT_OZ = 23;
    int ounces, cost;

    printf (" ounces cost\n");
    for (ounces=1, cost=FIRST_OZ; ounces <= 16; ounces++,
            cost += NEXT_OZ)
        printf ("%5d $%4.2f\n" ", ounces, cost/100.0);
    return 0;
}
```

输出的前 4 行看上去是这个样子：

```
ounces cost
   1 $0.37
   2 $0.60
   3 $0.83
   4 $1.06
```

这个程序在初始化表达式和更新表达式中使用了逗号运算符。第一个表达式中的逗号使 ounces 和 cost 的值都进行了初始化。逗号的第二次出现使每次循环中 ounces 增加 1，cost 增加 23（NEXT_OZ 的值）。所有的计算都在 for 循环语句中执行（请参见图 6.4）。

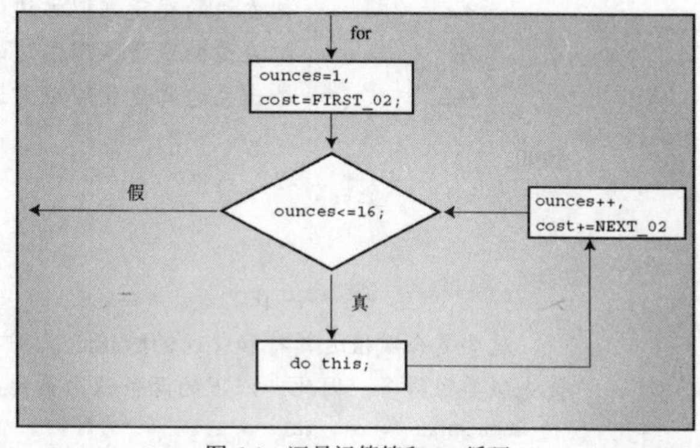

图 6.4　逗号运算符和 for 循环

逗号运算符并不只限于在 for 循环中使用，但是这是最常使用它的地方。该运算符还具有两个属性。首先，它保证被它分开的表达式按从左到右的次序进行计算（换句话说，逗号是个顺序点，逗号左边产生的所有副作用都在程序运行到逗号右边之前生效）。因此，ounces 在 cost 之前初始化。在这个例子中顺序是不重要的，但是如果计算 cost 的表达式中包含了 ounces，它就是重要的了。例如，假定您具有如下的表达式：

```
ounces++, cost = ounces * FIRST_OZ
```

这将递增 ounces，并在第二个子表达式中使用 ounces 的新值。作为顺序点的逗号保证左边子表达式的副作用在计算右边的子表达式之前生效。

其次，整个逗号表达式的值是右边成员的值。语句：

```
x = (y = 3, (z = ++y + 2) + 5);
```

的效果是首先把 y 赋值为 3，把 y 递增为 4，然后把 4 加上 2，把结果 6 赋值给 z，接下来把 z 加 5，最后把 x 赋为结果值 11。这里不讨论为什么有人会这样做。另一方面，假定您不小心在写一个数字时使用了逗号：

```
houseprice = 249, 500;
```

这并没有语法错误。C 把它解释为一个逗号表达式，houseprice = 249 是左子表达式，而 500 是右子表达式。因此整个逗号表达式的值就是右边表达式的值，并且左边的子语句把变量 houseprice 赋值为 249。这样它的效果与下面的代码相同：

```
houseprice = 249;
500;
```

记住任何具有分号的表达式都可以成为一个语句，所以 500；是一个什么都不做的语句。

另一方面，语句：

```
houseprice = (249, 500);
```

把 houseprice 赋值为 500，因为该值是右子表达式的值。

逗号也被用做分隔符，在下面两条语句中：

```
char ch, date;
printf ("%d %d\n", chimps, chumps);
```

逗号都是分隔符，而不是逗号运算符。

总结：新运算符

赋值运算符：

这些运算符使用指定的操作根据其右边的值来更新其左边的变量。

+=	把右边的值加到左边的变量上
-=	从左边的变量中减去右边的值
*=	把左边的变量乘以右边的值
/=	把左边的变量除以右边的值
%=	给出左边的变量除以右边的值之后的余数

例如：

```
rabbits *= 1.6;
```

等于

```
rabbits = rabbits * 1.6;
```

这些复合赋值运算符和普通的赋值运算符有着同样的比较的运算优先级，比算术运算符的优先级要低得多。因此，以下的两条语句最终效果相同：

```
contents *= old_rate + 1.2;
contents = contents * (old_rate + 1.2);
```

逗号运算符：

逗号运算符把两个表达式链接为一个表达式，并保证最左边的表达式最先计算。它通常被用在 for 循环的控制表达式中以包含多个信息。整个表达式的值是右边表达式的值。

例如：

```
for (step = 2, fargo = 0; fargo < 1000; step *= 2)
        fargo += step;
```

当 Zeno 遇到 for 循环

我们来看一下如何使用 for 循环和逗号运算符来帮助解决一个古老的悖论。希腊哲学家 Zeno 曾经辩论说一支箭永远不能达到它的目标。他说，首先箭要到达目标距离的一半，然后又必须到达剩余距离的一半，然后还有一半，这样就没有穷尽。Zeno 说因为这个旅程有无限个部分，所以箭要花费无限的时间才能结束这个旅程。但是我们怀疑在这个论点中，Zeno 是自愿作为靶子。

我们采取一种定量的方法，假定箭用一秒的时间走完前一半距离，然后要用 1/2 秒的时间来走完剩下的距离的一半，1/4 秒的时间来走完再次剩下的距离的一半，等等。可以用以下的无限序列来表示总的时间：

```
1 + 1/2 + 1/4 + 1/8 + 1/16 +....
```

程序清单 6.14 中的简短程序求出了前几项的和。

程序清单 6.14　zeno.c 程序

```
/* zeno.c -- 序列的和 */
#include <stdio.h>

int main (void)
{
   int t_ct;           //项计数
   double time, x;
   int limit;

    printf(“Enter the number of terms you want: “);
    scanf ("%d", &limit);
    for (time=0, x=1, t_ct=1; t_ct <= limit; t_ct++, x *= 2.0)
    {
        time += 1.0/x;
        printf(“time = %f when terms = %d.\n”, time, t_ct);
    }
   return 0;
}
```

下面是前 15 项的输出：

```
Enter the number of terms you want: 15
time = 1.000000 when terms = 1.
time = 1.500000 when terms = 2.
time = 1.750000 when terms = 3.
time = 1.875000 when terms = 4.
time = 1.937500 when terms = 5.
time = 1.968750 when terms = 6.
time = 1.984375 when terms = 7.
time = 1.992188 when terms = 8.
time = 1.996094 when terms = 9.
time = 1.998047 when terms = 10.
time = 1.999023 when terms = 11.
time = 1.999512 when terms = 12.
time = 1.999756 when terms = 13.
time = 1.999878 when terms = 14.
time = 1.999939 when terms = 15.
```

可以看到，尽管不断地添加新的项，总和看起来是变化不大的。数学家们确实证明了当项的数目接近无穷时，总和接近于 2.0，就像这个程序表明的那样。下面是一个证明，假定您用 S 来表示总和：

```
S = 1 + 1/2 + 1/4 + 1/8 + ...
```

这里的省略号意味着“等等”。把 S 除以 2 得到：

```
S/2 = 1/2 + 1/4 + 1/8 + 1/16 + ...
```

从第一个表达式中减去第二个表达式得到：

```
S - S/2 = 1 + 1/2 - 1/2 + 1/4 - 1/4 +...
```

除了第一个值 1，每个其他的值都是一正一负地成对出现的，所以这些项都可以消去，只留下：

```
S/2 = 1
```

然后，两侧同乘以 2 得到：

```
S = 2
```

从中可能汲取的一点启示是在进行复杂计算之前，先看一下数学上是否有更容易的方法来解决它。

程序本身有什么需要注意的呢？它说明您可以在一个表达式中使用多个逗号运算符，这里您初始化了time、x和count。在构建了循环条件之后，程序本身就很简短了。

6.8 退出条件循环：do while

while循环和for循环都是入口条件循环，在每次执行循环之前先检查判断条件，这样循环中的语句就有可能一次也不执行。C也有退出条件循环，判断条件在执行循环之后进行检查，这样就可以保证循环体中的语句至少被执行一次，这被称为do while循环。程序清单6.15给出了一个例子。

程序清单 6.15 do_while.c 程序

```
/* do_while.c -- 退出条件循环 */
#include <stdio.h>
int main (void)
{
    const int secret_code = 13;
    int code_entered;

    do
    {
        printf ("To enter the triskaidekaphobia therapy club, \n");
        printf ("please enter the secret code number: ");
        scanf ("%d", &code_entered);
    } while (code_entered != secret_code);
    printf ("Congratulations! You are cured!\n");
    return 0;
}
```

程序清单6.15中的程序在用户输入13之前反复读取输入值。以下是一个运行的例子：

```
To enter the triskaidekaphobia therapy club,
please enter the secret code number: 12
To enter the triskaidekaphobia therapy club,
please enter the secret code number: 14
To enter the triskaidekaphobia therapy club,
please enter the secret code number: 13
Congratulations! You are cured!
```

使用了while循环的与之等价的程序会长一点，就像程序清单6.16中那样。

程序清单 6.16 entry.c 程序

```
/* entry.c -- 入口条件循环 */
#include <stdio.h>
int main (void)
{
    const int secret_code = 13;
    int code_entered;
    printf ("To enter the triskaidekaphobia therapy club, \n");
    printf ("please enter the secret code number: ");
    scanf ("%d", &code_entered);
    while (code_entered != secret_code)
    {
        printf ("To enter the triskaidekaphobia therapy club, \n");
        printf ("please enter the secret code number: ");
        scanf ("%d", &code_entered);
    }
```

```
    printf ("Congratulations! You are cured!\n");

    return 0;
}
```

下面是 do while 循环的一般形式：

```
do
    statement
while (expression);
```

statement 部分可以是简单语句或复合语句。请注意 do while 循环本身是一个语句，因此它需要一个结束的分号。请参见图 6.5。

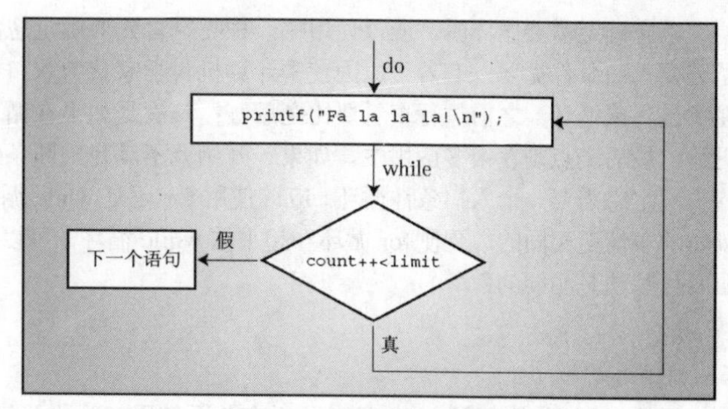

图 6.5 do while 循环的结构

do while 循环至少要被执行一次，因为在循环体被执行之后才进行判断。与之相反，for 或者 while 循环可以一次都不执行，因为它们是在执行之前进行判断。应该把 do while 循环仅用于那些至少需要执行一次循环的情况。例如一个密码程序要包括一个循环，它的伪代码如下：

```
do
{
   prompt for password
   read user input
} while (input not equal to password);
```

要避免以下伪代码中的这种 do while 结构：

```
do
{
   ask user if he or she wants to continue
   some clever stuff
}while (answer is yes);
```

这里，在用户回答 no 之后仍将执行 some clever stuff 部分，因为判断来得太迟了。

总结：do while 语句

关键字：

do, while

总体注解：

do while 语句创建了一个在判断表达式为假（或零）之前重复执行的循环。do while 语句是一个退出条件循环，是否再次执行循环的决定是在执行了一次循环之后做出的。因此循环必须至少被执行一次。该形式的 statement 部分可以是一个简单语句或一个复合语句。

形式：

```
do
      statement
while (expression);
```

在 expression 为假（或零）之前重复执行 statement 部分。

例如：

```
do
      scanf ("%d", &number);
while (number != 20);
```

6.9 选择哪种循环

当您确定需要循环时，应该使用哪一种呢？首先要确定您需要入口条件循环还是退出条件循环。通常是需要入口条件循环。有若干原因使得计算机科学家认为入口条件循环更好一些。首先是因为一般原则是在跳过（或循环）之前进行查看要比之后好；其次是如果在循环开始的地方进行循环判断，程序的可读性更强；最后一点是在很多应用中，如果一开始就不满足判断条件，那么跳过整个循环是重要的。

假定您需要一个入口条件循环，应该使用 for 还是 while 循环？这有些是个人爱好的问题，因为二者可以做的事情是相同的。要使 for 循环看起来像 while 循环，可以去掉它的第一个和第三个表达式。例如，下面两种写法是相同的：

```
for (; test;)
while (test)
```

要使得 while 循环像 for 循环，可以在前面使用初始化并包含更新语句。例如：

```
initialize;
while (test)
{
    body;
    update;
}
```

与下面这种形式相同：

```
for (initialize; test; update)
    body;
```

说到流行的风格，在循环涉及到初始化和更新变量时使用 for 循环较为适当，而在其他条件下使用 while 循环更好一些。while 循环对以下的条件来说是很自然的：

```
while (scanf ("%ld", &num) == 1)
```

而对那些涉及到用索引计数的循环，使用 for 循环是一个更自然的选择。例如：

```
for (count = 1; count <= 100; count++)
```

6.10 嵌套循环

嵌套循环（nested loop）是指在另一个循环之内的循环。通常使用嵌套循环来按行按列显示数据。也就是说一个循环处理一行中的所有列，而另一个循环则处理所有的行。程序清单 6.17 是一个简单的例子。

程序清单 6.17 rows1.c 程序

```
/* rows1.c -- 使用嵌套循环 */
#include <stdio.h>
#define ROWS 6
#define CHARS 10
int main (void)
{
    int row;
    char ch;

    for (row = 0; row < ROWS; row++)              /* 第10行 */
    {
        for (ch = 'A'; ch < ('A' + CHARS); ch++)  /* 第12行 */
```

```
            printf ("%c", ch);
        printf ("\n");
    }
    return 0;
}
```

运行这个程序会产生下列输出：

```
ABCDEFGHIJ
ABCDEFGHIJ
ABCDEFGHIJ
ABCDEFGHIJ
ABCDEFGHIJ
ABCDEFGHIJ
```

6.10.1　程序讨论

开始于第 10 行的 for 循环被称为外部循环，而开始于第 12 行的循环被称为内部循环，因为它位于另一个循环的内部。外部循环开始时 row 的值为 0，当 row 到达 6 时结束。因此外部循环要执行 6 次，row 的值从 0 变到 5。每次循环中的第一个语句都是内部的 for 循环。这个循环执行 10 次，在同一行上打印从 A 到 J 的字符。外部循环的第二个语句是 printf ("\n")；。这个语句开始一个新行，这样内部循环下次运行的时候，输出就会位于一个新的行上。

请注意在嵌套循环中，内部循环在外部循环的每次单独循环中都完全执行它的所有循环。在上一个例子中，内部循环在一行中打印 10 个字符，而外部循环创建 6 个行。

6.10.2　嵌套变化

在前面的例子中，内部循环在外部循环的每个周期中做着同样的事情。通过使内部循环的一部分依赖于外部循环，可以使内部循环在每个周期中的表现不同。例如，程序清单 6.18 稍微修改了上一个程序，使内部循环的开始字符依赖于外部循环的循环次数。它还使用了新的注释风格，并用 const 代替了#define，这有助于您熟悉这两种方法。

程序清单 6.18　rows2.c 程序

```
// rows2.c -- 使内部循环依赖于外部循环的嵌套循环
#include <stdio.h>
int main (void)
{
    const int ROWS = 6;
    const int CHARS = 6;
    int row;
    char ch;

    for (row = 0; row < ROWS; row++)
    {
        for (ch = ('A' + row); ch < ('A' + CHARS); ch++)
            printf ("%c", ch);
        printf ("\n");
    }
    return 0;
}
```

这次的输出如下：

```
ABCDEF
BCDEF
CDEF
DEF
EF
F
```

因为在外部循环的每个周期中都要把 row 的值加到'A'上，所以 ch 在每一行中都被初始化为字母表中后面的字符。但是判断条件并没有改变，所以每一行依然是以 F 结尾。这导致在每一个新行都打印更少的字符。

6.11 数组

在很多程序中数组都是重要的性能。它们使您可以用一种便利的方式来存储一些相关的信息项。我们将在第 10 章“数组和指针”中详细讨论数组，但是由于数组经常被用在循环中，所以现在先简单介绍一下。

一个数组就是线性存储的一系列相同类型的值，例如 10 个字符或 15 个整数。整个数组有一个单一的名字，单独的项或元素可以使用一个整数索引来进行访问。例如，下列声明：

```
float debts[20];
```

声明 debts 是一个具有 20 个元素的数组，其中的每个元素都是一个类型为 float 的值。这个数组的第一个元素称为 debts[0]，第二个元素称为 debts[1]，这样直到 debts[19]。注意数组元素的编号是从 0 而不是 1 开始的。每个元素都可以被赋予一个 float 类型的值。例如，您可以使用以下代码：

```
debts[5] = 32.54;
debts[6] = 1.2e+21;
```

实际上，您可以像使用相同类型的变量那样使用一个数组元素。例如，您可以把一个值读入一个特定的元素：

```
scanf ("%f", &debts[4]); // 为第 5 个元素读入一个值
```

一个潜在的易犯错误是：出于执行速度的考虑，C 并不检查您是否使用了正确的下标。例如，以下都是错误的代码：

```
debts[20] = 88.32;     // 没有这个数组元素
debts[33] = 828.12;    // 没有这个数组元素
```

但是编译器并不会发现这样的错误。当程序运行时，这些语句把数据放在可能由其他数据使用的位置上，因而可能破坏程序的结果甚至使程序崩溃。

数组可以是任意数据类型的数组。

```
int nannies[22];        /* 一个存放 22 个整数的数组         */
char actors[26];        /* 一个存放 26 个字符的数组         */
long big[500];          /* 一个存放 500 个长整数的数组       */
```

例如，我们先前提到过的字符串就是一个特别的例子，它被存储在一个字符数组中。一般说来，字符数组就是元素都被赋予字符值的数组。如果字符数组包含了空字符\0，那么字符数组的内容就构成一个字符串，其中空字符标志着字符串的结尾（请参见图 6.6）。

用于标识数组元素的数字称为下标（subscript）、索引（index）或偏移量（offset）。下标必须是整数，而且像前面提到的那样，下标从 0 开始。数组中的元素在内存中是顺序存储的，如图 6.7 所示的那样。

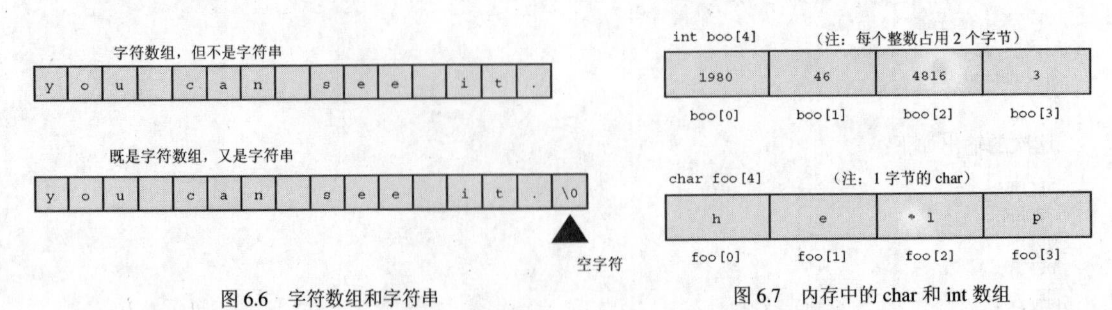

图 6.6 字符数组和字符串

图 6.7 内存中的 char 和 int 数组

在 for 循环中使用数组

有很多很多的地方要用到数组。程序清单 6.19 是一个相对简单的例子。这个程序读入 10 个高尔夫分数然后进行处理。通过使用数组就可以避免使用 10 个用于存储分数的不同的变量名。您也可以使用 for 循环进行读入。这个程序接下来报告分数的总和、平均值、差点（handicap，它是平均值与标准分之间的差）。

程序清单 6.19　scores_in.c 程序

```
// scores_in.c -- 使用循环进行数组处理
#include <stdio.h>
#define SIZE 10
#define PAR 72
int main (void)
{
    int index, score[SIZE];
    int sum = 0;
    float average;

    printf ("Enter %d golf scores: \n", SIZE);
    for (index = 0; index < SIZE; index++)
        scanf ("%d", &score[index]);    // 读入 10 个分数
    printf ("The scores read in are as follows: \n");
    for (index = 0; index < SIZE; index++)
        printf ("%5d", score[index]);  // 验证输入
     printf ("\n");
    for (index = 0; index < SIZE; index++)
        sum += score[index];                    // 求它们的和
    average = (float) sum / SIZE;               // 节省时间的方法
    printf ("Sum of scores = %d, average = %.2f\n", sum, average);
    printf ("That's a handicap of %.0f.\n", average - PAR);
    return 0;
}
```

现在我们看看程序清单 6.19 是否能工作，接着我们再进行一些解释。下面是输出：

```
Enter 10 scores:
Enter 10 golf scores:
102 98 112 108 105 103
99 101 96 102 100
The scores read in are as follows:
102 98 112 108 105 103 99 101 96 102
Sum of scores = 1026, average = 102.60
That's a handicap of 31.
```

它确实工作了，我们来看一些细节。首先，注意到尽管这个例子显示您输入了 11 个数，但只有 10 个被读入了，因为读取循环只读入 10 个值。因为 scanf（）跳过空白字符，所以您可以在一行之内输入所有的 10 个数，也可以在每一行只输入一个数，或者您也可以像这个例子一样混合使用新行与空格来分隔输入（因为要对输入进行缓冲，所以只有当您键入回车键的时候这些数字才被发送给程序）。

其次，使用数组和循环要比使用 10 个单独的 scanf（）语句和 10 个单独的 printf（）语句来读入并验证这 10 个分数更方便。for 循环提供了一种简单而直接的方法来使用数组下标。注意到 int 数组的每个元素都被作为一个 int 变量进行处理。要读入 int 变量 fue，您可以使用 scanf（"%d"，& fue）。程序清单 6.19 要读入 int 元素 score[index]，所以它使用了 scanf（"%d"，& score[index]）。

这个例子说明了一些风格的问题。首先，使用#define 指令创建一个指定数组大小的明显常量（SIZE）是一个好主意，您可以在定义数组和设置循环限制时使用这个常量。如果您以后需要把程序扩展为处理 20 个分数，简单地把 SIZE 重新定义为 20 就可以了，不需要改变程序中使用了数组大小的每个地方。C99 允

许您使用常量值指定数组大小，但是 C90 不允许，而#define 在两种情况下都可以使用。

其次，下面的代码可以很方便地处理一个大小为 SIZE 的数组：

```
for (index = 0; index < SIZE; index++)
```

获得正确的数组边界是很重要的。第一个元素具有索引值 0，循环从把 index 设为 0 开始。因为编号是从 0 开始的，所以最后一个元素的索引值为 SIZE-1。也就是说，第 10 个元素为 score[9]。使用判断条件 index<SIZE 可以实现这一点，它使得循环中使用的最后一个 index 的值为 SIZE-1。

第三，一个好的编程习惯是使程序重复输出或“回显”刚刚读入的值。这有助于确保程序处理了您所期望的数据。

最后，注意程序清单 6.19 使用了三个独立的 for 循环。您可能想知道这是否是真正必需的，是否可以在一个循环中合并多个操作？答案是肯定的，您可以做到这一点，那会使程序更加紧凑。但是您应该根据模块化（modularity）的原则进行调整。这个术语所蕴涵的思想是程序应该被分为一些单独的单元，每个单元执行一个任务，这会使程序更容易阅读。也许更重要的一点是：如果程序的不同部分不混合在一起，那么模块化可以使程序更容易升级或修改。当您了解了函数之后，就可以把每个单元放入一个函数中来增强程序的模块性。

6.12 使用函数返回值的循环例子

本章中的最后一个例子使用一个函数，它计算一个数的整数次幂的结果（要进行严格的数值处理，math.h 库提供了一个名为 pow（）的更强大的幂函数，它允许计算浮点数次幂）。在这个练习中的三个主要任务是为计算答案设计算法、在一个返回答案的函数中应用算法，以及提供一个便利的方法来测试该函数。

首先看一下算法。我们通过限制为求正整数次幂来简化函数。这样，如果您想要求 n 的 p 次幂，应该把 n 与自己相乘 p 次。很自然这可以由一个循环来完成。可以设置变量 pow 为 1 然后反复把它与 n 相乘：

```
for (i = 1; i <= p; i++)
    pow *= n;
```

回忆一下，*=运算符把其左边的数乘上其右边的数。在第一次循环后，pow 就是 n 的 1 次幂，也就是 n。第二次循环后，pow 就是它的先前值（n）乘以 n，也就是 n 的平方，等等。在这种情形中使用 for 循环是很自然的，因为循环执行预先确定的次数（在 p 已知后）。

现在您已经有了一个算法，下面应该决定使用什么数据类型。指数 p 是一个整数，其类型应该为 int。为了允许 n 及其幂的值有较大的范围，n 和 pow 使用 double 类型。

接下来，我们考虑如何把这些功能放在一起。需要为函数传递两个值，然后让函数返回一个值。要把信息传递给函数，可以使用两个参数，一个 double 和一个 int，来指定求哪个数的多少次幂。如何安排函数以使它向调用程序返回一个值？写一个具有返回值的函数要做以下事情：

1. 当定义函数时，说明它的返回值类型。
2. 使用关键字 return 指示要返回的值。

例如，您可以这样：

```
double power (double n, int p)   // 返回 double 类型的值
{
    double pow = 1;
    int i;

    for (i = 1; i <= p; i++)
        pow *= n;
    return pow;                  // 返回 pow 的值
}
```

要声明函数类型，可以在函数名之前写出类型，就像声明一个变量时那样。关键字 return 使函数把跟在该关键字后面的值返回给调用函数。这里返回了一个变量的值，但是也可以返回表达式的值。例如，以下是一个合法的语句：

```
return 2 * x + b;
```

函数将计算该表达式的值并返回之。在调用函数中，可以把返回值赋给另一个变量；可以把它作为一个表达式中的值；可以把它作为另一个函数的参数，例如 printf（"%f"，power（6.28，3））；也可以忽略它。

现在我们在程序中使用这个函数。要测试这个函数很方便，只须向它传递一些值来看它是如何反应的。这意味着要建立一个输入循环，很自然的选择是使用 while 循环。可以使用 scanf（）来一次读入 2 个值。如果成功地读入了 2 个值，scanf（）就返回值 2，这样您就可以通过把 scanf（）的返回值与 2 进行比较来控制循环。还有一点：要在您的程序中使用 power（）函数，需要声明它，就像声明一个程序中用到的变量一样。程序清单 6.20 中是这个程序。

程序清单 6.20　power.c 程序

```
// power.c -- 计算数值的整数次幂
#include <stdio.h>
double power (double n, int p); // ANSI 原型
int main (void)
{
    double x, xpow;
    int exp;

    printf ("Enter a number and the positive integer power");
    printf (" to which\nthe number will be raised. Enter q");
    printf (" to quit.\n");
    while (scanf ("%lf%d", &x, &exp) == 2)
    {
            xpow = power (x, exp);   // 函数调用
            printf ("%.3g to the power %d is %.5g\n", x, exp, xpow);
            printf ("Enter next pair of numbers or q to quit.\n");
    }
    printf ("Hope you enjoyed this power trip -- bye!\n");
    return 0;
}

double power (double n, int p)    // 函数定义
{
    double pow = 1;
    int i;

    for (i = 1; i <= p; i++)
            pow *= n;
    return pow;                        // 返回 pow 的值
}
```

下面是一个运行示例：

```
Enter a number and the positive integer power to which
the number will be raised. Enter q to quit.
1.2 12
1.2 to the power 12 is 8.9161
Enter next pair of numbers or q to quit.
2
16
2 to the power 16 is 65536
Enter next pair of numbers or q to quit.
q
Hope you enjoyed this power trip -- bye!
```

6.12.1 程序讨论

main（）程序是一个驱动程序（driver）的例子。驱动程序是被设计用来测试一个函数的短小的程序。

这里的 while 循环是我们以前使用过的形式的推广。键入 1.2 12 使 scanf（）成功地读入两个值并返回 2，循环继续进行。因为 scanf（）跳过了空白字符，所以就像例子中显示的那样，输入可以在多行进行。但是键入 q 会使返回值为 0，因为 q 不能使用%lf 说明符进行读取。这会使 scanf（）返回 0 而结束循环。与之类似，键入 2.8 q 会使返回值为 1，也会结束循环。

现在我们来看一下与函数相关的一些事情。power（）函数在这个程序中出现了三次，第一次出现是这样的：

```
double power（double n, int p）; // ANSI原型
```

这个语句声明程序将使用一个名为 power（）的函数。开始的关键字 double 表明 power（）函数会返回一个类型为 double 的值。编译器需要知道 power（）的返回值类型，这样它才能知道需要多少字节的数据以及如何解释它们，这也是您必须声明函数的原因。括号中的 double n，int p 说明 power（）接受两个参数，第一个参数应是类型为 double 的值，第二个参数的类型应为 int。

第二次出现是这样的：

```
xpow = power（x, exp）; // 函数调用
```

程序在这里调用了这个函数，并传递给它两个值。函数计算 x 的 exp 次幂，然后把结果返回给调用程序，接着返回值又被赋给变量 xpow。

第三次出现是在函数定义的开始：

```
double power（double n, int p） // 函数定义
```

在这里 power（）接受由变量 n 和 p 表示的两个参数：一个 double 和一个 int。请注意在函数定义时，power（）后面没有分号，而在函数声明时是有分号的。在函数头之后就是完成 power（）所做事情的代码。

回忆一下，函数使用了 for 循环来计算 n 的 p 次幂并把它赋值给 pow。下面这行使 pow 成为函数的返回值。

```
return pow; // 返回pow的值
```

6.12.2 使用具有返回值的函数

声明函数、调用函数、定义函数、使用 return 关键字，这些就是在定义并使用具有返回值的函数时的基本要素。

在这点上您可能会有一些疑问。例如，既然在使用函数的返回值前要声明函数，为什么使用 scanf（）的返回值时无须声明 scanf（）？为什么除了在定义中说明 power（）的类型为 double 之外，还必须单独地声明这个函数？

我们首先看一下第二个问题。编译器在程序中第一次遇到 power（）时，它需要知道 power（）是什么类型。而此时编译器还没有遇到 power（）的定义，所以它并不知道定义中说明了返回类型为 double。为了帮助编译器，要通过使用一个前向声明（forward declaration）来预先说明它是什么类型。这个声明通知编译器 power（）在其他地方定义而且它的返回值类型为 double。如果您把 power（）函数的定义放在 main（）之前，就可以省略前向声明，因为编译器在到达 main（）之前已经知道了关于 power（）的所有信息。但是这不是标准 C 的风格。因为 main（）通常提供一个程序的整体框架，所以最好是首先给出 main（）函数。此外，函数经常放在单独的文件中，所以前向声明是必不可少的。

接下来，为什么无须声明 scanf（）？这是因为您已经声明过了。stdio.h 头文件中含有 scanf（）、printf（）以及其他一些 I/O 函数的函数声明。scanf（）的声明说明它的返回类型为 int。

6.13　关键概念

循环是一个强大的编程工具。在建立循环时应该特别注意三个方面：

- 明确定义结束循环的条件。
- 确保在循环判断中使用的值在第一次使用之前已经初始化。
- 确保循环在每个周期中更新了判断值。

C 通过数值计算来处理判断条件。结果为 0 表示假，任何其他值都为真。使用了关系运算符的表达式通常被用来进行判断，它们有些特殊。如果为真，关系表达式的值为 1，为假则为 0，这与新的_Bool 类型所允许的值保持一致。

数组由相同类型的邻近的内存位置组成。您需要谨记数组元素是从 0 开始编号的，这样最后一个元素的下标就比元素的个数少 1。C 并不检查您是否使用了合法的下标值，所以这需要由您自己来负责。

使用一个函数需要完成三个单独的步骤：

1. 使用函数原型声明该函数。
2. 在程序中通过函数调用来使用该函数。
3. 定义函数。

原型使编译器可以检查您是否正确地使用了函数，而定义则规定了函数如何工作。现代的编程习惯是把程序的元素分为接口和实现部分，原型和定义就是这样的例子。接口部分描述了如何使用一个特性，这正是原型所做的；而实现部分说明了采取的具体动作，这正是定义所做的。

6.14　总结

本章的主要话题是程序控制。C 为实现程序的结构化提供了很多帮助。while 和 for 语句提供了入口条件循环，for 语句特别适合那些包含有初始化和更新的循环。逗号运算符使您可以在一个 for 循环中初始化和更新多个变量。在不多的场合中也需要退出条件循环，C 的 do while 语句就是一个退出条件循环。

典型的 while 循环设计看上去就像这样：

```
get first value
while (value meets test)
{
    process the value
    get next value
}
```

而做同样工作的 for 循环看上去就像这样：

```
for (get first value; value meets test; get next value)
    process the value
```

所有这些循环都使用一个判断条件来决定是否执行另一个循环周期。一般地说，如果判断表达式等于一个非零值，循环就继续执行；否则它就结束。判断条件通常是一个关系表达式，即一个由关系运算符构成的表达式。如果关系为真，表达式的值就为 1，否则就为 0。C99 引入了_Bool 类型的变量，这种变量只能具有值 1 或 0，分别表示真或假。

除了关系运算符，本章还介绍了一些 C 的算术赋值运算符，例如+=和*=。这些运算符通过对左边的操作数执行算术运算来修改它的值。

接下来我们简单介绍了数组。数组的声明使用方括号，括号中的值说明元素的个数。数组的第一个元素的索引编号为 0，第二个为 1，一直这样下去。例如，下列声明：

```
double hippos[20];
```

创建了一个具有 20 个元素的数组，单个的元素从 hippos[0]到 hippos[19]。可以通过循环方便地使用为数组进行编号的下标。

最后，本章说明了如何编写和使用具有返回值的函数。

6.15　复习题

在附录 A“复习题答案”中可以找到这些题目的答案。

1．给出每行之后 quack 的值。

```
int quack = 2;
quack += 5;
quack *= 10;
quack -= 6;
quack /= 8;
quack %= 3;
```

2．假定 value 是一个 int 类型的值，以下的循环会产生什么输出？

```
for (value = 36; value > 0; value /= 2)
      printf ("%3d", value);
```

如果 value 是一个 double 类型的值而不是 int 类型的值，会有什么问题？

3．表示出以下判断条件：

a．x 大于 5

b．scanf（）尝试读入一个 double 值（名为 x）并且失败

c．x 的值为 5

4．表示出以下判断条件：

a．scanf（）成功地读入了一个整数

b. x 不等于 5

c. x 大于或等于 20

5．您怀疑以下的程序可能有问题。您能找出什么错误？

```
#include <stdio.h>
int main (void)
{                                        /* 第 3 行 */
    int i, j, list (10);                 /* 第 4 行 */

    for (i = 1, i <= 10, i++)            /* 第 6 行 */
    {                                    /* 第 7 行 */
        list[i] = 2*i + 3;               /* 第 8 行 */
        for (j = 1, j > = i, j++)        /* 第 9 行 */
            printf (" %d", list[j]);     /* 第 10 行 */
        printf ("\n");                   /* 第 11 行 */
}                                        /* 第 12 行 */
```

6．使用嵌套循环编写产生下列图案的程序：

```
$$$$$$$$
$$$$$$$$
$$$$$$$$
$$$$$$$$
```

7．以下程序会打印出什么？

```
a.
    #include <stdio.h>
    int main (void)
    {
        int i = 0;

        while (++i < 4)
        printf ("Hi! ");
    do
        printf ("Bye! ");
    while (i++ < 8);
    return 0;
  }
b.
  #include <stdio.h>
  int main (void)
  {
      int i;
      char ch;

      for (i = 0, ch = 'A'; i < 4; i++, ch += 2 * i)
              printf ("%c", ch);
      return 0;
  }
```

8．假定输入为“Go west, young man!”，以下的程序会产生什么样的输出？（在ASCII序列中，!紧跟在空格字符后面。）

```
a.
    #include <stdio.h>
    int main (void)
    {
        char ch;

        scanf ("%c", &ch);
        while (ch != 'g')
        {
            printf ("%c", ch);
            scanf ("%c", &ch);
        }
        return 0;
    }
b.
    #include <stdio.h>
    int main (void)
    {
        char ch;

        scanf ("%c", &ch);
        while (ch != 'g')
        {
            printf ("%c", ++ch);
            scanf ("%c", &ch);
        }
        return 0;
    }
c.
    #include <stdio.h>
    int main (void)
```

```
    {
        char ch;

        do {
            scanf ("%c", &ch);
            printf ("%c", ch);
        } while (ch != 'g');
        return 0;
    }
```

d.

```
    #include <stdio.h>
    int main (void)
    {
        char ch;

        scanf ("%c", &ch);
        for (ch = '$'; ch != 'g'; scanf ("%c", &ch))
             putchar (ch);
        return 0;
    }
```

9. 以下程序会打印出什么？

```
#include <stdio.h>
int main (void)
{
        int n, m;

        n = 30;
        while (++n <= 33)
            printf ("%d|", n) ;

        n = 30;
        do
            printf ("%d|", n) ;
        while (++n <= 33) ;

        printf ("\n***\n") ;

        for (n = 1; n*n < 200; n +=4)
            printf ("%d\n", n) ;

        printf ("\n***\n") ;

        for (n = 2, m = 6; n < m; n *= 2, m+= 2)
            printf ("%d %d\n", n, m) ;

        printf ("\n***\n") ;

        for (n = 5; n > 0; n--)
        {
            for (m = 0; m <= n; m++)
                printf ("=") ;
            printf ("\n") ;
        }
        return 0;
}
```

10. 考虑以下声明：

```
double mint[10];
```

a. 数组名是什么？

b. 在数组中有多少个元素？

c. 在每个元素中存储着什么类型的值？

d. 下面哪个对该数组正确地使用了 scanf（）？

```
i. scanf ("%lf", mint[2])
ii. scanf ("%lf", &mint[2])
iii. scanf ("%lf", &mint)
```

11. Noah 先生喜欢以 2 计数，所以他写了以下的程序来创建一个数组，并用整数 2、4、6、8 等等来填充它。如果有错误的话，这个程序的错误是什么？

```
#include <stdio.h>
#define SIZE 8
int main (void)
{
    int by_twos[SIZE];
    int index;

    for (index = 1; index <= SIZE; index++)
        by_twos[index] = 2 * index;
    for (index = 1; index <= SIZE; index++)
        printf ("%d ", by_twos);
    printf ("\n");
    return 0;
}
```

12. 您想要写一个返回 long 值的函数。在您的函数定义中应该包含什么？

13. 定义一个函数。该函数接受一个 int 参数，并以 long 类型返回参数的平方值。

14. 以下程序会打印出什么？

```
#include <stdio.h>
int main (void)
{
    int k;

    for (k = 1, printf ("%d: Hi!\n", k) ; printf ("k = %d\n", k) ,
        k*k < 26; k+=2, printf ("Now k is %d\n", k) )
            printf ("k is %d in the loop\n", k) ;
    return 0;
}
```

6.16　编程练习

1. 编写一个程序，创建一个具有 26 个元素的数组，并在其中存储 26 个小写字母。并让该程序显示该数组的内容。

2. 使用嵌套循环产生下列图案：

```
$
$$
$$$
$$$$
$$$$$
```

3. 使用嵌套循环产生下列图案：

```
F
FE
```

```
FED
FEDC
FEDCB
FEDCBA
```

请注意：如果您的系统不使用 ASCII 或其他以数字顺序编码的码，您可以把一个字符数组初始化为字母表中的字母：

```
char lets[26] = "ABCDEFGHIJKLMNOPQRSTUVWXYZ";
```

然后就可以使用数组索引来选用单个的字母，例如 lets[0]是'A'，等等。

4．让程序要求用户输入一个大写字母，使用嵌套循环产生像下面这样的金字塔图案：

```
    A
   ABA
  ABCBA
 ABCDCDA
ABCDEDCBA
```

这种图案要扩展到用户输入的字符。例如，前面的图案是在输入 E 时需要产生的。提示：使用一个外部循环来处理行，在每一行中使用三个内部循环，一个处理空格，一个以升序打印字母，一个以降序打印字母。如果您的系统不使用 ASCII 或类似的以严格数字顺序表示字母的编码，请参见在编程练习 3 中给出的建议。

5．编写一个程序打印一个表，表的每一行都给出一个整数、它的平方以及它的立方。要求用户输入表的上限与下限。使用一个 for 循环。

6．编写一个程序把一个单词读入一个字符数组，然后反向打印出这个词。提示：使用 strlen（）（第 4 章）计算数组中最后一个字符的索引。

7．编写一个程序，要求输入两个浮点数，然后打印出用二者的差值除以二者的乘积所得的结果。在用户键入非数字的输入之前程序循环处理每对输入值。

8．对练习 7 进行修改，让它使用一个函数来返回计算值。

9．编写一个程序，要求用户输入下限整数和一个上限整数，然后，依次计算从下限到上限的每一个整数的平方的加和，最后显示结果。程序将不断提示用户输入下限整数和上限整数并显示出答案，直到用户输入的上限整数等于或小于下限整数为止。程序运行的结果示例应该如下所示：

```
Enter lower and upper integer limits: 5 9
The sums of the squares from 25 to 81 is 255
Enter next set of limits: 3 25
The sums of the squares from 9 to 625 is 5520
Enter next set of limits: 5 5
Done
```

10．编写一个程序把 8 个整数读入一个数组中，然后以相反的顺序打印它们。

11．考虑这两个无限序列：

```
1.0 + 1.0/2.0 + 1.0/3.0 + 1.0/4.0 + ...
1.0 - 1.0/2.0 + 1.0/3.0 - 1.0/4.0 + ...
```

编写一个程序来计算这两个序列不断变化的总和，直到达到某个次数。让用户交互地输入这个次数。看看在 20 次、100 次和 500 次之后的总和。是否每个序列都看上去要收敛于某个值？提示：奇数个-1 相乘的值为-1，而偶数个-1 相乘的值为 1。

12．编写一个程序，创建一个 8 个元素的 int 数组，并且把元素分别设置为 2 的前 8 次幂，然后打印出它们的值。使用 for 循环来设置值；为了变化，使用 do while 循环来显示这些值。

13．编写一个程序，创建两个 8 元素的 double 数组，使用一个循环来让用户键入第一个数组的 8 个元素的值。程序把第二个数组的元素设置为第一个数组元素的累积和。例如，第二个数组的第 4 个元素应该等于第一个数组的前 4 个元素的和，第二个数组的第 5 个元素应该等于第一个数组的前 5 个元素的和（使用嵌套循环可以做到这一点。不过利用第二个数组的第 5 个元素等于第二个数组的第 4 个元素加上第一个数组的第 5 个元素这一事实，可以避免嵌套而只使用单个循环来完成这个任务）。最后，使用一个循环来显示两个数组中的内容，第一个数组在一行中显示，而第二个数组中的每个元素在第一个数组的对应元素之下进行显示。

14. 编写一个程序读入一行输入，然后反向打印该行。您可以把输入存储在一个 char 数组中；假定该行不超过 255 个字符。回忆一下，您可以使用具有%c 说明符的 scanf（）从输入中一次读入一个字符，而且当您按下回车键时会产生换行字符（\n）。

15. Daphne 以 10%的单利息投资了 100 美元（也就是说，每年投资赢得的利息等于原始投资的 10%）。Deirdre 则以每年 5%的复合利息投资了 100 美元（也就是说，利息是当前结余的 5%，其中包括以前的利息）。编写一个程序，计算需要多少年 Deirdre 的投资额才会超过 Daphne，并且显示出到那时两个人的投资额。

16. Chuckie Lucky 赢了 100 万美元，他把它存入一个每年赢得 8%的帐户。在每年的最后一天，Chuckie 取出 10 万美元。编写一个程序，计算需要多少年 Chuckie 就会清空他的帐户。

第7章 C控制语句：分支和跳转

在本章中您将学习下列内容：

- 关键字：
  if、else、switch、continue、break、case、default、goto
- 运算符：
  && || ?:
- 函数：
  getchar（）、putchar（）以及ctype.h系列。
- 怎样使用if和if else语句以及如何嵌套使用它们。
- 使用逻辑运算符将关系表达式组合为更加复杂的判断表达式。
- C的条件运算符。
- switch语句。
- break、continue和goto跳转。
- 使用C的字符I/O函数：getchar（ ）和putchar（ ）。
- 由ctype.h头文件提供的字符分析函数系列。

对C语言掌握到一定程度以后，您或许想要处理一些更复杂的任务。这时候就需要一些手段来控制和组织这些项目，C有方法来满足这些需要。前面已经学习了使用循环来处理重复的任务。在本章中，您将学习如何使用分支结构，如if和switch，以便允许程序按照所检查的条件执行相应的动作。另外，还要介绍C的逻辑运算符，它们能使您对while或if条件中的多个关系进行判断。此外，我们还将学习跳转语句，它将程序流程切换到程序的其他部分。学完本章，您将获得设计按您希望的方式运行的程序所需的全部基本知识。

7.1 if语句

让我们以程序清单7.1展示的一个if语句的简单例子开始。这个程序读入一系列每日的最低温度（摄氏度），并报告输入的总数，以及最低温度在零度以下的天数的百分率。在一个循环里使用scanf（）读入数值，在每个循环中增加计数器的值来统计输入数值的个数。if语句检测低于零度以下的温度并单独统计这些天的数目。

程序清单7.1 colddays.c程序

```
// colddays.c -- 求出温度低于零度的天数的百分率
#include <stdio.h>
int main (void)
{
    const int FREEZING = 0;
    float temperature;
    int cold_days = 0;
```

```
    int all_days = 0;

    printf("Enter the list of daily low temperatures.\n");
    printf("Use Celsius, and enter q to quit.\n");
    while (scanf("%f", &temperature) == 1)
    {
        all_days++;
        if (temperature < FREEZING)
            cold_days++;
    }
    if (all_days != 0)
        printf("%d days total: %.1f%% were below freezing.\n",
               all_days, 100.0 * (float) cold_days / all_days);
    if (all_days == 0)
        printf("No data entered!\n");
    return 0;
}
```

下面是一个运行示例：

```
Enter the list of daily low temperatures.
Use Celsius, and enter q to quit.
12 5 -2.5 0 6 8 -3 -10 5 10 q
10 days total: 30.0% were below freezing.
```

while 循环的判断条件利用 scanf() 的返回值在 scanf() 遇到非数字输入的时候终止循环。用 float 而不是 int 来声明 temperature，这样程序就既能接受像 8 那样的输入，也能接受像-2.5 这样的输入。

while 代码块中的新语句如下：

```
if (temperature < FREEZING)
  cold_days++;
```

该 if 语句指示计算机，如果刚读入的数值（temperature）小于 0 就将 cold_days 加 1。如果 temperature 值不小于 0 将是什么情形呢？那样的话就会跳过 cold_days++；语句，while 循环继续读取下一个温度值。

该程序使用了两次 if 语句来控制输出。如果有数据的话，程序就会打印出结果；如果没有数据，那么程序就会报告该事实（稍后您将看到可以用一种更好的方法来处理程序的这个部分）。

为了避免整数除法，示例程序在计算百分率时使用了类型转换 float。并不是真的需要类型转换，因为在表达式 100.0*cold_days/all_days 中，先求子表达式 100.0*cold_days 的值并通过自动类型转换规则强制转换为浮点型值。然而使用类型转换可以表明您的意图，并保护程序免受不完善编译器的影响。

if 语句被称为分支语句（branching statement）或选择语句（selection statement），因为它提供了一个交汇点，在此处程序需要选择两条分支中的一条前进。一般的形式如下：

```
if (expression)
        statement
```

如果 expression 求得的值为真（非零），就执行 statement；否则，跳过该语句。和 while 循环一样，statement 既可以是单个语句也可以是一个代码块（术语上称为复合语句）。这种结构和 while 语句很相似。主要的区别在于在 if 语句中，判断和执行（如果可能的话）仅有一次，而在 while 循环中，判断和执行可以重复多次。

通常，expression 是一个关系表达式。也就是说，它比较两个量的大小，像表达式 x>y 和 c==6 那样。如果 expression 的值为真（x 大于 y，或者 c 等于 6），就执行语句；否则，将忽略语句。更一般地，可以使用任何表达式，表达式的值为 0 就被视为假。语句部分可以是一个简单语句，就像例子中的那样；也可以是一个由花括号标出的复合语句（代码块）：

```
if (score > big)
    printf("Jackpot!\n");        // 简单语句

if (joe > ron)
```

```
{                               // 复合语句
    joecash++;
    printf ("You lose, Ron.\n");
}
```

注意，即使 if 中使用了一个复合语句，整个 if 结构仍将被看作一个简单语句。

7.2 在 if 语句中添加 else 关键字

简单形式的 if 语句使您可以选择执行一条语句（可能是复合语句）或忽略它。C 还可以通过使用 if else 形式来在两个语句间做出选择。让我们使用 if else 形式修改程序清单 7.1 中略显笨拙的程序段。

```
if (all_days != 0)
    printf ("%d days total: %.1f%% were below freezing.\n",
            all_days, 100.0 * (float) cold_days / all_days);
if (all_days == 0)
    printf ("No data entered!\n");
```

如果程序发现 all_days 是不等于 0 的，那么它应该知道 all_days 肯定等于 0，这样就不必重新判断。使用 if else，您可以将这段程序改写为如下形式：

```
if (all_days!= 0)
    printf ("%d days total: %.1f%% were below freezing.\n",
              all_days, 100.0 * (float) cold_days / all_days);
else
    printf ("No data entered!\n");
```

仅仅进行了一次判断。如果 if 的判断表达式为真，则打印温度数据；如果其值为假，则打印警告消息。

注意，if else 语句的通用形式为：

```
if (expression)
    statement1
else
    statement2
```

如果 expression 为真（非零），就执行 statement1；如果 expression 为假或零，则执行跟在 else 后的那一条语句（statement2）。语句可以是简单的或复合的。C 不要求缩排，但这是标准的风格。缩排使语句依赖于判断而执行这一事实显得一目了然。

如果希望在 if 和 else 之间有多条语句，必须使用花括号创建一个代码块。下面的结构违反了 C 语法，因为编译器期望 if 和 else 之间只有一条语句（单条的或复合的）：

```
if (x > 0)
    printf ("Incrementing x: \n");
    x++;
else        // 将产生一个错误
    printf ("x <= 0 \n");
```

编译器会把 printf（）语句看作 if 语句的部分，将 x++；语句看作一条单独的语句，而不把它作为 if 语句的一部分。然后会认为 else 没有所属的 if，这是个错误。应该使用这种形式：

```
if (x > 0)
{
    printf ("Incrementing x: \n");
    x++;
}
else
    printf ("x <= 0 \n");
```

if语句使您能够选择是否执行某个动作。if else语句使您可以在两个动作之间进行选择。图7.1将两种语句做了比较。

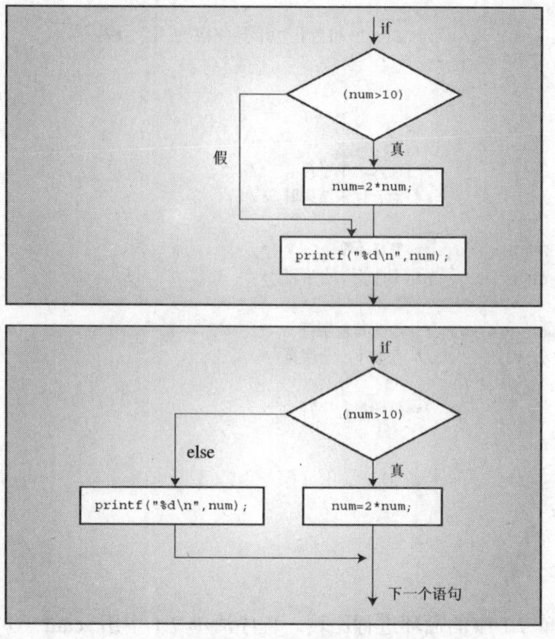

图7.1　if和if else

7.2.1　另一个例子：介绍getchar（）和putchar（）

前面的多数程序所输入的内容都是数字。为了练习使用其他的形式，让我们来看一个面向字符的例子。您已经知道了怎样使用scanf（）和printf（）来以%c说明符读写字符，现在我们将接触专门为面向字符I/O而设计的一对C函数：getchar（）和putchar（）。

getchar（）函数没有参数，它返回来自输入设备的下一个字符。例如，下面的语句读取下一个输入字符并将它的值赋给变量ch：

```
ch = getchar ();
```

该语句与下面的语句有同样的效果：

```
scanf ("%c", &ch);
```

putchar（）函数打印它的参数。例如，下面的语句将先前赋给ch的值作为字符打印出来：

```
putchar (ch);
```

该语句与下面的语句有同样的效果：

```
printf ("%c", ch);
```

因为这些函数仅仅处理字符，所以它们比更通用的scanf（）和printf（）函数更快而且更简洁。同样，注意到它们不需要格式说明符，因为它们只对字符起作用。这两个函数通常都在stdio.h文件中定义（而且，它们通常只是预处理器宏（macro），而不是真正的函数；我们将在16章“C预处理器和C库”中讨论类似函数的宏）。

下面将通过一个程序来说明这些函数是怎么工作的。这个程序再现输入的一行，但将每个非空格字符替换为该字符在ASCII码序列中的后一个字符。空格还是作为空格重现。可以将希望程序做出的响应表述为“如果字符是空格，打印之；否则，打印它在ASCII序列中的下一个字符”。

C的代码看起来很像该陈述，这一点你可以在程序清单7.2中看到。

程序清单 7.2　cypher1.c 程序

```
/* cypher1.c -- 改变输入，只保留其中的空格 */
#include <stdio.h>
#define SPACE ' '              /* SPACE 相当于"引号-空格-引号" */
int main (void)
{
    char ch;

    ch = getchar ();           /* 读入一个字符   */
    while (ch != '\n')         /* 当一行未结束时 */
    {
        if (ch == SPACE)       /* 空格不变       */
          putchar (ch);        /* 不改变这个字符 */
        else
          putchar (ch + 1);    /* 改变其他字符   */
        ch = getchar ();       /* 获取下一个字符 */
    }
    putchar (ch);              /* 打印换行字符   */
    return 0;
}
```

下面是一个运行示例：

```
CALL ME HAL.
DBMM NF IBM/
```

把这个循环和程序清单 7.1 中的循环进行比较。程序清单 7.1 中用 scanf () 返回的状态而不是输入元素的值来决定何时终止循环。而在程序清单 7.2 中，则是由输入元素的值本身决定何时终止循环，这种不同导致这个循环结构与前面的略有不同。这里，一个"读"语句在循环之前，另一个"读"语句在每次循环的结尾。然而，C 灵活的语法使您可以通过将读取和判断合并为单个表达式来仿效程序清单 7.1。那也就是说，您可以把这种形式的循环：

```
ch = getchar ();           /* 读入一个字符   */
while (ch != '\n')         /* 当一行未结束时 */
{
    …                      /* 处理字符       */
    ch = getchar ();       /* 获取下一个字符 */
}
```

替换为下面的形式：

```
while ((ch = getchar ()) != '\n')
{
    …                      /* 处理字符       */
}
```

关键的一行是：

```
while ((ch = getchar ()) != '\n')
```

这体现了典型的 C 编程风格：将两个动作合并为一个表达式。C 自由的格式可以使这行语句中的每个部分更清晰：

```
while (
    (ch = getchar ())          // 为 ch 赋一个值
               != '\n')        // 把 ch 与\n 相比较
```

该动作将一个值赋给 ch 并将这个值与换行符进行比较。圆括号括住 ch=getchar () 使之成为"!="运算符的左操作数。为了求得该表达式的值，计算机首先必须调用 getchar () 函数，然后将它的返回值赋给 ch。因为赋值表达式的值就等于表达式左侧数的值，所以 ch=getchar () 的值就等于 ch 的新值。因此，读取 ch 之后，判断条件缩减为 ch!= '\n'，也就是说，ch 不等于换行符。

这种独特的习惯用法在C编程中很常见，所以您应该熟悉它。也一定要记住适当地使用圆括号来组合子表达式。

所有的圆括号都是必需的。假如错误地这样使用：

```
while (ch = getchar () != '\n')
```

!=运算符的优先级比=的要高，所以首先被计算的表达式是 getchar（）!='\n'。因为这是一个关系表达式，因此其值是 0 或者 1（真或假）。然后这个值被赋给 ch。遗漏了圆括号就意味着 ch 的值被赋为 0 或 1，而不是 getchar（）返回的值。显然这不是我们所希望的。

下面的语句：

```
putchar (ch + 1);  /* 改变其他字符 */
```

再次表明了字符实际上是作为整数被存储的。在表达式 ch＋1 中，ch 被扩展为 int 型以用于计算，然后 int 型的计算结果被传给 putchar（）。这个函数接受一个 int 型的参数，但仅仅使用最后一个字节来决定显示哪个字符。

7.2.2　ctype.h 系列字符函数

注意到程序清单 7.2 的输出显示出句号被转换为斜杠；这是因为斜杠字符对应的 ASCII 码比句号的 ASCII 码大 1。但是如果程序指明只转换字母，将所有的非字母字符（而不只是空格符）保留下来，将会更好。本章稍后讨论的逻辑运算符提供一种方法以判断字符是否不是空格、逗号，如此等等，但是罗列所有的可能性太麻烦。幸好，ANSI C 有一系列标准的函数可以用来分析字符；ctype.h 头文件包含了这些函数的原型。这些函数接受一个字符作为参数，如果该字符属于某特定的种类则返回非零值（真），否则返回零（假）。例如，如果 isalpha（）函数的参数是个字母，则它返回一个非零值。程序清单 7.3 通过使用该函数扩展了程序清单 7.2；它也加入了刚才讨论过的精简后的循环结构。

程序清单 7.3　cypher2.c 程序

```
// cypher2.c -- 改变输入，只保留非字母字符
#include <stdio.h>
#include <ctype.h>                    // 为 isalpha () 提供原型
int main (void)
{
    char ch;

    while ((ch = getchar ()) != '\n')
    {
        if (isalpha (ch))             // 如果是一个字母
            putchar (ch + 1);         // 则改变它
        else                          // 否则
            putchar (ch);             // 原样打印它
    }
    putchar (ch);                     // 打印换行字符
    return 0;
}
```

下面是一个运行示例；注意大写字母和小写字母被译码，而空格和标点符号则没有：

```
Look! It's a programmer!
Mppl! Ju't b qsphsbnnfs!
```

表 7.1 和表 7.2 列出了 ctype.h 头文件所包含的一些函数。有些函数提到了本地化，这里指的是能够指定一个本地以修改或扩展 C 的基本用法的 C 工具（例如，许多国家在书写十进制小数的时候，使用逗号来替代小数点，于是，特定的本地化工具就能够指定逗号在浮点小数的输出中起到小数点一样的作用。因此，就显示为 123,45）。注意，映射函数并不改变原始的参数，它们只返回改变后的值。也就是说，下列语句不改变 ch 的值：

```
tolower(ch);  // 对ch没有影响
```

没有改变ch，若要改变ch，可以这样做：

```
ch = tolower(ch); // 把ch转换为小写
```

表 7.1　　ctype.h 的字符判断函数

函数名	为如下参数时，返回值为真
isalnum()	字母数字（字母或数字）
isalpha()	字母
isblank()	一个标准的空白字符（空格、水平制表符或者换行）或者任何其他本地化指定为空白符的字符
iscntrl()	控制符，例如 Ctrl+B
isdigit()	阿拉伯数字
isgraph()	除空格符之外的所有可打印字符
islower()	小写字母
isprint()	可打印字符
ispunct()	标点符号（除空格和字母数字外的可打印字符）
isspace()	空白字符：空格、换行、走纸、回车、垂直制表符、水平制表符、或可能是其他本地化定义的字符
isupper()	大写字母
isxdigit()	十六进制数字字符

表 7.2　　ctype.h 的字符映射函数

函数名	动作
tolower()	如果参数是大写字符，返回相应的小写字符；否则，返回原始参数
toupper()	如果参数是小写字符，返回相应的大写字符；否则，返回原始参数

7.2.3　多重选择 else if

日常生活经常会给我们提供两个以上的选择。可以用 else if 扩展 if else 结构来适应这种情况。我们来看一个例子。公用事业公司通常使计费依赖于客户使用能量的总数。这里有某个公司电力计费的费率，单位是千瓦时（kWh）：

第一个 360kWh：	每 kWh $0.12589
下一个 320kWh：	每 kWh $0.17901
超过 680kWh：	每$0.20971

如果您比较在意用电管理，可以编写程序来计算您的用电费用。程序清单 7.4 所示程序就是完成这一任务的第一步。

程序清单 7.4　electric.c 程序

```
/* electric.c -- 计算用电帐目 */
#include <stdio.h>
#define RATE1 0.12589          /* 第一个360kWh的费率       */
#define RATE2 0.17901          /* 下一个320kWh的费率       */
#define RATE3 0.20971          /* 超过680kWh的费率         */
#define BREAK1 360.0           /* 费率的第一个分界点       */
#define BREAK2 680.0           /* 费率的第二个分界点       */
#define BASE1 (RATE1 * BREAK1)
                               /* 用电360kWh的费用         */
```

```
#define BASE2 (BASE1 + (RATE2 * (BREAK2 - BREAK1)))
                                  /* 用电 680kWh 的费用                 */
int main (void)
{
    double kwh;                   /* 用电的千瓦小时数                   */
    double bill;                  /* 费用                               */

    printf ("Please enter the kwh used.\n");
    scanf ("%lf", &kwh);          /* %lf 是 double 类型的说明符         */
    if (kwh <= BREAK1)
        bill = RATE1 * kwh;
    else if (kwh <= BREAK2)       /* 用电量在 360kWh 和 680kWh 之间时   */
        bill = BASE1 + (RATE2 * (kwh - BREAK1));
    else                          /* 用电量超出 680kWh 时               */
        bill = BASE2 + (RATE3 * (kwh - BREAK2));
    printf ("The charge for %.1f kwh is $%1.2f.\n", kwh, bill);
    return 0;
}
```

下面是一个输出示例：

```
Please enter the kwh used.
580
The charge for 580.0 kwh is $84.70.
```

程序清单 7.4 用符号常量表示费率，以便这些常量可以很方便地被放置在一起。这样一旦电力公司改变费率（这是很可能的），就很容易更新这些被放在一起的费率。该清单也用符号表示了费率的分界点。它们也有可能改变。BASE1 和 BASE2 根据费率和分界点来表示。这样，如果费率或分界点改变了，它们也会自动地更新。您可能回想起预处理器是不做计算的。程序中 BASE1 出现的地方将用 0.12589*360.0 代替。不用担心；编译器会求得该表达式的数值（45.3204）以便最终的程序代码使用 45.3204 而不是一个计算式。

程序的流程是简单明了的。该程序按照 kwh 的数值选择三个公式中的一个。图 7.2 示意了这个流程。应该特别注意的是仅当 kwh 大于 360 时程序才到达第一个 else。所以，像程序注释所注明的那样，else if（kwh<=BREAK2）行实际上相当于要求 kwh 在 360 和 680 之间。同样，仅当 kwh 超过 680，才能够到达最后一个 else。最后请注意，BASE1 和 BASE2 分别代表前 360 和 680 千瓦时的总费用。因此，当用电量超过这些值时，仅需要加上额外的费用。

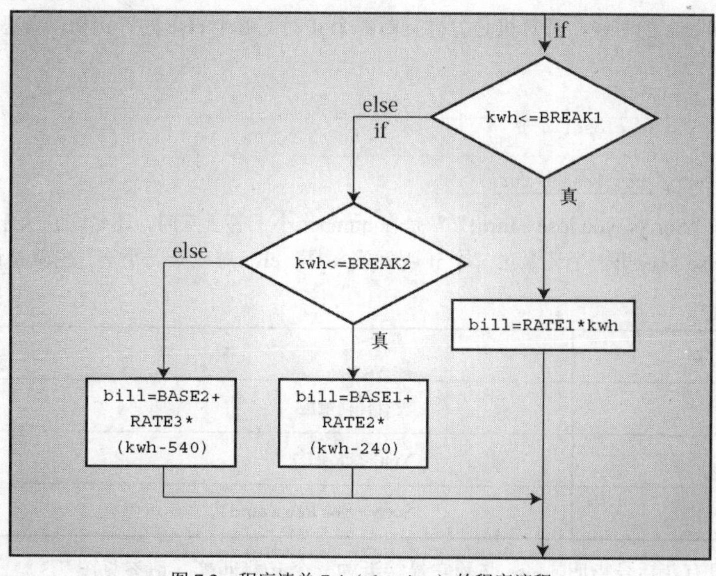

图 7.2　程序清单 7.4（electric.c）的程序流程

实际上，else if 是您已经学过的形式的一种变化。例如，该程序的核心部分只不过是下面语句的另一种写法：

```
if (kwh <=BREAK1)
    bill = RATE1 * kwh;
else
    if (kwh <=BREAK2)
        bill = BASE1 + RATE2 * (kwh - BREAK1);
    else
        bill = BASE2 + RATE3 * (kwh - BREAK2);
```

也就是说，程序所包含的一个 if else 语句是另一个 if else 语句的 else 语句部分。我们称第二个 if else 语句被嵌套（nested）在第一个里面。回忆一下，整个 if else 结构作为一条语句，这就是为什么不必将被嵌套的 if else 放在花括号中。然而使用花括号可以更清楚地表明这种特殊格式的含义。

两种形式完全等价。惟一的区别在于空格和换行的使用位置，而编译器会忽略这些差别。尽管如此，第一种形式还是更好些，因为它更清晰地展示出您做出了三种选择。这种格式更易于快速浏览程序时看清楚各个选择。只在必要的时候使用缩排的嵌套格式，比如在必须判断两个单独的量时。这种情形的一个例子是仅在夏季对超过 680 千瓦时的用电量加收 10%的额外费用。

如同下段所展示的，可以把多个（当然，需要在编译器的限制范围内）所需的 else if 语句连成一串使用。

```
if (score < 1000)
     bonus = 0;
else if (score < 1500)
     bonus = 1;
else if (score < 2000)
     bonus = 2;
else if (score < 2500)
     bonus = 4;
else
     bonus = 6;
```

（这很可能是某个游戏程序的一部分，bonus 描述您为下一轮游戏所获得的光子炸弹或食品的多少。）

说到编译器的限制，C99 标准要求编译器最少支持 127 层嵌套。

7.2.4 把 else 与 if 配对

当有众多 if 和 else 的时候，计算机是怎样判断哪个 if 对应哪个 else 的？例如，考虑下面的程序段：

```
if (number > 6)
   if (number < 12)
      printf ("You're close!\n");
else
    printf ("Sorry, you lose a turn!\n");
```

什么时候打印“Sorry，you lose a turn!”？是在 number 小于等于 6 时，还是在它大于等于 12 的时候？换句话说，这个 else 对应第一个还是第二个 if 呢？答案是，else 对应第二个 if。也就是说，您可能得到下列响应：

数　字	响　应
5	没有任何响应
10	You're close!
15	Sorry，you lose a turn!

规则是如果没有花括号指明，else 与和它最接近的一个 if 相匹配（请参见图 7.3）。

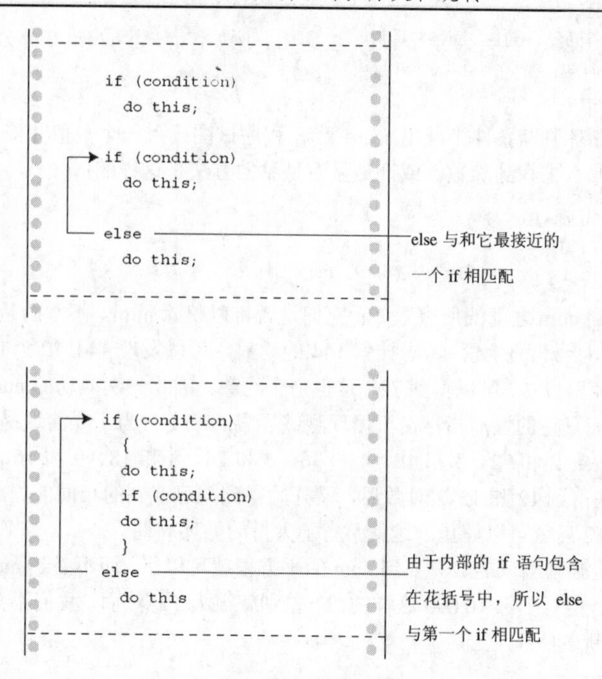

图 7.3　if else 的配对规则

第一个例子的缩排使得 else 好像是与第一个 if 匹配的。但要记住，编译器是忽略缩排的。如果真的希望 else 与第一个 if 匹配，可以这样写：

```
if (number > 6)
{
    if (number < 12)
        printf ("You're close!\n");
}
else
    printf ("Sorry, you lose a turn!\n");
```

现在您可能得到下面的响应：

数　字	响　　应
5	Sorry，you lose a turn!
10	You're close!
15	没有任何响应

7.2.5　多层嵌套的 if

前面所看到的 if…else if…else 序列是嵌套 if 的一种形式，这是从一系列的二选一中进行选择的。当进行了特定的选择后又导致了额外的选择时将使用另一种嵌套 if。例如，一个程序可能用 if else 来在男和女之间进行选择。在 if else 中的每个分支又可能包含另一个 if else 来区别不同收入的群体。

我们试着用这种形式的嵌套 if 来解决下面的问题：给定一个整数，显示所有能整除它的约数；如果没有约数，则报告该数是个素数。

该问题在编写代码之前需要预先计划好。首先，需要对程序进行总体设计。为了方便，程序需要用一个循环来使您能输入被测试的数。这样，在希望检验一个新数的时候就无须每次都重新运行程序。我们已经为这种循环研究出一个模型：

```
prompt user
```

```
while the scanf () return value is 1
    analyze the number and report results
    prompt user
```

回忆一下，通过在循环判断条件中使用 scanf ()，程序试图读入一个数值并检查循环是否应该终止。

下一步，需要计划怎么来找到除数。或许最显而易见的方法是这样的：

```
for (div = 2; div < num; div++)
    if (num % div == 0)
        printf ("%d is divisible by %d\n", num, div);
```

该循环检查界于 2 到 num 之间的所有数，看它们是否可以整除 num。不幸的是，这种方法浪费了计算机的时间。我们可以做得更好。例如，考虑搜索 144 的约数。可以发现 144%2 为 0，这意味着 144 能被 2 整除。如果明确地拿 144 除以 2，可以得到 72，这也是个约数，因此一次成功的 num%div 测试可以得到两个约数而不是一个。然而真正的性能指标在于循环测试界限的改变。为了弄清这是怎样工作的，看一下循环中所得到的成对的约数：2 和 72、3 和 48、4 和 36、6 和 24、8 和 18、9 和 16、12 和 12、16 和 9、18 和 8，如此等等。哦，在得到 12 和 12 这对数后，又开始得到与已找到的相同的约数（以相反的次序）。无须循环到 143，在达到 12 后就可以停止。这就节省了大量的循环周期！

归纳以后，可以确定必须测试的数只要到 num 的平方根就可以了，而不必到 num。对于像 9 这样的数，这并不会节省很多时间，但对于像 10 000 这样的数，差别就很大了。然而，我们不必在程序中计算平方根，而是像下面这样描述判断条件：

```
for (div = 2; (div * div) <= num; div++)
    if (num % div == 0)
        printf ("%d is divisible by %d and %d.\n",
                num, div, num / div);
```

如果 num 为 144，循环运行到 div=12 终止。如果 num 为 145，循环运行到 div=13 终止。

利用这种方法判断胜于利用平方根判断有两个原因。第一，整数乘法比求平方根更快；第二，平方根函数还没有正式介绍。

我们还需要提出两个问题，然后才能准备开始编程。第一，如果测试的数是一个完全平方数怎么办？报告 144 可被 12 和 12 整除显然有些愚蠢，但可以用嵌套 if 语句来判断 div 是否等于 num/div。如果是，程序将只打印一个约数而不是两个。

```
for (div = 2; (div * div) <= num; div++)
{
    if (num % div == 0)
    {
        if (div * div != num)
            printf ("%d is divisible by %d and %d.\n",
                num, div, num / div);
        else
            printf ("%d is divisible by %d.\n", num, div);
    }
}
```

花　括　号

从技术角度讲，if else 语句作为单个语句，所以不需要括上花括号。外部 if 也是单个语句，所以也不需要花括号。然而，当语句很长时，花括号使人更容易清楚发生了什么，并且当后来将其他语句加到 if 或循环中时它们提供了保护。

第二，怎样知道一个数是素数呢？如果 num 是素数，程序流程永远也进不了 if 语句中。为了解决这个问题，可以在循环外设置一个变量为某一值，比方说 1，在 if 语句中将这个变量重设为 0。那么，循环完成后，可以检查该变量是否仍然是 1。如果是，则从没进入过 if 语句，这个数是素数。这样的变量通常被称为标志（flag）。

传统上，C 习惯用 int 类型作为标志，但是新型的_Bool 型变量极佳地符合了这种需求。而且，通过包含 stdbool.h 头文件，可以用 bool 代替关键字_Bool 表示这种类型，并用标识符 true 和 false 代替 1 和 0。

程序清单 7.5 结合了所有这些想法。为了扩大范围，程序用类型 long 代替类型 int（如果系统不支持_Bool 类型，可以让 isPrime 使用 int 类型并用 1 和 0 代替 true 和 false）。

程序清单 7.5　divisors.c 程序

```
// divisors.c -- 使用嵌套 if 显示一个数的约数
#include <stdio.h>
#include <stdbool.h>
int main (void)
{
    unsigned long num;                 // 要检查的数
    unsigned long div;                 // 可能的约数
    bool isPrime;                      // 素数的标志

    printf ("Please enter an integer for analysis: ");
    printf ("Enter q to quit.\n");
    while (scanf ("%lu", &num) == 1)
    {
        for (div = 2,  isPrime= true; (div * div) <= num; div++)
        {
            if (num % div == 0)
            {
                if ((div * div) != num)
                    printf ("%lu is divisible by %lu and %lu.\n",
                        num, div, num / div);
                else
                    printf ("%lu is divisible by %lu.\n", num, div);
                isPrime= false; // 不是一个素数
            }
        }
        if (isPrime)
            printf ("%lu is prime.\n", num);
        printf ("Please enter another integer for analysis: ");
        printf ("Enter q to quit.\n");
    }
    printf( "Bye.\n" );
    return 0;
}
```

注意，该程序在 for 循环控制表达式中使用了逗号运算符，以针对每个新输入的数将 IsPrime 初始化为 true。下面是一个运行示例：

```
Please enter an integer for analysis: Enter q to quit.
36
36 is divisible by 2 and 18.
36 is divisible by 3 and 12.
36 is divisible by 4 and 9.
36 is divisible by 6.
Please enter another integer for analysis: Enter q to quit.
149
149 is prime.
Please enter another integer for analysis: Enter q to quit.
30077
30077 is divisible by 19 and 1583.
Please enter another integer for analysis: Enter q to quit.
q
```

这个程序将会把 1 判断为素数，而实际上，1 不是素数。下一部分将要介绍的逻辑运算符将使你能够把 1 排除在素数之外。

总结：使用 if 语句进行选择

关键字：

if，else

总体注解：

下列每种形式中，语句部分可以是一个简单语句或者是一个复合语句。一个真表达式意味着它具有非零值。

形式 1：

```
if (expression)
    statement
```

如果 expression 为真则执行 statement。

形式 2：

```
if (expression)
    statement1
else
    statement2
```

如果 expression 为真，则执行 statement1；否则执行 statement2。

形式 3：

```
if (expression1)
    statement1
else if (expression2)
    statement2
else
    statement3
```

如果 expression1 为真，则执行 statement1；如果 expression1 为假而 expression2 为真，则执行 statement2；否则，如果两个表达式都为假，执行 statement3。

例如：

```
if (legs == 4)
    printf ("It might be a horse.\n");
else if (legs > 4)
    printf ("It is not a horse.\n");
else   /* case of legs < 4 */
{
    legs++;
    printf ("Now it has one more leg.\n")
}
```

7.3 获得逻辑性

对于 if 和 while 语句通常怎样使用关系表达式作为判断条件您已经很清楚了。有时您会觉得将两个或多个关系表达式组合起来很有用处。例如，假设需要编写一个程序，用来计算在一个输入的句子中除单引号和双引号以外的字符出现了多少次。可以用逻辑运算符来实现该目的，可以用（英文的）句号（.）来标识一个句子的结束。程序清单 7.6 用一个简短的程序阐明了这种方法。

程序清单 7.6　chcount.c 程序

```
// chcount.c -- 使用逻辑与运算符
#include <stdio.h>
#define PERIOD '.'
int main (void)
{
    int ch;
    int charcount = 0;

    while ((ch = getchar ()) != PERIOD)
    {
        if (ch != '"' && ch != '\'')
            charcount++;
    }
    printf ("There are %d non-quote characters.\n", charcount);

    return 0;
}
```

下面是一个运行示例：

```
I didn't read the "I'm a Programming Fool" best seller.
There are 50 non-quote characters.
```

首先，程序读入一个字符并检查它是否是一个句号，因为句号标志着一个句子的结束。接下来的语句中，使用了逻辑与运算符&&，这是我们以前没有遇到的。可以将该 if 语句翻译为："如果字符不是双引号并且它不是单引号，那么 charcount 增加 1。"

要使整个表达式为真，则两个条件必须都为真。逻辑运算符的优先级低于关系运算符，所以不必使用圆括号组合子表达式。

C 有三个逻辑运算符，请参见表 7.3：

表 7.3　C 的逻辑运算符

运　算　符	含　义
&&	与
‖	或
!	非

假设 exp1 和 exp2 是两个简单的关系表达式，例如 cat>rat 且 debt==1000。那么可以声明如下：

- 仅当 exp1 和 exp2 都为真的时候，exp1 && exp2 才为真。
- 如果 exp1 或 exp2 为真或二者都为真，exp1 ‖ exp2 为真。
- 如果 exp1 为假，则!exp1 为真；并且如果 exp1 为真，则!exp1 为假。

下面是一些具体的例子：

- 5 > 2 && 4 > 7 为假，因为只有一个子表达式为真。
- 5 > 2 ‖ 4 > 7 为真，因为至少有一个子表达式为真。
- !（4 > 7）为真，因为 4 不大于 7。

顺便说说，最后一个表达式与下面的表达式等价：

```
4 <= 7
```

如果您对于逻辑运算符不熟悉或感到很别扭，请记住：

```
(练习&&时间) ==完美
```

7.3.1 改变拼写法：iso646.h 头文件

C 是在美国使用标准美式键盘的系统上发展而来。但在世界各地，并不是所有的键盘都有与美式键盘相同的符号。因此，C99 标准为逻辑运算符增加了可供选择的拼写法。它们在 iso646.h 头文件里定义。如果包含了这个头文件，就可以用 and 代替&&，用 or 代替||，用 not 代替!。例如，下列语句：

```
if (ch != '"' && ch != '\'')
    charcount++;
```

可以重写为以下方式：

```
if (ch != '"' and ch != '\'')
    charcount++;
```

表 7.4 列出了这些选择；很容易记住它们。事实上，您可能想知道为什么 C 不完全使用这些新术语。回答可能是 C 历史上一直设法保持尽量少的关键字。参考资料 7“扩展的字符支持”中列出了我们还没遇到过的一些运算符的更多可供选择的拼写法。

表 7.4　　逻辑运算符的可选表示法

传　统　的	iso646.h
&&	and
||	or
!	not

7.3.2 优先级

!运算符的优先级很高。它高于乘法运算，和增量运算符的优先级相同，仅次于圆括号。&&运算符的优先级高于||，这二者的优先级都低于关系运算符而高于赋值运算。因此，下列表达式：

```
a > b && b > c || b > d
```

将被认为是这样的：

```
((a > b) && (b > c)) || (b > d)
```

也就是说，b 界于 a 和 c 之间，或者 b 大于 d。

很多程序员都愿意使用圆括号，正如上面第二种写法那样，尽管这并不是必需的。这样的话，即使您不能完全记住逻辑运算符的优先级，表达式的含义仍然是很清楚的。

7.3.3 求值的顺序

除了那些两个运算符共享一个操作数的情况以外，C 通常不保证复杂表达式的哪个部分首先被求值。例如在下面的语句里，可能先计算表达式 5+3 的值，也可能先计算 9+6 的值。

```
apples = (5 + 3) * (9 + 6);
```

C 语言允许这种不确定性，以便编译器设计者可以针对特定的系统做出最有效率的选择。一个例外是对逻辑运算符的处理。C 保证逻辑表达式是从左至右求值的。&&和||运算符是序列的分界点，因此在程序从一个操作数前进到下一个操作数之前，所有的副作用都会生效。而且，C 保证一旦发现某个元素使表达式总体无效，求值将立刻停止。这些约定使像下面这样的结构成为可能：

```
while ((c = getchar ()) != ' ' && c != '\n')
```

这个结构建立一个循环读入字符，直到出现第一个空格符或换行符。第一个子表达式给 c 赋值，然后 c 的值被用在第二个子表达式中。如果没有顺序保障，计算机可能试图在 c 被赋值之前判断第二个子表达式。

下面是另外一个例子：

```
if (number != 0 && 12/number == 2)
    printf ("The number is 5 or 6.\n");
```

如果 number 值为 0，那么第一个子表达式为假，就不再对关系表达式求值。这就避免了计算机试图把 0 作为除数。很多语言都没有这个特性，在知道 number 为 0 后，它们仍将继续后面的条件检查。

最后，考虑这个例子：

```
while (x++ < 10 && x + y < 20)
```

&&运算符是序列分界点这一事实保证了在对右边表达式求值之前，先把 x 的值增加 1。

总结：逻辑运算符和表达式

逻辑运算符：

逻辑运算符通常使用关系表达式作为操作数。!运算符带一个操作数。其他两个逻辑运算符带有两个操作数：一个在左边，一个在右边。

运算符	意义
&&	与
||	或
!	非

逻辑表达式：

当且仅当两个表达式都为真时，expression1&&expression2 为真。如果其中一个为真或两个表达式都为真，expression1||expression2 为真。如果 expression 为假，则!expression 为真，反之亦然。

求值顺序：

逻辑表达式是从左到右求值的。一旦发现有使表达式为假的因素，立即停止求值。

例如：

```
6 > 2 && 3 == 3          为真
! (6 > 2 && 3 == 3)      为假
x != 0 && (20 / x) < 5   只有当 x 不为 0 时，才计算第二个表达式的值
```

7.3.4　范围

可以把&&运算符用于测试范围。例如，若要检查 90 到 100 范围内的得分，可以这样做：

```
if (range >= 90 && range <= 100)
    printf ("Good show!\n");
```

一定要注意避免效法像下面这样的数学上常用的写法：

```
if (90 <= range <= 100)  // 不! 不要这样写!
    printf ("Good show!\n");
```

问题在于该代码是个语义错误，而不是语法错误，所以编译器并不会捕获它（尽管可能会发出警告）。因为对<=运算符的求值顺序是由左到右的，所以会把该测试表达式解释为如下形式：

```
(90 <= range) <= 100
```

子表达式 90<=range 的值为 1（真）或 0（假）。任何一个值都小于 100，因此不管 range 的值是什么，整个表达式总为真，所以需要使用&&来检查范围。

大量现有代码利用范围测试来检测一个字符是不是（比方说）小写字母。例如，假设 ch 是个 char 变量：

```
if (ch >= 'a' && ch <= 'z')
    printf ("That's a lowercase character.\n");
```

这对于像 ASCII 那样的字符编码可以工作，因为在这种编码中连续字母的编码是相邻的数值。然而，对于包括 EBCDIC 在内的一些编码就不正确了。进行这种测试的移植性更好的方法是使用 ctype.h 系列（请参见表 7.1）中的 islower（）函数：

```
if (islower (ch))
    printf ("That's a lowercase character.\n");
```

不管使用哪种特定的字符编码，islower（）函数都能很好地运行（不过，一些早期的实现没有 ctype.h 系列的头文件）。

7.4 一个统计字数的程序

现在我们已经有工具来编写一个统计字数的程序了。统计字数的程序读取输入的字符并报告其中的单词个数。处理时也可以统计字符个数和行数。我们来看看这样一个程序包含哪些步骤。

首先，这个程序应该逐个读取字符，并且应该有些方法判断何时停止；第二，它应该能够识别并统计下列单位：字符、行和单词。下面是伪代码描述：

```
read a character
while there is more input
      increment character count
      if a line has been read, increment line count
      if a word has been read, increment word count
      read next character
```

前面已经有输入循环的模型了：

```
while ((ch = getchar ()) != STOP)
{
    ...
}
```

这里，STOP 代表通知输入结束的 ch 取值。前面的示例程序已经使用了换行符和句号来用于该目的，但对于一个通用的单词统计程序这两个都不合适。现在我们暂且选择一个在文本中不常见的字符（|）。在第 8 章“字符输入/输出和输入确认”中，我们将会介绍一个更好的解决方案，以使程序既能处理文本文件又能处理键盘输入。

现在来考虑一下循环体。因为程序使用 getchar（）来输入字符，所以可以在每个循环周期通过递增一个计数器的值来统计字符。为了统计行数，程序可以检查换行符。如果字符是换行符，程序就递增行数计数器的值。有个问题是如果 STOP 字符出现在一行的中间该怎么办。行数计数器应不应该增加呢？一种做法是将它作为一个不完整行统计，也就是说，该行有字符而没有换行符。可以通过追踪前一个字符来识别这种情况。如果 STOP 之前所读入的最后一个字符不是换行符，就计为一个不完整行。

最棘手的部分是识别单词。首先，必须明确定义一个单词意味着什么。让我们以一个相对简单的方法将一个单词定义为不包含空白字符（也就是说，没有空格、制表符或换行符）的一系列字符。因此，“glymxck”和“r2d2”是单词。一个单词以程序首次遇到非空白字符开始，在下一个空白字符出现时结束。检测非空白字符最简单明了的判断表达式是这样的：

```
c != ' ' && c != '\n' && c != '\t'  /* 当 c 不是空白字符时，该表达式为真 */
```

检测空白字符最简单明了的判断是：

```
c == ' ' || c == '\n' || c == '\t'  /* 当 c 是空白字符时，该表达式为真 */
```

但是，使用 ctype.h 中的 isspace（）函数会更简单。如果该函数的参数是空白字符，它就返回真。因此如果 c 是空白字符，isspace（c）为真；而如果 c 不是空白字符，!isspace（c）为真。

为了知道一个字符是不是在某单词里，可以在读入一个单词的首字符时把一个标志（命名为 inword）

设置为 1。也可以在此处递增单词计数。

然后，只要 inword 保持为 1（或真），后续的非空白字符就不标记为一个单词的开始。到出现下一个空白字符时，必须将此标志重置为 0（或假），并且程序准备搜索下一个单词。转换为伪代码是这样的：

```
if c is not whitespace and inword is false
   set inword to true and count the word
if c is whitespace and inword is true
   set inword to false
```

这种方法在每个单词开始时将 inword 设为 1（真），而在每个单词结束时将其设为 0（假）。仅在该标志从 0 变为 1 时对单词计数。如果在您的系统上可以使用_Bool 型变量，可以包含 stdbool.h 头文件并用 bool 作为 inword 的类型，取值分别为 true 和 false。否则，就使用 int 类型，取值为 0 和 1。

如果使用布尔型变量，通常的习惯是用变量自身的值作为判断条件。也就是说，用：

```
if (inword)
```

来代替：

```
if (inword == true)
```

并且用：

```
if (!inword)
```

来代替：

```
if (inword == false)
```

依据是，如果 inword 为 true，则表达式 inword = =true 结果为 true；而如果 inword 为 false，则该表达式也为 false。因此倒不如只用 inword 作为判断条件。与之类似，!inword 与表达式 inword==false 值相同（非真即 false，非假即 true）。

程序清单 7.7 将这些思想（识别行，识别不完整行以及识别单词）翻译为 C 代码。

程序清单 7.7　wordcnt.c 程序

```
// wordcnt.c -- 统计字符、单词和行
#include <stdio.h>
#include <ctype.h>          // 为 isspace () 提供函数原型
#include <stdbool.h>        // 为 bool、true 和 false 提供定义
#define STOP '|'
int main (void)
{
    char c;                 // 读入字符
    char prev;              // 前一个读入字符
    long n_chars = 0L;      // 字符数
    int n_lines = 0;        // 行数
    int n_words = 0;        // 单词数
    int p_lines = 0;        // 不完整的行数
    bool inword = false;    // 如果 c 在一个单词中，则 inword 等于 true

    printf ("Enter text to be analyzed (| to terminate): \n");
    prev = '\n';            // 用于识别完整的行
    while ((c = getchar ()) != STOP)
    {
        n_chars++;          // 统计字符
        if (c == '\n')
            n_lines++;     // 统计行
        if (!isspace (c) && !inword)
        {
            inword = true  // 开始一个新单词
            n_words++;     // 统计单词
```

```
        }
        if (isspace (c) && inword)
            inword = false; // 到达单词的尾部
        prev = c;          // 保存字符值
    }

    if (prev != '\n')
        p_lines = 1;
    printf ("characters = %ld, words = %d, lines = %d, ",
            n_chars, n_words, n_lines);
    printf ("partial lines = %d\n", p_lines);
    return 0;
}
```

下面是一个运行示例：

```
Enter text to be analyzed (| to terminate):
Reason is a
powerful servant but
an inadequate master.
|
characters = 55, words = 9, lines = 3, partial lines = 0
```

程序用逻辑运算符把伪代码翻译为C代码。例如：

```
if c is not whitespace and inword is false
```

被翻译为如下代码：

```
if (!isspace (c)  && !inword)
```

注意，!inword等价于inword= =false。整个判断条件当然比单独判断每个空白字符要更可读：

```
if (c != ' ' && c != '\n' && c != '\t' && !inword)
```

上面的任何一种形式都表示："如果c不是空白字符，并且如果c不处于一个单词里"。假如两个条件都满足，那么一定是新单词的开始，所以递增n_words。如果处于一个单词的中间，那么第一个条件是满足的，但是inword为true，所以n_words不递增。

当遇到下一个空白字符时，将inword再次设为false。检查一下代码，看看当两个单词之间有数个空格时，程序是否正确。第8章说明了怎样修改这个程序以统计一个文件中的单词。

7.5 条件运算符?:

C提供一种简写方式来表示if else语句的一种形式。这被称为条件表达式，并使用条件运算符（?:)。这是个有三个操作数的分两部分的运算符。回忆一下，有一个操作数的运算符称为一元运算符，有两个操作数的运算符称为二元运算符。按照该惯例，有三个操作数的运算符就称为三元运算符，条件运算符就是C的该类型的惟一的一个例子。下面是一个得到一个数的绝对值的例子：

```
x = (y < 0) ? -y: y;
```

在=和分号之间就是条件表达式。这个语句的意思是："如果y小于0，那么x=-y；否则，x=y"。以if else的说法，可以这样表达：

```
if (y < 0)
    x = -y;
else
    x = y;
```

下面是条件表达式的一般形式：

```
expression1 ? expression2: expression3
```

如果 expression1 为真（非零），整个条件表达式的值和 expression2 的值相同。如果 expression1 为假（零），整个条件表达式的值等于 expression3 的值。

当希望将两个可能的值中的一个赋给变量时，可以使用条件表达式。典型的例子是将两个值中的最大值赋给变量：

```
max = (a > b) ? a: b;
```

如果 a 大于 b，那么 max 等于 a，否则等于 b。

通常，if else 语句能完成与条件运算符同样的功能。但是，条件运算符语句更简洁；并且，依赖编译器，可以产生更精简的程序代码。

我们来看看程序清单 7.8 所示的一个喷漆程序的例子。这个程序计算向给定的平方英尺的面积涂油漆，全部涂完需要多少罐油漆。基本的数学法则很简单：用平方英尺数除以每罐漆能涂抹的平方英尺数。但是，假设结果是 1.7 罐会怎样呢?商店整罐卖漆，而不拆开卖，所以必须买两罐。因此，程序在得到非整数罐的结果时应该进 1。条件运算符常用于处理这种情况，而且在适当的时候也用来打印 can 或 cans。

程序清单 7.8　paint.c 程序

```
/* paint.c -- 使用条件运算符 */
#include <stdio.h>
#define COVERAGE 200   /* 每罐漆可喷的平方英尺数 */
int main (void)
{
    int sq_feet;
    int cans;

    printf ("Enter number of square feet to be painted: \n");
    while (scanf ("%d", &sq_feet) == 1)
    {
        cans = sq_feet / COVERAGE;
        cans += ((sq_feet % COVERAGE == 0)) ? 0: 1;
        printf ("You need %d %s of paint.\n", cans,
            cans == 1 ? "can": "cans");
        printf ("Enter next value (q to quit): \n");
    }
    return 0;
}
```

下面是一个运行示例：

```
Enter number of square feet to be painted:
200
You need 1 can of paint.
Enter next value (q to quit):
215
You need 2 cans of paint.
Enter next value (q to quit):
q
```

因为程序使用 int 类型，所以除法被截断了；也就是说，215/200 的结果是 1。因此，cans 被四舍五入为整数部分。如果 sq_feet%COVERAGE 等于 0，那么 sq_feet 被 COVERAGE 整除，cans 值不变，否则，有余数，所以加上 1。这由下列语句完成：

```
cans += ((sq_feet % COVERAGE == 0)) ? 0: 1;
```

它将 cans 加上+=右边表达式的值。右边的表达式是个条件表达式，值为 0 或 1，依赖于 sq_feet 是否被 COVERAGE 整除。

printf（）函数最终的参数也是一个条件表达式：

```
cans == 1 ? "can": "cans");
```

如果 cans 的值是 1，使用字符串 can，否则使用字符串 cans。这表明条件运算符也可以使用字符串作为它的第二和第三个操作数。

总结：条件运算符

条件运算符：

?:

总体注解：

这个运算符带有三个操作数，每个操作数都是一个表达式。它们如下排列：

```
expression1 ? expression2: expression3
```

如果 expression1 为真，整个表达式的值为 expression2。否则为 expression3 的值。

例如：

（5>3）?1：2 等于 1。

（3>5）?1：2 等于 2。

（a>b）?a：b 取 a 和 b 中较大的值。

7.6 循环辅助手段：continue 和 break

一般说来，进入循环体以后，在下次循环判断之前程序执行循环体中所有的语句。continue 和 break 语句使您可以根据循环体内进行的判断结果来忽略部分循环甚至终止它。

7.6.1 continue 语句

该语句可以用于三种循环形式。当运行到该语句时，它将导致剩余的迭代部分被忽略，开始下一次迭代。如果 continue 语句处于嵌套结构中，那么它仅仅影响包含它的最里层的结构。让我们在程序清单 7.9 的简短程序中来试验一下 continue。

程序清单 7.9 skippart.c 程序

```
/* skippart.c -- 使用 continue 跳过部分循环 */
#include <stdio.h>
int main (void)
{
    const float MIN = 0.0f;
    const float MAX = 100.0f;

    float score;
    float total = 0.0f;
    int n = 0;
    float min = MAX;
    float max = MIN;

    printf ("Enter the first score (q to quit): ");
    while (scanf ("%f", &score) == 1)
    {
      if (score < MIN || score > MAX)
      {
          printf ("%0.1f is an invalid value. Try again: ",
                  score);
          continue;
```

```
        }
        printf("Accepting %0.1f: \n", score);
        min = (score < min) ? score: min;
        max = (score > max) ? score: max;
        total += score;
        n++;
        printf("Enter next score (q to quit): ");
    }
    if (n > 0)
    {
        printf("Average of %d scores is %0.1f.\n", n, total / n);
        printf("Low = %0.1f, high = %0.1f\n", min, max);
    }
    else
        printf("No valid scores were entered.\n");
    return 0;
}
```

在程序清单 7.9 中，while 循环读取输入内容，直到输入非数字数据。循环里的 if 语句筛选出无效的分数值。比如，如果输入 188，那么程序就会说明：188 is an invalid value。然后，continue 语句导致程序跳过循环其余的用于处理有效输入的部分。程序开始下一个循环周期，试图读取下一个输入值。

注意，有两种方法可以避免使用 continue。一种是省去 continue，将循环的剩余部分放在一个 else 代码块中：

```
if (score < 0 || score > 100)
    /* printf () 语句 */
else
{
    /* 语句 */
}
```

或者用这种格式来代替：

```
if (score >= 0 && score <= 100)
{
    /* 语句 */
}
```

在这种情况中使用 continue 的一个好处是可以在主语句组中消除一级缩排。当语句很长或者已经有很深的嵌套时，简练可以增强可读性。

continue 的另一个用处是作为占位符。例如，下面的循环读取并丢弃输入，直到一行的末尾（包括行尾字符）：

```
while (getchar () != '\n')
;
```

当程序已经从一行中读取了一些输入并需要跳到下一行的开始时，使用上面的语句很方便。问题是孤立的分号难以被注意。如果使用 continue，代码就更具可读性，如下所示：

```
while (getchar () != '\n')
    continue;
```

如果它不是简化了代码，而是使代码更加复杂，就不要使用 continue。例如，考虑下面的代码段：

```
while ((ch = getchar ()) != '\n')
{
    if (ch == '\t')
        continue;
    putchar (ch);
}
```

该循环跳过制表符，并且仅当遇到换行符时退出。它可以更简洁地这样表示：

```
while ((ch = getchar ()) != '\n')
        if (ch != '\t')
            putchar (ch);
```

通常，在这种情况下，可以把 if 的判断取逆以消除对 continue 的需求。

您已经看到了 continue 语句导致循环体的剩余部分被跳过。那么在什么地方继续循环呢？对于 while 和 do while 循环，continue 语句之后发生的动作是求循环判断表达式的值。例如，考虑下列循环：

```
count = 0;
while (count < 10)
{
    ch = getchar ();
    if (ch == '\n')
        continue;
    putchar (ch);
    count++;
}
```

它读入 10 个字符（换行符除外，因为当 ch 为换行符时会跳过 count++；语句）并回显它们，其中不包括换行符。continue 语句被执行时，下一个被求值的表达式是循环判断条件。

对于 for 循环，下一个动作是先求更新表达式的值，然后再求循环判断表达式的值。例如，考虑下列循环：

```
for (count = 0; count < 10; count++)
{
    ch = getchar ();
    if (ch == '\n')
        continue;
    putchar (ch);
}
```

在本例中，当 continue 语句被执行时，首先递增 count，然后把 count 与 10 相比较。因此，这个循环的动作稍稍不同于 whlie 循环的例子。像前面那样，仅仅显示非换行符，但这时换行符也被包括在计数中，因此它读取包含换行符在内的 10 个字符。

7.6.2　break 语句

循环中的 break 语句导致程序终止包含它的循环，并进行程序的下一阶段。在程序清单 7.9 中，如果用 break 代替 continue，那么（比方说）在输入了 188 的时候，不是跳到下一个循环周期，而是导致循环退出。图 7.4 比较了 continue 和 break。如果 break 语句位于嵌套循环里，它只影响包含它的最里层的循环。

```
while ( (ch = getchar() ) !=EOF)
{
  blahblah(ch);
  if (ch == '\n')
     break;
  yakyak(ch);
}
blunder(n,m);
```

有时 break 被用于在出现其他原因时退出循环。程序清单 7.10 用一个循环来计算矩形的面积。如果用户输入一个非数字作为矩形的长度或宽度，那么循环终止。

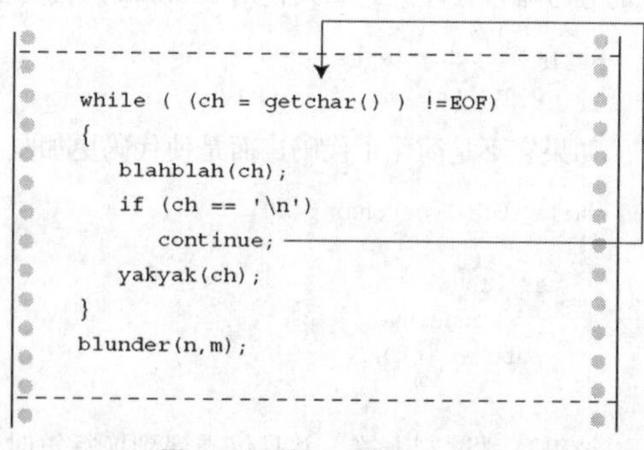

图 7.4　比较 break 和 continue

程序清单 7.10　break.c 程序

```
/* break.c -- 使用 break 退出循环 */
#include <stdio.h>
int main (void)
{
    float length, width;

    printf ("Enter the length of the rectangle: \n");
    while (scanf ("%f", &length) == 1)
    {
        printf ("Length = %0.2f: \n", length);
```

```
        printf ("Enter its width: \n");
        if (scanf ("%f", &width) != 1)
            break;
        printf ("Width = %0.2f: \n", width);
        printf ("Area = %0.2f: \n", length * width);
        printf ("Enter the length of the rectangle: \n");
    }
    printf ("Done.\n");
    return 0;
}
```

也可以这样控制循环：

```
while (scanf ("%f %f", &length, &width) == 2)
```

但是，使用 break 可以使单独回显每个输入值更方便。

和 continue 一样，当 break 使代码更复杂时不要使用它。例如，考虑下列循环：

```
while ((ch = getchar ()) != '\n')
{
    if (ch == '\t')
            break;
    putchar (ch);
}
```

如果两个判断都在同一个位置，逻辑就更清晰了：

```
while ((ch = getchar ()) != '\n' && ch != '\t')
        putchar (ch);
```

break 语句实质上是 switch 语句的附属物，这在后面讨论。

break 语句使程序直接转到紧接着该循环后的第一条语句去执行；在 for 循环中，与 continue 不同，控制段的更新部分也将被跳过。嵌套循环中的 break 语句只是使程序跳出里层的循环，要跳出外层的循环则还需要另外一个 break 语句。

```
int p, q;
scanf("%d", &p);
while ( p > 0)
{
   printf("%d\n", p);
   scanf("%d", &q);
   while( q > 0)
   {
      printf("%d\n",p*q);
      if (q > 100)
         break;  // 跳出里层循环
      scanf("%d", &q);
   }
   if (q > 100)
      break;   //   跳出外层循环
   scanf("%d", &p);
}
```

7.7　多重选择：switch 和 break

使用条件运算符和 if else 结构可以很容易地编写从两个选择中进行选择的程序。然而，有时程序需要从多个选择中选择一个。可以利用 if else if...else 来这样做，但多数情况下，使用 C 的 switch 语句更加方便。程序清单 7.11 举例说明了 switch 语句是怎样工作的。该程序读入一个字符，然后相应地输出以该字符开头的动物名称。

程序清单 7.11 animals.c 程序

```
/* animals.c - 使用switch语句 */
#include <stdio.h>
#include <ctype.h>
int main (void)
{
    char ch;
    printf ("Give me a letter of the alphabet, and I will give ");
    printf ("an animal name\nbeginning with that letter.\n");
    printf ("Please type in a letter; type # to end my act.\n");
    while ((ch = getchar ()) != '#')
    {
        if ('\n' == ch)
            continue;
        if (islower (ch)) /* 只识别小写字母 */
            switch (ch)
            {
                case 'a':
                      printf ("argali, a wild sheep of Asia\n");
                      break;
                case 'b':
                      printf ("babirusa, a wild pig of Malay\n");
                      break;
                case 'c':
                      printf ("coati, racoonlike mammal\n");
                      break;
                case 'd':
                      printf ("desman, aquatic, molelike critter\n");
                     break;
                case 'e':
                      printf ("echidna, the spiny anteater\n");
                      break;
                case 'f':
                      printf ("fisher, brownish marten\n");
                      break;
                default:
                        printf ("That's a stumper!\n");
            }                         /* switch语句结束 */
        else
            printf ("I recognize only lowercase letters.\n");
        while (getchar () != '\n')
            continue;                 /* 跳过输入行的剩余部分 */
        printf ("Please type another letter or a #.\n");
    }                                 /* while循环结束*/
    printf ("Bye!\n");
    return 0;
}
```

我们很懒散地只到 f 就停止了，但是后面可以依此类推。在进一步解释该程序之前，让我们看看一个运行示例：

```
Give me a letter of the alphabet, and I will give an animal name
beginning with that letter.
Please type in a letter; type # to end my act.
a [enter]
argali, a wild sheep of Asia
Please type another letter or a #.
dab [enter]
desman, aquatic, molelike critter
Please type another letter or a #.
```

```
r [enter]
That's a stumper!
Please type another letter or a #.
Q [enter]
I recognize only lowercase letters.
Please type another letter or a #.
# [enter]
Bye!
```

本程序的两个主要特点是switch语句的使用和输入的处理。首先看看switch语句怎样工作。

7.7.1 使用switch语句

紧跟在单词switch后的圆括号里的表达式被求值。在这里，它就是刚刚输入给ch的值。然后程序扫描标签（label）列表（case 'a':，case 'b':，如此等等），直到搜索到一个与该值相匹配的标签。然后程序跳到那一行。要是没有相匹配的标签怎么办？如果有被标记为default：的标签行，程序就跳到该行；否则，程序继续处理跟在switch语句之后的语句。

break语句有什么作用呢？它导致程序脱离switch语句，跳到switch之后的下一条语句（请参见图7.5）。如果没有break语句，从相匹配的标签到switch末尾的每一条语句都将被处理。例如，如果把程序里面的break去掉，然后输入字母d来运行程序，会得到如下交互式结果：

```
Give me a letter of the alphabet, and I will give an animal name
beginning with that letter.
Please type in a letter; type # to end my act.
d [enter]
desman, aquatic, molelike critter
echidna, the spiny anteater
fisher, a brownish marten
That's a stumper!
Please type another letter or a #.
# [enter]
Bye!
```

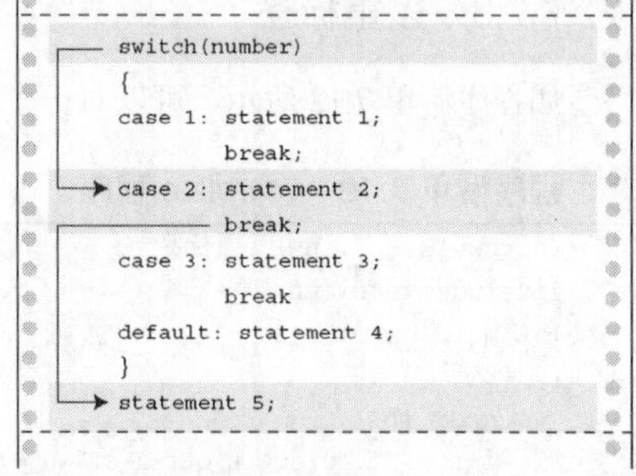

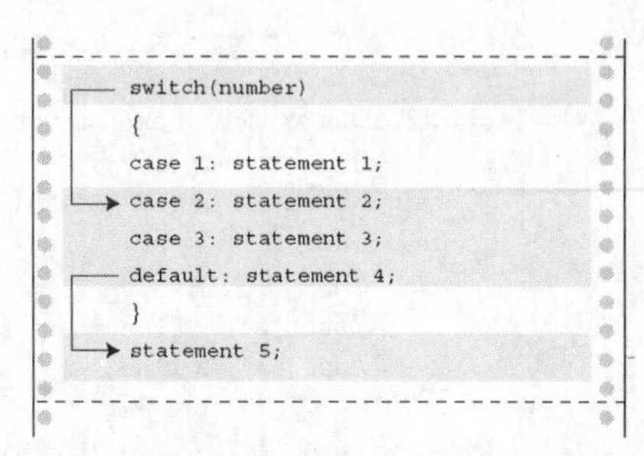

图7.5 switch语句中有和没有break时的程序流程

从case 'd'：到switch结尾的所有语句都被执行了。

顺便提一下，break语句用于循环和switch中，而continue仅用于循环。但是，如果switch语句位于一个循环中，则可以把continue用于switch语句的一部分。在这种情况下，就像在其他的循环中一样，continue导致程序跳过该循环的其余部分，其中包括switch的其余部分。

如果您熟悉Pascal，就会发觉switch语句和Pascal的case语句很相似。最大的差别在于，如果仅希望处理某个带有标签的语句，switch语句要求使用break。另外，不能在C的case中使用一个范围。

圆括号中的switch判断表达式应该具有整数值（包括char类型）。case标签必须是整型（包括char）常量或者整数常量表达式（仅包含整数常量的表达式）。不能用变量作为case标签。因而，switch结构是这样的：

```
switch (integer expression)
    {
    case constant1:
            statements  ←可选
    case constant2:
            statements  ←可选
    default:            ←可选
        statements      ←可选
    }
```

7.7.2 只读取一行的首字符

animals.c 的另一个特点是它读取输入的方法。在运行示例中您可能已经注意到，当输入 dab 时，仅仅处理了第一个字符。这种特性在期望响应单字符的交互式程序中通常很合适。产生这种动作的是下面的代码：

```
while (getchar () != '\n')
    continue;    /* 跳过输入行的剩余部分 */
```

这个循环从输入读取字符，直到出现由回车键产生的换行字符。注意，函数返回值没有被赋给 ch，因此，字符仅被读取并丢弃。因为最后一个被丢弃的字符是换行符，所以下个读入的字符是下一行的首字符。在外层 while 循环中，由 getchar（）读取它并将其值赋给 ch。

假设用户开始时按下了回车键，以致遇到的第一个字符是换行符。下面的代码处理这种可能：

```
if (ch == '\n')
    continue;
```

7.7.3 多重标签

如程序清单 7.12 所示，可以对一个给定的语句使用多重 case 标签：

程序清单 7.12 vowels.c 程序

```
/* vowels.c -- 使用多重标签 */
#include <stdio.h>
int main (void)
{
    char ch;
    int a_ct, e_ct, i_ct, o_ct, u_ct;

    a_ct = e_ct = i_ct = o_ct = u_ct = 0;

    printf ("Enter some text; enter # to quit.\n");
    while ((ch = getchar ()) != '#')
    {
        switch (ch)
        {
            case 'a':
            case 'A': a_ct++;
                      break;
            case 'e':
            case 'E': e_ct++;
                      break;
            case 'i':
            case 'I': i_ct++;
                      break;
           case 'o' :
           case 'O' : o_ct++;
                      break;
           case 'u' :
            case 'U': u_ct++;
                      break;
            default : break;
        }                         /* switch 语句结束 */
    }                             /* while 循环结束  */
    printf ("number of vowels: A E I O U\n");
    printf ("                 %4d %4d %4d %4d %4d\n",
            a_ct, e_ct, i_ct, o_ct, u_ct);
    return 0;
}
```

假定 ch 是字母 i，则 switch 语句定位到标签为 case 'i'：的位置。因为没有 break 同该标签相关联，所以程序流程继续前进到下一个语句，即 i_ct++；。如果 ch 是 I，程序流程就直接定位到那条语句。本质上，两个标签都指向相同的语句。

严格地讲，case 'U'的break语句并不需要，因为即便没有这个break，程序还是会进行swith结构的下一个语句，也就是default情况下的break语句。因此，case 'U的break语句可以去掉以缩短代码。另一方面，如果后面还需要再添加其他的情况（例如，你可能需要把y计为元音），那么现在保留这个break可以防止你到时候忘了添加。

下面是一个运行示例：

```
Enter some text; enter # to quit.
I see under the overseer.#
number of vowels: A  E  I  O  U
                  0  7  1  1  1
```

在这个特例中，可以通过使用 ctype.h 系列（表 7.2）中的 toupper（）函数在进行判断之前将所有的字母转换为大写字母来避免多重标签。

```
while ((ch = getchar ()) != '#')
{
     ch = toupper (ch);
     switch (ch)
     {
      case 'A':  a_ct++;
                 break;
      case 'E':  e_ct++;
                 break;
      case 'I':  i_ct++;
                 break;
      case 'O':  o_ct++;
                 break;
      case 'U':  u_ct++;
                 break;
      default :  break;
     }               /* switch 语句结束 */
}                    /* while 循环结束  */
```

或者，如果希望保留 ch 的值不变化，可以这样使用该函数：

```
switch (toupper (ch))
```

总结：使用 switch 进行多重选择

关键字：

```
switch
```

总体注解：

程序控制按照 expression 的值跳转到相应的 case 标签处。然后程序流程继续通过所有剩余的语句，直到再次由 break 语句重定向。expression 和 case 标签必须都是整型值（包括类型 char），并且标签必须是常量或者完全由常量组成的表达式。如果没有与表达式值相匹配的 case 标签，那么控制定位到标签为 default 的语句，如果它存在的话。否则，控制传递给紧跟着 switch 语句的下一条语句。

格式：

```
switch (expression)
{
    case label1: statement1  /* 使用 break 跳至结尾处
```

```
    case label2: statement2
    default: statement3
}
```

可以存在两个以上的标签语句，并且 default 语句是可选的。

例如：

```
switch (choice)
    {
    case 1:
    case 2:  printf ("Darn tootin'!\n"); break;
    case 3:  printf ("Quite right!\n");
    case 4:  printf ("Good show!\n"); break;
    default: printf ("Have a nice day.\n");
    }
```

如果 choice 为整型值 1 或 2，则打印第一条消息。如果它的值为 3，则打印第二条和第三条消息（因为在 case 3 后没有 break 语句，所以流程继续到随后的语句）。如果它的值为 4，则打印第三条消息。对于其他值，仅打印最后一条消息。

7.7.4 switch 和 if else

什么时候该使用 swtich，而什么时候又该使用 if else 结构呢？通常是没有选择的。如果选择是基于求一个浮点型变量或表达式的值，就不能使用 switch。如果变量必须落入某个范围，也不能很方便地使用 switch。这样写是很简单的：

```
if (integer < 1000 && integer > 2)
```

很不幸，用一个 switch 语句覆盖该范围将涉及为从 3 到 999 的每个整数建立 case 标签。然而，如果可以使用 switch，程序通常运行得稍快点，而且占据较少的代码。

7.8 goto 语句

早期版本 BASIC 和 FORTRAN 所依赖的 goto 语句在 C 语言中是有效的。然而，不同于那两种语言，C 没有它也可以工作得相当好。Kernighan 和 Ritchie 认为 goto 语句“非常容易被滥用”，并且建议“要谨慎使用，或者根本不用”。我们首先介绍怎样使用 goto，然后说明为什么通常不需要使用它。

goto 语句包括两个部分：goto 和一个标签名称。标签的命名遵循与命名变量相同的约定，如下例所示：

```
goto part2;
```

为使上述语句工作，函数必须包含由 part2 标签定位的其他语句。这可以通过以标签名紧跟一个冒号来开始一条语句完成：

```
part2: printf ("Refined analysis: \n");
```

避免 goto

原则上，C 程序根本不需要使用 goto 语句。但是如果您有使用早期版本 FORTRAN 或 BASIC——这两种语言都需使用 goto 的背景，可能会有依赖于使用 goto 的开发设计习惯。为帮您克服这种依赖性，我们将略述一些常见的 goto 情形，然后展示一个 C 习惯的方式。

1. 处理需要多条语句的 if 情形：

```
if (size > 12)
    goto a;
goto b;
```

```
a: cost = cost * 1.05;
    flag = 2;
b: bill = cost * flag;
```

在旧式风格的 BASIC 和 FORTRAN 中，只有直接跟在 if 条件后的单条语句隶属于该 if。没有代码块或复合语句的规定。我们已经将这种模式转换为与 C 等价的模式。使用复合语句或代码块的标准 C 方法更易于使用：

```
if (size > 12)
{
    cost = cost * 1.05;
    flag = 2;
}
bill = cost * flag;
```

2．二中选一：

```
if (ibex > 14)
    goto a;
sheds = 2;
goto b;
a: sheds= 3;
b: help = 2 * sheds;
```

C 语言可以使用 if else 结构更清晰地表示这种选择：

```
if (ibex > 14)
    sheds = 3;
else
    sheds = 2;
help = 2 * sheds;
```

实际上，新版本的 BASIC 和 FORTRAN 已经将 else 加入到新的语法中。

3．建立不确定循环：

```
readin: scanf ("%d", &score);
if (score < 0)
    goto stage2;
lots of statements;
goto readin;
stage2: more stuff;
```

用 while 循环代替：

```
scanf ("%d", &score);
while (score <= 0)
{
    lots of statements;
    scanf ("%d", &score);
}
more stuff;
```

4．跳到循环末尾并开始下一轮循环：用 continue 代替。

5．跳出循环：用 break 代替。实际上，break 和 continue 是 goto 的特殊形式。使用它们的好处是它们的名字表明它们意味着什么；并且，因为它们不使用标签，所以不存在放错标签位置的潜在危险。

6．胡乱地跳转到程序的不同部分：千万不要！

但有一种 goto 的使用被许多 C 专业人员所容忍：在出现故障时从一组嵌套的循环中跳出（单条 break 仅仅跳出最里层的循环）。

```
while (funct > 0)
    {
    for (i = 1, i <= 100; i++)
        {
```

```
            for (j = 1; j <= 50; j++)
                {
                statements galore;
                if (bit trouble)
                    goto help;
                statements;
                }
            more statements;
            }
        yet more statements;
        }
    and more statements;
    help: bail out;
```

正如从其他的例子可以看到的，可供选择的形式比 goto 形式更清晰。当这几种情形混合在一起时，这种差异甚至变得更明显。哪些 goto 协助 if，哪些 goto 模拟 if else，哪些 goto 控制循环，哪些只是因为您的程序已经无路可走才放在那里的？过度地使用 goto，会引起程序流程的错综复杂。如果不熟悉 goto，不要使用它；如果已经习惯于使用它，试着训练自己不使用。具有讽刺意味的是，C 不需要 goto，却有一个比大多数语言更好的 goto，因为它允许您在标签中使用描述性的单词而不是数字。

总结：程序跳转

关键字：

break，continue，goto

总体注解：

下面三条指令导致程序流程从程序的一个位置跳转到另一个位置。

break 命令：

break 命令可以与三种循环形式中的任何一种以及 switch 语句一起使用。它导致程序控制跳过包含它的循环或 switch 语句的剩余部分，继续执行紧跟在循环或 switch 后的下一条命令。

例如：

```
switch (number)
{
    case 4: printf ("That's a good choice.\n");
            break;
    case 5: printf ("That's a fair choice.\n");
            break;
    default: printf ("That's a poor choice.\n");
}
```

continue 命令：

continue 命令可以与三种循环形式中的任何一种一起使用，但不能和 switch 语句一起使用。它导致程序控制跳过循环中的剩余语句。对于 while 或 for 循环，开始下一个循环周期。对于 do while 循环，对退出条件进行判断，如果必要，开始下一个循环周期。

例如：

```
while ((ch = getchar ()) != '\n')
{
    if (ch == ' ')
        continue;
    putchar (ch);
    chcount++;
}
```

这段代码回显并统计非空格字符。

goto 命令：

goto语句导致程序控制跳转到由指定标签定位的语句。冒号用来将被标记的语句同它的标签相分隔。标签名遵循变量的命名规则。被标记的语句可以出现在goto之前或之后。

格式：

```
goto label;
      .
      .
      .
label: statement
```

例如：

```
top: ch = getchar ();
      .
      .
      .
if (ch != 'y')
       goto top;
```

7.9 关键概念

智能的一个体现方面是根据环境调节反应的能力。所以，选择语句是开发具有智能行为程序的基础。在C中，if、if else和switch语句，连同条件运算符（?:）一起实现了选择。

if和if else语句使用一个判断条件来决定执行哪条语句。任何非零值被视为true，零值被视为false。典型地，判断包括关系表达式（它比较两个值）以及逻辑表达式（它使用逻辑运算符组合或更改其他表达式）。

需要牢记的一条通用规则是，如果想要判断两个条件，应该使用逻辑运算符将两个完整的判断表达式连接起来。例如，以下两个尝试是错误的：

```
if (a < x < z)                  // 错误。没有逻辑运算符
...
if (ch != 'q' && != 'Q')        // 错误。缺少完整的判断
...
```

记住，正确的方法是用逻辑运算符将两个关系表达式连接起来：

```
if (a < x && x < z)             // 使用&&组合两个表达式
...
if (ch != 'q' && ch != 'Q')     // 使用&&组合两个表达式
```

最近两章所介绍的控制语句使您能够处理比在这之前所处理的更加强大和更具挑战性的程序。只要将这些章节的一些例子与前些章节的相比较，您就可以看出这一点。

7.10 总结

本章给出了相当多的要回顾的主题，那么让我们来看看。if语句利用判断条件来控制程序是否执行紧跟在判断条件后的一个简单语句或代码块。如果判断表达式为非零值，执行语句；如果为零值，则不执行语句。if else语句使您能够从两个选项中进行选择。如果判断条件为非零值，就执行else之前的语句。如果判断表达式的结果为零值，执行紧跟在else之后的语句。通过紧跟在else语句之后使用另一个if语句，可以建立在一系列可供选择的事物中进行选择的结构。

判断条件通常是一个关系表达式，也就是用一个关系运算符构成的表达式，例如< 或者= =。利用C

的逻辑运算符，可以组合多个关系表达式以创建更复杂的判断。

使用条件运算符（?:）可以产生一个表达式，这样的表达式在多数情况下比 if else 语句提供更为简洁的二中选一。

ctype.h 系列字符函数（例如 isspace（）和 isalpha（））为创建基于分类字符的判断表达式提供了便利的工具。

switch 语句使您能够从一系列以整数值作为标签的语句中进行选择。如果紧跟在 switch 关键字后的判断条件的整数值与某标签相匹配，执行就定位到由该标签定位的语句。然后执行继续完成紧跟在该标签语句后的语句，直到遇到一个 break 语句。

break、continue 和 goto 是跳转语句，导致程序流程跳转到程序的其他位置。break 语句导致程序跳转到紧跟在包含它的循环或 switch 末尾的下一条语句。continue 语句导致程序跳过包含它的循环的剩余部分，开始下一循环周期。

7.11　复习题

在附录 A“复习题答案”中可以找到这些题目的答案。

1．确定哪个表达式为 true，哪个为 false。

```
a. 100 > 3 && 'a'>'c'
b. 100 > 3 || 'a'>'c'
c. ! (100>3)
```

2．构造一个表达式来表示下列条件：

a．number 等于或大于 90，但是小于 100

b．ch 不是字符 q 也不是字符 k

c．number 界于 1 到 9 之间（包括 1 和 9），但是不等于 5

d．number 不在 1 到 9 之间

3．下面程序中的关系表达式过于复杂，并有些错误，请简化并改正它。

```
#include <stdio.h>
int main (void)                                         /* 1  */
{                                                       /* 2  */
    int weight, height; /* weight 以磅为单位, height 以英寸为单位  */
                                                        /* 4  */
    scanf ("%d, weight, height);                        /* 5  */
    if (weight < 100 && height>64 )                     /* 6  */
        if (height >= 72)                               /* 7  */
            printf ("You are very tall for your weight.\n");
    else if (height < 72 && > 64)                       /* 9  */
            printf ("You are tall for your weight.\n"); /* 10 */
    else if (weight > 300 && ! (weight <= 300))         /* 11 */
           &&height<48)                                 /* 12 */
        if (! (height >= 48)                            /* 13 */
            printf (" You are quite short for your weight.\n");
    else                                                /* 15 */
        printf ("Your weight is ideal.\n");             /* 16 */
                                                        /* 17 */
    return 0;
}
```

4．下列每个表达式的数值是多少？

```
a. 5 > 2
b. 3 + 4 > 2 && 3 < 2
c. x >= y || y > x
```

```
d. d = 5 + (6 > 2)
e. 'X' > 'T' ? 10: 5
f. x > y ? y > x: x > y
```

5. 下列程序将打印出什么？

```
#include <stdio.h>
int main (void)
{
    int num;
    for (num = 1; num <= 11; num++)
    {
        if (num % 3 == 0)
            putchar ('$');
        else
            putchar ('*');
            putchar ('#');
        putchar ('%');
    }
    putchar ('\n');
    return 0;
}
```

6. 下列程序将打印出什么？

```
#include <stdio.h>
int main (void)
{
    int i = 0;
    while (i < 3) {
     switch (i++) {
            case 0: printf ("fat");
            case 1: printf ("hat");
            case 2: printf ("cat");
            default: printf ("Oh no! ");
        }
        putchar ('\n');
     }
     return 0;
}
```

7. 下列程序有什么错误？

```
#include <stdio.h>
int main (void)
{
    char ch;
    int lc = 0;          /* 统计小写字符
    int uc = 0;          /* 统计大写字符
    int oc = 0;          /* 统计其他字符

    while ((ch = getchar ()) != '#')
    {
        if ('a' <= ch >= 'z')
            lc++;
        else if (! (ch < 'A') || ! (ch > 'Z')
            uc++;
        oc++;
    }
    printf (%d lowercase, %d uppercase, %d other, lc, uc, oc);
    return 0;
}
```

8．下列程序将打印出什么？

```
/* retire.c */
#include <stdio.h>
int main (void)
{
    int age = 20;

    while (age++ <= 65)
    {
        if ((age % 20) == 0)        /* age能被20整除吗？ */
          printf ("You are %d. Here is a raise.\n", age);
        if (age = 65)
          printf ("You are %d. Here is your gold watch.\n", age);
    }
    return 0;
}
```

9．当给定下述输入时，下列程序将打印出什么？

```
q
c
g
b
#include <stdio.h>
int main (void)
{
    char ch;

    while ((ch = getchar ()) != '#')
    {
        if (ch == '\n')
            continue;
        printf ("Step 1\n");
        if (ch == 'c')
            continue;
        else if (ch == 'b')
            break;
        else if (ch == 'g')
            goto laststep;
        printf ("Step 2\n");
    laststep: printf ("Step 3\n");
    }
    printf ("Done\n");
    return 0;
}
```

10．重写题目9的程序，以使它表现相同的行为但不使用continue或goto。

7.12 编程练习

1．编写一个程序。该程序读取输入直到遇到#字符，然后报告读取的空格数目、读取的换行符数目以及读取的所有其他字符数目。

2．编写一个程序。该程序读取输入直到遇到#字符。使程序打印每个输入的字符以及它的十进制ASCII码。每行打印8个字符/编码对。建议：利用字符计数和模运算符（%）在每8个循环周期时打印一个换行符。

3．编写一个程序。该程序读取整数，直到输入0。输入终止后，程序应该报告输入的偶数（不包括0）总个数、偶数的平均值，输入的奇数总个数以及奇数的平均值。

4．利用 if else 语句编写程序读取输入，直到#。用一个感叹号代替每个句号，将原有的每个感叹号用两个感叹号代替，最后报告进行了多少次替代。

5．用 switch 重做练习 3。

6．编写一个程序读取输入，直到#，并报告序列 ei 出现的次数。

说　明

此程序必须要记住前一个字符和当前的字符。用诸如“Receive your eieio award.”的输入测试它。

7．编写程序，要求输入一周中的工作小时数，然后打印工资总额、税金以及净工资。作如下假设：

a．基本工资等级=10.00 美元/小时

b．加班（超过 40 小时）= 1.5 倍的时间

c．税率　　前 300 美元为 15%
　　　　　下一个 150 美元为 20%
　　　　　余下的为 25%

用#define 定义常量，不必关心本例是否符合当前的税法。

8．修改练习 7 中的假设 a，使程序提供一个选择工资等级的菜单。用 switch 选择工资等级。程序运行的开头应该像这样：

```
*****************************************************************
Enter the number corresponding to the desired pay rate or action:
1) $8.75/hr                          2) $9.33/hr
3) $10.00/hr                         4) $11.20/hr
5) quit
*****************************************************************
```

如果选择 1 到 4，那么程序应该请求输入工作小时数。程序应该一直循环运行，直到输入 5。如果输入 1 到 5 以外的选项，那么程序应该提醒用户合适的选项是哪些，然后再循环。用#define 为各种工资等级和税率定义常量。

9．编写一个程序，接受一个整数输入，然后显示所有小于或等于该数的素数。

10．1988 年 United States Federal Tax Schedule 是近期最基本的。它分为 4 类，每类有两个等级。下面是其摘要；美元数为应征税的收入。

种　类	税　金
单身	前 17，850 美元按 15%，超出部分按 28%
户主	前 23，900 美元按 15%，超出部分按 28%
已婚，共有	前 29，750 美元按 15%，超出部分按 28%
已婚，离异	前 14，875 美元按 15%，超出部分按 28%

例如，有 20 000 美元应征税收入的单身雇佣劳动者应缴税金 0.15×17 850 美元+0.28×（20 000 美元–17 850 美元）。编写一个程序，让用户指定税金种类和应征税收入，然后计算税金。使用循环以便用户可以多次输入。

11．ABC Mail Order Grocery 朝鲜蓟的售价是 1.25 美元/磅，甜菜的售价是 0.65 美元/磅，胡萝卜的售价是 0.89 美元/磅。在添加运输费用之前，他们为 100 美元的订单提供 5%的打折优惠。对 5 磅或以下的定单收取 3.50 美元的运输和装卸费用；超过 5 磅而不足 20 磅的定单收取 10.00 美元的运输和装卸费用；20 磅或以上的运输，在 8 美元基础上每磅加收 0.1 美元。编写程序，在循环中使用 switch 语句，以便对输入 a 的响应是让用户输入所需的朝鲜蓟磅数，b 为甜菜的磅数，c 为胡萝卜的磅数，而 q 允许用户退出订购过程。然后程序计算总费用、折扣和运输费用（如果有运输费的话），以及总数。随后程序应该显示所有的购买信息：每磅的费用、订购的磅数、该订单每种蔬菜的费用、订单的总费用、折扣，如果有的话加上运输费用，以及所有费用的总数。

第 8 章 字符输入/输出和输入确认

在本章中您将学习下列内容：

- 有关输入、输出以及缓冲和非缓冲输入之间的区别的更多内容。
- 从键盘模拟文件结尾条件的方法。
- 如何重定向将您的程序与文件相连接。
- 使用户界面更加友好。

在计算机世界中，我们在很多场合下都使用词语输入（input）和输出（output）。例如，在讲输入和输出设备（如键盘、磁盘驱动器和激光打印机等）时，在指用于输入和输出的数据时，以及在指执行输入和输出任务的函数时。本章集中讨论用于输入和输出（简称为 I/O）的函数。

I/O 函数将信息传输至您的程序并从您的程序中传出信息；printf（）、scanf（）、getchar（）和 putchar（）就是这样的例子。您已经在前面的章节中见过这些函数，现在您将了解到它们的基础概念。同时，您还将看到改进程序用户界面的方法。

最初，输入/输出函数并不是 C 定义的一部分。输入输出的开发是留给 C 实现来完成的。在实践中，C 的 Unix 实现已经作为这些函数的一个模型。认可过去惯例的 ANSI C 库中包含大量这些 Unix 的 I/O 函数，其中包括我们已经使用过的那些。因为这样的标准函数必须在很多种类的计算机环境中工作，所以这些函数很少利用某个特定系统的特殊性能。因此，许多 C 供应商提供其他 I/O 函数，这些函数利用了一些特殊的性能，例如 Intel 微处理器的 I/O 端口或 Macintosh 的 ROM 例程。还有一些 C 供应商提供的函数或函数系列涉及到具体的操作系统，这些操作系统支持特定的图形界面（例如由 Windows 或 Macintosh OS 提供的图形界面）之类的特性。这些专门的、非标准的函数使您能够书写出更有效使用特定计算机的程序。不幸的是，这些函数通常不能在其他计算机系统上使用。因此，我们将集中讨论所有系统上都可用的标准 I/O 函数，因为这些函数可使您编写可移植的程序，这些程序易于从一个系统移植至另一个系统。这些函数还对使用文件进行输入和输出的程序普遍适用。

许多程序面临的一个重要任务是确认输入；也就是说，确定用户的输入是否与程序所希望的输入相匹配。本章阐明了与输入确认相关的一些问题及其解决方案。

8.1 单字符 I/O：getchar（ ）和 putchar（ ）

正如您在第 7 章“C 控制语句：分支和跳转”中所见到的，getchar（）和 putchar（）每次输入和输出一个字符。您可能觉得这种方法是一种很笨的处理问题的方法。当然了，您可以很容易地读取多于单个字符的一组数据，但是该方法确实适合计算机的能力。而且，此方法是大多数处理文本（即普通单词）的程序的核心。要回想起这些函数的工作方式，请阅读程序清单 8.1，这是一个非常简单的例子。该例子要完成的一切就是获取从键盘输入的字符并将其发送至屏幕。该过程称为输入回显（echoing the input）。它使用了一个 while 循环，该循环在遇到#字符时终止。

程序清单 8.1 echo.c 程序

```
/* echo.c -- 重复输入 */
```

```
#include <stdio.h>
int main(void)
{
    char ch;

    while ((ch = getchar()) != '#')
        putchar(ch);
    return 0;
}
```

ANSI C 将 stdio.h 头文件与使用 getchar（）和 putchar（）相关联，这就是我们在程序中将该文件包含在内的原因（典型地，getchar（）和 putchar（）不是真正的函数，而是定义为预处理器宏，这一主题我们将在第 16 章“C 预处理器和 C 库”中进行讨论）。运行此程序将产生如下所示的交互式结果：

```
Hello, there. I would[enter]
Hello, there. I would
like a #3 bag of potatoes.[enter]
like a
```

看过此程序运行后，您可能想知道在回显输入之前为什么必须键入完整的一行。您可能还想知道是否存在更好的方法来终止输入。使用一个特定字符（例如#）终止输入会使您不能在文本中使用该字符。要解答这些问题，让我们来学习 C 程序对键盘输入的处理方式。特别地，我们来研究缓冲和标准输入文件的概念。

8.2　缓冲区

当您在一些系统上运行前面的程序时，您所输入的文本立即回显。也就是说，一个可能的运行示例如下所示：

```
HHeellllloo,, tthheerree.. II wwoouulldd[enter]
lliikkee aa #
```

前面描述的行为是例外的情况。在大多数系统上，在您按下回车键之前什么都不会发生，正如在第一个例子中所示。输入字符的立即回显是非缓冲（unbuffered）或直接（direct）输入的一个实例，它表示您所键入的字符对正在等待的程序立即变为可用。相反，延迟回显是缓冲（buffered）输入的实例，这种情况下您所键入的字符被收集并存储在一个被称为缓冲区（buffer）的临时存储区域中。按下回车键可使您所键入的字符块对程序变为可用。图 8.1 对这两种类型的输入进行了比较。

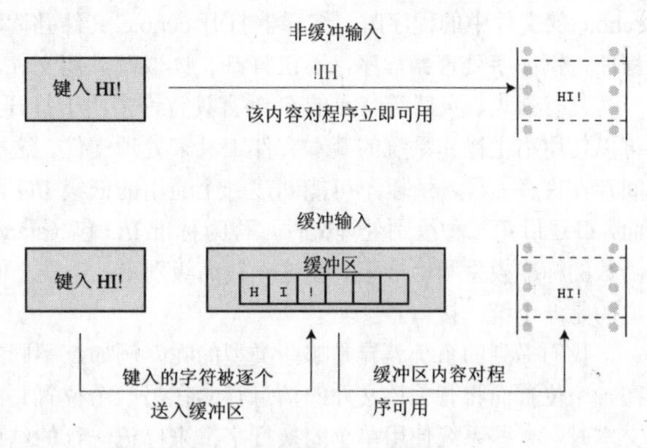

图 8.1　缓冲输入与非缓冲输入

为什么需要缓冲区？首先，将若干个字符作为一个块传输比逐个发送这些字符耗费的时间少。其次，如果您输入有误，就可以使用您的键盘更正功能来修正错误。当最终按下回车键时，您就可以发送正确的输入。

另一方面，一些交互性的程序需要非缓冲输入。例如，在游戏中，您希望一按下键就执行某个命令。因此，缓冲和非缓冲输入具有它们各自的用途。

缓冲分为两类：完全缓冲（fully buffered）I/O 和行缓冲（line-buffered）I/O。对完全缓冲输入来说，缓冲区满时被清空（内容被发送至其目的地）。这种类型的缓冲通常出现在文件输入中。缓冲区的大小取决于系统，但 512 字节和 4096 字节是常见的值。对行缓冲 I/O 来说，遇到一个换行字符时将被清空缓冲区。键盘输入是标准的行缓冲，因此按下回车键将清空缓冲区。

您具有哪种类型的输入：缓冲还是非缓冲？ANSI C 指定应该对输入进行缓冲，而 K&R 则将选择权留给了编译器的编写者。您可以通过运行 echo.c 程序并观察出现的行为来查明您的输入类型。

ANSI C 决定将缓冲输入作为标准的原因是一些计算机设计不允许非缓冲输入。如果您的特定计算机确实允许非缓冲输入，则很可能您的 C 编译器会提供非缓冲输入作为选项。例如，许多 IBM PC 兼容机的编译器通常会提供一个专门用于非缓冲输入的函数系列。这些函数由 conio.h 头文件支持，其中包括用于回显的非缓冲输入的 getche（）和用于不回显的非缓冲输入的 getche（）（回显的输入意味着您键入的字符会在屏幕上显示，不回显的输入则意味着不显示您的击键）。Unix 系统使用一种不同的方法，因为 Unix 自己控制缓冲。在 Unix 下，可使用 ioctl（）函数（Unix 库的一部分，但不是标准 C 的一部分）来指定您所需要的输入类型，getchar（）将按照该类型运行。在 ANSI C 中，setbuf（）和 setvbuf（）函数（第 13 章"文件输入/输出"）提供了对缓冲的一些控制，但一些系统的内在限制会约束这些函数的效用。简言之，不存在调用非缓冲输入的标准 ANSI 方式；使用的方法取决于计算机系统。在本书中，怀着对使用非缓冲输入的朋友的歉意，我们假设您在使用缓冲输入。

8.3 终止键盘输入

echo.c 程序在输入#时停止，只要您在正常输入中排除该字符，这种方法就是很方便的。然而，正如您已经看到的，#有可能在正常输入中出现。理想地，您希望终止字符一般不在文本中出现。这样的字符不会偶然地在一些输入中突然出现，从而在您希望程序结束之前就打断程序。C 对这一需求有一个解决方案，但要理解该方案，您还需要了解 C 处理文件的方式。

8.3.1 文件、流和键盘输入

文件（file）是一块存储信息的存储器区域。通常，文件被保存在某种类别的永久存储器上，例如软盘、硬盘或磁带。您肯定知道文件对于计算机系统的重要性。例如，您的 C 程序以文件保存，用于编译您的程序的程序也以文件保存。最后这个例子表明一些程序需要能够访问特定的文件。当您编译一个存储在名为 echo.c 的文件中的程序时，编译器打开 echo.c 文件并读取其内容。编译器在结束编译时关闭该文件。其他程序，例如字处理器程序，不仅打开、读取及关闭文件，还会写文件。

具有强大、灵活等特点的 C 语言具有许多用于打开、读、写和关闭文件的库函数。在一个级别上，它可以使用宿主操作系统的基本文件工具来处理文件。这被称为低级 I/O（low-level I/O）。由于计算机系统之间存在许多差异，所以不可能创建一个通用的低级 I/O 函数的标准库，而且 ANSI C 也不打算这样做；然而，C 还以第二种级别处理文件，称为标准 I/O 包（standard I/O package）。这包括创建用于处理文件的 I/O 函数的标准模型和标准集。在这一较高级别上，系统之间的差异由特定的 C 实现来处理，所以您与之打交道的是一个统一接口。

我们提到的系统差异是哪些类型的呢？例如，不同的系统存储文件的方式不同。一些系统将文件存储在一个位置而将有关该文件的信息存储在另一个位置。而另一些系统在文件本身内建立其描述信息。处理文本时，一些系统使用单个的换行字符来标记一行的结束，而另一些系统则可能使用回车和换行字符的结合来表示一行的结束。一些系统把文件大小衡量为最接近的字节数，而另一些则以字节块衡量文件大小。

使用标准 I/O 包时，就屏蔽掉了这些差异。因此，要检查一个换行符，您可以使用 if（ch= ='\n'）。如果该系统实际上使用回车/换行字符的组合，则 I/O 函数自动在两种表示法之间来回转换。

从概念上说，C 程序处理一个流而不是直接处理文件。流（stream）是一个理想化的数据流，实际输入或输出映射到这个数据流。这意味着具有不同属性的多种类型的输入由流表示，会具有更多统一的属性。于是打开文件的过程就成为将流与文件相关联，并通过流进行读写的过程。

第 13 章更详细地讨论了文件。对本章来说，仅需注意 C 对待输入和输出设备与其对待存储设备上的普通文件相同。特别的是，键盘和显示设备作为每个 C 程序自动打开的文件来对待。键盘输入由一个被称为 stdin 的流表示，而到屏幕（或电传打字机、或其他输出设备）上的输出由一个被称为 stdout 的流表示。

getchar（）、putchar（）、printf（）和 scanf（）函数都是标准 I/O 包的成员，这些函数同这两个流打交道。

所有这些的一个结论是可以使用与处理文件相同的技术来处理键盘输入。例如，读取文件的程序需要一种方法来检测文件的结尾，以了解停止读取的位置。因此，C 输入函数装备有一个内置的文件尾检测器。因为键盘输入是像文件一样被看待的，所以也应该能使用该文件尾检测器来终止键盘输入。我们从文件开始看看该方法的实现方式。

8.3.2　文件结尾

计算机操作系统需要某种方式来断定每个文件起始和结束的位置。检测文件结尾的一种方法是在文件中放置一个特殊字符来标志结尾。这是在例如 CP/M、IBM-DOS 和 MS-DOS 的文本文件中曾经使用的一种方法。现今，这些操作系统可以使用一个内嵌的 Ctrl+Z 字符来标志文件结尾。这曾经是这些操作系统使用的惟一方法，但是现在还有其他的选择，例如根据文件的大小来断定文件的结束位置。所以现在的文本文件可能具有也可能没有内嵌的 Ctrl+Z，但如果该文件有，则操作系统就会将该字符作为文件尾标记对待。图 8.2 示意了这种方法。

散文：
Ishphat the robot
slid open the hatch
and shouted his challenge.

散文文件：

```
Ishphat the robot\n slid open the hatch\n and shouted his challenge.\n^Z
```

图 8.2　具有文件尾标记的文件

第二种方法是让操作系统存储文件大小的信息。如果一个文件具有 3000 字节，而且程序已经读取了 3000 字节，则该程序就到达了文件尾。MS-DOS 家族对二进制文件使用这种方法，因为此方法允许文件拥有包括 Ctrl+Z 在内的所有字符。DOS 的较新版本对文本文件也使用这种方法。Unix 对所有文件都使用此方法。

对于这两种不同的方法，C 的处理方法是让 getchar（）函数在到达文件结尾时返回一个特殊值，而不去管操作系统是如何检测文件结尾的。赋予该值的名称是 EOF（End Of File，文件尾）。因此，检测到文件尾时 getchar（）的返回值是 EOF。scanf（）函数在检测到文件结尾时也返回 EOF。通常 EOF 在 stdio.h 文件中定义，如下所示：

```
# define EOF (- 1)
```

为什么是-1？一般情况下，getchar（）返回一个范围在 0 到 127 之间的值，因为这些值是与标准字符集相对应的值。但如果系统识别一个扩展的字符集，则可能返回从 0 到 255 的值。在每种情况中，值-1 都不对应任何字符，所以可以用它来表示文件结尾。

一些系统也许将 EOF 定义为-1 以外的值，但该定义总是与合法的输入字符所产生的返回值不同。如果您包括了 stdio.h 文件并使用 EOF 符号，则您就不必考虑这个数值定义。重要的是 EOF 代表的值表示检测到文件结尾，这个值并不是实际出现在文件中的一个符号。

好的，如何在程序中使用 EOF 呢？将 getchar（）的返回值与 EOF 进行比较。如果不相同，则您还没有到达文件结尾。换句话说，您可以使用如下表达式：

```
while ((ch = getchar ()) != EOF)
```

如果您读取的是键盘输入而不是一个文件又会如何？大多数系统（但不是所有）具有一种从键盘模拟文件结尾条件的方法。了解这一点，您就可以重写基本的读取和回显程序，如程序清单 8.2 中所示。

程序清单 8.2　echo_eof.c 程序

```
/* echo_eof.c -- 重复输入，直到文件的结尾 */
#include <stdio.h>
int main (void)
{
  int ch;

  while ((ch = getchar ()) != EOF)
        putchar (ch);
```

```
    return 0;
}
```

注意以下几点：

- 不必定义 EOF，因为 stdio.h 负责定义它。
- 不必担心 EOF 的实际值，因为 stdio.h 中的#define 语句使您能够使用 EOF 进行符号表示。不应编写假定 EOF 具有某个特定值的代码。
- 变量 ch 从 char 类型改变为 int 类型。这是因为 char 变量可以由范围在 0 到 255 中的无符号整数来表示，但 EOF 可能具有数值-1。该值对无符号 char 变量是不可能的值，但对 int 则是可能的。幸运的是，getchar（）本身的类型实际上是 int，所以它可以读取 EOF 字符。在使用有符号 char 类型的实现中，将 ch 声明为 char 类型仍然是可以的，但最好是使用更通用的形式。
- ch 是整数的事实不会对 putchar（）有任何影响。该函数仍打印与其相对应的字符。
- 要对键盘输入使用此程序，您需要一种键入 EOF 字符的方式。不，您不能简单地键入字母 E、O 和 F，而且您也不能只键入-1（键入-1 会传送两个字符：一个连字符和数字 1）。正确的方法是，您必须知道您的系统的要求。例如，在大多数 Unix 系统上，在一行的开始键入 Ctrl+D 会导致传送文件尾信号。许多微型计算系统将一行的开始位置键入的 Ctrl+Z 识别为文件尾信号，还有一些则把任意位置的 Crtl+Z 解释成文件尾信号。

下面是在 Unix 系统上运行 echo_eof.c 的一个缓冲输入的例子：

```
She walks in beauty, like the night
She walks in beauty, like the night
  Of cloudless climes and starry skies...
  Of cloudless climes and starry skies...
                   Lord Byron
                   Lord Byron
[Ctrl+D]
```

每次您按下回车键，就会处理缓冲区中存储的字符，并且打印该行的一个副本。这一过程一直持续直到您以 Unix 风格模仿文件尾。在 PC 上，您可键入 Ctrl+Z 作为替代。

我们来考虑一下 echo_eof.c 可能发生的行为。它把您传给它的任何输入都复制到屏幕上。假设您能以某种方式将一个文件传送给该程序。它会在屏幕上打印文件的内容，并在发现一个 EOF 信号即到达文件尾时停止。另一方面，假设您能找到一种方式将程序的输出定向到一个文件，您就可以从键盘输入数据，并使用 echo_eof.c 来将您键入的内容存储在一个文件中。假设您可以同时做这两件事：将来自一个文件的输入定向到 echo_eof.c 并将输出发送到另一个文件。这样您就可以使用 echo_eof.c 来复制文件。这个小程序具有下列潜在的能力：查看文件内容、创建新文件，以及制作文件副本。对这样简短的程序来说很不错！关键是要控制输入和输出流，这就是下面的话题。

模拟的 EOF 和图形界面

模拟的 EOF 的概念是在使用文本界面的命令行环境中产生的。在这样的环境中，用户通过击键与程序互相作用，由操作系统产生 EOF 信号。一些实际情况中，没有很好地转换到图形界面（例如 Windows 和 Macintosh）中来，这些用户界面因为包含鼠标移动和按钮点击而更加复杂。遇到模拟的 EOF 时，程序的行为取决于编译器和项目类型。例如，在 Codewarrior WinSIOUX 模式下，Ctrl+Z 会终止输入，也可能会终止整个程序；这取决于特定的设置。

8.4 重定向和文件

输入和输出涉及到函数、数据和设备。例如，考虑 echo_eof.c 程序。该程序使用了输入函数 getchar（）。输入设备（我们已经假设）是键盘，输入数据流由单独的字符组成。假设您希望保持相同的输入函数和相同类型的数据，但希望改变程序寻找数据的位置。一个很好的问题是，“程序如何了解在哪里寻找其输入？”

默认情况下，使用标准 I/O 包的 C 程序将标准输入作为其输入源。这就是前面标识为 stdin 的流。该流是作为向计算机中读取数据的常规方式而建立的。它可以是一个老式的设备，例如磁带、穿孔卡片、电传打字机，或者（正如我们要继续假设的）您的键盘，或一些未来的技术，例如语音输入。然而，一台现代的计算机是一个灵活的工具，您可以指示它到其他地方寻求输入。特别地，您可以告诉一个程序从文件而不是键盘寻求其输入。

令程序与文件一同工作有两种方式。一种方式是明确地使用打开文件、关闭文件、读文件、写文件等等的专门函数。这种方法我们留待第 13 章讨论。第二种方式是使用一个设计用于与键盘和屏幕共同工作的程序，但是使用不同通道重定向（redirect）输入和输出，例如输入到文件和从文件中输出。换句话说，就是您将 stdin 流重新分配至文件。getchar（）程序继续从该流中取数据，而不真正关心流是从何处获取其数据。这种方法（重定向）比第一种方法在一些方面功能更有限，但它更容易使用，而且使您能够更加熟悉常用的文件处理技术。

重定向的一个主要问题是其与操作系统而不是 C 相关联。然而，许多 C 环境，包括 Unix、Linux 和 MS-DOS（2.0 及以上版本），都有重定向的特性，而且一些 C 实现还在缺乏该特性的系统上对其进行模拟。我们来看 Unix、Linux 和 DOS 版本的重定向。

Unix、Linux 和 DOS 重定向

Unix、Linux 和当前的 DOS 版本使您能够重定向输入和输出。输入重定向使您的程序能够使用文件代替键盘作为输入，输出重定向则使程序能够使用文件代替屏幕作为输出。

一、输入重定向

假设您已经编译了 echo_eof.c 程序，并将它的可执行版本放在一个名为 echo_eof 的文件中（或在 DOS 系统上为 echo_eof.exe）。要运行该程序，请键入该可执行文件的名字：

```
echo_ eof
```

该程序如前面描述的那样运行，从键盘获取输入。现在假设您希望对一个名为 words 的文本文件使用该程序。文本文件（text file）是包含文本的文件，即在该文件中数据以人类可读的字符形式存储。例如，它可以是一篇短文或用 C 编写的程序。包含机器语言指令的文件（例如保存程序可执行版本的文件）就不是文本文件。因为该程序处理的是字符，所以它应该与文本文件一同使用。所有您需要做的就是输入命令时用下列命令代替前面的命令：

```
echo_eof < words
```

<符号是 Unix、Linux（和 DOS）的重定向运算符。该运算符把 words 文件与 stdin 流关联起来，将该文件的内容引导至 echo_eof 程序。echo_eof 程序本身并不知道（或关心）输入是来自文件而不是来自键盘。该程序所知道的一切就是向它传送了一个字符流，所以它将这些字符读出并一次打印一个字符，直到遇到文件结尾。由于 C 将文件和 I/O 设备置于相同的地位，所以现在这个文件就是 I/O 设备。请试着运行这个程序。

关于重定向的小问题

在 Unix、Linux 和 DOS 中，<两侧的空格都是可选的。有些系统（例如 AmigaDOS）支持重定向，但在重定向符号和文件名之间不允许有空格。

下面是某个具体的 words 文件的运行示例；$是 Unix 和 Linux 的两个标准提示符之一。在 DOS 系统上，您会看到 DOS 提示符，可能是 A>或 C>。

```
$ echo_eof < words
The world is too much with us: late and soon,
Getting and spending, we lay waste our powers:
Little we see in Nature that is ours;
```

```
We have given our hearts away, a sordid boon!
$
```

这样，我们看到了 words 程序的作用。

二、输出重定向

现在假设您希望 echo_eof 将您的键盘输入发送给一个名为 mywords 的文件。那么您可以输入下列命令并开始键入：

```
echo_ eof > mywords
```

>是另一个重定向运算符。该运算符会导致建立一个名为 mywords 的新文件供您使用，然后将 echo_eof 的输出（也就是说，您键入的字符的副本）重定向到该文件。该重定向将 stdout 从显示设备（您的屏幕）重定向到 mywords 文件。如果您已经具有一个名为 mywords 的文件，则通常会删除该文件然后用新的文件代替之（不过，许多操作系统都允许您通过将文件设为只读来保护现有的文件）。您键入字母时在您的屏幕上出现的就是这些字母，并且它们的副本将保存到文件中。要结束程序，请在一行的开始键入 Ctrl+D（Unix 中）或 Ctrl+Z（DOS 中）。试着运行它。如果您不知道输入什么字符，只需模仿下面的例子。在该例中，我们使用 Unix 提示符$。记住要通过按下回车键来结束每行以向程序发送缓冲区内容。

```
$ echo_eof > mywords
You should have no problem recalling which redirection
operator does what. Just remember that each operator points
in the direction the information flows. Think of it as
a funnel.
[Ctrl+D]
$
```

处理 Ctrl+D 或 Ctrl+Z 之后，该程序终止，并返回到系统提示符下。程序是否工作了？Unix 的 ls 命令或 DOS 的 dir 命令都可以列出文件名，它们会向您显示现有的 mywords 文件。您可以使用 Unix 和 Linux 的 cat 或 DOS 的 type 命令来查看文件内容，或者您可以再次使用 echo_eof，但这次是将文件重定向至该程序：

```
$ echo_eof < mywords
You should have no problem recalling which redirection
operator does what. Just remember that each operator points
in the direction the information flows. Think of it as a
funnel.
$
```

三、组合重定向

现在假设您希望制作文件 mywords 的一个副本，并将其命名为 savewords。只需发出下列命令：

```
echo_ eof < mywords > savewords
```

就可完成这个动作。下面的命令同样可以实现这一功能，因为重定向运算符的顺序无关紧要：

```
echo_ eof > savewords < mywords
```

注意不要对同一命令的输入和输出使用相同的文件名。

```
echo_eof < mywords > mywords....<--WRONG
```

原因是>mywords 使原始的 mywords 文件在用于输入之前长度被截短为零。

简单地说，下面是在 Unix、Linux 或 DOS 下使用两个重定向运算符<和>所遵循的规则：

- 重定向运算符将一个可执行（executable）程序（包括标准的操作系统命令）与一个数据文件连接起来。该运算符不能用于一个数据文件与另一个数据文件的连接，也不能用于一个程序与另一个程序的连接。
- 使用这些运算符时，输入不能来自一个以上的文件，输出也不能定向至一个以上的文件。
- 除了偶尔在使用到一些对 Unix shell、Linux shell 或 DOS 具有特殊意义的字符时，名字和操作符之间的空格并不是必需的。例如，我们可以使用 echo_eof<words。

您已经看到了若干个正确的例子。表 8.1 中是一些错误的例子，其中 addup 和 count 是可执行程序，fish 和 beets 是文本文件：

表 8.1　　错误使用重定向的例子

fish > beets	违反第一条规则
addup < count	违反第一条规则
addup < fish < beets	违反第二条规则
count > beets fish	违反第二条规则

Unix、Linux 和 DOS 还具有>>运算符，该运算符可使您向一个现有文件的末尾追加数据；还有管道运算符（|），它可以将一个程序的输出与第二个程序的输入连接起来。要了解所有这些运算符的详细信息，请参阅有关 Unix 的书籍，例如 *UNIX System Management Primer Plus*（Jeffery; Sams Publishing）[1]。

四、注释

重定向使您能够把键盘输入程序用于文件。要使其工作，该程序必须能够检测文件尾。例如，第 7 章介绍了一个统计字数的程序，该程序统计到第一个'|'字符为止的单词数。将 ch 从 char 类型变为 int 类型，并在循环判断中用 EOF 替换'|'，这样您就可以使用该程序统计文本文件中的单词数了。

重定向是一个命令行概念，因为您要通过在命令行键入特殊符号来指示它。如果您不在使用命令行环境，您仍可以尝试这一技术。首先，一些集成环境具有菜单选项，使您可以指明重定向。其次，对Windows系统来说，您可以打开一个DOS窗口并从命令行运行可执行文件。默认情况下，Microsoft Visual C++ 7.1将可执行文件放在一个名为Debug的子文件夹中。文件名会具有与工程名称相同的名字，并使用.exe作为扩展名。对Codewarrior来说，使用Win 32 Console App模式；默认情况下该模式将可执行文件命名为Cproj Debug.exe（其中的Cproj代表您的项目名称），并将其放在工程文件夹中。

如果重定向不能工作，您可以尝试让程序直接打开文件。程序清单 8.3 显示了带有简单注释的一个例子。详细内容您将在第 13 章中学习到。

程序清单 8.3　file_eof.c 程序

```
// file_eof.c -- 打开一个文件并显示其内容
#include <stdio.h>
#include <stdlib.h>                 // 为了使用 exit()
int main ()
{
    int ch;
    FILE * fp;
    char fname[50];                 // 用于存放文件名

    printf ("Enter the name of the file: ");
    scanf ("%s", fname);
    fp = fopen (fname, "r");        // 打开文件以供读取
   if (fp == NULL)                  // 尝试打开文件失败
   {
     printf("Failed to open file. Bye\n");
     exit(1);                       // 终止程序
   }
    // getc (fp) 从打开的文件中获取一个字符
    while ((ch = getc (fp)) != EOF)
         putchar (ch);
    fclose (fp);                    // 关闭文件
    return 0;
}
```

1 本书中文版《WNZX 系统管理 Primer Plus》（2003，4）由人民邮电出版社出版。

总结：重定向输入和输出的方法

在大多数 C 系统中，您都可以使用重定向。您可以通过操作系统对所有的程序使用重定向，或者仅仅是在 C 编译器允许的情况下对 C 程序使用重定向。下面，令 prog 为可执行程序的名字，并令 file1 和 file2 为文件名。

将输出重定向到一个文件：> prog > file1

将输入重定向为来自一个文件：<

```
prog < file2
```

组合重定向：

```
prog < file2 > file1
prog > file1 < file2
```

两种形式都使用 file2 作为输入，使用 file1 作为输出。

空格：

一些系统在重定向运算符左边需要一个空格，而在右边则不需要。其他系统（例如 Unix）既接受两边都有空格也接受两边都没有空格。

8.5 创建一个更友好的用户界面

很多人都曾经编写过难以使用的程序。幸运的是，C 赋予您的一些工具可以使输入变成更顺利且更令人愉快的过程。不幸的是，学习这些工具最开始会引发新的问题。本节的目标就是指导您克服这样的一些问题而获得一个更友好的用户界面，这样的界面使交互式的数据输入更轻松，并减轻了错误输入的影响。

8.5.1 使用缓冲输入

缓冲输入通常会给用户带来方便，它提供了在将输入发送至程序前对其进行编辑的机会，但在使用字符输入时这会给编程人员带来麻烦。正如您在前面的一些例子中所看到的，问题在于缓冲输入需要您按下回车键来提交您的输入。这一动作还传输一个程序必须处理的换行符。我们用一个猜测程序来研究这个问题及其相关问题。您选择一个数，计算机尝试猜测该数。我们使用的是一种很慢的算法，但我们着重考虑的是 I/O 而不是算法。程序清单 8.4 为该程序的初始版本。

程序清单 8.4 guess.c 程序

```
/* guess.c -- 一个低效且错误的猜数程序 */
#include <stdio.h>
int main (void)
{
   int guess = 1;
   printf ("Pick an integer from 1 to 100. I will try to guess ");
   printf ("it.\nRespond with a y if my guess is right and with");
   printf ("\nan n if it is wrong.\n");
   printf ("Uh...is your number %d?\n", guess);
   while ((getchar () != 'y')  /*获取用户响应并和 y 比较*/
        printf ("Well, then, is it %d?\n", ++guess);
   printf ("I knew I could do it!\n");
   return 0; s
}
```

下面是一个运行示例：

```
Pick an integer from 1 to 100. I will try to guess it.
Respond with a y if my guess is right and with
an n if it is wrong.
Uh...is your number 1?
n
Well, then, is it 2?
Well, then, is it 3?
n
Well, then, is it 4?
Well, then, is it 5?
y
I knew I could do it!
```

该程序使用的猜测算法很傻，我们不去考虑它。我们选择一个很小的数。注意该程序在每次您输入 n 时都进行两次猜测。这中间所发生的事情是程序读取 n 响应并把它看作是您对 1 的否定，然后读取换行字符并把它看作是您对 2 的否定。

一种解决方案是使用一个 while 循环来丢弃输入行的其余部分，包括换行符。这种处理方法还能够把诸如 no 和 no way 这样的响应与简单的 n 响应一样看待。程序清单 8.4 中的版本将 no 作为两个响应。下面是解决该问题的一个修改过的循环。

```
while (getchar () != 'y')              /* 获取用户响应并和 y 比较 */
{
     printf ("Well, then, is it %d?\n", ++guess);
     while (getchar () != '\n')
          continue;                    /* 跳过输入行的剩余部分 */
}
```

使用这个循环产生如下面所示的响应：

```
Pick an integer from 1 to 100. I will try to guess it.
Respond with a y if my guess is right and with
an n if it is wrong.
Uh...is your number 1?
n
Well, then, is it 2?
no
Well, then, is it 3?
no sir
Well, then, is it 4?
forget it
Well, then, is it 5?
y
I knew I could do it!
```

这就解决了换行符的问题。然而，作为完美主义者，您可能还不希望程序将 f 的意义看作与 n 相同。要改正这一缺点，您可以使用一个 if 语句来筛选掉其他响应。首先，添加一个 char 变量来存储响应：

```
char response;
```

然后，将循环改为如下形式：

```
while ((response = getchar ()) != 'y')        /* 获取用户响应并和 y 比较 */
{
     if (response == 'n')
     printf ("Well, then, is it %d?\n", ++guess);
  else
     printf ("Sorry, I understand only y or n.\n");
  while (getchar () != '\n')
     continue;                                /* 跳过输入行的剩余部分 */
}
```

现在该程序的响应如下所示：

```
Pick an integer from 1 to 100. I will try to guess it.
Respond with a y if my guess is right and with
an n if it is wrong.
Uh...is your number 1?
n
Well, then, is it 2?
no
Well, then, is it 3?
no sir
Well, then, is it 4?
forget it
Sorry, I understand only y or n.
n
Well, then, is it 5?
y
I knew I could do it!
```

当您编写交互式程序时，您应该试着去预料用户未能遵循指示的可能方式。然后您应该将程序设计为得体地处理用户的疏忽。告诉用户哪里出现了错误，并给予他们另一次机会。

当然，您应该向用户提供清晰的指示。但不论您提供的指示如何清晰，一些人总是会曲解它们，然后责怪您的指示不够详细。

8.5.2 混合输入数字和字符

假设您的程序同时需要使用 getchar（）进行字符输入和使用 scanf（）进行数字输入。这两个函数中的每一个都能很好地完成其工作，但它们不能很好地混合在一起。这是因为 getchar（）读取每个字符，包括空格、制表符和换行符；而 scanf（）在读取数字时则会跳过空格、制表符和换行符。

为了举例说明它所产生的问题，程序清单 8.5 给出了一个程序，该程序读取一个字符和两个数作为输入，然后使用由所输入的两个数字指定的行数和列数来打印该字符。

程序清单 8.5　showchar1.c 程序

```
/* showchar1.c -- 带有一个较大的 I/O 问题的程序 */
#include <stdio.h>
void display (char cr, int lines, int width);
int main (void)
{
    int ch;             /* 要打印的字符    */
    int rows, cols;     /* 行数和列数      */
    printf ("Enter a character and two integers: \n");
    while ((ch = getchar ()) != '\n')
    {
        scanf ("%d %d", &rows, &cols);
        display (ch, rows, cols);
        printf ("Enter another character and two integers: \n");
        printf ("Enter a newline to quit.\n");
    }
    printf ("Bye.\n");
    return 0;
}

void display (char cr, int lines, int width)
{
    int row, col;

    for (row = 1; row <= lines; row++)
    {
```

```
        for (col = 1; col <= width; col++)
            putchar (cr);
        putchar ('\n'); /* 结束本行，开始新的一行 */
    }
}
```

请注意该程序将字符读取为 int 类型以进行 EOF 检测。然而，它将该字符作为 char 类型传给 display () 函数。因为 char 比 int 小，所以一些编译器会对这一转换提出警告。在本例中，您可以忽略这一警告。

程序的结构是由 main () 获取数据，由 display () 函数进行打印。我们来看一个运行示例以发现问题是什么。

```
Enter a character and two integers:
c 2 3
ccc
ccc
Enter another character and two integers;
Enter a newline to quit.
Bye.
```

该程序开始时表现很好。您输入 c 2 3，程序就如期打印 2 行 c 字符，每行 3 个。然后该程序提示输入第二组数据，并在您还没能做出响应之前就退出了！哪里错了呢？又是换行符，这次是紧跟在第一个输入行的 3 后面的那个换行符。scanf () 函数将该换行符留在了输入队列中。与 scanf () 不同，getchar () 并不跳过换行符。所以在循环的下一个周期，在您有机会输入任何其他内容之前，这一换行符由 getchar () 读出，然后将其赋值给 ch，而 ch 为换行符正是终止循环的条件。

要解决这一问题，该程序必须跳过一个输入周期中键入的最后一个数字与下一行开始处键入的字符之间的所有换行符或空格。另外，如果除了 getchar () 判断之外还可以在 scanf () 阶段终止该程序，则会更好。程序清单 8.6 中显示的另一版本中实现了这些功能。

程序清单 8.6　showchar2.c 程序

```
/* showchar2.c -- 按行和列打印字符 */
#include <stdio.h>
void display (char cr, int lines, int width);
int main (void)
{
    int ch;             /* 要打印的字符   */
    int rows, cols;     /* 行数和列数     */

    printf ("Enter a character and two integers: \n");
    while ((ch = getchar ()) != '\n')
    {
        if (scanf ("%d %d", &rows, &cols) != 2)
            break;
        display (ch, rows, cols);
        while (getchar () != '\n')
            continue;
        printf ("Enter another character and two integers; \n");
        printf ("Enter a newline to quit.\n");
    }
    printf ("Bye. ");
    return 0;
}

void display (char cr, int lines, int width)
{
    int row, col;

    for (row = 1; row <= lines; row++)
    {
```

```
        for (col = 1; col <= width; col++)
            putchar (cr);
        putchar ('\n'); /* 结束本行，开始新的一行 */
    }
}
```

while 语句使程序剔除 scanf（）输入后的所有字符，包括换行符。这样就让循环准备好读取下一行开始的第一个字符。这意味着您可以自由地输入数据：

```
Enter a character and two integers:
c 1 2
cc
Enter another character and two integers;
Enter a newline to quit.
! 3 6
!!!!!!
!!!!!!
!!!!!!
Enter another character and two integers;
Enter a newline to quit.

Bye.
```

通过使用一个 if 语句和一个 break，如果 scanf（）的返回值不是 2，您就中止了该程序。这种情况在有一个或两个输入值不是整数或者遇到文件尾时发生。

8.6 输入确认

在实际情况中，程序的用户并不总是遵循指令，在程序所期望的输入与其实际获得的输入之间可能存在不匹配。这种情况能导致程序运行失败。然而，通常您可以预见可能的输入错误，而且，经过进行一些额外的编程努力，可以让程序检测到这些错误并对其进行处理。

一个可能有输入错误的例子是，假设您正在编写一个程序，该程序提示用户输入一个非负整数。另一种类型的错误是用户输入了对程序正在执行的特定任务无效的值。

例如，假设有一个处理非负数的循环。用户可能犯的一类错误是输入一个负数。您可以使用一个关系表达式来检测这类错误：

```
int n;
scanf ("%d", &n);              // 获得第一个值
while (n >= 0)                 // 检测超出范围的值
{
      // 对 n 的处理过程
      scanf ("%d", &n);        // 获得下一个值
}
```

另一个潜在的易犯错误是用户可能输入错误类型的值，例如字符 **q**。检测这类错误的一种方式就是检查 scanf（）的返回值。回忆一下，这一函数返回其成功读入的项目个数；因此仅当用户输入一个整数时，下列表达式为真：

```
scanf ("%d", &n) == 1
```

据此就可以提出前面那段代码的下面这种改进方法：

```
int n;
while (scanf ("%d", &n) == 1 && n >= 0)
{
      // 对 n 的处理过程
}
```

从字面上来看，while 循环的条件就是“当输入是一个整数且该整数为正”。

上面这个例子中，如果用户输入错误类型的值，则终止输入。然而，您可以选择方法使程序对用户更加友好，给用户尝试输入正确类型的值的机会。如果要那样做，您首先需要剔除那些有问题的输入；如果 scanf（）没有成功读取输入，就会将其留在输入队列中。这里，输入实际上是字符流这一事实就派上了用场，您可以使用 getchar（）来逐个字符地读取输入。您甚至可以将所有这些想法合并在下面这样的一个函数中：

```
int get_int (void)
{
   int input;
   char ch;
   while (scanf ("%d", &input) != 1)
   {
      while ((ch = getchar ()) != '\n')
         putchar (ch); // 剔除错误的输入
      printf (" is not an integer.\nPlease enter an ");
      printf ("integer value, such as 25, -178, or 3: ");
   }
   return input;
}
```

这一函数试图将一个 int 值读入变量 input。如果没有成功，则该函数进入外层 while 循环的语句体。然后内层 while 循环逐个字符地读取那些有问题的输入字符。注意该函数选择丢弃该行中余下的所有输入，您也可以选择只丢弃下一个字符或单词。然后该函数提示用户重新尝试。外层循环继续运行，直至用户成功地输入一个整数从而使 scanf（）返回值 1。

克服了用户输入整数的障碍后，程序可以检查这些值是否有效。考虑一个例子，其中需要用户输入一个下界和一个上界来定义值域。这种情况下，您可能希望程序检查第一个值是否不大于第二个值（通常值域假设第一个值较小）。可能还需要检查这些值是否在可接受的范围内。例如，对档案进行搜索时可能要求年份不小于 1958，并且不大于 2004。这一检查也可以在一个函数中实现。

下面是一种可能，其中假定已经包括了 stdbool.h 头文件。如果您的系统上没有_Bool 类型，可以使用 int 来代替 bool，并用 1 代表 true，0 代表 false。注意如果输入无效，则该函数返回 true；因此函数名为 bad_limits（）。

```
bool bad_limits (int begin, int end, int low, int high)
{
   bool not_good = false;
   if (begin > end)
   {
      printf ("%d isn't smaller than %d.\n", begin, end);
      not_good = true;
   }
   if (begin < low || end < low)
   {
      printf ("Values must be %d or greater.\n", low);
      not_good = true;
   }
   if (begin > high || end > high)
   {
      printf ("Values must be %d or less.\n", high);
      not_good = true;
   }
      return not_good;
}
```

程序清单 8.7 使用上面两个函数来向一个算术函数传送整数，该函数计算特定范围内所有整数的平方和。程序限制这个特定范围的上界不应大于 1000，下界不应小于-1000。

程序清单 8.7 checking.c 程序

```
/* checking.c -- 输入确认 */
#include <stdio.h>
#include <stdbool.h>
// 确认输入了一个整数
int get_int (void);
// 确认范围的上下界是否有效
bool bad_limits (int begin, int end, int low, int high);
// 计算从 a 到 b 之间的整数的平方和
double sum_squares (int a, int b);
int main (void)
{
    const int MIN = -1000;  // 范围的下界限制
    const int MAX = +1000;  // 范围的上界限制
    int start;              // 范围的下界
    int stop;               // 范围的上界
    double answer;

    printf( "This program computes the sum of the squares of "
           "integers in a range.\nThe lower bound should not "
           "be less than -1000 and\nthe upper bound should not "
           "be more than +1000.\nEnter the limits (enter 0 for "
           "both limits to quit):\nlower limit: ");
    start = get_int ();
    printf ("upper limit: ");
    stop = get_int ();
    while (start !=0 || stop != 0)
    {
        if (bad_limits (start, stop, MIN, MAX))
            printf ("Please try again.\n");
        else
        {
            answer = sum_squares (start, stop);
            printf ("The sum of the squares of the integers from ");
            printf ("from %d to %d is %g\n", start, stop, answer);
        }
        printf ("Enter the limits (enter 0 for both limits to quit): \n");
        printf ("lower limit: ");
        start = get_int ();
        printf ("upper limit: ");
        stop = get_int ();
    }
    printf ("Done.\n");

    return 0;
}

int get_int (void)
{
    int input;
    char ch;

    while (scanf ("%d", &input) != 1)
    {
        while ((ch = getchar ()) != '\n')
            putchar (ch); // 剔除错误的输入
        printf (" is not an integer.\nPlease enter an ");
        printf ("integer value, such as 25, -178, or 3: ");
    }
    return input;
}
```

```
double sum_squares(int a, int b)
{
    double total = 0;
    int i;

    for (i = a; i <= b; i++)
        total += i * i;

    return total;
}

bool bad_limits(int begin, int end, int low, int high)
{
    bool not_good = false;

    if (begin > end)
    {
        printf("%d isn't smaller than %d.\n", begin, end);
        not_good = true;
    }
    if (begin < low || end < low)
    {
        printf("Values must be %d or greater.\n", low);
        not_good = true;
    }
    if (begin > high || end > high)
    {
        printf("Values must be %d or less.\n", high);
        not_good = true;
    }
    return not_good;
}
```

下面是一个运行示例：

```
This program computes the sum of the squares of integers in a range.
The lower bound should not be less than -1000 and
the upper bound should not be more than +1000.
Enter the limits (enter 0 for both limits to quit):
lower limit: low
low is not an integer.
Please enter an integer value, such as 25, -178, or 3: 3
upper limit: a big number
a big number is not an integer.
Please enter an integer value, such as 25, -178, or 3: 12
The sum of the squares of the integers from 3 to 12 is 645
Enter the limits (enter 0 for both limits to quit):
lower limit: 80
upper limit: 10
80 isn't smaller than 10.
Please try again.
Enter the limits (enter 0 for both limits to quit):
lower limit: 0
upper limit: 0
Done.
```

8.6.1 分析程序

checking.c 程序的计算机化核心部分（也就是 **sum_squares()**函数）仍是简短的，但是对输入确认的支持使得它比我们前面给出的例子更为复杂。我们来看其中的一些元素，首先集中讨论程序的整体结构。

我们已经遵循了一种模块化方法，使用独立的函数（模块）来确认输入和管理显示。程序越大，使用模块化的方法进行编程就越重要。

main（）函数管理流程，为其他函数指派任务。它使用 get_int（）来获取值，用 while 循环来处理这些值，用 badlimits（）函数来检查值的有效性，sum_squares（）函数则进行实际的计算：

```
start = get_int ();
printf ("upper limit: ");
stop = get_int ();
while (start !=0 || stop != 0)
{
    if (bad_limits (start, stop, MIN, MAX))
        printf ("Please try again.\n");
    else
    {
        answer = sum_squares (start, stop);
        printf ("The sum of the squares of the integers from ");
        printf ("%d to %d is %g\n", start, stop, answer);
    }
    printf ("Enter the limits (enter 0 for both "limits to quit): \n");
    printf ("lower limit: ");
    start = get_int ();
    printf ("upper limit: ");
    stop = get_int ();
}
```

8.6.2 输入流和数值

编写像程序清单 8.7 中所使用的代码来处理错误输入时，您应该对 C 输入的工作方式有一个清晰的理解。考虑如下所示的一行输入：

```
is   28 12.4
```

在您的眼中，该输入是一串字符后面跟着一个整数，然后是一个浮点值。对 C 程序而言，该输入是一个字节流。第 1 个字节是字母 i 的字符编码，第 2 个字节是字母 s 的字符编码，第 3 个字节是空格字符的字符编码，第 4 个字节是数字 2 的字符编码，等等。所以如果 get_int（）遇到这一行，则下面的代码将读取并丢弃整行，包括数字，因为这些数字只是该行中的字符而已：

```
while ((ch = getchar ()) != '\n')
    putchar (ch); // 剔除错误的输入
```

虽然输入流由字符组成，但如果您指示了 scanf（）函数，它就可以将这些字符转换成数值。例如，考虑下面的输入：

```
42
```

如果您在 scanf（）中使用%c 说明符，该函数将只读取字符 4 并将其存储在一个 char 类型的变量中。如果您使用%s 说明符，该函数会读取两个字符，即字符 4 和字符 2，并将它们存储在一个字符串中。如果使用%d 说明符，则 scanf（）读取同样的两个字符，但是随后它会继续计算与它们相应的整数值为 4×10+2，即 42；然后将该整数的二进制表示保存在一个 int 变量中。如果使用%f 说明符，则 scanf（）读取这两个字符，计算它们对应的数值 42，然后以内部浮点表示法表示该值，并将结果保存在一个 float 变量中。

简言之，输入由字符组成，但 scanf（）可以将输入转换成整数或浮点值。使用像%d 或%f 这样的说明符能限制可接受的输入的字符类型，但 getchar（）和使用%c 的 scanf（）接受任何字符。

8.7 菜单浏览

许多计算机程序使用菜单作为用户界面的一部分。菜单使程序对用户而言更友好，但也给编程人员提出了一些问题。我们来看一下其中涉及的问题。

菜单为用户的响应提供了可选项。下面是一个假设的例子：

```
Enter the letter of your choice:
a. advice           b. bell
c. count            q. quit
```

理想情况下，用户输入这些选项之一，程序将根据选项采取行动。作为一名编程人员，您希望让这一过程顺利进行。第一个目标是让程序在用户遵循指令时顺利运行。第二个目标是让程序在用户没有遵循指令时也能顺利工作。正如您所料到的，第二个目标较难实现，因为预见程序所有可能遇到的用户错误行为是非常困难的。

8.7.1　任务

我们来更具体地考虑菜单程序需要执行的任务。该程序需要获取用户响应，并且需要基于该响应选择一系列动作。而且，程序还应该提供一种方法让用户可以回到菜单以做更多的选择。C 的 switch 语句是选择动作的一个很方便的工具，因为每个用户选择可对应于一个特定的 case 标签。可以使用 while 语句来提供对菜单的重复访问。可以使用伪代码按照下列方式描述该过程：

```
get choice
while choice is not 'q'
      switch to desired choice and execute it
      get next choice
```

8.7.2　使执行更顺利

在您决定计划的实施方法时应该考虑到程序顺利执行的目标（处理正确输入时顺利执行和处理错误输入时顺利执行）。例如，您能做的一件事是让“获取选项”部分筛选掉不合适的响应，从而仅使正确的响应被传送到 switch 语句。这表明须为输入过程提供一个只返回正确响应的函数。将其与 while 循环、switch 语句相结合会产生下列程序结构：

```
#include <stdio.h>
char get_choice (void);
void count (void);
int main (void)
{
   int choice;

   while ((choice = get_choice ()) != 'q')
   {
      switch (choice)
      {
         case 'a': printf ("Buy low, sell high.\n");
                   break;
         case 'b': putchar ('\a'); /* ANSI */
                   break;
         case 'c': count ();
                   break;
         default : printf ("Program error!\n");
                   break;
      }
   }
   return 0;
}
```

定义 get_choice () 函数使其只返回值'a'、'b'、'c'和'q'。使用该函数正如使用 getchar () 那样：获取一个值并将其与一个终止值进行比较；在本例中，该终止值为'q'。我们令实际的菜单选项十分简单，以使您把精力集中在程序结构上；我们很快会讨论 count () 函数。default 语句是方便调试的。如果 get_choice ()

函数没能将其返回值限制为预期值，则 default 语句可以使您了解发生了一些可疑的事情。

get_choice（）函数

下面的伪代码是这个函数的一个可能的设计：

```
show choices
get response
while response is not acceptable
    prompt for more response
    get response
```

下面是一个虽然简单但使用起来不太方便的实现：

```
char get_choice (void)
{
    int ch;

    printf ("Enter the letter of your choice: \n");
    printf ("a. advice b. bell\n");
    printf ("c. count q. quit\n");
    ch = getchar ();
    while ((ch < 'a' || ch > 'c') && ch != 'q')
    {
        printf ("Please respond with a, b, c, or q.\n");
        ch = getchar ();
    }
    return ch;
}
```

问题在于使用缓冲输入时，函数会将回车键产生的每个换行符都作为一个错误的响应对待。要使程序界面更加顺畅，该函数应该跳过换行符。

要实现这一目标有多种方法。一种方法是用一个名为 get_first（）的新函数代替 getchar（），该函数读取一行的第一个字符并将其余字符丢弃掉。此方法还具有一个优点，就是将由 act 组成的输入行看作是输入了一个简单的 a，而不是将其作为由代表 count 的 c 所产生的一个有效的响应。记住这一目标，您就可以将输入函数重写为如下形式：

```
char get_choice (void)
{
    int ch;

    printf ("Enter the letter of your choice: \n");
    printf ("a. advice b. bell\n");
    printf ("c. count q. quit\n");
    ch = get_first ();
    while ((ch < 'a' || ch > 'c') && ch != 'q')
    {
        printf ("Please respond with a, b, c, or q.\n");
        ch = getfirst ();
    }
    return ch;
}

char get_first (void)
{
    int ch;

    ch = getchar ();    /* 读取下一个字符          */
    while (getchar () != '\n')
        continue;       /* 跳过本行的剩余部分      */
    return ch;
}
```

8.7.3 混合字符和数值输入

创建菜单提供了将字符输入与数值输入相混合会产生问题的另一个实例。例如，假设 count() 函数（选项 c）如下所示：

```
void count (void)
{
   int n, i;

   printf ("Count how far? Enter an integer: \n");
   scanf ("%d", &n);
   for (i = 1; i <= n; i++)
       printf ("%d\n", i);
}
```

如果您通过输入 3 进行响应，则 scanf () 将读取 3 并留下一个换行符，把它作为输入队列中的下一个字符。对 get_choice () 的下一次调用会导致 get_first () 返回此换行符，从而导致不希望的动作。

解决该问题的一种方法是重写 get_first () 使其返回下一个非空白字符，而不是简单地返回它遇到的下一个字符。我们将这种方法留给读者作为练习。第二种方法是由 count () 函数自己来负责处理换行符。这就是下面的示例所采用的方法：

```
void count (void)
{
       int n, i;

       printf ("Count how far? Enter an integer: \n");
       n = get_int ();
       for (i = 1; i <= n; i++)
           printf ("%d\n", i);
       while (getchar () != '\n')
           continue;
}
```

此函数还使用了程序清单 8.7 中的 get_int () 函数；回忆一下，该函数检查有效输入并给用户重新尝试的机会。程序清单 8.8 显示了最终的菜单程序。

程序清单 8.8　menuette.c 程序

```
/* menuette.c -- 菜单技术 */
#include <stdio.h>
char get_choice (void);
char get_first (void);
int get_int (void);
void count (void);
int main (void)
{
    int choice;
    void count (void);

    while ((choice = get_choice ()) != 'q')
    {
            switch (choice)
            {
                case 'a': printf ("Buy low, sell high.\n");
                          break;
                case 'b': putchar ('\a'); /* ANSI */
                          break;
                case 'c': count ();
                          break;
                default : printf ("Program error!\n");
                          break;
```

```
        }
    }
    printf ("Bye.\n");
    return 0;
}
void count (void)
{
    int n, i;

    printf ("Count how far? Enter an integer: \n");
    n = get_int ();
    for (i = 1; i <= n; i++)
        printf ("%d\n", i);
    while (getchar () != '\n')
        continue;
}

char get_choice (void)
{
    int ch;
    printf ("Enter the letter of your choice: \n");
    printf ("a. advice                  b. bell\n");
    printf ("c. count                   q. quit\n");
    ch = get_first ();
    while ((ch < 'a' || ch > 'c') && ch != 'q')
    {
        printf ("Please respond with a, b, c, or q.\n");
        ch = get_first ();
    }
    return ch;
}

char get_first (void)
{
    int ch;

    ch = getchar ();
    while (getchar () != '\n')
        continue;
    return ch;
}

int get_int (void)
{
    int input;
    char ch;

    while (scanf ("%d", &input) != 1)
    {
        while ((ch = getchar ()) != '\n')
            putchar (ch);  // 剔除错误的输入
        printf (" is not an integer.\nPlease enter an ");
        printf ("integer value, such as 25, -178, or 3: ");
    }
    return input;
}
```

下面是一个运行示例：

```
Enter the letter of your choice:
a. advice            b. bell
c. count             q. quit
```

```
a
Buy low, sell high.
Enter the letter of your choice:
a. advice          b. bell
c. count           q. quit
count
Count how far? Enter an integer:
two
two is not an integer.
Please enter an integer value, such as 25, -178, or 3: 5

1
2
3
4
5
Enter the letter of your choice:
a. advice          b. bell
c. count           q. quit
d
Please respond with a, b, c, or q.
q
```

让菜单界面按照您所希望的那样顺利工作是很困难的，但在您开发了一种可行的方法后，您就可以在多种情况下重用该界面。

另外要注意的一点是在面临较复杂的任务时，每个函数如何将任务指派给其他函数，这样就可使程序更加模块化。

8.8　关键概念

C 程序将输入视为一个外来字节的流。getchar（）函数将每个字节解释为一个字符编码。scanf（）函数以同样的方式看待输入，但在其转换说明符的指导下，该函数可以将字符转换为数值。许多操作系统都提供重定向，这就使您能够用文件代替键盘作为输入，或用文件代替显示器作为输出。

程序通常期望某种特定形式的输入。您可以通过设想用户可能犯的输入错误并令程序处理这些错误来使程序更加健壮和对用户更加友好。

对于一个小程序来说，输入确认可能是代码中最复杂的部分。在处理这个问题时可以有多种选择。例如，如果用户输入了错误的信息类型，则您可以终止程序，也可以给用户有限次的机会进行正确输入，还可以给用户无限次机会进行正确输入。

8.9　总结

许多程序使用 getchar（）来逐个字符地读取输入。通常，系统使用行缓冲输入（line-buffered input），这意味着输入的内容在您按下回车键时被传输给程序。按下回车键的同时还将传输一个编程时需要注意的换行字符。ANSI C 把缓冲输入作为标准。

名为标准 I/O 包的一系列函数是 C 的一个特性，该函数系列以统一的方式处理不同系统上的不同文件格式。getchar（）和 scanf（）函数属于这一函数系列。检测到文件尾时，这两个函数都返回 EOF 值（在 stdio.h 头文件中定义）。在 Unix 系统中，您能通过在一行的开始键入 Ctrl+D 来从键盘模拟文件结束条件；DOS 系统则使用 Ctrl+Z 来达到这一目的。

许多操作系统（包括 Unix 和 DOS）都具有重定向的特性，该特性使您能够使用文件代替键盘和屏幕作为输入和输出。这样，读取输入时以EOF为结束信号的程序就可以用于键盘输入和模拟的文件尾信号，或者用于重定向的文件。

如果混合使用scanf()和getchar()函数，那么当调用getchar()之前scanf()恰好在输入中留下一个换行符时，将会产生问题。然而，如果知道这个问题，就可以在编程中解决它。

当您编写程序时，要仔细地计划用户界面。尝试预见用户可能犯的错误类型，然后设计您的程序对其进行处理。

8.10 复习题

1．putchar（getchar（））是一个有效的表达式，它实现什么功能？getchar（putchar（））也有效吗？

2．下面的每个语句实现什么功能？

```
a. putchar ('H');
b. putchar ('\007');
c. putchar ('\n');
d. putchar ('\b');
```

3．假设您有一个程序count，该程序对输入的字符进行计数。用count程序设计一个命令行命令，对文件essay中的字符进行计数并将结果保存在名为essayct的文件中。

4．给定问题3中的程序和文件，下面哪个命令是正确的？

```
a. essayct <essay
b. count essay
c. essay >count
```

5．EOF是什么？

6．对给出的输入，下面每个程序段的输出是什么（假定ch是int类型的，并且输入是缓冲的）？

a．输入如下所示：

```
If you quit, I will.[enter]
```

程序段如下所示：

```
while ((ch = getchar ()) != 'i')
      putchar (ch);
```

b．输入如下所示：

```
Harhar[enter]
```

程序段如下所示：

```
while ((ch = getchar ()) != '\n')
{
      putchar (ch++);
      putchar (++ch);
}
```

7．C如何处理具有不同文件和换行约定的不同计算机系统？

8．在缓冲系统中把数值输入与字符输入相混合时，您所面临的潜在问题是什么？

8.11 编程练习

下面的一些程序要求输入以EOF终止。如果您的操作系统难以使用或不能使用重定向，则使用一些其他的判断来终止输入，例如读取&字符。

1．设计一个程序，统计从输入到文件结尾为止的字符数。

2．编写一个程序，把输入作为字符流读取，直到遇到 EOF。令该程序打印每个输入字符及其 ASCII 编码的十进制值。注意在 ASCII 序列中空格字符前面的字符是非打印字符，要特殊处理这些字符。如果非打印字符是换行符或制表符，则分别打印\n 或\t。否则，使用控制字符符号。例如，ASCII 的 1 是 Ctrl+A，可以显示为^ A。注意 A 的 ASCII 值是 Ctrl+A 的值加 64。对其他非打印字符也保持相似的关系。除去每次遇到一个换行符时就开始一个新行之外，每行打印 10 对值。

3．编写一个程序，把输入作为字符流读取，直至遇到EOF。令其报告输入中的大写字母个数和小写字母个数。假设小写字母的数值是连续的，大写字母也是如此。或者你可以使用ctype.h库中的合适的函数来区分大小写。

4．编写一个程序，把输入作为字符流读取，直至遇到 EOF。令其报告每个单词的平均字母数。不要将空白字符记为单词中的字母。实际上，标点符号也不应该计算，但现在不必考虑这一点（如果您想做得好一些，可以考虑使用 ctype.h 系列中的 ispunct（）函数）。

5．修改程序清单 8.4 中的猜测程序，使其使用更智能的猜测策略。例如，程序最初猜 50，让其询问用户该猜测值是大、小还是正确。如果该猜测值小，则令下一次猜测值为 50 和 100 的中值，也就是 75。如果 75 大，则下一次猜测值为 75 和 50 的中值，等等。使用这种二分搜索（binary search）策略，起码如果用户没有欺骗，该程序很快会获得正确答案。

6．修改程序清单 8.8 中的 get_first（）函数，使其返回所遇到的第一个非空白字符。在一个简单的程序中测试该函数。

7．修改第 7 章的练习 8，使菜单选项由字符代替数字进行标记。

8．编写一个程序，显示一个菜单，为您提供加法、减法、乘法或除法的选项。获得您的选择后，该程序请求两个数，然后执行您选择的操作。该程序应该只接受它所提供的菜单选项。它应该使用 float 类型的数，并且如果用户未能输入数字应允许其重新输入。在除法的情况中，如果用户输入 0 作为第二个数，该程序应该提示用户输入一个新的值。一个典型的程序运行应该如下所示：

```
Enter the operation of your choice:
a. add          s. subtract
m. multiply     d. divide
q. quit
a
Enter first number: 22.4
Enter second number: one
one is not an number.
Please enter a number, such as 2.5, -1.78E8, or 3: 1
22.4 + 1 = 23.4
Enter the operation of your choice:
a. add          s. subtract
m. multiply     d. divide
q. quit
d
Enter first number: 18.4
Enter second number: 0
Enter a number other than 0: 0.2
18.4 / 0.2 = 92
Enter the operation of your choice:
a. add          s. subtract
m. multiply     d. divide
q. quit
q
Bye.
```

第9章 函　数

在本章中您将学习下列内容：

- 关键字：
  return
- 运算符：
  *（一元）&（一元）
- 函数及其定义方式。
- 参数和返回值的使用方法。
- 使用指针变量作为函数参数。
- 函数类型。
- ANSI C 原型。
- 递归。

如何组织一个程序？C 的设计原则是把函数作为程序的构成模块。前几章您使用了 printf()、scanf()、getchar()、putchar() 以及 strlen() 等标准 C 库函数，本章将介绍更有效的方法，即编写您自己的函数。前几章中我们已经涉及了该内容，本章将巩固以前的知识并做进一步拓展。

9.1 函数概述

首先，什么是函数？函数（function）是用于完成特定任务的程序代码的自包含单元。尽管 C 中的函数和其他语言中的函数、子程序或子过程等扮演着相同的角色，但是在细节上会有所不同。某些函数会导致执行某些动作，比如 printf() 可使数据呈现在屏幕上；还有一些函数能返回一个值以供程序使用，如 strlen() 将指定字符串的长度传递给程序。一般来讲，一个函数可同时具备以上两种功能。

为什么使用函数？第一，函数的使用可以省去重复代码的编写。如果程序中需要多次使用某种特定的功能，那么只需编写一个合适的函数即可。程序可以在任何需要的地方调用该函数，并且同一个函数可以在不同的程序中调用，就像在许多程序中需要使用 putchar() 函数一样。第二，即使某种功能在程序中只使用一次，将其以函数的形式实现也是有必要的，因为函数使得程序更加模块化，从而有利于程序的阅读、修改和完善。例如，假设您想编写一个实现以下功能的程序：

- 读入一行数字。
- 对数字进行排序。
- 找到它们的平均值。
- 打印出一个柱状图。

可以编写如下程序：

```
#include <stdio.h>
#define SIZE 50
```

```
int main (void)
{
    float list[SIZE];

    readlist (list, SIZE);
    sort (list, SIZE);
    average (list, SIZE);
    bargraph (list, SIZE);
    return 0;
}
```

当然，4 个函数 readlist ()、sort ()、average () 和 bargraph () 的实现细节需要您自己编写。描述性的函数名可以清楚地表明程序的功能和组织结构，然后可以对每个函数进行独立设计直至完成需要的功能。如果这些函数足够通用化，那么还可以在其他程序中调用它们。

许多程序员喜欢把函数看作"黑盒子"，即对应一定的输入会产生特定的结果或返回某个数值，而黑盒的内部行为并不需要考虑，除非是该函数的编写者。例如使用 printf () 时，只需向其传递一个控制字符串，或许还有其他一些参数，然后就可以预测到 printf () 的执行结果，而无须了解 printf () 内部的代码。以这种方式看待函数有助于把精力投入到程序整体设计而不是其实现细节。因此，编写函数代码之前首先需要考虑的是函数的功能以及函数和程序整体上的关系。

对函数需要了解什么？您需要掌握如何正确定义函数、如何调用函数和如何建立函数间的通信。为了让您对这些有个清晰的思路，我们首先给出一个非常简单的例子，然后进行详细讲述。

9.1.1　编写和使用一个简单的函数

我们的第一个目标很容易实现，只是编写一个在一行中输出 40 个星号的函数。然后我们在一个程序中使用该函数打印一个简单的信头。程序清单 9.1 给出了完整的程序，它由 main () 函数和 starbar () 函数组成。

程序清单 9.1　lethead1.c 程序

```
/* lethead1.c */
#include <stdio.h>
#define NAME "GIGATHINK, INC. "
#define ADDRESS "101 Megabuck Plaza"
#define PLACE "Megapolis, CA 94904"
#define WIDTH 40

void starbar (void); /* 声明函数原型 */

int main (void)
{
    starbar ();
    printf ("%s\n", NAME);
    printf ("%s\n", ADDRESS);
    printf ("%s\n", PLACE);
    starbar ();         /* 使用函数 */
    return 0;
}

void starbar (void)    /* 定义函数 */
{
    int count;

    for (count = 1; count <= WIDTH; count++)
        putchar ('*');
    putchar ('\n');
}
```

程序输出如下：

```
****************************************
GIGATHINK，INC.
101 Megabuck Plaza
Megapolis，CA 94904
****************************************
```

9.1.2 程序分析

关于这个程序有以下几点需要注意：

- starbar 标识符在不同位置被使用了 3 次：函数原型（function prototype）告知编译器 starbar（）的函数类型，函数调用（function call）导致该函数的执行，而函数定义（function definition）则确切指定了该函数的具体功能。
- 函数同变量一样有多种类型。任何程序在使用函数之前都需要声明该函数的类型。因此，下面这个 ANSI C 风格的原型出现在 main（）函数的定义之前：

  ```
  void starbar (void);
  ```

  圆括号表明 starbar 是一个函数名。第一个 void 指的是函数类型；它的意思是该函数没有返回值。第二个 void（位于圆括号内）表明该函数不接受任何参数。分号的作用是表示该语句是进行函数声明而不是函数定义。也就是说，这一行声明了程序将使用一个名为 starbar（）且函数类型为 void 的函数，同时通知编译器需要在其他位置找到该函数的定义。对于不识别 ANSI C 原型的编译器，只需声明函数的类型，就像下面这样：

  ```
  void starbar ();
  ```

  注意：一些老版本的编译器不能识别 void 类型。这时，需要把没有返回值的函数声明为 int 类型。
- 程序把 starbar（）原型置于 main（）之前；也可将其置于 main（）之内，可以放置变量声明的任何位置。这两种方法都正确。
- 程序在 main（）中通过使用函数名后跟圆括号和分号的格式调用函数 starbar（），语句如下：

  starbar（）;

  这是 void 类型函数的一般调用形式。当计算机执行到 starbar（）；语句时，它找到 starbar（）函数并执行其中的指令。执行完 starbar（）中的代码后，计算机返回到调用函数（calling function）的下一行继续执行。在本例中，调用函数是 main（）（请参见图 9.1）。

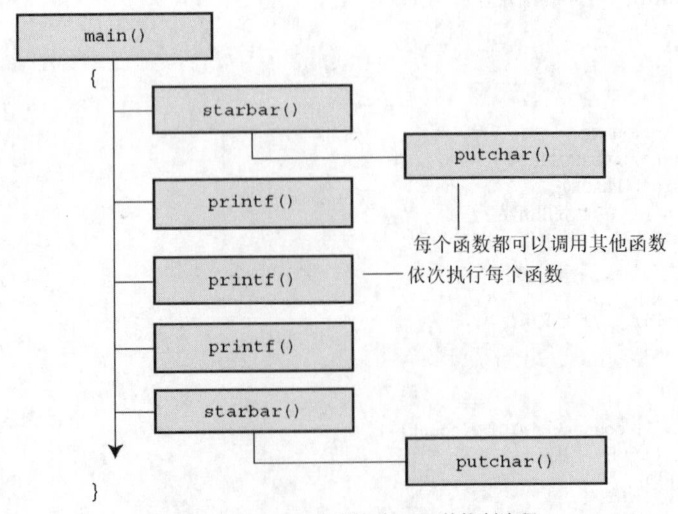

图 9.1 lethead1.c（程序清单 9.1）的控制流程

● 程序中 starbar（）和 main（）具有相同的定义格式，即首先以类型、名称和圆括号开始，接着是开始花括号、变量声明、函数语句定义以及结束花括号（请参见图 9.2）。注意此处的 starbar（）后没有分号，这告诉编译器您是在定义函数 starbar（），而不是在调用它或声明它的原型。

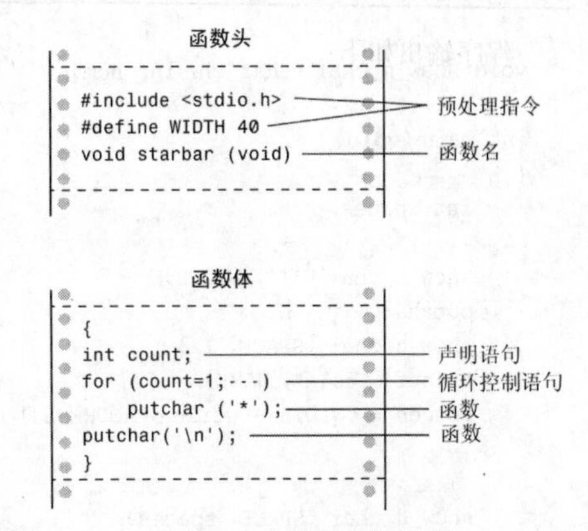

图 9.2　一个简单函数的结构

● 程序把 starbar（）和 main（）包含在同一个文件中，您也可以将它们放在不同的两个文件之中。单文件形式比较容易编译，而使用两个文件则有利于在不同的程序中使用相同的函数。如果您把函数写在了另外一个单独的文件中，则在那个文件中必须加入#define 和#include 指令。在后续内容中我们将讲述两个或多个文件的使用。就目前而言，我们将所有函数都包含在一个文件中。main（）的结束花括号告诉译器该函数在这里结束，后面的 starbar（）函数头表示 starbar（）是一个函数。

● starbar（）中的变量 count 是一个局部（local）变量。这意味着该变量只在 starbar（）中可用。即使您在其他函数（包括 main（）函数）中使用名称 count，也不会出现任何冲突，您将得到具有同一名称的多个单独的、互不相关的变量。

如果把 starbar（）看作一个黑盒子，那么它的执行结果是打印出一行星号。因为不需要来自调用函数的任何信息，所以它没有输入参数。同时它不向 main（）提供（返回）任何信息，因此 starbar（）也没有返回值。简言之，starbar（）不需要同调用函数进行任何通信。

下面将给出一个函数之间需要通信的例子。

9.1.3　函数参数

在上例中，如果文字居中显示那么信头就会更漂亮。可以通过在打印文字之前打印一定数目的空格来达到此目的。这和 starbar（）函数类似。在 starbar（）中打印的是一定数量的星号，而现在要打印的是一定数目的空格。遵循 C 的设计思想，我们不应为每个任务编写一个单独的函数，而应该编写一个可以同时胜任这两个任务的更为通用的函数。新函数将命名为 show_n_char（）（意思是把某字符显示 n 次）。惟一的改变是要显示的字符和显示次数将被作为参数传递给函数 show_n_char（），而不是把它们置于函数内部。

具体一点说，假如一行是 40 个字符宽。40 个星号恰好填满一行，调用函数 show_n_char（'*'，40）可以同 starbar（）一样实现该功能。而将 GIGATHINK，INC.居中需要多少个空格？因为 GIGATHINK，INC.是 15 个字符宽，因此在前面的例子中该短语后跟有 25 个空格。为使其居中，必须先输出 12 个空格，这样该短语两边就会分别有 13 个和 12 空格。所以，可以调用 show_n_char（' '，12）输出 12 个空格。

除了使用参数外，在其他方面 show_n_char（）函数和 starbar（）非常相似。两者的一个不同之处是 show_n_char（）不像 starbar（）那样输出换行符，因为在同一行中可能还需要输出其他文字。程序清单 9.2 给出了改进后的程序。为了强调参数的使用，程序中使用了多种参数形式。

程序清单 9.2　lethead2.c 程序

```
/* lethead2.c */
#include <stdio.h>
#include <string.h>                    /* 为 strlen () 提供原型 */
#define NAME "GIGATHINK, INC. "
#define ADDRESS "101 Megabuck Plaza"
#define PLACE "Megapolis, CA 94904"
#define WIDTH 40
#define SPACE ' '
```

```
void show_n_char (char ch, int num);

int main (void)
{
    int spaces;

    show_n_char ('*', WIDTH);                          /* 使用常量作为参数      */
    putchar ('\n');
    show_n_char (SPACE, 12);                           /* 使用常量作为参数      */
    printf ("%s\n", NAME);
    spaces = (WIDTH - strlen (ADDRESS)) / 2;
                                                       /* 让程序计算           */
                                                       /* 需要跳过多少空格      */
    show_n_char (SPACE, spaces);                       /* 用一个变量作为参数    */
    printf ("%s\n", ADDRESS);
    show_n_char (SPACE, (WIDTH - strlen (PLACE)) / 2);
                                                       /* 用一个表达式作为参数*/
    printf ("%s\n", PLACE);
    show_n_char ('*', WIDTH);
    putchar ('\n');

    return 0;
}

/* show_ n_ char () 定义*/
void show_n_char (char ch, int num)
{
    int count;

    for (count = 1; count <= num; count++)
    putchar (ch);
}
```

程序的执行结果如下：

```
****************************************
          GIGATHINK, INC.
         101 Megabuck Plaza
        Megapolis, CA 94904
****************************************
```

下面我们将详细讨论如何编写使用参数的函数，然后介绍这种函数的使用方法。

9.1.4 定义带有参数的函数：形式参量

函数定义以下面的ANSI C函数头开始：

```
void show_n_char (char ch, int num)
```

这行代码通知编译器show_n_char（）使用名为ch和num的两个参数，并且这两个参数的类型分别是char和int。变量ch和num被称为形式参数（formal argument）或形式参量（formal parameter，现在这个名称更为正式）。如同函数内部定义的变量一样，形式参量是局部变量，它们是函数所私有的。这意味着可以在其他函数中使用相同的变量名。每当调用函数时，这些变量就会被赋值。

注意：ANSI C形式要求在每个变量前声明其类型。也就是说，不能像通常的变量声明那样使用变量列表来声明同一类型的变量，如下所示：

```
void dibs (int x, y, z)            /* 不正确的函数头 */
void dubs (int x, int y, int z)    /* 正确的函数头  */
```

ANSI C也接受ANSI之前的形式，但将其视为废弃不用的形式：

```
void show_n_char (ch, num)
char ch;
int num;
```

此处圆括号内是参数名列表，而参数类型的声明在后面给出。注意参数声明需要位于标志函数体开始的花括号之前，而普通的局部变量在开始花括号之后声明。使用这种形式时，对于相同类型的变量，可以使用逗号分隔的变量名列表，如下所示：

```
void dibs (x, y, z)
int x, y, z;        /* 正确 */
```

制定标准的目的是为了淘汰 ANSI 之前的形式。为了理解以前的代码，您也需要了解 ANSI 之前的形式。但是，以后的程序中应尽量使用新的形式。

尽管函数 show_n_char（）接收来自 main（）的数值，但是它没有返回值。因此，show_n_char（）的类型是 void。

下面讨论函数 show_n_char（）的使用。

9.1.5　带参数函数的原型声明

使用函数之前需要用 ANSI 原型声明该函数：

```
void show_n_char (char ch, int num);
```

当函数接受参数时，函数原型通过使用一个逗号分隔的类型列表指明参数的个数和类型。在函数原型中可以根据您自己的喜好省略变量名：

```
void show_n_char (char, int);
```

在原型中使用变量名并没有实际地创建变量。这只是说明 char 代表了一个 char 类型变量，依此类推。

ANSI C 也支持旧的函数声明形式，即圆括号内不带有任何参数：

```
void show_n_char ();
```

这种形式最终将会被从标准中删除。即使没有被删除，原型形式设计比它更具有优势，正如在下文中将要讲述的那样。了解这种形式的主要原因只是为了您能正确识别并理解以前的代码。

9.1.6　调用带有参数的函数：实际参数

函数调用中，通过使用实际参数（actual argument）对 ch 和 num 赋值。请考虑对 show_n_char（）的第一次使用：

```
show_n_char (SPACE, 12);
```

实际参数是空格字符和 12。这两个数值被赋给 show_n_char（）中相应的形式参量：变量 ch 和 num。换句话说，形式参量是被调函数中的变量，而实际参数是调用函数分配给被调函数变量的特定数值。正如上例中所示，实际参数可以是常量、变量或一个复杂的表达式。但是无论何种形式的实际参数，执行时首先要计算其值，然后将该值复制给被调函数中相应的形式参量。以最后一次使用 show_n_char（）的语句为例：

```
show_n_char (SPACE, (WIDTH - strlen (PLACE)) / 2);
```

求得构成第二个实际参数的表达式的值为 10。然后把数值 10 赋给变量 num。被调函数不知道也不必知道这个数值是来自于常量、变量或是更一般的表达式。再次，实际参数是赋给被称为形式参量的函数变量的具体值（请参见图 9.3）。因为被调函数使用的值是从调用函数中复制而来的，所以不管在被调函数中对复制数值进行什么操作，调用函数中的原数值不会受到任何影响。

实际参数和形式参量

实际参数是函数调用时出现在圆括号中的表达式。而形式参量则是函数定义中在函数头部声明的变量。当一个函数被调用时，将创建被声明为形式参量的变量，然后用计算后得到的实际参数的值初始化该变量。在程序清单 9.2 中，‘*’和 WIDTH 是第一次调用 show_n_char（）时的实际参数，而 SPACE 和 11 则是第二次调用该函数时的实际参数。在函数定义部分，ch 和 num 是函数的形式参量。

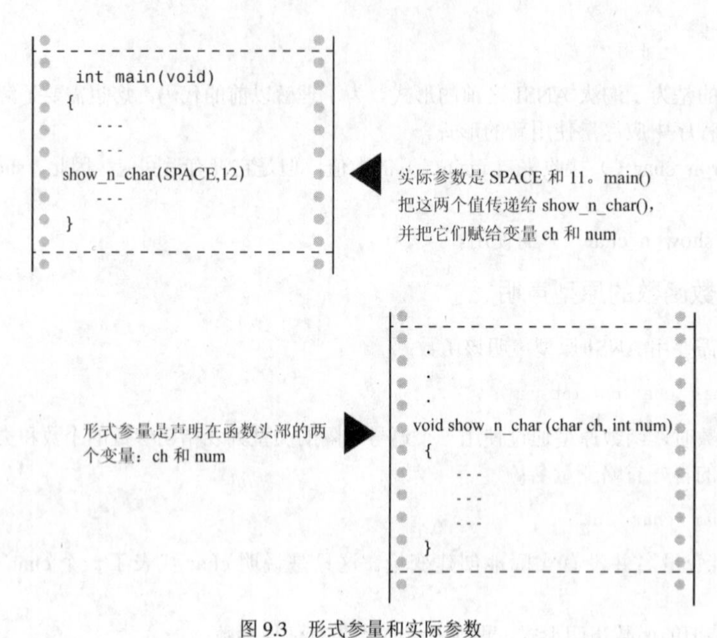

图 9.3　形式参量和实际参数

9.1.7　黑盒子观点

现在我们以黑盒子的观点来考察函数 show_n_char（）。输入是要显示的字符和显示次数，而执行结果是打印出指定数目的字符。输入以参数的形式传递给函数。这些信息清楚地表明了在 main（）中调用这个函数的方法。同时，这也可以作为编写该函数的设计说明。

黑盒子方法的核心部分在于 ch、num 和 count 都是 show_n_char（）私有的局部变量。也就是说，如果在 main（）中使用相同名字的变量，它们相互独立，互不影响。例如，如果 main（）中存在一个 count 变量，那么该变量值的改变不会影响 show_n_char（）中的 count 变量，其余变量也是如此。黑盒子内的一切操作对调用函数来说是不可见的。

9.1.8　使用 return 从函数中返回一个值

前面讨论了从调用函数到被调函数的通信方法。需要沿相反方向传递信息时，可以使用函数返回值。为了进一步说明，我们将构建一个比较两个参数大小并将较小数值返回的函数。因为比较的是 int 类型的数值，所以函数被命名为 imin（）。同时，为了检查 imin（）的执行结果，需要编写一个简单的 main（）函数。这种用来测试函数的程序有时被称作驱动程序（driver）。驱动程序实际调用了被测试的函数。如果该函数成功地通过了测试，那么它就可以在一个更为重要的程序中使用。程序清单 9.3 中是驱动程序和最小值函数。

程序清单 9.3　lesser.c 程序

```
/* lesser.c -- 找出两个整数中的较小者 */
#include <stdio.h>
```

```
int imin (int, int);

int main (void)
{
    int evil1, evil2;

    printf ("Enter a pair of integers (q to quit): \n");
    while (scanf ("%d %d", &evil1, &evil2) == 2)
    {
        printf ("The lesser of %d and %d is %d.\n",
                evil1, evil2, imin (evil1, evil2));
        printf ("Enter a pair of integers (q to quit): \n");
    }
    printf ("Bye.\n");

    return 0;
}

int imin (int n, int m)
{
    int min;

    if (n < m)
        min = n;
    else
        min = m;
    return min;
}
```

下面是一个运行示例：

```
Enter a pair of integers (q to quit):
509 333
The lesser of 509 and 333 is 333.
Enter a pair of integers (q to quit):
-9393 6
The lesser of -9393 and 6 is -9393.
Enter a pair of integers (q to quit):
q
Bye.
```

关键字 return 指明了其后的表达式的数值即是该函数的返回值。在本例中，函数返回变量 min 的数值。因为 min 的类型是 int，所以函数 imin（）的类型也是 int。

变量 min 是 imin（）私有的，但是 return 语句把 min 的数值返回给了调用函数。下面这个语句的作用相当于把 min 的值赋给 lesser：

```
lesser = imin (n, m);
```

能否用下面这个语句代替上句？

```
imin (n, m);
lesser = min;
```

答案是否定的，因为调用函数并不知道 min 变量的存在。imin（）中的变量是该函数的局部变量。函数调用 imin（evil1，evil2）只是复制了两个变量的数值。

返回值不仅可以被赋给一个变量，也可以被用作表达式的一部分。例如，可以使用下列语句：

```
answer = 2 * imin (z, zstar) + 25;
printf ("%d\n", imin (-32 + answer, LIMIT));
```

返回值可以由任何表达式计算得出，而不是仅仅来自于变量。例如，可以使用以下代码来简化示例程序：

```
/* 最小值函数的第 2 个版本 */
imin (int n, int m)
{
    return (n < m) ? n: m;
}
```

条件表达式的值是 n 和 m 中的较小者，并且该数值被返回给调用函数。尽管这里并不要求使用圆括号，但如果您想让程序更清晰或风格更好，可以把返回值放在圆括号内。

当函数返回值的类型和声明的类型不相同时会有什么结果呢？

```
int what_if (int n)
{
    double z = 100.0 / (double) n;
    return z;  // 会有什么结果?
}
```

这时，实际返回值是当把指定要返回的值赋给一个具有所声明的返回类型的变量时得到的数值。因此在本例中，执行结果相当于把 z 的数值赋给一个 int 类型的变量，然后返回该数值。例如，考虑以下的函数调用语句：

```
result = what_if (64);
```

这将把数值 1.5625 赋给变量 z。然而，return 语句返回的则是 int 类型的数值 1。

return 语句的另一作用是终止执行函数，并把控制返回给调用函数的下一个语句。即使 return 语句不是函数的最后一个语句，其执行结果也是如此。因此，可以用下面的方式编写 imin（）函数：

```
/* 最小值函数的第 3 个版本 */
imin (int n, int m)
{
    if (n < m)
        return n;
    else
        return m;
}
```

许多（但不是全部）C 程序员更倾向于只在函数结尾使用一次 return 语句，因为这样做更有利于阅读程序的人明白函数的执行流程。但是，在像以上这种小函数中多次使用 return 语句并没有大错。不管怎样，对用户来说，以上 3 个版本的函数是相同的，因为输入和输出完全相同。不同的只是内部的程序语句。下面的程序也具有同样的执行结果：

```
/* 最小值函数的第 4 个版本 */
imin (int n, int m)
{
    if (n < m)
        return n;
    else
        return m;
    printf ("Professor Fleppard is like totally a fopdoodle.\n");
}
```

return 语句使 printf（）语句永远不会执行。如果 Fleppard 教授在自己的程序中只使用该函数编译后的版本，那么他永远不会知道编这个函数的学生对他的真正看法。

您也可以使用以下语句：

```
return;
```

这个语句会终止执行函数并把控制返回给调用函数。因为 return 后没有任何表达式，所以没有返回值，这种形式只能用于 void 类型的函数之中。

9.1.9 函数类型

函数应该进行类型声明。同时其类型应和返回值类型相同。而无返回值的函数应该被声明为 void 类型。在早期版本的 C 语言中，如果函数没有进行类型声明，则该函数具有默认的函数类型 int。使用这种默认类型的原因是早期大多数 C 语言函数都是 int 类型的。但是，C99 标准不再支持函数的 int 类型的默认设置。

类型声明是函数定义的一部分。但需要注意的是该类型指的是返回值类型，而不是函数参数类型。例如，以下的函数头表示函数使用两个 int 型的参数而返回值类型是 double。

```
double klink (int a, int b)
```

为正确使用函数，程序在首次调用函数之前需要知道该函数的类型。途径之一是在第一次调用之前进行完整的函数定义。但是，这种方式会使得程序难于阅读。而且，需要的函数可能在 C 库中或其他文件中。因此，通常的做法是预先对函数进行声明，以便将函数的信息通知给编译器。例如，程序清单 9.3 中 main（）函数包含以下几行：

```
#include <stdio.h>
int imin (int, int);
int main (void)
{
    int evil1, evil2, lesser;
```

第二行代码说明 imin 是一个函数名称并且该函数返回一个 int 类型的数值。这样当在程序中调用函数 imin（）时，编译器就会有相应的处理方法。

在上面的代码中函数的预先声明被放在了调用函数之外。也可以在调用函数内部预先声明被调函数。例如，程序 lesser.c 的开始部分也可以写成如下形式：

```
#include <stdio.h>
int main (void)
{
    int imin (int, int);  /* imin () 声明 */
    int evil1, evil2, lesser;
```

在以上两种形式中，需要重点注意的是函数声明要在使用函数之前进行。

在 ANSI C 标准库中，函数被分成几个系列，每一系列都有各自的头文件。这些头文件包含了本系列函数的声明部分。例如，头文件 stdio.h 包含了标准 I/O 库函数的声明，像 printf（）、scanf（）。而头文件 math.h 是对各种数学函数进行声明。例如它使用以下代码通知编译器函数 sqrt（）返回 double 类型的数值：

```
double sqrt (double);
```

但是不要把函数声明和函数定义混淆。函数声明只是将函数类型告诉编译器，而函数定义部分则是函数的实际实现代码。引用 math.h 头文件只向编译器说明了 sqrt（）的返回值类型 double，但是 sqrt（）的实现代码则位于另外一个库函数文件中。

9.2 ANSI C 的函数原型

在 ANSI C 规范之前的传统的函数声明形式是不够准确的，因为它只声明了函数的返回值类型，而没有声明其参数。下面我们看一下使用旧的函数声明形式时所产生的问题。

下面的 ANSI 之前形式的声明通知编译器 imin（）返回一个 int 类型的数值：

```
int imin ();
```

然而，该语句并没有说明 imin（）的参数个数和类型。因此，如果在函数 imin（）中使用错误的参数类型或参数个数不对，编译器就不能发现这种错误。

9.2.1 产生的问题

下面我们讨论几个使用 imax（）函数的例子，该函数和 imin（）类似。在程序清单 9.4 中的程序以旧的形式声明函数 imax（），然后错误地使用该函数。

程序清单 9.4 misuse.c 程序

```
/* misuse.c -- 不正确地使用函数 */
#include <stdio.h>
int imax ();   /* 旧式的函数声明 */
int main (void)
{
    printf ("The maximum of %d and %d is %d.\n",
            3, 5, imax (3));
    printf ("The maximum of %d and %d is %d.\n",
            3, 5, imax (3.0, 5.0));
    return 0;
}

int imax (n, m)
int n, m;
{
    int max;

    if (n > m)
        max = n;
    else
        max = m;

    return max;
}
```

在第一个 printf（）中调用 imax（）时漏掉了一个参数，而在第二次调用 imax（）时使用了浮点参数而不是整数参数。尽管存在这些错误，该程序仍可以编译执行。

以下是使用 Metrowerks Codewarrior Development Studio 9 时的输出：

```
The maximum of 3 and 5 is 1245120.
The maximum of 3 and 5 is 1074266112.
```

Digital Mars 8.4 将生成数值 4202837 和 1074266112。使用两种编译器都可以编译通过，只不过它们因为程序没有使用函数原型而产生了错误。

程序运行时发生了些什么？因为各操作系统的内部机制不同，所以出现以上错误的具体情况也不相同。当使用 PC 或 VAX 时，程序执行过程是这样的：调用函数首先把参数放在一个称为堆栈（stack）的临时存储区域里，然后被调函数从堆栈中读取这些参数。但是这两个过程并没有相互协调进行。调用函数根据调用过程中的实际参数类型确定需要传递的数值类型，但是被调函数是根据其形式参数的类型进行数据读取的。因此，函数调用 imax（3）把一个整数放在堆栈中。当函数 imax（）开始执行时，它会从堆栈中读取两个整数。而实际上只有一个需要的数值被存储在堆栈中，所以第二个读出的数据就是当时恰好在堆栈中的其他数值。

第二次使用函数 imax（）时，传递的是 float 类型的数值。这时两个 double 类型的数值就被放在堆栈中（回忆一下，作为参数传递时 float 类型数据会被转换成 double 类型数据）。而在我们使用的系统中，这意味着两个 64 位的数值，即共 128 位的数据存储在堆栈中。因为这个系统中的 int 类型是 32 位，所以当 imax（）从堆栈中读取两个 int 类型的数值时，它会读出堆栈中前面 64 位的数据，把这些数据对应于两个整数，其中较大的一个就是 1074266112。

9.2.2 ANSI 的解决方案

针对以上的参数错误匹配问题，ANSI 标准的解决方案是在函数声明中同时说明所使用的参数类型。

即使用函数原型（function prototype）来声明返回值类型、参数个数以及各参数的类型。为了表示 imax（）需要两个 int 类型的参数，可以使用下面原型中的任意一个进行声明：

```
int imax (int, int);
int imax (int a, int b);
```

第一种形式使用逗号对参数类型进行分隔；而第二种形式在类型后加入了变量名。需要注意的是这些变量名只是虚设的名字，它们不必和函数定义中使用的变量名相匹配。

使用这种函数原型信息，编译器就可以检查函数调用语句是否和其原型声明相一致。比如检查参数个数是否正确，参数类型是否匹配。如果有一个参数类型不匹配但都是数值类型，编译器会把实际参数值转换成和形式参数类型相同的数值。例如，会把 imax（3.0，5.0）换成 imax（3，5）。当使用函数原型时，上例中的程序清单 9.4 会变成如下的程序清单 9.5。

程序清单 9.5 proto.c 程序

```
/* proto.c -- 使用函数原型 */
#include <stdio.h>
int imax (int, int); /* 原型 */
int main (void)
{
    printf ("The maximum of %d and %d is %d.\n",
            3, 5, imax (3));
    printf ("The maximum of %d and %d is %d.\n",
           3, 5, imax (3.0, 5.0));
    return 0;
}

int imax (int n, int m)
{
    int max;

    if (n > m)
        max = n;
    else
        max = m;
    return max;
}
```

当编译程序清单 9.5 时，编译器会给出一个错误信息，声称调用函数 imax（）时传递的参数太少。

当存在类型错误时会出现什么结果呢？为了说明这一点，我们用 imax（3，5）代替 imax（3）后重新进行编译。这一次并没有出现任何错误信息。执行程序后结果如下：

```
The maximum of 3 and 5 is 5.
The maximum of 3 and 5 is 5.
```

正如上文所述，第二次调用时 3.0 和 5.0 被转换成 3 和 5，因此被调函数就可以对传入的数据进行正确处理。

虽然编译中没有出现错误信息，但是编译器给出了一条警告信息，提示 doube 类型数据被转换成了 int 类型的数据，因此可能会损失数据。例如，以下函数调用：

```
imax (3.9, 5.4)
```

等价于语句：

```
imax (3, 5)
```

错误和警告的不同之处在于前者阻止了编译的继续进行而后者不阻止。一些编译器进行这个类型转换，但不显示警告信息，因为 C 标准并没有要求进行警告提示。不过，大多数编译器允许用户通过选择警告级别来控制编译器在显示警告时的详细程度。

9.2.3　无参数和不确定参数

假设使用以下函数原型：

```
void print_name ();
```

这时一个 ANSI C 编译器会假设您没有用函数原型声明函数，它就不会进行参数检查。因此，为了表示一个函数确实不使用参数，需要在圆括号内加入 void 关键字：

```
void print_name (void);
```

ANSI C 会把上句解释为 print_name（）不接受任何参数，因此当对该函数进行调用时编译器就会检查以保证您确实没有使用参数。一些函数（比如 printf（）和 scanf（））使用的参数个数是变化的。例如在 printf（）中，第一个参数是一个字符串，而其余参数的类型以及参数个数并不固定。对于这种情况，ANSI C 允许使用不确定的函数原型。例如，对于 printf（）可以使用下面的原型声明：

```
int printf (char *, ...);
```

这种原型表示第一个参数是一个字符串(在第 11 章“字符串和字符串函数”中详细解释了这一知识点)，而其余的参数不能确定。

对于参数个数不确定的函数，C 库通过 stdarg.h 头文件提供了定义该类函数的标准方法。本书第 16 章“C 预处理器和 C 库”详细讲述了有关内容。

9.2.4　函数原型的优点

函数原型是对语言的有力补充。它可以使编译器发现函数使用时可能出现的错误或疏漏。而这些问题如果不被发现的话，是很难跟踪调试出来的。您可以不使用函数原型，而使用旧的函数声明形式（不说明参数的函数声明），但是这么做不仅没有任何优势反而存在许多缺点。

有一种方法可以不使用函数原型却保留函数原型的优点。之所以使用函数原型，是为了在编译器编译第一个调用函数的语句之前向其表明该函数的使用方法。因此，可以在首次调用某函数之前对该函数进行完整的定义。这样函数定义部分就和函数原型有着相同的作用。通常对较小的函数会这样做：

```
// 下面既是一个函数的定义，也是它的原型
int imax (int a, int b) { return a > b ? a: b; }
int main ()
{
...
    z = imax (x, 50);
...
}
```

9.3　递归

C 允许一个函数调用其本身。这种调用过程被称作递归（recursion）。递归有时很难处理，而有时却很方便实用。当一个函数调用自己时，如果编程中没有设定可以终止递归的条件检测，它会无限制地进行递归调用，所以需要进行谨慎处理。

递归一般可以代替循环语句使用。有些情况下使用循环语句比较好，而有些时候使用递归更有效。递归方法虽然使程序结构优美，但其执行效率却没有循环语句高。

9.3.1　递归的使用

为了具体说明，请看下面的例子。程序清单9.6中函数main（）调用了函数up_and_down（）。我们把这次调用称为“第1级递归”。然后up_and_down（）调用其本身，这次调用叫做“第2级递归”。第2级递归

调用第3级递归，依此类推。本例中共有4级递归。为了深入其中看看究竟发生了什么，程序不仅显示出了变量n的值，还显示出了存储n的内存的地址&n（本章稍后部分将更全面讨论&运算符。printf()函数使用%p说明符来指示地址）。

程序清单 9.6　recur.c 程序

```
/* recur.c -- 递归举例 */
#include <stdio.h>
void up_and_down (int);

int main (void)
{
    up_and_down (1);
    return 0;
}

void up_and_down (int n)
{
    printf("Level %d: n location %p\n", n, &n); /* 1 */
    if (n < 4)
         up_and_down(n+1);
    printf("LEVEL %d: n location %p\n", n, &n); /* 2 */

}
```

输出如下：

```
Level 1: n location 0x0012ff48
Level 2: n location 0x0012ff3c
Level 3: n location 0x0012ff30
Level 4: n location 0x0012ff24
LEVEL 4: n location 0x0012ff24
LEVEL 3: n location 0x0012ff30
LEVEL 2: n location 0x0012ff3c
LEVEL 1: n location 0x0012ff48
```

我们来分析程序中递归的具体工作过程。首先 main（）使用参数 1 调用了函数 up_and_down（）。于是 up_and_down（）中形式参量 n 的值为 1，故打印语句#1 输出了 Level 1。然后，由于 n 的数值小于 4，所以 up_and_down（）（第 1 级）使用参数 n+1 即数值 2 调用了 up_and_down（）（第 2 级）。这使得 n 在第 2 级调用中被赋值 2，打印语句#1 输出的是 Level 2。与之类似，下面的两次调用分别打印出 Level 3 和 Level 4。

当开始执行第 4 级调用时，n 的值是 4，因此 if 语句的条件不满足。这时不再继续调用 up_and_down（）函数。第 4 级调用接着执行打印语句#2，即输出 LEVEL 4，因为 n 的值是 4。现在函数需要执行 return 语句，此时第 4 级调用结束，把控制返回给该函数的调用函数，也就是第 3 级调用函数。第 3 级调用函数中前一个执行过的语句是在 if 语句中进行第 4 级调用。因此，它开始继续执行其后续的代码，即执行打印语句#2，这将会输出 LEVEL 3。当第 3 级调用结束后，第 2 级调用函数开始继续执行，即输出了 LEVEL 2。依此类推。

注意，每一级的递归都使用它自己私有的变量 n。你可以通过查看地址的值来得出这个结论（当然，不同的系统通常会以不同的格式显示不同的地址。关键点在于，调用时的 Level1 地址和返回时的 Level1 地址是相同的）。

如果您对此感到有些迷惑，可以假想进行了一系列函数调用，即使用 fun1（）调用 fun2（）、fun2（）调用 fun3（），fun3（）调用 fun4（）。fun4（）执行完后，fun3（）会继续执行。而 fun3（）执行完后，开始继续执行 fun2（）。最后 fun2（）返回到 fun1（）中并执行后续代码。递归过程也是如此，只不过 fun1（）、fun2（）、fun3（）和 fun4（）是相同的函数。

9.3.2 递归的基本原理

刚接触递归可能会感到迷惑，下面将讲述几个基本要点以便于理解该过程。

第一，每一级的函数调用都有自己的变量。也就是说，第 1 级调用中的 n 不同于第 2 级调用中的 n，因此程序创建了 4 个独立的变量，虽然每个变量的名字都是 n，但是它们分别具有不同的值。当程序最终返回到对 up_and_down（）的第 1 级调用时，原来的 n 仍具有其初始值 1（请参见图 9.4）。

变量：	n	n	n	n
第 1 级调用后	1			
第 2 级调用后	1	2		
第 3 级调用后	1	2	3	
第 4 级调用后	1	2	3	4
从第 4 级调用返回后	1	2	3	
从第 3 级调用返回后	1	2		
从第 2 级调用返回后	1			
从第 1 级调用返回后				

（全部结束）

图 9.4　递归中的变量

第二，每一次函数调用都会有一次返回。当程序流执行到某一级递归的结尾处时，它会转移到前第 1 级递归继续执行。程序不能直接返回到 main（）中的初始调用部分，而是通过递归的每一级逐步返回，即从 up_and_down（）的某一级递归返回到调用它的那一级。

第三，递归函数中，位于递归调用前的语句和各级被调函数具有相同的执行顺序。例如，在程序清单 9.6 中，打印语句#1 位于递归调用语句之前。它按照递归调用的顺序被执行了 4 次，即依次为第 1 级、第 2 级、第 3 级和第 4 级。

第四，递归函数中，位于递归调用后的语句的执行顺序和各个被调函数的顺序相反。例如，打印语句#2 位于递归调用语句之后，其执行顺序是：第 4 级、第 3 级、第 2 级和第 1 级。递归调用的这种特性在解决涉及反向顺序的编程问题时很有用。下文中将给出这样的一个例子。

第五，虽然每一级递归都有自己的变量，但是函数代码并不会得到复制。函数代码是一系列的计算机指令，而函数调用就是从头执行这个指令集的一条命令。一个递归调用会使程序从头执行相应函数的指令集。除了为每次调用创建变量，递归调用非常类似于一个循环语句。实际上，递归有时可被用来代替循环，反之亦然。

最后，递归函数中必须包含可以终止递归调用的语句。通常情况下，递归函数会使用一个 if 条件语句或其他类似的语句以便当函数参数达到某个特定值时结束递归调用。比如在上例中，up_and_down（n）调用了 up_and_down（n+1）。最后，实际参数的值达到 4 时，条件语句 if（n<4）得不到满足，从而结束递归。

9.3.3 尾递归

最简单的递归形式是把递归调用语句放在函数结尾即恰在 return 语句之前。这种形式被称作尾递归（tail recursion）或结尾递归（end recursion），因为递归调用出现在函数尾部。由于尾递归的作用相当于一条循环语句，所以它是最简单的递归形式。

下面我们讲述分别使用循环和尾递归完成阶乘计算的例子。一个整数的阶乘就是从 1 到该数的乘积。例如，3 的阶乘（写作 3!）是 1×2×3。0!等于 1，而且负数没有阶乘。程序清单 9.7 中，第一个函数使用 for 循环计算阶乘，而第二个函数用的是递归方法。

程序清单 9.7　factor.c 程序

```
// factor.c -- 使用循环和递归计算阶乘
#include <stdio.h>
long fact (int n);
long rfact (int n);
int main (void)
{
    int num;

    printf ("This program calculates factorials.\n");
    printf ("Enter a value in the range 0-12 (q to quit): \n");
    while (scanf ("%d", &num) == 1)
    {
        if (num < 0)
```

```
            printf ("No negative numbers, please.\n");
        else if (num > 12)
            printf ("Keep input under 13.\n");
        else
        {
            printf ("loop: %d factorial = %ld\n", num, fact (num));
            printf ("recursion: %d factorial = %ld\n", num, rfact (num));
        }
        printf ("Enter a value in the range 0-12 (q to quit): \n");
    }
    printf ("Bye.\n");
    return 0;
}

long fact (int n)  // 使用循环计算阶乘
{
    long ans;

    for (ans = 1; n > 1; n--)
        ans *= n;
    return ans;
}

long rfact (int n) // 使用递归计算阶乘
{
    long ans;

    if (n > 0)
        ans= n * rfact (n-1);
    else
        ans = 1;
    return ans;
}
```

用来测试的驱动程序把输入限制在整数 0 到 12 之间。因为 12!稍大于 5 亿，而 13!比我们的系统中的 long 类型数据大得多，所以如果计算大于 13!的阶乘，就必须使用范围更大的数据类型，比如 double 类型或 long long 类型。

下面是一个运行示例：

```
This program calculates factorials.
Enter a value in the range 0-12 (q to quit):
5
loop: 5 factorial = 120
recursion: 5 factorial = 120
Enter a value in the range 0-12 (q to quit):
10
loop: 10 factorial = 3628800
recursion: 10 factorial = 3628800
Enter a value in the range 0-12 (q to quit):
q
Bye.
```

使用循环方法的函数把 ans 初始化为 1，然后将其依次和从 n 到 2 依次递减的整数相乘。根据公式，ans 还应该和 1 相乘，但这并不会改变结果。

下面我们研究使用递归方法的函数。其中关键的一点是 n!＝n×(n−1)!。因为(n−1)!是 1 到 n−1 的所有正数之积，所以该数乘以 n 就是 n 的阶乘。这也暗示了可以采用递归的方法。调用函数 rfact（）时，rfact（n）就等于 n×rfact(n−1)。这样就可以通过调用 rfact(n−1)来计算 rfact（n），如程序清单 9.7 中所示。当然，递归必须在某个地方结束，可以在 n 为 0 时把返回值设为 1，从而达到结束递归的目的。

在程序清单 9.7 中，两个函数的输出结果相同。虽然对 rfact（）的递归调用不是函数中的最后一行，但它是在 n>0 的情况下执行的最后一条语句，因此这也属于尾递归。

既然循环和递归都可以用来实现函数，那么究竟选择哪一个呢？一般来讲，选择循环更好一些。首先，因为每次递归调用都拥有自己的变量集合，所以就需要占用较多的内存；每次递归调用需要把新的变量集合存储在堆栈中。其次，由于进行每次函数调用需要花费一定的时间，所以递归的执行速度较慢。既然如此，那么我们为什么还要讲述以上例子呢？因为尾递归是最简单的递归形式，比较容易理解；而且在某些情况下，我们不能使用简单的循环语句代替递归，所以就有必要学习递归的方法。

9.3.4 递归和反向计算

下面我们考虑一个使用递归处理反序的问题（在这类问题中使用递归比使用循环更简单）。问题是这样的：编写一个函数将一个整数转换成二进制形式。二进制形式的意思是指数值以 2 为底数进行表示。例如 234 在十进制下表示为 $2\times10^2+3\times10^1+4\times10^0$，而二进制数 101 意思是 $1\times2^2+0\times2^1+1\times2^0$。二进制数只使用数字 0 和 1 表示。

解决上述问题，需要使用一个算法（algorithm）。例如，怎样得到 5 的二进制数表示？因为奇数的二进制形式的最后一位一定是 1，而偶数的二进制数的最后一位是 0，所以可以通过计算 5%2 得出 5 的二进制形式中最后一位数字是 1 或者 0。一般来讲，对于数值 n，其二进制数的最后一位是 n%2，因此计算出的第一个数字恰是需要输出的最后一位数字。这就需要使用一个递归函数实现。在函数中，首先在递归调用之前计算 n%2 的数值，然后在递归调用语句之后进行输出。这样，计算出的第一个数值反而在最后一个输出。

为了得出下一个数字，需要把原数值除以 2。这种计算就相当于在十进制下把小数点左移一位。如果此时得出的数值是偶数，则下一个二进制位的数值是 0；若得出的数值为奇数，则下一个二进制位的数值就是 1。例如，5/2 的数值是 2（整数除法），所以下一位值是 0。这时已经得到了数值 01。重复上述计算，即使用 2 除以 2 得出 1，而 1%2 的数值是 1，因此下一位值是 1。这时得到的数值是 101。那么何时停止这种计算呢？因为只要被 2 除的结果等于或大于 2，那么就还需要一位二进制位进行表示，所以只有被 2 除的结果小于 2 时才停止计算。每次除以 2 就可以得出一位二进制位值，直到计算出最后一位为止（如果读者对此感到不解，可以在十进制下做类似的运算。628 除以 10 的余数是 8，因此 8 就是最后一位。上步计算的商是 62，而 62 除以 10 的余数是 2，所以 2 就是下一位值，依此类推）。在程序清单 9.8 中实现了上述算法。

程序清单 9.8 binary.c 程序

```
/* binary.c -- 以二进制形式输出整数 */
#include <stdio.h>
void to_binary (unsigned long n);

int main (void)
{
    unsigned long number;
    printf ("Enter an integer (q to quit): \n");
    while (scanf ("%ul", &number) == 1)
    {
        printf ("Binary equivalent: ");
        to_binary (number);
        putchar ('\n');
        printf ("Enter an integer (q to quit): \n");
    }
    printf ("Done.\n");

    return 0;
}
void to_binary (unsigned long n) /* 递归函数 */
{
    int r;
```

```
    r = n % 2;
    if (n >= 2)
        to_binary (n / 2);
    putchar ('0' + r);

    return;
}
```

以上程序中，如果 r 是 0，表达式'0'+r 就是字符'0'；当 r 为 1 时，则该表达式的值为字符'1'。得出这种结果的前提假设是字符'1'的数值编码比字符'0'的数值编码大 1。ASCII 和 EBCDIC 两种编码都满足上述条件。更一般的方式，你可以使用如下方法：

```
putchar( r ? '1' : '0');
```

下面是一个简单的运行示例：

```
Enter an integer (q to quit):
9
Binary equivalent: 1001
Enter an integer (q to quit):
255
Binary equivalent: 11111111
Enter an integer (q to quit):
1024
Binary equivalent: 10000000000
Enter an integer (q to quit):
q
done.
```

当然，不使用递归也能实现这个算法。但是由于本算法先计算出最后一位数值，所以在显示结果之前必须对所有的数值进行存储（比如放在一个数组之中）。第 15 章“位操作”给出了不用递归实现这个算法的例子。

9.3.5　递归的优缺点

使用递归既有优点也有缺点。其优点在于为某些编程问题提供了最简单的解决方法，而缺点是一些递归算法会很快耗尽计算机的内存资源。同时，使用递归的程序难于阅读和维护。从下面的例子中可以看出使用递归的优缺点。

斐波纳契数列定义如下：第一个和第二个数字都是 1，而后续的每个数字是其前两个数字之和。例如，数列中前几个数字是 1、1、2、3、5、8 和 13。斐波纳契数列在数学上很受重视，甚至有专门的刊物讨论它。本书不对此做深层次的探讨。下面我们创建一个函数，它接受一个正整数 n 作为参数，返回相应的斐波纳契数值。

首先，关于递归深度，递归提供了一个简单的定义。如果调用函数 Fibonacci()，当 n 为 1 或 2 时 Fibonacci（n）应返回 1；对于其他数值应返回 Fibonacci（n-1）＋Fibonacci（n-2）：

```
long Fibonacci (int n)
{
    if (n > 2)
        return Fibonacci (n-1) + Fibonacci (n-2);
    else
        return 1;
}
```

这个 C 递归函数只是重述了递归的数学定义（为使问题简化，函数不处理小于 1 的数值）。同时本函数使用了双重递归（double recursion）；也就是说，函数对本身进行了两次调用。这就会导致一个弱点。

为了具体说明这个弱点，先假设调用函数 Fibonacci（40）。第 1 级递归会创建变量 n。接着它两次调用 Fibonacci（），在第 2 级递归中又会创建两个变量 n。上述的两次调用中的每一次又进行了两次调用，因而在第 3 级调用中需要 4 个变量 n，这时变量总数为 7。因为每级调用需要的变量数是上一级变量数的 2 倍，所以变量的个数是以指数规律增长的！正如第5章“运算符、表达式和语句”中的小麦粒数的例子，按指数规律增长会很快产生很大的数值。这种情况下，指数增长的变量数会占用大量内存，这就可能导致程序瘫痪。

当然，以上是一个比较极端的例子，但它也表明了必须小心使用递归，尤其是当效率处在第一位的时候。

所有C函数地位同等

一个程序中的每个C函数和其他函数之间是平等关系。每一个函数都可以调用其他任何函数或被其他任何函数调用。这就使得C函数和Pascal以及Modula-2中的过程略有不同，因为这些过程可以嵌入在其他过程之中。而且嵌入在不同处的过程之间不能相互调用。

min（）函数是否与其他的函数不同？是的，函数main（）是一个有点特殊的函数。因为在程序中当几个函数放在一起时，计算机将从main（）中的第一个语句开始执行，但这也是其局限之处。同时main（）也可以被其本身递归调用或被其他函数调用——尽管很少这么做。

9.4 多源代码文件程序的编译

使用多个函数的最简单方法是将它们放在同一文件中，然后就像编译单个函数的文件一样对该文件进行编译。而其他方法就根据操作系统的不同而不同，以下几节将举例说明这些方法。

9.4.1 UNIX

首先假定UNIX系统下安装了标准的UNIX C编译器cc。文件file1.c和file2.c中包含有C函数。下面的命令将把这两个文件编译在一起并生成可执行文件a.out:

```
cc file1.c file2.c
```

另外还将生成两个目标文件file1.o和file2.o。如果随后只更改了文件file1.c而file2.c没有改变，可以使用以下命令编译第一个文件并将其链接到第二个文件的目标代码：

```
cc file1.c file2.o
```

在UNIX系统下有一个make命令可以自动管理多文件程序，本书不对此做深入讨论。

9.4.2 Linux

首先假定Linux系统下安装了GNU C编译器gcc。文件file1.c和file2.c中包含有C函数。下面的命令将把这两个文件编译在一起并生成可执行文件a.out:

```
gcc file1.c file2.c
```

另外还将生成两个目标文件file1.o和file2.o。如果随后只对file1.c进行了改动而file2.c不变，下面的命令可以对其进行编译并链接到file2.c的目标代码：

```
gcc file1.c file2.o
```

9.4.3 DOS 命令行编译器

大多数DOS命令行编译器的工作机制同UNIX系统下的cc命令类似。一个不同之处在于DOS系统下目标文件的扩展名是.obj 而不是.o。而且有些编译器并不生成目标代码文件，而是生成汇编语言或其他特殊代码的中间文件。

9.4.4 Windows 和 Macintosh 编译器

Windows 和 Macintosh 系统下的编译器是面向工程的。工程（project）描述了一个特定的程序所使用的资源。这些资源中包括源代码文件。使用这种编译器运行单文件程序时，必须创建工程。而对于多文件程序，需要使用相应的菜单命令将源代码文件加入到一个工程之中。而且，工程必须包括所有的源代码文件（扩展名为.c 的文件）。但是，头文件（扩展名为.h 的文件）不能包含在工程之中。因为工程只管理所使用的源代码文件，而使用哪些头文件需要由源代码文件中的#include 指令确定。

9.4.5　头文件的使用

如果把 main（）函数放在第一个文件中而把自定义函数放在第二个文件中实现，那么第一个文件仍需要使用函数原型。如果把函数原型放在一个头文件中，就不必每次使用这些函数时输入其原型声明。这也正是 C 标准库的做法，比如把输入/输出函数的原型声明放在 stdio.h 中，把数学函数的原型声明放在 math.h 之中。对于包含自定义函数的文件也可以这样做。

编写程序的过程中需要经常使用 C 的预处理器定义常量。而定义的常量只能用于包含相应#define 语句的文件。如果程序中的函数分别放在不同的文件之中，那么就必须使定义常量的#define 指令对每个文件都可用。而直接在每个文件中键入该指令的方法既耗时又容易出错，同时也会带来一个维护上的问题：即如果修改了一个使用#define 定义的数值，那么必须在每一文件中对其进行修改。比较好的解决方法是把所有的#define 指令放在一个头文件中，然后在每个源代码文件中使用#include 语句引用该头文件。

总之，把函数原型和常量定义放在一个头文件中是一个很好的编程习惯。我们考虑这样一个例子。假设需要管理 4 个连锁的旅馆。每一个旅馆都有不同的收费标准，但是对于一个特定的旅馆，其中的所有房间都符合同一种收费标准。对于预定住宿时间超过一天的人来说，第 2 天的收费是第一天的 95%，而第 3 天的收费则是第 2 天的 95%，等等（先不考虑这种策略的经济效益）。我们需要这样一个程序，即对于指定的旅馆和总的住宿天数可以计算出收费总额。同时程序中要实现一个菜单，从而允许用户反复进行数据输入直到选择退出。

程序清单 9.9、程序清单 9.10 以及程序清单 9.11 列出了上述程序的源代码。第一个程序清单包含了 main（）函数，在 main（）函数中可以看出整个程序的组织结构。第二个程序清单包含所使用的函数，而且我们假设这些函数放在一个单独的文件中。最后，程序清单 9.11 列出了一个头文件，其中包含了程序的所有源文件使用的自定义常量和函数原型。前面讲过，在 UNIX 和 DOS 环境下，指令#include "hotels.h"中的双引号表示被包含的文件位于当前工作目录下（该目录一般包含源代码）。

程序清单 9.9　usehotel.c 控制模块

```
/* usehotel.c -- 旅馆房间收费程序   */
/* 与程序清单 9.10 一起编译         */
#include <stdio.h>
#include "hotel.h" /* 定义常量、声明函数 */
int main (void)
{
    int nights;
    double hotel_rate;
    int code;

    while ((code = menu ()) != QUIT)
    {
        switch (code)
        {
        case 1: hotel_rate = HOTEL1;
                break;
        case 2: hotel_rate = HOTEL2;
                break;
        case 3: hotel_rate = HOTEL3;
                break;
        case 4: hotel_rate = HOTEL4;
                break;
        default: hotel_rate = 0.0;
                 printf ("Oops!\n");
```

```
                break;
            }
            nights = getnights ();
            showprice (hotel_rate, nights);
        }
        printf ("Thank you and goodbye. ");
        return 0;
}
```

程序清单 9.10 hotel.c 函数支持模块

```
/* hotel.c -- 旅馆管理函数 */
#include <stdio.h>
#include "hotel.h"
int menu (void)
{
    int code, status;

    printf ("\n%s%s\n", STARS, STARS);
    printf ("Enter the number of the desired hotel: \n");
    printf ("1) Fairfield Arms 2) Hotel Olympic\n");
    printf ("3) Chertworthy Plaza 4) The Stockton\n");
    printf ("5) quit\n");
    printf ("%s%s\n", STARS, STARS);
    while ((status = scanf ("%d", &code)) != 1 ||
            (code < 1 || code > 5))
    {
        if (status != 1)
            scanf ("%*s");
        printf ("Enter an integer from 1 to 5, please.\n");
    }
    return code;
}
int getnights (void)
{
    int nights;

    printf ("How many nights are needed? ");
    while (scanf ("%d", &nights) != 1)
    {
        scanf ("%*s");
        printf ("Please enter an integer, such as 2.\n");
    }
    return nights;
}
void showprice (double rate, int nights)
{
    int n;
    double total = 0.0;
    double factor = 1.0;
    for (n = 1; n <= nights; n++, factor *= DISCOUNT)
        total += rate * factor;
    printf ("The total cost will be $%0.2f.\n", total);
}
```

程序清单 9.11 hotel.h 头文件

```
/* hotel.h -- hotel.c 中的常量定义和函数声明 */
#define QUIT      5
#define HOTEL1    80.00
#define HOTEL2    125.00
#define HOTEL3    155.00
```

```
#define HOTEL4  200.00
#define DISCOUNT 0.95
#define STARS "**********************************"

//给出选项列表
int menu (void);

//返回预定的天数
int getnights (void);

//按饭店的星级和预定的天数计算价格并显示出来
void showprice (double, int);
```

下面是一个运行示例：

```
******************************************************************
Enter the number of the desired hotel:
1) Fairfield Arms            2) Hotel Olympic
3) Chertworthy Plaza         4) The Stockton
5) quit
******************************************************************
3
How many nights are needed? 1
The total cost will be $155.00.
******************************************************************
Enter the number of the desired hotel:
1) Fairfield Arms            2) Hotel Olympic
3) Chertworthy Plaza         4) The Stockton
5) quit
******************************************************************
4
How many nights are needed? 3
The total cost will be $570.5.
******************************************************************
Enter the number of the desired hotel:
1) Fairfield Arms            2) Hotel Olympic
3) Chertworthy Plaza         4) The Stockton
5) quit
******************************************************************
5
Thank you and goodbye.
```

顺便提一下，程序中有几处很具特色。比如函数 menu（）和 getnights（）通过检测 scanf（）的返回值来跳过输入的非数字数据，并且调用函数 scanf（"%*s"）来跳至下一空白字符。请注意 menu（）中的以下代码如何检查出非数字的输入和超出范围的数据：

```
while ((status = scanf ("%d", &code)) != 1  ||
        (code < 1 || code > 5))
```

这段代码运用了 C 的两个运算规则：逻辑表达式从左向右运算；并且一旦结果明显为假，运算会立刻停止。在本例中，只有确定 scanf（）已成功地读取了一个整型数值后，变量 code 的数值才会被检查。

用函数分别实现各个独立的功能需要使用这种精练的语句。当然第一次编写 menu（）和 getnights（）时可能只使用了简单的 scanf（）函数而没有数据检查功能。然后，就可以根据基本程序的运行情况对每个模块进行改进。

9.5　地址运算符：&

C 中最重要的（有时也是最复杂的）概念之一就是指针（pointer），也就是用来存储地址的变量。在上文中函数 scanf（）就是使用地址作为参数。更一般地，当需要改变调用函数中的某个数值时，任何被调用的无返回值的 C 函数都需要使用地址参数来完成该任务。接下来我们将讨论使用地址参数的函数，首先介绍一元运算符&的使用方法（下一章继续研究指针并介绍它的使用方法）。

一元运算符&可以取得变量的存储地址。假设 pooh 是一个变量的名字，那么&pooh 就是该变量的地址。一个变量的地址可以被看作是该变量在内存中的位置。假定使用了以下语句：

```
pooh = 24;
```

并且假定 pooh 的存储地址是 0B76（PC 的地址一般以 4 位十六进制数的形式表示）。那么语句：

```
printf ("%d %p\n", pooh, &pooh);
```

将输出如下数值（%p 是输出地址的说明符）：

```
24 0B76
```

在程序清单 9.12 中，我们使用地址运算符获得不同函数中具有相同名称的变量的存储地址。

程序清单 9.12 loccheck.c 程序

```
/* loccheck.c -- 查看变量的存储地址 */
#include <stdio.h>
void mikado (int);                  /* 声明函数       */
int main (void)
{
    int pooh = 2, bah = 5;          /*  main () 函数中的局部变量  */

    printf ("In main (), pooh = %d and &pooh = %p\n",
            pooh, &pooh);
    printf ("In main (), bah = %d and &bah = %p\n",
            bah, &bah);
    mikado (pooh);
    return 0;
}
void mikado (int bah)               /* 定义函数 */
{
    int pooh = 10;                  /*  mikdo () 函数中的局部变量  */

    printf ("In mikado (), pooh = %d and &pooh = %p\n",
            pooh, &pooh);
    printf ("In mikado (), bah = %d and &bah = %p\n",
            bah, &bah);
}
```

程序清单 9.12 使用了 ANSI C 中的%p 格式对地址进行输出。在我们的系统中程序的输出结果如下：

```
In main (), pooh = 2 and &pooh = 0x0012ff48
In main (), bah = 5 and &bah = 0x0012ff44
In mikado (), pooh = 10 and &pooh = 0x0012ff34
In mikado (), bah = 2 and &bah = 0x0012ff40
```

%p 输出地址的方式随着实现的不同而有所不同。但是在多数实现中，地址是像本例中这样以十六进制形式显示的。

上述输出结果说明了以下问题：首先，两个 pooh 变量具有不同的地址，两个 bah 变量也是如此。因此，正如我们所料，计算机会把它们看作 4 个独立的变量。其次，函数调用 mikado（pooh）确实把实际参数（main（）中的 pooh）的数值（2）传递给了形式参数（mikado（）中的 bah）。需要注意的是这种传递只是进行了数值传递，两个变量（main（）中的 pooh 和 mikado（）中的 bah）仍分别保持原来的特性。

我们提出第二点是因为并非所有的语言都如此。例如在 FORTRAN 语言中，子程序会改变调用程序中的原变量的数值。尽管在子程序中变量的名称可能不同，但是其地址是相同的。而在 C 语言中并不是这样。

每一个 C 函数都使用自己的变量。这么做更可取，因为它可以使原变量不因被调函数中操作的副作用而意外地被改变。然而，正如下节要讲述的那样，这种做法也会带来一些麻烦。

9.6 改变调用函数中的变量

有时我们需要用一个函数改变另一个函数中的变量。例如，排序问题的一个常见任务是交换两个变量的数值。假设要交换两个变量 x 和 y 的数值：

```
x = y;
y = x;
```

上面这段简单的代码并不能实现这个功能，因为当执行第二行时，x 的原数值已经被 y 的原数值所代替。这就需要另外一行语句对 x 的原数值进行存储。

```
temp = x;
x = y;
y = temp;
```

现在这段代码就可以实现数值交换的功能，可以将其编写成函数并构造一个驱动程序进行测试。在程序清单 9.13 中，为了清楚地表明某变量属于函数 main（）还是属于函数 interchange（），前者使用了变量 x 和 y，而后者使用的是 u 和 v。

程序清单 9.13 swap1.c 程序

```
/* swap1.c -- 交换函数的第一个版本 */
#include <stdio.h>
void interchange (int u, int v); /* 声明函数 */
int main (void)
{
    int x = 5, y = 10;
    printf ("Originally x = %d and y = %d.\n", x, y);
    interchange (x, y);
    printf ("Now x = %d and y = %d.\n", x, y);
    return 0;
}

void interchange (int u, int v) /* 定义函数 */
{
    int temp;

    temp = u;
    u = v;
    v = temp;
}
```

程序的运行结果如下：

```
Originally x = 5 and y = 10.
Now x = 5 and y = 10.
```

令人吃惊的是数值并没有发生交换。下面我们在 interchange（）中加入一些打印语句来检查错误（请参见程序清单 9.14）。

程序清单 9.14 swap2.c 程序

```
/* swap2.c -- 分析 swap1.c 程序 */
#include <stdio.h>
void interchange (int u, int v);
```

```
int main (void)
{
    int x = 5, y = 10;

    printf ("Originally x = %d and y = %d.\n", x, y);
    interchange (x, y);
    printf ("Now x = %d and y = %d.\n", x, y);
    return 0;
}

void interchange (int u, int v)
{
    int temp;

    printf ("Originally u = %d and v = %d.\n", u, v);
    temp = u;
    u = v;
    v = temp;
    printf ("Now u = %d and v = %d.\n", u, v);
}
```

新的输出结果是：

```
Originally x = 5 and y = 10.
Originally u = 5 and v = 10.
Now u = 10 and v = 5.
Now x = 5 and y = 10.
```

函数 interchange（）并没有错误，u 和 v 的数值确实得到了交换。问题出现在把执行结果传递给 main（）的时候。正如已指出的那样，interchange（）使用的变量独立于函数 main（），因此交换 u 和 v 的数值对 x 和 y 的数值没有任何影响！使用 return 语句可以吗？可以在 interchange（）的结尾处加入下面一行语句：

```
return (u);
```

然后改变 main（）中对该函数的调用方式：

```
x = interchange (x, y);
```

做了上述更改后，x 被赋予了新值，而 y 的数值并没有改变。因为 return 语句只能把一个数值传递给调用函数，但现在我们需要传递两个数值。这并非不能实现！只需用指针就可以了。

9.7 指针简介

究竟什么叫做指针？一般来讲，指针是一个其数值为地址的变量（或更一般地说是一个数据对象）。正如 char 类型的变量用字符作为其数值，而 int 类型变量的数值是整数，指针变量的数值表示的是地址。指针在 C 中有很多用途，本章将研究把它作为函数参数的方法和理由。

如果您将某个指针变量命名为 ptr，就可以使用如下语句：

```
ptr = & pooh;    /* 把 pooh 的地址赋给 ptr      */
```

对于这个语句，我们称 ptr“指向”pooh。ptr 和&pooh 的区别在于前者为一变量，而后者是一个常量。当然，ptr 可以指向任何地方：

```
ptr = & bah;     /* 令 ptr 指向 bah 而不是 pooh */
```

这时 ptr 的值是 bah 的地址。

要创建一个指针变量，首先需要声明其类型。假设您想把 ptr 声明为可以存放一个 int 数值的地址，就需要使用下面介绍的新运算符。让我们来研究这种新运算符。

9.7.1　间接运算符：*

假定 ptr 指向 bah，如下所示：

```
ptr = &bah;
```

这时就可以使用间接（indirection）运算符*（也称作取值（dereferencing）运算符）来获取 bah 中存放的数值（不要把这种一元运算符和表示乘法的二元运算符*相混淆）。

```
val = * ptr;   /* 得到ptr指向的值 */
```

语句 ptr=&bah；以及语句 val=*ptr；放在一起等同于下面的语句：

```
val = bah;
```

由此看出，使用地址运算符和间接运算符可以间接完成上述语句的功能，这也正是“间接运算符”名称的由来。

总结：与指针相关的运算符

地址运算符：

&

总体注解：

后跟一个变量名时，&给出该变量的地址。

例如：

&nurse 表示变量 nurse 的地址。

间接运算符：

*

总体注解：

当后跟一个指针名或地址时，*给出存储在被指向地址中的数值。

例如：

```
nurse = 22;
ptr = &nurse; /*指向nurse的指针*/
val = *ptr;  /*将ptr指向的值赋给vals*/
```

上述语句实现的功能是把数值 22 赋给变量 val。

9.7.2　指针声明

我们已讲述了 int 类型变量以及其他基本数据类型变量的声明方法。那么应该如何声明指针变量呢？您也许会猜想其声明形式如下：

```
pointer ptr;      /* 不能这样声明一个指针        */
```

为什么不能这样声明？因为这对于声明一个变量为指针是不够的，还需要说明指针所指向变量的类型。原因是不同的变量类型占用的存储空间大小不同，而有些指针操作需要知道变量类型所占用的存储空间。同时，程序也需要了解地址中存储的是何种数据。例如，long 和 float 两种类型的数值可能使用相同大小的存储空间，但是它们的数据存储方式完全不同。指针的声明形式如下：

```
int * pi;              /* pi是指向一个整数变量的指针 */
char * pc;             /* pc是指向一个字符变量的指针 */
float * pf, * pg;      /* pf和pg是指向浮点变量的指针*/
```

类型标识符表明了被指向变量的类型，而星号（*）表示该变量为一指针。声明 int * pi；的意思是 pi

是一个指针，而且*pi 是 int 类型的（请参见图 9.5）。

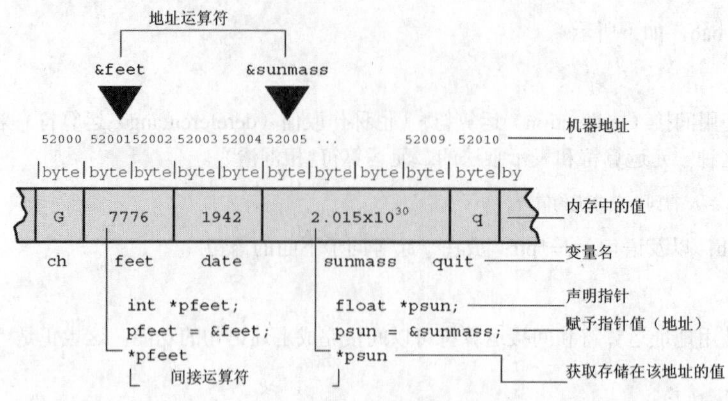

图 9.5 指针的声明和使用

*和指针名之间的空格是可选的。通常程序员在声明中使用空格，而在指向变量时将其省略。

pc 所指向的值（*pc）是 char 类型的。而 pc 本身又是什么类型？我们把它描述为“指向 char 的指针”类型。pc 的值是一个地址，在大多数系统内部，它由一个无符号整数表示。但是，这并不表示可以把指针看作是整数类型。一些处理整数的方法不能用来处理指针，反之亦然。例如，可以进行两整数相乘，而指针则不能。因此指针的确是一种新的数据类型，而不是一种整数类型。所以，正如前面提到的，ANSI C 专门为指针提供了%p 输出格式。

9.7.3 使用指针在函数间通信

我们只是刚刚接触到丰富有趣的指针知识的很小一部分，但这里我们的重点是讲述如何通过指针解决函数间通信问题。在程序清单 9.15 中的程序中，函数 interchange（）使用了指针参数，我们将对该函数进行详细的讨论。

程序清单 9.15 swap3.c 程序

```
/* swap3.c -- 使用指针完成交换 */
#include <stdio.h>
void interchange (int * u, int * v);
int main (void)
{
    int x = 5, y = 10;

    printf ("Originally x = %d and y = %d.\n", x, y);
    interchange (&x, &y); /* 向函数传送地址    */
    printf ("Now x = %d and y = %d.\n", x, y);
    return 0;
}

void interchange (int * u, int * v)
{
    int temp;

    temp = *u;          /* temp 得到 u 指向的值 */
    *u = *v;
    *v = temp;
}
```

对全部源文件进行编译后，该程序能否正常运行？

```
Originally x = 5 and y = 10.
```

```
Now x = 10 and y = 5.
```

答案是肯定的，结果如上所示。

下面我们分析程序清单 9.15 的运行情况。首先，函数调用语句如下：

```
interchange (&x, &y);
```

可以看出，函数传递的是 x 和 y 的地址而不是它们的值。这就意味着 interchange（）函数原型声明和定义中的形式参数 u 和 v 将使用地址作为它们的值。因此，它们应该声明为指针。由于 x 和 y 都是整数，所以 u 和 v 是指向整数的指针。其声明如下：

```
void interchange (int * u, int * v)
```

接下来，函数体进行如下声明：

```
int temp;
```

从而提供了所需的临时变量。为了把 x 的值存在 temp 中，需要使用以下语句：

```
temp = *u;
```

注意，因为 u 的值是&x，所以 u 指向 x 的地址。这就意味着*u 代表了 x 的值，而这正是我们需要的数值。不要写成如下这样。

```
temp = u;  /* 这样做不行 */
```

上面的语句中，因为赋给变量 temp 的只是 x 的地址而不是 x 的值，所以不能实现数值的交换。

同样，把 y 的值赋给 x，需使用下面的语句：

```
*u = *v;
```

其执行结果相当于：

```
x = y;
```

在示例程序中，我们用一个函数实现 x 和 y 的数值交换。首先函数使用 x 和 y 的地址作为参数，这使它可以访问 x 和 y 变量。通过使用指针和运算符*，函数可以获得相应存储地址的数据，从而就可以改变这些数据。

在 ANSI 原型中可以省略变量名称。这样，函数原型可以按如下形式进行声明：

```
void interchange (int *, int *);
```

通常情况下，可以把关于变量的两类信息传递给一个函数。如果函数调用形式为：

```
function1 (x);
```

这时传递的是 x 的值。但是如果使用下面这种函数调用形式：

```
function2 (&x);
```

那么会把 x 的地址传递给函数。第一种调用形式要求函数定义部分必须包含一个和 x 具有相同数据类型的形式参数。如下所示：

```
int function1 (int num)
```

而第二种形式要求函数定义部分的形式参数必须是指向相应数据类型的指针：

```
int function2 (int * ptr)
```

使用函数进行数据计算等操作时，可以使用第一种调用形式。但是，如果需要改变调用函数中的多个变量的值时，就需要使用第二种调用形式。其实使用 scanf（）时已经使用了第二种形式。例如，当需要为变量 num 读取一个数值时，可以调用函数 scanf（"%d"，&num）。该函数调用的意思是先读取一个数值，然后将其存储到通过参数获得的地址中。

尽管 interchange（）只使用局部变量，但是通过使用指针，该函数可以操作 main（）中的变量的值。

使用过 Pascal 和 Modula-2 的读者可能已经看出第一种调用形式和 Pascal 中的值参数相同，而第二种形式与 Pascal 中的变量参数相似（尽管不完全相同）。对于 BASIC 程序员来说，整个程序可能比较难于理解。如果您感到本节晦涩难懂，那么可以进行一些实际的编程练习，这时就会发现使用指针非常简单方便（请参见图 9.6）。

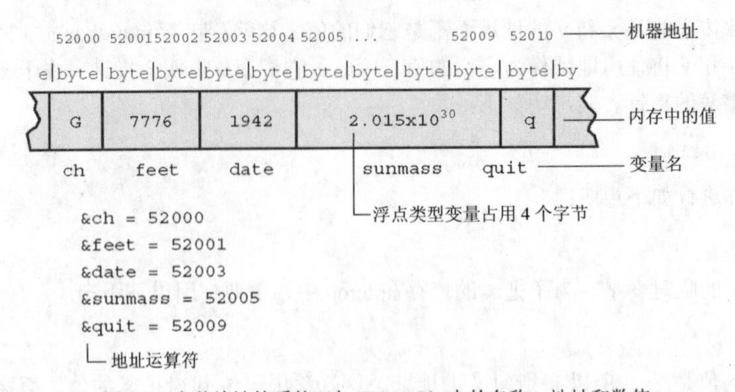

图 9.6 字节编址的系统（如 IBM PC）中的名称、地址和数值

变量：名称、地址以及数值

在前文有关指针的讨论中，变量名称、地址以及数值之间的关系是其关键所在。下面我们将对此进行深入讲解。

编写程序时，一个变量一般有两种属性：变量名和数值（当然还有其他属性，如数据类型等，但它们与这个主题无关）。程序被编译和加载后，同一个变量在计算机中的两个属性是地址和数值。变量的地址可以被看作是在计算机中变量的名称。

在许多编程语言中，变量地址只由计算机处理，对于编程人员来讲完全不可见。但是在 C 中，可以使用运算符&对变量的地址进行操作。

&barn 就表示变量 barn 的地址。

可以通过使用变量名获得变量的数值。

例如 printf（"%d\n"，barn）输出的是 barn 的数值。

当然，也可以通过使用运算符*从地址中获取相应的数值。

对于语句 pbarn=&barn；，*pbarn 是存储在地址&barn 中的数值。

总之，普通的变量把它的数值作为基本数值量，而通过使用运算符&将它的地址作为间接数值量。但是对于指针来讲，地址是它的基本数值量，使用运算符*后，该地址中存储的数值是它的间接数值量。

某些读者也许会将地址打印出来以满足好奇心，但这并不是&运算符的主要用途。更重要的是，使用&、*和指针可以方便地操作地址以及地址中的内容，如程序 swap3.c（程序清单 9.15）中所示。

总结：函数

形式：

ANSI C 函数的典型定义形式如下：

```
name (parameter declaration list)
function body
```

参数声明列表是由逗号隔开的一系列变量的声明。非参数的变量只能在由花括号界定的函数体内部声明。

例如：

```
int diff (int x, int y)          // ANSI C
{                                // 函数体开始
    int z;                       // 声明局部变量

    z = x - y;
    return z;                    //返回一个值
}                                // 函数体结束
```

数值传递：

参数用于把调用函数中的数值传递给被调函数。假如变量 a 和 b 的数值分别为 5 和 2，则下面的函数调用语句会把数值 5 和 2 分别传递给变量 x 和 y：

```
c = diff (a, b);
```

数值 5 和 2 被称为实际参数，而 diff ( ) 中的变量 x 和 y 被称为形式参量。关键字 return 把函数中的某一数值返回到调用函数中去。在上例中，变量 c 获得了变量 z 的数值，也就是 3。一般来讲，函数不会改变其调用函数中的变量。当需要在某函数中直接操作其调用函数中的变量时，可以使用指针作为参数。同时，指针参数也可以用来把多个数值返回到调用函数中。

函数返回值类型：

函数返回值类型指的是函数返回给它的调用函数的数值类型。如果函数返回值的类型和声明的类型不相同时，实际返回值是当把指定要返回的值赋给一个具有所声明的返回类型的变量时得到的数值。

例如：

```
int main (void)
{
    double q, x, duff ();    /* 调用函数中的声明      */
    int n;

...
    q = duff (x, n);

...
    }
double duff (u, k)           /* 函数定义中的声明      */
double u;
int k;
{
    double tor;
...
    return tor;              /* 返回一个double型数值      */
}
```

9.8　关键概念

要想用 C 编写出灵活高效的程序，您必须正确理解函数的使用。把较大的程序组织成若干个函数的形式是很有用，甚至是很关键的。如果每个函数实现了某一特定功能，那么，这样的程序既易于理解又便于调试。另外，您还需要理解函数之间的信息传递机制，也就是明白函数参数以及返回值是如何工作的。因为函数的参数和其他局部变量是函数所私有的，所以在不同函数中声明的同名变量是完全不同的。而且任何函数不能直接访问其他函数中声明的变量。这种操作的局限性有助于保护数据的完整性。然而，当确实需要在一个函数中访问其他函数中的数据时，可以使用指针参数。

9.9 总结

函数可以作为大型程序的组成模块。每个函数应该实现某个明确的功能。使用参数可以向函数传递数值，并且通过关键字 return 让函数返回一个数值。如果函数返回值的类型不是 int，那么必须在函数定义中以及调用函数的声明部分指定函数的返回值类型。如果需要在一个函数中操作它的调用函数中的变量，那么可以使用地址以及指针。

在 ANSI C 中可以使用函数原型声明，以便编译器检查函数调用时所传递的参数个数及类型是否正确。

C函数可以调用其自身，这种调用方式被称作递归。有些编程问题借用递归解决方案，但是递归可能会在内存使用和时间花费方面效率低下。

9.10 复习题

1．实际参数和形式参量有何不同？

2．写出下面所描述的各个函数的 ANSI 函数头。注意：只写出函数头即可，不需要实现。

a．donut（）接受一个 int 类型的参数，然后输出若干个 0，输出 0 的数目等于参数的值。

b．gear（）接受两个 int 类型的参数并返回 int 类型的值。

c．stuff_it（）的参数包括一个 double 类型的值以及一个 double 类型变量的地址，功能是把第一个数值存放到指定的地址中。

3．只写出下列函数的 ANSI C 函数头，不需要实现函数。

a．n_to_char（）接受一个 int 类型的参数并返回一个 char 类型的值。

b．digits（）接受的参数是一个 double 类型的数值和一个 int 类型的数值，返回值类型是 int。

c．random（）不接受参数，返回 int 类型的数值。

4．设计一个实现两整数相加并将结果返回的函数。

5．假如用问题 4 中的函数实现两个 double 类型的数值相加，那么应该如何修改原函数？

6．设计函数 alter（），其输入参数是两个 int 类型的变量 x 和 y，功能是分别将这两个变量的数值改为它们的和以及它们的差。

7．判断下面的函数定义是否正确。

```
void salami(num)
{
    int num, count;

    for (count = 1; count <= num; num++)
        printf("O salami mio!\n");
}
```

8．编写一个函数，使其返回 3 个整数参数中的最大值。

9．给定下面的输出：

```
Please choose one of the following:
1) copy files 2) move files
3) remove files 4) quit
Enter the number of your choice:
```

a．用一个函数实现菜单的显示，且该菜单有 4 个用数字编号的选项并要求你选择其中之一（输出应该如题设中所示）。

b．编写一个函数，该函数接受两个 int 类型的参数：一个下界和一个上界。在函数中，首先从输入终端读取一个整数，如果该整数不在上下界规定的范围内，则函数重新显示菜单（使用本题目 a 部分中的函数）以再次提醒用户输入新值。如果输入数值在规定范围内，那么函数应将该数值返回给调用函数。

c．使用本题目 a 和 b 部分中的函数编写一个最小的程序。最小的意思是该程序不需实现菜单中所描述的功能；它只需要显示这些选项并能获取正确的响应即可。

9.11　编程练习

1．设计函数 min（x，y），返回两个 double 数值中较小的数值，同时用一个简单的驱动程序测试该函数。

2．设计函数 chline（ch，i，j），实现指定字符在 i 列到 j 列的输出，并用一个简单的驱动程序测试该函数。

3．编写一个函数。函数的 3 个参数是一个字符和两个整数。字符参数是需要输出的字符。第一个整数说明了在每行中该字符输出的个数，而第二个整数指的是需要输出的行数。编写一个调用该函数的程序。

4．两数值的谐均值可以这样计算：首先对两数值的倒数取平均值，最后再取倒数。编写一个带有两个 double 参数的函数，计算这两个参数的谐均值。

5．编写并测试函数 larger_of（），其功能是将两个 double 类型变量的数值替换成它们中的较大值。例如，larger_of（x，y）会把 x 和 y 中的较大数值重新赋给变量 x 和 y。

6．编写一个程序，使其从标准输入读取字符，直到遇到文件结尾。对于每个字符，程序需要检查并报告该字符是否是一个字母。如果是的话，程序还应报告该字母在字母表中的数值位置。例如，c 和 C 的字母位置都是 3。可以先实现这样一个函数：接受一个字符参数，如果该字符为字母则返回该字母的数值位置，否则返回-1。

7．在第 6 章“C 控制语句：循环”的程序清单 6.20 中，函数 power（）的功能是返回一个 double 类型数的某个正整数次幂。现在改进该函数，使其能正确地计算负幂。同时，用该函数实现 0 的任何次幂为 0，并且任何数值的 0 次幂为 1。使用循环的方法编写该函数并在一个程序中测试它。

8．使用递归函数重做练习 7。

9．为了使程序清单 9.8 中的函数 to_binary（）更一般化，可以在新的函数 to_base_n（）中使用第二个参数，且该参数的范围从 2 到 10。然后，这个新函数输出第一个参数在第二个参数规定的进制数下的数值结果。例如，to_base_n（129，8）的输出是 201，也就是 129 的八进制数值。最后在一个完整的程序中对该函数进行测试。

10．编写并测试一个函数 Fibonacci（），在该函数中使用循环代替递归完成斐波纳契数列的计算。

第 10 章　数组和指针

在本章中您将学习下列内容：

- 关键字：
  static
- 运算符：
  & *（一元）
- 创建与初始化数组的方法。
- 指针（基于已学的基础知识）及指针和数组间的关系。
- 编写使用数组的函数。
- 二维数组。

人们借助计算机来记录每月开支、日降水量、季度销售额，以及每周收支情况等。企业借助计算机来管理员工薪水、仓库存货清单，以及客户交易的记录等。程序员不可避免地需要处理大量的相互关联的数据。采用数组通常能够有效便捷地处理这类数据。第 6 章“C 控制语句：循环”中已经介绍了数组，本章将进一步讨论它。本章主要介绍如何编写处理数组的函数。处理数组的函数可以把模块化编程的优势应用于数组。同时，您还将看到数组和指针之间的紧密联系。

10.1　数组

回忆一下，数组（array）由一系列类型相同的元素构成。可以使用声明来告诉编译器您需要一个数组。数组声明（array declaration）中包括数组元素的数目和元素的类型。编译器根据这些信息创建合适的数组。数组元素可以具有同普通变量一样的类型。考虑下面数组声明的例子：

```
/* 一些数组声明的例子 */
int main (void)
{
    float candy[365];      /* 365 个浮点数的数组    */
    char code[12];         /* 12 个字符的数组       */
    int states[50];        /* 50 个整数的数组       */
   ...
}
```

方括号（[]）表示 candy 和其他两个标识符均为数组，方括号内的数字指明了数组所包含的元素数目。

要访问数组中的元素，可以使用下标数字来表示单个元素。下标数字也称索引（index），是从 0 开始计数的。因此，candy[0]是数组 candy 的首元素，candy[364]是第 365 个元素，也就是最后一个元素。这些我们已经比较熟悉了，以下将介绍一些新内容。

10.1.1　初始化

程序中通常使用数组来存储数据。例如，含有 12 个元素的数组可以用来存储 12 个月份的天数。在这种情况下，程序开始时就初始化数组比较方便，下面介绍初始化方法。

您已经知道可以在单个数值变量（有时也称为标量）的声明中用表达式来初始化它，如下所示：

```
int fix = 1;
float flax = PI * 2;
```

此处，表达式中的 PI 已定义为宏。C 为数组的初始化引入了以下新语法：

```
int main (void)
{
    int powers[8] = {1, 2, 4, 6, 8, 16, 32, 64}; /* 只有 ANSI C 支持这种初始化方式 */
  ...
}
```

从以上例子中可以看出，可以使用花括号括起来的一系列数值来初始化数组。数值之间用逗号隔开，在数值和逗号之间可以使用空格符。这样，首元素（power[0]）赋值为 1，依次类推（如果您的编译器不支持这种初始化，提示这是一个语法错误，那么您使用的是 ANSI 以前的编译器。在数组定义之前添加关键字 static 可解决此问题。第 12 章“存储类、链接和内存管理”将详细讨论这个关键字）。程序清单 10.1 的功能是打印出每月的天数。

程序清单 10.1　day_mon1.c 程序

```
/* day_mon1.c -- 打印每月的天数 */
#include <stdio.h>
#define MONTHS 12

int main (void)
{
    int days[MONTHS] = {31, 28, 31, 30, 31, 30, 31, 31, 30, 31, 30, 31};
    int index;

    for (index = 0; index < MONTHS; index++)
        printf ("Month %d has %2d days.\n", index +1,
                days[index]);
    return 0;
}
```

输出结果如下：

```
Month 1 has 31 days.
Month 2 has 28 days.
Month 3 has 31 days.
Month 4 has 30 days.
Month 5 has 31 days.
Month 6 has 30 days.
Month 7 has 31 days.
Month 8 has 31 days.
Month 9 has 30 days.
Month 10 has 31 days.
Month 11 has 30 days.
Month 12 has 31 days.
```

这个程序并不完善，但它每 4 年仅打错一个月份的天数。程序使用括在花括号里的一系列数值对 days[] 进行初始化，数值之间用逗号分开。

注意本例采用标识符常量 MONTHS 来代表数组大小。这是一种常用的也是我们所推荐的做法。如果要采用每年 13 个月的历法，只用修改#define 语句即可，无须查找并修改程序中每一个使用数组大小的地方。

对数组使用 const 的方法

有时需要使用只读数组，也就是程序从数组中读取数值，但是程序不向数组中写数据。在这种情况下声明并初始化数组时，建议使用关键字 const。我们对程序清单 10.1 的一部分进行优化，结果如下：

```
const int days[MONTHS] = {31, 28, 31, 30, 31, 30, 31, 31, 30, 31, 30, 31};
```

这样，程序会把数组中每个元素当成常量来处理。和普通变量一样，需要在声明 const 数组时对其进行初始化，因为在声明之后，不能再对它赋值。明确了这一点，以后的例子中我们就可以对数组使用 const 了。

使用未经初始化的数组会出现什么情况？程序清单 10.2 给出了一个例子。

程序清单 10.2 no_data.c 程序

```
/* no_data.c -- 未经初始化的数组 */
#include <stdio.h>
#define SIZE 4
int main (void)
{
    int no_data[SIZE]; /* 未经初始化的数组 */
    int i;

    printf ("%2s%14s\n",
            "i", "no_data[i] ");
    for (i = 0; i < SIZE; i++)
       printf ("%2d%14d\n", i, no_data[i]);
    return 0;
}
```

下面是一个示例输出结果（您的运行结果可能有所不同）：

```
i      no_data[i]
0              16
1         4204937
2         4219854
3      2147348480
```

与普通变量相似，在初始化之前数组元素的数值是不定的。编译器使用的数值是存储单元中已有的数值，因此上面的输出结果是不确定的。

存储类解释

和其他变量相似，数组可以被定义为多种存储类（storage class），第 12 章将详述此主题。目前，只需要了解本章的数组属于自动存储类。也就是说，数组是在一个函数内声明的，并且声明时没有使用关键字 static。到目前为止，本书所用的变量和数组都是自动类型的。

现在提起存储类的原因是：不同存储类有时具有不同的属性，因此不能把本章的知识推广到其他存储类。例如，如果没有进行初始化，一些存储类的变量和数组会把它们的存储单元设置为 0。

初始化列表中的元素数目应该和数组大小一致。如果二者不一致，会出现什么情况？我们仍然使用前面那个例子，如程序清单 10.3 所示，其中的初始化列表中缺少两个数组元素。

程序清单 10.3 somedata.c 程序

```
/* some_data.c -- 部分初始化的数组 */
#include <stdio.h>
```

```
#define SIZE 4
int main (void)
{
    int some_data[SIZE] = {1492, 1066};
    int i;
    printf ("%2s%14s\n",
           "i", "some_data[i] ");
    for (i = 0; i < SIZE; i++)
        printf ("%2d%14d\n", i, some_data[i]);
    return 0;
}
```

这次的输出结果如下：

```
i  some_data[i]
0          1492
1          1066
2             0
3             0
```

从上面结果我们可以知道，编译器做得很好。当数值数目少于数组元素数目时，多余的数组元素被初始化为 0。也就是说，如果不初始化数组，数组元素和未初始化的普通变量一样，其中存储的是无用的数值；但是如果部分初始化数组，未初始化的元素则被设置为 0。

如果初始化列表中项目的个数大于数组大小，编译器会毫不留情地认为这是一个错误。然而，可以采用另外一种形式以避免受到编译器的此类奚落：您可以省略括号中的数字，从而让编译器自动匹配数组大小和初始化列表中的项目数目（请参见程序清单 10.4）。

程序清单 10.4 day_mon2.c 程序

```
/* day_mon2.c -- 让编译器计算元素个数 */
#include <stdio.h>
int main (void)
{
    const int days[] = {31, 28, 31, 30, 31, 30, 31, 31, 30, 31};
    int index;

    for (index = 0; index < sizeof days / sizeof days[0]; index++)
        printf ("Month %2d has %d days.\n", index +1,
               days[index]);
    return 0;
}
```

程序清单 10.4 中有两点需要注意：

- 当使用空的方括号对数组进行初始化时，编译器会根据列表中的数值数目来确定数组大小。
- 注意 for 循环的控制语句。由于人工计算容易出错，因此可以让计算机来计算数组的大小。运算符 sizeof 给出其后的对象或类型的大小（以字节为单位）。因此 sizeof days 是整个数组的大小（以字节为单位），sizeof days[0]是一个元素的大小（以字节为单位）。整个数组的大小除以单个元素的大小就是数组中元素的数目。

该程序运行结果如下：

```
Month 1 has 31 days.
Month 2 has 28 days.
Month 3 has 31 days.
Month 4 has 30 days.
Month 5 has 31 days.
Month 6 has 30 days.
Month 7 has 31 days.
```

```
Month 8 has 31 days.
Month 9 has 30 days.
Month 10 has 31 days.
```

意外！我们只向数组内放入了 10 个数值，但是我们的想法是让程序自动找到数组的大小以免我们试图向数组填入过多的元素。这暴露出自动计数的弊端：初始化的元素个数有误时，我们可能意识不到。

另外，还有一个很简短的初始化数组的方法，这种方法仅限于字符串，将在下一章中详述。

10.1.2 指定初始化项目（C99）

C99 增加了一种新特性：指定初始化项目（designated initializer）。此特性允许选择对某些元素进行初始化。例如：要对数组的最后一个元素初始化。按照传统的 C 初始化语法，需要对每一个元素都初始化之后，才可以对最后的元素进行初始化：

```
int arr[6] = {0, 0, 0, 0, 0, 212}; // 传统语法
```

而 C99 规定，在初始化列表中使用带有方括号的元素下标可以指定某个特定的元素：

```
int arr[6] = {[5] = 212};  // 把arr[5]初始化为212
```

对于通常的初始化，在初始化一个或多个元素后，未经初始化的元素都将被设置为 0。程序清单 10.5 中是一个较为复杂的例子。

程序清单 10.5 designate.c 程序

```
// designate.c -- 使用指定初始化项目
#include <stdio.h>
#define MONTHS 12
int main (void)
{
    int days[MONTHS] = {31, 28, [4] = 31, 30, 31, [1] = 29};
    int i;

    for (i = 0; i < MONTHS; i++)
        printf ("%2d %d\n", i + 1, days[i]);
    return 0;
}
```

如果编译器支持 C99 特性，则输出结果如下：

```
1   31
2   29
3   0
4   0
5   31
6   30
7   31
8   0
9   0
10  0
11  0
12  0
```

从输出结果可以看出指定初始化项目有两个重要特性。第一，如果在一个指定初始化项目后跟有不止一个值，例如在序列[4]=31，30，31 中这样，则这些数值将用来对后续的数组元素初始化。也就是说，把 31 赋给 days[4]之后，接着把 30 和 31 分别赋给 days[5]和 days[6]。第二，如果多次对一个元素进行初始化，则最后的一次有效。例如，在程序清单 10.5 中，前面把 days[1]初始化为 28，而后面的指定初始化[1]=29 覆盖了前面的数值，于是 days[1]的数值最终为 29。

10.1.3　为数组赋值

声明完数组后，可以借助数组的索引（即下标）对数组成员进行赋值。例如，以下程序段的功能是把一些偶数赋给数组：

```
/* 数组赋值 */
#include <stdio.h>
#define SIZE 50
int main (void)
{
    int counter, evens[SIZE];

    for (counter = 0; counter < SIZE; counter++)
        evens[counter] = 2 * counter;
    ...
}
```

注意这种赋值的方式是使用循环对元素逐个赋值。C 不支持把数组作为一个整体来进行赋值，也不支持用花括号括起来的列表形式进行赋值(初始化的时候除外)。下面这段代码展示了一些不允许的赋值方式：

```
/* 无效的数组赋值 */
#define SIZE 5
int main (void)
{
    int oxen[SIZE] = {5, 3, 2, 8};      /* 这里是可以的 */
    int yaks[SIZE];

    yaks = oxen;                        /* 不允许    */
    yaks[SIZE] = oxen[SIZE];            /* 不正确        */
    yaks[SIZE] = {5, 3, 2, 8};          /* 不起作用      */
```

10.1.4　数组边界

使用数组的时候，需要注意数组索引不能超过数组的边界。也就是说，数组索引应该具有对于数组来说有效的值。例如，假定您有这样的声明：

```
int doofi[20];
```

那么您在使用数组索引的时候，要确保它的范围在 0 和 19 之间，因为编译器不会为您检查出这种错误。

考虑程序清单 10.6 中的程序。它创建了一个包含 4 个元素的数组，但却不小心使用了从-1 到 6 的索引值。

程序清单 10.6　bounds.c 程序

```
// bounds.c -- 超出数组的边界
#include <stdio.h>
#define SIZE 4
int main (void)
{
    int value1 = 44;
    int arr[SIZE];
    int value2 = 88;
    int i;

    printf ("value1 = %d, value2 = %d\n", value1, value2);
    for (i = -1; i <= SIZE; i++)
        arr[i] = 2 * i + 1;
```

```
    for (i = -1; i < 7; i++)
        printf ("%2d %d\n", i, arr[i]);
    printf ("value1 = %d, value2 = %d\n", value1, value2);

    return 0;
}
```

编译器不检查索引的合法性。在标准 C 中，如果使用了错误的索引，程序执行结果是不可知的。也就是，程序也许能够运行，但是运行结果可能很奇怪，也可能会异常中断程序的执行。我们使用 Digtal Mars 8.4 运行程序，其输出结果如下：

```
value1 = 44, value2 = 88
-1 -1
0  1
1  3
2  5
3  7
4  9
5  5
6  1245120
value1 = -1, value2 = 9
```

注意我们使用的编译器看起来是把 value2 正好存储在数组后面的那个存储单元中，把 value1 存储在数组前面的那个存储单元中（其他的编译器可能采取不同的顺序在内存中存储数据）。这样 arr[-1]就和 value1 对应同一个存储单元，arr[4]和 value2 对应同一个存储单元。因此，使用超出数组边界的索引会改变其他变量的数值。对于不同的编译器，输出结果可能不同。

也许您会产生疑问，为什么 C 会允许这种事情发生。这仍然是出于 C 信任程序员的原则。不检查边界能够让 C 程序的运行速度更快。在程序运行之前，索引的值有可能尚未确定下来，所以编译器此时不能找出所有的索引错误。为保证程序的正确性，编译器必须在运行时添加检查每个索引是否合法的代码，这会导致程序的运行速度减慢。因此，C 相信程序员的代码是正确的，从而可以得到速度更快的程序。但是并不是所有程序员都能够完美地做到这一点，因此问题就产生了。

一件需要记住的简单的事情就是，数组的计数是从 0 开始的。避免出现这个问题比较简单的方法是：在数组声明中使用符号常量，然后程序中需要使用数组大小的地方都直接引用符号常量：

```
#define SIZE 4
int main (void)
{
    int arr[SIZE];
    for (i = 0; i < SIZE; i++)
    ....
```

这样做的好处是保证整个程序中数组大小始终一致。

10.1.5　指定数组大小

在前面提到的例子中，我们声明数组时使用的是整数常量：

```
#define SIZE 4
int main (void)
{
    int arr[SIZE];              // 符号整数常量
    double lots[144];           // 文字整数常量
    ...
```

还允许使用什么？直到 C99 标准出现之前，声明数组时在方括号内只能使用整数常量表达式。整数常量表达式是由整数常量组成的表达式。sizeof 表达式被认为是一个整数常量，而（和 C++不一样）一个 const 值却不是整数常量。并且该表达式的值必须大于 0：

```
int n = 5;
int m = 8;
float a1[5];                    // 可以
float a2[5*2 + 1];              // 可以
float a3[sizeof(int) + 1];      // 可以
float a4[-4];                   // 不可以，数组大小必须大于 0
float a5[0];                    // 不可以，数组大小必须大于 0
float a6[2.5];                  // 不可以，数组大小必须是整数
float a7[(int)2.5];             // 可以，把 float 类型指派为 int 类型
float a8[n];                    // C99 之前不允许
float a9[m];                    // C99 之前不允许
```

请参看上面的注释，遵循 C90 标准的 C 编译器不允许最后两个声明。而 C99 标准允许这两个声明，但这创建了一种新数组，称为变长数组（variable-length array），简称 VLA。

C99 引入变长数组主要是为了使 C 更适于做数值计算。例如，VLA 的引入简化了将 FORTRAN 语言的数值运算例程库转换为 C 代码的过程。VLA 有某些限制：例如，声明时不能进行初始化。在充分了解古典 C 数组的局限性之后，我们将在本章的后面详细介绍 VLA。

10.2 多维数组

例如：气象分析员要分析 5 年中每月的降水量数据，首先需要解决的问题是如何表示出这些数据。一种方法是用 60 个变量，每个变量代表一个数据项目（前面曾经提到过这种方法，和前面提到时的情况一样，这不是合适的方法）。使用一个 60 个元素数组的方法虽然可以采用，但是把各年度的数据单独放置会更好。也可以设置 5 个数组，每个数组包含 12 个元素。这是一种比较笨拙的方法，而且如果要处理的数据不是 5 年，而是 50 年，这种方法就很不合适。我们需要找到一种更好的方法。

更好的处理方法是使用一个数组的数组，即：主数组包含 5 个元素，每个元素代表一年。代表一年的元素是包含 12 个元素的数组。这种数组的数组，我们称之为二维数组。下面是这种数组的声明方法：

```
float rain[5][12]; // 5 个由 12 个浮点数组成的数组的数组
```

理解这个声明的一种方法是首先查看位于中间的那部分（粗体字部分）：

float **rain[5]** [12] // rain 是一个包含 5 个元素的数组

这部分说明 rain 是一个包含 5 个元素的数组。至于每个元素的情况，需要查看声明的其余部分（粗体字部分）：

float rain[5] **[12]**; // 12 个浮点数的数组

这说明每个元素的类型是 float[12]；也就是说，rain 具有 5 个元素，并且每个元素都是包含 12 个 float 数值的数组。

按此推理，rain 的首元素 rain[0]是一个包含 12 个 float 数值的数组。rain[1]，rain[2]等等也是如此。rain[0]是数组，那么它的首元素是 rain[0][0]，第二个元素是 rain[0][1]，依此类推其他元素。简单地说，rain 是包含 5 个元素（每个元素又是包含 12 个 float 数的数组）的数组，rain[0]是包含 12 个 float 数的数组，rain[0][0]是一个 float 数。如果访问位于 2 行 3 列的元素，则用 rain[2][3]（注意：数组中计数是从 0 开始的，因此 2 行实际指的是第 3 行）。

也可以把 rain 数组看作是一个二维数组，它包含有 5 行，每行 12 列，如图 10.1 所示。改变第二个下标，可以沿着一行移动，每移动一个单位代表一个月份。改变第一个下标，可以沿着一列垂直移动，每移动一个单位代表一年。

用二维视图表示数组便于我们直观地想象具有两个索引的数组。实际上，数组是顺序存储的，前 12 个元素之后，跟着就是第二个包含 12 个元素的数组，依次类推。

我们将在气象分析程序中采用这个二维数组。程序的目标是计算出年降水总量、年降水平均量，以及

月降水平均量。要计算年降水总量，需要对某一行的数据求和。要计算某月的降水平均量，需要把对应于这个月份的列的所有数据求和。二维数组使这些计算变得直观有序，实现起来也比较方便。程序清单 10.7 展示了这个程序。

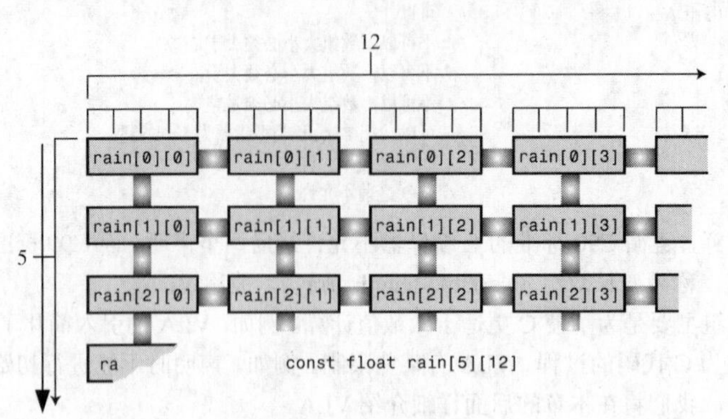

图 10.1　二维数组

程序清单 10.7　rain.c 程序

```
/* rain.c -- 针对若干年的降水量数据，计算年降水总量、年降水平均量，以及月降水平均量 */
#include <stdio.h>
#define MONTHS 12                        // 一年的月份数
#define YEARS 5                          // 降水量数据的年数
int main (void)
{
// 把数组初始化为 2000 年到 2004 年的降水量数据
   const float rain[YEARS][MONTHS] = {
   {4.3,4.3,4.3,3.0,2.0,1.2,0.2,0.2,0.4,2.4,3.5,6.6},
   {8.5,8.2,1.2,1.6,2.4,0.0,5.2,0.9,0.3,0.9,1.4,7.3},
   {9.1,8.5,6.7,4.3,2.1,0.8,0.2,0.2,1.1,2.3,6.1,8.4},
   {7.2,9.9,8.4,3.3,1.2,0.8,0.4,0.0,0.6,1.7,4.3,6.2},
   {7.6,5.6,3.8,2.8,3.8,0.2,0.0,0.0,0.0,1.3,2.6,5.2}
};
int year, month;
float subtot, total;

printf (" YEAR   RAINFALL  (inches) \n");
for (year = 0, total = 0; year < YEARS; year++)
{                          // 对于每一年，各月的总降水量
    for (month = 0, subtot = 0; month < MONTHS; month++)
        subtot += rain[year][month];
    printf ("%5d %15.1f\n", 2000 + year, subtot);
    total += subtot; // 所有年度的总降水量
}
printf ("\nThe yearly average is %.1f inches.\n\n", total/YEARS);
printf ("MONTHLY AVERAGES: \n\n");
printf (" Jan Feb Mar Apr May Jun Jul Aug Sep Oct ");
printf (" Nov Dec\n");

for (month = 0; month < MONTHS; month++)
{                       // 对于每个月，各年该月份的总降水量
    for (year = 0, subtot =0; year < YEARS; year++)
        subtot += rain[year][month];
    printf ("%4.1f ", subtot/YEARS);
  }
  printf ("\n");
  return 0;
}
```

输出如下：

```
YEAR   RAINFALL (inches)
2000        32.4
2001        37.9
2002        49.8
2003        44.0
2004        32.9

The yearly average is 39.4 inches.

MONTHLY AVERAGES:

 Jan Feb Mar Apr May Jun Jul Aug Sep Oct Nov Dec
 7.3 7.3 4.9 3.0 2.3 0.6 1.2 0.3 0.5 1.7 3.6 6.7
```

研究此程序时，请注意数组的初始化方法和计算方案。而数组初始化是其中较复杂的部分，让我们先来研究相对简单的一部分（计算）。

要计算某年度的降水总量，则保持 year 为常量，让 month 遍历整个范围，这正是程序第一部分的内部 for 循环的作用。程序第一部分的外部循环的目的则是让变量 year 在值域（5 年）内遍历。像这样的嵌套循环结构在处理二维数组时是比较方便的。利用一个循环处理第一个下标，利用另一个循环处理第二个下标。

程序第二部分的结构和第一部分相同，但 year 被改为内部循环，而 month 被改为外部循环。注意，外部循环每执行一次，内部循环完整遍历一次。因此，在月份改变之前，年度先遍历。先得到的是 5 年中一月份的降水平均量，然后依次类推。

10.2.1　初始化二维数组

对二维数组的初始化是建立在对一维数组的初始化之上的。首先，让我们回忆一下对一维数组的初始化方法，如下所示：

```
sometype ar1[5] = {val1, val2, val3, val4, val5};
```

此处 val1、val2 等代表同 sometype 类型相应的数值。例如，如果 sometype 是 int，val1 可以是 7；如果 sometype 是 double，那么 val1 可以是 11.34。而 rain 是包含 5 个元素的数组，每个元素又是包含 12 个 float 数的数组。因此，对于 rain，val1 应该对一维 float 数组进行初始化。如下所示：

```
{4.3,4.3,4.3,3.0,2.0,1.2,0.2,0.2,0.4,2.4,3.5,6.6}}
```

也就是说，如果 sometype 是一个包含 12 个 double 数的数组，那么 val1 就是一个由 12 个 double 数构成的数值列表。因此，可以采用以逗号分隔的 5 个这样的数值列表来初始化像 rain 这样的二维数组：

```
const float rain[YEARS][MONTHS] = {
        {4.3,4.3,4.3,3.0,2.0,1.2,0.2,0.2,0.4,2.4,3.5,6.6},
        {8.5,8.2,1.2,1.6,2.4,0.0,5.2,0.9,0.3,0.9,1.4,7.3},
        {9.1,8.5,6.7,4.3,2.1,0.8,0.2,0.2,1.1,2.3,6.1,8.4},
        {7.2,9.9,8.4,3.3,1.2,0.8,0.4,0.0,0.6,1.7,4.3,6.2},
        {7.6,5.6,3.8,2.8,3.8,0.2,0.0,0.0,0.0,1.3,2.6,5.2}
};
```

这个初始化使用了 5 个数值列表，每个数值列表都用花括号括起来。第一个列表被赋给数组的第一行，第二个列表被赋给数组的第二行，依此进行赋值。前面讨论的数据个数和数组大小的不匹配问题同样适用于此处的每一行。也就是说，如果第一个列表中有 10 个数值，则第一行只有前 10 个元素得到赋值，最后 2 个元素被默认初始化为 0。如果列表中的数值多于 12 个，则报告错误；而且这些数值不会影响到下一行的赋值。

初始化时候也可以省略内部的花括号，只保留最外面的一对花括号。只要保证数值的个数正确，初始化效果就是一样的。如果数值的个数不够，那么在数组初始化时候，按照先后顺序来逐行赋值，因此前面的元素首先得到赋值，直到没有数值为止。后面没有赋值的元素被初始化为 0。图 10.2 示意了这两种初始化方法。

由于数组 rain 中存放不应该被修改的数据，因此在声明数组时程序使用了 const 修饰符。

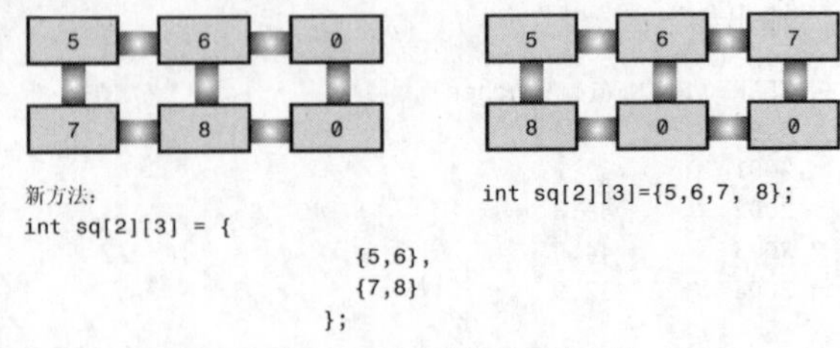

图 10.2 初始化数组的两种方法

10.2.2 更多维数的数组

前面关于二维数组的讨论对于三维乃至更多维数的数组同样适用。可以用如下方式声明三维数组：

```
int box[10][20][30];
```

可以这样直观地理解：一维数组是排成一行的数据，二维数组是放在一个平面上的数据，三维数组是把平面数据一层一层地垒起来。例如，可以把上面定义的数组 box 直观想象为数据构成的方块：由 10 个二维数组（每个二维数组都是 20 行，30 列）堆放起来构成的立方体。

另一种理解 box 的方法认为它是数组的数组的数组。即：box 是包含 10 个元素的数组，其中每个元素又是包含 20 个元素的数组，这 20 个元素中的每一个又是包含 30 个元素的数组。或者可以简单地按照所需的索引数目去理解数组。

通常处理三维数组时候需要 3 重嵌套循环，处理四维数组需要 4 重嵌套循环，对于其他多维数组，依此类推。在后面的章节中，我们只用二维数组来举例。

10.3 指针和数组

在第 9 章“函数”中提到过，指针提供了一种用来使用地址的符号方法。由于计算机的硬件指令很大程度上要依赖于地址，所以指针使您能够以类似于计算机底层的表达方式来表达自己的意愿。这使得使用了指针的程序能够更高效地工作。特别地，指针能够很有效地处理数组。我们将看到，数组标记实际上是一种变相使用指针的形式。

我们举一个这种变相使用的例子：数组名同时也是该数组首元素的地址。也就是说，如果 flizny 是一个数组，下面的式子是正确的：

```
flizny == &flizny[0]  // 数组名是该数组首元素的地址
```

flizny 和&flizny[0]都代表首元素的内存地址（回忆一下，&是地址运算符）。两者都是常量，因为在程序的运行过程中它们保持不变。然而可以把它们作为赋给指针变量的值，然后您可以修改指针变量的值，如程序清单 10.8 所示。请注意给指针加上一个数的时候，它的值会发生什么变化（回忆一下，指针说明符%p 通常以十六进制形式显示值）。

程序清单 10.8 pnt_add.c 程序

```
// pnt_add.c -- 指针加法
#include <stdio.h>
#define SIZE 4
int main (void)
{
    short dates [SIZE];
    short * pti;
    short index;
    double bills[SIZE];
    double * ptf;
```

```
    pti = dates; // 把数组地址赋给指针
    ptf = bills;
    printf ("%23s %10s\n", "short", "double");
    for (index = 0; index < SIZE; index ++)
        printf ("pointers + %d: %10p %10p\n",
                index, pti + index, ptf + index);
    return 0;
}
```

输出结果如下：

```
                    short      double
pointers + 0: 0x0064fd20 0x0064fd28
pointers + 1: 0x0064fd22 0x0064fd30
pointers + 2: 0x0064fd24 0x0064fd38
pointers + 3: 0x0064fd26 0x0064fd40
```

第 2 行打印两个数组的起始地址，第 3 行是地址加 1 的结果，等等。请注意地址是十六进制的，因此 30 比 2f 大 1，比 28 大 8。怎么回事？

```
0x0064fd20 + 1 等于 0x0064fd22?
0x0064fd30 + 1 等于 0x0064fd38?
```

真奇怪！我们的系统是按字节编址的，但是 short 类型使用 2 个字节，double 类型使用 8 个字节。在 C 中，对一个指针加 1 的结果是对该指针增加 1 个存储单元（storage unit）。对于数组而言，地址会增加到下一个元素的地址，而不是下一个字节（请参见图 10.3）。这就是为什么在声明指针时必须声明它所指向对象的类型。计算机需要知道存储对象所用的字节数，所以只有地址信息是不够的（即使指针是指向标量的，也需要声明指针类型；否则*pt 操作不能正确返回数值）。

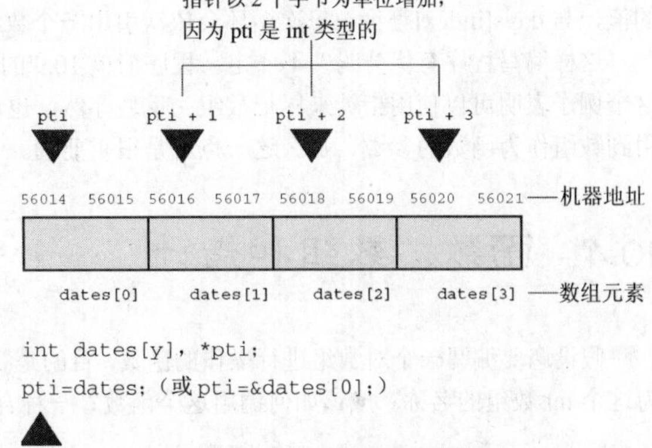

图 10.3　数组和指针加法

现在我们能够清楚地定义指向 int 的指针、指向 float 的指针，以及指向其他数据对象的指针：

- 指针的数值就是它所指向的对象的地址。地址的内部表示方式是由硬件来决定的。很多种计算机（包括 PC 机和 Macintosh 机）都是以字节编址的，这意味着对每个内存字节顺序进行编号。对于包含多个字节的数据类型，比如 double 类型的变量，对象的地址通常指的是其首字节的地址。
- 在指针前运用运算符*就可以得到该指针所指向的对象的数值。
- 对指针加 1，等价于对指针的值加上它指向的对象的字节大小。

下面的等式体现出了 C 的优点：

```
dates + 2 == &date[2]       /* 相同的地址      */
*(dates + 2) == dates[2]    /* 相同的值 */
```

这些关系总结了数组和指针间的密切关系：可以用指针标识数组的每个元素，并得到每个元素的数值。从本质上说，对同一个对象有两种不同的符号表示方法。C 语言标准在描述数组时，确实借助了指针的概念。例如，定义 ar[n]时，意思是*（ar+n），即“寻址到内存中的 ar，然后移动 n 个单位，再取出数值”。

顺便提一下，请注意区分*（dates+2）和*dates+2。间接运算符（*）的优先级高于+，因此后者等价于：（*dates）+2。

```
*(dates + 2)    /* dates 的第 3 个元素的值     */
*dates + 2      /* 第 1 个元素的值和 2 相加     */
```

理解了数组和指针的关系，编程的时候就可以方便地选择两者中任意一种方法。例如，程序清单 10.9

和程序清单 10.1 编译后的运行输出结果一样。

程序清单 10.9 day_mon3.c 程序

```
/* day_mon3.c -- 使用指针符号 */
#include <stdio.h>
#define MONTHS 12

int main (void)
{
    int days[MONTHS] = {31, 28, 31, 30, 31, 30, 31, 31, 30, 31, 30, 31};
    int index;

    for (index = 0; index < MONTHS; index++)
        printf ("Month %2d has %d days.\n", index +1,
                    * (days + index)); // 与 days[index]相同
    return 0;
}
```

此处，days 是数组首元素的地址；days+index 是元素 days[index]的地址；*（days+index）是这个元素的值，与 days[index]等价。每次循环会依次引用一个数组元素，并打印出该数组元素的内容。

这样编写程序有优势吗？不一定。程序清单 10.9 的例子只是用来表明指针和数组是两个等效的方法。这个例子表明可以使用指针来标记数组；反之亦然，也可以用数组方式来访问指针。当设计程序时，如果用到数组作为函数的参数，那么这一点就是很重要的。

10.4 函数、数组和指针

假设您要编写一个对数组进行操作的函数，目的是要此函数返回数组内所有元素的和，并假设 marbles 为这个 int 数组的名称。应该如何调用这个函数？一种合乎情理的猜测如下：

```
total = sum (marbles); // 可能的函数调用
```

那么原型应该是什么样的？数组名同时代表数组首元素的地址，因此实际参数 marbles 是一个 int 的地址，应把它赋给一个类型为指向 int 的指针的形式参量：

```
int sum (int * ar);  // 相应的原型
```

函数 sum（）从该参数可以得到什么信息呢？它得到数组首元素的地址，而且知道可以从此地址找到一个 int。请注意它无从知道数组中元素的数量。于是在函数的定义中有两种选择，第一种是在函数代码中写上固定的数组大小，如下所示：

```
int sum (int *ar)            // 相应的定义
{
    int i;
    int total = 0;

    for (i = 0; i < 10; i++)        // 假设有 10 个元素
        total += ar[i];             // ar[i]与* (ar + i) 相同
return total;
}
```

上面的代码利用了这样的事实：正如可以在指针符号中使用数组名一样，也可以在数组符号中使用指针。同时，运算符+=把其右边的操作数加到左边。因此，total 得到的是数组元素的和。

这种函数定义是有限制的，它仅在数组大小为 10 时可以工作。更灵活的方法是把数组大小做为第二个参数传递给函数。

```
int sum (int * ar, int n)        // 更通用的方法
```

```
{
    int i;
    int total = 0;

    for (i = 0; i < n; i++)       // 使用n表示元素的个数
        total += ar[i];           // ar[i]与* (ar + i) 相同
return total;
}
```

这里的第一个参数把数组地址和数组类型的信息传递给函数，第二个参数把数组中的元素个数传递给函数。

此外，关于函数参量还有一件需要说明的事情：在函数原型或函数定义头的场合中（并且也只有在这两种场合中），可以用 int *ar 代替 int ar[]：

```
int sum (int ar[], int n);
```

无论在任何情况下，形式 int *ar 都表示 ar 是指向 int 的指针。形式 int ar[]也可以表示 ar 是指向 int 的指针，但只是在声明形式参量时才可以这样使用。使用第二种形式可以提醒读者 ar 不仅指向一个 int 数值，而且它指向的这个 int 是一个数组中的元素。

声明数组参量

由于数组名就是数组首元素的地址，所以如果实际参数是一个数组名，那么形式参量必须是与之相匹配的指针。在（而且仅在）这种场合中，C 对于 int ar[]和 int *ar 作出同样解释，即 ar 是指向 int 的指针。由于原型允许省略名称，因此下面的 4 种原型都是等价的：

```
int sum (int *ar, int n);
int sum (int *, int);
int sum (int ar[], int n);
int sum (int [], int);
```

定义函数时，名称是不可以省略的。因此，在定义时下面两种形式是等价的：

```
int sum (int *ar, int n)
{
    // 代码
}
int sum (int ar[], int n);
{
    // 代码
}
```

前面提到的 4 种原型是通用的，它们的函数定义可以采用上面两者之一。这些形式您都应该掌握。

程序程序清单 10.10 是一个使用函数 sum（）的程序。为了说明关于数组参数的一个有趣的事实，此程序同时打印出原数组的大小和代表数组的函数参量的大小（如果您的编译器不支持用%zd 说明符打印 sizeof 的返回值，请使用%u 或者%lu）。

清单 10.10　sum_arr1.c 程序

```
// sum_arr1.c -- 对一个数组的所有元素求和
// 如果不能使用%zd，请使用%u 或%lu
#include <stdio.h>
#define SIZE 10
int sum (int ar[], int n);
int main (void)
{
    int marbles[SIZE] = {20, 10, 5, 39, 4, 16, 19, 26, 31, 20};
    long answer;
```

```
    answer = sum(marbles, SIZE);
    printf("The total number of marbles is %ld.\n", answer);
    printf("The size of marbles is %zd bytes.\n",
           sizeof marbles);
    return 0;
}
int sum(int ar[], int n) // 数组的大小是多少?
{
    int i;
    int total = 0;

    for (i = 0; i < n; i++)
        total += ar[i];
    printf("The size of ar is %zd bytes.\n", sizeof ar);

    return total;
}
```

在我们的系统上输出结果如下：

```
The size of ar is 4 bytes.
The total number of marbles is 190.
The size of marbles is 40 bytes.
```

请注意 marbles 的大小为 40 字节。的确如此，因为 marbles 包含 10 个 int 类型的数，每个数占 4 个字节，因此总共占用 40 个字节。但是 ar 的大小只有 4 个字节。这是因为 ar 本身并不是一个数组，它是一个指向 marbles 的首元素的指针。对于采用 4 字节地址的计算机系统，指针的大小为 4 个字节（其他系统中地址大小可能不是 4 个字节）。总之，在程序清单 10.10 中，marbles 是一个数组，而 ar 为一个指向 marbles 首元素的指针，C 中数组和指针之间的关系允许您在数组符号中使用指针 ar。

10.4.1 使用指针参数

使用数组的函数需要知道何时开始和何时结束数组。函数 sum（）使用一个指针参量来确定数组的开始点，使用一个整数参量来指明数组的元素个数（指针参量同时确定了数组中数据的类型）。但是这并不是向函数传递数组信息的惟一方法。另一种方法是传递两个指针，第一个指针指明数组的起始地址（同前面的方法相同），第二个指针指明数组的结束地址。程序清单 10.11 中的示例程序示意了这种方法。这个例子同时利用了指针参数是变量这一事实，也就是说，程序中没有使用索引来指示数组中的每个元素，而是直接修改指针本身，使指针依次指向各个数组元素。程序清单 10.11 示范了这种技巧的使用。

程序清单 10.11　sum_arr2.c 程序

```
/* sum_arr2.c -- 对一个数组的所有元素求和 */
#include <stdio.h>
#define SIZE 10
int sump(int * start, int * end);
int main(void)
{
    int marbles[SIZE] = {20, 10, 5, 39, 4, 16, 19, 26, 31, 20};
    long answer;

    answer = sump(marbles, marbles + SIZE);
    printf("The total number of marbles is %ld.\n", answer);
    return 0;
}
/* 使用指针算术 */
int sump(int * start, int * end)
{
    int total = 0;
```

```
    while (start < end)
    {
      total += *start;          /* 把值累加到 total 上           */
       start++;                 /* 把指针向前推进到下一个元素  */
    }
    return total;
}
```

由于指针 start 最初指向 marbles 的首元素，因此执行赋值表达式 total+=*start 时，把首元素的值（即 20）加到 total 上。然后表达式 start++使指针变量 start 增 1，从而指向数组的下一个元素。start 是指向 int 的指针，因此当 start 增 1 时它将增加 1 个 int 的大小。

请注意函数 sump（）和 sum（）结束加法循环的方式不一样。函数 sum（）使用数组元素的个数做为第二个参数，循环利用这个值来控制循环次数：

```
for (i = 0; i < n; i++)
```

而函数 sump（）则使用第二个指针来控制循环次数：

```
while (start < end)
```

因为这是一个对于不相等关系的判断，所以处理的最后一个元素将是 end 所指向的位置之前的元素。这就意味着 end 实际指向的位置是在数组最后一个元素之后。C 保证在为数组分配存储空间的时候，指向数组之后的第一个位置的指针也是合法的。这使上面例子中采用的结构是有效的，因为 start 在循环中最后得到的值是 end。请注意使用这种“越界”指针可使函数调用的形式更整洁：

```
answer = sump (marbles, marbles + SIZE);
```

由于索引是从 0 开始的，因此 marbles+SIZE 指向数组结尾处之后的下一个元素。如果让 end 指向最后一个元素而不是指向数组结尾处之后的下一个元素，就需要使用下面的代码：

```
answer = sump (marbles, marbles + SIZE - 1);
```

这种写法不仅仅看起来不整洁，而且也不容易被记住，因此比较容易导致编程错误。顺便说一句，尽管 C 保证指针 marbles+SIZE 是合法的，但对 marbles[SIZE]（即该地址存储的内容）不作任何保证。

可以把上面的循环体精简为一行代码：

```
total += *start++;
```

一元运算符*和++具有相等的优先级，但它在结合时是从右向左进行的。这就意味着++应用于 start，而不是应用于*start。也就是说，是指针自增 1，而不是指针所指向的数据自增 1。后缀形式（即 start++，而不是++start）表示先把指针指向的数据加到 total 上，然后指针再自增 1。如果程序使用*++start，则顺序就变为指针先自增 1，然后再使用其指向的值。然而如果程序使用（*start）++，那么会使用 start 所指向的数据，然后再使该数据自增 1，而不是使指针自增 1。这样，指针所指向的地址不变，但其中的元素却变成了一个新数据。尽管*start++比较常用，但为了清晰起见，应该使用*（start++）。程序清单 10.12 中的程序示意了这些有关优先级的微妙之处：

程序清单 10.12　order.c 程序

```
/* order.c -- 指针运算的优先级 */
#include <stdio.h>
int data[2] = {100, 200};
int moredata[2] = {300, 400};
int main (void)
{
    int * p1, * p2, * p3;

    p1 = p2 = data;
    p3 = moredata;
    printf ("  *p1 = %d,   *p2 = %d,     *p3 = %d\n",
```

```
          *p1      ,  *p2      ,     *p3);
    printf ("*p1++ = %d, *++p2 = %d, (*p3) ++ = %d\n",
          *p1++      , *++p2    , (*p3) ++);
    printf ("  *p1 = %d,   *p2 = %d,    *p3 = %d\n",
           *p1     ,    *p2     ,    *p3);
    return 0;
}
```

输出结果如下：

```
  *p1 = 100,  *p2 = 100,    *p3 = 300
*p1++  = 100, *++p2 = 200, (*p3) ++ = 300
  *p1 = 200,  *p2 = 200,    *p3 = 301
```

上面例子中只有（*p3）++改变了数组元素的值。其他两个操作增加了指针 p1 和指针 p2，使之指向下一个数组元素。

10.4.2 评论：指针和数组

从前面的介绍可以看出，处理数组的函数实际上是使用指针做为参数的。但是在编写处理数组的函数时，数组符号和指针符号都是可以选用的。如果使用数组符号（如程序清单 10.10 所示），则函数处理数组这一事实更加明显。同时，对于习惯于其他编程语言（如 FORTRAN、Pascal、Modula-2 或 BASIC）的程序员来说，使用数组也更为熟悉。也有一些程序员可能更习惯于使用指针，觉得指针使用起来更加自然。程序清单 10.11 是使用指针的例子。

在 C 中，两个表达式 ar[i]和*（ar+i）的意义是等价的。而且不管 ar 是一个数组名还是一个指针变量，这两个表达式都可以工作。然而只有当 ar 是一个指针变量时，才可以使用 ar++这样的表达式。

指针符号（尤其是在对其使用增量运算符时）更接近于机器语言，而且某些编译器在编译时能够生成效率更高的代码。然而，很多程序员认为程序员的主要任务是保证程序的正确性和易读性，代码的优化应留给编译器去做。

10.5 指针操作

可以对指针进行哪些操作？C 提供了 6 种基本的指针操作，下面的程序将具体演示这些操作。为了显示每一个操作结果，程序将打印出指针的值（即指针指向的地址）、指针指向地址中存储的内容，以及指针本身的地址（如果您的编译器不支持%p 说明符，那么要想打印出地址，就需要用%u 或者%lu）。

程序清单 10.13 示例了可对指针变量执行的 8 种基本操作。除了这些操作，你还可以使用关系运算符来比较指针。

程序清单 10.13 ptr_ops.c 程序

```
// ptr_ops.c - 指针操作
#include <stdio.h>
int main (void)
{
    int urn[5] = {100, 200, 300, 400, 500};
    int * ptr1, * ptr2, * ptr3;

    ptr1 = urn;          // 把一个地址赋给指针
    ptr2 = &urn[2];      // 同上
                         // 取得指针指向的值
                         // 并且得到指针的地址
    printf("pointer value, dereferenced pointer, pointer address:\n");
    printf ("ptr1 = %p, *ptr1 =%d, &ptr1 = %p\n",
            ptr1, *ptr1, &ptr1);
// 指针加法
```

```
    ptr3 = ptr1 + 4;
    printf("\nadding an int to a pointer:\n");
    printf("ptr1 + 4 = %p, *(ptr4 + 3) = %d\n",
           ptr1 + 4, *(ptr1 + 3));
    ptr1++;          // 递增指针
    printf ("\nvalues after ptr1++\n");
    printf ("ptr1 = %p, *ptr1 =%d, &ptr1 = %p\n",
          ptr1, *ptr1, &ptr1);
    ptr2--;          // 递减指针
    printf ("\n values after --ptr2\n");
    printf ("ptr2 = %p, *ptr2 = %d, &ptr2 = %p\n",
           ptr2, *ptr2, &ptr2);
    --ptr1;          // 恢复为初始值
    ++ptr2;          // 恢复为初始值
    printf("\nPointers reset to original values:\n");
    printf("ptr1 = %p, ptr2 = %p\n", ptr1, ptr2);
                     // 一个指针减去另一个指针
    printf("\nsubtracting one pointer from another:\n");
    printf("ptr2 = %p, ptr1 = %p, ptr2 - ptr1 = %d\n",
           ptr2, ptr1, ptr2 - ptr1);
                     // 一个指针减去一个整数
    printf("\nsubtracting an int from a pointer:\n");
    printf("ptr3 = %p, ptr3 - 2 = %p\n",
           ptr3, ptr3 - 2);

   return 0;
}
```

输出结果如下：

```
pointer value, dereferenced pointer, pointer address:
ptr1 = 0x0012ff38, *ptr1 =100, &ptr1 = 0x0012ff34

adding an int to a pointer:
ptr1 + 4 = 0x0012ff48, *(ptr4 + 3) = 400

values after ptr1++:
ptr1 = 0x0012ff3c, *ptr1 =200, &ptr1 = 0x0012ff34

values after --ptr2:
ptr2 = 0x0012ff3c, *ptr2 = 200, &ptr2 = 0x0012ff30

Pointers reset to original values:
ptr1 = 0x0012ff38, ptr2 = 0x0012ff40

subtracting one pointer from another:
ptr2 = 0x0012ff40, ptr1 = 0x0012ff38, ptr2 - ptr1 = 2

subtracting an int from a pointer:
ptr3 = 0x0012ff48, ptr3 - 2 = 0x0012ff40
```

下面的列表描述了可对指针变量执行的基本操作：

- **赋值（assignment）**——可以把一个地址赋给指针。通常使用数组名或地址运算符&来进行地址赋值。本例中，把数组 urn 的起始地址赋给 ptr1，该地址是编号为 0x0012ff38 的内存单元。变量 ptr2 得到的是数组第 3 个也即最后一个元素（urn[2]）的地址。注意：地址应该和指针类型兼容。也就是说，不能把一个 double 类型的地址赋给一个指向 int 的指针。C99 允许使用类型指派这样做，但是我们不推荐使用这种方法。
- **求值（value-finding）或取值（dereferencing）**——运算符*可取出指针指向地址中存储的数值。因此，*ptr1 开始为 100，即存储在地址 0x0012ff38 中的值。

- **取指针地址**——指针变量同其他变量一样具有地址和数值，使用运算符&可以得到存储指针本身的地址。本例中，ptr1 被存储在内存地址 0x0012ff34 中。该内存单元的内容是 0x0012ff38，即 urn 的地址。
- **将一个整数加给指针**——可以使用+运算符来把一个整数加给一个指针，或者把一个指针加给一个正数。两种情况下，这个整数都会和指针所指类型的字节数相乘，然后所得的结果会加到初始地址上。于是，ptr+4 的结果等同于&urn[4]。如果相加的结果超出了初始指针所指向的数组的范围，那么这个结果是不确定的，除非超出数组最后一个元素的地址能够确保是有效的。
- **增加指针的值**——可以通过一般的加法或增量运算符来增加一个指针的值。对指向某数组元素的指针做增量运算，可以让指针指向该数组的下一个元素。因此，ptr1++运算把 ptr1 加上数值 4（我们系统上的 int 为 4 个字节），使 ptr1 指向 urn[1]（请参见图 10.4）。现在 ptr1 的值是 0x0012ff3c（下一个数组元素的地址），*ptr 的数值为 200（urn[1]的值）。请注意 ptr1 本身的地址仍然是 0x0012ff34。别忘了，变量不会因为它的值的变化而移动位置。

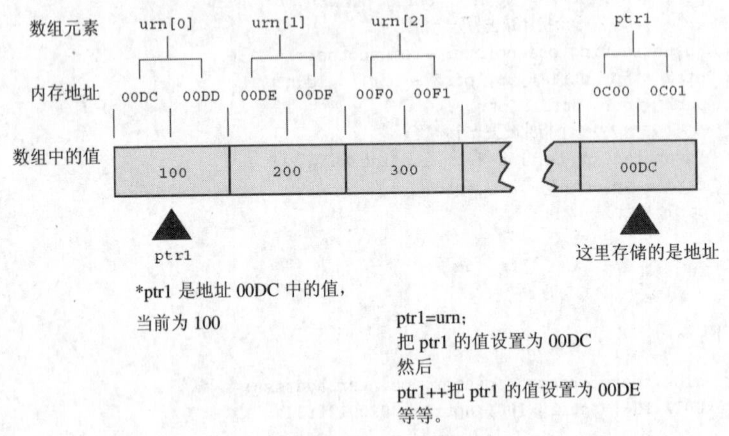

图 10.4 增加一个 int 指针的值

- **从指针中减去一个整数**——可以使用-运算符来从一个指针中减去一个整数。指针必须是第一个操作数，或者是一个指向整数的指针。这个整数都会和指针所指类型的字节数相乘，然后所得的结果会从初始地址中减掉。于是，ptr3-2 的结果等同于&urn[2]，因为 ptr3 是指向&urn[4]的。如果相减的结果超出了初始指针所指向的数组的范围，那么这个结果是不确定的，除非超出数组最后一个元素的地址能够确保是有效的。
- **减小指针的值**——指针当然也可以做减量运算。本例中，ptr2 自减 1 之后，它将不再指向第三个元素，而是指向第二个数组元素。请注意，你可以使用前缀和后缀形式的增量和减量运算符。对指针 ptr1 和 pt2 都指向同一个元素 urn[1]，直到它们被重置。
- **求差值（Differencing）**——可以求出两个指针间的差值。通常对分别指向同一个数组内两个元素的指针求差值，以求出元素之间的距离。差值的单位是相应类型的大小。例如在程序清单 10.13 的输出中，ptr2-ptr1 的值是 2，表示指针所指向对象之间的距离为 2 个 int 数值大小，而不是 2 个字节。有效指针差值运算的前提是参加运算的两个指针是指向同一个数组（或是其中之一指向数组后面的第一个地址）。指向两个不同数组的指针之间的差值运算可能会得到一个数值结果，但也可能会导致一个运行时错误。
- **比较**——可以使用关系运算符来比较两个指针的值，前提是两个指针具有相同的类型。

注意，这里有两种形式的减法。可以用一个指针减掉另一个指针得到一个整数，也可以从一个指针中减去一个整数得到一个指针。

在进行指针的增量和减量运算时，需要牢记一些注意事项。计算机并不检查指针是否仍然指向某个数组元素。C 保证指向数组元素的指针和指向数组后的第一个地址的指针都是有效的。但是如果指针在进行了增量或减量运算后超出了这个范围，后果将是未知的。另外，可以对指向一个数组元素的指针进行取值运算。但不能对指向数组后的第一个地址的指针进行取值运算，尽管这样的指针是合法的。

对未初始化的指针取值

使用指针，有一个规则需要特别注意：不能对未初始化的指针取值。例如下面的例子：

```
int *pt;   // 未初始化的指针
*pt = 5;   // 一个可怕的错误
```

为什么这样的代码危害极大？这段程序的第二行表示把数值 5 存储在 pt 所指向的地址。但是由于 pt 没有被初始化，因此它的值是随机的，不知道 5 会被存储到什么位置。这个位置也许对系统危害不大，但也许会覆盖程序数据或者代码，甚至导致程序的崩溃。切记：当创建一个指针时，系统只分配了用来存储指针本身的内存空间，并不分配用来存储数据的内存空间。因此在使用指针之前，必须给它赋予一个已分配的内存地址。比如，可以把一个已存在的变量地址赋给指针（当您使用带有一个指针参量的函数时，就属于这种情况）。或者使用函数 malloc( ) 来首先分配内存，该函数将在第 12 章详细讨论。总之，使用指针时一定要注意，不能对未初始化的指针取值！

```
double * pd;      // 未初始化的指针
*pd = 2.4;        // 不能这样做
```

给定下面的声明：

```
int urn[3];
int * ptr1, * ptr2;
```

表 10.1 中是一些合法的和非法的语句：

表 10.1　　一些合法和非法的语句

合　法	非　法
ptr1++;	urn++;
ptr2=ptr1+2;	ptr2=ptr2+ ptr1;
ptr2=urn+1;	ptr2=urn*ptr1;

这些操作带来很多可能性。C 程序员创建了指针数组、函数指针、指向指针的指针数组、指向函数的指针数组等等。但是不要紧张，我们后面的学习重点将放在已经学过的基本使用方式上。指针最基本的功能在于同函数交换信息。从前面所学内容可知，如果需要让被调函数修改调用函数中的变量，就必须使用指针。指针的另一个基本功能是用在处理数组的函数中。下面我们再来看一个同时使用函数和数组的例子。

10.6　保护数组内容

在编写处理诸如 int 这样的基本类型的函数时，可以向函数传递 int 数值，也可以传递指向 int 的指针。通常我们直接传递数值；只有需要在函数中修改该值时，我们才传递指针。对于处理数组的函数，只能传递指针，原因是这样能使程序的效率更高。如果通过值向函数传递数组，那么函数中必须分配足够存放一份原数组的拷贝的存储空间，然后把原数组的所有数据复制到这个新数组中。如果简单地把数组的地址传递给函数，然后让函数直接读写原数组，程序的效率会更高。

这种技术也会带来一些问题。通常 C 传递数据的值，其原因是要保证原始数据的完整性。函数使用原始数据的一份拷贝，这样它就不会意外地修改原始数据。但是，由于处理数组的函数直接操作原始数据，所以它能够修改原数组。有时候这正是我们所需要的，例如下面这个函数的功能就是给数组中的每个元素加上同一个数值。

```
void add_to (double ar[], int n, double val)
{
```

```
    int i;
    for (i = 0; i < n; i++)
        ar[i] += val;
}
```

因此，下面的函数调用将使数组 prices 里的每个元素增加 2.5：

```
add_to (prices, 100, 2.50);
```

该函数改变了数组的内容。之所以可以改变数组的内容，是因为函数使用了指针，从而能够直接使用原始数据。

然而也许其他的函数并不希望修改数据。例如下面这个函数的功能是计算数组中所有元素的和，所以它不应该改变数组的内容。然而由于 ar 实际上是一个指针，所以编程上的错误可以导致原始数据遭到破坏。例如，表达式 ar[i]++就会导致每个元素的值增加 1：

```
int sum (int ar[], int n) // 错误的代码
{
    int i;
    int total = 0;

    for (i = 0; i < n; i++)
        total += ar[i]++;  // 错误地增加了每个元素的值
    return total;
}
```

10.6.1 对形式参量使用 const

在 K&R C 中，避免此类错误惟一的方法就是警惕不出错。ANSI C 中有另一种方法。如果设计意图是函数不改变数组的内容，那么可以在函数原型和定义的形式参量声明中使用关键字 const。例如 sum（）的原型和定义应该如下：

```
int sum (const int ar[], int n); /* 原型 */

int sum (const int ar[], int n) /* 定义 */
{
    int i;
    int total = 0;

    for (i = 0; i < n; i++)
        total += ar[i];
    return total;
}
```

这告知编译器：函数应当把 ar 所指向的数组作为包含常量数据的数组对待。这样，如果您意外地使用了诸如 ar[i]++之类的表达式，编译器将会发现这个错误并生成一条错误消息，通知您函数试图修改常量。

需要理解的是这样使用 const 并不要求原始数组是固定不变的；这只是说明函数在处理数组时，应把数组当作是固定不变的。使用 const 可以对数组提供保护，就像按值传递可以对基本类型提供保护一样；可阻止函数修改调用函数中的数据。总之，如果函数想修改数组，那么在声明数组参量时就不要使用 const；如果函数不需要修改数组，那么在声明数组参量时最好使用 const。

请参看程序清单 10.14 中的程序，其中一个函数显示数组，另一个函数对数组的每个元素乘上一个给定的数值。因为第一个函数不需要修改数组，所以使用 const；因为第二个函数需要修改数组，所以不使用 const。

程序清单 10.14 arf.c 程序

```
/* arf.c -- 处理数组的函数 */
#include <stdio.h>
#define SIZE 5
void show_array (const double ar[], int n);
```

```
void mult_array (double ar[], int n, double mult);
int main (void)
{
    double dip[SIZE] = {20.0, 17.66, 8.2, 15.3, 22.22};

    printf ("The original dip array: \n");
    show_array (dip, SIZE);
    mult_array (dip, SIZE, 2.5);
    printf ("The dip array after calling mult_array (): \n");
    show_array (dip, SIZE);
    return 0;
}

/* 显示数组内容 */
void show_array (const double ar[], int n)
{
    int i;

    for (i = 0; i < n; i++)
        pritf ("%8.3f ", ar[i]);
    putchar ('\n');
}

/* 用同一乘数去乘每个数组元素 */
void mult_array (double ar[], int n, double mult)
{
    int i;

    for (i = 0; i < n; i++)
        ar[i] *= mult;
}
```

输出结果如下：

```
The original dip array:
  20.000   17.660    8.200   15.300   22.220
The dip array after calling mult_array ():
  50.000   44.150   20.500   38.250   55.550
```

请注意两个函数都是 void 类型的。函数 mult_array ( ) 确实使数组 dip 得到了新的值，但不是使用 return 机制实现的。

10.6.2　有关 const 的其他内容

前面我们讲过可使用 const 来创建符号常量：

```
const double PI = 3.14159;
```

以上也可以使用#define 指令实现。但使用 const 还可以创建数组常量、指针常量以及指向常量的指针。程序清单 10.4 说明了使用关键字 const 保护数组的方法：

```
#define MONTHS 12
...
const int days[MONTHS] = {31, 28, 31, 30, 31, 30, 31, 31, 30, 31, 30, 31};
```

如果随后的程序代码试图改变数组，您将得到一个编译时的错误消息：

```
days[9] = 44;  /* 编译错误 */
```

指向常量的指针不能用于修改数值，考虑下列代码：

```
double rates[5] = {88.99, 100.12, 59.45, 183.11, 340.5};
const double * pd = rates;  // pd 指向数组开始处
```

第二行代码把 pc 声明为指向 const double 的指针。这样，就不可以使用 pc 来修改它所指向的数值。

```
* pd = 29.89;          // 不允许
pd[2] = 222.22;        // 不允许
rates[ 0] = 99.99;     // 允许，因为 rates 不是常量
```

无论是采用数组符号还是指针符号，都不能使用 pd 修改所指向数据的值。但请注意因为 rates 并没有声明为常量，所以仍可以使用 rates 来修改其数值。另外要注意，还可以让 pc 指向其他地址：

```
pd++;   /* 让 pd 指向 rates[1] - 这是允许的 */
```

通常把指向常量的指针用作函数参量，以表明函数不会用这个指针来修改数据。例如，程序清单 10.14 中函数 show_array（）的原型可以如下定义：

```
void show_array (const double *ar, int n);
```

关于指针赋值和 const 有一些规则需要注意。首先，将常量或非常量数据的地址赋给指向常量的指针是合法的：

```
double rates[5] = {88.99, 100.12, 59.45, 183.11, 340.5};
const double locked[4] = {0.08, 0.075, 0.0725, 0.07};
const double * pc = rates; // 合法
pc = locked;               // 合法
pc = &rates[3];            // 合法
```

然而，只有非常量数据的地址才可以赋给普通的指针：

```
double rates[5] = {88.99, 100.12, 59.45, 183.11, 340.5};
const double locked[4] = {0.08, 0.075, 0.0725, 0.07};
double * pnc = rates;      // 合法
pnc = locked;              // 非法
pnc = &rates[3];           // 合法
```

这样的规则是合理的。否则，您就可以使用指针来修改被认为是常量的数据。

这些规则的实践结果是：像 show_array（）这样的函数可以接受普通数组和常量数组的名称作为实际参数，因为两种参数都可以赋给指向常量的指针：

```
show_array (rates, 5);     // 合法
show_array (locked, 4);    // 合法
```

但是，像 mult_array（）这样的函数不能接受常量数组的名称作为参数：

```
mult_array (rates, 5, 1.2);      // 合法
mult_array (locked, 4, 1.2);     // 不允许
```

因此，在函数参量定义中使用 const，不仅可以保护数据，而且使函数可以使用声明为 const 的数组。

const 还有很多用法。例如：您可以使用关键字 const 来声明并初始化指针，以保证指针不会指向别处，关键在于 const 的位置：

```
double rates[5] = {88.99, 100.12, 59.45, 183.11, 340.5};
double * const pc = rates; // pc 指向数组的开始处
pc = &rates[2];            // 不允许
*pc = 92.99;               // 可以，更改 rates[0]的值
```

这样的指针仍然可用于修改数据，但它只能指向最初赋给它的地址。

最后，可以使用两个 const 来创建指针，这个指针既不可以更改所指向的地址，也不可以修改所指向的数据：

```
double rates[5] = {88.99, 100.12, 59.45, 183.11, 340.5};
const double * const pc = rates;
pc = &rates[2];  // 不允许
*pc = 92.99;     // 不允许
```

10.7　指针和多维数组

指针和多维数组有什么关系？为什么我们需要知道它们之间的关系？函数是通过指针来处理多维数组的，因此在使用这样的函数之前，您需要更多地了解指针。对于第一个问题，让我们通过几个例子来找出答案。为简化讨论，我们采用比较小的数组。假设有如下的声明：

```
int zippo[4][2]; /* 整数数组的数组 */
```

数组名 zippo 同时也是数组首元素的地址。在本例中，zippo 的首元素本身又是包含两个 int 的数组，因此 zippo 也是包含两个 int 的数组的地址。下面从指针属性进一步分析：

- 因为 zippo 是数组首元素的地址，所以 zippo 的值和&zippo[0]相同。另一方面，zippo[0]本身是包含两个整数的数组，因此 zippo[0]的值同其首元素（一个整数）的地址&zippo[0][0]相同。简单地说，zippo[0]是一个整数大小对象的地址，而 zippo 是两个整数大小对象的地址。因为整数和两个整数组成的数组开始于同一个地址，因此 zippo 和 zippo[0]具有相同的数值。
- 对一个指针（也即地址）加 1，会对原来的数值加上一个对应类型大小的数值。在这方面，zippo 和 zippo[0]是不一样的，zippo 所指向对象的大小是两个 int，而 zippo[0]所指向对象的大小是一个 int。因此 zippo+1 和 zippo[0]+1 的结果不同。
- 对一个指针（也即地址）取值（使用运算符*或者带有索引的[]运算符）得到的是该指针所指向对象的数值。因为 zippo[0]是其首元素 zippo[0][0]的地址，所以*（zippo[0]）代表存储在 zippo[0][0]中的数值，即一个 int 数值。同样，*zippo 代表其首元素 zippo[0]的值，但是 zippo[0]本身就是一个 int 数的地址，即&zippo[0][0]，因此*zippo 是&zippo[0][0]。对这两个表达式同时应用取值运算符将得到**zippo 等价于*&zippo[0][0]，后者简化后即为一个 int 数 zippo[0][0]。简言之，zippo 是地址的地址，需要两次取值才可以得到通常的数值。地址的地址或指针的指针是双重间接（double indirection）的典型例子。

显然，增加数组维数会增加指针的复杂度。现在，大多数 C 初学者都会认识到为什么指针被认为是该语言中最难掌握的部分。认真地学习了前面所讲的内容后，请阅读程序清单 10.15 中的实例，此例显示了一些地址值和数组内容。

程序清单 10.15　zippo1.c 程序

```
/* zippo1.c -- 有关 zippo 的信息 */
#include <stdio.h>
int main (void)
{
    int zippo[4][2] = { {2, 4}, {6, 8}, {1, 3}, {5, 7} };

    printf ("   zippo = %p,    zippo + 1 = %p\n",
               zippo,         zippo + 1);
    printf ("zippo[0] = %p, zippo[0] + 1 = %p\n",
             zippo[0],      zippo[0] + 1);
    printf ("  *zippo = %p,    *zippo + 1 = %p\n",
              *zippo,        *zippo + 1);
    printf ("zippo[0][0] = %d\n", zippo[0][0]);
    printf ("  *zippo[0] = %d\n", *zippo[0]);
    printf ("    **zippo = %d\n", **zippo);
    printf ("      zippo[2][1] = %d\n", zippo[2][1]);
    printf ("** (* (zippo+2) + 1) = %d\n", * (* (zippo+2) + 1)); return 0;
}
```

在一个系统上，输出结果如下：

```
zippo = 0x0064fd38,    zippo + 1 = 0x0064fd40
```

```
zippo[0] = 0x0064fd38, zippo[0] + 1 = 0x0064fd3c
    *zippo = 0x0064fd38,   *zippo + 1 = 0x0064fd3c
zippo[0][0] = 2
    *zippo[0] = 2
        **zippo = 2
            zippo[1][2] = 3
*(*(zippo+1) + 2) = 3
```

其他系统的输出结果会与上面的不同，但输出结果之间的关系是和上面的一样的。输出显示出二维数组zippo的地址和一维数组zippo[0]的地址是相同的，均为相应的数组首元素的地址，它的值是和&zippo[0][0]相同的。

然而，差别也是有的。在我们的系统上，int 是 4 个字节长。前面我们讨论过，zippo[0]指向 4 字节长的数据对象。对 zippo[0]加 1 导致它的值增加 4。数组名 zippo 是包含两个 int 数的数组的地址，因此它指向 8 字节长的数据对象。所以，对 zippo 加 1 导致它的值增加 8。

程序显示 zippo[0]和*zippo 是相同的，这点是正确的。另一方面，二维数组名必须两次取值才可以取出数组中存储的数据。这可以两次使用间接运算符（*）来实现，或两次使用方括号运算符（[]）（也可以采用一次*和一次[]来实现，但我们不讨论这么多的情况）。具体地：zippo[2][1]的等价指针符号表示为*（*（zippo+2）+1）。您应尽力去分析理解。表 10.2 中分步建立了这个表达式：

表 10.2　　分析*（*（zippo+ 2）+ 1）

zippo	第 1 个大小为 2 个 int 的元素的地址
zippo+ 2	第 3 个大小为 2 个 int 的元素的地址
*（zippo+ 2）	第 3 个元素，即包含 2 个 int 值的数组，因此也是其第 1 个元素（int 值）的地址
*（zippo+ 2）+ 1	包含 2 个 int 值的数组的第 2 个元素（int 值）的地址
（（zippo+ 2）+ 1）	数组第 3 行第 2 个 int（zippo[2][1]）的值

这里使用指针符号来显示数据的意图并不是为了说明可以用它替代更简单的 zippo[2][1]表达式，而是要说明当您正好有一个指向二维数组的指针并需要取值时，最好不要使用指针符号，而应当使用形式更简单的数组符号。

图 10.5 以另一种视图显示了数组地址、数组内容和指针之间的关系。

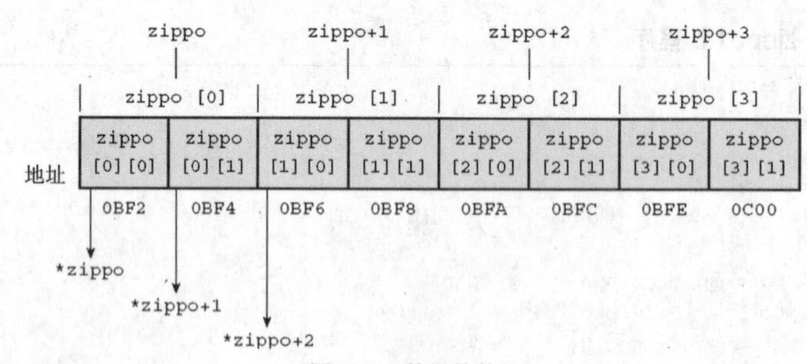

图 10.5　数组的数组

10.7.1　指向多维数组的指针

如何声明指向二维数组（如 zippo）的指针变量 pz？例如，在编写处理像 zippo 这样的数组的函数时，就会用到这类指针。指向 int 的指针可以胜任吗？不可以。这种指针只是和 zippo[0]兼容，因为它们都指向一个单个 int 值。但是 zippo 是其首元素的地址，而该首元素又是包含两个 int 值的数组。因此，pz 必须指向一个包含两个 int 值的数组，而不是指向一个单个 int 值。下面是正确的代码：

```
int (* pz) [2];  // pz 指向一个包含 2 个 int 值的数组
```

该语句表明 pz 是指向包含两个 int 值的数组的指针。为什么使用圆括号？因为表达式中[]的优先级高于*。因此，如果我们这样声明：

```
int * pax[2];
```

那么首先方括号和 pax 结合，表示 pax 是包含两个某种元素的数组。然后和*结合，表示 pax 是两个指针组成的数组。最后，用 int 来定义，表示 pax 是由两个指向 int 值的指针构成的数组。这种声明会创建两个指向单个 int 值的指针。但前面的版本通过圆括号使 pz 首先和*结合，从而创建一个指向包含两个 int 值的数组的指针。程序清单 10.16 显示了如何使用指向二维数组的指针。

程序清单 10.16　zippo2.c 程序

```
/* zippo2.c --    通过一个指针变量获取有关 zippo 的信息 */
#include <stdio.h>
int main (void)
{
    int zippo[4][2] = { {2, 4}, {6, 8}, {1, 3}, {5, 7} };
    int (*pz) [2];
    pz = zippo;

    printf (" pz = %p,    pz + 1 = %p\n",
            pz,          pz + 1);
    printf ("pz[0] = %p, pz[0] + 1 = %p\n",
             pz[0],      pz[0] + 1);
    printf (" *pz = %p, *pz + 1 = %p\n",
            *pz,         *pz + 1);
    printf ("pz[0][0] = %d\n", pz[0][0]);
    printf (" *pz[0] = %d\n", *pz[0]);
    printf ("   **pz = %d\n", **pz);
    printf ("     pz[2][1] = %d\n", pz[2][1]);
    printf ("* (* (pz+2) + 1) = %d\n", * (* (pz+2) + 1));
    return 0;
}
```

输出结果如下：

```
pz = 0x0064fd38,    pz + 1 = 0x0064fd40
pz[0] = 0x0064fd38, pz[0] + 1 = 0x0064fd3c
   *pz = 0x0064fd38,  *pz + 1 = 0x0064fd3c
pz[0][0] = 2
   *pz[0] = 2
      **pz = 2
         pz[2][1] = 3
* (* (pz+2) + 1) = 3
```

再次，不同的计算机得到的结果可能有些差别，但是相互关系是一样的。尽管 pz 是一个指针，而不是数组名，仍然可以使用 pz[2][1]这样的符号。更一般地，要表示单个元素，可以使用数组符号或指针符号；并且在这两种表示中既可以使用数组名，也可以使用指针：

```
zippo[m][n] == * (* (zippo + m) + n)
pz[m][n] == * (* (pz + m) + n)
```

10.7.2　指针兼容性

指针之间的赋值规则比数值类型的赋值更严格。例如，您可以不需要进行类型转换就直接把一个 int 数值赋给一个 double 类型的变量。但对于指针来说，这样的赋值是不允许的：

```
int n = 5;
double x;
int * pi = &n;
double * pd = &x;
```

```
x = n;          // 隐藏的类型转换
pd = p1;        // 编译时错误
```

这些规定也适用于更复杂的类型。假设有如下声明：

```
int * pt;
int (*pa) [3];
int ar1[2][3];
int ar2[3][2];
int **p2;       // 指向指针的指针
```

那么，有如下结论：

```
pt = &ar1[0][0];        // 都指向 int
pt = ar1[0];            // 都指向 int
pt = ar1;               // 非法
pa = ar1;               // 都指向 int[3]
pa = ar2;               // 非法
p2 = &pt;               // 都指向 int *
*p2 = ar2[0];           // 都指向 int
p2 = ar2;               // 非法
```

请注意，上面的非法赋值都包含着两个不指向同一类型的指针。例如，pt 指向一个 int 数值，但是 ar1 指向由 3 个 int 值构成的数组。同样，pa 指向由 3 个 int 值构成的数组，因此它与 ar1 的类型一致，但是和 ar2 的类型不一致，因为 ar2 指向由 2 个 int 值构成的数组。

后面两个例子比较费解。变量 p2 是指向 int 的指针的指针，然而，ar2 是指向由 2 个 int 值构成的数组的指针（简单一些说，是指向 int[2]的指针）。因此 p2 和 ar2 类型不同，不能把 ar2 的值赋给 p2。但是*p2 的类型为指向 int 的指针，所以它和 ar2[0]是兼容的。前面讲过，ar2[0]是指向其首元素 ar2[0][0]的指针，因此 ar2[0]也是指向 int 的指针。

一般地，多重间接运算不容易理解。例如，考虑下面这段代码：

```
int * p1;
const int * p2;
const int ** pp2;
p1 = p2;        // 非法，把 const 指针赋给非 const 指针
p2 = p1;        // 合法，把非 const 指针赋给 const 指针
pp2 = &p1;      // 非法，把非 const 指针赋给 const 指针
```

正如前面所提到的，把 const 指针赋给非 const 指针是错误的，因为您可能会使用新指针来改变 const 数据。但是把非 const 指针赋给 const 指针是允许的，这样的赋值有一个前提：只进行一层间接运算：

```
p2 = p1;  // 合法，把非 const 指针赋给 const 指针
```

在进行两层间接运算时，这样的赋值不再安全。如果允许这样赋值，可能会产生如下的问题：

```
const int **pp2;
int *p1;
const int n = 13;
pp2 = &p1;      // 不允许，但我们假设允许
*pp2 = &n;      // 合法，二者都是 const，但这同时会使 p1 指向 n
*p1 = 10;       // 合法，但这将改变 const  n 的值
```

10.7.3 函数和多维数组

如果要编写处理二维数组的函数，首先需要很好地理解指针以便正确声明函数的参数。在函数体内，通常可以使用数组符号来避免使用指针。

下面我们编写一个处理二维数组的函数。一种方法是把处理一维数组的函数应用到二维数组的每一行上，也就是如下所示这样处理：

```
int junk[3][4] = { {2, 4, 5, 8}, {3, 5, 6, 9}, {12, 10, 8, 6} };
int i, j;
```

```
int total = 0;
for (i = 0; i < 3; i++)
    total += sum (junk[i], 4);  // junk[i]是一维数组
```

如果 junk 是二维数组，那么 junk[i]就是一维数组，可以把它看做是二维数组的一行。函数 sum（）计算二维数组每行的和，然后由 for 循环把这些和加起来得到“总和”。

然而，使用这种方法得不到行列信息。在这个应用程序（求总和）中，行列的信息不重要，但是假设每行代表一年，每列代表一月，则可能需要一个函数来计算某个列的和。这种情况下，函数需要知道行列的信息。要具有行列信息，需要恰当地声明形参变量以便于函数能够正确地传递数组。在本例中，数组 junk 是 3 行 4 列的 int 数组。如前面讨论中所指出的，这表明 junk 是指向由 4 个 int 值构成的数组的指针。声明此类函数参量的方法如下所示：

```
void somefunction (int (* pt) [4]);
```

当且仅当 pt 是函数的形式参量时，也可以作如下这样声明：

```
void somefunction (int pt[][4]);
```

注意到第一对方括号里是空的。这个空的方括号表示 pt 是一个指针，这种变量的使用方法和 junk 一样。程序清单 10.17 中的例子就将使用上面两种声明的方法。注意清单中展示了原型语法的 3 种等价形式。

程序清单 10.17　array2d.c 程序

```
// array2d.c -- 处理二维数组的函数
#include <stdio.h>
#define ROWS 3
#define COLS 4
void sum_rows (int ar[][COLS], int rows);
void sum_cols (int [][COLS], int);          // 可以省略名称
int sum2d (int (*ar) [COLS], int rows);     // 另一种语法形式
int main (void)
{
    int junk[ROWS][COLS] = {
            {2, 4, 6, 8},
            {3, 5, 7, 9},
            {12, 10, 8, 6}
    };

    sum_rows (junk, ROWS);
    sum_cols (junk, ROWS);
    printf ("Sum of all elements = %d\n", sum2d (junk, ROWS));

    return 0;
}

void sum_rows (int ar[][COLS], int rows)
{
    int r;
    int c;
    int tot;

    for (r = 0; r < rows; r++)
    {
        tot = 0;
        for (c = 0; c < COLS; c++)
            tot += ar[r][c];
        printf ("row %d: sum = %d\n", r, tot);
    }
}
```

```
void sum_cols (int ar[][COLS], int rows)
{
    int r;
    int c;
    int tot;

    for (c = 0; c < COLS; c++)
    {
        tot = 0;
        for (r = 0; r < rows; r++)
            tot += ar[r][c];
        printf ("col %d: sum = %d\n", c, tot);
    }
}

int sum2d (int ar[][COLS], int rows)
{
    int r;
    int c;
    int tot = 0;

    for (r = 0; r < rows; r++)
        for (c = 0; c < COLS; c++)
            tot += ar[r][c];
    return tot;
}
```

输出结果如下：

```
row 0: sum = 20
row 1: sum = 24
row 2: sum = 36
col 0: sum = 17
col 1: sum = 19
col 2: sum = 21
col 3: sum = 23
Sum of all elements = 80
```

程序清单 10.17 中的程序把数组名 junk（即指向首元素的指针，首元素是子数组）和符号常量 ROWS（代表行数，数值为 3）做为参数传递给函数。每个函数都把 ar 看做是指向包含 4 个 int 值的数组的指针。列数是在函数体内定义的，但是行数是靠函数传递得到的。这个函数可以工作在多种情况下。例如，如果把 12 做为行数传递给函数，则它可以处理 12 行 4 列的数组。这是因为 rows 是元素的数目；然而，每个元素都是一个数组，或者看做一行，rows 也就可以看做是行数。

请注意 ar 的使用方式同 main () 中 junk 的使用方式一样。这是因为 ar 和 junk 是同一类型，它们都是指向包含 4 个 int 值的数组的指针。

请注意下面的声明是不正确的：

```
int sum2 (int ar[][], int rows);   // 错误的声明
```

回忆一下，编译器会把数组符号转换成指针符号。这就意味着，（例如）ar[1]会被转换成 ar+1。编译器这样转换的时候需要知道 ar 所指向对象的数据大小。下面的声明：

```
int sum2 (int ar[][4], int rows);  // 合法声明
```

就表示 ar 指向由 4 个 int 值构成的数组，也就是 16 个字节长（本系统上）的对象，所以 ar+1 表示“在这个地址上加 16 个字节大小”。如果是空括号，则编译器将不能正确处理。

也可以如下这样在另一对方括号中填写大小，但编译器将忽略之：

```
int sum2 (int ar[3][4], int rows); // 合法声明，但 3 将被忽略
```

与使用 typedef 相比，这种形式要方便得多：

```
typedef int arr4[4];                 // arr4 是 4 个 int 的数组
typedef arr4 arr3x4[3];              // arr3x4 是 3 个 arr4 的数组
int sum2 (arr3x4 ar, int rows);      // 与下一声明相同
int sum2 (int ar[3][4], int rows);   // 与下一声明相同
int sum2 (int ar[][4], int rows);    // 标准形式
```

一般地，声明 N 维数组的指针时，除了最左边的方括号可以留空之外，其他都需要填写数值。

```
int sum4d (int ar[][12][20][30], int rows);
```

这是因为首方括号表示这是一个指针，而其他方括号描述的是所指向对象的数据类型。请参看下面的等效原型表示：

```
int sum4d (int (*ar) [12][20][30], int rows); // ar 是一个指针
```

此处 ar 指向一个 12×20×30 的 int 数组。

10.8　变长数组（VLA）

处理二维数组的函数有一处可能不太容易理解：数组的行可以在函数调用时传递，但是数组的列却只能被预置在函数内部。例如下面这样的定义：

```
#define COLS 4
int sum2d (int ar[][COLS], int rows)
{
    int r;
    int c;
    int tot = 0;

    for (r = 0; r < rows; r++)
        for (c = 0; c < COLS; c++)
            tot += ar[r][c];
    return tot;
}
```

现在，假设定义了如下的数组：

```
int array1[5][4];
int array2[100][4];
int array3[2][4];
```

可以使用下面的函数调用：

```
tot = sum2d (array1, 5);      // 对一个 5x4 的数组求和
tot = sum2d (array2, 100);    // 对一个 100x4 的数组求和
tot = sum2d (array3, 2);      // 对一个 2x4 的数组求和
```

这是因为行数可以传递给参量 rows，而 rows 是一个变量。但是如果要处理 6 行 5 列的数组，则需要创建另一个新的函数，其 COLS 定义为 5。这是由于数组的维数必须是常量；因此不能用一个变量来代替 COLS。

创建一个处理任意二维数组的函数，也是有可能的，但是比较繁琐（因为这样的函数需要把数组当作一维数组传递，然后由函数计算每行的起始地址）。而且，这种技巧和 FORTRAN 语言子程序不太一致，FORTRAN 语言允许在函数调用中指定二维的大小。虽然 FORTRAN 是很古老的编程语言，但多年以来，数值计算专家们研究出了很多有用的 FORTRAN 计算库。C 正在逐渐代替 FORTRAN，因此如果能够简单地转换现有的 FORTRAN 库将是很有益处的。

出于上面的原因，C99 标准引入了变长数组，它允许使用变量定义数组各维。例如您可以使用下面的声明：

```
int quarters = 4;
int regions = 5;
double sales[regions][quarters]; // 一个变长数组（VLA）
```

正如前面提到的，变长数组有一些限制。变长数组必须是自动存储类的，这意味着它们必须在函数内部或作为函数参量声明，而且声明时不可以进行初始化。

变长数组的大小不会变化

变长数组中的“变”并不表示在创建数组后，您可以修改其大小。变长数组的大小在创建后就是保持不变的。“变”的意思是说其维大小可以用变量来指定。

因为变长数组是新增的特性，所以目前支持它的并不多。让我们来看一个简单的例子，该例阐明了如何编写一个计算任意二维 int 数组的和的函数。

首先，下面的代码示范了如何声明带有一个二维变长数组参数的函数：

```
int sum2d (int rows, int cols, int ar[rows][cols]);
// ar 是一个变长数组（VLA）
```

请注意前两个参量（rows 和 cols）用作数组参量 ar 的维数。因为 ar 的声明中使用了 rows 和 cols，所以在参量列表中，它们两个的声明需要早于 ar。因此，下面的原型是错误的：

```
int sum2d (int ar[rows][cols], int rows, int cols); // 顺序不正确
```

C99 标准规定，可以省略函数原型中的名称；但是如果省略名称，则需要用星号来代替省略的维数：

```
int sum2d (int, int, int ar[*][*]);
// ar 是一个变长数组（VLA），其中省略了维数参量的名称
```

第二，函数的定义如下：

```
int sum2d (int rows, int cols, int ar[rows][cols])
{
    int r;
    int c;
    int tot = 0;

    for (r = 0; r < rows; r++)
        for (c = 0; c < cols; c++)
            tot += ar[r][c];
    return tot;
}
```

除了新的函数头之外，这个函数区别于古典 C（请参见程序清单 10.17）的地方就是用变量 cols 代替常量 COLS。这是因为在函数头中使用了变长数组。由于使用了代表行数和列数的两个变量，使得我们能够使用这个新的 sum2d () 函数处理任意的二维 int 数组。从程序清单 10.18 中可以看出来这点。但是，前提是编译器必须能够支持变长数组这个新特性。该程序也说明基于变长数组的函数既可以处理古典 C 数组也可以处理变长数组。

程序清单 10.18 vararr2d.c 程序

```
// vararr2d.c -- 使用变长数组的函数
#include <stdio.h>
#define ROWS 3
#define COLS 4
int sum2d (int rows, int cols, int ar[rows][cols]);
int main (void)
```

```
{
    int i, j;
    int rs = 3;
    int cs = 10;
    int junk[ROWS][COLS] = {
            {2, 4, 6, 8},
            {3, 5, 7, 9},
            {12, 10, 8, 6}
    };

    int morejunk[ROWS-1][COLS+2] = {
            {20, 30, 40, 50, 60, 70},
            {5, 6, 7, 8, 9, 10}
    };

    int varr[rs][cs]; // 变长数组

    for (i = 0; i < rs; i++)
        for (j = 0; j < cs; j++)
            varr[i][j] = i * j + j;

    printf ("3x5 array\n");
    printf ("Sum of all elements = %d\n",
            sum2d (ROWS, COLS, junk));

    printf ("2x6 array\n");
    printf ("Sum of all elements = %d\n",
            sum2d (ROWS-1, COLS+2, morejunk));

    printf ("3x10 VLA\n");
    printf ("Sum of all elements = %d\n",
            sum2d (rs, cs, varr));

    return 0;
}

//带有一个 VLA 参数的函数
int sum2d (int rows, int cols, int ar[rows][cols])
{
    int r;
    int c;
    int tot = 0;

    for (r = 0; r < rows; r++)
        for (c = 0; c < cols; c++)
            tot += ar[r][c];
    return tot;
}
```

输出结果如下：

```
3x5 array
Sum of all elements = 80
2x6 array
Sum of all elements = 315
3x10 VLA
Sum of all elements = 270
```

需要注意的一点是，函数定义参量列表中的变长数组声明实际上并没有创建数组。和老语法一样，变长数组名实际上是指针，也就是说具有变长数组参量的函数实际上直接使用原数组，因此它有能力修改做为参数传递进来的数组。下面程序段中指出了指针是何时声明的，以及实际数组是何时声明的。

```
    int thing[10][6];
    twoset (10, 6, thing);
    ...
}
void twoset (int n, int m, int ar[n][m])     // ar是一个指针，它指向由
                                             // m个int组成的数组
{
    int temp[n][m];    // temp是一个n×m的int数组
    temp[0][0] = 2;    // 把temp的一个元素设置为2
    ar[0][0] = 2;      // 把thing[0][0]设置为2
}
```

如程序所示，当调用 twoset（）时，ar 成为指向 thing[0]的指针，并创建 10×6 的数组 temp。由于 ar 和 thing 都是指向 thing[0]的指针，因此 ar[0][0]和 thing[0][0]也是同一个数据。

变长数组允许动态分配存储单元。这表示可以在程序运行时指定数组的大小。常规的 C 数组是静态存储分配的，也就是说数组大小在编译时已经确定。这是因为数组大小是常量，所以编译器可以得到这些信息。第 12 章将详细介绍动态存储单元分配。

10.9 复合文字

假设需要向带有一个 int 参量的函数传递一个值，您可以传递一个 int 变量，也可以传递一个 int 常量，比如 5。在 C99 标准出现之前，数组参数的情况是不同的：可以传递数组，但没有所谓的数组常量可供传递。C99 新增了复合文字（compound literal）。文字是非符号常量。例如：5 是 int 类型的文字，81.3 是 double 类型的文字，'Y'是 char 类型的文字，"elephant"是字符串文字。开发 C99 标准的委员会认为，如果有能够表示数组和结构内容的复合文字，那么在编写程序时将更为方便。

对于数组来说，复合文字看起来像是在数组的初始化列表前面加上用圆括号括起来的类型名。例如，下面是普通数组的声明方法：

```
int diva[2] = {10, 20};
```

下面是一个复合文字，创建了一个包含两个 int 值的无名称数组：

```
(int [2]){10, 20}     // 一个复合文字
```

注意：类型名就是前面声明中去掉 diva 后剩余的部分，即 int[2]。

正如初始化一个命名数组时可以省略数组大小一样，初始化一个复合文字时也可以省略数组大小，编译器会自动计算元素的数目：

```
(int []){50, 20, 90} // 有3个元素的复合文字
```

由于这些复合文字没有名称，因此不可能在一个语句中创建它们，然后在另一个语句中使用。而是必须在创建它们的同时通过某种方法来使用它们，一种方法是使用指针保存其位置。请参看下面的例子：

```
int * pt1;
pt1 = (int [2]){10, 20};
```

请注意这个文字常量被标识为一个 int 数组。与数组名相同，这个常量同时代表首元素的地址，因此可以用它给一个指向 int 的指针赋值。随后就可以使用这个指针。例如，本例中*pt1 是 10，pt1[1]是 20。

另外，复合文字也可以做为实际参数被传递给带有类型与之匹配的形式参量的函数：

```
int sum (int ar[], int n);
...
int total3;
total3 = sum ((int []){4, 4, 4, 5, 5, 5}, 6);
```

上面的例子中，第一个参数是包含 6 个元素的 int 数组，同时也是首元素地址（同数组名一样）。这种

给函数传递信息而不必先创建数组的做法，是复合常量的通常使用方法。

可以把这种技巧用在处理二维数组或多维数组的函数中。例如，下面的代码介绍如何创建一个二维 int 数组并保存其地址：

```
int (*pt2) [4]; // 声明一个指向包含 4 个 int 的数组的数组的指针
pt2 = (int [2][4]) { {1, 2, 3, -9}, {4, 5, 6, -8} };
```

其中复合文字的类型是 int[2][4]，即一个 2×4 的 int 数组。

程序清单 10.19 把上面这些例子包含到一个完整的程序内。

程序清单 10.19　flc.c 程序

```
// flc.c -- 有趣的常量
#include <stdio.h>
#define COLS 4
int sum2d (int ar[][COLS], int rows);
int sum (int ar[], int n);
int main (void)
{
    int total1, total2, total3;
    int * pt1;
    int (*pt2) [COLS];

    pt1 = (int [2]) {10, 20};
    pt2 = (int [2][COLS]) { {1, 2, 3, -9}, {4, 5, 6, -8} };

    total1 = sum (pt1, 2);
    total2 = sum2d (pt2, 2);
    total3 = sum ((int []) {4, 4, 4, 5, 5, 5}, 6);
    printf ("total1 = %d\n", total1);
    printf ("total2 = %d\n", total2);
    printf ("total3 = %d\n", total3);

    return 0;
}

int sum (int ar[], int n)
{
    int i;
    int total = 0;

    for (i = 0; i < n; i++)
        total += ar[i];

    return total;
}

int sum2d (int ar[][COLS], int rows)
{
    int r;
    int c;
    int tot = 0;

    for (r = 0; r < rows; r++)
        for (c = 0; c < COLS; c++)
            tot += ar[r] [c];

    return tot;
}
```

这个示例程序需要支持 C99 的编译器（但目前，很多编译器还不支持）。输出结果如下：

```
total1 = 30
total2 = 4
total3 = 27
```

10.10 关键概念

当需要存储同种类型的许多元素时，数组是最佳选择。C 把数组归于派生类型是因为它是建立在其他类型之上的。也就是说，您不是仅仅声明了一个数组，而是声明了一个 int 数组、float 数组或者其他类型的数组。所谓的其他类型本身就可以是一种数组类型，在这种情况下，可以得到数组的数组，或称为二维数组。

编写处理数组的函数常常是有利的，因为使特定的函数执行特定的功能有助于程序的模块化。使用数组名做为实际参数时，主要的一点是要知道并不是把整个数组传递给函数，而是传递它的地址；因此相应的形式参量是一个指针。处理数组时，函数必须知道数组的地址和元素的个数。数组地址直接传递给函数，而数组元素的个数信息需要内建于函数内部或被做为独立的参数传递给函数。后者更为通用，因为这种方法可以处理不同大小的数组。

数组和指针之间是紧密联系的，指针符号和数组符号的运算往往可以互换使用。正是由于这种紧密的联系，才允许处理数组的函数使用指针（而不是数组）作为形式参量，同时在函数中使用数组符号处理数组。

必须用一个常量表达式为传统的 C 数组指定数组的大小，因此在编译时数组大小已经确定。C99 标准提供了变长数组，这种数组的大小可以是一个变量。这就允许变长数组的大小可以在程序运行时才确定。

10.11 总结

数组是由同一种数据类型的元素系列构成的。数组元素按顺序存储于内存中，通过使用整数索引（或偏移量）来访问。在 C 中，首元素的索引值为 0，因此包含 n 个元素的数组的末元素索引为 n-1。程序员要能够正确地使用数组索引，因为编译器和程序运行时都不检查索引是否合法。

要声明一个简单的一维数组，可以采用下面的形式：

```
type name [size];
```

此处，type 是数组内每个元素的数据类型，name 是数组名，size 是元素的个数。传统上，C 要求 size 是一个常量整数表达式。而 C99 标准则允许使用非常量整数表达式，这种情况下，数组是变长数组。

C 把数组名解释为该数组首元素的地址。也就是说，数组名和指向首元素的指针是等价的。通常，数组和指针是紧密联系的。如果 ar 是数组，那么表达式 ar[i]和*（ar+i）是等价的。

C 不支持把整个数组作为函数参数进行传递，但是可以传递数组的地址。然后函数可以利用该地址来处理原始数组。如果函数功能不需要修改原始数组，那么在声明相应的形式参量时，需要加上关键字 const。在被调函数中，您可以使用数组符号或指针符号。无论哪种形式，实际上使用的都是指针变量。

对指针加上一个整数或进行增量运算时，指针值的改变都是以所指向对象的字节大小为单位的。也就是说，如果 pd 指向数组内的一个 8 字节长的 double 数值，则对 pd 加 1 就相当于对它的值加上数值 8。这样，该指针会指向数组的下一个元素。

二维数组表示数组的数组。例如：

```
double sales[5][12];
```

这个声明创建了包含 5 个元素的数组 sales，每个元素包含 12 个 double 数。这些一维数组的第 1 个可以写作 sales[0]，第 2 个可以写作为 sales[1]，等等。每个都是包含 12 个 double 数的数组。使用第二个索引可以访问这些数组中的每一个元素。例如，sales[2][5]是 sales[2]的第 6 个元素，sales[2]是 sales 的第 3 个元素。

传统的 C 向函数传递多维数组的方法是把数组名（也就是地址）传递给相应类型的指针参量。指针的声明需要指定各维的大小（除了最左面的不需要明确指出大小）；第一个参量的维数大小通常做为第二个参数来传递。例如，要处理前面提到的数组 sales，函数原型和函数调用应该如下：

```
void display (double ar[][12], int rows);
...
display (sales, 5);
```

变长数组则提供了另一种方法，两个维大小都可以做为参数被传递给函数。因此，函数原型和函数调用就可以如下这样写：

```
void display (int rows, int cols, double ar[rows][cols]);
...
display (5, 12, sales);
```

本例使用了 int 数组和 double 数组，对于其他类型的数组，结论也都适用。然而，字符串有很多特殊的规则。这是由它的终止 null 字符决定的。有了这个终止字符，无须向函数传递字符串大小，函数就能够检测字符串的结束。在第 11 章“字符串和字符串函数”中我们将详细介绍字符串的特性。

10.12 复习题

1. 下面程序将打印出什么？

```
#include <stdio.h>
int main (void)
{
    int ref[] = {8, 4, 0, 2};
    int *ptr;
    int index;

    for (index = 0, ptr = ref; index < 4; index++, ptr++)
        printf ("%d %d\n", ref[index], *ptr);
    return 0;
}
```

2. 在第 1 题中，数组 ref 包含多少个元素？
3. 在第 1 题中，ref 是哪些数据的地址？ref+1 呢？++ref 指向什么？
4. 下面每种情况中*ptr 和*（ptr+2）的值分别是什么？

```
a.
int *ptr;
int torf[2][2] = {12, 14, 16};
ptr = torf[0];

b.
int * ptr;
int fort[2][2] = { {12}, {14, 16} };
ptr = fort[0];
```

5. 下面每种情况中**ptr 和**（ptr+1）的值分别是什么？

```
a.
int (*ptr) [2];
int torf[2][2] = {12, 14, 16};
ptr = torf;

b.
int (*ptr) [2];
int fort[2][2] = { {12}, {14, 16} };
ptr = fort;
```

6．假设有如下定义：

```
int grid[30][100]; .
```

a．用 1 种方法表示 grid[22][56]的地址

b．用 2 种方法表示 grid[22][0]的地址

c．用 3 种方法表示 grid[0][0]的地址

7．用适当的方法声明下面每个变量：

a．digits：一个包含 10 个 int 值的数组

b．rates：一个包含 6 个 float 值的数组

c．mat：一个包含 3 个元素的数组，其中每个元素是一个包含 5 个整数的数组

d．psa：一个包含 20 个指向 char 的指针的数组

e．pstr：一个指向数组的指针，其中数组由 20 个 char 值构成

8．a．定义一个包含 6 个 int 值的数组，并且用数值 1、2、4、8、16 和 32 进行初始化。

b．用数组符号表示 a 部分中数组的第 3 个元素（数值为 4 的那个元素）。

c．假设系统支持 C99 规则，定义一个包含 100 个 int 值的数组并且初始化它，使它的末元素为-1，其他元素的值不考虑。

9．包含 10 个元素的数组的索引范围是什么？

10．假设有如下声明：

```
float rootbeer[10], things[10][5], *pf, value = 2.2;
int i = 3;
```

则下列语句中哪些是正确的，哪些是错误的？

```
a. rootbeer[2] = value;
b. scanf ("%f", &rootbeer);
c. rootbeer = value;
d. printf ("%f", rootbeer);
e. things[4][4] = rootbeer[3];
f. things[5] = rootbeer;
g. pf = value;
h. pf = rootbeer;
```

11．声明一个 800×600 的 int 数组。

12．以下是 3 个数组声明：

```
double trots[20];
short clops[10][30];
long shots[5][10][15];
```

a．以传统的 void 函数方式，写出处理数组 trots 的函数原型和函数调用；然后以变长数组方式，写出处理数组 trots 的函数原型和函数调用。

b．以传统的 void 函数方式，写出处理数组 clops 的函数原型和函数调用；然后以变长数组方式，写出处理数组 clops 的函数原型和函数调用。

c．以传统的 void 函数方式，写出处理数组 shots 的函数原型和函数调用；然后以变长数组方式，写出处理数组 shots 的函数原型和函数调用。

13．下面是两个函数原型：

```
void show (double ar[], int n);          // n 是元素数
void show2 (double ar2[][3], int n);     // n 是行数
```

a．编写一个函数调用，把包含数值 8、3、9 和 2 的复合文字传递给函数 shows（）。

b．编写一个函数调用，把包含 2 行 3 列数值的复合文字传递给函数 show2（），其中第一行为 8、3、9；第二行为 5、4、1。

10.13　编程练习

1．修改程序清单 10.7 中的程序 rain，使它不使用数组下标，而是使用指针进行计算（程序中仍然需要声明并初始化数组）。

2．编写一个程序，初始化一个 double 数组，然后把数组内容复制到另外两个数组（3 个数组都需要在主程序中声明）。制作第一份拷贝的函数使用数组符号。制作第二份拷贝的函数使用指针符号，并使用指针的增量操作。把目标数组名和要复制的元素数目做为参数传递给函数。也就是说，如果给定了下列声明，函数调用应该如下面所示：

```
double source[5] = {1.1, 2.2, 3.3., 4.4, 5.5};
double target1[5];
double target2[5];
copy_arr (source, target1, 5);
copy_ptr (source, target1, 5);
```

3．编写一个函数，返回一个 int 数组中存储的最大数值，并在一个简单的程序中测试这个函数。

4．编写一个函数，返回一个 double 数组中存储的最大数值的索引，并在一个简单程序中测试这个函数。

5．编写一个函数，返回一个 double 数组中最大的和最小的数之间的差值，并在一个简单的程序中测试这个函数。

6．编写一个程序，初始化一个二维 double 数组，并利用练习 2 中的任一函数来把这个数组复制到另一个二维数组（因为二维数组是数组的数组，所以可以使用处理一维数组的函数来复制数组的每个子数组）。

7．利用练习 2 中的复制函数，把一个包含 7 个元素的数组内第 3 到第 5 元素复制到一个包含 3 个元素的数组中。函数本身不需要修改，只需要选择合适的实际参数（实际参数不需要是数组名和数组大小，而只须是数组元素的地址和需要复制的元素数目）。

8．编写一个程序，初始化一个 3×5 的二维 double 数组，并利用一个基于变长数组的函数把该数组复制到另一个二维数组。还要编写一个基于变长数组的函数来显示两个数组的内容。这两个函数应该能够处理任意的 N×M 数组（如果没有可以支持变长数组的编译器，就使用传统 C 中处理 N×5 数组的函数方法）。

9．编写一个函数，把两个数组内的相应元素相加，结果存储到第 3 个数组内。也就是说，如果数组 1 具有值 2、4、5、8，数组 2 具有值 1、0、4、6，则函数对数组 3 赋值为 3、4、9、14。函数的参数包括 3 个数组名和数组大小。并在一个简单的程序中测试这个函数。

10．编写一个程序，声明一个 3×5 的数组并初始化，具体数值可以随意。程序打印出数值，然后数值翻一番，接着再次打印出新值。编写一个函数来显示数组的内容，再编写另一个函数执行翻倍功能。数组名和数组行数作为参数由程序传递给函数。

11．重写程序清单 10.7 的程序 rain，main（）中的主要功能改为由函数来执行。

12．编写一个程序，提示用户输入 3 个数集，每个数集包括 5 个 double 值。程序应当实现下列所有功能：

a．把输入信息存储到一个 3×5 的数组中

b．计算出每个数集（包含 5 个数值）的平均值

c．计算所有数值的平均数

d．找出这 15 个数中的最大值

e．打印出结果

每个任务需要用一个单独的函数来实现（使用传统 C 处理数组的方法）。对于任务 b，需要编写计算并返回一维数组平均值的函数，循环 3 次调用该函数来实现任务 b。对于其他任务，函数应当把整个数组做为参数，并且完成任务 c 和 d 的函数应该向它的调用函数返回答案。

13．利用变长数组做为函数参量重做练习 12。

第 11 章　字符串和字符串函数

在本章中您将学习下列内容：

- 函数：
  gets ( ), puts ( ), strcat ( )
  strncat ( ), strcmp ( ), strncmp ( )
  strcpy ( ), strncpy ( )
  sprintf ( ), strchr ( )
- 创建和使用字符串。
- 利用 C 库里的字符串和字符函数创建您自己的字符串函数。
- 使用命令行参数。

字符串是 C 里面最有用、最重要的数据类型之一。虽然您一直在使用字符串，要学的东西仍然很多。C 库提供了众多的函数用来读写字符串、复制字符串、比较字符串、组合字符串、查找字符串等等。本章将通过这些内容增强您的编程技能。

11.1　字符串表示和字符串 I/O

当然，最基本的您已经知道了：字符串（character string）是以空字符（\o）结尾的 char 数组。因此，您所学的数组和指针知识就可以用到字符串上。但是由于字符串的使用非常广泛，C 提供了很多专为字符串设计的函数。本章将讨论字符串的特性、声明和初始化方法、如何在程序中输入输出字符串，以及字符串的操作。

程序清单 1 1.1 给出了一个程序，其中说明了建立、读入和输出字符串的几种方式。该程序使用了两个新的函数：gets（）和 puts（），其中 gets（）读入字符串，puts（）输出字符串（您可能已经注意到了它们和 getchar（）、putchar（）系列函数的相似性）。程序的其他部分在您看起来会比较熟悉。

程序清单 11.1　strings.c 程序

```
// strings.c -- 使用字符串与用户交互
#include <stdio.h>
#define MSG "You must have many talents. Tell me some. "
                                        // 一个符号字符串常量
#define LIM 5
#define LINELEN 81                      // 最大字符串长度+1
int main (void)
{
    char name[LINELEN];
    char talents[LINELEN];
    int i;
    const char m1[40] = "Limit yourself to one line's worth. ";
```

```
                                         // 初始化一个大小已确定的 char 数组
    const char m2[] = "If you can't think of anything, fake it. ";
                                         // 让编译器计算数组大小
    const char *m3 = "\nEnough about me - what's your name? ";
                                         // 初始化一个指针
    const char *mytal[LIM] = {  "Adding numbers swiftly",
              "Multiplying accurately", "Stashing data",
              "Following instructions to the letter",
              "Understanding the C language"};
                                         // 初始化一个字符串指针的数组
    printf ("Hi! I'm Clyde the Computer. " " I have many talents.\n");

    printf ("Let me tell you some of them.\n");
    puts ("What were they? Ah, yes, here's a partial list. ");
    for (i = 0; i < LIM; i++)
         puts (mytal[i]);                // 打印计算机功能的列表
    puts (m3);
    gets (name);
    printf ("Well, %s, %s\n", name, MSG);
    printf ("%s\n%s\n", m1, m2);
    gets (talents);
    puts ("Let's see if I've got that list: ");
    puts (talents);
    printf ("Thanks for the information, %s.\n", name);
    return 0;
}
```

下面是一个运行示例，可以看到程序的功能：

```
Hi! I'm Clyde the Computer. I have many talents.
Let me tell you some of them.
What were they? Ah, yes, here's a partial list.
Adding numbers swiftly
Multiplying accurately
Stashing data
Following instructions to the letter
Understanding the C language

Enough about me - what's your name?
Nigel Barntwit
Well, Nigel Barntwit, You must have many talents. Tell me some.
Just limit yourself to one line's worth.
If you can't think of anything, fake it.
Fencing, yodeling, malingering, cheese tasting, and sighing.
Let's see if I've got that list:
Fencing, yodeling, malingering, cheese tasting, and sighing.
Thanks for the information, Nigel Barntwit.
```

与其逐行解释程序清单 11.1，不如采用一种更为行之有效的方法。首先，我们看一下在程序中定义字符串的几种方法；然后您将了解把字符串读入程序中所涉及的操作；最后，您将学会如何输出字符串。

11.1.1　在程序中定义字符串

阅读程序清单 11.1 时您可能已经注意到，定义字符串的方法很多。基本的办法是使用字符串常量、char 数组、char 指针和字符串数组。程序应确保有存储字符串的地方，这一点我们稍后也会讨论到。

一、字符串常量（字符串文字）

字符串常量（string constant），又称字符串文字（string literal），是指位于一对双引号中的任何字符。双引号里的字符加上编译器自动提供的结束标志\0 字符，作为一个字符串被存储在内存里。程序中使用了几个这样的字符串常量，大多数是用作函数 printf（）和 puts（）的参数。注意，还可以用#define 来定义字符串常量。

如果字符串文字中间没有间隔或者间隔的是空格符，ANSI C 会将其串联起来。例如，

```
char greeting[50] = "Hello, and" "how are" "you" "today!";
```

和

```
char greeting[50] = "Hello, and how are you today!";
```

是相等的。

如果想在字符串中使用双引号，可以在双引号前加一个反斜线符号，如下所示：

```
printf ("\"Run, Spot, run!\ " exclaimed Dick.\n");
```

它的输出如下：

```
"Run, Spot, run!" exclaimed Dick.
```

字符串常量属于静态存储（static storage）类。静态存储是指如果在一个函数中使用字符串常量，即使是多次调用了这个函数，该字符串在程序的整个运行过程中只存储一份。整个引号中的内容作为指向该字符串存储位置的指针。这一点与把数组名作为指向数组存储位置的指针类似。如果事实确实如此，程序清单 11.2 中的程序的输出会是什么？

程序清单 11.2 quotes.c 程序

```
/* quotes.c -- 把字符串看作指针 */
#include <stdio.h>
int main (void)
{
    printf ("%s, %p, %c\n", "We", "are", *"space farers");
    return 0;
}
```

%s 格式将输出字符串 We。%p 格式产生一个地址。因此如果"are"是个地址，那么%p 应该输出字符串中第一个字符的地址（ANSI 之前的实现中可能用%u 或%lu 而不用%p）。最后，*"space farers"应该产生所指向的地址中的值，即字符串"space farers"中的第一个字符。真的是这样吗？下面是输出结果：

```
We, 0x0040c010, s
```

二、字符串数组及其初始化

定义一个字符串数组时，您必须让编译器知道它需要多大空间。一个办法就是指定一个足够大的数组来容纳字符串，下面的声明用指定字符串中的字符初始化数组 m1：

```
const char m1[40] = "Limit yourself to one line's worth.";
```

const 表明这个字符串不可以改变。

这种初始化和下面所示的标准数组初始化相比是很简短的：

```
const char m1[] = { 'L',
'i', 'm', 'i', 't', ' ', 'y', 'o', 'u', 'r', 's', 'e', 'l',
'f', ' ', 't', 'o', ' ', 'o', 'n', 'e', ' ',
'l', 'i', 'n', 'e', '\'', 's', ' ', 'w', 'o', 'r',
't', 'h', '.', '\0'
};
```

注意标志结束的空字符。如果没有它，得到的就只是一个字符数组而不是一个字符串。

指定数组大小时，一定要确保数组元素数比字符串长度至少多 1（多出来的 1 个元素用于容纳空字符）。未被使用的元素均被自动初始化为 0。这里的 0 是 char 形式的空字符，而不是数字字符 0。请参见图 11.1。

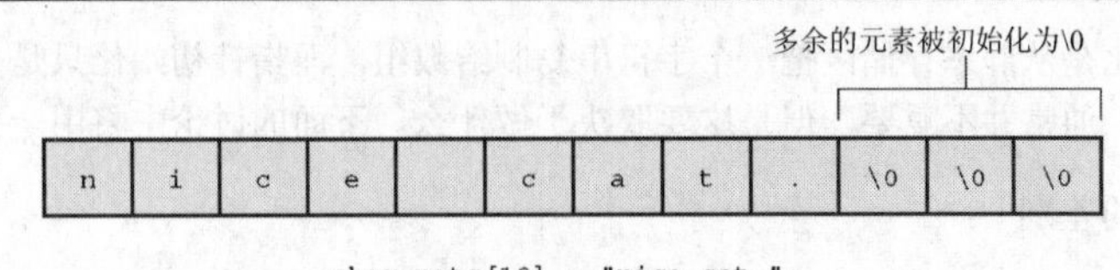

图 11.1　数组初始化

通常，让编译器决定数组大小是很方便的。回忆一下，在进行初始化声明时如果省略了数组大小，则该大小由编译器决定。

```
const char m2[] = "If you can't think of anything, fake it.";
```

初始化字符数组是体现由编译器决定数组大小的优点的又一个例子。这是因为字符串处理函数一般不需要知道数组的大小，因为它们能够简单地通过查找空字符来确定字符串结束。

请注意程序必须为数组 name 明确分配大小：

```
#define LINELEN 81 // 最大字符串长度+1
...
char name[LINELEN];
```

由于直到程序运行时才能读取 name 的内容，所以除非您说明，编译器无法预先知道需要为它预留多大空间。当前没有字符串常量可以让编译器计算字符数，因此我们假定 80 个字符足以容纳用户的名字。声明一个数组时，数组的大小必须为整型常量，而不能是运行时得到的变量值。编译时数组大小被锁定到程序中（事实上，在 C99 中可以使用变长数组，但仍然无法预先知道数组大小应为多大）。

```
int n = 8;
char cakes[2 + 5]; /* 合法，数组大小是一个常量表达式
char crumbs[n];    /* 在 C99 之前是无效的，在 C99 之后是一个变长数组（VLA）
```

和任何数组名一样，字符数组名也是数组首元素的地址。因此，下面的式子对于数组 m1 成立：

```
m1 == &m1[0] , *m1 == 'L', and *(m1+1) == m1[1] == 'i'
```

的确，可以使用指针符号建立字符串。例如，程序清单 11.1 中使用了下面的声明：

```
const char *m3[] = "\nEnough about me - what's your name? ";
```

这个声明和下列声明的作用几乎相同：

```
char m3[] = "\nEnough about me - what's your name? ";
```

上面两个都声明 m3 是一个指向给定字符串的指针。在两种情况下，都是被引用的字符串本身决定了为字符串预留的存储空间大小。尽管如此，这两种形式并不完全相同。

三、数组与指针

那么，数组和指针形式的不同是什么呢？数组形式（m3[]）在计算机内存中被分配一个有 38 个元素的数组（其中每个元素对应一个字符，还有一个附加的元素对应结束的空字符'\0'）。每个元素都被初始化为相应的字符。通常，被引用的字符串存储在可执行文件的数据段部分；当程序被加载到内存中时，字符串也被加载到内存中。被引用的字符串被称为位于静态存储区。但是在程序开始运行后才为数组分配存储空间。这时候，把被引用的字符串复制到数组中（第 12 章“存储类、链接和内存管理”会更详细地讲述内存管理）。此后，编译器会把数组名 m3 看作是数组首元素的地址&m3[0]的同义词。这里重要的一点是，在数组形式中 m3 是个地址常量。您不能更改 m3，因为这意味着更改数组存储的位置（地址）。可以使用运算符 m3+1 来标识数组里的下一个元素，但是不允许使用++m3。增量运算符只能用在变量名前，而不能用在常量前。

指针形式（*m3）也在静态存储区为字符串预留 38 个元素的空间。此外，一旦程序开始执行，还要为指针变量 m3 另外预留一个存储位置，以在该指针变量中存储字符串的地址。这个变量初始时指向字符串的第一个字符，但是它的值是可以改变的。因此，可以对它使用增量运算符。例如，++m3 将指向第二个字符 E。

总之，数组初始化是从静态存储区把一个字符串复制给数组，而指针初始化只是复制字符串的地址。这些区别重要吗？通常并不重要，但是这要取决于做什么。下面的讨论中将用一些例子来说明。

四、数组和指针的差别

我们研究一下初始化一个存放字符串的字符数组和初始化一个指向字符串的指针这两者的不同（指向字符串其实是指向字符串的第一个字符）。例如，考虑下面两个声明：

```
char heart[] = "I love Tillie!";
char *head = "I love Millie!";
```

主要的差别在于数组名 heart 是个常量，而指针 head 则是个变量。实际使用中又有什么不同呢？

首先，两者都可以使用数组符号：

```
for (i = 0; i < 6; i++)
    putchar (heart[i]);
putchar ('\n');
for (i = 0; i < 6; i++)
    putchar (head[i]));
putchar ('\n');
```

以下是输出：

```
I love
I love
```

其次，两者都可以使用指针加法：

```
for (i = 0; i < 6; i++)
    putchar (* (heart + i));
putchar ('\n');
for (i = 0; i < 6; i++)
    putchar (* (head + i));
putchar ('\n');
```

输出仍然如下：

```
I love
I love
```

但是只有指针可以使用增量运算符：

```
while (* (head) != '\0')      /* 在字符串的结尾处停止          */
putchar (* (head++));         /* 打印字符，并向前推进指针      */
```

产生的输出如下：

```
I love Millie!
```

假定希望 head 与 heart 相同，可以这样做：

```
head = heart;                 /* 现在 head 指向数组 heart     */
```

这就使得 head 指针指向 heart 数组的首元素。但是，不能这样做：

```
heart = head;                 /* 非法语句                     */
```

这种情况类似于 x=3；和 3=x；。赋值语句的左边必须是一个变量或者更一般地说是一个左值（lvalue），比如*p_int。顺便提一下，head=heart；不会使 Millie 字符串消失，它只是改变了 head 中存储的地址。但是除非已在别处保存了"I love Millie!"的地址，否则当 head 指向另一个地址时就没有办法访问这个字符串了。

可以改变 heart 中的信息，方法是访问单个的数组元素：

```
heart[7]= 'M';
```

或者：

```
*(heart + 7) = 'M';
```

数组的元素是变量（除非声明数组时带有关键字 const），但是数组名不是变量。

让我们回到对指针初始化的讨论：

```
char * word = "frame";
```

可以用指针改变这个字符串吗？

```
word[1] = 'l';  // 是否允许？
```

您的编译器可能会允许上面的情况，但按照当前的 C 标准，编译器不应该允许这样做。这种语句可能会导致内存访问错误。原因在于编译器可能选择内存中的同一个单个的拷贝，来表示所有相同的字符串文字。例如，下面的语句都指向字符串“Klingon”的同一个单独的内存位置。

```
char * p1 = "Klingon";
p1[0] = 'F'; // ok?
printf("Klingon");
printf(": Beware the %ss!\n", "Klingon");
```

这就是说，编译器可以用相同的地址来替代每一个“Klingon”的实例。如果编译器使用这种单个拷贝表示法并且允许把 p1[0]改为‘F’的话，那将会影响到所有对这个字符串的使用。于是，打印字符串文字“Klingon”的语句实际将会显示“Flingon”：

```
Flingon: Beware the Flingons!
```

实际上，有些个编译器确实是按这种容易混淆的方式工作，而其他的一些则会产生程序异常中断。因此，建议的做法是初始化一个指向字符串文字的指针时使用 const 修饰符：

```
const char * pl = "Klingon"; // 推荐用法
```

用一个字符串文字来初始化一个非 const 的数组，则不会导致此类问题，因为数组从最初的字符串得到了一个拷贝。

五、字符串数组

有一个字符串数组是很方便的。这样就可以使用下标来访问多个不同的字符串。程序清单 11.1 就使用了下面这个例子：

```
const char *mytal[LIM] = {"Adding numbers swiftly",
        "Multiplying accurately", "Stashing data",
        "Following instructions to the letter",
        "Understanding the C language"};
```

让我们研究一下上面的声明。因为 LIM 是 5，所以 mytal 是一个由 5 个指向 char 的指针组成的数组。也就是说，mytal 是个一维数组，而且数组里的每一个元素都是一个 char 类型值的地址。第一个指针是 mytal[0]，它指向第一个字符串的第一个字符。第二个指针是 mytal[1]，它指向第二个字符串的开始。一般地，每一个指针指向相应字符串的第一个字符：

```
*mytal[0] == 'A', *mytal[1] == 'M', *mytal[2] == 'S'
```

依此类推。mytal 数组实际上并不存放字符串，它只是存放字符串的地址（字符串存在程序用来存放常量的那部分内存中）。可以把 mytal[0]看作表示第一个字符串，*mytal[0]表示第一个字符串的第一个字符。由于数组符号和指针之间的关系，也可以用 mytal[0][0]表示第一个字符串的第一个字符，尽管 mytal 并没有被定义成二维数组。

字符串数组的初始化遵循数组初始化的规则。花括号里那部分的形式如下：

```
{{...}, {...}, {...}, {...} };
```

省略号代表我们懒得键入的内容。关键之处是第一对双引号对应着一对花括号，用于初始化第一个字符串指针。第二对双引号初始化第二个指针，等等。相邻字符串要用逗号隔开。

另一个方法就是建立一个二维数组：

```
char mytal_2[LIM][LINLIM];
```

在这里 mytal_2 是一个 5 个元素的数组，每一个元素本身又是一个 81 个 char 的数组。在这种情况下，字符串本身也被存储在数组里。两者差别之一就是第二种方法选择建立了一个所有行的长度都相同的矩形（rectangular）数组。也就是说，每一个字符串都用 81 个元素来存放。而指针数组建立的是一个不规则（ragged）的数组，每一行的长度由初始化字符串决定：

```
char *mytal[LIM];
```

这个不规则数组不浪费任何存储空间。图 11.2 示意了这两种类型的数组（实际上，mytal 数组元素指向的字符串不必在内存中连续存放，但该图确实示意了存储需求的不同）。

另外一个区别就是 mytal 和 mytal_2 的类型不同；mytal 是一个指向 char 的指针的数组，而 mytal_2 是一个 char 数组的数组。一句话，mytal 存放 5 个地址，而 mytal_2 存放 5 个完整的字符数组。

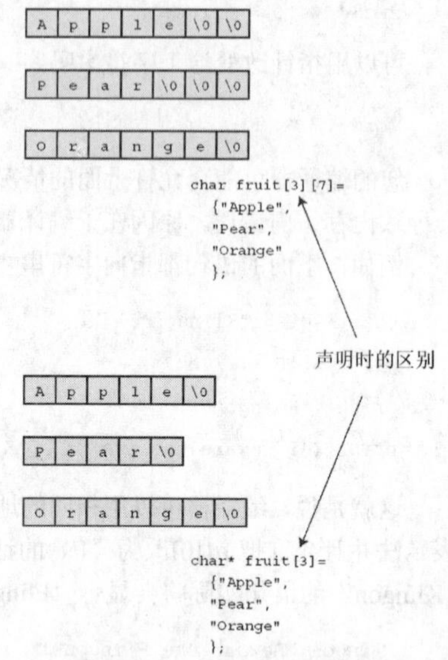

图 11.2 矩形数组和不规则数组

11.1.2 指针和字符串

可能您已经注意到在对字符串的讨论中会不时地用到指针。绝大多数的 C 字符串操作事实上使用的都是指针。例如，考虑一下程序清单 11.3 所示的用于起到指示作用的程序。

程序清单 11.3 p_and_s.c 程序

```
/* p_and_s.c -- 指针和字符串 */
#include <stdio.h>
int main (void)
{
    char * mesg = "Don't be a fool! ";
    char * copy;

    copy = mesg;
    printf ("%s\n", copy);
    printf ("mesg = %s; &mesg = %p; value = %p\n",
            mesg, &mesg, mesg);
    printf ("copy = %s; &copy = %p; value = %p\n",
            copy, &copy, copy);
    return 0;
}
```

说 明

如果您的编译器不支持%p，可以使用%u 或%lu 作为替代。

看一下这个程序，您会以为它复制了字符串"Don't be a fool!"，而且乍一看结果似乎也验证了您的猜测。

```
Don't be a fool!
mesg = Don't be a fool!; &mesg = 0x0012ff48; value = 0x0040a000
```

```
copy = Don't be a fool!; &copy = 0x0012ff44; value = 0x0040a000
```

但是再仔细研究一下函数 printf（）的输出。首先，mesg 和 copy 以字符串形式（%s）输出。这里并没有奇怪的事情发生，两个字符串都是"Don't be a fool!"。

每一行的下一项是指定指针的地址。mesg 和 copy 这两个指针分别存放在位置 0x0064fd58 和 0x00064fd5c。

现在注意一下最后一项，即 value。它是指定指针的值。指针的值是该指针中存放的地址，可以看到 mesg 指向位置 0x0040c000，copy 也是如此。因此，字符串本身没有被复制。语句 copy=mesg；所做的事情就是产生指向同一个字符串的第二个指针。

为什么如此谨慎行事？为什么不干脆复制整个字符串？好了，问一下自己哪一种方法更有效率？复制一个地址还是复制 50 个单个的元素？通常，只有地址才是程序执行所需要的。如果确实需要复制字符串，可以使用函数 strcpy（）或 strncpy（），这两个函数会在本章稍后讨论。

我们已经讨论了如何在程序中定义字符串，现在来看一看如何从键盘输入字符串。

11.2　字符串输入

如果想把一个字符串读到程序中，必须首先预留存储字符串的空间，然后使用输入函数来获取这个字符串。

11.2.1　创建存储空间

要做的第一件事是建立一个空间以存放读入的字符串。正如前面提过的，这意味着需要分配足够大的存储区来存放希望读入的字符串。不要指望计算机读的时候会先计算字符串的长度，然后为字符串分配空间。计算机是不会这么做的（除非您写了一个函数命令它这么做）。例如，假定您尝试写了下面的语句：

```
char *name;
scanf("%s", name);
```

这可能会通过编译器，但是在读入 name 的时候，name 会覆盖程序中的数据和代码，并可能导致程序异常终止。这是因为 scanf（）把信息复制到由参数给定的地址中，而在这种情况下，参数是个未初始化的指针；name 可能指向任何地方。绝大多数程序员认为这很搞笑，但仅限于这出现在别人的程序中时。

最简单的方法就是在声明中明确指出数组大小：

```
char name[81];
```

现在 name 是一个已分配的 81 字节存储块的地址。另外一个方法就是使用 C 库里分配存储空间的函数，这一点会在第 12 章讨论。

为字符串预留空间后，就可以读取字符串了。C 库提供了三个读取字符串的函数：scanf（）、gets（）和 fgets（）。我们先讨论最常用的 gets（）。

11.2.2　gets（）函数

gets（）（代表 *get string*）函数对于交互式程序非常方便。它从系统的标准输入设备（通常是键盘）获得一个字符串。因为字符串没有预定的长度，所以 gets（）需要知道输入何时结束。解决办法是读字符串直到遇到一个换行字符（\n），按回车键可以产生这个字符。它读取换行符之前（不包括换行符）的所有字符，在这些字符后添加一个空字符（\0），然后把这个字符串交给调用它的程序。它将读取换行符并将其丢弃，这样下一次读取就会在新的一行开始。程序清单 11.4 给出了一个使用 gets（）的简单例子。

程序清单 11.4　name1.c 程序

```
/* name1.c -- 读取一个名字 */
#include <stdio.h>
```

```
#define MAX 81
int main (void)
{
    char name[MAX];   /* 分配空间                   */
    printf ("Hi, what's your name?\n");
    gets (name);        /* 把字符串放进 name 数组中     */
    printf ("Nice name, %s.\n", name);
    return 0;
}
```

下面是一个运行示例：

```
Hi, what's your name?
The Mysterious Davina D'Lema
Nice name, The Mysterious Davina D'Lema
```

程序清单 11.4 接受并存储最多 80 个字符（包括空格）的任何名字（记住为数组里的\0 预留空间）。注意到希望 gets（）改变调用函数中的某个变量（name），也就是说应当使用一个地址作为参数；当然，数组名正是一个地址。

gets（）函数的使用可以比前面的例子更为复杂，请参见程序清单 11.5。

程序清单 11.5　name2.c 程序

```
/* name2.c -- 读取一个名字 */
#include <stdio.h>
#define MAX 81
int main (void)
{
    char name[MAX];
    char * ptr;

    printf ("Hi, what's your name?\n");
    ptr = gets (name);
    printf ("%s? Ah! %s!\n", name, ptr);

    return 0;
}
```

下面是一个交互的例子：

```
Hi, what's your name?
Wellington Snackworthy
Wellington Snackworthy? Ah! Wellington Snackworthy!
```

gets（）函数通过两种方式获得输入：

- 它使用一个地址把字符串赋予 name。
- gets（）的代码使用 return 关键字返回字符串的地址，程序把这个地址分配给 ptr。注意到 ptr 是一个 char 指针，这意味着 gets（）必须返回一个指向 char 的指针值。

ANSI C 要求 stdio.h 头文件包括 gets（）的函数原型。您不需要亲自声明这个函数，只须记住包含这个头文件即可。但是一些 C 的旧版本要求您提供 gets（）的函数声明。

gets（）函数的构造如下：

```
char *gets (char * s)
{
    ...
    return (s);
}
```

这个函数头说明 gets（）返回一个指向 char 的指针。请注意 gets（）返回的指针与传递给它的是同一个指针。输入字符串只有一个备份，它放在作为函数参数传递过来的地址中，因此程序清单 11.5 中的 ptr

最后也指向 name 数组。gets（）函数实际的构造更复杂一点，因为它有两个可能的返回值。如果一切都顺利，它返回的是读入字符串的地址，正如我们上面所说。如果出错或如果 gets（）遇到文件结尾，它就返回一个空（或 0）地址。这个空地址被称为空指针，并用 stdio.h 里定义的常量 NULL 来表示。因此 gets（）中还加入了一些错误检测，这使它可以很方便地以如下形式使用：

```
while (gets (name) != NULL)
```

这样的指令使您既可以检查是否到了文件结尾，又可以读取一个值。如果遇到了文件结尾，name 中什么也不会读入。这种一举两得的方法就比 getchar（）函数所采用的方法简洁得多，getchar（）只返回一个值而没有参数：

```
while ((ch = getchar ()) != EOF)
```

附带提一下，不要混淆空指针和空字符。空指针是一个地址，而空字符是一个 char 类型的数据对象，其值为 0。数值上两者都可以用 0 表示，但是它们的概念不同：NULL 是一个指针，而 0 是一个 char 类型的常量。

11.2.3　fgets（）函数

gets（）的一个不足是它不检查预留存储区是否能够容纳实际输入的数据。多出来的字符简单地溢出到相邻的内存区。fgets（）函数改进了这个问题，它让您指定最大读入字符数。由于 fgets（）是为文件 I/O 而设计的，在处理键盘输入时就不如 gets（）那么方便。fgets（）和 gets（）有三方面不同：

- 它需要第二个参数来说明最大读入字符数。如果这个参数值为 n，fgets（）就会读取最多 n-1 个字符或者读完一个换行符为止，由这二者中最先满足的那个来结束输入。
- 如果 fgets（）读取到换行符，就会把它存到字符串里，而不是像 gets（）那样丢弃它。
- 它还需要第三个参数来说明读哪一个文件。从键盘上读数据时，可以使用 stdin（代表 *stand*ard *in*put）作为该参数，这个标识符在 stdio.h 中定义。

程序清单 11.6 使用 fgets（）代替了程序清单 11.5 里的 gets（）。

程序清单 11.6　name3.c 程序

```
/* name3.c -- 使用 fgets () 读取一个名字 */
#include <stdio.h>
#define MAX 81
int main (void)
{
    char name[MAX];
    char * ptr;

    printf ("Hi, what's your name?\n");
    ptr = fgets (name, MAX, stdin);
    printf ("%s? Ah! %s!\n", name, ptr);

    return 0;
}
```

下面是一个输出示例，它显示了 fgets（）的一个不足之处：

```
Hi, what's your name?
Jon Dough
Jon Dough
? Ah! Jon Dough
!
```

问题在于 fgets（）把换行符存储到字符串里，这样每次显示字符串时就会显示换行符。本章后面“其他字符串函数”小节的结尾将会介绍如何用 strchr（）来定位和删除换行符。

由于 gets（）不检查目标数组是否能够容纳输入，所以很不安全。的确，几年前就有人注意到一些 UNIX

操作系统代码使用 gets（），于是他们利用这个弱点，用很长的输入覆盖操作系统的代码，从而发明了在 UNIX 网络上传播的“蠕虫（worm）”病毒。那些系统代码后来被不使用 gets（）的代码所代替。因此对于重要的编程，应该使用 fgets（）而不是 gets（），但本书使用了更随便的做法。

11.2.4 scanf ( ) 函数

前面您已经使用了带有%s 格式的 scanf（）函数来读入一个字符串。scanf（）和 gets（）主要的差别在于它们如何决定字符串何时结束。scanf（）更基于获取单词（get word）而不是获取字符串（get string）；而 gets（）函数，正如您所看到的，会读取所有的字符，直到遇到第一个换行符为止。scanf（）使用两种方法决定输入结束。无论哪种方法，字符串都是以遇到的第一个非空白字符开始。如果使用%s 格式，字符串读到（但不包括）下一个空白字符（比如空格、制表符或换行符）。如果指定了字段宽度，比如%10s，scanf（）就会读入 10 个字符或直到遇到第一个空白字符，由二者中最先满足的那一个终止输入（请参见图 11.3）。

输入语句	原始输入队列*	name 中的内容	剩余队列
scanf('%s", name);	Fleebert□Hup	Fleebert	□Hup
scanf('%5s", name);	Fleebert□Hup	Fleeb	ert□Hup
scanf('%5s", name);	Ann□Ular	Ann	□Ular

*其中的□代表空格

图 11.3 字段宽度和 scanf（）

回忆一下，scanf（）函数返回一个整数值，这个值是成功读取的项目数；或者当遇到文件结束时返回一个 EOF。

程序清单 11.7 举例说明了指定字段宽度时 scanf（）的工作情况。

程序清单 11.7 scan_str.c 程序

```
/* scan_str.c -- 使用 scanf() */
#include <stdio.h>
int main(void)
{
    char name1[11], name2[11];
    int count;

    printf("Please enter 2 names.\n");
    count = scanf("%5s %10s", name1, name2);
    printf("I read the %d names %s and %s.\n",
    count, name1, name2);

    return 0;
}
```

下面是三次运行的结果：

```
Please enter 2 names.
Jesse Jukes
I read the 2 names Jesse and Jukes.

Please enter 2 names.
Liza Applebottham
I read the 2 names Liza and Applebotth.

Please enter 2 names.
Portensia Callowit
I read the 2 names Porte and nsia.
```

在第一个例子中，两个名字都小于允许的大小。在第二个例子中，由于使用了%10s 格式，Applebottham 只有前 10 个字符被读取。在第三个例子中，Portensia 的后 4 个字母被读到 name2 中，这是因为第二次调用 scanf（）时，它在第一个调用结束的地方继续开始读输入数据。在这个例子中，仍从单词 Portensia 中间开始读取。

根据所需输入的特点，用 gets（）从键盘读取文本可能要更好，因为它更容易被使用、更快，而且更简洁。scanf（）主要用于以某种标准形式输入的混合类型数据的读取和转换。例如，如果每一个输入行都包括一种工具的名称、库存数量和单价，您就可以使用 scanf（）；否则您必须在函数中自己处理输入错误的检测。如果希望一次只输入一个单词，最好使用 scanf（）。

下面我们讨论字符串的显示方法。

11.3　字符串输出

现在让我们把注意力从字符串的输入转移到字符串的输出。这里再次要用到库函数。C 有三个用于输出字符串的标准库函数：puts（）、fputs（）和 printf（）。

11.3.1　puts（ ）函数

puts（）函数的使用很简单，只需要给出字符串参数的地址。程序清单 11.8 列出了输出字符串的多种方式。

程序清单 11.8　put_out.c 程序

```
/* put_out.c -- 使用 puts () */
#include <stdio.h>
#define DEF "I am a #defined string. "
int main (void)
{
    char str1[80] = "An array was initialized to me.";
    const char * str2 = "A pointer was initialized to me.";

    puts ("I'm an argument to puts () .");
    puts (DEF);
    puts (str1);
    puts (str2);
    puts (&str1[5]);
    puts (str2+4);

    return 0;
}
```

输出如下：

```
I'm an argument to puts () .
I am a #defined string.
An array was initialized to me.
A pointer was initialized to me.
ray was initialized to me.
inter was initialized to me.
```

注意，每一个字符串都单行显示。与 printf（）不同，puts（）显示字符串时自动在其后添加一个换行符。

这个例子让人想起双引号中的字符是字符串常量，并被看作地址。同样，字符数组字符串的名字也被看作是地址。表达式&str1[5]是数组 str1 的第 6 个元素的地址。这个元素包含字符'r'，它也正是 puts（）输出字符串的起点。与之类似，str2+4 指向包含'i'（"pointer"中的'i'）的那个内存单元。puts（）如何知道何时停止?遇到空字符时它就会停下来，所以应该确保有空字符存在。不要模仿程序清单 11.9 中的程序！

程序清单 11.9　nono.c 程序

```
/* nono.c -- 不要效仿这个程序！ */
#include <stdio.h>
int main (void)
```

```
{
    char side_a[] = 'SIDE A';
    char dont[] = {'W', 'O', 'W', '!' };
    char side_b[] = 'SIDE B';

    puts (dont);  /* dont 不是一个字符串 */

    return 0;
}
```

dont 缺少一个表示结束的空字符，因此它不是一个字符串，这样 puts（）就不知道应该到哪里停止。它只是一直输出内存中 dont 后面的字符，直到发现一个空字符。为了使这个空字符不太遥远，程序把 dont 存储在两个真正的字符串之间。下面是一个运行示例：

```
WOW! SIDE A
```

这里用到的特定的编译器在内存中把 side_a 数组存储在 dont 数组之后。因此，put()函数继续执行直到遇到了 side_a 中的空字符。运行该程序时编译器在内存中存储数据的方式不同，得到的结果也不同。如果程序漏掉了 side_a 和 side_b 怎么办呢？通常内存中有很多空字符，如果幸运的话，puts（）可能会很快发现一个，但这是很不可靠的。

11.3.2 fputs（）函数

fputs（）函数是 gets（）的面向文件版本。两者之间的主要区别是：

- fputs（）需要第二个参数来说明要写的文件。可以使用 stdout（代表 *stand*ard *out*put）作为参数来进行输出显示，stdout 在 stdio.h 中定义。
- 与 puts（）不同，fputs（）并不为输出自动添加换行符。

注意，gets（）丢掉输入里的换行符，但是 puts（）为输出添加换行符。另一方面，fgets（）存储输入中的换行符，而 fputs（）也不为输出添加换行符。假定写一个循环，读取一行并把它回显在下一行，可以这么写：

```
char line[81];
while (gets (line))
     puts (line);
```

回忆一下，如果遇到文件结尾，gets（）就返回空指针。空指针的值为 0（也即假），这样就结束了循环。或者也可以这么做：

```
char line[81];
while (fgets (line, 81, stdin))
     fputs (line, stdout);
```

在第一个循环中，line 数组中的字符串被显示在单独的一行上，这是由于 puts（）为它添加了一个换行符。第二个循环，line 数组中的字符串同样被显示在单独的一行上，这是由于 fgets（）存储了一个换行符。注意，如果把 fgets（）输入和 puts（）输出结合使用，每个字符串后就会显示两个换行符。关键在于 puts（）是为和 gets（）一起使用而设计的，而 fputs（）是为和 fgets（）一起使用而设计的。

11.3.3 printf（）函数

在第 4 章“字符串和格式化输入/输出”中我们详细讨论了 printf（）。如同 puts（）一样，printf（）需要一个字符串地址作为参数。printf（）函数使用起来没有 puts（）那么方便，但是它可以格式化多种数据类型，因而更通用。

它们的区别之一就是 printf（）并不自动在新行上输出每一个字符串。相反，您必须指明需要另起一行的地方。因此：

```
printf ("%s\n", string);
```

与下面语句的效果一样：

```
puts (string);
```

正如您所见，第一种形式需要键入更多代码，此外计算机的执行时间也更长（但您觉察不到）。不过，printf（）使在一行上输出多个字符串变得更为简单。例如，下面的语句把 Well、用户名和一个用#define 定义的字符串统统显示在一行上：

```
printf ("Well, %s, %s\n", name, MSG);
```

11.4　自定义字符串输入/输出函数

不一定要使用标准 C 库的函数进行输入和输出。如果不具备或者不喜欢它们，您可以自行定义，在 getchar（）和 putchar（）的基础上建立自己的函数。假定您希望有一个类似 puts（）但并不自动添加换行符的函数。程序清单 11.10 给出了一种方法。

程序清单 11.10　put1.c 程序

```
/* put1.c -- 不添加换行符打印一个字符串*/
#include <stdio.h>
void put1 (const char * string) /* 不会改变这个字符串 */
{
    while (*string != '\0')
          putchar (*string++);
}
```

char 指针 string 最初指向被调参数的第一个元素。由于这个函数并不改变字符串，因此使用了 const 修饰符。这一元素的内容输出以后，指针递增并指向下一个元素。这个过程一直继续下去，直到指针指向一个包含空字符的元素。记住，++比*的优先级高，这意味着 putchar（*string++）输出 string 指向的值，然后再增加 string 本身，而不是增加 string 指向的字符。

可以把 put1.c 看作自定义字符串处理函数的范例。每个字符串都有一个空字符标志其结束，因此不必向函数传递字符串的大小。相反，函数依次处理每个字符直到遇到空字符。

用数组符号写这个函数会比较长：

```
int i = 0;
while (string[i]!= '\0')
      putchar (string[i++]);
```

其中用到了一个作为索引的额外变量。

很多 C 程序员会在 while 循环中使用下面的判断条件：

```
while (*string)
```

当 string 指向空字符时，*string 的值为 0，这将结束循环。这个方法需要的键入自然比前面的方法要少。如果您还不熟悉 C 的惯例，这一优点就不是很明显。上面的语句被广泛使用，C 程序员应该熟悉它。

说　明

为什么程序清单 11.10 用 const char *string 而不用 const char string[]作为形式参数？从技术上来说，二者等价，因此它们都有效。用方括号符号的一个用意是提醒用户这个函数处理的是数组。但在使用字符串时，实际的参数可以是数组名、引起来的字符串，或被声明为 char *类型的变量。使用 const char *string 可以提醒您实际的参数不一定是一个数组。

假定您希望有一个类似 puts（）的函数，并且这个函数还可以给出输出的字符个数。如程序清单 11.11 所示，添加这一功能很简单。

程序清单 11.11 put2.c 程序

```
/* put2.c -- 打印一个字符串，并统计其中的字符个数 */
#include <stdio.h>
int put2 (const char * string)
{
    int count = 0;
    while (*string)
    {
        putchar (*string++);
        count++;
    }
    putchar ('\n'); /* 换行符不统计在内 */

    return (count);
}
```

下面的函数调用输出字符串 pizza:

```
put1 ("pizza");
```

下面的函数调用还返回一个字符计数值，并把该值赋给 num。在本例中这个值为 5。

```
num=put2 ("pizza");
```

程序清单 11.12 给出了一个使用 put1（）和 put2（）的驱动程序，其中还使用了嵌套的函数调用。

程序清单 11.12 put_put.c 程序

```
// put_put.c -- 用户自定义的输出函数
#include <stdio.h>
void put1 (const char *);
int put2 (const char *);
int main (void)
{
    put1 ("If I'd as much money");
    put1 (" as I could spend,\n");
    printf ("I count %d characters.\n",
            put2 ("I never would cry old chairs to mend. "));

    return 0;
}

void put1 (const char * string)
{
    while (*string)     /* 等同于*string != '\0' */
        putchar (*string++);
}
int put2 (const char * string)
{
    int count = 0;
    while (*string)
    {
        putchar (*string++);
        count++;
    }
    putchar ('\n');

    return (count);
}
```

嗯，我们使用 printf（）输出 put2（）的值。但是在计算 put2（）值的过程中，计算机必须先执行这个函数，这样就输出了其中的字符串。下面是输出结果：

```
If I'd as much money as I could spend,
I never would cry old chairs to mend.
I count 37 characters.
```

11.5　字符串函数

C 库提供了许多处理字符串的函数；ANSI C 用头文件 string.h 给出这些函数的原型。下面是一些最有用和最常用的函数：strlen（）、strcat（）、strncat（）、strcmp（）、strncmp（）、strcpy（），和 strncpy（）。此外我们也将研究一下头文件 stdio.h 支持的 sprintf（）函数。要查看 string.h 中的函数系列的完整列表，请参见参考资料 5“添加了 cqq 的标准 ANSI C 库”部分。

11.5.1　strlen（）函数

我们已经知道，用 strlen（）函数可以得到字符串的长度。下面的函数中用到了 strlen（）函数，这是一个可以缩短字符串长度的函数：

```
/* test_fit.c - */
void fit (char * string, unsigned int size)
{
    if (strlen (string) > size)
        * (string + size) = '\0';
}
```

这个函数确实要改变字符串，因此在函数头中声明形式参量 string 时没有使用 const 修饰符。

在程序清单 11.13 的程序中测试一下 fit（）函数。注意，代码中用到了 C 的字符串文本串联功能。

程序清单 11.13　test.c 程序

```
/* test.c -- 试用缩短字符串的函数 */
#include <stdio.h>
#include <string.h> /* 该头文件中包含字符串函数的原型 */
void fit (char *, unsigned int);

int main (void)
{
    char mesg[] = "Hold on to your hats, hackers. ";

    puts (mesg);
    fit (mesg, 7);
    puts (mesg);
    puts ("Let's look at some more of the string. ");
    puts (mesg + 8);
    return 0;
}
void fit (char *string, unsigned int size)
{
    if (strlen (string) > size)
        * (string + size) = '\0';
}
```

输出如下：

```
Hold on to your hats, hackers.
Hold on
Let's look at some more of the string.
to your hats, hackers.
```

fit（）函数在数组的第 8 个元素中放置了一个'\0'字符来代替原有的空格字符。puts（）函数输出时停在第一个空字符处，忽略数组的其他元素。然而，数组的其他元素仍然存在，如下面的函数调用的输出结果所示：

```
puts (mesg + 8);
```

表达式 mesg+8 是 mesg[8]即't'字符的地址。因此 puts（）显示这个字符并且继续输出直到遇到原字符串中的空字符。图 11.4（一个短字符串）给出了程序的执行过程（这句话是从人们对艾伯特·爱因斯坦的评价中变化而来，但是，这句话看上去更像是他的哲学思想的代表，而不仅仅是引用）。[1]

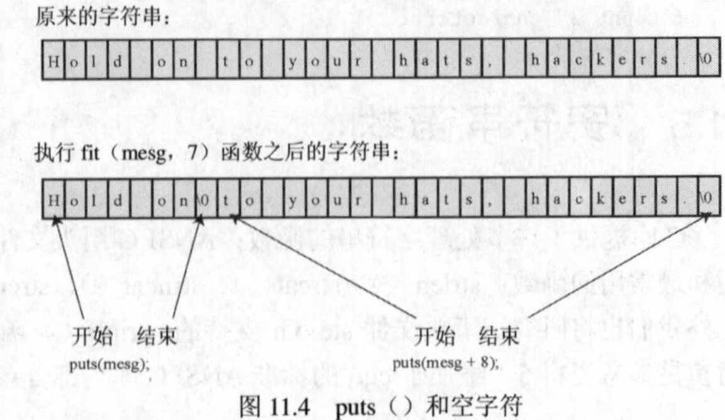

图 11.4 puts（）和空字符

ANSI 的 string.h 文件中包含了 C 字符串函数系列的原型，因此这个示例程序要包含这个文件。

说 明

ANSI 之前的一些系统使用 strings.h 而不是 string.h，还有一些系统可能根本就没有字符串头文件。

11.5.2 strcat（）函数

strcat（）（代表 *string concatenation*）函数接受两个字符串参数。它将第二个字符串的一份拷贝添加到第一个字符串的结尾，从而使第一个字符串成为一个新的组合字符串，第二个字符串并没有改变。strcat（）函数是 char *（指向 char 的指针）类型。这个函数返回它的第一个参数的值，即其后添加了第二个字符串的那个字符串中第一个字符的地址。

程序清单 11.14 举例说明了 strcat（）的功能。

程序清单 11.14 str_cat.c 程序

```
/* str_cat.c -- 连接两个字符串 */
#include <stdio.h>
#include <string.h> /* 声明strcat()函数 */
#define SIZE 80
int main (void)
{
    char flower[SIZE];
    char addon[] = "s smell like old shoes.";

    puts ("What is your favorite flower?");
    gets (flower);
    strcat (flower, addon);
    puts (flower);
    puts (addon);

    return 0;
}
```

输出如下：

```
What is your favorite flower?
Rose
Roses smell like old shoes.
s smell like old shoes.
```

[1] 译注：英文 Hold on to your hat 译为“戴上你的帽子”，意思是准备好有令人惊奇的事情要发生了。

11.5.3　strncat ( ) 函数

strcat ( ) 函数并不检查第一个数组是否能够容纳第二个字符串。如果没有为第一个数组分配足够大的空间，多出来的字符溢出到相邻存储单元时就会出现问题。当然，可以像程序清单 11.15 那样，为第一个数组分配足够大的空间后再使用 strlen ( ) 函数。注意，应该给组合串的长度加 1 以用来存放空字符。您也可以使用 strncat ( ) 函数，这个函数需要另一个参数来指明最多允许添加的字符的数目。例如，strncat (bugs, addon, 13) 函数把 addon 字符串中的内容添加到 bugs 上，直到加到 13 个字符或遇到空字符为止，由二者中先符合的那一个来终止添加过程。因此，把空字符算在内（两种情况下都要添加空字符），bugs 数组应该足够大，以存放原始字符串（不包括空字符）、增加的最多 13 个字符和结束的空字符。程序清单 11.15 使用这一知识来计算 available 变量值，这个值被用作最多允许添加的字符数。

程序清单 11.15　join_chk.c 程序

```
/* join_chk.c -- 连接两个字符串，并检查第一个字符串的大小 */
#include <stdio.h>
#include <string.h>
#define SIZE 30
#define BUGSIZE 13
int main (void)
{
    char flower[SIZE];
    char addon[] = "s smell like old shoes.";
    char bug[BUGSIZE];
    int available;

    puts ("What is your favorite flower?");
    gets (flower);
    if ((strlen (addon) + strlen (flower) + 1) <= SIZE)
        strcat (flower, addon);
    puts (flower);
    puts ("What is your favorite bug?");
    gets (bug);
    available = BUGSIZE - strlen (bug) - 1;
    strncat (bug, addon, available);
    puts (bug);

    return 0;
}
```

下面是一个运行示例：

```
What is your favorite flower?
Rose
Roses smell like old shoes.
What is your favorite bug?
Aphid
Aphids smell
```

11.5.4　strcmp ( ) 函数

假定您希望把用户的响应和一个已有的字符串进行比较，如程序清单 11.16 所示。

程序清单 11.16　nogo.c 程序

```
/* nogo.c -- 这个程序能满足要求吗？ */
#include <stdio.h>
#define ANSWER "Grant"
int main (void)
{
```

```
    char try[40];

    puts ("Who is buried in Grant's tomb?");
    gets (try);
    while (try != ANSWER)
    {
            puts ("No, that's wrong. Try again. ");
            gets (try);
    }
    puts ("That's right!");

    return 0;
}
```

尽管这个程序看起来不错，但却不能正确工作。ANSWER和try实际上是指针，因此比较式try!=ANSWER并不检查这两个字符串是否一样，而是检查这两个字符串的地址是否一样。由于ANSWER和try被存放在不同的位置，所以这两个地址永远不会一样，用户永远被告知他或她是“wrong”。这种程序总让人泄气。

我们需要的是一个可以比较字符串内容（content）而不是字符串地址（address）的函数。您可以自行设计一个，但并不需要这样做，因为strcmp（）（代表*str*ing *comp*arison）函数就可以实现这个功能。这个函数对字符串的操作就像关系运算符对数字的操作一样。特别地，如果两个字符串参数相同，它就返回0。改进后的程序如程序清单11.17所示。

程序清单 11.17 compare.c 程序

```
/* compare.c -- 这个程序可以满足要求 */
#include <stdio.h>
#include <string.h> /* 声明strcmp()函数 */
#define ANSWER "Grant"
#define MAX 40
int main (void)
{
    char try[MAX];

    puts ("Who is buried in Grant's tomb?");
    gets (try);
    while (strcmp (try, ANSWER) != 0)
    {
            puts ("No, that's wrong. Try again.");
            gets (try);
    }
    puts ("That's right!");

    return 0;
}
```

说　明

由于任何非零值都为真，大多熟练的C程序员会把while语句简单地写为：

```
while (strcmp (try, ANSWER)) 。
```

strcmp（）函数的一个优点是它比较的是字符串，而不是数组。尽管数组try占用40个内存单元，而字符串"Grant"只占用6个内存单元（一个用来存放空字符），但是函数在比较时只看try的第一个空字符之前的部分。因此，strcmp（）可以用来比较存放在不同大小数组里的字符串。

如果用户回答"GRANT"或"grant"或"Ulysses S. Grant"会怎么样呢？用户会被告知他或她是错的。要编出一个更友好的程序，您必须预先考虑到所有可能正确的答案。这里需要一些技巧。例如可以使用#define把答案定义为"GRANT"，然后编写一个函数，把所有的输入转换成大写字母。这样就解决了大小写的问题，但还是有其他需要考虑的形式。这一点我们留给读者自己练习。

strcmp ( ) 的返回值

如果字符串不相同，strcmp（）返回什么值呢？程序清单 11.18 给出了一个例子。

程序清单 11.18　compback.c 程序

```
/* compback.c -- strcmp () 的返回值 */
#include <stdio.h>
#include <string.h>
int main (void)
{
    printf("strcmp(\"A\", \"A\") is ");
    printf("%d\n", strcmp("A", "A"));

    printf("strcmp(\"A\", \"B\") is ");
    printf("%d\n", strcmp("A", "B"));

    printf("strcmp(\"B\", \"A\") is ");
    printf("%d\n", strcmp("B", "A"));

    printf("strcmp(\"C\", \"A\") is ");
    printf("%d\n", strcmp("C", "A"));

    printf("strcmp(\"Z\", \"a\") is ");
    printf("%d\n", strcmp("Z", "a"));

    printf("strcmp(\"apples\", \"apple\") is ");
    printf("%d\n", strcmp("apples", "apple"));;

    return 0;
}
```

下面是一个系统上的输出结果：

```
strcmp("A", "A") is 0
strcmp("A", "B") is -1
strcmp("B", "A") is 1
strcmp("C", "A") is 1
strcmp("Z", "a") is -1
strcmp("apples", "apple") is 1
```

比较"A"和它本身，返回值是0。比较"A"和"B"的返回值是–1；两者交换，再进行比较，返回值是1。这些结果说明如果第一个字符串在字母表中的顺序先于第二个字符串，则strcmp（）函数返回的是负数；相反，返回的就是正数。因此，比较"C"和"A"得到的是1。其他系统可能返回的是2，即二者的ASCII编码值之差。ANSI标准规定，如果第一个字符串在字母表中的顺序先于第二个字符串，strcmp（）返回一个负数；如果两个字符串相同，它返回0；如果第一个字符串在字母表中的顺序落后于第二个字符串，它返回一个正数。而确切的数值是依赖于不同的C实现的。例如，这里给出另一中实现下的输出结果，它在两个字符比较间返回不同的结果：

```
strcmp("A", "A") is 0
strcmp("A", "B") is -1
strcmp("B", "A") is 1
strcmp("C", "A") is 2
strcmp("Z", "a") is -7
strcmp("apples", "apple") is 115
```

如果两个字符串中初始的字符相同会怎么样呢？一般来说，strcmp（）函数一直往后查找，直到找到第一对不一致的字符。然后它就返回相应的值。例如，在上一个例子中，"apples"和"apple"只有最后一个字符（第一个字符串中最后的那个's'）不同。匹配要进行到"apple"的第6个字符，即空字符（ASCII中的0）。由于空字符在ASCII中排在第一个，字符s在它后面，因此函数返回一个正数。

上面的比较表明strcmp（）比较所有的字符，而不仅仅是字母；因此我们不应称比较是按字母表顺序，而应该称strcmp（）是按机器编码顺序（collating sequence）进行比较的。这意味着字符的比较是根据它们的数字表示法，一般是ASCII值。在ASCII中，大写字母先于小写字母。因此，strcmp（"Z"，"a"）是负数。

通常我们不会在意返回的确切值，只想知道结果为0还是非0（也就是说看看它们是否匹配）；或者我们是把字符串按字母表顺序排序，希望知道比较结果是正数、负数还是0。

说　明

strcmp（）函数用于比较字符串，而不是字符。因此可以使用诸如"apples"和"A"之类的参数；但是不能使用字符参数，如'A'。考虑到char类型是整数类型，因此可以使用关系运算符来对字符进行比较。假定word是一个存储在char数组里的字符串，ch是一个char变量。那么下面的语句是合法的：

```
if (strcmp (word, "quit") == 0)          // 使用strcmp（）进行字符串比较
puts ("Bye!");
if (ch == 'q')                           // 使用==进行字符比较
puts ("Bye!");
```

但是，不能使用ch或'q'作为strcmp（）的参数。

程序清单11.19使用strcmp（）函数来判断一个程序是否应该停止读取输入。

程序清单11.19　quit_chk.c程序

```
/* quit_chk.c -- 某程序的开始 */
#include <stdio.h>
#include <string.h>
#define SIZE 81
#define LIM 100
#define STOP "quit"
int main (void)
{
    char input[LIM][SIZE];
    int ct = 0;

    printf ("Enter up to %d lines (type quit to quit): \n", LIM);
    while (ct < LIM && gets (input[ct]) != NULL &&
           strcmp (input[ct], STOP) != 0)
    {
        ct++;
    }
    printf ("%d strings entered\n", ct);

    return 0;
}
```

当程序遇到一个EOF字符（此时gets（）返回空）时，或者您输入单词quit时，或者达到LIM的限制时，程序就退出对输入的读取。

顺便提一下，有时候输入一个空行来终止输入更方便，也就是说，在一个新行中不输入任何字符就按下Enter键或Return键。要这样做，您可以对while循环的控制语句做如下的修改：

```
while (ct < LIM && gets (input[ct]) != NULL  && input[ct][0] != '\0')
```

此处，input[ct]是刚输入的字符串，input[ct][0]是该字符串的第一个字符。如果用户输入一个空行，gets（）就把空字符放在第一个元素处，因此如下表达式是用来检测空输入行的：

```
input[ct][0]!= '\0'
```

11.5.5　strncmp（ ）变种

strcmp（）函数比较字符串时，一直比较到找到不同的相应字符，搜索可能要进行到字符串结尾处。而 strncmp（）函数比较字符串时，可以比较到字符串不同处，也可以比较完由第三个参数指定的字符数。例如，如果想搜索以"astro"开头的字符串，您可以限定搜索前 5 个字符。程序清单 11.20 示例了这个函数的使用。

程序清单 11.20　starsrch.c 程序

```
/* starsrch.c -- 使用 strncmp () 函数 */
#include <stdio.h>
#include <string.h>
#define LISTSIZE 5
int main ()
{
    char * list[LISTSIZE] = {
            "astronomy", "astounding",
            "astrophysics", "ostracize",
            "asterism"          };
    int count = 0;
    int i;

    for (i = 0; i < LISTSIZE; i++)
        if (strncmp (list[i], "astro", 5) == 0)
        {
            printf ("Found: %s\n", list[i]);
            count++;
        }
    printf ("The list contained %d words beginning"
            " with astro.\n", count);

    return 0;
}
```

输出如下：

```
Found: astronomy
Found: astrophysics
The list contained 2 words beginning with astro.
```

11.5.6　strcpy（ ）和 strncpy（ ）函数

我们已经提到过，如果 pts1 和 pts2 都是指向字符串的指针，则下面的表达式只复制字符串的地址而不是字符串本身：

```
pts2 = pts1;
```

假定您确实希望复制字符串，那么可以使用 strcpy（）函数。程序清单 11.21 要求用户输入以 q 开头的单词。程序把输入复制到一个临时的数组里，如果第一个字母是 q，程序就使用 strcpy（）函数把字符串从临时数组里复制到永久的目的地。strcpy（）函数在字符串运算中的作用等价于赋值运算符。

程序清单 11.21　copy1.c 程序

```
/* copy1.c -- strcpy () 示例程序 */
#include <stdio.h>
#include <string.h> /* 声明 strcpy () 函数 */
#define SIZE 40
#define LIM 5

int main (void)
{
```

```
    char qwords[LIM][SIZE];
    char temp[SIZE];
    int i = 0;

    printf ("Enter %d words beginning with q: \n", LIM);
    while (i < LIM && gets (temp))
    {
        if (temp[0] != 'q')
            printf ("%s doesn't begin with q!\n", temp);
        else
        {
            strcpy (qwords[i], temp);
            i++;
        }
    }
    puts ("Here are the words accepted: ");
    for (i = 0; i < LIM; i++)
        puts (qwords[i]);

    return 0;
}
```

下面是一个运行示例：

```
Enter 5 words beginning with q:
quackery
quasar
quilt
quotient
no more
no more doesn't begin with q!
quiz
Here are the words accepted:
quackery
quasar
quilt
quotient
quiz
```

请注意只有当输入的单词通过了 q 判断，计数值 i 才会增加。还要注意程序使用了一个基于字符的判断：

```
if (temp[0] != 'q')
```

这相当于，temp 数组的第一个字符是否不为 q？还可以使用一个基于字符串的判断：

```
if (strncmp (temp, "q", 1) != 0)
```

这相当于，字符串 temp 和字符串"q"的第一个元素是否不同？

注意，第二个参数 temp 指向的字符串被复制到第一个参数 qword[i]指向的数组中。复制的那份字符串被称为目标（target）字符串，最初的字符串被称为源（source）字符串。如果注意到它和赋值语句的顺序一样，目标字符串在左边，就容易记住参数的顺序。

```
char target[20];
int x;
x = 50;                     /* 数值的赋值     */
strcpy (target, "Hi ho!");  /* 字符串的赋值   */
target = "So long";         /* 语法错误       */
```

确保目标数组对复制源字符串来说有足够大的空间就是您的责任了。看看下面语句有什么问题：

```
char * str;
strcpy (str, "The C of Tranquility"); /* 存在一个问题 */
```

函数将把字符串"The C of Tranquility"复制到 str 指定的地址中，但是 str 没有初始化，因此这个字符串可能被复制到任何地方！

总之，strcpy（）接受两个字符串指针参数。指向最初字符串的第二个指针可以是一个已声明的指针、数组名或字符串常量。指向复制字符串的第一个指针应指向空间大到足够容纳该字符串的数据对象，比如一个数组。记住，声明一个数组将为数据分配存储空间；而声明一个指针只为一个地址分配存储空间。

一、strcpy（）的高级属性

strcpy（）函数还有另外两个有用的属性。首先，它是 char *类型，它返回的是第一个参数的值，即一个字符的地址；其次，第一个参数不需要指向数组的开始，这样就可以只复制数组的一部分。程序清单 11.22 举例说明了这两个属性的使用。

程序清单 11.22　copy2.c 程序

```
/* copy2.c -- strcpy () 示例程序 */
#include <stdio.h>
#include <string.h>  /*声明 strcpy () 函数 */
#define WORDS "beast"
#define SIZE 40

int main (void)
{
    char *orig = WORDS;
    char copy[SIZE] = "Be the best that you can be.";
    char * ps;

    puts (orig);
    puts (copy);
    ps = strcpy (copy + 7, orig);
    puts (copy);
    puts (ps);

    return 0;
}
```

输出如下：

```
beast
Be the best that you can be.
Be the beast
beast
```

注意，strcpy（）从源字符串复制空字符。在这个例子中，空字符覆盖了 that 中的第一个 t，这样新的字符串就以 beast 结尾（请参见图 11.5）。还要注意，ps 指向 copy 的第 8 个元素（索引为 7），这是因为第一个参数是 copy+7。因此，puts（ps）从这个地方开始输出字符串。

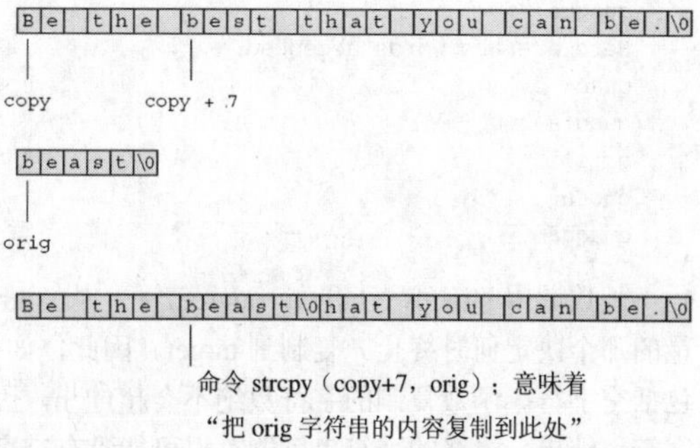

Be the best that you can be.\0
copy　copy + 7
beast\0
orig
Be the beast\0hat you can be.\0
命令 strcpy（copy+7，orig）；意味着
"把 orig 字符串的内容复制到此处"

图 11.5　strcpy（）使用指针

二、较为谨慎的选择：strncpy（）

strcpy（）和 gets（）函数同样都有一个问题，那就是都不检查目标字符串是否容纳得下源字符串。复制字符串使用 strncpy（）比较安全。它需要第三个参数来指明最大可复制的字符数。程序清单 11.23 用 strncpy（）代替了程序清单 11.21 中的 strcpy（）。为了说明源字符串太大会产生的问题，它使用了一个相当小的目标字符串（7 个元素，6 个字符）。

程序清单 11.23 copy3.c 程序

```
/* copy3.c -- strncpy () 示例程序 */
#include <stdio.h>
#include <string.h> /* 声明 strncpy () 函数*/
#define SIZE 40
#define TARGSIZE 7
#define LIM 5
int main (void)
{
    char qwords[LIM][TARGSIZE];
    char temp[SIZE];
    int i = 0;

    printf ("Enter %d words beginning with q: \n", LIM);
    while (i < LIM && gets (temp))
    {
        if (temp[0] != 'q')
            printf ("%s doesn't begin with q!\n", temp);
        else
        {
            strncpy (qwords[i], temp, TARGSIZE - 1);
            qwords[i][TARGSIZE - 1] = '\0';
            i++;
        }
    }
    puts ("Here are the words accepted: ");
    for (i = 0; i < LIM; i++)
        puts (qwords[i]);
    return 0;
}
```

下面是一个运行示例：

```
Enter 5 words beginning with q:
quack
quadratic
quisling
quota
quagga
Here are the words accepted:
quack
quadra
quisli
quota
quagga
```

函数调用 strncpy（target，source，n）从 source 把 n 个字符（或空字符之前的字符，由二者中最先满足的那个决定何时终止）复制到 target。因此，如果源字符串的字符数比 n 小，整个字符串都被复制过来，包括空字符。函数复制的字符数绝不会超过 n，因此如果源字符串还没结束就达到了限制，就不会添加空字符。结果，最终的字符串可能有也可能没有空字符。出于这个原因，程序设置的 n 比目标数组的大小要少 1，这样就可以把空字符放到数组的最后一个元素里。

```
strncpy (qwords[i], temp, TARGSIZE - 1);
qwords[i][TARGSIZE - 1] = '\0';
```

这就确保您已经存储了一个字符串。如果源字符串确实可以容纳得下，和它一起复制的空字符就标志着字符串的真正结束。如果源字符串在目标数组中容纳不下，这个最后的空字符就标志着字符串的结束。

11.5.7 sprintf（）函数

sprintf（）函数是在 stdio.h 而不是在 string.h 里声明的。它的作用和 printf（）一样，但是它写到字符串里而不是写到输出显示。因此，它提供了把几个元素组合成一个字符串的一种途径。sprintf（）的第一个参数是目标字符串的地址，其余的参数和 printf（）一样：一个转换说明字符串，接着是要写的项目的列表。

程序清单 11.24 使用 sprintf（）把三个项目（两个字符串和一个数字）组合成一个单一的字符串。注意，使用 sprintf（）和使用 printf（）的方法一样，只是结果字符串被存放在数组 formal 中，而不是被显示在屏幕上。

程序清单 11.24 format.c 程序

```
/* format.c -- 格式化一个字符串 */
#include <stdio.h>
#define MAX 20

int main (void)
{
     char first[MAX];
     char last[MAX];
     char formal[2 * MAX + 10];
     double prize;

     puts ("Enter your first name: ");
     gets (first);
     puts ("Enter your last name: ");
     gets (last);
     puts ("Enter your prize money: ");
     scanf ("%lf", &prize);
     sprintf (formal, "%s, %-19s: $%6.2f\n", last, first, prize);
     puts (formal);

     return 0;
}
```

下面是一个运行示例：

```
Enter your first name:
Teddy
Enter your last name:
Behr
Enter your prize money:
2000
Behr, Teddy              : $2000.00
```

sprintf（）命令获取输入，并把输入格式化为标准形式后存放在字符串 formal 中。

11.5.8 其他字符串函数

ANSI C 库有 20 多个处理字符串的函数，下面的列表总结了其中最常用的一些：

- `char *strcpy (char * s1, const char * s2);`

该函数把 s2 指向的字符串（包括空字符）复制到 s1 指向的位置，返回值是 s1。

- `char *strncpy (char * s1, const char * s2, size_t n);`

该函数把 s2 指向的字符串复制到 s1 指向的位置，复制的字符数不超过 n 个。返回值是 s1。空字符后的字符不被复制。如果源字符串的字符数少于 n 个，在目标字符串中就以空字符填充。如果源字符串的字符数大于或等于 n 个，空字符就不被复制。返回值是 s1。

- char *strcat (char * s1, const char * s2);

s2 指向的字符串被复制到 s1 指向字符串的结尾。复制过来的 s2 所指字符串的第一个字符覆盖了 s1 所指字符串结尾的空字符。返回值是 s1。

- char *strncat (char * s1, const char * s2, size_t n);

s2 字符串中只有前 n 个字符被追加到 s1 字符串，复制过来的 s2 字符串的第一个字符覆盖了 s1 字符串结尾的空字符。s2 字符串中的空字符及其后的任何字符都不会被复制，并且追加一个空字符到所得结果后面。返回值是 s1。

- int strcmp (const char * s1, const char * s2);

如果 s1 字符串在机器编码顺序中落后于 s2 字符串，函数的返回值是一个正数；如果两个字符串相同，返回值是 0；如果第一个字符串在机器编码顺序中先于第二个字符串，返回值是一个负数。

- int strncmp (const char * s1, const char * s2, size_t n);

该函数的作用和 strcmp（）一样，只是比较 n 个字符后或者遇见第一个空字符时会停止比较，由二者中最先被满足的那一个条件终止比较过程。

- char *strchr (const char * s, int c);

该函数返回一个指向字符串 s 中存放字符 c 的第一个位置的指针（标志结束的空字符是字符串的一部分，因此也可以搜索到它）。如果没找到该字符，函数就返回空指针。

- char *strpbrk (const char * s1, const char * s2);

该函数返回一个指针，指向字符串 s1 中存放 s2 字符串中的任何字符的第一个位置。如果没找到任何字符，函数就返回空指针。

- char *strrchr (const char * s, int c);

该函数返回一个指针，指向字符串 s 中字符 c 最后一次出现的地方（标志结束的空字符是字符串的一部分，因此也可以搜索到它）。如果没找到该字符，函数就返回空指针。

- char *strstr (const char * s1, const char * s2);

该函数返回一个指针，指向 s1 字符串中第一次出现 s2 字符串的地方。如果在 s1 中没找到 s2 字符串，函数就返回空指针。

- size_t strlen (const char * s);

该函数返回 s 字符串中的字符个数，其中不包括标志结束的空字符。

注意，这些原型使用关键字 const 来指出哪个字符串是函数不能改动的。例如，考虑下面这个原型：

```
char *strcpy (char * s1, const char * s2) ;
```

这意味着 s2 指向一个不可改变的字符串，至少 strcpy（）函数不会改变它，但是 s1 指向的字符串却可以改变。这是因为，s1 是需要改变的目标字符串，而 s2 是不应当有改变的源字符串。

第 5 章“运算符、表达式和语句”中已经讨论过，size_t 类型是 sizeof 运算符返回的任何类型。C 规定 sizeof 运算符返回一个整数类型，但是没有指定是哪种整数类型。因此 size_t 在一个系统上可以是 unsigned int 类型；在另一个系统上，又可以是 unsigned long 类型。string.h 文件为您的特定系统定义了 size_t，或者您可以参考其他有该定义的头文件。

前面已经提到过，参考资料 5 中列出了 string.h 系列中所有的函数。除了 ANSI 标准要求的那些，很多 C 实现还提供了其他一些函数。应该查看您的 C 实现的文档以了解可以使用哪些函数。

让我们看一下这些函数其中一个的简单使用。前面您已学习了 fgets（）函数。在读取一行输入时，这个函数把换行符存储到目标字符串中。可以使用 strchr () 函数来用一个空字符代替这个换行符。首先，使用 strchr () 找到换行符（如果有的话）。如果找到了，函数就返回这个换行符的地址，于是就可以在该地址放一个空字符：

```
char line[80];
char * find;

fgets (line, 80, stdin);
find = strchr (line, '\n');         // 查找换行符
if (find)                           // 如果该地址不为 NULL,
   *find = '\0';                    // 就把一个空字符放在这里
```

如果 strchr () 没有找到换行符，说明 fgets () 在行未结束时就达到了大小限制。您可以给 if 加个 else 来处理这种情况。

接下来，我们看一个处理字符串的完整程序。

11.6　字符串例子：字符串排序

我们来解决一个把字符串按字母表顺序排序的实际问题。准备花名册、建立索引以及很多其他情况下都会用到字符串的排序。这个程序的一个主要工具就是 strcmp ()，因为可以使用这个函数来决定两个字符串的顺序。一般的做法是读一个字符串数组、对它们进行排序并输出。先前，我们给出了一个读字符串的方案，我们就按那个方案开始该程序。输出字符串不会有什么问题。程序使用的标准排序算法，后面会进行解释。我们在其中采用了一个技巧，看看您能否弄明白它。程序清单 11.25 给出了程序。

程序清单 11.25　sort_str.c 程序

```
/* sort_str.c -- 读进一些字符串并对它们排序 */
#include <stdio.h>
#include <string.h>
#define SIZE 81                           /* 字符串长度限制，包括\0      */
#define LIM 20                            /* 最多读取的行数              */
#define HALT ""                           /* 用空字符串终止输入          */
void stsrt (char *strings[], int num); /* 字符串排序函数              */

int main (void)
{
    char input[LIM][SIZE];                /* 存储输入的数组              */
    char *ptstr[LIM];                     /* 指针变量的数组              */
    int ct = 0;                           /* 输入计数                    */
    int k;                                /* 输出计数                    */

    printf ("Input up to %d lines, and I will sort them.\n", LIM);
    printf ("To stop, press the Enter key at a line's start.\n");
    while (ct < LIM && gets (input[ct]) != NULL  && input[ct][0] != '\0')
    {
        ptstr[ct] = input[ct];            /* 令指针指向输入字符串        */
        ct++;
    }
    stsrt (ptstr, ct);                    /* 调用字符串排序函数          */
    puts ("\nHere's the sorted list: \n");
    for (k = 0; k < ct; k++)
        puts (ptstr[k]);                  /* 排序后的指针                */

    return 0;
}
/* 字符串-指针-排序函数 */
void stsrt (char *strings[], int num)
```

```
{
    char *temp;
    int top, seek;

    for (top = 0; top < num-1; top++)
        for (seek = top + 1; seek < num; seek++)
            if (strcmp(strings[top], strings[seek]) > 0)
            {
                temp = strings[top];
                strings[top] = strings[seek];
                strings[seek] = temp;
            }
}
```

对于程序清单 11.22，我们用一首咿咿呀呀的儿歌来测试：

```
Input up to 20 lines, and I will sort them.
To stop, press the Enter key at a line's start.
O that I was where I would be,
Then would I be where I am not;
But where I am I must be,
And where I would be I can not.
Here's the sorted list:

And where I would be I can not.
But where I am I must be,
O that I was where I would be,
Then would I be where I am not;
```

嗯，看起来这首儿歌经过排序后似乎没有什么变化。

11.6.1 排序指针而不是字符串

程序的技巧部分在于它并不是重新安排字符串本身，而仅仅重新安排指向字符串的指针。让我们解释一下。起初，ptrst[0]被赋值为 input[0]，等等。这就是说指针 ptrst[i]指向数组 input[i]的第一个字符。每个 input[i]都是一个含有 81 个元素的数组，而每个 ptrst[i]都是一个变量。排序过程重新安排 ptrst，而不改变 input。例如，如果 input[1]在字母表中先于 input[0]，程序就交换 ptrsts，使 ptrst[0]指向 input[1]的开始，使 ptrst[1]指向 input[0]的开始。这要比使用 strcpy（）来交换两个 input 字符串的内容简单多了。图 11.6 是这个过程的另一种表示。这种方法的优点还在于保留了原始的字符串顺序。

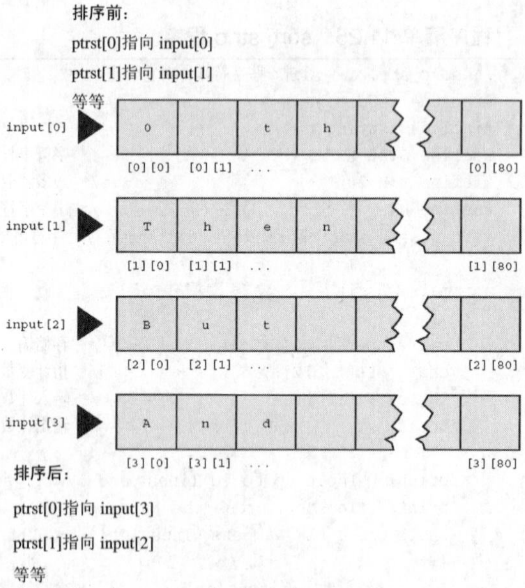

图 11.6 排序字符串指针

11.6.2 选择排序算法

我们使用了选择排序（selection sort）算法来进行指针排序。其思想是使用一个 for 循环把每个元素轮流与第一个元素比较。如果被比较元素在顺序上先于当前第一个元素，程序就交换这二者。程序执行到循环结束时，第一个元素包含的指针指向在机器编码顺序中排在第一个的字符串。然后外部的 for 循环重复这个过程，这次是以 input 的第二个元素作为开始元素。内部循环完成时，ptrst 的第二个元素包含的指针就指向顺序排第二的字符串。这个过程一直继续下去，直到所有的元素都已经排好序。

现在再仔细看一下选择排序。下面是用伪代码形式表示的纲要：

```
for n = first to n = next-to-last element,
    find largest remaining number and place it in the nth element
```

流程是这样的：首先以 n=0 开始。扫描整个数组，找出最大的数，把它和第一个元素交换位置。然后设 n=1，扫描数组第一个元素以外的其他元素，找出剩余数中的最大数，并把它和第二个元素交换。继续这个过程，直到倒数第二个元素为止。现在只剩下两个元素，比较它们并把较大的一个放在倒数第二个位置上。最小的元素就放在最后一个位置上。

这看起来像是一个 for 循环可以完成的任务，但我们还必须更详细地描述这个“查找和放置”的过程。选择剩余最大值的一个办法就是比较剩余数组的第一和第二个元素。如果第二个元素大，就交换这两个数据。现在比较第一个和第三个元素。如果第三个大，就交换这两个数据。每一次交换都把大的元素移到上面。继续这种方法，直到比较第一个和最后一个元素。完成以后，最大的数就在剩余数组的第一个元素中。此时第一个元素已经排好了序，但是数组中的其他元素还很混乱。下面是该过程的伪代码：

```
for n - second element to last element,
    compare nth element with first element; if nth is greater, swap values
```

这个过程看起来也像是一个 for 循环可以完成的任务，它会被嵌套在第一个 for 循环中。外部循环表明要填充哪一个数组元素，内循环找出该数组元素中要放置的值。把这两部分的伪代码结合在一起，并翻译成 C，我们就得到了程序清单 11.25 中的函数。顺便提一下，C 库包含一个更高级的排序函数 qsort ()，它使用一个指向函数的指针来进行排序比较。第 16 章“C 预处理器和 C 库”给出了这一应用的例子。

11.7　ctype.h 字符函数和字符串

第 7 章“C 控制语句：分支和跳转”介绍了 ctype.h 系列字符相关的函数。这些函数不能被应用于整个字符串，但是可以被应用于字符串中的个别字符。例如，程序清单 11.26 定义了一个函数，它把 toupper () 函数应用于一个字符串中的每个字符，这样就可以把整个字符串转换为大写。此外，程序还定义了一个使用 isputct () 函数计算一个字符串中的标点字符个数的函数。

程序清单 11.26　mod_str.c 程序

```
/* mod_str.c -- 修改一个字符串 */
#include <stdio.h>
#include <string.h>
#include <ctype.h>
#define LIMIT 80
void ToUpper (char *);
int PunctCount (const char *);
int main (void)
{
    char line[LIMIT];

    puts ("Please enter a line: ");
    gets (line);
    ToUpper (line);
    puts (line);
    printf ("That line has %d punctuation characters.\n",
              PunctCount (line));
    return 0;
}

void ToUpper (char * str)
{
    while (*str)
```

```
    {
        *str = toupper (*str);
        str++;
    }
}

int PunctCount (const char * str)
{
    int ct = 0;
    while (*str)
    {
        if (ispunct (*str))
            ct++;
        str++;
    }
    return ct;
}
```

循环 while（*str）处理 str 指向的字符串中的每个字符，直到遇见空字符。当遇到空字符时，*str 的值变为 0（空字符的编码值），即为假，则循环结束。下面是一个运行示例：

```
Please enter a line:
Me? You talkin' to me? Get outta here!
ME? YOU TALKIN' TO ME? GET OUTTA HERE!
That line has 4 punctuation characters.
```

ToUpper（）函数把 toupper（）应用于字符串中的每个字符（由于 C 区分大小写，所以这是两个不同的函数名）。正如 ANSI C 所定义的，toupper（）函数只改变小写字符。然而，C 的一些很旧的版本不进行自动检查，因此旧的代码通常会这样做：

```
if (islower (*str))   /* ANSI C之前的做法 - 转换之前先检查 */
    *str = toupper (*str);
```

顺便提一下，ctype.h 函数通常被作为宏（macro）来实现。这些 C 预处理器指令的作用很像函数，但是有一些重要差别。在第 16 章“C 预处理器和 C 库”中我们会介绍宏。

接下来，我们讨论 main（）的圆括号里的 void。

11.8　命令行参数

现代的图形界面出现之前是命令行界面。DOS 和 UNIX 就是例子。命令行（command line）是在一个命令行环境下，用户输入的用于运行程序的行。假定有一个程序在名为 fuss 的文件中，那么在 UNIX 下运行该程序的命令行如下：

```
$ fuss
```

或者在 Windows 命令行模式下，如 Windows XP 命令提示符：

```
C> fuss
```

命令行参数（command-line argument）是同一行中的附加项。如下例：

```
% fuss -r Ginger
```

一个 C 程序可以读取这些附加项为自己所用（请参见图 11.7）。

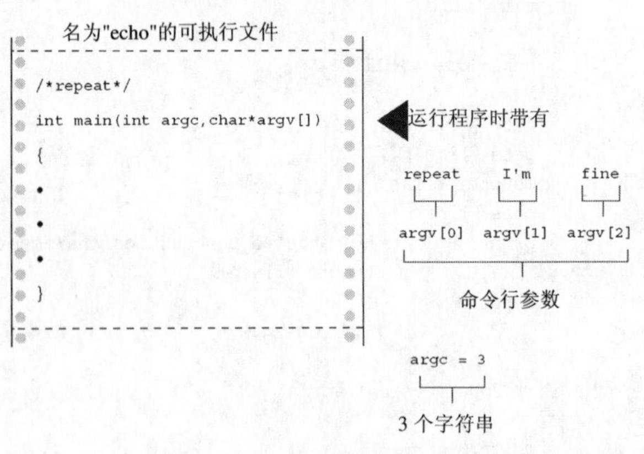

图 11.7　命令行参数

C 程序通过使用 main（）的参数读取这些项目。程序清单 11.27 给出了一个典型例子。

程序清单 11.27　repeat.c 程序

```
/* repeat.c -- 带有参数的 main () 函数 */
#include <stdio.h>
int main (int argc, char *argv[])
{
    int count;

    printf ("The command line has %d arguments: \n", argc - 1);
    for (count = 1; count < argc; count++)
        printf ("%d: %s\n", count, argv[count]);
    printf ("\n");

    return 0;
}
```

把这个程序编译为可执行文件 repeat；下面是从命令行运行该程序的结果：

```
C>repeat Resistance is futile
The command line has 3 arguments:
1: Resistance
2: is
3: futile
```

可以看出为什么该程序被称为 repeat，但是您可能想知道它是怎么工作的。现在我们解释一下。

C 编译器允许 main（）没有参数，或者有两个参数（有些实现允许更多的参数，但这将是对标准的扩展）。有两个参数时，第一个参数是命令行中的字符串数。按照惯例（但不是必须的），这个 int 参数被称为 argc（代表 *arg*ument *c*ount）。系统使用空格判断一个字符串结束、另一个字符串开始。因此，repeat 例子中包括命令名在内有 4 个字符串，fuss 例子有 3 个。第二个参数是一个指向字符串的指针数组。命令行中的每个字符串被存储到内存中，并且分配一个指针指向它。按照惯例，这个指针数组被称为 argv（代表 *arg*ument *v*alue）。如果可以（有些操作系统不允许这样做），把程序本身的名字赋值给 argv[0]。接着，把随后的第一个字符串赋给 argv[1]，等等。对于我们的例子，有表 11.1 所示的关系：

表 11.1　main（）的第二个参数

argv[0]	指向	repeat（对于大多数系统）
argv[1]	指向	Resistance
argv[2]	指向	is
argv[3]	指向	futile

程序清单 11.27 中的程序使用一个 for 循环来依次输出每个字符串。回忆一下，printf（）的%s 说明符需要提供字符串的地址作为参数。每个元素，argv[0]，argv[1]等等，正是一个这样的地址。

该形式和有形式参数的其他函数一样。很多程序员使用不同的方式声明 argv：

```
int main (int argc, char **argv)
```

这种对 argv 的声明和 char *argv[]等价。它意味着 argv 是一个指向“指向字符的指针”的指针。示例程序中那种形式的效果也一样。它有一个包含几个元素的数组。数组名是指向第一个元素的指针，因此 argv 指向 argv[0]，而 argv[0]是一个指向字符的指针。因此，即便在原始的定义中，argv 仍是一个指向“指向字符的指针”的指针。两种形式都可以用，但我们认为第一种形式更清楚地表明 argv 代表一系列字符串。

顺便提一下，很多环境（包括 UNIX 和 DOS）允许使用引号把多个单词集中在一个参数里。例如：

```
repeat "I am hungry" now
```

这个命令会把字符串"I am hungry"分配给 argv[1]，把字符串"now"分配给 argv[2]。

11.8.1 集成环境下的命令行参数

集成的 Windows 环境，比如 Metrowerks CodeWarrior、Microsoft Visual C++和 Borland C/C++，都不使用命令行运行程序。然而，有些环境有菜单选择，可以让您指定命令行参数。其他情况下，您可以在 IDE 中编译程序，然后打开 MS-DOS 窗口用命令行模式运行程序。

11.8.2 Macintosh 的命令行参数

Macintosh 操作系统不使用命令行，但是 Metrowerks CodeWarrior 允许您用 ccommand（）函数模拟命令行环境。您可以使用 console.h 头文件，以如下所示开始程序：

```
#include <stdio.h>
#include <console.h>
int main (int argc, char *argv[])
{
    ...    /* 变量声明 */
    argc = ccommand (&argv);
    ...
}
```

当程序到达 ccommand（）函数调用处时，它就会在屏幕上给出一个对话框，并且提供一个框，您可以在其中键入命令行。然后命令就把命令行单词放到 argv 字符串里，并且返回单词数。当前的工程名称会作为第一个单词出现在命令行框里，这样您就可以在该名字后键入命令行参数。ccommand（）函数还可以模拟重定向。

为什么要在一台 Mac 上做这个？惟一的理由也许就是练习命令行用法，以备日后需要编写基于命令行的程序。既然 Macintosh 已经被移到基于 UNIX 的 Mac OS X 上，Mac 程序员就需要对基于命令行的程序有更深入的了解。

11.9 把字符串转换为数字

数字既能以字符串形式也能以数字形式存储。以字符串形式存储数字就是存储数字字符。例如，数字 213 能以数字'2'、'1'、'3'、'\0'的形式存储在一个字符串数组中。以数字形式存储 213 意味着把它存储为一个 int 数值。

对于数字运算（比如加法运算和比较运算）C 要求数字形式。但是在屏幕上显示数字却要求字符串形式，这是因为屏幕显示的是字符。printf（）和 sprintf（）函数通过%d 或其他说明符把数字形式转换为字符串形式或者相反。C 还有一些函数专门用于把字符串形式转换为数字形式。

例如，假定您想编写一个使用数字命令行参数的程序。很不巧的是，命令行参数是以字符串形式被读取的。因此，要想使用数字值，就必须先把字符串转换为数字。如果数字是个整数，那就可以使用 atoi（）（代表 *alphanumeric to integer*）函数。atoi（）函数以字符串为参数，返回相应的整数值。程序清单 11.28 就是个例子。

程序清单 11.28 hello.c 程序

```
/* hello.c -- 把命令行参数转换为数字 */
#include <stdio.h>
#include <stdlib.h>

int main (int argc, char *argv[])
{
    int i, times;

    if (argc < 2 || (times = atoi (argv[1])) < 1)
        printf ("Usage: %s positive-number\n", argv[0]);
    else
```

```
        for (i = 0; i < times; i++)
            puts ("Hello, good looking!");

    return 0;
}
```

下面是一个运行示例：

```
% hello 3
Hello, good looking!
Hello, good looking!
Hello, good looking!
```

%是 UNIX 提示符。命令行参数 3 以字符串"3\0"的形式存放。atoi（）函数把这个字符串转换为整数 3，然后把 3 赋给 times。这样就决定了 for 循环执行的次数。

如果运行程序时没有提供命令行参数，argc<2 判断就会中断程序并给出一个提示信息。如果 times 为 0 或为负，也会发生同样的情况。C 的逻辑运算符的运算顺序规则确保：如果 argc<2，就不再运算 atoi(argv[1])。

如果字符串只是以一个整数作为开头，atoi（）函数仍然可以工作。在这种情况下，atoi（）函数在遇到非整数部分之前一直转换字符。例如，atoi（"42regular"）返回整数 42。如果命令行类似 hello what，又会出现什么情况呢？在我们使用的 C 实现上，如果参数不能识别为数字，atoi（）函数返回一个 0 值。但 ANSI 标准规定，上述情况下的行为是未定义的。稍后我们将简要介绍的 strtol（）函数可以提供更可靠的错误检测。

我们包含了 stdlib.h 头文件，这是因为在 ANSI C 中这个文件包含了 atoi（）函数的声明。此外，这个头文件还包含了 atof（）和 atol（）函数的声明。atof（）函数把一个字符串转换为 double 类型的值，atol（）函数则把字符串转换为 long 类型的值。它们的作用和 atoi（）函数类似，因此分别为 double 和 long 类型。

ANSI C 提供了这些函数的更复杂版本：strtol（）、strtoul（）和 strtod（）。其中，strtol（）函数把一个字符串转换为 long 型值，strtoul（）函数把一个字符串转换为 unsigned long 型值，strtod（）函数把一个字符串转换为 double 型值。这些函数的复杂性在于它们还可以识别并报告字符串中非数字部分的第一个字符。strtol（）和 strtoul（）函数还允许您指定数字的基数。

下面看一个涉及 strtol（）函数的例子。函数原型如下：

```
long strtol (const char *nptr, char **endptr, int base);
```

在这里，nptr 是一个指向您希望转换的字符串的指针，endptr 是指向标志输入数字的结束字符的指针的地址，base 是数字的基数。程序清单 11.29 中的例子更清楚地表明了这些。

程序清单 11.29　strcnvt.c 程序

```
/* strcnvt.c -- 尝试使用 strtol () 函数 */
#include <stdio.h>
#include <stdlib.h>

int main ()
{
    char number[30];
    char * end;
    long value;

    puts ("Enter a number (empty line to quit): ");
    while (gets (number) && number[0] != '\0')
    {
        value = strtol (number, &end, 10);
        printf ("value: %ld, stopped at %s (%d) \n",
                    value, end, *end);
        value = strtol (number, &end, 16); /* 基于 16 */
        printf ("value: %ld, stopped at %s (%d) \n",
                    value, end, *end);
```

```
        puts ("Next number: ");
    }
    puts ("Bye!\n");

    return 0;
}
```

下面是一些输出示例：

```
Enter a number (empty line to quit):
10
value: 10, stopped at (0)
value: 16, stopped at (0)
Next number:
10atom
value: 10, stopped at atom (97)
value: 266, stopped at tom (116)
Next number:

Bye!
```

首先请注意：如果基数是 10，字符串“10”就被转换为 10；如果基数是 16，字符串“10”就被转换为 16。还要注意，如果 end 指向一个字符，那么*end 就是一个字符。因此，第一次转换在遇到空字符时结束，这样 end 就指向空字符。如果输出 end，会显示一个空字符串，如果用%d 格式输出*end，就会显示空字符的 ASCII 码。

对于输入的第二个字符串（以 10 为基数进行解释），end 是'a'字符的地址。因此，输出 end 显示的是字符串"atom"，输出*end 显示的则是'a'字符的 ASCII 码。但是，如果基值变为 16，'a'字符就会被识别为一个有效的十六进制数字，函数会把十六进制数 10a 转换为十进制的 266。

strtol（）函数最多可以有三十六进制，使用一直到'z'的字母作为数字。strtoul（）函数也一样，但它转换的是无符号值。strtod（）函数只按照十进制进行转换，因此它只使用两个参数。

很多实现中都用 itoa（）和 ftoa（）函数把整数和浮点数转换为字符串。但是，这两个函数并不是 ANSI C 库里的函数；如果要求兼容性更好，可以使用 sprintf（）函数来完成这些功能。

11.10 关键概念

很多程序都需要处理文本数据。一个程序可能会要求您输入姓名、公司列表、地址、某种蕨类植物的名称、乐曲名等等，毕竟我们是用语言和这个世界打交道，使用文本的例子多得不计其数。字符串就是 C 程序处理它们的方式。

C 的字符串，无论是用字符数组还是指针或字符串文字定义的，都是以包含字符编码的一系列字节形式存放，并以空字符为结束标志。C 通过提供一个函数库对字符串进行操作、搜索和分析来实现字符串的广泛用途。特别地，一定要记住在比较字符串时，应该用 strcmp（）函数而不是用关系运算符；应该用 strcpy（）或 strncpy（）函数，而不是用赋值运算符来把字符串赋值给字符数组。

11.11 总结

C 字符串是一串以空字符'\0'结束的 char 类型值。字符串可以存放在字符数组中，也可以用字符串常量表示。在字符串常量中，字符（除了空字符）是被包含在双引号中的。编译器为它加上空字符。因此，存储"joy"时有 4 个字符：j、o、y 和\0。strlen（）函数测得的字符串长度不包括空字符。

字符串常量，又叫做字符串文字，可以用来初始化字符数组。数组大小至少应该比字符串长度大 1，这样才能存放空字符。字符串常量还可以用来初始化指向 char 的指针。

函数利用指向字符串第一个字符的指针来标识它所作用的字符串。通常，相应的实际参数可以是数组名、指针变量或引号中的字符串。这些情况下，传递的都是第一个字符的地址。一般来说，并不需要传递字符串的长度，因为可以根据标志结束的空字符来确定字符串的结束。

gets（）和 puts（）函数分别读取一行输入和进行一行输出。这两个函数都是 stdio.h 系列里的函数。

C 库里有许多处理字符串的函数。在 ANSI C 中，这些函数都是在 string.h 文件中声明的。C 库里还有一些处理字符的函数，它们是在 ctype.h 文件里声明的。

您可以通过给 main()函数提供两个形式合适的变量来使程序获得命令行参数。第一个参数通常被称为 argc，是一个整型数，其值是命令行的单词个数。第二个参数通常被称为 argv，是一个指针，指向一个 char 指针数组。每个指向 char 的指针指向一个命令行参数字符串：argv[0]指向命令名，argv[1]指向第一个命令行参数，等等。

atoi（）、atol（）和 atof（）函数分别把数字的字符串表示转换为 int、long 和 double 形式。strtol（）、strtoul（）和 strtod（）函数分别把数字的字符串表示转换为 long、unsigned long 和 double 形式。

11.12　复习题

1. 下面这个字符串的声明错在哪里？

```
int main (void)
{
char name[] = {'F', 'e', 's', 's' };
...
}
```

2. 下面这个程序会打印出什么？

```
#include <stdio.h>
int main (void)
{
    char note[] = "See you at the snack bar. ";
    char *ptr;

    ptr = note;
    puts (ptr);
    puts (++ptr);
    note[7] = '\0';
    puts (note);
    puts (++ptr);
    return 0;
}
```

3. 下面这个程序会打印出什么？

```
#include <stdio.h>
#include <string.h>
int main (void)
{
    char food[] = "Yummy";
    char *ptr;

    ptr = food + strlen (food);
    while (--ptr >= food)
            puts (ptr);
    return 0;
}
```

4. 下面这个程序会打印出什么？

```
#include <stdio.h>
#include <string.h>
int main (void)
{
    char goldwyn[40] = "art of it all ";
    char samuel[40] = "I read p";
    char *quote = "the way through.";

    strcat (goldwyn, quote);
    strcat (samuel, goldwyn);
    puts (samuel);
    return 0;
}
```

5. 这个练习涉及到了字符串、循环、指针和指针增量的使用。首先，假设已经定义了下面的函数：

```
#include <stdio.h>
char *pr (char *str)
{
    char *pc;

    pc = str;
    while (*pc)
        putchar (*pc++);
    do {
        putchar (*--pc);
        } while (pc - str);
    return (pc);
}
```

考虑下面的函数调用：

```
x = pr ("Ho Ho Ho! ");
```

a. 会打印出什么？

b. x 是什么类型？

c. x 值等于多少？

d. 表达式*--pc 是什么意思？它和--*pc 有什么不同？

e. 如果用*pc--代替*--pc，会打印出什么？

f. 两个 while 表达式有什么判断功能？

g. 如果 pr（）函数的参数是一个空字符串，会有什么结果？

h. 怎样调用函数 pr（）才能实现所示的功能？

6. 假定有下列声明：

```
char sign = '$';
```

sign 的存储需要多少字节？'$'呢？"$"呢？

7. 下面程序会打印出什么？

```
#include <stdio.h>
#include <string.h>
#define M1 "How are ya, sweetie? "
char M2[40] = "Beat the clock.";
char * M3 = "chat";
int main (void)
{
    char words[80];
    printf (M1);
    puts (M1);
    puts (M2);
```

```
    puts(M2 + 1);
    strcpy(words, M2);
    strcat(words, " Win a toy.");
    puts(words);
    words[4] = '\0';
    puts(words);
    while (*M3)
        puts(M3++);
    puts(--M3);
    puts(--M3);
    M3 = M1;
    puts(M3);
    return 0;
}
```

8．下面程序会打印出什么？

```
#include <stdio.h>
int main(void)
{
    char str1[] = "gawsie";
    char str2[] = "bletonism";
    char *ps;
    int i = 0;

    for (ps = str1; *ps != '\0'; ps++) {
            if (*ps == 'a' || *ps == 'e')
                    putchar(*ps);
            else
                    (*ps)--;
            putchar(*ps);
            }
    putchar('\n');
    while (str2[i] != '\0' ) {
            printf("%c", i % 3 ? str2[i] : '*');
            ++i;
            }
    return 0;
}
```

9．strlen（）函数需要一个指向字符串的指针作为参数，并返回字符串的长度。自己编写这个函数。

10．设计一个函数。其参数为一个字符串指针，并且返回一个指针，该指针指向字符串中所指位置后（包括该位置）的第一个空格字符。如果找不到空格字符，就返回空指针。

11．用 ctype.h 中的函数重写程序清单 11.17 中的程序，使得不管用户选择的是大写还是小写，程序都可以识别正确答案。

11.13　编程练习

1．设计并测试一个函数，可以从输入读取 n 个字符（包括空格、制表符和换行符），把结果存储在一个数组中，这个数组的地址通过参数来传递。

2．修改并测试练习 1 中的函数，使得可以在 n 个字符后，或第一个空格、制表符、换行符后停止读取输入，由上述情况中最先被满足的那个终止读取（不能用 scanf（）函数）。

3．设计并测试一个函数，其功能是读取输入行里的第一个单词到数组，并丢掉该行中其他的字符。一个单词的定义是一串字符，其中不含空格、制表符和换行符。

4．设计并测试一个函数，其功能是搜索由函数的第一个参数指定的字符串，在其中查找由函数的第二个参数指定的字符的第一次出现的位置。如果找到，返回指向这个字符的指针；如果没有找到，返回空字符（这种方式和 strchr（）函数的功能一样）。在一个使用循环语句为这个函数提供输入的完整程序中进行测试。

5．编写一个函数 is_within（）。它接受两个参数，一个是字符，另一个是字符串指针。其功能是如果字符在字符串中，就返回一个非 0 值（真）；如果字符不在字符串中，就返回 0 值（假）。在一个使用循环语句为这个函数提供输入的完整程序中进行测试。

6．strncpy（s1，s2，n）函数从 s2 复制 n 个字符给 s1，并在必要时截断 s2 或为其填充额外的空字符。如果 s2 的长度等于或大于 n，目标字符串就没有标志结束的空字符。函数返回 s1。自己编写这个函数，并在一个使用循环语句为这个函数提供输入的完整程序中进行测试。

7．编写一个函数 string_in（），它接受两个字符串指针参数。如果第二个字符串被包含在第一个字符串中，函数就返回被包含的字符串开始的地址。例如，string_in（"hats"，"at"）返回 hats 中 a 的地址，否则，函数返回空指针。在一个使用循环语句为这个函数提供输入的完整程序中进行测试。

8．编写一个函数，其功能是使输入字符串反序。在一个使用循环语句为这个函数提供输入的完整程序中进行测试。

9．编写一个函数。其参数为一个字符串，函数删除字符串中的空格。在一个可以循环读取的程序中进行测试，直到用户输入空行。对于任何输入字符串，函数都应该适用并可以显示结果。

10．编写一个程序，读取输入，直到读入了 10 个字符串或遇到 EOF，由二者中最先被满足的那个终止读取过程。这个程序可以为用户提供一个有 5 个选项的菜单：输出初始字符串列表、按 ASCII 顺序输出字符串、按长度递增顺序输出字符串、按字符串中第一个单词的长度输出字符串和退出。菜单可以循环，直到用户输入退出请求。当然，程序要能真正完成菜单中的各项功能。

11．编写一个程序。功能是读取输入，直到遇到 EOF，并报告单词数、大写字母数、小写字母数、标点符号数和数字字符数。使用 ctype.h 系列的函数。

12．编写一个程序，按照相反的单词顺序显示命令行参数。即，如果命令行参数是 see you later，程序的显示应该为 later you see。

13．编写一个计算乘幂的基于命令行的程序。第一个命令行参数为 double 类型数，作为幂的底数；第二个参数为整数，作为幂的指数。

14．使用字符分类函数实现 atoi（）函数。

15．编写一个程序，其功能是读取输入，直到遇到文件结尾，并把文件显示出来。要求程序可以识别并执行下面的命令行参数：

-p	按照原样显示输入
-u	把输入全部转换为大写
-l	把输入全部转换为小写

第 12 章　存储类、链接和内存管理

在本章中您将学习下列内容：

- 关键字：
  auto, extern, static, register, const, volatile, restricted
- 函数：
  rand ( ), srand ( ), time ( ), malloc ( ), calloc ( ), free ( )
- 在 C 中如何确定变量的作用域（它在多大范围内可知）以及变量的生存期（它存在多长时间）。
- 设计更复杂的程序。

C 的强大功能之一在于它允许您控制程序的细节。C 的内存管理系统正是这种控制能力的例子，它通过让您决定哪些函数知道哪些变量以及一个变量在程序中存在多长时间来实现这种控制。使用内存存储是程序设计的又一元素。

12.1　存储类

C 为变量提供了 5 种不同的存储模型，或称存储类。还有基于指针的第 6 种存储模型，本章稍后（“分配内存 malloc()和 free()”小节）将会提到。可以按照一个变量（更一般地，一个数据对象）的存储时期（storage duration）描述它，也可以按照它的作用域（scope）以及它的链接（linkage）来描述它。存储时期就是变量在内存中保留的时间，变量的作用域和链接一起表明程序的哪些部分可以通过变量名来使用该变量。不同的存储类提供了变量的作用域、链接以及存储时期的不同组合。您可以拥有供多个不同的源代码文件共享的变量、某个特定文件中的所有函数都可以使用的变量、只有在某个特定函数中才可以使用的变量、甚至只有某个函数的一个小部分内可以使用的变量。

您可以拥有在整个程序运行期间都存在的变量，或者只有在包含该变量的函数执行时才存在的变量。您也可以使用函数调用为数据的存储显式地分配和释放内存。

在分析这 5 种存储类之前，我们需要研究这些术语的意义：作用域、链接以及存储时期。然后，我们再介绍具体的存储类。

12.1.1　作用域

作用域描述了程序中可以访问一个标识符的一个或多个区域。一个 C 变量的作用域可以是代码块作用域、函数原型作用域，或者文件作用域。到目前为止的程序实例中使用的都是代码块作用域变量。回忆一下，一个代码块是包含在开始花括号和对应的结束花括号之内的一段代码。例如，整个函数体是一个代码块。一个函数内的任一复合语句也是一个代码块。在代码块中定义的变量具有代码块作用域（block scope），从该变量被定义的地方到包含该定义的代码块的末尾该变量均可见。另外，函数的形式参量尽管在函数的开始花括号前进行定义，同样也具有代码块作用域，隶属于包含函数体的代码块。所以我们迄今为止使用的局部变量，包括函数的

形式参量，都具有代码块作用域。因此，下面代码中的变量cleo和patrick都有直到结束花括号的代码块作用域。

```
double blocky (double cleo)
{
    double patrick = 0.0;
    ...
    return patrick;
}
```

在一个内部代码块中声明的变量，其作用域只局限于该代码块：

```
double blocky (double cleo)
{
    double patrick = 0.0;
    int i;
    for (i = 0; i < 10; i++)
    {
        double q = cleo * i;    // q作用域的开始
        ...
        patrick *= q;
    }                           // q作用域的结束
    ...
      return patrick;
}
```

在这个例子中，q的作用域被限制在内部代码块内，只有该代码块内的代码可以访问q。

传统上，具有代码块作用域的变量都必须在代码块的开始处进行声明。C99放宽了这一规则，允许在一个代码块中任何位置声明变量。一个新的可能是变量声明可以出现在for循环的控制部分，也就是说，现在可以这样做：

```
for (int i = 0; i < 10; i++)
    printf ("A C99 feature: i = %d", i);
```

作为这一新功能的一部分，C99把代码块的概念扩大到包括由for循环、while循环、do while循环或者if语句所控制的代码——即使这些代码没有用花括号括起来。因此在前述for循环中，变量i被认为是for循环代码块的一部分。这样它的作用域就限于这个for循环，程序的执行离开该for循环后就不再能看到变量i了。

函数原型作用域（function prototype scope）适用于函数原型中使用的变量名，如下所示：

```
int mighty (int mouse, double large);
```

函数原型作用域从变量定义处一直到原型声明的末尾。这意味着编译器在处理一个函数原型的参数时，它所关心的只是该参数的类型；您使用什么名字（如果使用了的话）通常是无关紧要的，不需要使它们和在函数定义中使用的变量名保持一致。名字起作用的一种情形是变长数组参量：

```
void use_a_VLA (int n, int m, ar[n][m]);
```

如果在方括号中使用了变量名，则该变量名必须是在原型中已经声明了的。

一个在所有函数之外定义的变量具有文件作用域（file scope）。具有文件作用域的变量从它定义处到包含该定义的文件结尾处都是可见的。看看下面的例子：

```
#include <stdio.h>
int units = 0;          /* 具有文件作用域的变量 */
void critic (void);
int main (void)
{
   ...
}

void critic (void)
{
```

```
    ...
}
```

这里，变量 units 具有文件作用域，在 main（）和 critic（）中都可以使用它。因为它们可以在不止一个函数中使用，文件作用域变量也被称为全局变量（global variable）。

另外还有一种被称为函数作用域（function scope）的作用域，但它只适用于 goto 语句使用的标签。函数作用域意味着一个特定函数中的 goto 标签对该函数中任何地方的代码都是可见的，无论该标签出现在哪一个代码块中。

12.1.2　链接

接下来，让我们看看链接。一个 C 变量具有下列链接之一：外部链接（external linkage），内部链接（internal linkage），或空链接（no linkage）。具有代码块作用域或者函数原型作用域的变量有空链接，意味着它们是由其定义所在的代码块或函数原型所私有的。具有文件作用域的变量可能有内部或者外部链接。一个具有外部链接的变量可以在一个多文件程序的任何地方使用。一个具有内部链接的变量可以在一个文件的任何地方使用。

那么怎样知道一个文件作用域变量具有内部链接还是外部链接？您可以看看在外部定义中是否使用了存储类说明符 static：

```
int giants = 5;              // 文件作用域，外部链接
static int dodgers = 3;      // 文件作用域，内部链接
int main ()
{
    ...
}
    ...
```

和该文件属于同一程序的其他文件可以使用变量 giants。变量 dodgers 是该文件私有的，但是可以被该文件中的任一函数使用。

12.1.3　存储时期

一个 C 变量有以下两种存储时期之一：静态存储时期（static storage duration）和自动存储时期（automatic storage duration）。如果一个变量具有静态存储时期，它在程序执行期间将一直存在。具有文件作用域的变量具有静态存储时期。注意对于具有文件作用域的变量，关键词 static 表明链接类型，并非存储时期。一个使用 static 声明了的文件作用域变量具有内部链接，而所有的文件作用域变量，无论它具有内部链接，还是具有外部链接，都具有静态存储时期。

具有代码块作用域的变量一般情况下具有自动存储时期。在程序进入定义这些变量的代码块时，将为这些变量分配内存；当退出这个代码块时，分配的内存将被释放。该思想把自动变量使用的内存视为一个可以重复使用的工作区或者暂存内存。例如，在一个函数调用结束后，它的变量所占用的内存可被用来存储下一个被调用函数的变量。

迄今为止我们使用的局部变量都属于自动类型。例如，在下列代码中，变量 number 和 index 在每次开始调用函数 bore（）时生成，在每次结束函数调用时消失：

```
void bore (int number)
{
    int index;
    for (index = 0; index < number; index++)
        puts ("They don't make them the way they used to.\n");
    return 0;
}
```

C 使用作用域、链接和存储时期来定义 5 种存储类：自动、寄存器、具有代码块作用域的静态、具有外部链接的静态，以及具有内部链接的静态。表 12.1 列出了这些组合。现在已经介绍了作用域、链接和存储时期，我们可以详细地讨论这些存储类了。

表 12.1　　5 种存储类

存储类	时期	作用域	链接	声明方式
自动	自动	代码块	空	代码块内
寄存器	自动	代码块	空	代码块内，使用关键字 register
具有外部链接的静态	静态	文件	外部	所有函数之外
具有内部链接的静态	静态	文件	内部	所有函数之外，使用关键字 static
空链接的静态	静态	代码块	空	代码块内，使用关键字 static

12.1.4　自动变量

属于自动存储类的变量具有自动存储时期、代码块作用域和空链接。默认情况下，在代码块或函数的头部定义的任意变量都属于自动存储类。然而，也可以如下面所示的那样显式地使用关键字 auto 使您的这个意图更清晰：

```
int main (void)
{
    auto int plox;
```

例如，为了表明有意覆盖一个外部函数定义时，或者为了表明不能把变量改变为其他存储类这一点很重要时，可以这样做。关键字 auto 称为存储类说明符（storage class specifier）。

代码块作用域和空链接意味着只有变量定义所在的代码块才可以通过名字访问该变量（当然，可以用参数向其他函数传送该变量的值和地址，但那是以间接的方式知道的）。另一个函数可以使用具有同样名字的变量，但那将是存储在不同内存位置中的一个独立变量。

回忆一下，自动存储时期意味着在程序进入包含变量声明的代码块时，变量开始存在。当程序离开这个代码块时，自动变量消失了。它所占用的内存可用来做别的事情。

再来仔细看一下嵌套代码块。只有定义变量的代码块及其内部的任何代码块可以访问这个变量：

```
int loop (int n)
{
    int m;              // m 的作用域
    scanf ("%d", &m);
    {
          int i;       // m 和 i 的作用域
          for (i = m; i < n; i++)
              puts ("i is local to a sub-block\n");
    }
    return m;           // m 的作用域，i 已经消失
}
```

在这段代码中，变量 i 仅在内层花括号中是可见的。如果试图在内层代码块之前或之后使用该变量，将得到一个编译错误。通常，在设计程序时不使用这一特性。然而有些时候，如果其他地方用不到这个变量的话，在子代码块中定义一个变量是有用的。通过这种方式，您可以在使用变量的位置附近说明变量的含义。而且，变量只会在需要它时才占用内存。变量 n 和 m 在函数头部和外层代码块中定义，在整个函数中可用，并一直存在到函数终止。

如果在内层代码块定义了一个具有和外层代码块变量同一名字的变量，将发生什么？那么在内层代码块定义的名字是内层代码块所使用的变量。我们称之为内层定义覆盖（hide）了外部定义，但当运行离开内层代码块时，外部变量重新恢复作用。程序清单 12.1 对此进行了示例说明。

程序清单 12.1　hiding.c 程序

```
/* hiding.c - 代码块内的变量 */
#include <stdio.h>
int main ()
{
```

```
    int x = 30;         /* 初始化 x */
    printf ("x in outer block: %d\n", x);
    {
        int x = 77;  /* 新的 x，覆盖第一个 x */
        printf ("x in inner block: %d\n", x);
    }
    printf ("x in outer block: %d\n", x);
    while (x++ < 33)        /* 初始化 x */
    {
        int x = 100; /* 新的 x，覆盖第一个 x */
        x++;
        printf ("x in while loop: %d\n", x);
    }
     printf ("x in outer block: %d\n", x);
    return 0;
}
```

输出如下：

```
x in outer block: 30
x in inner block: 77
x in outer block: 30
x in while loop: 101
x in while loop: 101
x in while loop: 101
x in outer block: 34
```

首先，程序创建了一个变量 x 并为其赋值 30，如第一个 printf（）语句所示。接着定义了一个新的值为 77 的变量 x，如第二个 printf（）语句所示。第三个 printf（）语句显示出是一个新的变量覆盖了初始的变量 x。该语句位于第一个内层代码块后，显示出起始的 x 值，表明起始的变量 x 既没有消失也不曾改变过。

该程序最令人迷惑的部分也许是 while 循环。这个 while 循环的判断使用了起始的 x：

```
while (x++ < 33)
```

然而，在循环内部，程序看到了第三个 x 变量，即在 while 循环代码块内定义的一个变量。因此，当循环体中的代码使用 x++时，是新的 x 被递增到 101，接着被显示。每次循环结束以后，新的 x 就消失了。然后循环条件判断语句使用并递增起始的 x，又进入循环代码块，再次创建新的 x。在本例中，新的 x 创建和消亡了 3 次。注意，该循环必须在条件判断语句中递增 x，因为若在循环体内递增 x 的话，递增的将是另一个 x 而非判断所用的那个 x。

这个例子并不是要鼓励您写类似的代码，而是举例说明在一个代码块中定义变量时将会发生什么。

一、不带{}的代码块

先前曾提到 C99 有一个特性，语句若为循环或者 if 语句的一部分，即使没有使用{}，也认为是一个代码块。更完整地说，整个循环是该循环所在代码块的子代码块，而循环体是整个循环代码块的子代码块。与之类似，if 语句是一个代码块，其相关子语句也是 if 语句的子代码块。这一规则影响到您能够在何处定义变量以及该变量的作用域。程序清单 12.2 显示了在一个 for 循环中该特性是如何作用的。

程序清单 12.2　forc99.c 程序

```
// forc99.c -- C99 关于代码块的新规则
#include <stdio.h>
int main ()
{
    int n = 10;

    printf ("Initially, n = %d\n", n);
    for (int n = 1; n < 3; n++)
        printf ("loop 1: n = %d\n", n);
```

```
    printf ("After loop 1, n = %d\n", n);
    for (int n = 1; n < 3; n++)
    {
        printf ("loop 2 index n = %d\n", n);
        int n = 30;
        printf ("loop 2: n = %d\n", n);
        n++;
    }
    printf ("After loop 2, n = %d\n", n);

    return 0;
}
```

输出如下，假设编译器支持这一特定的 C99 特性：

```
Initially, n = 10
loop 1: n = 1
loop 1: n = 2
After loop 1, n = 10
loop 2 index n = 1
loop 2: n = 30
loop 2 index n = 2
loop 2: n = 30
After loop 2, n = 10
```

对 C99 的支持

有些编译器可能不支持这些新的 C99 作用域规则。其他的编译器可能提供一个激活这些规则的选项。例如，在编写本书的时候，gcc 默认地支持很多 C99 特性，但是需要使用 -std=c99 选项来激活这些规则：

gcc -std=c99 forc99.c

在第一个 for 循环的控制部分中声明的 n 到该循环末尾一直起作用，覆盖了初始的 n。但在运行完该循环后，初始的 n 恢复作用。

在第二个 for 循环中，n 声明为一个循环索引，覆盖了初始的 n。接着，在循环体内声明的 n 覆盖了循环索引 n。当程序执行完循环体后，在循环体内声明的 n 消失，循环判断使用索引 n。整个循环终止时，初始的 n 又恢复作用。

二、自动变量的初始化

除非您显式地初始化自动变量，否则它不会被自动初始化。考虑下列声明：

```
int main (void)
{
    int repid;
    int tents = 5;
```

变量 tents 初始化为 5，而变量 repid 的初值则是先前占用分配给它的空间的任意值。不要指望这个值是 0。倘若一个非常量表达式中所用到的变量先前都定义过的话，可将自动变量初始化为该表达式：

```
int main (void)
{
    int ruth = 1;
    int rance = 5 * ruth; // 使用先前定义过的变量
```

12.1.5 寄存器变量

通常，变量存储在计算机内存中。如果幸运，寄存器变量可以被存储在 CPU 寄存器中，或更一般地，存储在速度最快的可用内存中，从而可以比普通变量更快地被访问和操作。因为寄存器变量多是存放在一个寄存器而非内存中，所以无法获得寄存器变量的地址。但在其他的许多方面，寄存器变量与自动变量是一样的。也就是说，它们都有代码块作用域、空链接以及自动存储时期。通过使用存储类说明符 register 可以声明寄存器变量：

```
int main (void)
{
     register int quick;
```

我们说"如果幸运"是因为声明一个寄存器类变量仅是一个请求，而非一条直接的命令。编译器必须在您的请求与可用寄存器的个数或可用高速内存的数量之间做权衡，所以您可能达成不了自己的愿望。这种情况下，变量成为一个普通的自动变量；然而，您依然不能对它使用地址运算符。

可以把一个形式参量请求为寄存器变量。只需在函数头部使用 register 关键字：

```
void macho (register int n)
```

可以使用 register 声明的类型是有限的。例如，处理器可能没有足够大的寄存器来容纳 double 类型。

12.1.6 具有代码块作用域的静态变量

静态变量（static variable）这一名称听起来很矛盾，像是一个不可变的变量。实际上，"静态"是指变量的位置固定不动。具有文件作用域的变量自动（也是必须的）具有静态存储时期。也可以创建具有代码块作用域，兼具静态存储的局部变量。这些变量和自动变量具有相同的作用域，但当包含这些变量的函数完成工作时，它们并不消失。也就是说，这些变量具有代码块作用域、空链接，却有静态存储时期。从一次函数调用到下一次调用，计算机都记录着它们的值。这样的变量通过使用存储类说明符 static（这提供了静态存储时期）在代码块内声明（这提供了代码块作用域和空链接）创建。程序清单 12.3 中的例子说明了这一技术。

程序清单 12.3　loc_stat.c 程序

```
/* loc_stat.c -- 使用一个局部静态变量 */
#include <stdio.h>
void trystat (void);
int main (void)
{
    int count;

    for (count = 1; count <= 3; count++)
    {
        printf ("Here comes iteration %d: \n", count);
        trystat ();
    }
    return 0;
}
void trystat (void)
{
    int fade = 1;
    static int stay = 1;

    printf ("fade = %d and stay = %d\n", fade++, stay++);
}
```

注意，trystat（）在打印出每个变量的值后递增变量。运行程序将返回下列结果：

```
Here comes iteration 1:
fade = 1 and stay = 1
Here comes iteration 2:
fade = 1 and stay = 2
Here comes iteration 3:
fade = 1 and stay = 3
```

静态变量 stay 记得它的值曾被加 1，而变量 fade 每次都重新开始。这表明了初始化的不同：在每次调用 trystat（）时 fade 都被初始化，而 stay 只在编译 trystat（）时被初始化一次。如果不显式地对静态变量进行初始化，它们将被初始化为 0。

下面两个声明看起来很相似：

```
int fade = 1;
static int stay = 1;
```

然而，第一个语句确实是函数 trystat（）的一部分，每次调用该函数时都会执行它。它是个运行时的动作。而第二个语句实际上并不是函数 trystat（）的一部分。如果用调试程序逐步运行该程序，您会发现程序看起来跳过了那一步。那是因为静态变量和外部变量在程序调入内存时已经就位了。把这个语句放在 trystat（）函数中是为了告诉编译器只有函数 trystat（）可以看到该变量。它不是在运行时执行的语句。

对函数参量不能使用 static：

```
int wontwork (static int flu); // 不允许
```

阅读一些老的 C 文献时，您会发现该存储类被归为内部静态存储类。然而，这里的内部一词被用来表明在函数内部，而不是内部链接。

12.1.7 具有外部链接的静态变量

具有外部链接的静态变量具有文件作用域、外部链接和静态存储时期。这一类型有时被称为外部存储类（external storage class），这一类型的变量被称为外部变量（external variable）。把变量的定义声明放在所有函数之外，即创建了一个外部变量。为了使程序更加清晰，可以在使用外部变量的函数中通过使用 extern 关键字来再次声明它。如果变量是在别的文件中定义的，使用 extern 来声明该变量就是必须的。应该像这样声明：

```
int Errupt;                 /* 外部定义的变量            */
double Up[100];             /* 外部定义的数组            */
extern char Coal;           /* 必须的声明                */
                            /* 因为 Coal 在其他文件中定义 */
void next (void);
int main (void)
{
    extern int Errupt;      /* 可选的声明                */

    extern double Up[];     /* 可选的声明                */
    ...
}
void next (void)
{
    ...
}
```

Errupt 的两次声明是个链接的例子，因为它们都指向同一变量。外部变量具有外部链接，稍后我们将再提到这一点。

请注意不必在 double Up 的可选声明中指明数组大小。第一次声明已提供了这一信息。因为外部变量具有文件作用域，它们从被声明处到文件结尾都是可见的，所以 main（）中的一组 extern 声明完全可以省略掉。而它们出现在那里，作用只不过是表明 main（）函数使用这些变量。

如果函数中的声明漏掉了 extern，就会建立一个独立的自动变量。也就是说，如果在 main（）中用：

```
extern int Errupt;
```

替换：

```
int Errupt;
```

将使编译器创建一个名为 Errupt 的自动变量。它将是一个独立的局部变量，而不同于初始的 Errupt。在程序执行 main（）时该局部变量会起作用；但在像 next（）这种同一文件内的其他函数中，外部的 Errupt

将起作用。简言之，在程序执行代码块内语句时，代码块作用域的变量覆盖了具有文件作用域的同名变量。

外部变量具有静态存储时期。因此，数组 Up 一直存在并保持其值，不管程序是否在执行 main ()、next () 还是其他函数。

下列 3 个例子展示了外部变量和自动变量的 4 种可能组合。例 1 中有一个外部变量：Hocus。它对 main () 和 magic () 都是可见的。

```
/* 例 1 */
int Hocus;
int magic ();
int main (void)
{
    extern int Hocus;        // 声明 Hocus 为外部变量
    ...
}
int magic ()
{
    extern int Hocus;        // 与上面的 Hocus 是同一变量
    ...
}
```

例 2 中有一个外部变量 Hocus，对两个函数都是可见的。这次，magic () 通过默认方式获知外部变量。

```
/* 例 2 */
int Hocus;
int magic ();
int main (void)
{
    extern int Hocus;        // 声明 Hocus 为外部变量
    ...
}
int magic ()
{
                             // 未声明 Hocus，但知道该变量
    ...
}
```

在例 3 中，创建了 4 个独立的变量。main () 中的 Hocus 默认为自动变量，而且是 main () 的局部变量。magic () 中的 Hocus 被显式地声明为自动变量，只对 magic () 可见。外部变量 Hocus 对 main () 或 magic () 不可见，但对文件中其他不单独拥有局部 Hocus 的函数都可见。最后，Pocus 是一个外部变量，对 magic () 可见而对 main () 不可见，因为 Pocus 的声明在 main () 之后。

```
/* 例 3 */
int Hocus;
int magic ();
int main (void)
{
    int Hocus;          // 声明 Hocus，默认为自动变量
    ...
}
int Pocus;
int magic ()
{
    auto int Hocus;     // 把局部变量 Hocus 显式地声明为自动变量
    ...
}
```

这些例子说明了外部变量的作用域：从声明的位置开始到文件结尾为止。它们也说明了外部变量的生存期。外部变量 Hocus 和 Pocus 存在的时间与程序运行时间一样，并且它们不局限于任一函数，在一个特定函数返回时并不消失。

一、外部变量初始化

和自动变量一样，外部变量可以被显式地初始化。不同于自动变量的是，如果您不对外部变量进行初始化，它们将自动被赋初值 0。这一原则也适用于外部定义的数组元素。不同于自动变量，只可以用常量表达式来初始化文件作用域变量：

```
int x = 10;               // 可以，10 是常量
int y = 3 + 20;           // 可以，一个常量表达式
size_t z = sizeof (int);  // 可以，一个常量表达式
int x2 = 2 * x;           // 不可以，x 是一个变量
```

（只要类型不是一个变长数组，sizeof 表达式就被认为是常量表达式。）

二、外部变量的使用

我们来看一个包含有外部变量的简单例子。特别地，假设需要两个分别叫作 main（）和 critic（）的函数来访问变量 units。可以如程序清单 12.4 所示，在这两个函数之外的开始处声明变量 units。

程序清单 12.4　global.c 程序

```
/* global.c  -- 使用外部变量 */
#include <stdio.h>
int units = 0;              /* 一个外部变量   */
void critic (void);
int main (void)
{
    extern int units;       /* 可选的二次声明 */

    printf ("How many pounds to a firkin of butter?\n");
    scanf ("%d", &units);
    while (units != 56)
        critic ();
    printf ("You must have looked it up!\n");
    return 0;
}
void critic (void)
{
    /* 这里省略了可选的二次声明 */
    printf ("No luck, chummy. Try again.\n");
    scanf ("%d", &units);
}
```

下面是一个输出示例：

```
How many pounds to a firkin of butter?
14
No luck, chummy. Try again.
56
You must have looked it up!
```

注意函数 critic（）是怎样读取 units 的第二个值的；当 main（）结束 while 循环时，也知道了新值。因此，两个函数 main（）和 critic（）都用标识符 units 来访问同一个变量。在 C 的术语中，称 units 具有文件作用域、外部链接以及静态存储时期。

通过在所有函数定义的外面（外部）定义变量 units，它成为一个外部变量。要使 units 对文件中随后的全部函数都可用，只需像前面这样做即可。

来看一些细节。首先，units 声明所在的位置使得它对后面的函数可用，而不需采取任何其他操作。这样，critics（）就可以使用变量 units。

与之类似，也不需要做任何事来允许 main（）访问 units。然而，main（）中确实有如下的声明：

```
extern int units;
```

在这个例子中，声明主要是使程序的可读性更好。存储类说明符 extern 告诉编译器在该函数中用到的 units 都是指同一个在函数外部（甚至在文件之外）定义的变量。再次，main（）和 critic（）都使用了外部定义的 units。

三、外部名字

C99 标准要求编译器识别局部标识符的前 63 个字符和外部标识符的前 31 个字符。这修订了以前的要求：识别局部标识符的前 31 个字符和外部标识符的前 6 个字符。因为 C99 标准相对新一些，很可能您还是依照旧规则工作。对外部变量名字规定比对局部变量名字规定更严格，是因为外部名字需要遵守局部环境的规则，而该规则可能是有更多限制的。

四、定义和声明

我们来更为仔细地看一下变量定义与变量声明的区别。考虑下面的例子：

```
int tern = 1;                /* 定义tern */
main ()
{
    external int tern;       /* 使用在其他地方定义的tern变量 */
```

这里，tern 声明了两次。第一次声明为变量留出了存储空间。它构成了变量的定义。第二次声明只是告诉编译器要使用先前定义的变量 tern，因此不是一个定义。第一次声明称为定义声明（defining declaration），第二次声明称为引用声明（referencing declaration）。关键字 extern 表明该声明不是一个定义，因为它指示编译器参考其他地方。

如果这样做：

```
extern int tern;
int main (void)
{
```

那么编译器假定 tern 的真正定义是在程序中其他某个地方，也许是在另一个文件中。这样的声明不会引起空间分配。因此，不要用关键字 extern 来进行外部定义；只用它来引用一个已经存在的外部定义。

一个外部变量只可进行一次初始化，而且一定是在变量被定义时进行。下面的语句是错的：

```
extern char permis = 'Y'; /* 错误 */
```

因为关键字 extern 的存在标志着这是一个引用声明，而非定义声明。

12.1.8　具有内部链接的静态变量

这种存储类的变量具有静态存储时期、文件作用域以及内部链接。通过使用存储类说明符 static 在所有函数外部进行定义（正如定义外部变量那样）来创建一个这样的变量：

```
static int svil = 1; // 具有内部链接的静态变量
int main (void)
{
```

以前称这类变量为外部静态（external static）变量，但因为它们具有内部链接，因此有点让人困惑。很不幸，没有新的简称来代替外部静态一词，只能使用“具有内部链接的静态变量”（static variable with internal linkage）。普通的外部变量可以被程序的任一文件中所包含的函数使用，而具有内部链接的静态变量只可以被与它在同一个文件中的函数使用。可以在函数中使用存储类说明符 extern 来再次声明任何具有文件作用域的变量。这样的声明并不改变链接。考虑如下代码：

```
int traveler = 1;            // 外部链接
static int stayhome = 1;     // 内部链接
```

```
int main()
{
    extern int traveler;    // 使用全局变量traveler
    extern int stayhome;    // 使用全局变量stayhome
```

对这个文件来说 traveler 和 stayhome 都是全局的，但只有 traveler 可以被其他文件中的代码使用。使用 extern 的两个声明表明 main（）在使用两个全局变量，但 stayhome 仍具有内部链接。

12.1.9 多文件

只有在使用一个由多文件构成的程序时，内部链接和外部链接的区别才显得重要，因此我们简要地谈一下这个问题。

复杂的 C 程序往往使用多个独立的代码文件。有些时候，这些文件可能需要共享一个外部变量。ANSI C 通过在一个文件中定义变量，在其他文件中引用声明这个变量来实现共享。也就是说，除了一个声明（定义声明）外，其他所有声明都必须使用关键字 extern，并且只有在定义声明中才可以对该变量进行初始化。

注意：除非在第二个文件中也声明了该变量（通过使用 extern），否则在一个文件中定义的外部变量不可以用于第二个文件。一个外部变量声明本身只是使一个变量可能对其他文件可用。

然而历史上，许多编译器对这一问题遵循了不同的规则。例如在许多 UNIX 系统中，如果包含初始化的外部变量声明不超过一个的话，允许在多个文件中来声明该变量而不使用 extern 关键字。如果有一个包含初始化的声明，该声明就被当作变量的定义。

12.2 存储类说明符

您可能已经注意到关键字 static 和 extern 的意义随上下文而不同。C 语言中有 5 个作为存储类说明符的关键字，它们是 auto、register、static、extern 以及 typedef。关键字 typedef 与内存存储无关，由于语法原因被归入此类。特别地，不可以在一个声明中使用一个以上存储类说明符，这意味着不能将其他任一存储类说明符作为 typedef 的一部分。

说明符 auto 表明一个变量具有自动存储时期。该说明符只能用在具有代码块作用域的变量声明中，而这样的变量已经拥有自动存储时期，因此它主要用来明确指出意图，使程序更易读。

说明符 register 也只能用于具有代码块作用域的变量。它将一个变量归入寄存器存储类，这相当于请求将该变量存储在一个寄存器内，以更快地存取。它的使用也使您不能获得变量的地址。

说明符 static 在用于具有代码块作用域的变量的声明时，使该变量具有静态存储时期，从而得以在程序运行期间（即使在包含该变量的代码块并没有运行时）存在并保留其值。变量仍具有代码块作用域和空链接。static 用于具有文件作用域的变量的声明时，表明该变量具有内部链接。

说明符 extern 表明您在声明一个已经在别处定义了的变量。如果包含 extern 的声明具有文件作用域，所指向的变量必然具有外部链接。如果包含 extern 的声明具有代码块作用域，所指向的变量可能具有外部链接也可能具有内部链接，这取决于该变量的定义声明。

总结：存储类

自动变量具有代码块作用域、空链接和自动存储时期。它们是局部的，为定义它们的代码块（通常是一个函数）所私有。寄存器变量与自动变量具有相同的属性，但编译器可能使用速度更快的内存或寄存器来存储它们。无法获取一个寄存器变量的地址。

具有静态存储时期的变量可能具有外部链接、内部链接或空链接。当变量在文件的所有函数之外声明时，它是一个具有文件作用域的外部变量，具有外部链接和静态存储时期。如果在这样的声明中再加上关键字 static，将获得一个具有静态存储时期、文件作用域和内部链接的变量。如果在一个函数内使用关键字 static 声明变量，变量将具有静态存储时期、代码块作用域和空链接。

当程序执行到包含变量声明的代码块时，给具有自动存储时期的变量分配内存，并在代码块结束时释放这部分内存。如果没有初始化，这样的变量具有一个无效值。在程序编译时给具有静态存储时期的变量分配内存，并且在程序运行时一直保持。如果没有初始化，这样的变量被设置为 0。具有代码块作用域的变量局部于包含变量声明的代码块。

具有文件作用域的变量对文件中在它的声明之后的所有函数可见。如果一个文件作用域变量具有外部链接，则它可被程序中的其他文件使用。如果一个文件作用域变量具有内部链接，它只能在声明它的文件中使用。

下面给出了一个使用全部 5 种存储类的小程序。它由两个文件（程序清单 12.5 和程序清单 12.6）组成，因此您需要进行多文件编译（请参见第 9 章“函数”，或您的编译器指导手册）。程序的主要目的是使用全部 5 种存储类，并非提供一个设计范例；更好的设计将不需要文件作用域变量。

程序清单 12.5　parta.c 文件

```
// parta.c --- 各种存储类
#include <stdio.h>
void report_count ();
void accumulate (int k);
int count = 0;          // 文件作用域，外部链接
int main (void)
{
    int value;          // 自动变量
    register int i;     // 寄存器变量

    printf ("Enter a positive integer (0 to quit): ");
    while (scanf ("%d", &value) == 1 && value > 0)
    {
        ++count;        // 使用文件作用域变量
        for (i = value; i >= 0; i--)
            accumulate (i);
        printf ("Enter a positive integer (0 to quit): ");
    }
    report_count ();
    return 0;
}

void report_count ()
{
    printf ("Loop executed %d times\n", count);
}
```

程序清单 12.6　partb.c 文件

```
// partb.c -- 程序的其余部分
#include <stdio.h>

extern int count;                   // 引用声明，外部链接

static int total = 0;               // 静态定义，内部链接
void accumulate (int k)            //原型
void accumulate (int k)             // k 具有代码块作用域、空链接
{
    static int subtotal = 0;        // 静态、空链接

    if (k <= 0)
    {
        printf ("loop cycle: %d\n", count);
        printf ("subtotal: %d; total: %d\n", subtotal, total);
        subtotal = 0;
```

```
    }
    else
    {
        subtotal += k;
        total += k;
    };
}
```

在该程序中，具有代码块作用域的静态变量 subtotal 保存运行时传递给函数 accumulate（）的数值的部分和具有文件作用域、内部链接的变量 total 保存运行时的总和。一旦有非正数传入，函数 accumulate（）就报告 total 和 subtotal 的值；并在报告时将 subtotal 重置为 0。parta.c 中的函数 accumulate（）函数原型是必须的，因为文件包含了一个 accumulate（）函数调用。对于 partb.c 来说，函数原型是可选的，因为这个函数虽然定义了，但是并没有在该文件中被调用。函数同时使用外部变量 count 来记录 main（）中的 while 循环执行了多少次（顺便提一下，这是一个什么情形下不应使用外部变量的反面例子，因为它使 parta.c 和 partb.c 的代码不必要地纠缠在一起）。在 parta.c 中，main（）和 report_ count（）共享 count。

下面是一个运行示例：

```
Enter a positive integer (0 to quit): 5
loop cycle: 1
subtotal: 15; total: 15
Enter a positive integer (0 to quit): 10
loop cycle: 2
subtotal: 55; total: 70
Enter a positive integer (0 to quit): 2
loop cycle: 3
subtotal: 3; total: 73
Enter a positive integer (0 to quit): 0
Loop executed 3 times
```

12.3 存储类和函数

函数也具有存储类。函数可以是外部的（默认情况下）或者静态的（C99 增加了第三种可能性，即在第 16 章“C 预处理器和 C 库”中将讨论的内联函数）。外部函数可被其他文件中的函数调用，而静态函数只可以在定义它的文件中使用。例如，考虑一个包含如下函数声明的文件：

```
double gamma ();           /* 默认为外部的 */
static double beta ();
extern double delta ();
```

函数 gamma（）和 delta（）可被程序的其他文件中的函数使用，而 beta（）则不可以。因为 beta（）被限定在一个文件内，故可在其他文件中使用具有相同名称的不同函数。使用 static 存储类的原因之一就是创建为一个特定模块所私有的函数，从而避免可能的名字冲突。

通常使用关键字 extern 来声明在其他文件中定义的函数。这一习惯做法主要是为了使程序更清晰，因为除非函数声明使用了关键字 static，否则认为它是 extern 的。

使用哪种存储类

对“使用哪种存储类？”这个问题的回答多半是“自动的”。否则为什么要选择自动类型作为默认类型？是的，我们知道乍看起来外部存储很有诱惑力。把变量都设成外部变量，就不用为使用参数和指针在函数之间传递数据而费心了。然而，这存在着一种不十分明显的缺陷。您将不得不为函数 A（）违背您的意图，偷偷修改了函数 B（）所用的变量而焦急。多年来，无数程序员的经验给出了无可置疑的证据，证明随意使用外部变量带来的这一不十分明显的危险远比它所带来的表面吸引力重要。

保护性程序设计中一个非常重要的规则就是“需要知道”原则。尽可能保持每个函数的内部工作对该函数的私有性，只共享那些需要共享的变量。除了自动类型以外，其他类型也是有用的，并且可用。但请在使用一个类型前，问问自己是否必须那样做。

12.4　随机数函数和静态变量

现在您已经对不同的存储类有了一定的了解，我们来看几个使用这些存储类的程序。首先，来看一个随机数函数，该函数使用了一个具有内部链接的静态变量。ANSI C 程序库提供了 rand（）函数来产生随机数。有多种产生随机数的算法，ANSI C 标准允许 C 实现使用针对特定机器的最佳算法。不过，ANSI C 也提供了一个可移植的标准算法，可以在不同的系统中产生相同的随机数。事实上，rand（）是一个“伪随机数发生器”，这意味着可以预测数字的实际顺序（计算机不具有自发性），但这些数字在可能的取值范围内均匀地分布。

为了看清楚程序内部发生了什么，我们使用可移植的 ANSI 版本程序，而不是编译器内置的 rand（）函数。这一方案始于一个称为“种子”的数字。函数使用这个种子来产生一个新数，而这个新数又称为新的种子。接着，这个新种子被用来产生一个更新的种子，依此类推。这种方案要想行之有效，随机数函数必须记下上次被调用时所使用的种子。对，这需要一个静态变量。程序清单 12.7 中的程序是版本 0（很快您将看到版本 1）。

程序清单 12.7　rand0.c 函数文件

```
/* rand0.c -- 产生随机数                          */
/* 使用ANSI C的可移植算法                         */
static unsigned long int next = 1; /* 种子      */
int rand0 (void)
{
/* 产生伪随机数的魔术般的公式                    */
    next = next * 1103515245 + 12345;
    return (unsigned int) (next/65536) % 32768;
}
```

在程序清单 12.7 中静态变量 next 的初始值为 1，在每次调用函数时它的值被一个魔术般的公式修改。结果是一个在 0 到 32767 范围内的返回值。注意 next 是静态、具有内部链接的，而不只是静态、空链接的。这是为了稍后在将本例扩展时，便于 next 为同一文件中的两个函数共享。

我们用程序清单 12.8 所示的简单驱动程序来测试一下 rand0（）函数。

程序清单 12.8　r_drive0.c 驱动程序

```
/* r_drive0.c -- 测试rand0()函数      */
/* 与rand0.c一起编译                  */
#include <stdio.h>
extern int rand0 (void);

int main (void)
{
    int count;

    for (count = 0; count < 5; count++)
        printf ("%hd\n", rand0 ());

    return 0;
}
```

现在又有一个机会来练习使用多文件。程序清单 12.7 和程序清单 12.8 分别使用一个文件。关键字 extern 提醒您 rand0（）在一个单独的文件中定义。输出如下：

```
16838
5758
10113
17515
31051
```

输出看起来是随机的。但让我们再来运行一次，这次结果如下：

```
16838
5758
10113
17515
31051
```

唔，看起来很像啊，这就是“伪”的特征了。每次运行主程序时，都从同一个种子值 1 开始。可以通过引入允许重置种子的第二个函数 srand1（）来解决这个问题。关键是使 next 成为一个具有内部链接的静态变量，并只对 rand1（）和 srand1（）可见（C 程序库中与 srand1（）等效的函数被称为 srand（））。把 srand1（）添加到包含 rand1（）的文件中。程序清单 12.9 给出了修改后的程序。

程序清单 12.9　s_and_r.c 程序

```
/* s_and_r.c -- 包含函数 rand1 () 和 srand1 () 的文件              */
/*             使用 ANSI C 的可移植算法                              */
static unsigned long int next = 1; /* 种子                          */
int rand1 (void)
{
/* 产生伪随机数的魔术般的公式                                         */
    next = next * 1103515245 + 12345;
    return (unsigned int)(next/65536) % 32768;
}

void srand1 (unsigned int seed)
{
    next = seed;
}
```

注意 next 是一个具有内部链接的文件作用域变量。这意味着它可以同时被 rand1（）和 srand1（）使用，但不可以被其他文件中的函数使用。使用程序清单 12.10 中的驱动程序来测试这些函数。

程序清单 12.10　r_drive1.c 程序

```
/* r_drive1.c -- 测试函数 rand1 () 和 srand1 ()    */
/* 与 s_and_r.c 一起编译                           */.
#include <stdio.h>
extern void srand1 (unsigned int x);
extern int rand1 (void);

int main (void)
{
    int count;
    unsigned seed;

    printf ("Please enter your choice for seed.\n");
   while (scanf(“%u”, &seed) == 1)
   {
        srand1(seed); /* 重置种子*/
        for (count = 0; count < 5; count++)
        printf(“%hd\n”, rand1());
        printf(“Please enter next seed (q to quit):\n”);
   }
   printf(“Done\n”);
```

```
    return 0;
}
```

又使用了两个文件。运行一次程序。

```
Please enter your choice for seed.
1
16838
5758
10113
17515
31051
Please enter next seed (q to quit):
513
20067
23475
8955
20841
15324
Please enter next seed (q to quit):
q
Done
```

将 1 作为 seed 的值，产生了与前面相同的结果。现在来试试将 3 作为 seed 的值：

自动重置种子

如果您的 C 实现允许您访问系统时钟这样不断变化的量，可以用它们的值（可能需要截断）来初始化种子值。例如，ANSI C 有一个函数 time（）可以返回系统时间。时间单位由系统决定，但有用的一点是返回值为数值类型，并且随着时间变化。其确切类型与系统有关，名称为 time_t，但您可以对它进行类型指派。下面是基本思路：

```
#include <time.h>                          /* 为 time () 函数提供 ANSI 原型      */
    srand1 ((unsigned int) time (0)); /* 初始化种子                          */
```

通常，time（）的参数是一个 time_t 类型对象的地址。那种情形下，时间值也存储在那个地址中。然而，您也可以传送空指针（0）作为参数。此时，时间值仅通过返回值机制提供。

可以对标准的 ANSI C 函数 srand（）和 rand（）使用同样的技术。使用这些函数时，要包含 stdlib.h 头文件。实际上，既然已经知道 srand1（）和 rand1（）如何使用一个具有内部链接的静态变量，您同样也可以使用您的编译器提供的版本。我们将在下个例子中这样做。

12.5　掷骰子

我们准备模仿一种非常流行的随机性行为：掷骰子。掷骰子最普遍的形式是用两个 6 面骰子，但也有其他可能。在一些奇特冒险游戏中，使用全部 5 种几何上可行的骰子：4、6、8、12 和 20 面。聪明的古希腊人证明了仅有 5 种规则立方体的所有面的形状和大小都相同，这些立方体成为各种骰子的基础。骰子也可以做成其他面数的，但将不会是所有面都相同，因而它们各面朝上的几率也就不会相同。

计算机计算不受这些几何上的限制，因而可以设计一种具有任意面数的电子骰子。先从 6 面开始，再进行扩展。

我们想得到从 1 到 6 之间的一个随机数。然而，rand（）产生的是从 0 到 RAND_MAX 范围内的整数；RAND_MAX 在 stdlib.h 中定义，它通常是 INT_MAX。因此，需要做一些调整。下面是一种方法：

1. 把随机数对 6 取模，将产生从 0 到 5 的整数。
2. 加 1。新数将为从 1 到 6 范围内的整数。

3．为了方便扩展，将步骤 1 中的数字 6 用骰子面数来代替。

下面的代码实现了这些想法：

```
#include <stdlib.h>         /* 为 rand () 函数提供原型 */
int rollem (int sides)
{
    int roll;

    roll = rand () % sides + 1;
    return roll;
}
```

进一步，我们想实现这样的功能：它允许掷任意个骰子，并且返回点数总和。程序清单 12.11 实现了这样的功能。

程序清单 12.11 diceroll.c 文件

```
/* diceroll.c -- 掷骰子的模拟程序 */
#include "diceroll.h"
#include <stdio.h>
#include <stdlib.h>                 /* 为 rand () 函数提供类库 */

int roll_count = 0;                 /* 外部链接 */

static int rollem (int sides)       /* 这个文件的私有函数 */
{
    int roll;

    roll = rand () % sides + 1;
    ++roll_count;                   /* 计数函数调用 */
    return roll;
}

int roll_n_dice (int dice, int sides)
{
    int d;
    int total = 0;
    if (sides < 2)
    {
        printf ("Need at least 2 sides.\n");
        return -2;
    }
    if (dice < 1)
    {
        printf ("Need at least 1 die.\n");
        return -1;
    }
    for (d = 0; d < dice; d++)
        total += rollem (sides);

    return total;
}
```

这个文件中加入了一些新东西。首先，它把 rollem（）变成由该文件私有的函数，这个函数用于辅助 roll_n_dice（）；其次，为了举例说明外部链接如何工作，文件声明了一个外部变量 roll_count，这个变量跟踪记录函数 rollem（）的调用次数。例子本身有一点不妥，但它显示了外部变量是如何工作的。

再次，文件包含下面的语句：

```
#include "diceroll.h"
```

如果使用诸如 rand（）的标准库函数，您需要在程序中包含标准头文件（对 rand（）来说是 stdlib.h），而不是声明函数，因为头文件中已经包含了正确的声明。我们将仿效这一做法，提供一个头文件 diceroll.h 以供函数 roll_n_dice（）使用。将文件名置于双引号而非尖括号中，是为了指示编译器在本地寻找文件，而不是到编译器存放标准头文件的标准位置去寻找文件。“在本地寻找”的意义取决于具体的 C 实现。一些常见的解释是将头文件与源代码文件放在同一个目录或文件夹中，或者与工程文件（如果编译器使用它们）放在同一个目录或文件夹中。程序清单 12.12 显示了该头文件的内容。

程序清单 12.12　diceroll.h 文件

```
//diceroll.h
extern int roll_count;

int roll_n_dice (int dice, int sides);
```

这个头文件中包含函数原型声明和一个 extern 声明。因为文件 diceroll.c 包含了这一头文件，它也就实际上包含了 roll_count 的两个声明：

```
extern int roll_count;      // 来自头文件
int roll_count = 0;         // 来自源代码文件
```

这是可以的。一个变量只可以有一个定义声明，但使用 extern 的声明是一个引用声明，这样的声明想用多少就可以用多少。

使用 roll_n_dice（）的程序也应该包含这一头文件。这样做不仅仅提供 roll_n_dice（）原型，还使得 roll_count 对程序可用。程序清单 12.13 证明了这些。

程序清单 12.13　manydice.c 文件

```
// manydice.c -- 多次掷骰子的模拟程序
// 与diceroll.c一起编译
#include <stdio.h>
#include <stdlib.h>                 // 为srand () 函数提供原型
#include <time.h>                   // 为time () 函数提供原型
#include "diceroll.h"               // 为roll_n_dice () 和roll-count 函数提供原型

int main (void)
{
    int dice, roll;
    int sides;

    srand ((unsigned int) time (0)); // 随机化种子
    printf ("Enter the number of sides per die, 0 to stop.\n");
    while (scanf ("%d", &sides) == 1 && sides > 0)
    {
        printf ("How many dice?\n");
        scanf ("%d", &dice);
        roll = roll_n_dice (dice, sides);;
        printf ("You have rolled a %d using %d %d-sided dice.\n",
                roll, dice, sides);
        printf ("How many sides? Enter 0 to stop.\n");
    }
    printf ("The rollem () function was called %d times.\n",
            roll_count);     /*使用外部变量*/
    printf ("GOOD FORTUNE TO YOU!\n");
    return 0;
}
```

将程序清单 12.13 与包含程序清单 12.11 的文件一起编译。为了简化问题，把程序清单 12.11、12.12 和 12.13 放在同一文件中或同一目录下。运行最后得到的程序，输出应该像下面这样：

```
Enter the number of sides per die, 0 to stop.
6
```

```
How many dice?
2
You have rolled a 12 using 2 6-sided dice.
How many sides? Enter 0 to stop.
6
How many dice?
2
You have rolled a 4 using 2 6-sided dice.
How many sides? Enter 0 to stop.
6
How many dice?
2
You have rolled a 5 using 2 6-sided dice.
How many sides? Enter 0 to stop.
0
The rollem() function was called 6 times.
GOOD FORTUNE TO YOU!
```

因为程序使用 srand（）来随机确定随机数种子，所以大多数情况下，即使有相同的输入也不可能得到相同的输出。注意，manydice.c 中的 main（）确实可以访问 diceroll.c 中定义的变量 roll_count。

可通过多种方式使用 roll_n_dice（）。对于 sides 为 2 的情形，程序模仿掷硬币，“面朝上”为 2，“背朝上”为 1（反之亦然，您可以随意选择）。您可以很容易地修改程序来像显示总体结果那样显示个别结果，或者建一个掷双骰子赌博模拟器。如果需要掷多次骰子，像在一些角色扮演类游戏中一样，很容易修改程序来产生下列输出：

```
Enter the number of sets; enter q to stop.
18
How many sides and how many dice?
6 3
Here are 18 sets of 3 6-sided throws.
    12 10 6 9 8 14 8 15 9 14 12 17 11 7 10
    13 8 14
How many sets? Enter q to stop.
q
```

rand1（）或 rand（）（但不是 rollem（））的另一个用处是创建一个猜数程序：计算机选数，您来猜。自己试着做一下。

12.6 分配内存：malloc（）和 free（）

这 5 种存储类有一个共同之处：在决定了使用哪一存储类之后，就自动决定了作用域和存储时期。您的选择服从预先制定的内存管理规则。然而，还有另一个选择给您更多灵活性。这一选择就是使用库函数来分配和管理内存。

首先，回顾一些有关内存分配的事实。所有的程序都必须留出足够内存来存储它们使用的数据。一些内存分配是自动完成的。例如，可以这样声明：

```
float x;
char place[] = "Dancing Oxen Creek";
```

于是，系统将留出存储 float 或字符串的足够内存空间，您也可以更明确地请求确切数量的内存：

```
int plates[100];
```

这一声明留出 100 个内存位置，每个位置可存储一个 int 值。在所有这些情形中，声明同时给出了内存的标识符，因此您可以使用 x 或 place 来标识数据。

C 的功能还不止这些。可以在程序运行时分配更多的内存。主要工具是函数 malloc（），它接受一个参数：所需内存字节数。然后 malloc（）找到可用内存中一个大小适合的块。内存是匿名的；也就是说，malloc（）分配了内存，但没有为它指定名字。然而，它却可以返回那块内存第一个字节的地址。因此，您可以把那个地址赋值给一个指针变量，并使用该指针来访问那块内存。因为 char 代表一个字节，所以传统上曾将 malloc（）定义为指向 char 的指针类型。然而，ANSI C 标准使用了一个新类型：指向 void 的指针。这一类型被用作"通用指针"。函数 malloc（）可用来返回数组指针、结构指针等等，因此一般需要把返回值的类型指派为适当的类型。在 ANSI C 中，为了程序清晰应对指针进行类型指派，但将 void 指针值赋值给其他类型的指针并不构成类型冲突。如果 malloc（）找不到所需的空间，它将返回空指针。

我们使用 malloc（）来创建一个数组。可以在程序运行时使用 malloc（）请求一个存储块，另外还需要一个指针来存放该块在内存中的位置。例如，考虑如下代码：

```
double * ptd;
ptd = (double *) malloc (30 * sizeof (double));
```

这段代码请求 30 个 double 类型值的空间，并且把 ptd 指向该空间所在位置。注意 ptd 是作为指向一个 double 类型值的指针声明的，而不是指向 30 个 double 类型值的数据块的指针。记住：数组的名字是它第一个元素的地址。因此，如果您令 ptd 指向一个内存块的第一个元素，就可以像使用数组名一样使用它。也就是说，可以使用表达式 ptd[0]来访问内存块的第一个元素，ptd[1]来访问第二个元素，依此类推。正如前面所学，可以在指针符号中使用数组名，也可以在数组符号中使用指针。

现在，创建一个数组有三种方法：

- 声明一个数组，声明时用常量表达式指定数组维数，然后可以用数组名访问数组元素。
- 声明一个变长数组，声明时用变量表达式指定数组维数，然后用数组名来访问数组元素（回忆一下，这是 C99 的一个特性）。
- 声明一个指针，调用 malloc（），然后使用该指针来访问数组元素。

使用第二种或第三种方法可以做一些用普通的数组声明做不到的事：创建一个动态数组（dynamic array），即一个在程序运行时才分配内存并可在程序运行时选择大小的数组。例如，假定 n 是一个整数变量。在 C99 之前，不能这样做：

```
double item[n];  /* 如果 n 是一个变量，C99 之前不允许这样做 */
```

然而，即使在 C99 之前的编译器中，也可以这样做：

```
ptd = (double *) malloc (n * sizeof (double)); /* 可以 */
```

这行得通，而且正如您将看到的那样，这样做比使用一个变长数组更灵活。

一般地，对应每个 malloc（）调用，应该调用一次 free（）。函数 free（）的参数是先前 malloc（）返回的地址，它释放先前分配的内存。这样，所分配内存的持续时间从调用 malloc（）分配内存开始，到调用 free（）释放内存以供再使用为止。设想 malloc（）和 free（）管理着一个内存池。每次调用 malloc（）分配内存给程序使用，每次调用 free（）将内存归还到池中，使内存可被再次使用。free（）的参数应是一指针，指向由 malloc（）分配的内存块；不能使用 free（）来释放通过其他方式（例如声明一个数组）分配的内存。在头文件 stdlib.h 中有 malloc（）和 free（）的原型。

通过使用 malloc（），程序可以在运行时决定需要多大的数组并创建它。程序清单 12.14 举例证明了这一可能。它把内存块地址赋给指针 ptd，接着以使用数组名的方式使用 ptd。程序还调用了 exit（）函数。该函数的原型在 stdlib.h 中，用来在内存分配失败时结束程序。值 EXIT_FAILURE 也在这个头文件中定义。标准库提供了两个保证能够在所有操作系统下工作的返回值：EXIT_SUCCESS（或者，等同于 0）指示程序正常终止，EXIT_FAILURE 指示程序异常终止。有些操作系统，包括 UNIX、Linux 和 Windows，能够接受其他的整数值。

程序清单 12.14　dyn_arr.c 程序

```
/* dyn_arr.c -- 为数组动态分配存储空间 */
#include <stdio.h>
#include <stdlib.h> // 为 malloc () 和 free () 函数提供原型
int main (void)
```

```
{
    double * ptd;
    int max;
    int number;
    int i = 0;

    puts ("What is the maximum number of type double entries?");
    scanf ("%d", &max);
    ptd = (double *) malloc (max * sizeof (double));
    if (ptd == NULL)
    {
        puts ("Memory allocation failed. Goodbye.");
        exit (EXIT_FAILURE);
    }
    /* ptd现在指向有max个元素的数组 */
    puts ("Enter the values (q to quit): ");
    while (i < max && scanf ("%lf", &ptd[i]) == 1)
            ++i;
    printf ("Here are your %d entries: \n", number = i);
    for (i = 0; i < number; i++)
    {
        printf ("%7.2f ", ptd[i]);
        if (i % 7 == 6)
            putchar ('\n');
    }
    if (i % 7 != 0)
        putchar ('\n');
    puts ("Done.");
    free (ptd);

    return 0;
}
```

下面是一个运行示例。该例中输入了 6 个数，但程序只处理了 5 个，因为我们将数组大小限定为 5。

```
What is the maximum number of entries?
5
Enter the values (q to quit):
20 30 35 25 40 80
Here are your 5 entries:
    20.00 30.00 35.00 25.00 40.00
Done.
```

来看一下代码。程序通过下列几行获取所需的数组大小：

```
puts ("What is the maximum number of type double entries?"); " "
scanf ("%d", &max);
```

接着，下面的行分配对于存放所请求数目的项来说足够大的内存，并将该内存块的地址赋给指针 ptd：

```
ptd = (double *) malloc (max * sizeof (double));
```

在 C 中，类型指派（double *）是可选的，而在 C++中必须有，因此使用类型指派将使把 C 程序移植到 C++更容易。

malloc ( ) 可能无法获得所需数量的内存。在那种情形下，函数返回空指针，程序终止。

```
if (ptd == NULL)
{
    puts ("Memory allocation failed. Goodbye.");
    exit (EXIT_FAILURE);
}
```

如果成功地分配了内存，程序将把 ptd 视为一个具有 max 个元素的数组的名字。

注意在程序末尾附近的函数 free（）。它释放 malloc（）分配的内存。函数 free（）只释放它的参数所指向的内存块。在这个特定例子中，使用 free（）不是必须的，因为在程序终止后所有已分配的内存都将被自动释放。然而在一个更复杂的程序中，能够释放并再利用内存将是重要的。

使用动态数组将获得什么？主要是获得了程序灵活性。假定知道一个程序在大多数情况下需要的数组元素不超过 100 个；而在某些情况下，却需要 10000 个元素。在声明数组时，不得不考虑到最坏情形并声明一个具有 10000 个元素的数组。在多数情况下，程序将浪费内存。如果有一次需要 10001 个元素，程序就会出错。您可以使用动态数组来使程序适应不同的情形。

12.6.1　free（）的重要性

在编译程序时，静态变量的数量是固定的；在程序运行时也不改变。自动变量使用的内存数量在程序执行时自动增加或者减少。但被分配的内存所使用内存数量只会增加，除非您记得使用 free（）。例如，假定有一个如下代码勾勒出的函数，它创建一个数组的临时拷贝：

```
...
int main ()
{
double glad[2000];
int i
...
for (i = 0; i < 1000; i++)
    gobble (glad, 2000);
...
}

void gobble (double ar[], int n)
{
    double * temp = (double *) malloc (n * sizeof (double));
...
    /* free (temp); // 忘记使用 free () */
}
```

第一次调用 gobble（）时，它创建了指针 temp，并使用 malloc（）为之分配 16000 字节的内存（设 double 是 8 个字节）。假定我们如暗示的那样没有使用 free（）。当函数终止时，指针 temp 作为一个自动变量消失了。但它所指向的 16000 个字节的内存仍旧存在。我们无法访问这些内存，因为地址不见了。由于没有调用 free（），不可以再使用它了。

第二次调用 gobble（），它又创建了一个 temp，再次使用 malloc（）分配 16000 个字节的内存。第一个 16000 字节的块已不可用，因此 malloc（）不得不再找一个 16000 字节的块。当函数终止时，这个内存块也无法访问，不可再利用。

但循环执行了 1000 次，因此在循环最终结束时，已经有 1600 万字节的内存从内存池中移走。事实上，在到达这一步前，程序很可能已经内存溢出了。这类问题被称为内存泄漏（memory leak），可以通过在函数末尾处调用 free（）防止该问题出现。

12.6.2　函数 calloc（）

内存分配还可以使用 calloc（）。典型的应用如下：

```
long * newmem;
newmem = (long *) calloc (100, sizeof (long));
```

与 malloc（）类似，calloc（）在 ANSI 以前的版本中返回一个 char 指针，在 ANSI 中返回一个 void 指针。如果要存储不同类型，应该使用类型指派运算符。这个新函数接受两个参数，都应是无符号的整数（在 ANSI 中是 size_t 类型）。第一个参数是所需内存单元的数量，第二个参数是每个单元以字节计的大小。在这里，long 使用 4 个字节，因此这一指令建立了 100 个 4 字节单元，总共使用 400 个字节来存储。

使用 sizeof（long）而不是 4 使代码更易移植。它可在其他系统中运行，这些系统中 long 不是 4 字节而是别的大小。

函数 calloc（）还有一个特性：它将块中的全部位都置为 0（然而要注意，在某些硬件系统中，浮点值 0 不是用全部位为 0 来表示的）。

函数 free（）也可以用来释放由 calloc（）分配的内存。

动态内存分配是很多高级编程技巧的关键。在 17 章“高级数据表示”中我们将研究一些。您自己的 C 库可能提供了其他内存管理函数，有些可移植，有些不可以。您可能应该抽时间看一下。

12.6.3 动态内存分配与变长数组

变长数组（Variable-Length Array，VLA）与 malloc（）在功能上有些一致。例如，它们都可以用来创建一个大小在运行时决定的数组：

```
int vlamal()
{
    int n;
    int * pi;
    scanf("%d", &n);
    pi = (int *) malloc (n * sizeof (int));
    int ar[n];  // 变长数组
    pi[2] = ar[2] = -5;
...
}
```

一个区别在于 VLA 是自动存储的。自动存储的结果之一就是 VLA 所用内存空间在运行完定义部分之后会自动释放。在本例中，就是函数 vlamal（）终止的时候。因此不必使用 free（）。另一方面，使用由 malloc（）创建的数组不必局限在一个函数中。例如，函数可以创建一个数组并返回指针，供调用该函数的函数访问。接着，后者可以在它结束时调用 free（）。free（）可以使用不同于 malloc（）指针的指针变量；必须一致的是指针中存储的地址。

VLA 对多维数组来说更方便。您可以使用 malloc（）来定义一个二维数组，但语法很麻烦。如果编译器不支持 VLA 特性，必须固定一维的大小，正如下面的函数调用：

```
int n = 5;
int m = 6;
int ar2[n][m];    // n×m 的变长数组
int (* p2) [6];   // 在 C99 之前可以使用
int (* p3) [m];   // 要求变长数组支持
p2 = (int (*) [6]) malloc (n * 6 * sizeof (int));        // n×6 数组
p3 = (int (*) [m]) malloc (n * m * sizeof (int));        // n×m 数组
// 上面的表达式也要求变长数组支持
ar2[1][2] = p2[1][2] = 12;
```

有必要查看一下指针声明。函数 malloc（）返回一个指针，因此 p2 必须是适当类型的指针。下面的声明：

```
int (* p2) [6]; // 在 C99 之前可以使用
```

表明 p2 指向一个包含 6 个 int 值的数组。这意味着 p2[i]将被解释为一个由 6 个整数构成的元素，p2[i][j]将是一个 int 值。

第二个指针声明使用变量来指定 p3 所指数组的大小。这意味着 p3 将被看作一个指向 VLA 的指针，这正是代码不能在 C90 标准中运行的原因。

12.6.4 存储类与动态内存分配

您可能正在为存储类和动态内存分配之间的联系感到疑惑。我们来看一个理想模型。可以认为程序将它的可用内存分成了三个独立的部分：一个是具有外部链接的、具有内部链接的以及具有空链接的静态变量的；一个是自动变量的；另一个是动态分配的内存的。

在编译时就已经知道了静态存储时期存储类变量所需的内存数量，存储在这一部分的数据在整个程序运行期间都可用。这一类型的每个变量在程序开始时就已存在，到程序结束时终止。

然而，一个自动变量在程序进入包含该变量定义的代码块时产生，在退出这一代码块时终止。因此，伴随着程序对函数的调用和终止，自动变量使用的内存数量也在增加和减少。典型地，将这一部分内存处理为一个堆栈。这意味着在内存中，新变量在创建时按顺序加入，在消亡时按相反顺序移除。

动态分配的内存在调用 malloc（）或相关函数时产生，在调用 free（）时释放。由程序员而不是一系列固定的规则控制内存持续时间，因此内存块可在一个函数中创建，而在另一个函数中释放。由于这点，动态内存分配所用的内存部分可能变成碎片状，也就是说，在活动的内存块之间散布着未使用的字节片。不管怎样，使用动态内存往往导致进程比使用堆栈内存慢。

12.7 ANSI C 的类型限定词

您已经知道一个变量是以它的类型和存储类表征的。C90 增加了两个属性：不变性和易变性。这些属性是通过关键字 const 和 volatile 声明的，这样就创建了受限类型（qualified type）。C99 标准添加了第三个限定词 restrict，用以方便编译器优化。

C99 授予类型限定词一个新属性：它们现在是幂等的（idempotent）！这听起来像一个强大的功能，其实只意味着可以在一个声明中不止一次地使用同一限定词，多余的将被忽略掉：

```
const const const int n = 6; // 相当于：const int n = 6;
```

例如，这使下列序列可以被接受：

```
typedef const int zip;
const zip q = 8;
```

12.7.1 类型限定词 const

第 4 章“字符串和格式化输入/输出”和第 10 章“数组和指针”已经介绍过 const。回顾一下，如果变量声明中带有关键字 const，则不能通过赋值、增量或减量运算来修改该变量的值。在与 ANSI 兼容的编译器中，下面的代码将产生一个错误信息：

```
const int nochange;           /* 把 m 限定为常量       */
nochange = 12;                /* 不允许                */
```

然而，可以初始化一个 const 变量。因此，下面的代码是对的：

```
const int nochange = 12;   /* 可以                  */
```

上面的声明使 nochange 成为一个只读变量。在初始化以后，不可以再改变它。

例如，可以用关键字 const 创建一组程序不可以改变的数据：

```
const int days1[12] = {31, 28, 31, 30, 31, 30, 31, 31, 30, 31, 30, 31};
```

一、在指针和参量声明中使用 const

在声明一个简单变量和数组时使用关键字 const 很简单。指针则要复杂一些，因为不得不把让指针本身成为 const 与让指针指向的值成为 const 区分开来。下面的声明表明 pf 指向的值必须是不变的：

```
const float * pf; /* pf 指向一个常量浮点数值 */
```

但 pf 本身的值可以改变。例如，它可以指向另一个 const 值。相反，下面的声明表明指针 pt 本身的值不可以改变：

```
float * const pt; /* pt 是一个常量指针      */
```

它必须总是指向同一个地址，但所指向的值可以改变。最后，下面的声明：

```
const float * const ptr;
```

意味着 ptr 必须总是指向同一个位置，并且它所指位置存储的值也不能改变。

还有第三种放置 const 关键字的方法：

```
float const * pfc; // 等同于：const float * pfc;
```

正如注释所表示的那样，把 const 放在类型名的后边和*的前边，意味着指针不能够用来改变它所指向的值。总而言之，一个位于*左边任意位置的 const 使得数据成为常量，而一个位于*右边的 const 使得指针自身成为常量。

这个新关键字的一个常见用法是声明作为函数形式参量的指针。例如，假定一个名为 display（）的函数显示一个数组的内容。为了使用它，您可能会把数组名作为实际参数传送，但数组名是一个地址，这样做将允许函数改变调用函数中的数据。下面的原型防止了这样的情况发生：

```
void display (const int array[], int limit);
```

在函数原型和函数头部，参量声明 const int array[]与 const int * array 相同，因此该声明表明 array 指向的数据是不可变的。

ANSI C 库遵循这一惯例。如果指针只是用来让函数访问值，将把它声明为 const 受限指针。如果指针被用来改变调用函数中的数据，则不使用关键字 const。例如，ANSI C 中 strcat（）声明如下：

```
char *strcat (char *, const char *);
```

回忆一下，函数 strcat（）在第一个字符串的末尾处添加第二个字符串的一份拷贝。这改变了第一个字符串，但不改变第二个字符串。该声明也体现了这一点。

二、对全局数据使用 const

回忆一下，使用全局变量被认为是一个冒险的方法，因为它暴露了数据，使程序的任何部分都可以错误地修改数据。如果数据是 const 的，这种危险就不存在了，因此对全局数据使用 const 限定词是很合理的。可以有 const 变量、const 数组和 const 结构（结构是将要在第 14 章中讨论的复合数据类型）。

然而，在文件之间共享 const 数据时要小心。可以使用两个策略。首先是遵循外部变量的惯用规则：在一个文件中进行定义声明，在其他文件中进行引用声明（使用关键字 extern）：

```
/* file1.c -- 定义一些全局常量 */
const double PI = 3.14159;
const char * MONTHS[12] =
    {"January", "February", "March", "April", "May", "June", "July",
    "August", "September", "October", "November", "December"};

/* file2.c -- 使用在其他文件中定义的全局常量 */
extern const double PI;
extern const * MONTHS[];
```

其次是将常量放在一个 include 文件中。这时还必须使用静态外部存储类：

```
/* constant.h -- 定义一些全局常量 */
static const double PI = 3.14159;
static const char * MONTHS[12] =
    {"January", "February", "March", "April", "May", "June", "July",
    "August", "September", "October", "November", "December"};

/* file1.c -- 使用在其他文件中定义的全局常量 */
#include "constant.h"

/* file2.c -- 使用在其他文件中定义的全局常量 */
#include "constant.h"
```

如果不使用关键字 static，在文件 file1.c 和 file2.c 中包含 constant.h 将导致每个文件都有同一标识符的定义声明，ANSI 标准不支持这样做（然而，一些编译器的确支持这样做）。通过使每个标识符成为静态外部的，实际上给了每个文件一个独立的数据拷贝。如果文件想使用该数据来与另一个文件通话，这样做就不行了，因为每个文件都只能看到它自己的拷贝。然而，由于数据是不变的（通过使用关键字 const）和相同的（通过使两个文件都包含同样的头文件），这就不是问题了。

使用头文件的好处是不必惦记着在一个文件中进行定义声明，在下一个文件中进行引用声明；全部文件都包含同一个头文件。缺点在于复制了数据。在前述的例子中，这不构成一个真正的问题；但如果常量数据包含着巨大的数组，它可能就是一个问题了。

12.7.2　类型限定词 volatile

限定词 volatile 告诉编译器该变量除了可被程序改变以外还可被其他代理改变。典型地，它被用于硬件地址和与其他并行运行的程序共享的数据。例如，一个地址中可能保存着当前的时钟时间。不管程序做些什么，该地址的值都会随着时间而改变。另一种情况是一个地址被用来接收来自其他计算机的信息。

语法同 const：

```
volatile int loc1;    /* loc1 是一个易变的位置       */
volatile int * ploc;  /* ploc 指向一个易变的位置     */
```

这些语句声明 loc1 是一个 volatile 值，并且 ploc 指向一个 volatile 值。

您可能以为 volatile 是一个有趣的概念，但您也可能奇怪为什么 ANSI 觉得有必要把 volatile 作为一个关键字。原因是它可以方便编译器优化。例如，假定有如下代码：

```
val1 = x;
    /* 一些不使用 x 的代码 x */
val2 = x;
```

一个聪明的（优化的）编译器可能注意到您两次使用了 x，而没有改变它的值。它将把 x 临时存储在一个寄存器中。接着，当 val2 需要 x 时，可以通过从寄存器而非初始的内存位置中读取该值以节省时间。这个过程被称为缓存（caching）。通常，缓存是一个好的优化方式，但如果在两个语句间其他代理改变了 x 的话就不是这样了。如果没有规定 volatile 关键字，编译器将无从得知这种改变是否可能发生。因此，为了安全起见，编译器不使用缓存。那是在 ANSI 以前的情形。然而现在，如果在声明中没有使用关键字 volatile，编译器就可以假定一个值在使用过程中没有被修改，它就可以试着优化代码。

一个值可以同时是 const 和 volatile。例如，硬件时钟一般设定为不能由程序改变，这一点使它成为 const；但它被程序以外的代理改变，这使它成为 volatile 的。只需在声明中同时使用这两个限定词，如下所示；顺序并不重要：

```
volatile const int loc;
const volatile int * ploc;
```

12.7.3　类型限定词 restrict

关键字 restrict 通过允许编译器优化某几种代码增强了计算支持。它只可用于指针，并表明指针是访问一个数据对象的惟一且初始的方式。为了清楚为何这样做有用，我们需要看一些例子。考虑下面的例子：

```
int ar[10];
int * restrict restar = (int *) malloc (10 * sizeof (int));
int * par = ar;
```

这里，指针 restar 是访问由 malloc（）分配的内存的惟一且初始的方式。因此，它可以由关键字 restrict 限定。然而，par 指针既不是初始的，也不是访问数组 ar 中数据的惟一方式，因此不可以把它限定为 restrict。

现在考虑下面这个更加复杂的例子，其中 n 是一个 int：

```
for (n = 0; n < 10; n++)
{
    par[n] += 5;
    restar[n] += 5;
```

```
        ar[n] *= 2;
        par[n] += 3;
        restar[n] += 3;
    }
```

知道了 restar 是访问它所指向数据块的惟一初始方式，编译器就可以用具有同样效果的一条语句来代替包含 restar 的两个语句：

```
restar[n] += 8;  /* 可以进行替换    */
```

然而，将两个包含 par 的语句精简为一个语句将导致计算错误：

```
par[n] += 8;      / * 给出错误的结果       */
```

出现错误结果的原因是循环在 par 两次访问同一个数据之间，使用 ar 改变了该数据的值。

没有关键字 restrict，编译器将不得不设想比较糟的那种情形，也就是在两次使用指针之间，其他标识符可能改变了数据的值。使用了关键字 restrict 以后，编译器可以放心地寻找计算的捷径。

可以将关键字 restrict 作为指针型函数参量的限定词使用。这意味着编译器可以假定在函数体内没有其他标识符修改指针指向的数据，因而可以试着优化代码，反之则不然。例如，C 库中有两个函数可以从一个位置把字节复制到另一个位置。在 C99 标准下，它们的原型如下：

```
void * memcpy (void * restrict s1, const void * restrict s2, size_t n);
void * memmove (void * s1, const void * s2, size_t n);
```

每一个函数都从位置 s2 把 n 个字节复制到位置 s1。函数 memcpy（）要求两个位置之间不重叠，但 memmove（）没有这个要求。把 s1 和 s2 声明为 restrict 意味着每个指针都是相应数据的惟一访问方式，因此它们不能访问同一数据块。这满足了不能有重叠的要求。函数 memmove（）允许重叠，它不得不在复制数据时更小心，以防在使用数据前就覆盖了数据。

关键字 restrict 有两个读者。一个是编译器，它告诉编译器可以自由地做一些有关优化的假定。另一个读者是用户，它告诉用户仅使用满足 restrict 要求的参数。一般，编译器无法检查您是否遵循了这一限制，如果您蔑视它也就是在让自己冒险。

12.7.4 旧关键字的新位置

C99 允许将类型限定词和存储类限定词 static 放在函数原型和函数头部的形式参量所属的初始方括号内。对于类型限定词的情形，这样做为已有功能提供了一个可选语法。例如，下面是一个使用旧语法的声明：

```
void ofmouth (int * const a1, int * restrict a2, int n); // 以前的风格
```

它表明 a1 是一个指向 int 的 const 指针。回忆一下，这意味着该指针是不变的，而不是它所指向的数据不变。还表明 a2 是一个受限指针，如上一节所述。等价的新语法如下：

```
void ofmouth (int a1[const], int a2[restrict], int n);    // C99 允许
```

static 的情形是不同的，因为它引发了一些新问题。例如，考虑如下原型：

```
double stick (double ar[static 20]);
```

使用 static 表明在函数调用中，实际参数将是一个指向数组首元素的指针，该数组至少具有 20 个元素。这样做的目的是允许编译器使用这个信息来优化函数的代码。

与 restrict 相同，关键字 static 有两个读者。一个是编译器，它告诉编译器可以自由地做一些有关优化的假定。另一个是用户，它告诉用户仅使用满足 static 要求的参数。

12.8 关键概念

C 提供了一些管理内存的模型。您应该熟悉这些不同的选项。还需要培养什么时候选用什么类型的判断力。大多数情况下，自动变量是最佳选择。如果决定使用另一个类型，应该有一个充足的理由。通常，

用自动变量、函数参量和返回值在函数间传递数据比使用全局变量更好一些。另一方面，全局变量对保持不变的数据非常有用。

应该尽力理解静态内存、自动内存和分配内存的特性。具体地，要知道所需静态内存的数量在编译时就决定了，静态数据在程序载入内存时就被载入了内存。在程序运行时为自动变量分配和释放内存，因此在程序运行时，自动变量使用的内存数量会不断变化。可以把自动内存认为是一个可重写的工作区。分配的内存也会增加和减少，但这个过程是由函数调用控制，而不是自动发生的。

12.9　总结

用于存储程序数据的内存可用存储时期、作用域和链接来表征。存储时期可以是静态的、自动的或者分配的。如果是静态的，内存在程序开始执行时被分配，并在程序运行时一直存在。如果是自动的，变量所用内存在程序执行到该变量定义所在代码块时开始分配，在退出代码块时释放。如果是分配的内存，内存通过调用 malloc（）（或其他相关函数）分配，通过调用函数 free（）释放。

作用域决定了哪一部分程序可以访问某个数据。在所有函数之外定义的变量具有文件作用域，并对该变量声明之后定义的全部函数可见。在代码块内定义或者作为函数参量定义的变量具有代码块作用域，并只在该代码块及其子代码块中可见。

链接描述了程序的某个单元定义的变量可被链接到其他哪些地方。具有代码块作用域的变量作为局部变量，具有空链接。具有文件作用域的变量可有内部链接或外部链接。内部链接意味着变量只可在包含变量定义的文件内部使用。外部链接意味着变量也可在其他文件中使用。

下面是 C 的 5 种存储类：

- **自动**——在一个代码块内（或在一个函数头部作为参量）声明的变量，无论有没有存储类修饰符 auto，都属于自动存储类。该类具有自动存储时期、代码块作用域和空链接。如未经初始化，它的值是不定的。
- **寄存器**——在一个代码块内（或在一个函数头部作为参量）使用存储类修饰符 register 声明的变量属于寄存器存储类。该类具有自动存储时期、代码块作用域和空链接，并且您无法获得其地址。把一个变量声明为寄存器变量可以指示编译器提供可用的最快访问。如未经初始化，它的值是不定的。
- **静态、空链接**——在一个代码块内使用存储类修饰符 static 声明的变量属于静态空链接存储类。该类具有静态存储时期、代码块作用域和空链接，仅在编译时初始化一次。如未明确初始化，它的字节都被设定为 0。
- **静态、外部链接**——在所有函数外部定义、未使用存储类修饰符 static 的变量属于静态、外部链接存储类。该类具有静态存储时期、文件作用域和外部链接，仅在编译时初始化一次。如未明确初始化，它的字节都被设定为 0。
- **静态、内部链接**——在所有函数外部定义、使用存储类修饰符 static 的变量属于静态、内部链接存储类。该类具有静态存储时期、文件作用域和内部链接，仅在编译时初始化一次。如未明确初始化，它的字节都被设定为 0。

分配内存是使用函数 malloc（）（或相关的函数）提供的内存，该函数返回一个指向具有所请求字节数的内存块的指针。将这一内存块的地址作为参数来调用函数 free（），可以使该内存块重新可用。

类型限定词说明符有 const、volatile 和 restrict。说明符 const 将数据限定为不变的。在使用指针时，const 可以表明指针本身不变或指针指向的数据不变，这取决于 const 在声明中的位置。说明符 volatile 表明数据除了可被程序修改外还可通过其他方式修改，其目的是警示编译器在优化时不要做出相反的假设。说明符 restrict 也是为了优化而设置。由 restrict 限定的指针被认为是提供了对其所指向的数据块的惟一访问途径。

12.10 复习题

1. 哪一存储类生成的变量对于包含它们的函数来说是局部变量？
2. 哪一存储类的变量在包含它们的程序运行时期内一直存在？
3. 哪一存储类的变量可以在多个文件中使用？哪一存储类的变量只限于在一个文件中使用？
4. 代码块作用域变量具有哪种链接？
5. 关键字 extern 的用处是什么？
6. 考虑如下代码段：

```
int * p1 = (int *) malloc (100 * sizeof (int));
```

考虑到最终的结果，下面语句有何不同？

```
int * p1 = (int *) calloc (100, sizeof (int));
```

7. 下列每个变量对哪些函数是可见的？程序有什么错误吗？

```
/* 文件 1 */
int daisy;
int main (void)
{
  int lily;
  ...;
}
int petal ()
{
  extern int daisy, lily;
  ...;
}
/* 文件 2 */
extern int daisy;
static int lily;
int rose;
int stem ()
{
  int rose;
  ...;
}
void root ()
{
    ...;
}
```

8. 下面程序会打印出什么？

```
#include <stdio.h>
char color= 'B';
void first (void);
void second (void);

int main (void)
{
    extern char color;

    printf ("color in main () is %c\n", color);
    first ();
    printf ("color in main () is %c\n", color);
```

```
    second ();
    printf ("color in main () is %c\n", color);
    return 0;
}

void first (void)
{
    char color;

    color = 'R';
    printf ("color in first () is %c\n", color);
}

void second (void)
{
    color = 'G';
    printf ("color in second () is %c\n", color);
}
```

9．文件开始处做了下列声明：

```
static int plink;
int value_ct (const int arr[], int value, int n);
```

a．这些声明表明了程序员的什么意图？

b．用 const int value 和 const int n 代替 int value 和 int n 会增强对调用程序中的值的保护吗？

12.11 编程练习

1．不使用全局变量，重写程序清单 12.4 中的程序。

2．在美国通常是以英里每加仑来计算油耗，在欧洲是以升每百公里来计算。下面是某程序的一部分，该程序让用户选择一个模式（公制的或美制的），然后收集数据来计算油耗。

```
// pe12-2b.c
#include <stdio.h>
#include "pe12-2a.h"
int main (void)
{
    int mode;

    printf ("Enter 0 for metric mode, 1 for US mode: ");
    scanf ("%d", &mode);
    while (mode >= 0)
    {
        set_mode (mode);
        get_info ();
        show_info ();
        printf ("Enter 0 for metric mode, 1 for US mode");
        printf (" (-1 to quit): ");
        scanf ("%d", &mode);
    }
    printf ("Done.\n");
    return 0;
}
```

下面是一些输出示例：

```
Enter 0 for metric mode, 1 for US mode: 0
Enter distance traveled in kilometers: 600
```

```
Enter fuel consumed in liters: 78.8
Fuel consumption is 13.13 liters per 100 km.
Enter 0 for metric mode, 1 for US mode (-1 to quit): 1
Enter distance traveled in miles: 434
Enter fuel consumed in gallons: 12.7
Fuel consumption is 34.2 miles per gallon.
Enter 0 for metric mode, 1 for US mode (-1 to quit): 3
Invalid mode specified. Mode 1 (US) used.
Enter distance traveled in miles: 388
Enter fuel consumed in gallons: 15.3
Fuel consumption is 25.4 miles per gallon.
Enter 0 for metric mode, 1 for US mode (-1 to quit): -1
Done.
```

如果用户键入了不正确的模式，程序向用户给出提示信息并选取最接近的模式。请提供一个头文件 pe12-2a.h 和源代码文件 pe12-2a.c，来使程序可以运行。源代码文件应定义 3 个具有文件作用域、内部链接的变量。一个代表模式，一个代表距离，还有一个代表消耗的燃料。函数 get_info（）根据模式设置提示输入相应的数据，并将用户的回答存入文件作用域变量。函数 show_info（）根据所选的模式计算并显示燃料消耗值。

3．重新设计练习 2 中的程序，使它仅使用自动变量。程序提供相同的用户界面，也就是说，要提示用户输入模式等等。然而，您还必须给出一组不同的函数调用。

4．编写一个函数，它返回函数自身被调用的次数，并在一个循环中测试之。

5．编写产生 100 个 1 到 10 范围内的随机数的程序，并且以降序排序（可以将 11 章中的排序算法稍加改动来对整数进行排序。这里，对数字本身进行排序即可）。

6．编写一个产生 1000 个 1 到 10 范围内的随机数的程序。不必保存或打印数字，仅打印每个数被产生了多少次。让程序对 10 个不同的种子值进行计算。数字出现的次数相同吗？可以使用本章中的函数或 ANSI C 中的函数 rand（）和 srand（），它们与我们的函数具有相同的形式。这是一个测试特定随机数发生器的随机性的方法。

7. 编写一个程序，该程序与我们在显示程序清单 12.13 的输出之后所讨论的修改版程序具有相同表现。也就是说，输出应像下面这样：

```
Enter the number of sets; enter q to stop.
18
How many sides and how many dice?
6 3
Here are 18 sets of 3 6-sided throws.
    12 10 6 9 8 14 8 15 9 14 12 17 11 7 10
    13 8 14
How many sets? Enter q to stop.
q
```

8．下面是某程序的一部分：

```
// pe12-8.c
#include <stdio.h>
int * make_array (int elem, int val);
void show_array (const int ar[], int n);
int main (void)
{
    int * pa;
    int size;
    int value;

    printf ("Enter the number of elements: ");
    scanf ("%d", &size);
    while (size > 0)
```

```
    {
        printf ("Enter the initialization value: ");
        scanf ("%d", &value);
        pa = make_array (size, value);
        if (pa)
        {
            show_array (pa, size);
                free (pa);
        }
        printf ("Enter the number of elements (<1 to quit): ");
        scanf ("%d", &size);
    }
    printf ("Done.\n");
    return 0;
}
```

给出函数 make_array () 和 show_array () 的定义以使程序完整。函数 make_array () 接受两个参数。第一个是 int 数组的元素个数，第二个是要赋给每个元素的值。函数使用 malloc () 来创建一个适当大小的数组，把每个元素设定为指定的值，并返回一个数组指针。函数 show_array () 以 8 个数一行的格式显示数组内容。

第 13 章　文件输入/输出

在本章中您将学习下列内容：

- 函数：
  fopen ( ), getc ( ), putc ( ), exit ( ), fclose ( ), fprintf ( ), fscanf ( ), fgets ( ), fputs ( ), rewind ( ), fseek ( ), ftell ( ), fflush ( ), fgetpos ( ), fsetpos ( ), feof ( ), ferror ( ), ungetc ( ), setvbuf ( ), fread ( ), fwrite ( )
- 如何使用 C 的标准 I/O 函数系列处理文件。
- 文本模式和二进制模式，文本格式和二进制格式，以及缓冲和非缓冲 I/O。
- 使用既可以顺序存取文件又可以随机存取文件的函数。

文件在今天的计算机系统中的作用是很重要的。文件用来存放程序、文档、数据、信件、表格、图片，和其他很多种类的信息。所以作为一名程序员，您必须编程来创建、写入和读取文件。本章将说明如何进行上述操作。

13.1　和文件进行通信

编程从文件读取信息或者将结果写入文件是一种经常性的需求。程序和文件进行通信的一种方式就是文件重定向，这在第 8 章“字符串输入/输出和输入确认”中已经学习过。这种方法很简单不过有局限性。例如，假定您要编写一个交互式程序，向用户询问书名，然后将完整的列表保存在一个文件中。如果像下面这样使用重定向：

```
books > bklist
```

程序给出的交互式提示就会被重定向到 bklist。这不仅会导致将不希望的文本写入 bklist，而且用户也将无法看到需要回答的问题。

幸运的是，C 提供了功能更为强大的文件通信方法。使用这种方法您可以在程序中打开文件，然后使用专门的 I/O 函数读取文件或者写入文件。在研究这些方法以前，我们首先简要地看一下文件的特性。

13.1.1　文件是什么

一个文件（file）通常就是磁盘上的一段命名的存储区。比如 stdio.h 就是一个包含一些有用信息的文件的名称。但对于操作系统来说，文件就会更复杂一些。例如，一个大文件可以存储在一些分散的区段中，或者还会包含一些使操作系统可以确定其文件类型的附加数据，但是这些是操作系统而不是程序员（除非您是在编写操作系统）要考虑的。您需要考虑的是如何在 C 程序中处理文件。

C 将文件看成是连续的字节序列，其中每一个字节都可以单独地读取。这与 UNIX 环境（C 的发源地）中的文件结构是一致的。因为其他的环境中的文件模型可能会有所不同，所以 ANSI C 提供了文件的两种视图：文本视图和二进制视图。

13.1.2 文本视图和二进制视图

ANSI 要求提供的两种文件视图是文本视图和二进制视图。在二进制视图中，文件中的每个字节都可以为程序所访问。在文本视图中，程序看到的内容和文件的内容有可能不同。例如，使用文本视图读取文件时，将把行尾的本地环境表示法映射为 C 视图。与之类似，在输出的时候，也会将 C 视图中的行尾表示映射为本地环境表示法。例如，MS-DOS 文本文件用回车符和换行符的组合\r\n 来表示行尾。Macintosh 文本文件只用一个回车符\r 来表示行尾。C 程序使用一个\n 表示行尾。所以，如果 C 程序以文本视图模式处理一个 MS-DOS 文本文件，在读取文件时它会将\r\n 转换为\n，在写入文件的时候它会将\n 转换成为\r\n；而对于 Macintosh 文本文件的文本视图，在读取文件时它会将\r 转换成为\n，在写入文件的时候它会将\n 转换成为\r。

处理一个 MS-DOS 文本文件不必局限于仅仅使用文本视图。对这样的文件还可以使用二进制视图。如果是这样，程序将看到文件中的\r 和\n 字符，没有任何映射发生（请参见图 13.1）。MS-DOS 区分文本文件和二进制文件，但 C 提供的是文本和二进制视图。通常，对于文本文件使用文本视图，对于二进制文件使用二进制视图。但是，您也可以使用任一种视图处理任一种文件，尽管用文本视图处理二进制文件的效果很糟。

尽管 ANSI C 提供了文本视图和二进制视图，但这两种视图的实现可以是相同的。例如，由于 UNIX 仅采用一种文件结构，所以这两种视图在 UNIX 实现中就是相同的。

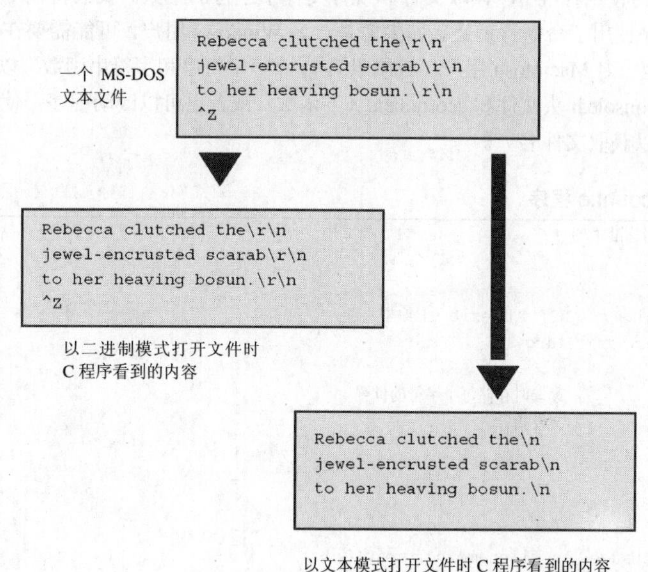

图 13.1 二进制视图和文本视图

13.1.3 I/O 级别

除了可以选择文件的视图，在大多数情况下，您还可以在两个 I/O 级别（即两种处理文件存取的级别）中进行选择。低级 I/O（low-level I/O）使用操作系统提供的基本 I/O 服务；标准高级 I/O（standard high-level I/O）使用一个标准的 C 库函数包和 stdio.h 头文件中的定义。因为无法保证所有的操作系统都可以用相同的低级 I/O 模型表示，所以 ANSI C 只支持标准 I/O 包。由于 ANSI C 建立了标准 I/O 模型的可移植性，我们也将集中讨论它。

13.1.4 标准文件

C 程序自动为您打开 3 个文件。这 3 个文件被称为标准输入（standard input），标准输出（standard output）和标准错误输出（standard error output）。默认的标准输入是系统的一般输入设备，通常为键盘；默认的标准输出和标准错误输出是系统的一般输出设备，通常为显示器。

用标准输入为您的程序提供输入是很自然的事情，它是 getchar（）、gets（）和 scanf（）读取的文件。标准输出是常用的程序输出对象，为 putchar（）、puts（）和 printf（）所使用。在第 8 章中学过的重定向方法可以把其他文件作为标准输入或者标准输出。标准错误输出提供一个可供发送错误消息的逻辑上不同的位置。例如，如果使用重定向方法将输出发送到一个文件中而不是屏幕上，发送到标准错误输出的输出内容仍然会被发送到屏幕上。这样很好，因为如果错误信息被发送到文件的话，那么只有打开文件才可以看到。

13.2 标准 I/O

除了可移植性之外，标准 I/O 包相对于低级 I/O 有两点优势。第一，标准 I/O 包中包含很多专用的函数，可以方便地处理不同的 I/O 问题。例如，printf（）将各种类型的数据转换成为适合终端的字符串输出。第二，对输入和输出进行了缓冲。也就是说，大块地转移信息（通常每次不少于 512 个字节），而不是每次一个字节进行转移。例如，当程序读入一个文件时，会把一大块数据复制到缓冲区（一块中介存储区）中。这种缓冲大大提高了数据传输率。随后程序就可以分析缓冲区中的个别字节。缓冲过程是在后台处理的，所以您会产生逐字节读取的错觉（也可以缓冲低级 I/O，可是这需要您亲自完成其中的大部分工作）。程序清单 13.1 示范了如何使用标准 I/O 读取文件和统计文件中字符的个数。我们将在下几节中讨论程序清单 13.1 的特点（这个程序使用了命令行参数。如果您是一名 Windows 用户，可能需要在编译以后从 MS-DOS 窗口运行它。如果您是一名 Macintosh 用户，应按照第 11 章“字符串和字符串函数”以及 Code Warrior 文档中描述的方法，使用 console.h 头文件和 ccommand（）函数。或者也可以改动程序，使用 puts（）和 gets（）函数代替命令行参数以获取文件名）。

程序清单 13.1 count.c 程序

```
/* count.c -- 使用标准 I/O */
#include <stdio.h>

#include <stdlib.h> // ANSI C的exit () 原型
int main (int argc, char *argv[])
{
    int ch;            // 读取时存储每个字符的位置
    FILE *fp;          // 文件指针
    long count = 0;

    if (argc != 2)
    {
        printf ("Usage: %s filename\n", argv[0]);
        exit (1);
    }
    if ((fp = fopen (argv[1], "r")) == NULL)
    {
        printf ("Can't open %s\n", argv[1]);
        exit (1);
    }
    while ((ch = getc (fp)) != EOF)
    {
        putc (ch, stdout); // 相当于 putchar (ch);
        count++;
    }
    fclose (fp);
    printf ("File %s has %ld characters\n", argv[1], count);
    return 0;
}
```

13.2.1　检查命令行参数

首先，程序清单 13.1 中的程序检查 argc 的值，查看是否有命令行参数。如果没有，程序打印一条用法提示然后退出。字符串 argv[0]是该程序的名称。使用 argv[0]，而不是显式地使用程序名，则在您改变了可执行文件名后，错误消息也会随之自动改变。这一特点在像 UNIX 这种允许单个文件具有多个文件名的环境中也同样方便。但是要知道某些操作系统（比如 MS-DOS 3.0 之前的操作系统）不能识别 argv[0]，所以这一用法并非完全可移植。

exit()函数关闭所有打开的文件并终止程序。exit()函数的参数会被传递给一些操作系统，包括 UNIX、Linux 和 MS DOS，以供其他程序使用。通常的约定是正常终止的程序传递值 0，非正常终止的程序传递非 0 值。不同的退出值可以用来标识导致程序失败的不同原因。这也是 UNIX 和 DOS 编程的通常做法。但并非所有的操作系统都识别相同范围内的可能返回值。所以，ANSI C 标准规定使用一个相当有限的最小范围。具体地，该标准要求使用值 0 或宏 EXIT_SUCCESS 来指示程序成功终止，使用宏 EXIT_FAILURE 指示程序非成功终止。这些宏和 exit（）原型在 stdlib.h 头文件中都可以找到。本书将遵循通常的约定使用整数退出值。但为了获得最大的可移植性，您应使用宏 EXIT_SUCCESS 和 EXIT_FAILURE。

按照 ANSI C，在最初调用的 main（）中使用 return 和调用 exit（）的效果相同。所以，在 main（）中我们一直使用的语句：

```
return 0;
```

和下面这个语句的作用相同：

```
exit (0);
```

但要注意我们所说的是“最初调用”。如果 main（）在一个递归程序中，exit（）仍然会终止程序；但 return 将控制权移交给递归的前一级，直到最初的那一级，此时 return 才会终止程序。return 和 exit（）的另一个区别在于，即使在除 main（）之外的函数中调用 exit（），它也将终止程序。

13.2.2　fopen（ ）函数

接下来，程序使用 fopen（）打开文件。这一函数在 stdio.h 中声明。它的第一个参数是要打开的文件名；更确切地说，是包含该文件名的字符串的地址。第二个参数是用于指定文件打开模式的一个字符串。C 库提供了一些可能的模式，如表 13.1。

表 13.1　fopen（ ）函数的模式字符串

模式字符串	意　义
"r"	打开一个文本文件，可以读取文件
"w"	打开一个文本文件，可以写入文件，先将文件的长度截为零。如果该文件不存在则先创建之
"a"	打开一个文本文件，可以写入文件，向已有文件的尾部追加内容，如果该文件不存在则先创建之
"r+"	打开一个文本文件，可以进行更新，也即可以读取和写入文件
"w+"	打开一个文本文件，可以进行更新（读取和写入），如果该文件存在则首先将其长度截为零；如果不存在则先创建之
"a+"	打开一个文本文件，可以进行更新（读取和写入），向已有文件的尾部追加内容，如果该文件不存在则先创建之；可以读取整个文件，但写入时只能追加内容
"rb"，"wb"，"ab"，"ab+"，"a+b"，"wb+"，"w+b"，"ab+"，"a+b"	与前面的模式相似，只是使用二进制模式而非文本模式打开文件

对于像 Unix 和 Linux 这样只有一种文件类型的系统，带 b 字母的模式和对应的不带 b 字母的模式是相同的。

警　告

小心！如果使用任何一种"w"模式打开一个已有的文件，文件内容将被删除，以便程序以一个空文件开始操作。

程序成功地打开一个文件后，fopen（）函数返回一个文件指针（file pointer），其他 I/O 函数用这个指针来指定该文件。文件指针（比如这个例子中的 fp）是一种指向 FILE 的指针；FILE 是 stdio.h 中定义的一种派生类型。指针 fp 并不指向实际的文件，而是指向一个关于文件的信息的数据包，其中包括文件 I/O 使用的缓冲区信息。因为标准库中的 I/O 函数使用缓冲区，所以它们需要知道缓冲区的位置，还需要知道缓冲区的当前缓冲能力以及所使用的文件。这样这些函数在必要的时候可以再次填充或者清空缓冲区。fp 指向的数据包中包含全部这些信息（这个数据包是 C 结构的一个例子，我们将在第 14 章"结构和其他数据形式"中讨论该主题）。

如果不能打开文件，fopen（）函数返回空指针（也是在 stdio.h 中定义的）。如果 fp 为 NULL，程序将退出。磁盘已满、文件名非法、存取权限不够或者硬件问题等都会导致 fopen（）函数执行失败。这就需要查找故障，一个小问题的查找也可能颇费周折。

13.2.3 getc（）函数和 putc（）函数

这两个函数的工作方式和函数 getchar（）与 putchar（）非常相似，不同之处在于您需要告诉 getc（）和 putc（）函数它们要使用的文件。所以，下面的方法从标准输入获得一个字符：

```
ch = getchar ();
```

但下面的语句表示从指针 fp 指定的文件中获得一个字符：

```
ch = getc (fp);
```

与之类似，以下语句表示将字符 ch 写入到 FILE 指针 fpout 指定的文件中：

```
putc (ch, fpout);
```

在 putc（）函数的参数表中，首先是字符，然后是文件指针。

程序清单 13.1 把 stdout 作为 putc（）函数的第二个参数。stdout 是在 stdio.h 中定义的与标准输出相关联的文件指针，所以 putc（ch，stdout）和 putchar（ch）的作用是一样的。实际上，后者一般通过前者定义。类似地，getchar（）使用作为标准输入的 getc（）定义。

既然这样，为什么这个例子中要使用 putc（）代替 putchar（）呢？一个原因就是要介绍 putc（）函数，另一个原因是通过使用 stdout 之外的参数，可以很容易地将这段程序改写为向文件进行输出。

13.2.4 文件结尾

从文件中读取数据的程序需要在到达文件结尾时停止。程序怎么才能知道是否已到达文件结尾了呢？如果在尝试读入字符时发现已经达到文件结尾，getc（）函数会返回一个特殊值 EOF。所以 C 程序只有在读取超出文件结尾以后才会发现文件的结尾（这是与其他一些使用专用函数在尝试读取之前检测文件结尾的语言的不同之处）。

为了避免试图读取空文件带来的问题，应该对文件输入使用入口条件循环（而不是 do while 循环）。鉴于 getc（）函数（以及其他 C 输入函数）的设计，程序应该在进入循环体之前尝试进行第一次读取。所以下面的设计会很好地工作：

```
// 设计范例#1
int ch;                // int 来控制 EOF

FILE * fp;
fp = fopen ("wacky.txt", "r");
ch = getc (fp);        // 获取初始输入
```

```
while (ch != EOF)
{
    putchar (ch);       // 处理输入
    ch = getc (fp);     // 获取下一个输入
}
```

这些语句还可以精简为下面的形式：

```
// 设计范例#2
int ch;
FILE * fp;
fp = fopen ("wacky.txt", "r");
while ((ch = getc (fp) != EOF)
{
    putchar (ch);       // 处理输入
}
```

因为输入语句是 while 判断条件的一部分，所以将在进入循环体之前执行该语句。

应该避免下面的形式：

```
// 不好的设计（存在两个问题）
int ch;
FILE * fp;
fp = fopen ("wacky.txt", "r");
while (ch != EOF)       // 在首次使用 ch 时，它的值尚未确定
{
    ch = getc (fp);     // 获取输入
    putchar (ch);       // 处理输入
}
```

第一个问题是：在将 ch 与 EOF 进行第一次比较时，尚未给 ch 分配值。第二个问题是：如果确实返回了 EOF，循环仍将把 EOF 作为一个合法的字符处理。这些缺点是可以改正的。比如，可以把 ch 初始化为一个虚设值，并将一个 if 语句加入到循环中。可是既然已经有了设计范例，为什么还要如此麻烦地修改这个设计呢？

这些警告对于其他的输入函数也同样适用，它们也会在遇到文件结尾以后返回一个出错信号（EOF 或是 NULL 指针）。

13.2.5　fclose ( ) 函数

fclose（fp）函数关闭由指针 fp 指定的文件，同时根据需要刷新缓冲区。更正规的程序也许还要检查是否成功关闭了文件。如果文件成功关闭，fclose（）函数将返回值 0，否则返回 EOF。

```
if (fclose (fp) != 0)
   printf ("Error in closing file %s\n", argv[1]);
```

磁盘已满、磁盘被移走或者出现 I/O 错误等等都会导致 fclose（）函数执行失败。

13.2.6　标准文件指针

stdio.h 文件把 3 个文件指针与 3 个 C 程序自动打开的标准文件进行了关联，如表 13.2 所示。

表 13.2　标准文件及与其相关联的文件指针

标 准 文 件	文 件 指 针	一般使用的设备
标准输入	stdin	键盘
标准输出	stdout	显示器
标准错误	stderr	显示器

这些指针都是 FILE 指针类型，所以可以被用作标准 I/O 函数的参数，就像示例程序中的 fp 那样。接下来的例子要创建一个新文件，并向其中写入内容。

13.3　一个简单的文件压缩程序

这个程序把一个文件中的数据有选择地复制到另一个文件中。它同时打开两个文件，对其中一个使用"r"模式打开，对另一个使用"w"模式打开。程序清单 13.2 中的程序通过只保留每 3 个字符中的第 3 个来压缩第一个文件的内容。最后它将压缩后的文本写入第二个文件之中。第二个文件的名称是第一个文件名后加.red（代表 reduced）而得到的。使用命令行参数、同时打开多个文件，以及对文件名进行追加操作，这些通常都是相当有用的技术。这种特殊的压缩形式的使用较为有限，不过还是有它的用途，这一点以后您会看到（再次说明，可以容易地修改程序，以使程序通过使用标准 I/O 技术而不是命令行参数来获取文件名）。

程序清单 13.2　reducto.c 程序

```
// reducto.c -- 把您的文件压缩为原来的三分之一！
#include <stdio.h>
#include <stdlib.h>          //为了调用 exit ()
#include <string.h>          // 为 strcpy () 和 strcat () 函数提供原型
#define LEN 40
int main (int argc, char *argv[])
{
    FILE *in, *out;          // 声明两个 FILE 指针
    int ch;
    char name[LEN];          // 用于存储输入文件名
    int count = 0;
//检查命令行参数
 if (argc < 2)
    {
        fprintf (stderr, "Usage: %s filename\n", argv[0]);
        exit (1);
    }

// 实现输入
 if ((in = fopen (argv[1], "r")) == NULL)
    {
        fprintf (stderr, "I couldn't open the file \"%s\"\n",
                argv[1]);
        exit (2);
    }

// 实现输出
    strcpy (name, argv[1]);  // 把文件名复制到数组中
    strcat (name, ".red");   // 在文件名后添加.red
    if ((out = fopen (name, "w")) == NULL)
    {                        // 打开文件以供写入
        fprintf (stderr, "Can't create output file.\n");
        exit (3);
    }

// 复制数据
    while ((ch = getc (in)) != EOF)
        if (count++ % 3 == 0)
            putc (ch, out);  // 打印每 3 个字符中的 1 个

// 收尾工作
    if (fclose (in) != 0 || fclose (out) != 0)
        fprintf (stderr, "Error in closing files\n");
    return 0;
}
```

可执行文件名为 reducto。我们用它对包含下面这行内容的文件 eddy 进行操作：

```
So even Eddy came oven ready.
```

命令如下：

```
reducto eddy
```

输出结果被写入文件名为 eddy.red 的文件中。程序不产生任何屏幕输出，但打开文件 eddy.red，会显示下列内容：

```
Send money
```

这个例子演示了多项编程技术。现在我们来看看其中的一些。

除了需要一个文件指针作为第一个参数以外，fprintf（）函数和 printf（）函数基本一样。我们使用 stderr 指针把错误消息发送到标准错误文件，这是一个标准的 C 惯例。

为了给输出文件构建一个新的文件名，程序使用 strncpy（）函数把名字 eddy 复制到数组 name 中。参数 LEN-5 为.red 后缀名和最后一个空字符保留下空间。如果 argv[2]字符串比 LEN-5 还长，就不会有空字符被复制了，因此程序只有在这种情况下添加一个空字符。调用 strncpy（）后 name 中的第一个空字符在 strcat（）函数附加上.red 的时候，被其中的句号（.）给覆盖了，从而产生了 eddy.red。我们还检查程序是否成功打开了文件名为 eddy.red 的文件。这在某些环境下尤为重要，因为像 strange.c.red 这样的文件名可能是非法的。例如，在 DOS 环境下不能再为文件后缀添加后缀（适用于 MS-DOS 的方法是用后缀.red 替换任何已有的后缀，这样压缩版本的 strange.c 就变成 strange.red。例如，可以使用 strchr（）函数来定位文件名中的句号（如果有的话），然后只复制字符串中句号前的部分）。

这个程序同时打开了两个文件，因此我们声明了两个 FILE 指针。注意每个文件的打开和关闭都独立于另一个。同时可以打开的文件数目是有限制的。这个限制取决于系统和实现；范围通常是 10 到 20 之间。可以使用同一个文件指针指向不同的文件，但前提是不能同时打开这些文件。

13.4　文件 I/O：fprintf（ ）、fscanf（ ）、fgets（ ）和 fputs（ ）函数

前面章节中的每个 I/O 函数都存在一个相似的文件 I/O 函数。主要的区别在于您需要使用一个 FILE 指针来为这些新函数指定要操作的文件。与 getc（）和 putc（）相似，这些函数要求您使用指向 FILE 的指针（如 stdout），或者使用 fopen（）函数的返回值来指定文件。

13.4.1　fprintf（ ）和 fscanf（ ）函数

文件 I/O 函数 fprintf（）和 fscanf（）的工作方式与 printf（）和 scanf（）相似，区别在于前两者需要第一个参数来指定合适的文件。前面您已经使用过 fprintf（）。程序清单 13.3 演示了这两个文件 I/O 函数以及 rewind（）函数的使用。

程序清单 13.3　addaword.c 程序

```
/* addaword.c -- 使用 fprintf ()、fscanf ()，和 rewind () 函数 */
#include <stdio.h>
#include <stdlib.h>
#define MAX 40
int main (void)
{
    FILE *fp;
    char words[MAX];

    if ((fp = fopen ("words", "a+")) == NULL)
    {
        fprintf (stdout, "Can't open \"words\" file.\n");
```

```
        exit (1);
    }
    puts ("Enter words to add to the file; press the Enter");
    puts ("key at the beginning of a line to terminate.");
    while (gets (words) != NULL && words[0] != '\0')
        fprintf (fp, "%s ", words);
    puts ("File contents: ");
    rewind (fp); /* 回到文件的开始处 */
    while (fscanf (fp, "%s", words) == 1)
        puts (words);
    if (fclose (fp) != 0)
        fprintf (stderr, "Error closing file\n");
    return 0;
}
```

通过该程序可以向文件中加入单词。使用"a+"模式，程序可以对文件进行读写操作。第一次使用该程序的时候会创建一个 worddy 文件以供添加单词。在随后的使用中，可以向以前的内容后面添加（追加）单词。追加模式只能向文件结尾添加内容，但"a+"模式可以读取整个文件。rewind（）命令使程序回到文件开始处，这样最后的 while 循环就可以打印文件的内容。注意 rewind（）函数接受一个文件指针参数。

如果您键入一个空行，gets（）函数将数组的第一个元素置为空字符，程序据此来终止循环。

下面是一个 DOS 环境下的运行示例：

```
C>addaword
Enter words to add to the file; press the Enter
key at the beginning of a line to terminate.
The fabulous programmer[enter]
[enter]
File contents:
The
fabulous
programmer
C>addaword
Enter words to add to the file; press the Enter
key at the beginning of a line to terminate.
enchanted the[enter]
large[enter]
[enter]
File contents:
The
fabulous
programmer
enchanted
the
large
```

正如您所看到的，fprintf（）和 fscanf（）函数与 printf（）和 scanf（）函数的工作方式类似。与 putc（）函数不同，fprintf（）和 fscanf（）函数将 FILE 指针作为第一个参数而不是最后一个参数。

13.4.2 fgets（）和 fputs（）函数

第 11 章中出现过 fgets（）函数。fgets（）函数接受 3 个参数，而 gets（）函数只接受 1 个参数。fgets（）函数的第一个参数和 gets（）函数一样，是用于存储输入的地址（char *类型）。第二个参数为整数，表示输入字符串的最大长度。最后一个参数是文件指针，指向要读取的文件。下面是一个函数调用的例子：

```
fgets (buf, MAX, fp);
```

这里，buf 是一个 char 数组的名称，MAX 是字符串的最大长度，fp 是一个 FILE 指针。

fgets（）函数读取到它所遇到的第一个换行字符的后面，或者读取比字符串的最大长度少一个的字符，或者读取到文件结尾。然后 fgets（）函数向末尾添加一个空字符以构成一个字符串。所以，字符串的最大长度代表字符的最大数目再加上一个空字符。如果 fgets（）函数在达到字符最大数目之前读完了一整行，它将在字符串的空字符之前添加一个换行符以标识一行结束。这是 fgets（）函数和 gets（）函数的不同之处，后者读取换行符后将其丢弃。

与 gets（）类似，fgets（）遇到 EOF 的时候会返回 NULL 值，可以据此检查文件结尾。否则，它返回传递给它的地址值。

fputs（）函数接受两个参数，它们依次是一个字符串的地址和一个文件指针。它把字符串地址指针所指的字符串写入指定的文件。与 puts（）函数不同，fputs（）函数打印的时候并不添加一个换行符。下面是一个函数调用的例子：

```
fputs (buf, fp);
```

这里 buf 是字符串地址，fp 指定目标文件。

由于 fgets（）函数保留了换行符，而 fputs（）函数不会添加换行符，所以它们配合得相当好。程序清单 13.4 是利用这两个函数实现的一个回显程序。

程序清单 13.4　parrot.c 程序

```
/* parrot.c -- 使用 fgets () 和 fputs () 函数 */
#include <stdio.h>
#define MAXLINE 20
int main (void)
{
    char line[MAXLINE];

    while (fgets (line, MAXLINE, stdin) != NULL &&
            line[0] != '\n')
        fputs (line, stdout);
    return 0;
}
```

如果您在一行起始处键入回车键，fgets（）函数读入换行符然后把它放进数组 line 的第一个元素中。程序使用这一事实终止输入循环，遇到文件结尾也会终止该循环（清单 13.3 的判断条件中使用的是'\0'而不是'\n'，因为 gets（）函数将丢掉换行符）。

下面是一个运行示例，注意到奇怪的事情了吗？

```
The silent knight
The silent knight
strode solemnly down the dank and dark hall.
strode solemnly down the dank and dark hall.
[enter]
```

程序运行良好。这看起来似乎很让人吃惊，因为输入的第二行包含了 44 个字符，而 line 数组中只能容纳 20 个字符（包括换行符在内）。到底是怎么回事？当 fgets（）函数读取第二行时，它只读入前 19 个字符，直到 down 中的 w。它把这些字符复制到 line 数组中，由 fputs（）进行打印。由于 fgets（）还没有遇到行尾，line 数组中不包含换行符，所以 fputs（）也就不会打印换行符。第三次调用时，fgets（）函数在第二次调用停下的地方重新开始，因此它把接下来的 19 个字符（从 down 中 w 后面的 n 开始）读到数组 line 中。这一块内容代替了 line 数组中以前的内容，然后依次打印到与上次的输出相同的那行上，因为上一次的输出不包含换行符。一句话，fgets（）函数每次读取第二行的 19 个字符，然后 fputs（）函数以同样长度的块将其打印。

如果一行恰好包含 19 个字符，程序也会终止。这种情况下，fgets（）函数在读入 19 个字符以后停止读入，所以下一次调用时该函数将从行尾的换行符开始。这个换行符将成为读入的第一个字符，于是循环被终止。所以，尽管程序在本例中的输入情况下可以正常工作，但并非在所有情况下都可以正确执行。应该使用一个大得足以容纳整行的存储数组，或者更为简单地每次只读入一个字符。

您也许会感到奇怪，为什么程序没有在键入第二行的前 19 个字符后立刻将其打印出来？这是由于有屏幕缓冲区存在。直到遇到了换行符时，才把第二行发送到屏幕上。

13.4.3 注释：gets（）函数和 fgets（）函数

因为 fgets（）函数可以防止存储溢出，所以对于严格的编程来说，它是一个更好的选择。由于它将换行符读入到字符串，而 puts（）函数会在输出中追加一个换行符，所以 fgets（）函数应该和 fputs（）而不是 puts（）一起使用。否则，输入时有一个换行符而在输出时却变成两个。

前边讨论过的这 6 个 I/O 函数已经足以让您进行文件读写了。到目前为止，我们还只是使用它们进行顺序访问，即按顺序处理文件内容。接下来，我们将学习随机存取，也就是说，以任何需要的顺序访问文件内容。

13.5 随机存取：fseek（）和 ftell（）函数

fseek（）函数允许您像对待数组那样对待一个文件，在 fopen（）打开的文件中直接移动到任意字节处。为了明白这是如何工作的，我们创建程序清单 13.5 中的程序。该程序按反序显示一个文件。像前面的例子一样，它使用一个命令行参数来获得要读取的文件的名字。请注意 fseek（）接受 3 个参数，返回一个 int 值。ftell（）函数以一个 long 类型值返回一个文件的当前位置。

程序清单 13.5 reverse.c 程序

```
/* reverse.c -- 反序显示一个文件 */
#include <stdio.h>
#include <stdlib.h>
#define CNTL_Z '\032' /* DOS 文本文件中的文件结尾标记 */
#define SLEN 50
int main (void)
{
    char file[SLEN];
    char ch;
    FILE *fp;
    long count, last;

    puts ("Enter the name of the file to be processed: ");
    gets (file);
    if ((fp = fopen (file, "rb")) == NULL)
    {                                   /* 只读和二进制模式      */
        printf ("reverse can't open %s\n", file);
        exit (1);
    }
    fseek (fp, 0L, SEEK_END);           /* 定位到文件结尾处      */
    last = ftell (fp);
    for (count = 1L; count <= last; count++)
    {
        fseek (fp, -count, SEEK_END); /* 回退                  */
        ch = getc (fp);
    /* 针对 DOS，在 UNIX 下也可工作  */
        if (ch != CNTL_Z && ch != '\r')
            putchar (ch);
    /* 针对 Macintosh                    */
    /* if (ch == '\r')
        putchar ('\n');
    else
        putchar (ch);                       */
    }
```

```
    putchar ('\n');
    fclose (fp);
    return 0;
}
```

下面是针对一个样本文件的输出：

```
Enter the name of the file to be processed:
cluv

.C ni eno naht ylevol erom margorp a
ees reven llahs I taht kniht I
```

说　明

如果在命令行环境下运行这个程序，程序要求文件名参数代表的文件和该可执行程序在同一个目录（或者文件夹）中。如果在 IDE 中运行程序，情况随具体实现不同而有差异。比如 Microsoft Visual C++在包含源代码的目录中查找文件，而 Metrowerks CodeWarrior 在包含可执行文件的目录中查找。

我们需要讨论 3 个问题：fseek（）和 ftell（）如何工作，如何使用二进制流，如何使程序可移植。

13.5.1　fseek（）和 ftell（）如何工作

在 fseek（）的 3 个参数中，第一个参数是一个指向被搜索文件的 FILE 指针。应该已经使用 fopen（）打开了该文件。

fseek（）的第二个参数称为偏移量（offset），表示从起始点开始要移动的距离（请参见表 13.3 中的起始点模式）。这个参数必须是一个 long 类型的值，可以为正（前移）、负（后移），也可以为零（保持不动）。

第三个参数是模式，用来标识起始点。在 ANSI 下，stdio.h 头文件指定了下列模式常量：

表 13.3　文件的起始点模式

模　式	偏移量的起始点
SEEK_SET	文件开始
SEEK_CUR	当前位置
SEEK_END	文件结尾

以前的实现中可能没有这些定义，而是用数字值 0L、1L 和 2L 分别代表这些模式。回忆一下，L 后缀标识 long 类型值。一些实现也可能在其他头文件中定义模式常量。如果对此不确定，可以参考您的用户手册或在线手册。

下面是函数调用的一些例子，其中 fp 是一个文件指针：

```
fseek(fp, 0L, SEEK_SET);    // 找到文件的开始处
fseek(fp, 10L, SEEK_SET);   // 找到文件的第 10 个字节
fseek(fp, 2L, SEEK_CUR);    // 从文件的当前位置向前移动 2 个字节
fseek(fp, 0L, SEEK_END);    // 到达文件结尾处
fseek(fp, -10L, SEEK_END);  // 从文件结尾处退回 10 个字节
```

对于这些调用，还有一些可能的限制。我们稍候将回来讨论这个话题。

如果一切正常，fseek（）的返回值为 0。如果有错误出现，例如试图移动超出文件范围，则 fseek（）的返回值为-1。

ftell（）函数为 long 类型，它返回文件的当前位置。在 ANSI 下，ftell（）函数在 stdio.h 头文件中被声明。像最初在 UNIX 中实现的那样，ftell（）函数通过返回距文件开始处的字节数目来确定文件的位置。文件的第一个字节到文件开始处的距离是字节 0，依此类推。在 ANSI C 下，这种定义适用于以二进制模式

打开的文件，但是对于以文本模式打开的文件来讲，不一定是这样。这也是程序清单 13.5 使用二进制模式的原因之一。现在我们开始研究程序清单 13.5 的基本元素。

首先，以下语句：

```
fseek (fp, 0L, SEEK_END);
```

把当前位置设置为从文件结尾处偏移 0 字节处，也就是将位置设定在文件结尾。接下来的语句：

```
last = ftell (fp);
```

把从文件开始到文件结尾的字节数目赋给 last。接下来是一个循环：

```
for (count = 1L; count <= last; count++)
{
    fseek (fp, -count, SEEK_END); /* 回退 */
        ch = getc (fp);
}
```

第一次循环将程序定位到文件结尾前的第一个字符，也即文件的最后一个字符。然后打印这个字符。下一次循环将程序定位到前一个字符并打印之。这种操作会一直持续到到达第一个字符并打印之。

13.5.2 二进制模式和文本模式

我们把程序清单 13.5 的程序设计为在 UNIX 和 MS-DOS 环境下都可以运行。UNIX 只有一种文件格式，所以不需要特殊的调整。可是 MS-DOS 却需要额外的关注。很多 MS-DOS 编辑器使用字符 Ctrl+Z 标识文本文件的结尾。如果以文本模式打开这样的文件，C 可以认出这个字符是标识文件结尾的字符。可是如果以二进制模式打开这样的文件，只会把 Ctrl+Z 当作文件中的一个字符。真正的文件结尾还在后面，也许紧跟着 Ctrl+Z，也许用空字符填补文件以使它的大小为 256（或其他数）的倍数。在 DOS 下不打印空字符。程序中包含了防止程序打印 Ctrl+Z 字符的代码。

另一个区别我们在前面也曾经提到过：MS-DOS 用\r\n 组合表示文本文件中的换行符。以文本模式打开文件的 C 程序将\r\n 看作\n。但是如果使用二进制模式打开相同的文件，程序将看到这两个字符。所以需要在程序中包含防止打印\r 的代码（对于 Macintosh 文本文件需要不同的代码，这是因为 Macintosh 使用\r 作为行结尾的标识。程序清单 13.5 把有关 Macintosh 的代码作为注释内容显示）。

因为 UNIX 文本文件通常不包含 Ctrl+Z 和\r，所以这段额外的代码不会影响绝大多数的 UNIX 文本文件。

函数 ftell（）在文本模式和二进制模式下的工作方式有所不同。很多系统的文本文件格式都与 UNIX 模型有很大不同，以致从文件开始的字节计数值是无意义的数量。ANSI C 规定，对于文本模式，ftell（）返回一个可以用作 fseek（）的第二个参数的值。例如，对于 MS-DOS，ftell（）返回一个将\r\n 看成一个字节的计数值。

13.5.3 可移植性

理论上，fseek（）和 ftell（）应该符合 UNIX 模型。可是由于实际系统之间存在差异，有时这是不可能的。所以，ANSI 对这些函数降低了要求。下面是一些局限性：

- 对于二进制模式，C 实现不需要支持 SEEK_END 模式。这样就无法保证程序清单 13.5 是可移植的。然而，程序清单并没有给出定位文件结尾的可替代方法。因为可替代的方法是顺序地读取整个文件以找到文件末尾，这比简单地跳到文件末尾要慢得多。第 16 章中将要讨论的 C 预处理器条件编译指令，为处理可替代的代码选择提供了一种更为系统的方法。
- 在文本模式中，可以确保有效的 fseek（）调用只有以下这些：

fseek（file，0L，SEEK_SET）	到文件开始
fseek（file，0L，SEEK_CUR）	在当前位置不动
fseek（file，0L，SEEK_END）	到文件结尾
fseek（file，ftell- pos，SEEK_SET）	到距文件开始处 ftell-pos 字节的位置，ftell-pos 是 ftell（）的返回值

幸运的是，很多常见环境都允许这些函数的更为健壮的实现。

13.5.4　fgetpos ( ) 和 fsetpos ( ) 函数

fseek（）和 ftell（）的一个潜在的问题是它们限制文件的大小只能在 long 类型的表示范围之内。可能 20 亿字节看起来是一个很大的数字，但是日益增长的存储设备容量使得更大的文件也成为可能。ANSI C 引入了两个用来处理较大文件的新的定位函数。这两个函数不是采用 long 类型值，而是使用一种称为 fpos_t（代表 file position type，文件定位类型）的新类型来代表位置。fpos_t 不是一种基本类型，而是通过其他类型定义的。一个 fpos_t 类型的变量或者数据对象可以用来指定文件中的一个位置，它不能是一种数组类型，但除此之外不再有其他限制。因此 C 实现可以提供一种满足特殊平台需要的类型；例如，这种类型可以作为结构来实现。

ANSI C 定义了使用 fpos_t 的方法。fgetpos（）函数具有下面的原型：

```
int fgetpos (FILE * restrict stream, fpos_t * restrict pos);
```

被调用时，该函数在 pos 所指的位置放置一个 fpos_t 值；这个值描述了文件中的一个位置。如果成功，函数返回 0；否则返回一个非零值。

fsetpos（）函数具有下面的原型：

```
int fsetpos (FILE *stream, const fpos_t *pos);
```

被调用时，该函数使用 pos 指向的位置上的那个 fpos_t 值设定文件指针指向该值所指示的位置。如果成功，函数返回 0；否则返回一个非零值。这个 fpos_t 值应是通过调用 fgetpos（）函数获取的。

13.6　标准 I/O 内幕

前面我们已经看到了标准 I/O 包的一些特性，接下来我们分析一个典型的概念模型，看看标准 I/O 的工作原理。

通常使用标准 I/O 的第一步就是用 fopen（）打开一个文件（回忆一下，stdin、stdout 和 stderr 文件却是自动打开的）。fopen（）函数不仅打开一个文件，而且建立了一个缓冲区（在读写模式下将建立两个缓冲区），还创建了一个包含文件和缓冲区相关数据的数据结构。不仅如此，fopen（）还返回一个指向该结构的指针，供其他函数知道如何找到该结构。假设把这个值赋给了一个名为 fp 的指针变量。我们称 fopen（）函数打开了一个流。如果文件以文本模式打开，可以得到一个文本流；如果以二进制模式打开，那么就得到一个二进制流。

这个数据结构通常包括一个文件位置指示器，以确定在流中的当前位置。它还包括错误指示器和文件结尾指示器、一个指向缓冲区起始处的指针、一个文件标识符，和一个记录实际复制到缓冲区中的字节数的计数器。

我们着重考虑文件输入。通常，下一步就是调用stdio.h头文件中声明的某个输入函数，比如fscanf（）、getc（），或fgets（）。调用这些函数中的任意一个都会把一块数据从文件复制到缓冲区中。缓冲区的大小依赖于具体的实现，但通常是512字节或者它的倍数，例如4 096或16 384（随着硬盘和计算机内存的扩大，缓冲区大小的选择也逐渐扩大）。除了填充缓冲区外，初次函数调用还将设置fp所指的结构中的值。特别地，将设置流的当前位置和复制到缓冲区中的字节数。通常当前位置从字节0开始。

数据结构和缓冲区初始化以后，输入函数将从缓冲区中读取所请求的数据。同时，文件位置指示器被置为紧随最后一个被读取字符的位置。因为 stdio.h 定义的所有输入函数都使用同一个缓冲区，所以任何一个被调函数都将在前一次任何函数调用停止的地方继续开始。

当输入函数检测到已经读取了缓冲区中的全部字符时，它会请求系统将下一块缓冲区大小的数据复制到缓冲区。通过这种方式，输入函数可以读入文件中的全部内容，直到文件结尾。函数在读入最后一缓冲区数据中的最后一个字符后，会将文件结尾指示器的值设置为真。于是下一个被调用的输入函数将返回 EOF。

以类似的方式，输出函数将数据写入缓冲区。当缓冲区已满时，就将数据复制到文件中。

13.7 其他标准I/O函数

ANSI 标准库中包含超过三打的标准 I/O 系列函数。在这里不能覆盖其全部内容，只能简要地再描述一些其他的函数，使用户对可用的函数有一个更好的了解。这里将使用 ANSI C 原型列出每一个函数，以表明其参数和返回值。除了 setvbuf（）之外，这里讨论的函数在 ANSI 之前的实现中都是可用的。参考资料 5 的“添加了 C99 的标准 ANSI C 库”小节中列出了全部 ANSI C 标准 I/O 包。

13.7.1 int ungetc（int c，FILE * fp）函数

int ungetc（int c，FILE * fp）函数将 c 指定的字符放回输入流中。如果向输入流中放入了一个字符，下一次调用标准输入函数就会读入那个字符（请参见图 13.2）。例如，假定需要一个函数读取下一个冒号前的全部字符，但是不包括冒号本身。可以使用 getchar（）或者 getc（）函数进行读入，直到将冒号读入为止，然后使用 ungetc（）函数将冒号放回输入流中。ANSI C 标准保证每次只会放回一个字符。如果一个 C 实现允许将一行里的多个字符放回输入流，那么输入函数就会以与放回时相反的顺序来读入。

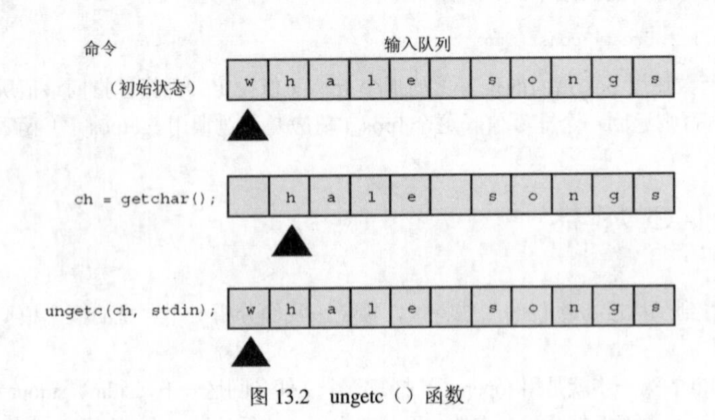

图 13.2 ungetc（）函数

13.7.2 int fflush（）函数

fflush 的原型是：

```
int fflush(FILE *fp);
```

调用 fflush（）函数可以将缓冲区中任何未写的数据发送到一个由 fp 指定的输出文件中去。这个过程称为刷新缓冲区（flushing a buffer）。如果 fp 是一个空指针，将刷新掉所有的输出缓冲。对一个输入流使用 fflush（）函数的效果没有定义。只要最近一次使用流的操作不是输入操作，就可以对一个更新流（任何读-写模式的流）使用这个函数。

13.7.3 int setvbuf（）函数

setvbuf（）函数的原型是：

```
int setvbuf(FILE * restrict fp, char * restrict buf, int mode, size_t size);
```

setvbuf（）函数建立了一个供标准 I/O 函数使用的替换缓冲区。打开文件以后，在没有对流进行任何操作以前，可以调用这个函数。由指针 fp 来指定流，buf 指向将使用的存储区。如果 buf 的值不是 NULL，就必须创建这个缓冲区。例如，可以声明一个 1024 个字符的数组，然后传递该数组的地址。但是，如果 buf 的值为 NULL，函数会自动为自己分配一个缓冲区。size 变量为 setvbuf（）函数指定数组的大小（size_t 类型是一种派生整数类型；请参见第 5 章“运算符、表达式和语句”）。mode 将从下列选项中选取：_IOFBF 表示完全缓冲（缓冲区满的时候刷新），_IOLBF 表示行缓冲（缓冲区满的时候或者一个新行写入的时候

刷新），_IONBF 表示无缓冲。如果成功执行，函数会返回零值，否则返回一个非零值。

假定有一个处理存储数据对象（每个对象的大小为 3 000 字节）的程序，就可以使用 setvbuf（）函数创建一个缓冲区，其大小和该数据对象的大小相符。

13.7.4　二进制 I/O：fread（）和 fwrite（）函数

fread（）和 fwrite（）函数是接下来要讨论的主题，不过首先我们需要了解一些背景知识。以前所使用的标准 I/O 函数都是面向文本的，用于处理字符和字符串。如果要把数字数据保存到一个文件中，该怎么办呢？的确可以使用 fprintf（）函数和%f 格式保存一个浮点值，不过那样就将它作为字符串存储了。例如，下面的序列将 num 作为一个 8 字符的字符串 0.333333 存储：

```
double num = 1./3.;
fprintf(fp, "%f", num);
```

使用%.2f 说明符可以把它存储为 4 字符的字符串 0.33。使用%.12f 说明符可以把它存储为 14 字符的字符串 0.333333333333。改变说明符可以改变存储这一值所需的空间大小；这也会导致存储不同的值。在 num 的值存为 0.33 以后，读取文件的时候就没有办法恢复其完整的精度。总之，fprintf（）函数以一种可能改变数字值的方式将其转换成为字符串。

最精确和一致的存储数字的方法就是使用与程序所使用的相同的位格式。所以，一个 double 值就应该存储在一个 double 大小的单元中。如果把数据存储在一个使用与程序具有相同表示方法的文件中，就称数据以二进制形式存储。这中间没有从数字形式到字符串形式的转换。对于标准 I/O，fread（）和 fwrite（）函数提供了这种二进制服务（请参见图 13.3）。

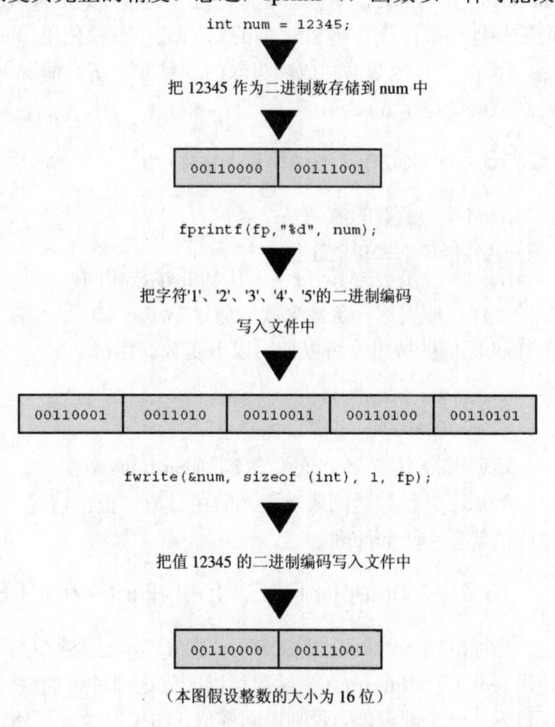

图 13.3　二进制输出和文本输出

实际上，所有的数据都是以二进制的方式进行存储的。甚至连字符也都是使用字符编码的二进制表示来存储。然而，如果文件中的全部数据都以字符编码的形式被解读，我们才称该文件包含文本数据。如果这些数据的部分或者全部以二进制形式的数字数据被解读，就称文件包含二进制数据（另外，包含表示机器语言指令数据的文件也是二进制文件）。

术语“二进制”和“文本”的使用可能会造成混淆。ANSI C 认可两种打开文件的模式：二进制模式和文本模式。很多操作系统认可两种文件格式：二进制格式和文本格式。信息可以作为二进制数据或者文本数据存储和读取。这些都是互相关联的，但又不完全相同。可以用二进制模式打开文本格式的文件，可以将文本存储在二进制格式的文件中，也可以使用 getc（）函数复制包含二进制数据的文件。不过通常情况下，还是使用二进制模式将二进制数据存储到二进制格式的文件中。与之类似，用的最频繁的还是使用以文本模式打开的文本文件中的文本数据（字处理器产生的文件通常都是二进制文件，因为其中包含了很多描述字体和格式的非文本信息）。

13.7.5　size_t fwrite（）函数

fwrite（）函数的原型是：

```
size_t fwrite(const void * restrict ptr, size_t size, size_t nmemb,FILE * restrict fp);
```

fwrite（）函数将二进制数据写入文件。size_t 类型是根据标准 C 类型定义的。它是 sizeof 运算符返回的类型，通常是 unsigned int 类型，不过具体的实现中可以选择其他类型。指针 ptr 是要写入的数据块的地址。size 表示要写入的数据块的大小（以字节为单位）。nmemb 表示数据块的数目。像一般函数那样，fp 指定要写入的文件。例如，要保存一个 256 字节大小的数据对象（如一个数组），可以这样做：

```
char buffer[256];
fwrite (buffer, 256, 1, fp);
```

这一调用将一块 256 字节大小的数据块从缓冲区写入到文件。再者，要保存一个包含 10 个 double 值的数组，可以这样做：

```
double earnings[10];
fwrite (earnings, sizeof (double), 10, fp);
```

这一调用将 earnings 数组中的数据写入文件，数据分成 10 块，每块都是 double 大小。

您也许会注意到 fwrite（）原型中有一个奇怪的声明 void * ptr。fwrite（）的一个问题就是它的第一个参数不是一个固定类型。比如，第一个例子中使用了字符指针 buffer，第二个例子中使用了 double 指针 earnings。在 ANSI C 函数原型下，这些实际参数都被转换成为指向 void 的指针，这种指针可以作为一种普通的指针类型工作（ANSI 之前的 C 对这一参数使用 char *类型，需要将实际参数的类型指派为这一类型）。

fwrite（）函数返回成功写入的项目数。正常情况下，它与 nmemb 相等，不过如果有写入错误的话，返回值就会小于 nmemb。

13.7.6 size_t fread（ ）函数

fread（）函数的原型是：

```
size_t fread(void * restrict ptr, size_t size, size_t nmemb,FILE * restrict fp);
```

fread（）函数与 fwrite（）函数的参数相同。这时，ptr 为读入文件数据的内存存储地址，fp 指定要读取的文件。使用这一函数来读取通过 fwrite（）写入的文件数据。例如，要恢复前一例子中保存的包含 10 个 double 值的数组，可以使用以下函数调用：

```
double earnings[10];
fread (earnings, sizeof (double), 10, fp);
```

该调用将 10 个 double 值复制到 earnings 数组中。

fread（）函数返回成功读入的项目数。正常情况下，它与 nmemb 相等；不过如果有读取错误的话，返回值就会小于 nmemb。

13.7.7 int feof（FILE * fp）和 int ferror（FILE * fp）函数

当标准输入函数返回 EOF 时，通常表示已经到达了文件结尾。可是，这也有可能表示发生了读取错误。使用 feof（）和 ferror（）函数可以区分这两种可能性。如果最近一次输入调用检测到文件结尾，feof（）函数返回一个非零值，否则返回零值。如果发生读写错误，ferror（）函数返回一个非零值，否则返回零值。

13.7.8 一个 fread（ ）和 fwrite（ ）的例子

我们在程序中使用上述一些函数将一系列文件的内容追加到另一个文件的结尾。一个问题是把文件信息传送到程序中，这可以用交互式或者用命令行参数方式完成。这里使用第一种方法，下面几行是程序设计的计划：

- 请求一个目的文件名，并打开该文件。
- 使用一个循环请求源文件。
- 依次以读取模式打开每个源文件，并将其内容追加到目的文件。

为了示范 setvbuf（）函数的使用，我们使用它来指定一个不同的缓冲区大小。下面详细分析了打开目的文件的具体步骤：

- 以追加模式打开最后一个命令行文件。
- 如果不能成功打开则退出。
- 为这个文件建立一个 1024 字节的缓冲区。
- 如果不能完成则退出。

与之类似，我们可以通过下列步骤来详细描述每个文件的复制过程：

- 如果该文件和目的文件相同，则跳到下一个文件。
- 如果不能以读取模式打开该文件，则跳到下一个文件。
- 把该文件的内容添加到目的文件中。

作为练习，我们使用 fread（）和 fwrite（）进行复制。程序清单 13.6 列出了结果程序。

程序清单 13.6　append.c 程序

```
/* append.c -- 把多个文件的内容追加到一个文件中 */
#include <stdio.h>
#include <stdlib.h>
#include <string.h>
#define BUFSIZE 1024
#define SLEN 81
void append (FILE *source, FILE *dest);

int main (void)
{
    FILE *fa, *fs;          // fa 指向追加的目的文件，fs 指向源文件
    int files = 0;          // 追加文件的个数
    char file_app[SLEN];    // 被追加文件的名称
    char file_src[SLEN];    // 源文件的名称
    puts ("Enter name of destination file: ");
    gets (file_app);
    if ((fa = fopen (file_app, "a")) == NULL)
    {
        fprintf (stderr, "Can't open %s\n", file_app);
        exit (2);
    }
    if (setvbuf (fa, NULL, _IOFBF, BUFSIZE) != 0)
    {
        fputs ("Can't create output buffer\n", stderr);
        exit (3);
    }
    puts ("Enter name of first source file (empty line to quit): ");
    while (gets (file_src) && file_src[0] != '\0')
    {
        if (strcmp (file_src, file_app) == 0)
            fputs ("Can't append file to itself\n", stderr);
        else if ((fs = fopen (file_src, "r")) == NULL)
            fprintf (stderr, "Can't open %s\n", file_src);
        else
        {
            if (setvbuf (fs, NULL, _IOFBF, BUFSIZE) != 0)
            {
                fputs ("Can't create input buffer\n", stderr);
                continue;
            }
            append (fs, fa);
            if (ferror (fs) != 0)
                fprintf (stderr, "Error in reading file %s.\n",
                        file_src);
            if (ferror (fa) != 0)
                fprintf (stderr, "Error in writing file %s.\n",
```

```
                    file_app);
            fclose(fs);
            files++;
            printf("File %s appended.\n", file_src);
            puts("Next file (empty line to quit):");
        }
    }
    printf("Done. %d files appended.\n", files);
    fclose(fa);
    return 0;
}

void append(FILE *source, FILE *dest)
{
    size_t bytes;
    static char temp[BUFSIZE]; // 分配一次

    while ((bytes = fread(temp, sizeof(char), BUFSIZE, source)) > 0)
        fwrite(temp, sizeof(char), bytes, dest);
}
```

下面的代码创建了一个供目的文件使用的 1024 字节大小的缓冲区：

```
if (setvbuf(fa, NULL, _IOFBF, BUFSIZE) != 0)
{
    fputs("Can't create output buffer\n", stderr);
    exit(3);
}
```

如果 setvbuf（）不能创建这个缓冲区，它返回一个非零值，上面的代码将终止程序。使用同样方法可以为正被复制的文件建立一个 1024 字节大小的缓冲区。通过用 NULL 作为 setvbuf（）的第二个参数，我们让函数负责为缓冲区分配存储空间。

下面的代码防止程序将文件追加到它自身：

```
if (strcmp(file_src, file_app) == 0)
   fputs("Can't append file to itself\n", stderr);
```

参数 file_app 代表目的文件名，file_src 代表当前被处理文件的名字。

append（）函数完成复制任务。这里没有一次复制一个字节，而是利用 fread（）和 fwrite（）每次复制 1024 个字节：

```
void append(source, dest)
FILE *source, *dest;
{
    size_t bytes;
    static char temp[BUFSIZE]; // 分配一次

    while ((bytes = fread(temp, sizeof(char), BUFSIZE, source)) > 0)
        fwrite(temp, sizeof(char), bytes, dest);
}
```

因为由dest指定的文件是以追加模式打开的，所以源文件逐个被添加到目的文件的结尾。注意数组temp是具有静态时期（表示它的分配发生在编译时，而不是每次调用 append（）函数时）和代码块作用域的，这意味着它是该函数私有的。

本例中使用文本模式打开文件；通过使用"ab"和"rb"模式，该程序也可以处理二进制文件。

13.7.9 使用二进制 I/O 进行随机存取

随机存取最常用于使用二进制 I/O 写入的二进制文件，所以我们看一个简短的例子。程序清单 13.7 中的程序创建了一个 double 类型数值的文件，然后允许您访问这些内容。

程序清单 13.7　randbin.c 程序

```
/* randbin.c -- 随机存取，二进制 I/O */
#include <stdio.h>
#include <stdlib.h>
#define ARSIZE 1000

int main ()
{
    double numbers[ARSIZE];
    double value;
    const char * file = "numbers.dat";
    int i;
    long pos;
    FILE *iofile;
    // 创建一组 double 类型的值
    for (i = 0; i < ARSIZE; i++)
        numbers[i] = 100.0 * i + 1.0 / (i + 1);
   // 尝试打开文件
    if ((iofile = fopen (file, "wb")) == NULL)
    {
        fprintf (stderr, "Could not open %s for output.\n", file);
        exit (1);
    }
    // 把数组中的数据以二进制形式写到文件中
    fwrite (numbers, sizeof (double), ARSIZE, iofile);
    fclose (iofile);
    if ((iofile = fopen (file, "rb")) == NULL)
    {
        fprintf (stderr,
            "Could not open %s for random access.\n", file);
        exit (1);
    }
    // 从文件中读取所选的项目
    printf ("Enter an index in the range 0-%d.\n", ARSIZE - 1);
    scanf ("%d", &i);
    while (i >= 0 && i < ARSIZE)
    {
        pos = (long) i * sizeof (double); // 计算偏移量
        fseek (iofile, pos, SEEK_SET);    // 在文件中定位到那里
        fread (&value, sizeof (double), 1, iofile);
        printf ("The value there is %f.\n", value);
        printf ("Next index (out of range to quit): \n");
        scanf ("%d", &i);
    }
    fclose (iofile);
    puts ("Bye!");
    return 0;
}
```

程序首先创建了一个数组，然后在其中存放了一些值。接着它以二进制模式创建了一个名为 numbers.dat 的文件，然后使用 fwrite () 把数组的内容复制到文件中。每个 double 值的 64 位模式从内存复制到文件中。不能通过文本编辑器来读取结果的二进制文件，因为没有把这些值翻译为字符串。但是，存储在文件中的每个值和它在内存中的存储方式是完全相同的，因此没有损失任何精度。而且每个值都在文件中精确占用 64 位存储空间，所以可以很容易地计算出每个值的位置。

程序的第二部分为了读取打开文件，请求用户输入一个值的索引。通过将索引和 double 值占用的字节数相乘就可以得到一个文件中的位置。然后程序使用 fseek () 定位到该位置，利用 fread () 读取该位置的数据值。注意这里并没有使用格式说明符。而是由 fread () 把从该位置开始的 8 个字节复制到内存中由

&value 指定的位置，然后使用 printf（）显示 value 的值。下面是一个运行示例：

```
Enter an index in the range 0-999.
500
The value there is 50000.001996.
Next index (out of range to quit):
900
The value there is 90000.001110.
Next index (out of range to quit):
0
The value there is 1.000000.
Next index (out of range to quit):
-1
Bye!
```

13.8 关键概念

C 程序将输入看作字节流；流的来源可以是文件、输入设备（如键盘），甚至可以是另一个程序的输出。与之类似，C 程序将输出也看作字节流；流的目的地可以是文件，视频显示等等。

C 如何解释输入字节流和输出字节流依赖于所使用的输入输出函数。程序可以不加改动地读取或存储字节，也可以将字节解释为字符（随后可以把这些字符解释成普通的文本或者数字的文本表示）。与之类似，对于输出，所使用的函数决定了是将二进制值不加改动地转移，还是将其转换成为文本或数字的文本表示。如果需要在不损失精度的前提下保存或者恢复数字数据，请使用二进制模式，并利用 fread（）和 fwrite（）函数。如果是保存文本信息或者是要创建可以用普通文本编辑器查看的文件，请使用文本模式和诸如 getc（）、fprintf（）之类的函数。

要存取文件，需要创建一个文件指针（类型为 FILE *）并将其和一个具体的文件名关联起来。后续代码就可以使用这个指针而不是文件名来处理该文件。

理解 C 如何处理文件结尾这一概念是很重要的。通常一个读取文件的程序使用循环读取输入，直到遇见文件的结尾。C 输入函数直到尝试读取超出文件结尾的时候才会检测到文件结尾。这意味着应该在一次尝试读取之后立即进行文件结尾判断。在本章“文件结尾”小节中标明为“设计范例”的两个文件输入模型可以作为您编程时的示范。

13.9 总结

向文件写入和从文件读出对于大多数 C 程序来说都是必需的。大多数 C 实现为这一目的提供了低级 I/O 服务和标准高级 I/O 服务。因为 ANSI C 库中包括了标准 I/O 服务而不是低级服务，所以标准服务包的可移植性更好。

标准 I/O 包自动创建输入输出缓冲区以加快数据传输的速度。fopen（）函数为标准 I/O 打开一个文件，并创建一个用于存放有关文件和缓冲区信息的数据结构。fopen（）函数返回指向这一数据结构的指针，其他函数可以用这个指针来指定要处理的文件。feof（）和 ferror（）函数报告 I/O 操作失败的原因。

C 将输入看作字节流。如果使用 fread（），C 将输入看作要被放置到指定存储位置的二进制值。如果使用 fscanf（）、getc（）、scanf（），或其他相关函数，C 将每个字节看作一个字符编码。fscanf（）和 scanf（）于是尝试将字符编码翻译成格式说明符指定的其他类型。例如，%f 说明符会将输入 23 翻译成为一个浮点值，%d 说明符会将该输入翻译成为一个整数值，而%s 说明符则会将这个字符输入保存为一个字符串。getc（）和 fgets（）系列函数将输入保持为字符编码，把它作为独立的字符保存在字符变量中，或者作为字符串保存在字符数组中。与之类似，fwrite（）将二进制数据直接放到输出流中，而其他的输出函数将非字符数据转换成为字符表示以后再将其放到输出流中。

ANSI C 提供两种打开文件的模式：二进制模式和文本模式。以二进制模式打开一个文件时，可以逐字节地读取它。以文本模式打开一个文件时，会把文件内容从具体系统的文本表示法映射到 C 表示法。对于 UNIX 和 Linux 系统，这两种模式是相同的。

输入函数 getc（）、fgets（）、fscanf（）和 fread（）一般从文件头开始顺序读取文件，而 fseek（）和 ftell（）函数允许程序移动到文件中任意位置进行随机存取。fgetpos（）和 fsetpos（）函数将这一功能扩展到处理更大的文件。相对于文本模式，随机存取更适合在二进制模式下进行。

13.10　复习题

1．下面的程序有什么问题？

```
int main (void)
{
     int * fp;
     int k;

     fp = fopen ("gelatin");
     for (k = 0; k < 30; k++)
          fputs (fp, "Nanette eats gelatin. ");
     fclose ("gelatin");
     return 0;
}
```

2．下面程序的作用是什么？（Macintosh 用户可以假设程序正确地使用了 console.h 和 ccommand（）函数。）

```
#include <stdio.h>
#include <stdlib.h>
#include <ctype.h>
int main (int argc, char *argv[])
{
     int ch;
     FILE *fp;

     if (argc < 2)
          exit(2);
     if ((fp = fopen (argv[1], "r")) == NULL)
          exit (1);
     while ((ch= getc (fp)) != EOF)
          if (isdigit (ch))
               putchar (ch);
     fclose (fp);
     return 0;
}
```

3．假设在程序中有这样一些语句：

```
#include <stdio.h>
FILE * fp1, * fp2;
char ch;

fp1 = fopen ("terky", "r");
fp2 = fopen ("jerky", "w");
```

并且，假设两个文件都已被成功地打开了。为下面的函数调用提供缺少的参数：

```
a. ch = getc ();
b. fprintf (, "%c\n",);
```

```
c. putc (,);
d. fclose (); /* 关闭terky文件 */
```

4．编写一段程序。它不读取任何命令行参数或者读取一个命令行参数。如果有一个参数，程序将它作为一个输入文件名。如果没有参数，使用标准输入（stdin）作为输入。假设输入完全由浮点数组成。让程序计算并且报告输入数字的算数平均值。

5．编写一段程序。它接受两个命令行参数，第一个是一个字符，第二个是文件名。要求程序只打印文件中包含给定字符的那些行。

说　明

文件中的行通过行末的'\n'来识别。假设没有一行超过256个字符。您可能会想到使用fgets( )。

6．对于二进制流而言，二进制文件和文本文件有什么区别？对于文本流呢？

7．下面两者之间的区别是什么？

a．通过使用fprintf（）和使用fwrite（）保存8238201。

b．通过使用putc（）和使用fwrite（）保存字符*S*。

8．下列语句的区别是什么？

```
printf ("Hello, %s\n", name);
fprintf (stdout, "Hello, %s, name);
fprintf (stderr, "Hello, %s, name);
```

9. 以"a+"、"r+"和"w+"模式打开的文件都是可读可写的。哪种模式更适合用来改变文件中已有的内容？

13.11　编程练习

1．修改程序清单13.1中的程序，使之不采用命令行参数，而是请求用户输入文件名并读入用户的响应。

2．编写一个文件复制程序。程序需要从命令行获得源文件名和目的文件名。尽可能使用标准I/O和二进制模式。

3．编写一个文件复制程序，提示用户输入源文件名和输出文件名。在向输出文件写入时，程序应当使用ctype.h中定义的toupper（）函数将所有的文本转换成大写。使用标准I/O和文本模式。

4．编写一段程序，依次在屏幕上显示命令行中列出的全部文件。使用argc控制循环。

5．修改程序清单13.6中的程序，使用命令行参数（而不是交互式界面）获得文件名。

6．使用命令行参数的程序要求用户记住正确的使用方法。重写程序清单13.2中的程序，不使用命令行参数，而是提示用户键入所需的信息。

7．编写一个打开两个文件的程序。可以使用命令行参数或者请求用户输入来获得文件名。

a．让程序打印第一个文件的第一行、第二个文件的第一行、第一个文件的第二行、第二个文件的第二行，依此类推，直到打印完行数较多的文件的最后一行。

b．修改程序，把行号相同的行打印到同一行上。

8．编写一段程序，将一个字符、零个或多个文件名作为命令行参数。如果字符后没有参数跟随，程序读取标准输入文件。否则，程序依次打开每个文件，然后报告每个文件中该字符的出现次数。文件名和字符本身也与计数值一起报告。程序中包括错误检查，以确定参数数目是否正确和是否能打开文件。如果不能打开文件，程序要报告这一情况然后继续处理下一文件。

9．修改程序清单13.3中的程序，从1开始，根据加入列表的顺序为每个单词编号。当再次运行程序时，确保新的单词编号接着前面的编号开始。

10．编写一个程序，打开一个文本文件，文件名通过交互方式获得。建立一个循环，请求用户输入一个文件位置。然后程序打印文件中从该位置开始到下一换行符之间的部分。用户通过输入非数字字符来终止输入循环。

11．编写一个程序，接受两个命令行参数。第一个参数为一个字符串；第二个为文件名。程序打印文件中包含该字符串的所有行。因为这一任务是面向行而不是面向字符的，所以要使用 fgets（）而不是 getc（）。使用标准 C 库函数 strstr（）（在第 11 章的练习 7 中简要描述过）在每一行中搜索这一字符串。

12．创建一个包含 20 行，每行 30 个整数的文本文件。整数在 0 到 9 之间，用空格分开。该文件是一个图片的数字表示，从 0 到 9 的值代表逐渐增加的灰度。编写一个程序，将文件的内容读入到一个 20*30 的 int 数组中。一种将这种数字表示转化成图片的粗略方法就是让程序使用数组中的数值来初始化一个 20*31 的字符阵列。0 对应空格字符，1 对应句号字符，依此类推，较大的值对应占用空间较多的字符。比如，可以使用#代表 9。每行的最后一个字符（第 31 个）为空字符，这样数组将包含 20 个字符串。然后程序显示结果图片（即打印这些字符串），并将结果存入一个文本文件中。例如，如果开始的数据为：

```
0 0 9 0 0 0 0 0 0 0 0 0 5 8 9 9 8 5 2 0 0 0 0 0 0 0 0 0 0 0
0 0 0 0 9 0 0 0 0 0 0 0 5 8 9 9 8 5 5 2 0 0 0 0 0 0 0 0 0 0
0 0 0 0 0 0 0 0 0 0 0 0 5 8 1 9 8 5 4 5 2 0 0 0 0 0 0 0 0 0
0 0 0 0 9 0 0 0 0 0 0 0 5 8 9 9 8 5 0 4 5 2 0 0 0 0 0 0 0 0
0 0 9 0 0 0 0 0 0 0 0 0 5 8 9 9 8 5 0 0 4 5 2 0 0 0 0 0 0 0
0 0 0 0 0 0 0 0 0 0 0 0 5 8 9 1 8 5 0 0 0 4 5 2 0 0 0 0 0 0
0 0 0 0 0 0 0 0 0 0 0 0 5 8 9 9 8 5 0 0 0 0 4 5 2 0 0 0 0 0
5 5 5 5 5 5 5 5 5 5 5 5 5 8 9 9 8 5 5 5 5 5 5 5 5 5 5 5 5 5
8 8 8 8 8 8 8 8 8 8 8 8 5 8 9 9 8 5 8 8 8 8 8 8 8 8 8 8 8 8
9 9 9 9 0 9 9 9 9 9 9 9 9 9 9 9 9 9 9 9 3 9 9 9 9 9 9 9 9 9
8 8 8 8 8 8 8 8 8 8 8 8 5 8 9 9 8 5 8 8 8 8 8 8 8 8 8 8 8 8
5 5 5 5 5 5 5 5 5 5 5 5 5 8 9 9 8 5 5 5 5 5 5 5 5 5 5 5 5 5
0 0 0 0 0 0 0 0 0 0 0 0 5 8 9 9 8 5 0 0 0 0 0 0 0 0 0 0 0 0
0 0 0 0 0 0 0 0 0 0 0 0 5 8 9 9 8 5 0 0 0 0 6 6 0 0 0 0 0 0
0 0 0 0 2 2 0 0 0 0 0 0 5 8 9 9 8 5 0 0 5 6 0 0 6 5 0 0 0 0
0 0 0 0 3 3 0 0 0 0 0 0 5 8 9 9 8 5 0 5 6 1 1 1 1 6 5 0 0 0
0 0 0 0 4 4 0 0 0 0 0 0 5 8 9 9 8 5 0 0 5 6 0 0 6 5 0 0 0 0
0 0 0 0 5 5 0 0 0 0 0 0 5 8 9 9 8 5 0 0 0 0 6 6 0 0 0 0 0 0
0 0 0 0 0 0 0 0 0 0 0 0 5 8 9 9 8 5 0 0 0 0 0 0 0 0 0 0 0 0
0 0 0 0 0 0 0 0 0 0 0 0 5 8 9 9 8 5 0 0 0 0 0 0 0 0 0 0 0 0
```

对于一种特定的输出字符的选择，输出是这样的：

```
#           *%##%*'
    #       *%##%**'
            *%.#%*~*'
    #       *%##%* ~*'
#           *%##%*  ~*'
            *%#.%*   ~*'
            *%##%*    ~*'
*************%##%*************
%%%%%%%%%%%%*%##%*%%%%%%%%%%%%
#### #################: #######
%%%%%%%%%%%%*%##%*%%%%%%%%%%%%
*************%##%*************
            *%##%*
            *%##%*    ==
    ''      *%##%*  *=  =*
    ::      *%##%* *=....=*
    ~~      *%##%*  *=  =*
    **      *%##%*    ==
            *%##%*
            *%##%*
```

13．数字图像，尤其是从宇宙飞船发回的数字图像可能会包含尖峰脉冲。为第 12 道编程练习题添加消除尖峰脉冲的函数。该函数应该将每一个值和它上下左右的相邻值比较，如果该值与它周围每个值的差都大于 1，就用所有相邻值的平均值（取与其最接近的整数）取代这个值。注意到边界上的点的相邻点少于 4 个，所以它们需要特殊处理。

第 14 章　结构和其他数据形式

在本章中您将学习下列内容：

- 关键字：
  struct，union，typedef
- 运算符：
  . ->
- 什么是 C 语言中的结构？如何创建结构模板和结构变量？
- 如何访问结构成员？如何编写处理结构的函数？
- C 的 typedef 工具。
- 联合及指向函数的指针。

设计程序最重要的一个步骤就是选择一个表示数据的好方法。在多数情况下，使用简单的变量甚至数组都是不够的。C 使用结构变量（structure variable）进一步增强了表示数据的能力。C 的结构的基本形式就足以灵活地表示多种数据，并且它还使您能够创建新的形式。如果您熟悉 Pascal 语言的“记录”的话，您对 C 语言的结构也不会感到陌生。如果您不熟悉，本章将使您了解 C 语言中的结构。我们来研究一个具体的例子，看看为什么需要使用结构以及如何创建和使用结构。

14.1　示例问题：创建图书目录

Gwen Glenn 想要打印出她的图书的详细目录。她希望打印出关于每本图书的各种信息：书名、作者、出版商、版权日期、页数、册数及价格。其中的一些项目（如书名）可以用字符串数组存储，其他的项目需要一个 int 数组或 float 数组。使用 7 个不同的数组来保存所有的信息将是比较复杂的；尤其是如果 Gwen 还想创建几个完整的列表，一个按书名排序，一个按作者排序，一个按价格排序，等等。一个好的解决方法是使用一个数组，该数组的每个成员包含了一本书的所有信息。

于是，Gwen 需要一种数据形式，其中既可包括字符串又可包括数字，还能够分别保存这些信息。C 的结构就满足了这种需要。要了解如何建立一个结构以及它如何工作，我们从一个较为简单的示例程序开始学习。为了简化问题，我们施加两个限制条件。首先，每本书的信息只包括书名、作者和当前的市场价格。其次，限制目录中只有一本书。如果您有更多的书，别着急，很快我们就会扩展这个程序。

请看程序清单 14.1 所示的程序及其输出结果，然后阅读要点解释。

程序清单 14.1　book.c 程序

```
/* book.c -- 仅包含一本书的图书目录 */
#include <stdio.h>
#define MAXTITL 41      /* 书名的最大长度+1 */
#define MAXAUTL 31      /* 作者名的最大长度+1 */
struct book {           /* 结构模板：标记为 book */
    char title[MAXTITL];
```

```
    char author[MAXAUTL];
    float value;
};                          /* 结构模板结束 */
int main (void)
{
    struct book library; /* 把 library 声明为 book 类型的变量 */
    printf ("Please enter the book title.\n");
    gets (library.title); /* 访问 title 部分 */
    printf ("Now enter the author.\n");
    gets (library.author);
    printf ("Now enter the value.\n");
    scanf ("%f", &library.value);
    printf ("%s by %s: $%.2f\n", library.title, library.author, library.value);
    printf ("%s: \"%s\" ($%.2f) \n", library.author, library.title, library.value);
    printf( "Done.\n" );

    return 0;
}
```

下面是一个运行示例：

```
Please enter the book title.
Chicken of the Alps
Now enter the author.
Bismo Lapoult
Now enter the value.
14.95
Chicken of the Alps by Bismo Lapoult: $14.95
Bismo Lapoult: "Chicken of the Alps" ($14.95)
```

程序清单 14.1 中创建的结构由 3 个部分组成，每个部分称为成员（member）或字段（field）。这 3 个部分中一个存储书名，一个存储作者名，一个存储价格。下面是必须掌握的 3 个重要技巧：

- 建立结构的格式或布局。
- 声明遵循该布局的变量。
- 获取对一个结构变量的各个部件的访问。

14.2　建立结构声明

结构声明（structure declaration）是描述结构如何组合的主要方法。声明就像下面这样：

```
struct book {
    char title[MAXTITL];
    char author[MAXAUTL];
    float value;
};
```

该声明描述了一个由两个字符数组和一个 float 变量组成的结构。它并没有创建一个实际的数据对象，而是描述了组成这类对象的元素（有时候，我们也把结构声明叫做模板，因为它勾勒出数据该如何存储。如果您已经听过 C++中的模板，那只是这个词的不同用法）。我们来看看细节。首先使用关键字 struct，它表示接下来是一个结构。后面是一个可选的标记（单词 book），它是用来引用该结构的快速标记。因此，以后我们就可以这样声明：

```
struct book library;
```

它把 library 声明为一个使用 book 结构设计的结构变量。

在结构声明中，接下来是用一对花括号括起来的结构成员列表。每个成员变量都用它自己的声明来描述，用一个分号来结束描述。例如，title 是一个拥有 MAXTITL 个元素的 char 数组。每个成员可以是任何一种 C 的数据类型，甚至可以是其他结构！

结束花括号后的分号表示结构设计定义的结束。可以把这个声明放在任何函数的外面（就像我们已经做的那样），也可以放在一个函数定义内部。如果这个结构声明置于一个函数内部，它的标记只能在该函数内部使用。如果是外部声明，它可以被本文件中该声明之后的所有函数使用。例如，若再有一个函数，可以这样定义：

```
struct book dickens;
```

这样，这个函数中将含有一个 book 结构的变量 dickens。

标记名是可选的。但是在用我们所使用的那种方式建立结构（在一个地方定义结构设计，而在其他地方定义实际的结构变量）时，必须使用标记。我们学习完结构变量的定义之后，再回头来看看这一点。

14.3 定义结构变量

词语“结构”（structure）有两个意思。一个意思是“结构设计”，这个我们刚刚已经讨论过了。结构设计告诉编译器如何表示数据，但是它没有让计算机为数据分配空间。下一步是创建一个“结构变量”，即这个词的第二个意思。程序中创建结构变量的那一行如下：

```
struct book library;
```

看到这条指令，编译器会创建一个变量 library。编译器使用 book 模板为该变量分配空间：一个具有 MAXTITL 个元素的 char 数组，一个具有 MAXAUTL 个元素的 char 数组和一个 float 变量。这些存储空间是以一个名字 library 被结合在一起的（请参见图 14.1）（下一节将说明在需要的时候如何分解这个存储空间）。

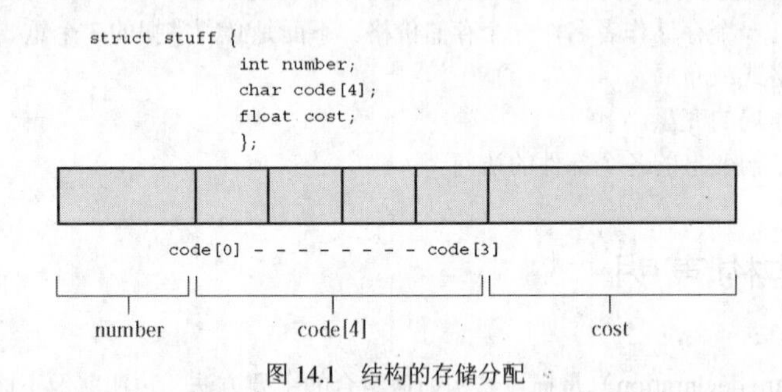

图 14.1 结构的存储分配

在结构变量的声明中，struct book 所起的作用就像 int 或 float 在较简单的声明中的作用一样。例如，可以定义两个 struct book 类型的变量，甚或可以定义一个指向该结构的指针：

```
struct book doyle, panshin, * ptbook;
```

结构变量 doyle 和 panshin 均包含 title、author 和 value 部分。指针 prbook 可以指向 doyle、panshin，或任何其他 book 结构变量。实际上，book 结构的声明创建了一个名为 struct book 的新类型。

就计算机而言，下面的声明：

```
struct book library;
```

是以下声明的简化：

```
struct book {
    char title[MAXTITL];
    char author[AXAUTL];
    float value;
} library;      /* 在定义之后跟变量名 */
```

换句话说，声明结构的过程和定义结构变量的过程可以被合并成一步。如下所示，将声明和变量定义合并在一起，是不需要使用标记的一种情况。

```
struct {   /* 无标记 */
    char title[MAXTITL];
    char author[MAXAUTL];
    float value;
} library;
```

然而，如果您想多次使用一个结构模板，就需要使用带有标记的形式；或者您也可以使用本章后面部分将要讲到的 typedef。

在这个例子中，定义结构变量时没有进行初始化。现在我们来看看初始化。

14.3.1　初始化结构

您已经知道如何初始化变量和数组：

```
int count = 0;
int fibo[7] = {0, 1, 1, 2, 3, 5, 8};
```

结构变量也能这样被初始化吗？是的，当然。要初始化一个结构变量（对于 ANSI C，可以是任何一种存储类；但对于 ANSI 之前的 C，不能是自动变量），可以使用与初始化数组相似的语法：

```
struct book library = {
    "The Pirate and the Devious Damsel",
    "Renee Vivotte",
    1.95
};
```

简言之，使用一个用花括号括起来的、逗号分隔的初始化项目列表进行初始化。每个初始化项目必须和要初始化的结构成员类型相匹配。因此，可以将 title 成员初始化为字符串，将 value 成员初始化为数字。要使这种关联更明显些，可以把每个成员的初始化项目写在单独的一行中。但是，编译器所需要的只是用逗号分隔各个成员的初始化项目就可以了。

结构初始化和存储类时期

在第 12 章“存储类、链接和内存管理”中我们曾提到，如果初始化一个具有静态存储时期（比如静态外部链接、静态内部链接或静态空链接）的变量，只能使用常量值。这条规则同样也适用于结构。如果初始化一个具有静态存储时期的结构，初始化项目列表中的值必须是常量表达式。如果存储时期是自动的，列表中的值就不必是常量了。

14.3.2　访问结构成员

结构就像是一个“超级数组”。在这个超级数组内，一个元素可以是 char 类型，下一个元素可以是 float 类型，再下一个可以是 int 数组。使用下标可以访问一个数组的各个元素。那么如何访问结构中的各个成员呢？用结构成员运算符点（.）就可以。例如，library.value 就是指 library 的 value 部分。可以像使用任何其他 float 变量那样使用 library.value。同样，可以像使用一个 char 数组那样使用 library.title。因此，程序中有下面的代码：

```
gets(library.title);
```

以及：

```
scanf("%f", &library.value);
```

在本质上，.title、.author 和.value 在 book 结构中扮演了下标的角色。

注意，虽然 library 是一个结构，但是 library.value 是 float 类型，可以像使用其他任何 float 类型变量那样使用它。例如，scanf（"%f"，...）要求 float 类型变量的地址，而&library.float 正好是这样的地址。其中点拥有比&更高的优先级，因此这个表达式和&（library.float）一样。

如果有同样类型的另一个结构变量，可以使用同样的方法：

```
struct book bill, newt;

gets (bill.title);
gets (newt.title);
```

.title 指 book 结构的第一个成员。注意本章开始处的程序如何用两种不同的格式打印出结构 library 的内容。这说明了在使用结构成员时拥有的自由。

现在已经拥有这些基础知识，您可以拓宽视野，看看结构的一些分支。您将看到结构数组、以结构为成员的结构、指向结构的指针，以及处理结构的函数。

14.3.3 结构的指定初始化项目

C99 支持结构的指定初始化项目，其语法与数组的指定初始化项目相似。只是，结构的指定初始化项目使用点运算符和成员名（而不是方括号和索引值）来标识具体的元素。例如，只初始化 book 结构的成员 value，可以这样做：

```
struct book surprise = { .value = 10.99};
```

可以按照任意的顺序使用指定初始化项目：

```
struct book gift = { .value = 25.99,
                     .author = "James Broadfool",
                     .title = "Rue for the Toad"};
```

正像数组一样，跟在一个指定初始化项目之后的常规初始化项目为跟在指定成员后的成员提供了初始值。另外，对特定成员的最后一次赋值是它实际获得的值。例如，考虑下列声明：

```
struct book gift= { .value = 18.90,
                    .author = "Philionna Pestle",
                    0.25};
```

这将把值 0.25 赋给成员 value，因为它在结构声明中紧跟在 author 成员之后。新的值 0.25 代替了早先的赋值 18.90。既然您已经掌握了这些基础的内容，现在，您可以拓宽学习内容来了解结构的一些相关类型。我们将学习结构数组、嵌套结构、指向结构的指针和处理结构的函数。

14.4 结构数组

让我们把 book 程序扩展成可以处理更多的书。显然，每本书可以用一个 book 类型的结构变量来描述。要描述两本书，需要使用两个这样的变量，依次类推。要处理多本书，可以使用一个该结构的数组。在下面的程序中，我们就创建了这样的数组，如程序清单 14.2 所示（如果您用的是 Borland C/C++，请参见下文中的“Borland C 和浮点数”一部分）。

结构和内存

程序 manybook.c 使用了一个含有 100 个结构的数组。因为该数组是一个自动存储类的对象，所以这些信息通常会放置在堆栈里。这样大的一个数组要求一大块存储空间，这可能会造成麻烦。如果您得到一个有关堆栈大小或者堆栈溢出的运行时错误，可能是因为编译器使用了一个对本例来说太小了的默认大小的堆栈空间。为满足需要，可以使用编译器选项把堆栈大小设置为 10000 以容纳这个结构数组，或者可以将数组设为静态的或外部的（这样就不会把数组放在堆栈里），或者可以将数组大小减少到 16。为什么开始时我们不使用一个较小的数组呢？因为您应该知道有关堆栈大小的潜在问题，这样您以后遇到这个问题时，就能够处理好它。

Borland C 和浮点数

如果程序不使用浮点数，旧的 Borland C 编译器会使用小版本的 scanf( ) 以使程序更短小。然而，如果仅有的一个浮点数是在一个结构数组中，就像程序清单 14.2 那样，那么编译器（Borland C/C++ 3.1 for DOS 之前的版本，而不是 Borland C/C++ 4.0）就不能发现它的存在。结果，您会得到如下的一条消息：

```
scanf: floating point formats not linked
Abnormal program termination
```

一种解决方法是在程序中添加下面的代码：

```
#include <math.h>
double dummy = sin (0.0);
```

这段代码促使编译器装载浮点数版本的 scanf ( )。

程序清单 14.2 manybook.c 程序

```
/* manybook.c -- 包含多本书的图书目录 */
#include <stdio.h>
#define MAXTITL  40
#define MAXAUTL  40
#define MAXBKS  100     /* 最多可以容纳的图书册数       */
struct book {           /* 建立 book 模板              */
    char title[MAXTITL];
    char author[MAXAUTL];
    float value;
};
int main (void)
{
    struct book library[MAXBKS]; /* book 结构数组 */
    int count = 0;
    int index;

    printf ("Please enter the book title.\n");
    printf ("Press [enter] at the start of a line to stop.\n");
    while (count < MAXBKS && gets (library[count].title) != NULL
                     && library[count].title[0] != '\0')
    {
        printf ("Now enter the author.\n");
        gets (library[count].author);
        printf ("Now enter the value.\n");
        scanf ("%f", &library[count++].value);
        while (getchar () != '\n')
            continue;           /* 清空输入行   */
        if (count < MAXBKS)
        printf ("Enter the next title.\n");
    }
    if  (count>0)
    {
        printf ("Here is the list of your books: \n");
        for (index = 0; index < count; index++)
        printf ("%s by %s: $%.2f\n", library[index].title,
                library[index].author, library[index].value);
    }
     else
        printf("No books?Too bad.\n");
    return 0;
}
```

下面是一个运行示例：

```
Please enter the book title.
Press [enter] at the start of a line to stop.
My Life as a Budgie
Now enter the author.
Mack Zackles
Now enter the value.
12.95
Enter the next title.
    ...more entries...
Here is the list of your books:
My Life as a Budgie by Mack Zackles: $12.95
Thought and Unthought Rethought by Kindra Schlagmeyer: $43.50
The Business of a Bee by Salome Deschamps: $14.99
The CEO Power Diet by Buster Downsize: $19.25
C++ Primer Plus by Stephen Prata: $40.00
Under a Tofu Moon by Angus Bull: $15.97
Coping with Coping by Dr. Rubin Thonkwacker: $0.00
Delicate Frivolity by Neda McFey: $29.99
Murder Wore a Bikini by Mickey Splats: $18.95
A History of Buvania, Volume 4, by Prince Nikoli Buvan: $50.00
Mastering Your Digital Watch, 2nd Edition, by Miklos Mysz: $18.95
A Foregone Confusion by Phalty Reasoner: $5.99
Outsourcing Government:Selection vs. Election by Ima Pundit:$33.33
```

首先，我们看看如何声明结构数组以及如何访问各个成员。然后，我们着重分析程序的两个方面。

14.4.1 声明结构数组

声明一个结构数组和声明其他任何类型的数组一样。

```
struct book library[MAXBKS];
```

这条语句声明 library 为一个具有 MAXBKS 个元素的数组，数组的每个元素都是 book 类型的结构。因此，library[0]是一个 book 结构，library[1]是第二个 book 结构，依此类推。图 14.2 可以帮助您直观地理解这一点。library 本身不是结构名，它是元素类型为 struct book 结构的数组名。

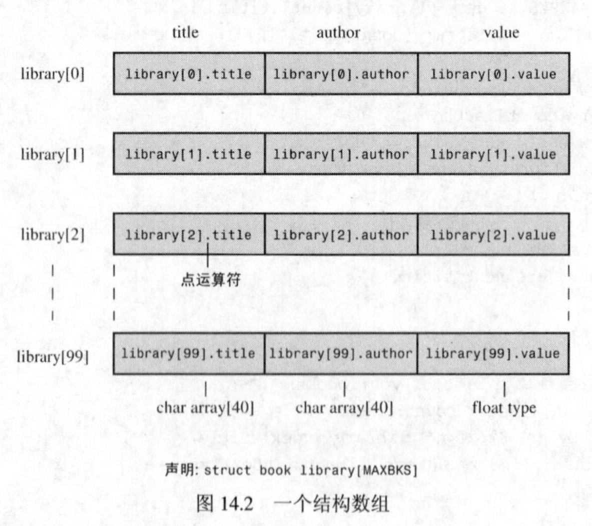

图 14.2 一个结构数组

14.4.2 标识结构数组的成员

为了标识结构数组的成员，可以采用适用于各个结构的规则：在结构名后加一个点运算符，然后是成员名。

```
library[0].value /* 第1个数组元素的value成员 */
library[4].title /* 第5个数组元素的title成员 */
```

注意，数组下标紧跟 library，而不是跟在成员名后面：

```
library.value[2] // 错误
library[2].value // 正确
```

使用 library[2].value 的原因是 library[2]是结构变量名，就像 library[1]是另一个结构变量名一样。

顺便问一下，下面的表达式代表什么？

```
library[2]. title[4]
```

这是由第 3 个结构（library[2]部分）描述的书本的名称的第 5 个字符（title[4]部分）。在本例中即为字符 B。这个例子指出，点运算符右边的下标作用于各个成员，而点运算符左边的下标作用于结构数组。

作为总结，我们看下面的序列：

```
library                  // book 结构数组
library[2]               // 数组元素，因此是一个 book 结构
library[2].title         // char 数组（library[2]的title成员）
library[2].title[4]      // title 成员数组中的一个字符
```

接下来，我们完成对这个程序的解释。

14.4.3　程序讨论

相对于第一个程序的主要变化是，我们插入一个循环来读取多个输入项。循环是由下列 while 条件开始的：

```
while (count < MAXBKS && gets (library[count].title) != NULL
                    && library[count].title[0] != '\0')
```

表达式 gets（library[count].title）读入一个字符串作为书名；如果 gets（）试图超出文件结尾读取字符，这个表达式的值为 NULL。表达式 library[count].title[0]!= '\0'是检测字符串的第一个字符是否为空字符，也就是字符串是否为空。如果用户在输入行的开始就按了回车键，将输入空字符串，这将结束循环。我们还进行检查，以确保输入的书本数不超出数组大小的限制。

程序中有这样的几行：

```
while (getchar () != '\n')
continue;  /* 清空输入行 */
```

在前面的章节中我们介绍过，scanf（）函数忽略掉空格和换行符，这段代码弥补了这一不足。当您回答对书本价格的请求时，您可能会键入下列信息：

```
12.50[enter]
```

这个语句传送了下面的字符序列：

```
12.50\n
```

scanf（）函数读入了 1、2、.、5 和 0，但把\n 留在输入流中，等待下一个读入语句处理。如果没有前面那段预处理的代码，下一个读入语句 gets（library[count].title）就会把留下来的换行符当作空行读入，程序会以为用户发出了一个停止信号。我们插入的那段代码会把后续字符全部丢弃，直到发现并丢掉一个换行符为止。除了把这些字符从输入队列中删除之外，它不会对它们进行任何处理。这样 gets（）就可以重新开始了。

现在，我们回过头来继续研究结构。

14.5　嵌套结构

有时候，一个结构中含有（或称嵌套）另一个结构是很方便的。例如，Shalala Pirosky 建立一个有关她

朋友的信息的结构。非常自然地，该结构的一个成员是朋友的名字。然而，名字本身就可以表示成一个结构，其中包含名和姓这两个成员。程序清单 14.3 是 Shalala 所做工作的简单示例。

程序清单 14.3 friend.c 程序

```
// friend.c -- 嵌套结构的例子
#include <stdio.h>
#define LEN 20
const char * msgs[5] =
{
    "    Thank you for the wonderful evening, ",
    "You certainly prove that a ",
    "is a special kind of guy. We must get together",
    "over a delicious ",
    " and have a few laughs"
};
struct names {                  // 第一个结构
    char first[LEN];
    char last[LEN];
};
struct guy {                    // 第二个结构
    struct names handle;    // 嵌套结构
    char favfood[LEN];
    char job[LEN];
    float income;
};
int main (void)
{
    struct guy fellow = {  // 初始化一个变量
        {"Ewen", "Villard" },
        "grilled salmon",
        "personality coach",
        58112.00
    };

    printf ("Dear %s, \n\n", fellow.handle.first);
    printf ("%s%s.\n", msgs[0], fellow.handle.first);
    printf ("%s%s\n", msgs[1], fellow.job);
    printf ("%s\n", msgs[2]);
    printf ("%s%s%s", msgs[3], fellow.favfood, msgs[4]);
    if (fellow.income > 150000.0)
        puts ("!!");
    else if (fellow.income > 75000.0)
        puts ("!");
    else
        puts (".");
    printf ("\n%40s%s\n", " ", "See you soon, ");
    printf ("%40s%s\n", " ", "Shalala");
    return 0;
}
```

下面是输出：

```
Dear Ewen,

     Thank you for the wonderful evening, Ewen.
You certainly prove that a personality coach
is a special kind of guy. We must get together
over a delicious grilled salmon and have a few laughs.

                                        See you soon,
                                        Shalala
```

首先，注意在结构声明中是如何创建嵌套结构的。它简单地进行声明，就像声明一个 int 变量一样：

```
struct names handle;
```

这个声明表示 handle 是一个 struct names 类型的变量。当然，文件中也应该包含结构 names 的声明。

其次，注意如何对嵌套结构的成员进行访问：只需使用两次点运算符：

```
printf ("Hello, %s!\n", fellow.handle.first);
```

这个语句可以这样从左到右地解释：

```
(fellow.handle) .first
```

也就是说，找到 fellow，然后找到 fellow 的成员 handle，进而找到 handle 的成员 first。

14.6　指向结构的指针

喜欢使用指针的人会高兴地得知能够使用指向结构的指针。至少有三个原因可以解释为什么使用指向结构的指针是个好主意。第一，就像指向数组的指针比数组本身更容易操作（例如在一个排序问题中）一样，指向结构的指针通常都比结构本身更容易操作。第二，在一些早期的 C 实现中，结构不能作为参数被传递给函数，但指向结构的指针可以。第三，许多奇妙的数据表示都使用了包含指向其他结构的指针的结构。

下面的短例子（程序清单 14.4）显示如何定义一个指向结构的指针及如何使用这个指针访问结构成员。

程序清单 14.4　friends.c 程序

```
/* friends.c -- 使用指向结构的指针 */
#include <stdio.h>
#define LEN 20

struct names {
    char first[LEN];
    char last[LEN];
};

struct guy {
    struct names handle;
    char favfood[LEN];
    char job[LEN];
    float income;
};

int main (void)
{
    struct guy fellow[2] = {
        {{ "Ewen", "Villard"},
        "grilled salmon",
        "personality coach",
        58112.00
        },
        {{"Rodney", "Swillbelly"},
        "tripe",
        "tabloid editor",
        232400.00
        }
    };
    struct guy * him; /* 这是一个指向结构的指针  */
    printf ("address #1: %p #2: %p\n", &fellow[0], &fellow[1]);
    him = &fellow[0]; /* 告诉该指针它要指向的地址 */
```

```
    printf ("pointer #1: %p #2: %p\n", him, him + 1);
    printf ("him->income is $%.2f: (*him) .income is $%.2f\n",
        him->income, (*him) .income);
    him++;          /* 指向下一个结构        */
    printf ("him->favfood is %s: him->handle.last is %s\n",
        him->favfood, him->handle.last);
    return 0;
}
```

请看输出结果：

```
address #1: 0x0012fea4 #2: 0x0012fef8
pointer #1: 0x0012fea4 #2: 0x0012fef8
him->income is $58112.00: (*him).income is $58112.00
him->favfood is tripe: him->handle.last is Swillbelly
```

我们先来看看怎样创建一个指向 guy 结构的指针，然后解释如何使用指针指定各个结构成员。

14.6.1 声明和初始化结构指针

声明很简单：

```
struct guy * him;
```

首先是关键字 struct，其次是结构标记 guy，然后是一个*号，紧跟着是指针名。这个语法和您见过的其他指针声明一样。

这个声明不是建立一个新的结构，而是意味着指针 him 现在可以指向任何现有的 guy 类型的结构。例如，如果 barney 是一个 guy 类型的结构，可以这样做：

```
him = &barney;
```

和数组不同，一个结构的名字不是该结构的地址，必须使用&运算符。

在本例中，fellow 是一个结构数组，就是说 fellow[0]是一个结构，所以下列代码令 him 指向 fellow[0]，从而初始化了 him：

```
him = &fellow[0];
```

头两行输出表明成功地执行了这个赋值语句。比较这两行输出，可以看出 him 指向 fellow[0]，him+1 指向 fellow[1]。注意 him 加上 1，地址就加了 84。在十六进制中， ef8-ea4=54（十六进制）=84（十进制）。这是因为每个 guy 结构占有 84 字节的内存区域：names.first 占 20 字节，names.last 占 20 字节，favfood 占 20 字节，job 占 20 字节，income 占 4 字节（即 float 在系统中的大小）。顺便提一下，在一些系统中，结构的大小有可能大于它内部各成员大小之和，那是因为系统对数据的对齐存储需求会导致缝隙。例如，系统有可能必须把每个偶数地址的成员放在是 4 的倍数的地址上，这样的结构就可能在其内部存在存储缝隙。

14.6.2 使用指针访问成员

指针 him 现在正指向结构 fellow[0]。如何使用 him 来取得 fellow[0]的一个成员的值呢？第三行输出展示了两种方法。

第一种方法，也是最常用的方法，是使用一个新运算符：->。这个运算符由一个连接号（-）后跟一个大于符号（>）组成。下面的例子可以清楚地表明这个意思：

```
him->income is fellow[0].income if him == &fellow[0]
```

换句话说，后跟->运算符的结构指针和后跟 .（点）运算符的结构名是一样的（不能使用 him.income，因为 him 不是一个结构名）。

务必要注意到 him 是个指针，而 him->income 是被指向的结构的一个成员。在这种情况下，him->income 是一个 float 变量。

指定结构成员值的第二种方法从下面的序列中得出：如果 him=&fellow[0]，那么*him=fellow[0]，因为

&和*是一对互逆的运算符。因此，可做以下替代：

```
fellow[0].income == (*him).income
```

必须有圆括号，因为 . 运算符比*的优先级更高。

总之，如果 him 是指向名为 barney 的 guy 类型结构的指针，则下列表达式是等价的：

```
barney.income == (* him).income == him->income        // 假设him == &barney
```

现在，我们来看看结构和函数的相互作用。

14.7　向函数传递结构信息

回忆一下，函数的参数可以向函数传递值。每个值是个数字，可能是 int 型、float 型、ASCII 字符编码，或者是个地址。结构比一个单值要复杂一些，所以也难怪早期的 C 实现不允许把结构作为参数传递给函数。较新的 C 实现取消了这个限制，ANSI C 允许把结构作为参数。因此，现在的 C 实现允许把结构作为参数传递，或把指向结构的指针作为参数传递。如果只关心结构的一部分，还可以将结构成员作为参数传递给函数。这三种方法我们都将进行研究，首先看看把结构成员作为参数来传递。

14.7.1　传递结构成员

只要结构成员是具有单个值的数据类型（即：int 及其相关类型、char、float、double 或指针），就可以把它作为参数传递给一个接受这个特定类型的函数。程序清单 14.5 所示的金融分析雏形程序就说明了这一点。这个程序是把客户的银行账户加到他（她）的储蓄和贷款账户中。

程序清单 14.5　funds1.c 程序

```
/* funds1.c -- 把结构成员作为参数传递 */
#include <stdio.h>
#define FUNDLEN 50
struct funds {
    char bank[FUNDLEN];
    double bankfund;
    char save[FUNDLEN];
    double savefund;
};
double sum (double, double);

int main (void)
{
    struct funds stan = {
        "Garlic-Melon Bank",
        3024.72,
        "Lucky's Savings and Loan",
        9237.11
    };

    printf ("Stan has a total of $%.2f.\n",
            sum (stan.bankfund, stan.savefund));
    return 0;
}
/* 对两个 double 数值求和 */
double sum (double x, double y)
{
    return (x + y);
}
```

下面是该程序的运行结果：

```
Stan has a total of $12261.83.
```

哈，起作用了。注意，函数 sum（）既不知道也不关心实际参数是不是结构的成员，它只要求参数是 double 类型的。

当然，如果想让被调函数影响调用函数中的成员的值，可以传递成员地址：

```
modify (&stan.bankfund);
```

这是一个改变 Stan 的银行账户的函数。

下一个向函数传递结构信息的方法将使被调函数知道自己正在处理一个结构。

14.7.2 使用结构地址

我们还是解决前面那个问题，不过这一次我们把结构的地址作为参数。因为函数要处理 funds 结构，所以它也要使用 funds 声明。请看程序清单 14.6：

程序清单 14.6 funds2.c 程序

```
/* funds2.c -- 传递指向结构的指针 */
#include <stdio.h>
#define FUNDLEN 50

struct funds {
    char bank[FUNDLEN];
    double bankfund;
    char save[FUNDLEN];
    double savefund;
};

double sum (const struct funds *); /* 参数是一个指针 */

int main (void)
{
    struct funds stan = {
        "Garlic-Melon Bank",
        3024.72,
        "Lucky's Savings and Loan",
        9237.11
    };
    printf ("Stan has a total of $%.2f.\n", sum (&stan));

    return 0;
}
double sum (const struct funds * money)
{
    return (money->bankfund + money->savefund);
}
```

这个程序同样产生下面的输出：

```
Stan has a total of $12261.83.
```

sum（）函数使用一个指向 fund 结构的指针（money）作为它惟一的参数。把地址&stan 传递给该函数使指针 money 指向结构 stan。然后，使用->运算符来获取 stan.bankfund 和 stan.savefund 的值。因为函数没有改变所指向的值的内容，所以它把 money 声明为一个指向 const 的指针。

虽然没有这样使用，但是这个函数也可以访问结构的其他成员。注意，必须使用&运算符才能得到结构的地址。和数组名不一样，单独的结构名不是该结构地址的同义词。

14.7.3　把结构作为参数传递

对于允许把结构作为参数传递的编译器来讲，上一个例子可以改写为程序清单 14.7 所示的程序。

程序清单 14.7　funds3.c 程序

```
/* funds3.c -- 把结构作为参数传递 */
#include <stdio.h>
#define FUNDLEN 50

struct funds {
    char   bank[FUNDLEN];
    double bankfund;
    char   save[FUNDLEN];
    double savefund;
};

double sum (struct funds moolah); /* 参数是一个结构 */
int main (void)
{
    struct funds stan = {
        "Garlic-Melon Bank",
        3024.72,
        "Lucky's Savings and Loan",
        9237.11
    };
    printf ("Stan has a total of $%.2f.\n", sum (stan));

    return 0;
}
double sum (struct funds moolah)
{
    return (moolah.bankfund + moolah.savefund);
}
```

输出仍是这样的：

```
Stan has a total of $12261.83.
```

我们用 struct funds 类型的变量 moolah 代替了指向 struct funds 变量的指针 money。调用 sum（）时，会根据 funds 模板创建一个自动变量 moolah。然后，这个结构的成员被初始化为 stan 结构的相应成员取值的副本。因此，将使用原有结构的副本完成计算，而前面的程序（使用指针的那个）使用的是原有结构本身。因为 moolah 是一个结构，所以程序用的是 moolah.bankfund，而不是 moolah->bankfund。相反，程序清单 14.6 中使用了 money->bankfund，因为 money 是一个指针，而不是一个结构。

14.7.4　其他结构特性

现在的 C 允许把一个结构赋值给另一个结构，不能对数组这样做。也就是说，如果 n_data 和 o_data 是同一类型的结构，可以像下面这样做：

```
o_ data = n_ data; // 把一个结构赋值给另一个结构
```

这就使 o_data 的每个成员都被赋成 n_data 相应成员的值，即使有一个成员是数组也照样完成赋值。也可以把一个结构初始化为另一个同样类型的结构：

```
struct names right_field = {"Ruthie", "George"};
struct names captain = right_field; // 把一个结构初始化为另一个结构
```

在现在的 C（包括 ANSI C）中，结构不仅可以作为参数传递给函数，也可以作为函数返回值返回。把结构作为函数参数可以将结构信息传递给一个函数，使用函数返回结构可以将结构信息从被调用函数传递给调用函数。同时，结构指针也允许双向通信，因此可以使用任一种方法解决编程问题。我们来看看另一组说明这两种方法的例子。

为了对比这两种方法，我们写一个用指针处理结构的简单程序；然后再用结构传递和结构返回来重写这个程序。程序本身要求您输入名和姓，然后告诉您姓名中的字母总数。这个程序原本并不需要结构，但是它提供了一个说明其工作原理的简单的框架。程序清单 14.8 给出了指针版的程序。

程序清单 14.8　names1.c 程序

```
/* names1.c -- 使用指向结构的指针 */
#include <stdio.h>
#include <string.h>

struct namect {
    char fname[20];
    char lname[20];
    int letters;
};

void getinfo (struct namect *);
void makeinfo (struct namect *);
void showinfo (const struct namect *);

int main (void)
{
    struct namect person;

    getinfo (&person);
    makeinfo (&person);
    showinfo (&person);
    return 0;
}
void getinfo (struct namect * pst)
{
    printf ("Please enter your first name.\n");
    gets (pst->fname);
    printf ("Please enter your last name.\n");
    gets (pst->lname);
}

void makeinfo (struct namect * pst)
{
    pst->letters = strlen (pst->fname) +
                   strlen (pst->lname);
}

void showinfo (const struct namect * pst)
{
    printf ("%s %s, your name contains %d letters.\n",
        pst->fname, pst->lname, pst->letters);
}
```

编译并执行程序，产生如下结果：

```
Please enter your first name.
Viola
Please enter your last name.
Plunderfest
Viola Plunderfest, your name contains 16 letters.
```

程序的工作分配给 3 个由 main（）调用的函数来完成。person 结构的地址被传递给了每个函数。

getinfo（）函数把信息从它自身传递给 main（）。具体地，它从用户处获取姓名，通过使用指针 pst 定位把姓名放入 person 结构中。回忆一下，pst->lname 是 pst 所指向的结构的 lname 成员。这就使 pst->lname 相当于一个 char 数组的名字，因此适合做 gets（）的参数。注意，虽然 getinfo（）给主程序提供了信息，但是它并没有使用返回机制，因此它是 void 类型的。

函数 makeinfo（）执行信息的双向传送。它通过使用一个指向 person 的指针来确定结构中存储的姓和名的位置。它使用 C 函数库里的函数 strlen（）来计算姓和名中的字母总数，然后使用 person 的地址存储这个总数。它的类型也是 void 型。最后，showinfo（）函数使用一个指针定位要打印的信息。因为这个函数不改变数组的内容，所以它把指针声明为 const。

在所有的操作中，只有一个结构变量 person，每个函数都使用该结构的地址访问它。其中的一个函数将信息从函数自身传递给调用程序，一个函数将信息从调用程序传递给函数自身，一个函数两个工作都做。

现在，我们来看看如何使用结构参数和返回值来完成这个任务。第一，为了传递结构本身，需要使用参数 person 而不是&person。这样，相应的形式参数应被声明为 struct namect 类型，而不是声明为指向该类型的指针。第二，要把结构的值提供给 main（）函数，可以返回一个结构。程序清单 14.9 给出了不使用指针的版本。

程序清单 14.9　names2.c 程序

```
/* names2.c -- 传递和返回结构 */
#include <stdio.h>
#include <string.h>

struct namect {
    char fname[20];
    char lname[20];
    int letters;
};

struct namect getinfo (void);
struct namect makeinfo (struct namect);
void showinfo (struct namect);

int main (void)
{
    struct namect person;

    person = getinfo ();
    person = makeinfo (person);
    showinfo (person);
    return 0;
}

struct namect getinfo (void)
{
    struct namect temp;
    printf ("Please enter your first name.\n");
    gets (temp.fname);
    printf ("Please enter your last name.\n");
    gets (temp.lname);

    return temp;
}

struct namect makeinfo (struct namect info)
{
    info.letters = strlen (info.fname) + strlen (info.lname);
    return info;
```

```
}

void showinfo (struct namect info)
{
    printf ("%s %s, your name contains %d letters.\n",
        info.fname, info.lname, info.letters);
}
```

该版本的最终结果和前面的版本相同，但它使用了不同的方法。3 个函数中的每一个都创建了自己的 person 副本，因此该程序不是只使用了 1 个结构，而是使用了 4 个不同的结构。

例如，考虑函数 makeinfo（）。在第一个程序中，传递进来的是 person 的地址，函数处理的是实际的 person 的值。在第二个版本中，创建了一个名为 info 的新的结构变量。person 中存储的值被复制到 info 中，函数处理这个副本。因此，在计算字母总数时，将把值存储到 info 里，而不是 person 里。然而，返回机制弥补了这一点。makeinfo（）中的下面这一行：

```
return info;
```

与 main（）中的行：

```
person = makeinfo (person);
```

相结合，将 info 里存储的值复制到 person 里。注意，必须把 makeinfo（）函数声明为 struct namect 类型，因为它返回一个结构。

14.7.5 结构，还是指向结构的指针

假设您必须写一个与结构有关的函数。应该用结构指针作为参数，还是用结构作为参数和返回值呢？每种方法都有它的长处和不足。

把指针作为参数的方法的两个优点是：它既工作在较早的 C 实现上，也工作在较新的 C 实现上，而且执行起来很快；只须传递一个单个地址。缺点是缺少对数据的保护。被调函数中的一些操作可能不经意地影响到原来结构中的数据。不过，ANSI C 新增的 const 限定词解决了这个问题。例如，如果在 showinfo（）函数中写入了改变结构中任何成员的代码，编译器会把它作为一个错误捕获出来。

把结构作为参数传递的一个优点是函数处理的是原始数据的副本，这就比直接处理原始数据安全。编程风格也往往更清晰。假设定义了下列结构类型：

```
struct vector {double x; double y; };
```

要设置矢量 ans 为矢量 a 和矢量 b 的和，可以编写一个传递结构和返回结构的函数。程序就像下面这样：

```
struct vector ans, a, b;
struct vector sum_vect (vector, vector);
...
ans = sum_vect (a, b);
```

对一位工程师来说，上面的形式比指针形式更自然，指针形式就像下面这样：

```
struct vector ans, a, b;
void sum_vect (const vector *, const vector *, vector *);
...
sum_vect (&a, &b, &ans);
```

而且，在指针形式中，用户必须记住总和的地址应该作为第一个还是最后一个参数。

传递结构的两个主要缺点是早期的 C 实现可能不处理这种代码，并且这样做浪费时间和空间。把很大的结构传递给函数，但函数只使用一个或两个结构成员，这尤其浪费时间和空间。在这种情况下，传递指针或只将所需的成员作为参数传递会更合理。

通常，程序员为了追求效率而使用结构指针作为函数参数；当需要保护数据、防止意外改变数据时对指针使用 const 限定词。传递结构值是处理小型结构最常用的方法。

14.7.6　在结构中使用字符数组还是字符指针

前面的例子都是在结构中使用字符数组来存储字符串。您可能想知道是否可以用指向字符的指针代替字符数组。例如，程序清单 14.3 中有这样的声明：

```
#define LEN 20
struct names {
    char first[LEN];
    char last[LEN];
};
```

可以改写成下面这样吗？

```
struct pnames {
    char * first;
    char * last;
};
```

答案是可以，但是可能会遇到麻烦，除非您理解其含义。考虑下面的代码：

```
struct names veep = {"Talia", "Summers"};
struct pnames treas = {"Brad", "Fallingjaw"};
printf ("%s and %s\n", veep.first, treas.first);
```

这是一段正确的代码，也能正常运行，但是想想字符串存储在哪里。对于 struct names 变量 veep 来说，字符串存储在结构内部；这个结构总共分配了 40 字节来存放两个字符串。然而，对于 struct pnames 变量 treas 来说，字符串存储在编译器存储字符串常量的任何地方。这个结构中存放的只是两个地址而已，在我们的系统中它总共占用 8 个字节。struct pnames 结构不为字符串分配任何存储空间。它只适用于在另外的地方已经为字符串分配了空间（例如字符串常量或数组中的字符串）。简单地说，pnames 结构中的指针应该只用来管理那些已创建的而且在程序其他地方已经分配过空间的字符串。

我们来看看这个限制条件在什么情况下会升级为问题。考虑下面的代码：

```
struct names accountant;
struct pnames attorney;
puts ("Enter the last name of your accountant: ");
scanf ("%s", accountant.last);
puts ("Enter the last name of your attorney: ");
scanf ("%s", attorney.last); /* 这里有一个潜在的危险 */
```

从语法上看，这段代码是正确的。但是把输入存储到哪里去了？对会计师，他的名字存储在 accountant 变量的最后一个成员中；这个结构有一个用来存放字符串的数组。对律师，scanf（）把字符串放到由 attorney.last 给出的地址中。因为这是个未经初始化的变量，所以该地址可能是任何值，程序就可以把名字放在任何地方。如果幸运的话，程序至少有些时候可以正常运行。否则这个操作可以使程序彻底停止。实际上，如果程序运行，那是很不幸的，因为程序中会含有您未觉察到的危险的编程错误。

因此，如果需要一个结构来存储字符串，请使用字符数组成员。存储字符指针有它的用处，但也有被严重误用的可能。

14.7.7　结构、指针和 malloc（）

在结构中使用指针处理字符串的一个有意义的例子是使用malloc（）分配内存，并用指针来存放地址。这个方法的优点是可以请求malloc（）分配刚好满足字符串需求数量的空间。可以请求4字节来存储"Joe"，请求18字节来存储" Rasolofomasoandro "。

把程序清单 14.9 改写成这种方法不用很费劲。主要的两个变化是改变结构定义，使用指针而不是使用数组；然后给出 getinfo（）函数的新形式。

新的结构定义如下所示：

```
struct namect {
    char * fname; // 使用指针，而不是使用数组
    char * lname;
    int letters;
};
```

getinfo（）的新形式把输入读进一个临时数组中；用 malloc（）分配存储空间，然后把字符串复制到新分配的空间里。对每个名字都要这样做：

```
void getinfo (struct namect * pst)
{
    char temp[81];
    printf ("Please enter your first name.\n");
    gets (temp);
    // 分配用来存放名字的内存
    pst->fname = (char *) malloc (strlen (temp) + 1);
    // 把名字复制到已分配的内存中
    strcpy (pst->fname, temp);
    printf ("Please enter your last name.\n");
    gets (temp);
    pst->lname = (char *) malloc (strlen (temp) + 1);
    strcpy (pst->lname, temp);
}
```

要确保理解两个字符串都不是被存储在结构中，它们被保存在由 malloc（）管理的内存块中。然而，两个字符串的地址被存储在结构中，这些地址是字符串处理函数通常处理的对象。这样，程序中其余的函数就不必做任何改变了。

但是，就像第 12 章中建议的那样，在调用 malloc（）之后还应该调用 free（），因此程序加入一个名为 cleanup（）的新函数，在程序使用完内存后释放内存。在程序清单 14.10 中可以找到这个新的函数以及程序的其余部分。

程序清单 14.10 names3.c 程序

```
// names3.c -- 使用指针和 malloc () 函数
#include <stdio.h>
#include <string.h>  // 为了使用 strcpy(), strlen()
#include <stdlib.h>  // 为了使用 malloc(), free()

struct namect {
    char * fname;          // 使用指针
    char * lname;
    int letters;
};
void getinfo (struct namect *); // 分配内存
void makeinfo (struct namect *);
void showinfo (const struct namect *);
void cleanup (struct namect *); // 用完后释放内存

int main (void)
{
    struct namect person;

    getinfo (&person);
    makeinfo (&person);
    showinfo (&person);
    cleanup (&person);
    return 0;
}

void getinfo (struct namect * pst)
```

```
{
    char temp[81];
    printf("Please enter your first name.\n");
    gets(temp);
    // 分配用来存放名字的内存
    pst->fname = (char *) malloc(strlen(temp) + 1);
    // 把名字复制到已分配的内存中
    strcpy(pst->fname, temp);
    printf("Please enter your last name.\n");
    gets(temp);
    pst->lname = (char *) malloc(strlen(temp) + 1);
    strcpy(pst->lname, temp);
}

void makeinfo(struct namect * pst)
{
    pst->letters = strlen(pst->fname) +
                   strlen(pst->lname);
}

void showinfo(const struct namect * pst)
{
    printf("%s %s, your name contains %d letters.\n",
        pst->fname, pst->lname, pst->letters);
}

void cleanup(struct namect * pst)
{
    free(pst->fname);
    free(pst->lname);
}
```

下面是一个输出样本：

```
Please enter your first name.
Australopithecines
Please enter your last name.
Mann
Australopithecines Mann, your name contains 22 letters.
```

14.7.8　复合文字和结构（C99）

C99 新增的复合文字特性不仅适用于数组，也适用于结构。可以使用复合文字创建一个被用来作为函数参数或被赋值给另一个结构的结构。语法是把类型名写在圆括号中，后跟一个用花括号括起来的初始化项目列表。例如，下面是一个 struct book 类型的复合文字：

```
(struct book) {"The Idiot", "Fyodor Dostoyevsky", 6.99}
```

程序清单 14.11 给出一个使用复合文字来有选择地给结构变量赋值的例子（在写本书时，许多但不是全部 C 编译器支持这个特性，但是时间可以解决这个问题）。

程序清单 14.11　complit.c 程序

```
/* complit.c -- 复合文字 */
#include <stdio.h>
#define MAXTITL 41
#define MAXAUTL 31

struct book {      // 结构模板：标记是 book
    char title[MAXTITL];
    char author[MAXAUTL];
```

```
    float value;
};

int main (void)
{
    struct book readfirst;
    int score;

    printf ("Enter test score: ");
    scanf ("%d", &score);

    if (score >= 84)
        readfirst = (struct book) {"Crime and Punishment",
                                   "Fyodor Dostoyevsky",
                                   9.99};
    else
        readfirst = (struct book) {"Mr. Bouncy's Nice Hat",
                                   "Fred Winsome",
                                   5.99};
    printf("Your assigned reading:\n");
    printf ("%s by %s: $%.2f\n", readfirst.title,
            readfirst.author, readfirst.value);
    return 0;
}
```

也可以把复合文字作为函数参数使用。如果函数需要一个结构，可以把复合文字作为实际参数传递给它：

```
struct rect {double x; double y; };
double rect_area (struct rect r) {return r.x * r.y; }
...
double area;
area = rect_area ((struct rect) {10.5, 20.0});
```

这就把 area 赋值为 210.0。

如果函数需要一个地址，可以把一个复合文字的地址传递给它：

```
struct rect {double x; double y; };
double rect_areap (struct rect * rp) {return rp->x * rp->y; }
...
double area;
area = rect_areap (& (struct rect) {10.5, 20.0});
```

这就把 area 赋值为 210.0。

出现在所有函数外面的复合文字具有静态存储时期，而出现在一个代码块内部的复合文字具有自动存储时期。适用于常规初始化项目列表的语法规则同样也适用于复合文字。这意味着，例如，可以在复合文字中使用指定初始化项目。

14.7.9 伸缩型数组成员（C99）

C99 具有一个称为伸缩型数组成员（flexible array member）的新特性。利用这一新特性可以声明最后一个成员是一个具有特殊属性的数组的结构。该数组成员的特殊属性之一是它不存在，至少不立即存在。第二个特殊属性是您可以编写适当的代码使用这个伸缩型数组成员，就像它确实存在并且拥有您需要的任何数目的元素一样。可能这听起来有些奇怪，因此让我们开始一步一步地创建和使用具有伸缩型数组成员的结构。

首先看看声明一个伸缩型数组成员的规则：

- 伸缩型数组成员必须是最后一个数组成员。
- 结构中必须至少有一个其他成员。
- 伸缩型数组就像普通数组一样被声明，除了它的方括号内是空的。

下面是一个说明这些规则的例子：

```
struct flex
{
     int count;
     double average;
     double scores[]; // 伸缩型数组成员
};
```

如果声明了一个 struct flex 类型的变量，您不能使用 scores 做任何事情，因为没有为它分配任何内存空间。实际上，C99 的意图并不是让您声明 struct flex 类型的变量；而是希望您声明一个指向 struct flex 类型的指针，然后使用 malloc（）来分配足够的空间，以存放 struct flex 结构的常规内容和伸缩型数组成员需要的任何额外空间。例如，假设想要用 scores 表示含有 5 个 double 型数值的数组，那么就要这样做：

```
struct flex * pf;    // 声明一个指针
// 请求一个结构和一个数组的空间
pf = malloc (sizeof (struct flex) + 5 * sizeof (double));
```

现在您已经有一块足够大的内存，以存储 count、average 和一个含有 5 个 double 型数值的数组。可以使用指针 pf 来访问这些成员。

```
pf->count = 5;         // 设置 count 成员的值
pf->scores[2] = 18.5; // 访问数组成员的一个元素
```

程序清单 14.12 更进一步拓展了这个例子，让伸缩型数组成员在第一种情况下代表 5 个数值，在第二种情况下代表 9 个数值。它也说明了如何编写一个处理带有伸缩型数组元素的结构的函数（目前，编译器对伸缩型数组成员的支持比对复合文字结构的支持要普遍）。

程序清单 14.12　flexmemb.c 程序

```
/* flexmemb.c -- 伸缩型数组成员 */
#include <stdio.h>
#include <stdlib.h>

struct flex
{
     int count;
     double average;
     double scores[]; // 伸缩型数组成员
};

void showFlex (const struct flex * p);
int main (void)
{
     struct flex * pf1, *pf2;
     int n = 5;
     int i;
     int tot = 0;

     // 为结构和数组分配存储空间
     pf1 = malloc (sizeof (struct flex) + n * sizeof (double));
     pf1->count = n;
     for (i = 0; i < n; i++)
     {
          pf1->scores[i] = 20.0 - i;
          tot += pf1->scores[i];
     }
     pf1->average = tot / n;
     showFlex (pf1);

     n = 9;
```

```
    tot = 0;
    pf2 = malloc(sizeof(struct flex) + n * sizeof(double));
    pf2->count = n;
    for (i = 0; i < n; i++)
    {
        pf2->scores[i] = 20.0 - i/2.0;
        tot += pf2->scores[i];
    }
    pf2->average = tot / n;
    showFlex(pf2);
    free(pf1);
    free(pf2);

    return 0;
}
void showFlex(const struct flex * p)
{
    int i;
    printf("Scores: ");
    for (i = 0; i < p->count; i++)
        printf("%g ", p->scores[i]);
    printf("\nAverage: %g\n", p->average);
}
```

下面是输出：

```
Scores: 20 19 18 17 16
Average: 18
Scores: 20 19.5 19 18.5 18 17.5 17 16.5 16
Average: 17
```

14.7.10 使用结构数组的函数

假设需要用一个函数处理结构数组。因为数组的名称等同于它的地址，所以可以把数组名传递给函数。再一次，函数需要访问结构模板。要说明这如何工作，程序清单 14.13 将有关货币的程序扩展到两个人，以具有一个含有两个 funds 结构的数组。

程序清单 14.13 funds4.c 程序

```
/* funds4.c -- 向函数传递一个结构数组 */
#include <stdio.h>
#define FUNDLEN 50
#define N 2

struct funds {
    char bank[FUNDLEN];
    double bankfund;
    char save[FUNDLEN];
    double savefund;
};
double sum(const struct funds money[], int n);

int main(void)
{
    struct funds jones[N] = {
        {
            "Garlic-Melon Bank",
            3024.72,
            "Lucky's Savings and Loan",
            9237.11
        },
```

```
        {
            "Honest Jack's Bank",
            3534.28,
            "Party Time Savings",
            3203.89
        }
    };

    printf ("The Joneses have a total of $%.2f.\n",
          sum (jones, N));
    return 0;
}

double sum (const struct funds money[], int n)
{
    double total;
    int i;

    for (i = 0, total = 0; i < n; i++)
        total += money[i].bankfund + money[i].savefund;
    return (total);
}
```

输出如下：

```
The Joneses have a total of $19000.00.
```

（多么凑巧的一个总额啊！估计您会认为这些数据是杜撰出来的。）

数组名 jones 是数组的地址。具体地，它是数组第一个元素，即结构 jones[0]的地址。因此，指针 money 最初是由这个表达式给出的：

```
money = &jones[0];
```

因为 money 指向数组 jones 的第一个元素，所以 money[0]是该数组的第一个元素的另一个名称。同样，money[1]是第二个元素。每个元素是一个 funds 结构，所以每个元素都可以使用点（.）运算符来访问其结构成员。

下面这些是要点：

- 可以用数组名把数组中第一个结构的地址传递给函数。
- 然后可以使用数组的方括号符号来访问数组中的后续结构。注意下面的函数调用和使用数组名有同样的效果：

  ```
  sum (& jones[ 0], N)
  ```

  因为二者都指向同一地址。使用数组名只是传递结构地址的一种间接方法。
- 因为函数 sum（）不用来改变原来的数据，所以我们使用 ANSI C 的限定词 const。

14.8　把结构内容保存到文件中

由于结构可以保存多种多样的信息，所以它是建立数据库的重要工具。例如，可以使用一个结构来保存有关一个雇员或汽车零件的所有相关信息。最终，您会希望把这些信息保存在一个文件中，并能在以后从文件中取回它们。一个数据库文件能够包含任意数目的此类数据对象。一个结构中保存的整套信息用术语来称就是一个记录（record），单个的项目称为字段（field）。我们来探讨这些问题。

或许最显而易见的也是最没效率的保存记录的方法就是使用 fprintf（）。例如，回忆一下程序清单 14.1 中介绍的结构 book：

```
#define MAXTITL 40
```

```
#define MAXAUTL 40
struct book {
    char title[MAXTITL];
    char author[MAXAUTL];
    float value;
};
```

如果 pbooks 代表一个文件流，您可以用下列语句保存名为 primer 的 struct book 变量中的信息：

```
fprintf (pbooks, "%s %s %.2f\n", primer.title,
        primer.author, primer.value);
```

对于一些结构（比如有 30 个成员的结构），这个方法用起来很不方便。另外，在取回数据时它还存在问题，因为程序需要知道一个字段结束、另一个字段开始的位置。使用固定大小宽度的格式可以解决这个问题，例如"%39s%39s%8.2f"，但这个方法仍然很笨拙。

一个更好的解决方法是使用 fread（）和 fwrite（）函数以结构的大小为单元进行读写。回忆一下，这些函数在读写时使用了与程序所使用的相同的二进制表示法。例如：

```
fwrite (&primer, sizeof (struct book), 1, pbooks);
```

这个语句定位到结构 primer 的开始地址，将该结构的所有字节复制到与 pbooks 相关联的文件中。sizeof（struct book）告诉函数要复制的每一块有多大，1 表示只需要复制一块。具有同样参数的 fread（）函数将把一个结构大小的一块数据从文件复制到&primer 指向的位置。简单地说，这些函数一次性读写整个记录，而不是一个字段。

14.8.1 一个结构保存的实例

为了说明在程序中如何使用这些函数，我们改写了程序清单 14.2 中的程序，把书名保存到一个名为 book.dat 的文件中。如果该文件已经存在，程序显示文件当前内容，然后允许您向文件中添加内容。程序清单 14.14 即是新版本（如果您正在使用早期的 Borland 编译器，请注意清单 14.2 附近的“Borland C 和浮点数”部分的讨论）。

程序清单 14.14 booksave.c 程序

```
/* booksave.c -- 把结构内容保存到文件中 */
#include <stdio.h>
#include <stdlib.h>
#define MAXTITL 40
#define MAXAUTL 40
#define MAXBKS 10                       /* 图书的最多本数 */
struct book {                           /* 建立 book 模板 */
    char title[MAXTITL];
    char author[MAXAUTL];
    float value;
};

int main (void)
{
    struct book library[MAXBKS];        /* 结构数组 */
    int count = 0;
    int index, filecount;
    FILE * pbooks;
    int size = sizeof (struct book);

    if ((pbooks = fopen ("book.dat", "a+b")) == NULL)
    {
        fputs ("Can't open book.dat file\n", stderr);
        exit (1);
    }
```

```
    rewind(pbooks);                       /* 定位到文件开始处 */
    while (count < MAXBKS && fread(&library[count], size,
            1, pbooks) == 1)
    {
        if (count == 0)
            puts("Current contents of book.dat: ");
        printf("%s by %s: $%.2f\n", library[count].title,
            library[count].author, library[count].value);
        count++;
}
    filecount = count;
    if (count == MAXBKS)
    {
        fputs("The book.dat file is full.", stderr);
        exit(2);
    }

    puts("Please add new book titles.");
    puts("Press [enter] at the start of a line to stop.");
    while (count < MAXBKS && gets(library[count].title) != NULL
                        && library[count].title[0] != '\0')
    {
        puts("Now enter the author.");
        gets(library[count].author);
        puts("Now enter the value.");
        scanf("%f", &library[count++].value);
        while (getchar() != '\n')
            continue;                      /* 清空输入行 */
        if (count < MAXBKS)
            puts("Enter the next title.");
    }

   if (count > 0)
   {
    puts("Here is the list of your books: ");
    for (index = 0; index < count; index++)
        printf("%s by %s: $%.2f\n", library[index].title,
            library[index].author, library[index].value);
    fwrite(&library[filecount], size, count - filecount,
            pbooks);
    }
   else
        puts("No books? Too bad.\n");

    puts("Bye.\n");
    fclose(pbooks);

    return 0;
}
```

我们首先看看几个运行示例，然后讨论主要的编程要点。

```
% booksave
Please add new book titles.
Press [enter] at the start of a line to stop.
Metric Merriment
Now enter the author.
Polly Poetica
Now enter the value.
18.99
Enter the next title.
```

```
Deadly Farce
Now enter the author.
Dudley Forse
Now enter the value.
15.99
Enter the next title.
[enter]
Here is the list of your books:
Metric Merriment by Polly Poetica: $18.99
Deadly Farce by Dudley Forse: $15.99
Bye.
% booksave
Current contents of book.dat:
Metric Merriment by Polly Poetica: $18.99
Deadly Farce by Dudley Forse: $15.99
Please add new book titles.
The Third Jar
Now enter the author.
Nellie Nostrum
Now enter the value.
22.99
Enter the next title.
[enter]
Here is the list of your books:
Metric Merriment by Polly Poetica: $18.99
Deadly Farce by Dudley Forse: $15.99
The Third Jar by Nellie Nostrum: $22.99
Bye.
%
```

再次运行程序 booksave 会把所有这 3 本书作为当前文件记录显示出来。

14.8.2 程序要点

首先，使用"a+b"模式打开文件。a+部分允许程序读入整个文件，并向文件末尾添加数据。b 是 ANSI 表示程序要使用二进制文件格式的方法。对不接受 b 的 UNIX 系统来说，可以省略 b，因为 UNIX 总共只有一种文件形式。对其他的 ANSI 之前的实现，您可能需要找到 b 的等价表示法。

我们选择二进制模式是因为 fread（）和 fwrite（）要使用二进制文件。的确，结构中有些内容是文本，但 value 成员不是文本。如果使用文本编辑器来查看 book.dat，文本部分会正确显示，但是数字部分不可读，甚至还可能导致文本编辑器显示乱码。

命令 rewind（）确保文件位置指针处于文件开始部分，为开始读取做好准备。

最开始的那个 while 循环每次把一个结构读到结构数组中，当数组满或文件读完时停止。变量 filecount 用来保存已读结构的数目。

接下来的 while 循环提示并获取用户输入。像程序清单 14.2 所示那样，当数组满或用户在一行开始就按下回车键时，退出循环。注意，开始循环时，变量 count 具有前面那个循环之后的值。这将把新的输入项添加到数组的末尾。

然后，for 循环打印来自文件和来自用户的数据。因为文件是以追加模式打开的，所以将把新写入的内容追加到已有内容后面。

我们本来可以使用一个循环来每次把一个结构添加到文件末尾。但是，我们决定使用 fwrite（）一次写入多个块的功能。表达式 count-filecount 得出要加入的新书的数目，函数调用 fwrite（）把这么多数目的 book 结构大小的块写入到文件中。表达式&library[filecount]是数组中第一个新输入的结构的地址，因此复制就从这一点开始。

这个例子或许就是将结构写入文件和取回结构的最简单的方法，但是它浪费了空间，因为结构中没使用的部分也被保存了。这个结构的大小是 2×40×sizeof（char）+sizeof（float），在我们的系统中总共占 84 字节。

事实上，不是每一个输入项都需要这么多空间。但是每个数据块具有同样大小会使取回数据时更容易。

另一种方法是使用不定大小的记录。为了便于从文件中读出这样的记录，每个记录可以用一个数值字段开始，这个字段用来指明该记录的大小。这种方法比我们刚才使用的方法要稍微复杂一些。通常，这种方法涉及到我们接下来要讲到的“链接结构”以及第 16 章“C 预处理器和 C 库”要讨论的动态存储分配。

14.9 结构：下一步是什么

在结束对结构的探究之前，我们想要提一下结构多种重要应用中的一种：创建新的数据形式。计算机用户已经开发出一些比我们提到过的数组和简单结构更适用于特定问题的数据形式。这些形式的名称有队列、二叉树、堆、哈希表和图。许多这样的形式是由链接结构组成的。典型地，每个结构包括一或两项数据，再加上一或两个指向其他相同类型结构的指针。这些指针把一个结构和其他结构相链接，提供一条可以遍历整个结构树的路径。例如，图 14.3 是一个二叉树结构，每个单独的结构（或节点）都和它下面的两个节点相连。

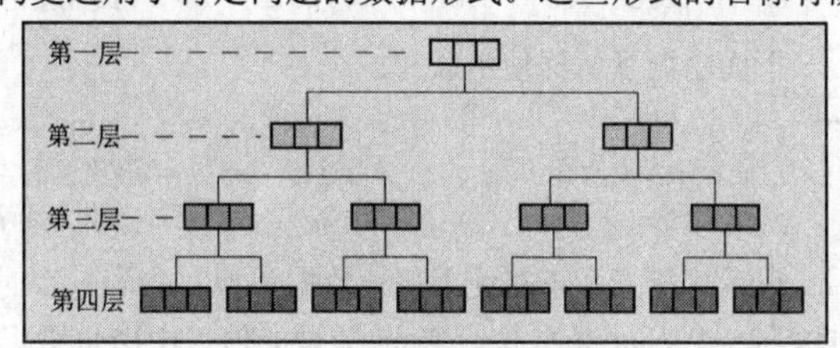

图 14.3　一个二叉树结构

图 14.3 中显示的分层结构（或树结构）是不是比数组更有效？考虑一棵具有 10 层节点的树的情况。它含有 $2^{10}-1$，即 1023 个节点，可以存储多达 1023 个单词。如果单词是按某种规则来安排的，那么就可以从最高一层开始，逐层向下移动进行查找，最多只用 9 次移动就可以找到任何一个单词。如果把这些单词放在数组中，可能必须遍历所有的 1023 个元素，才能找到需要的单词。

如果您对这样的高级概念感兴趣，那么您可以参考任何关于数据结构的计算机科学书籍。使用 C 的结构，您几乎可以创建并使用这些书中给出的每种数据形式。第 17 章“高级数据表示”中也研究了一些这样的高级形式。

以上是本章中关于结构话题的结束语，不过我们还将在第 17 章中给出链接结构的例子。接下来，我们来看看 C 的另外三个处理数据的特性：联合、枚举和 typedef。

14.10 联合简介

联合（union）是一个能在同一个存储空间里（但不同时）存储不同类型数据的数据类型。一个典型的应用是一种表，设计它是用来以某种既没有规律、事先也未知的顺序保存混合类型数据。使用联合类型的数组，可以创建相同大小单元的数组，每个单元都能存储多种类型的数据。

联合是以与结构同样的方式建立的，也是需要有一个联合模板和一个联合变量。可以在一步中定义它们，也可以使用联合标记在两步中定义。下面是一个带有标记的联合模板的例子：

```
union hold {
    int digit;
    double bigfl;
    char letter;
};
```

具有类似声明的结构可以含有一个 int 型数值和一个 double 型数值以及一个 char 型数值，而这个联合可以含有一个 int 型数值或一个 double 型数值或一个 char 型数值。

下面是定义 3 个 hold 类型联合变量的例子：

```
union hold fit;        // hold类型的联合变量
union hold save[10];   // 10个联合变量的数组
union hold * pu;       // 指向hold类型变量的指针
```

第一个声明创建一个变量 fit。编译器分配足够的空间以保存所描述的可能性的最大需要。在这种情况下，列出的最大可能性是 double 型数据。在我们的系统里，它需要 64 位，即 8 个字节。第二个声明创建了一个 save 数组，它含有 10 个元素，每个元素大小为 8 个字节。第三个声明创建了一个指针，可以存放一个 hold 联合的地址。

可以初始化一个联合。因为联合只存储一个值，所以初始化的规则与结构的初始化不同。具体地，有 3 种选择：可以把一个联合初始化为同样类型的另一个联合；可以初始化联合的第一个元素；或者，按照 C99 标准，可以使用一个指定初始化项目。

```
union hold valA;
valA.letter = 'R';
union hold valB = valA;            // 把一个联合初始化为另一个联合
union hold valC = {88};            // 初始化联合的 digit 成员
union hold valD = {.bigfl = 118.2}; // 指定初始化项目
```

下面示例了怎样使用联合：

```
fit.digit = 23;       // 把 23 存储在 fit 中，使用 2 个字节
fit.bigfl = 2.0;      // 清除 23，存储 2.0；使用 8 个字节
fit.letter = 'h';     // 清除 2.0，存储'h'；使用 1 个字节
```

点运算符表示正在使用哪种数据类型。在同一个时间只能存储一个值。即使有足够的空间，也不能同时保存一个 char 类型和一个 int 类型的值。由您负责记住当前保存在联合中的数据的类型。

如同与指向结构的指针一起使用->运算符一样，可以与指向联合的指针一起来使用->运算符：

```
pu = &fit;
x = pu->digit;  // 相当于 x = fit.digit
```

接下来的语句序列显示了什么是不能做的：

```
fit.letter = 'A';
flnum = 3.02*fit.bigfl; // 错误
```

这个语句序列是错误的，因为存储了一个 char 类型，而接下来的一行却假定 fit 的内容是 double 类型的。

但是，使用一个成员来将值保存到一个联合中，然后使用一个不同的成员来查看这些内容，这种做法有时会很有用。下一章的程序清单 15.4 就给出了一个这样的例子。

另一个可能会使用联合的地方是在某些结构中，该结构所存储的信息有赖于其中的一个成员。例如，假定有一个表示一辆汽车的结构。如果汽车归属于使用者，就要一个结构成员来描述这个所有者。如果汽车被租赁，需要一个成员来描述租赁它的公司。那么使用下面的语句行，可以做些事情：

```
struct owner {
    char socsecurity[12];
    ...
};

struct leasecompany {
    char name[40];
    char headquarters[40];
    ...
};

union data {
    struct owner owncar;
    struct leasecompany leasecar;
};

struct car_data {
    char make[15];
    int status; /* 0=私有，1=租赁 */
    union data ownerinfo;
    ...
};
```

假定 flits 是一个 car_data 结构。那么如果 flits.status 是 0，程序就可以使用 flits.ownerinfo.owncar.socsecurity；如果 flits.status 是 1，程序就可以使用 flits.ownerinfo.leasecar.name。

总结：结构和联合运算符

成员运算符：

总体注解：

运算符和结构或联合名称一起使用，用来指定结构或联合的成员。如果 name 是一个结构名，member 是一个由结构模板指定的成员，下面就表示了该结构的这个成员：

```
name.member
```

name.member 的类型就是 member 的类型。成员运算符也可以用同样方式用于联合。

例如：

```
struct {
        int code;
        float cost;
} item;

item.code = 1265;
```

最后一条语句将一个值赋给结构 item 的成员 code。

间接成员运算符：

->

总体注解：

这个运算符与指向结构或联合的指针一起使用，用来指明结构或联合的成员。假设 ptrstr 是一个指向结构的指针，member 是由该结构模板指定的一个成员。那么：

```
ptrstr-> member
```

这个表达式表示被指向的结构的成员。间接成员运算符也可以用同样方式用于联合。

例如：

```
struct {
    int code;
    float cost;
} item, * ptrst;
ptrst = &item;
ptrst->code = 3451;
```

最后一条语句将一个 int 值赋给 item 的成员 code。以下的三个表达式是等价的：

```
ptrst->code item.code (*ptrst) .code
```

14.11　枚举类型

可以使用枚举类型（enumerated type）声明代表整数常量的符号名称。通过使用关键字 enum，可以创建一个新“类型”并指定它可以具有的值（实际上，enum 常量是 int 类型的，因此在使用 int 类型的任何地方都可以使用它）。枚举类型的目的是提高程序的可读性。它的语法与结构的语法相同。例如，可以使用这样的声明：

```
enum spectrum {red, orange, yellow, green, blue, violet};
enum spectrum color;
```

第一个声明设置 spectrum 为标记名，从而允许您把 enum spectrum 作为一个类型名使用。第二个声明使得 color 成为该类型的一个变量。花括号中的标识符枚举了 spectrum 变量可能有的值。

因此，color 的可能值是 red、orange、yellow，等等。然后，可以使用如下所示的语句：

```
int c;
color = blue;
if (color == yellow)
    ...;
for (color = red; color <= violet; color++)
    ...;
```

虽然枚举常量都是 int 类型的，但枚举变量较宽松地限定为任一种整数类型，只要该整数类型能保存这些枚举常量。例如，为 spectrum 枚举的常量在范围 0 到 5 之间，因此编译器可以选择使用 unsigned char 来表示变量 color。

顺便提一下，C 的某些枚举属性不能延至 C++中。例如，C 允许对枚举变量使用运算符++，而 C++不允许。因此，如果您的代码有可能会被加入 C++程序中，那么在上面的例子中，您必须把 color 声明为 int 类型。这样该代码就既能工作在 C 下，也能工作在 C++下。

14.11.1 enum 常量

blue 和 red 到底是什么？从技术上讲，它们是 int 类型的常量。例如，假设有前面的枚举声明，可以这样使用：

```
printf ("red = %d, orange = %d\n", red, orange);
```

下面是输出：

```
red = 0, orange = 1
```

所发生的情况是 red 成了一个代表整数 0 的命名常量。同样，其他标识符也是代表 1 到 5 的命名常量。在使用整数常量的任何地方都能使用枚举常量。例如，在数组声明中可以把它们作为数组大小，在 switch 语句中，可用它们来作为标签。

14.11.2 默认值

默认时，枚举列表中的常量被指定为整数值 0、1、2 等等。因此，以下声明使 nina 具有值 3：

```
enum kids {nippy, slats, skippy, nina, liz};
```

14.11.3 指定值

您可以选择常量具有的整数值。只须在声明中包含期望的值：

```
enum levels {low = 100, medium = 500, high = 2000};
```

如果只对一个常量赋值，而没有对后面的常量赋值，那么这些后面的常量会被赋予后续的值。例如，假设有这样的声明：

```
enum feline {cat, lynx = 10, puma, tiger};
```

那么，cat 的值默认为 0，lynx、puma 和 tiger 的值分别是 10、11 和 12。

14.11.4 enum 用法

回忆一下，枚举类型的目的是提高程序的可读性。如果是处理颜色，采用 red 和 blue 要比使用 0 和 1 更显而易见。注意，枚举类型是内部使用的。如果想输入 color 值 orange，只能输入 1，而不是单词 orange。或者，可以读入字符串"orange"，并让程序将它转换成值 orange。

因为枚举类型是一个整数类型，所以 enum 变量能像整数变量那样被用在表达式中。这就给 case 语句提供了一类方便的标签。

程序清单 14.15 给出了一个使用 enum 的短例。该示例程序中使用默认值方案，将值 0 赋给 red，使它成为指向字符串"red"的指针的索引。

程序清单 14.15　enum.c 程序

```
/* enum.c -- 使用枚举值 */
#include <stdio.h>
#include <string.h>  //为了使用 strcmp()
#include <stdbool.h> //C99 特性

enum spectrum {red, orange, yellow, green, blue, violet};
const char * colors[] = {"red", "orange", "yellow",
                         "green", "blue", "violet"};
#define LEN 30

int main (void)
{
   char choice[LEN];
   enum spectrum color;
   bool color_is_found = false;

   puts ("Enter a color (empty line to quit): ");
   while (gets (choice) != NULL && choice[0] != '\0')
   {
       for (color = red; color <= violet; color++)
       {
           if (strcmp (choice, colors[color]) == 0)
           {
               color_is_found = true;
               break;
           }
       }
       if (color_is_found)
           switch (color)
           {
               case red    : puts ("Roses are red.");
                             break;
               case orange : puts ("Poppies are orange.");
                             break;
               case yellow : puts ("Sunflowers are yellow.");
                             break;
               case green  : puts ("Grass is green.");
                             break;
               case blue   : puts ("Bluebells are blue.");
                             break;
               case violet : puts ("Violets are violet.");
                             break;
           }
       else
           printf ("I don't know about the color %s.\n", choice);
       color_is_found = false;
       puts ("Next color, please (empty line to quit): ");
   }
   puts ("Goodbye!");

   return 0;
}
```

如果输入的字符串与一个由 colors 数组成员指向的字符串相匹配，程序就跳出 for 循环。如果该循环找到一个匹配的颜色，程序就用那个枚举变量的值去匹配用作 case 标签的枚举常量。下面是一个运行示例：

```
Enter a color (empty line to quit):
blue
Bluebells are blue.
Next color, please (empty line to quit):
orange
Poppies are orange.
Next color, please (empty line to quit):
purple
I don't know about the color purple.
Next color, please (empty line to quit):

Goodbye!
```

14.11.5 共享的名字空间

C 使用术语名字空间（namespace）来表示识别一个名字的程序部分。作用域是这个概念的一部分；名字相同但具有不同作用域的两个变量不会冲突；而名字相同并在相同作用域中的两个变量就会冲突。名字空间是分类别的。在一个特定作用域内的结构标记、联合标记以及枚举标记都共享同一个名字空间，并且这个名字空间与普通变量使用的名字空间是不同的。这意味着，可以在同一个作用域内对一个变量和一个标记使用同一个名字，而不会产生错误；但是不能在同一作用域内使用名字相同的两个标记或名字相同的两个变量。例如，在 C 中下面的语句不会产生冲突：

```
struct rect { double x; double y; };
int rect;   // 在C中不会引起冲突
```

然而，用两种不同的方式使用同一标识符会造成混乱；而且，C++不允许在同一个作用域内对一个变量和一个标记使用同一个名字，因为它把标记和变量名放在同一个名字空间中。

14.12 typedef 简介

typedef 工具是一种高级数据特性，它使您能够为某一类型创建您自己的名字。在这个方面，它和#define 相似，但是它们具有 3 个不同之处：

- 与#define 不同，typedef 给出的符号名称仅限于对类型，而不是对值。
- typedef 的解释由编译器，而不是预处理器执行。
- 虽然它的范围有限，但在其受限范围内，typedef 比#define 更灵活。

我们来看看 typedef 是怎样工作的。假设要对 1 字节的数值使用术语 BYTE，您只须像定义一个 char 变量那样定义 BYTE，然后在这个定义前面加上关键字 typedef，如：

```
typedef unsigned char BYTE;
```

随后您就可以使用 BYTE 来定义变量了：

```
BYTE x, y[10], * z;
```

该定义的作用域取决于 typedef 语句所在的位置。如果定义是在一个函数内部，它的作用域就是局部的，限定在那个函数里。如果定义是在函数外部，它将具有全局作用域。

通常，这些定义使用大写字母，以提醒用户这个类型名称实际上是一个符号缩写。不过，您也可以使用小写字母：

```
typedef unsigned char byte;
```

管理变量名的同样规则也用来管理 typedef 使用的名字。

为一个已经存在的类型创建一个名字可能看起来没有什么必要，然而这可能会是有用的。在前面的例子中，使用 BYTE 来代替 unsigned char 有助于说明您打算用 BYTE 变量来表示数值而非字符编码。使用 typedef 也有助于增加可移植性。例如，我们已经提到过表示 sizeof 运算符返回类型的 size_t 类型，以及表示函数 time（）的返回值类型的 time_t 类型。C 标准规定 sizeof 和 time（）应返回整数类型，但它留给具体的实现来决定到底是哪种整数类型。不进行指定的原因是 ANSI C 委员会觉得没有一个对所有计算机平台来说都是最好的选择。因此他们提出一个新类型名称，如 time_t，让 C 实现使用 typedef 来把这个名称设定为某种特定的数据类型。这样，他们可以提供下列通用原型：

```
time_t time(time_t *);
```

在一个系统上，time_t 可能是 unsigned int 类型；在另一个系统上，它可能是 unsigned long 类型。只要包含了 time.h 头文件，程序就可以访问适当的定义，您也可以在代码中声明 time_t 变量。

使用#define 可以实现 typedef 的一部分功能。例如：

```
#define BYTE unsigned char
```

这使预处理器用 unsigned char 来代替 BYTE。但也有#define 实现不了的功能，如下例所示：

```
typedef char * STRING;
```

如果没有关键字 typedef，该例将 STRING 识别为一个 char 指针。有了这个关键字，使 STRING 成为 char 指针的标识符。因此：

```
STRING name, sign;
```

意思是：

```
char * name, * sign;
```

但是，假设这样做：

```
#define STRING char *
```

那么：

```
STRING name, sign;
```

将会被翻译成下面的形式：

```
char * name, sign;
```

在这种情况下，只有 name 是一个指针。

也可以对结构使用 typedef：

```
typedef struct complex {
     float real;
     float imag;
} COMPLEX;
```

这样您就可以用类型 COMPLEX 代替 struct complex 来表示复数。使用 typedef 的原因之一是为经常出现的类型创建一个方便的、可识别的名称。例如，在前面的例子中，许多人都愿意使用 STRING 或与其等价的标记。

使用 typedef 来命名一个结构类型时，可以省去结构的标记：

```
typedef struct {double x; double y; } rect;
```

假设像下面这样使用 typedef 定义的类型名：

```
rect r1 = {3.0, 6.0};
rect r2;
r2=r1;
```

这被翻译成：

```
struct {double x; double y; } r1= {3.0, 6.0};
struct {double x; double y; } r2;
r2 = r1;
```

如果两个结构的声明都不使用标记，但是使用同样的成员（成员名和类型都匹配），那么 C 认为这两个结构具有同样的类型，因此将 r1 赋给 r2 是一个正确的操作。

使用 typedef 的另一个原因是 typedef 的名称经常被用于复杂的类型。例如：

```
typedef char (* FRPTC ()) [5];
```

这把 FRPTC 声明为一个函数类型，该类型的函数返回一个指向含有 5 个元素的 char 数组的指针（请参见下面将要讨论的一些奇特的声明）。

当使用 typedef 时，要记住它并不创建新的类型；它只是创建了便于使用的标签。这意味着，例如，我们创建的 STRING 类型的变量可以作为参数传递给需要 char 指针类型参数的函数。

通过结构、联合和 typedef，C 提供了有效和方便地处理数据的工具。

14.13 奇特的声明

C 允许您创建精心定制的数据形式。虽然我们坚持使用较简单的形式，但是我们觉得应该指出这些可能性。当进行一个声明时，可以添加一个修饰符来修饰名称（或标识符）。

表 14.1 声明时可以使用的修饰符

修 饰 符	含 义
*	表示一个指针
()	表示一个函数
[]	表示一个数组

C 允许同时使用多于 1 个的修饰符，这就使得可以创建如下各种各样的类型：

```
int board[8][8];            // int 数组的数组
int ** ptr;                 // 指向 int 的指针的指针
int * risks[10];            // 具有 10 个元素的数组，每个元素是一个指向 int 的指针
int (* rusks) [10];         // 一个指针，指向具有 10 个元素的 int 数组
int * oof[3][4];            // 一个 3×4 的数组，每个元素是一个指向 int 的指针
int (* uuf) [3][4];         // 一个指针，指向 3×4 的 int 数组
int (* uof[3]) [4];         // 一个具有 3 个元素的数组，每个元素是一个指向
                            // 具有 4 个元素的 int 数组的指针
```

弄清楚这些声明的诀窍便于理解使用修饰符的顺序。下面这些规则会让您对其有所了解：

1．表示一个数组的[]和表示一个函数的（）具有同样的优先级，这个优先级高于间接运算符*的优先级。这意味着下面的声明使得 risks 是一个指针数组，而不是一个指向数组的指针：

```
int * risks[10];
```

2．[]和（）都是从左到右进行结合的。下面的声明使 goods 是一个由 12 个具有 50 个 int 值的数组构成的数组，而不是一个由 50 个具有 12 个 int 值的数组构成的数组：

```
int goods[12][50];
```

3．[]和（）具有相同的优先级，但由于它们是从左到右结合的，所以下面的声明在应用方括号之前先将*和 rusks 组合在一起。这意味着 rusks 是一个指向具有 10 个 int 值的数组的指针：

```
int (* rusks) [10];
```

我们把这些规则应用于下面这个声明：

```
int * oof[3][4];
```

[3]具有比*更高的优先级，并且根据从左到右的规则，它的优先级比[4]高。因此，oof 是一个具有 3 个元素的数组。下面是[4]，所以 oof 的元素是具有 4 个元素的数组。*说明这些元素都是指针。int 完成了该描述：oof 是一个 3 元素数组，每个元素是由 4 个指向 int 的指针组成的数组。或者简单地说，它是一个 3×4 的指向 int 的指针数组。需要为 12 个指针留出存储空间。

现在来看看这个声明：

```
int (* uuf) [3][4];
```

圆括号使修饰符*具有最高优先级，所以 uuf 就是一个指向 3×4 的 int 数组的指针。需要为一个单个指针留出存储空间。

这些规则同样也产生下面的类型：

```
char * fump ();              // 返回指向 char 的指针的函数
char (* frump) ();           // 指向返回类型为 char 的函数的指针
char (* flump[3]) ();        // 由 3 个指针组成的数组，每个指针指向返回类型为 char 的函数
```

可以使用 typedef 建立一系列相关的类型：

```
typdef int arr5[5];
typedef arr5 * p_arr5;
typedef p_arr5 arrp10[10];
arr5 togs;        // togs 是具有 5 个元素的 int 数组
p_arr5 p2;        // p2 是一个指针，指向具有 5 个元素的 int 数组
arrp10 ap;        // ap 是具有 10 个元素的指针数组，每个指针指向具有 5 个元素的 int 数组
```

当把结构也带入这样的描述中，声明的可能性真的会变得很复杂。至于应用，我们就不再讨论了。

14.14　函数和指针

正像关于声明的讨论中指出的那样，声明指向函数的指针是可以的。您可能想知道这样讨厌的家伙有些什么用处。典型的用法是，一个函数指针可以作为另一个函数的参数，告诉第二个函数使用哪一个函数。例如，对一个数组进行排序涉及到比较两个元素以决定哪个元素放在前面。如果元素是数字，可以使用>运算符。更普遍的是，元素可能是一个字符串或一个结构，需要一个函数调用来执行比较。C 库里的 qsort（）函数是对任何类型的数组都适用的，只要告诉它用哪个函数来比较元素。为此，它接受一个指向函数的指针来作为一个参数。然后，无论数组元素的类型是整数、字符串或是结构，qsort（）都使用这个函数对元素进行排序。

我们更进一步介绍函数指针。首先，函数指针是什么意思？假定一个指针指向一个 int 变量，它保存着这个 int 变量在内存中存储的地址。同样，函数也有地址，这是因为函数的机器语言实现是由载入到内存的代码组成。指向函数的指针中保存着函数代码起始处的地址。

其次，当声明一个数据指针时，必须声明它指向的数据的类型。当声明一个函数指针时，必须声明它指向的函数类型。要指定函数类型，就要指出函数的返回类型以及函数的参量类型。例如，考虑以下原型：

```
void ToUpper (char *); //  把字符串转换为大写
```

函数 ToUpper（）的类型是“具有 char *类型的参量，返回类型是 void 的函数”。要声明指向这种类型的函数的指针 pf，可以这样做：

```
void (*pf) (char *);   // pf 是一个指向函数的指针
```

从这个声明中可以看出，第一对圆括号将运算符*和 pf 结合在一起，这意味着 pf 是一个指向函数的指针。这就使得（* pf）是一个函数，并使（char *）作为该函数的参量列表，void 作为其返回类型。可能创建这个声明最简单的方法是注意到它用表达式（* pf）来代替函数名 ToUpper。因此，如果想要声明一个指向某一特定类型函数的指针，可以声明一个这种特定类型的函数，然后用一个（* pf）形式的表达式来替代函数名，以创建一个函数指针声明。就像先前提到过的那样，由于有运算符优先级的规则，所以第一个

圆括号是必需的。省略掉圆括号会导致完全不同的情况：

```
void *pf (char *);      // pf 是返回一个指针的函数
```

提　示

声明一个指向特定函数类型的指针，首先声明一个该类型的函数，然后用（* pf）形式的表达式代替函数名称；pf 就成为可指向那种类型函数的指针了。

有了函数指针之后，可以把适当类型的函数的地址赋给它。在这种场合中，函数名可以用来表示函数的地址：

```
void ToUpper (char *);
void ToLower (char *);
int round (double);
void (*pf) (char *);
pf = ToUpper;                 // 合法，ToUpper 是函数 ToUpper () 的地址
pf = ToLower;                 // 合法，ToLower 是函数 ToLower () 的地址
pf = round;                   // 无效，round 是错误类型的函数
pf = ToLower ();              // 无效，ToLower () 不是地址
```

最后一种赋值方式也是不正确的，因为不能在一个赋值的语句中使用一个 void 类型的函数。注意，指针 pf 可以指向任何接受一个 char *参数并且返回类型为 void 的函数，而不能指向具有其他特性的函数。

正像可以使用一个数据指针来访问数据一样，也可以使用函数指针来访问函数。奇怪的是，有两个逻辑上不一致的语法规则来实现这样的操作，请看下面的举例说明：

```
void ToUpper (char *);
void ToLower (char *);
void (*pf) (char *);
char mis[] = "Nina Metier";
pf = ToUpper;
(*pf) (mis);   // 把 ToUpper 作用于 mis（语法 1）
pf = ToLower;
pf (mis);         // 把 ToLower 作用于 mis（语法 2）
```

每种方法听起来都是有道理的。第一种方法：因为 pf 指向 ToUpper 函数，* pf 就是 ToUpper 函数，因此表达式（* pf）（mis）与 ToUpper（mis）一样。从 ToUpper 和 pf 的声明中就能看出 ToUpper 和（* pf）是等价的。第二种方法：因为函数名是一个指针，可以互换地使用指针和函数名，因此 pf（mis）与 ToLower（mis）一样。从 pf 的赋值语句中就能看出 pf 和 ToLower 是等价的。历史上，贝尔实验室的 C 和 UNIX 的开发者采用第一种观点，而 Berkeley 的 UNIX 的扩展者采用第二种观点。K&R C 不允许第二种形式。但是为了保持与现有代码的兼容性，ANSI C 把这二者作为等价形式全部接受。

正如数据指针最常见的用法之一是作为函数的参数一样，函数指针最普遍的用法之一也是作为函数的参数。例如，考虑以下函数原型：

```
void show (void (* fp) (char *), char * str);
```

这看起来很杂乱，但它声明了两个参量 fp 和 str。参量 fp 是一个函数指针，str 是一个数据指针。更具体一点，fp 指向接受一个 char *参量且返回类型为 void 的函数，str 指向一个 char 值。因此，给定前面的声明，可以使用像下面这样的函数调用：

```
show (ToLower, mis);    /* show () 使用 ToLower () 函数：fp=ToLower    */
show (pf, mis);         /* show () 使用由 pf 指向的函数：fp=pf          */
```

show（）如何使用传递过来的函数指针呢？它使用语法 fp（）或（* fp）（）来调用函数：

```
void show (void (* fp) (char *), char * str)
{
      (*fp) (str);      /* 把所选函数作用于 str */
```

```
    puts (str);         /* 显示结果              */
}
```

例如，这里 show（）首先把 fp 指向的函数作用于字符串 str 来转换 str，然后显示转换后的字符串。

顺便提一句，带有返回值的函数能以两种不同的方式作为其他函数的参数。例如，考虑下面的情况：

```
function1 (sqrt);          /* 传递 sqrt 函数的地址     */
function2 (sqrt (4.0));    /* 传递 sqrt 函数的返回值    */
```

第一个语句传递了函数 sqrt（）的地址，function1（）可能会在代码中使用该函数。第二个语句先调用函数 sqrt（），求出它的值，然后将返回值（在本例中是 2.0）传递给 function2（）。

为了说明基本概念，程序清单 14.16 中的程序使用一个以各种各样的转换函数作为参数的 show（）函数。该程序清单也说明了一些处理菜单的有用的技术。

程序清单 14.16　func_ptr.c 程序

```
// func_ptr.c -- 使用函数指针
#include <stdio.h>
#include <string.h>
#include <ctype.h>

char showmenu (void);
void eatline (void);          // 读至行末
void show (void (* fp) (char *), char * str);
void ToUpper (char *);        // 把字符串转换为大写
void ToLower (char *);        // 把字符串转换为小写
void Transpose (char *);      // 大小写转置
void Dummy (char *);          // 不改变字符串

int main (void)
{
    char line[81];
    char copy[81];
    char choice;
    void (*pfun) (char *);  // 指向一个函数，该函数接受
                            // 一个 char *参数，并且
                            // 没有返回值
    puts ("Enter a string (empty line to quit): ");
    while (gets (line) != NULL && line[0] != '\0')
    {
        while ((choice = showmenu ()) != 'n')
        {
            switch (choice)  // switch 语句用来设置指针
            {
                case 'u': pfun = ToUpper; break;
                case 'l': pfun = ToLower; break;
                case 't': pfun = Transpose; break;
                case 'o': pfun = Dummy; break;
            }
            strcpy (copy, line); // 为 show () 制作一份拷贝
            show (pfun, copy);  // 使用用户选择的函数
        }
        puts ("Enter a string (empty line to quit): ");
    }
    puts ("Bye!");
    return 0;
}

char showmenu (void)
{
```

```
    char ans;
    puts ("Enter menu choice: ");
    puts ("u) uppercase l) lowercase");
    puts ("t) transposed case o) original case");
    puts ("n) next string");
    ans = getchar ();                          // 获取用户的响应
    ans = tolower (ans);                       // 转换为小写
    eatline ();                                // 剔除行中剩余部分
    while (strchr ("ulton", ans) == NULL)
    {
        puts ("Please enter a u, l, t, o, or n: ");
        ans = tolower (getchar ());
        eatline ();
    }
    return ans;
}
void eatline (void)
{
    while (getchar () != '\n')
        continue;
}

void ToUpper (char * str)
{
    while (*str)
    {
        *str = toupper (*str);
        str++;
    }
}

void ToLower (char * str)
{
    while (*str)
    {
        *str = tolower (*str);
        str++;
    }
}
void Transpose (char * str)
{
    while (*str)
    {
        if (islower (*str))
            *str = toupper (*str);
        else if (isupper (*str))
            *str = tolower (*str);
        str++;
    }
}
void Dummy (char * str)
{
    // 不改变字符串
}

void show (void (* fp) (char *), char * str)
{
    (*fp) (str); // 把用户选择的函数作用于 str
    puts (str);  // 显示结果
}
```

下面是一个运行示例：

```
Enter a string (empty line to quit):
Does C make you feel loopy?
Enter menu choice:
u) uppercase      l) lowercase
t) transposed case  o) original case
n) next string
t
dOES c MAKE YOU FEEL LOOPY?
Enter menu choice:
u) uppercase      l) lowercase
t) transposed case  o) original case
n) next string
l
does c make you feel loopy?
Enter menu choice:
u) uppercase      l) lowercase
t) transposed case  o) original case
n) next string
n
Enter a string (empty line to quit):

Bye!
```

注意，函数 ToUpper ()、ToLower ()、Transpose () 和 Dummy () 都是相同类型的，因此 4 个函数都可以赋值给指针 pfun。这个程序用 pfun 作为 show () 的参数，但是也可以直接将 4 个函数名称中的任何一个作为参数，就像 show (Transpose，copy) 一样。

在这种情况下您可以使用 typedef。例如，示例程序还可以这样做：

```
typedef void (*V_FP_CHARP) (char *);
void show (V_FP_CHARP fp, char *);
V_FP_CHARP pfun;
```

如果您具有探险精神，您可以声明并初始化一个这类指针的数组：

```
V_FP_CHARP arpf[4] = {ToUpper, ToLower, Transpose, Dummy};
```

然后，修改函数 showmenu ()，使它是 int 类型的，并且在用户键入 u 时返回值 0，键入 l 时返回 1，键入 t 时返回 2，等等。您就可以用下面的语句代替包含 switch 语句的循环：

```
index = showmenu ();
while (index >= 0 && index <= 3)
{
    strcpy (copy, line);              /* 为 show () 制作一份拷贝    */
    show (arpf[index], copy);         /* 使用用户选择的函数    */
    index = showmenu ();
}
```

不能拥有一个“函数的数组”，但可以拥有一个“函数指针的数组”。

现在您已经了解使用函数名的所有 4 种方法：定义函数、声明函数、调用函数以及作为指针。图 14.4 总结了这些用法。

原型声明中的函数名：	int comp(int x, int y);
函数调用中的函数名：	status = comp(q,r);
函数定义中的函数名：	int comp(intx, inty) { ...
在赋值语句中用作指针的函数名：	pfunct = comp;
用作指针参数的函数名：	slowsort(arr,n,comp);

图 14.4　函数名的用法

至于处理菜单，函数 showmenu () 给出了几种技术。首先，代码：

```
ans = getchar ();    // 获取用户的响应
ans = tolower (ans); // 转换为小写
```

和：

```
ans = tolower(getchar());
```

给出两种方法。这两种方法都可以将用户的输入转换为一种大小写形式，这样就不用既检测'u'，又检测'U'，等等。

函数 eatline（）剔除输入行的剩余部分，这在两个方面很有用。第一，要输入一个选择，用户会键入一个字母，然后按下回车键，这将产生一个换行符。如果不事先去掉这个换行符，它将作为下一个用户响应被读入。第二，假设用户键入整个的单词 uppercase 而不是 u 作为响应，如果没有 eatline（）函数，程序会把单词 uppercase 的每个字符当作一个单独的响应。有了 eatline（），程序只处理 u，并丢弃该输入行的剩余部分。

其次，showmenu（）函数是设计用来只将正确的选择返回给程序。为了完成该任务，程序使用了头文件 string.h 中的标准库函数 strchr（）：

while（strchr（"ulton"，ans）== NULL）

这个函数在字符串"ulton"中找出字符 ans 首次出现的位置，并返回一个指向该位置的指针。如果没找到这个字符，函数返回空指针。因此，上面这个 while 循环判断条件和以下判断条件的作用相同，但使用起来更为方便：

while（ans != 'u' && ans != 'l' && ans != 't' && ans != 'o' && ans != 'n'）

需要检查的选择越多，使用 strchr（）就会越方便。

14.15 关键概念

表示一个编程问题所需的信息通常要比一个或多个数字更为复杂。程序可能会处理具有多个属性的实体或实体集合。例如，表示一个客户需要他（她）的姓名、地址、电话号码以及其他信息；表示一个电影 DVD 可以用它的标题、发行人、播放时间、价格等等。C 的结构使您可以在一个单独的单元中收集这些信息。这对组织一个程序非常有用，因为这样可以把所有相关的信息存储在一个地方，而不是存储在分散的多个变量中。

在设计一个结构时，开发一个与之配套的函数包通常是很有用的。例如，写一个以结构（或其地址）为参数的显示函数，比起每次要显示结构内容时写一堆 printf（）语句要强得多。因为所有信息都在结构中，所以只需要一个参数。如果把信息放到分散的变量里，则每个独立的部分都需要一个单独的参数。而且，如果给结构添加一个成员，只需重写函数，而不用改变函数调用。这在您需要修改结构的设计时是很方便的。

联合的声明看起来很像结构的声明。然而，联合的成员共享同一个存储空间，并且在一个时间只有一个成员可以存在于联合中。实质上，联合允许您创建用来保存一个类型不定的值的变量。

enum 工具提供了定义符号常量的一种方法，typedef 工具提供了为基本类型或派生类型创建新标识符的一种方法。指向函数的指针提供了告诉函数应该使用哪个函数的一种方法。

14.16 总结

C 的结构提供了在同一个数据对象中存储几个通常是不同类型的数据项的方法。可以使用标记来代表一个具体的结构模板，并声明该结构类型的变量。成员点（.）运算符使您可以通过使用结构模板中的标签来访问结构的各个成员。

如果有一个指向结构的指针，可以使用该指针以及间接成员运算符（->）代替名字和点运算符来访问结构的各个成员。要得到结构的地址，可以使用运算符&。与数组不同，结构名不是结构的地址。

传统上，和结构有关的函数使用指向结构的指针作为参数。现在的 C 允许把结构作为参数传递、把结构作为返回值，并允许把一个结构赋值给另一个相同类型的结构。

联合使用与结构相同的语法。但是，联合成员共享一个公共的存储空间。联合存储其选项列表中的一个单独的数据项类型，而不像结构那样同时存储多个数据类型。也就是说，如果一个结构可以保存一个 int 型、一个 double 型以及一个 char 型数据，那么相应的联合能保存一个 int 型，或者一个 double 型，或者一个 char 型的数据。

枚举使得您可以创建一组代表整数常量的符号（枚举常量），也允许您定义相关联的枚举类型。

typedef 工具可用来建立 C 标准类型的别名或者速记表示。

一个函数的名称给出该函数的地址。这个指向函数的地址可以作为参数被传递给使用该函数的另一个函数。如果 pdf 是一个函数指针，并且已经给它赋了一个特定函数的地址，可以用两种方式调用该函数：

```
#include <math.h> /* 声明 double sin(double) 函数 */
...
double (*pdf)(double);
double x;
x = (*pdf)(1.2); // 调用 sin(1.2)
x = pdf(1.2);    // 同样，调用 sin(1.2)
```

14.17　复习题

1．以下模板有什么错误？

```
structure {
        char itable;
        int num[20];
        char * togs
}
```

2．下面是某程序的一部分。输出会是什么？

```
#include <stdio.h>
struct house {
    float sqft;
    int rooms;
    int stories;
    char address[40];
};
int main(void)
{
    struct house fruzt = {1560.0, 6, 1, "22 Spiffo Road"};
    struct house *sign;

    sign = &fruzt;
    printf("%d %d\n", fruzt.rooms, sign->stories);
    printf("%s \n", fruzt.address);
    printf("%c %c\n", sign->address[3], fruzt.address[4]);
    return 0;
}
```

3．设计一个结构模板，保存一个月份名、一个 3 个字母的该月份的缩写、该月的天数，以及月份号。

4．定义一个含有 12 个第 3 题中那种类型的结构的数组，并把它初始化为一个年份（非闰年）。

5．编写一个函数。当给出月份号后，程序返回一年中到该月为止（包括该月）总共的天数。假定在外部声明了第 2 题中的结构模板和一个该结构的数组。

6．a．给定下面的 typedef，声明一个 10 个元素的指定结构的数组。然后通过各个成员赋值（或等价字符串），使第 3 个元素描述一个焦距长度为 500mm，孔径为 f/2.0 的 Remarkatar 镜头。

```
typedef struct lens {      /* 镜头描述             */
    float foclen;          /* 焦距长度，以 mm 为单位 */
    float fstop;           /* 孔径                 */
```

```
    char brand[30];          /* 品牌名称         */
} LENS;
```

b. 重复 a，但在声明中使用一个指定初始化项目列表，而不是对每个成员使用单独的赋值语句。

7. 考虑下面的程序段：

```
struct name {
        char first[20];
        char last[20];
};
struct bem {
        int limbs;
        struct name title;
        char type[30];
};
struct bem * pb;
struct bem deb = {
        6,
        {"Berbnazel", "Gwolkapwolk"},
        "Arcturan"
};

pb = &deb;
```

a. 下列每个语句会打印出什么？

```
printf ("%d\n", deb.limbs);
printf ("%s\n", pb->type);
printf ("%s\n", pb->type + 2);
```

b. 怎样用结构符号表示"Gwolkapwolk"（使用两种方法）？

c. 编写一个函数，以一个 bem 结构的地址作为参数，并以下面所示的形式输出结构内容。假定结构模板在一个名为 starfolk.h 的文件中。

```
Berbnazel Gwolkapwolk is a 6-limbed Arcturan.
```

8. 考虑下列声明：

```
struct fullname {
                char fname[20];
                char lname[20];
                };
struct bard     {
                struct fullname name;
                int born;
                int died;
                };
struct bard willie;
struct bard *pt = &willie;
```

a. 使用 willie 标识符表示 willie 结构的 born 成员。

b. 使用 pt 标识符表示 willie 结构的 born 成员。

c. 使用一个 scanf（）函数调用为通过 willie 标识符表示的 born 成员读入一个值。

d. 使用一个 scanf（）函数调用为通过 pt 标识符表示的 born 成员读入一个值。

e. 使用一个 scanf（）函数调用为通过 willie 标识符表示的 name 成员的 lname 成员读入一个值。

f. 使用一个 scanf（）函数调用为通过 pt 标识符表示的 name 成员的 lname 成员读入一个值。

g. 构造一个标识符，表示 willie 变量描述的人的名字的第 3 个字母。

h. 构造一个表达式，表示 willie 变量描述的人的姓和名的所有字母数。

9. 定义一个适合保存下列项目的结构模板：一辆汽车的名称、马力、市内行驶的 EPA 英里每加仑（mpg）等级、轴距和使用年数。用 car 作为模板标记。

10. 假设有以下结构：

```
struct gas {
          float distance;
          float gals;
          float mpg;
};
```

a. 设计一个函数，它接受一个 struct gas 参数。假定传递进来的结构包括 distance 和 gals 信息。函数为 mpg 成员正确计算出值并返回这个现在完整的结构。

b. 设计一个函数，它接受一个 struct gas 参数的地址。假定传递进来的结构包括 distance 和 gals 信息。函数为 mpg 成员正确计算出值并把它赋给恰当的成员。

11. 声明一个枚举类型，使用 choices 作为标记，将枚举常量 no、yes 和 maybe 分别设置为 0、1 和 2。

12. 声明一个指向函数的指针。该函数的返回值是一个 char 指针，参数为一个 char 指针和一个 char 值。

13. 声明 4 个函数，并把一个指针数组初始化为指向它们。每个函数接受两个 double 参数并返回一个 double 值。

14.18　编程练习

1. 重做复习题 3，但用月份名的拼写代替月份号（别忘了可以使用 strcmp（））。

2. 编写一个程序。请求用户键入日、月和年。月份可以是月份号、月份名或月份缩写。然后程序返回一年中到给定日子（包括这一天）的总天数。

3. 修改程序清单 14.2 中的书目列表程序，使它首先按照输入的顺序输出图书的描述，然后按照标题的字母升序输出图书的描述，最后按照 value 值的升序输出图书的描述。

4. 编写一个程序。按照下列要求，创建一个含有两个成员的结构模板：

a. 第一个成员是社会保障号；第二个成员是一个含三个成员的结构。它的第一个成员是名，第二个成员是名和姓中间的名字，最后一个成员是姓。创建并初始化一个含有 5 个此类结构的数组。程序以下列形式输出数据：

```
Dribble, Flossie M. - 302039823
```

名和姓中间的名字只输出了它的第一个字母，后面加了一个句点。如果姓名中间的名字为空，那么它的第一个字母和句点都不会输出（当然喽）。写一个函数来实现输出，把结构数组传递给这个函数。

b. 修改 a 部分，传递结构的值而不是结构地址。

5. 写一个程序，满足下列要求：

a. 外部定义一个 name 结构模板，它含有 2 个成员：一个字符串用于存放名字，另一个字符串用于存放姓氏。

b. 外部定义一个 student 结构模板，它含有 3 个成员：一个 name 结构，一个存放 3 个浮点数分数的 grade 数组，以及一个存放这 3 个分数的平均分的变量。

c. 使 main（）函数声明一个具有 CSIZE（CSIZE=4）个 student 结构的数组，并随意初始化这些结构的名字部分。使用函数来执行 d、e、f 以及 g 部分所描述的任务。

d. 请求用户输入学生姓名和分数，以交互地获取每个学生的成绩。将分数放到相应结构的 grade 数组成员中。您可以自主选择在 main（）或一个函数中实现这个循环。

e. 为每个结构计算平均分，并把这个值赋给适合的成员。

f. 输出每个结构中的信息。

g. 输出结构的每个数值成员的班级平均分。

6．一个文本文件中存放着一个棒球队的信息。每一行的数据都是这样排列的：

```
4 Jessie Joybat 5 2 1 1
```

第一项是球员号码，为了方便，范围是0到18。第二项是球员的名，第三项是姓。姓和名都是单个的单词。下一项是官方统计的球员上场次数，紧跟着是击中数、走垒数和跑点数（RBI）。文件可能包括超过一场比赛的数据，因此同一个球员可能会有多于一行的数据，而且在不同的行之间有可能有别的球员的数据。写一个程序，把这些数据存储到一个结构数组中。结构中必须含有姓、名、上场次数、击中数、走垒数和跑点数，以及击球平均成功率（稍后计算）。可以使用球员号码作为数组索引。程序应该读到文件末尾，并且应该保存每个球员的累计总和。

这个棒球运动中的统计方法是相关的。例如，一次走垒和触垒中的失误并不会记作上场次数，但是这可能产生一个RBI。可是，该程序所要做的只是处理数据文件，而不必关心数据的实际含义。

要实现这些功能，最简单的方法是把结构的内容初始化为零值，将文件数据读入临时变量中，然后把它们加到相应结构的内容中。程序读完文件后，应该计算每个球员的击球平均成功率，并把它保存到相应的结构成员里。计算击球平均成功率是用球员的累计击中数除以上场累计次数；这是个浮点数计算。然后程序要显示每个球员的累计数据，并且对整个时期显示一行综合统计数据。

7．修改程序清单14.14，在从文件中读出每个记录并且显示它时，允许用户选择删除该记录或修改该记录的内容。如果删除记录，把空出来的数组空间留给下一个要读入的记录。要能够改变现有的文件内容，必须使用"r+b"模式，而不是"a+b"模式。要注意文件指针的定位，以便追加的记录不会覆盖已有的记录。最简单的方法是对存储在程序内存中的数据做所有的改变，然后再把最后的信息集写入文件中。

8．巨人航空公司的机群由座位容量为12的飞机组成。它每天飞行一个航班。按照下面的功能，写一个座位预订程序：

a．程序使用一个含12个结构的数组。每个结构要包括一个用于标识座位的编号、一个表示座位是否已分配出去的标记、座位预订人的姓和座位预订人的名。

b．程序显示下面的菜单：

```
To choose a function, enter its letter label:
a) Show number of empty seats
b) Show list of empty seats
c) Show alphabetical list of seats
d) Assign a customer to a seat assignment
e) Delete a seat assignment
f) Quit
```

c．程序应能执行菜单所给出的功能。选择d）和e）需要额外的输入，每一个选项都应当允许用户终止输入。

d．执行完一个特定的功能之后，程序再次显示菜单，除非选择了f）。

e．每次运行程序都把数据保存到一个文件中。当程序再次运行时，首先从文件中载入数据（如果有的话）。

9．巨人航空公司（见第8题）需要另一架飞机（同样容量），并使它每天服务4个航班（航班102、311、444和519）。把程序扩展为能够处理4个航班。有一个顶层菜单可供选择航班和退出。选择了一个特定的航班，就会调出和第7题相似的菜单，但要加上一个新项：确认一个座位分配；并用一个退回顶层菜单的选项代替退出选项。每个显示要指明现在正在处理哪个航班。座位分配显示必须要指明确认状态。

10．编写一个程序，用指向函数的指针数组执行菜单。例如，在菜单中选择a会激活由数组第一个元素指向的函数。

11．编写一个transform（）函数，它接受4个参数：包含double类型数据的源数组名，double类型的目标数组名，表示数组元素个数的int变量以及一个函数名（或者，等价的指向函数的指针）。transform（）函数把指定的函数作用于源数组的每个元素，并将返回值放到目标数组中。例如：

```
transform(source, target, 100, sin);
```

这个函数调用把sin（source[0]）赋给target[0]，等等，共有100个元素。在一个程序中测试该函数，调用4次transform（），分别使用math.h函数库中的两个函数以及自己设计的两个适合的函数作为参数。

第 15 章 位 操 作

在本章中您将学习下列内容：

- 运算符：~ & | ^ >> << &= |= ^= >>= <<=
- 二进制、十进制和十六进制记数法（回顾）。
- 用于处理一个值中个别位的两个 C 工具：位运算符和位字段。

可以使用 C 对变量中的个别位进行操作。您可能对人们想这样做的原因感到奇怪。这种能力有时确实是必须的，或者至少是有用的。例如，通常向硬件设备发送一两个字节来控制该设备，其中的每一位都有特定的含义。同样地，通常使用代表特定项目的特定位来存储操作系统关于文件的信息。许多压缩和加密操作都对单独的位进行操作。高级语言一般不处理这一级别的细节；C 在提供高级语言便利的同时，也能够在典型的为汇编语言所保留的级别上工作，这使其成为编写设备驱动程序和嵌入式代码的首选语言。

本章在为您提供一些关于位、字节、二进制计数法和其他基数的背景知识之后，将研究 C 操作位的能力。

15.1 二进制数、位和字节

书写数字的常用方法是十进制的。例如，2157 的千位是 2，百位是 1，十位是 5，个位是 7。这意味着可以将 2157 看作以下形式：

$$2\times1000 + 1\times100 + 5\times10 + 7\times1$$

然而，1000 是 10 的立方，100 是 10 的平方，10 是 10 的 1 次幂，而且根据约定 1 是 10（和任意正数）的零次幂。因此，2157 也可以写成以下形式：

$$2\times10^3 + 1\times10^2 + 5\times10^1 + 7\times10^0$$

因为这种书写数字的方法是基于 10 的幂，所以称以 10 为基数（base 10）书写 2157。

姑且认为，十进制得以发展的原因是我们都有 10 根手指。在某种意义上说，一台计算机的位只有两根手指，原因是它只能被设为 0 或 1，关闭或打开。因此，以 2 为基数的系统适用于计算机。它用 2 的幂代替 10 的幂。以 2 为基数表示的数字称为二进制数（binary number）。数字 2 对于二进制数的作用和数字 10 对于十进制数的作用是相同的。例如，二进制数 1101 可表示为以下形式：

$$1\times2^3 + 1\times2^2 + 0\times2^1 + 1\times2^0$$

以十进制数形式表示为：

$$1\times8 + 1\times4 + 0\times2 + 1\times1 = 13$$

可以使用二进制系统将任何整数（如果有足够的位）表示为 1 和 0 的一个组合。这种系统非常适于数字计算机使用，数字计算机使用打开和关闭状态的组合来表示信息，而这些状态可以使用 1 和 0 表示。让我们看看二进制系统表示 1 字节整数的方法。

15.1.1 二进制整数

一个字节通常包括 8 个位。请记住，因为 C 使用术语字节（byte）表示用于存放系统字符集的空间大小，所以一个 C 字节可能为 8 位、9 位、16 位或其他值。然而，描述存储器芯片和数据传输率时使用的字节指 8 位字节。为了使问题简单，本章假定 1 个字节为 8 位。您可以将这 8 位从左到右看作是从 7 到 0。在字节中，位 7 称为高位（high-order bit），位 0 称为低位（low-order bit）。每位数字是对应 2 的一个特定的指数。可将字节设想成如图 15.1 所示的形式。

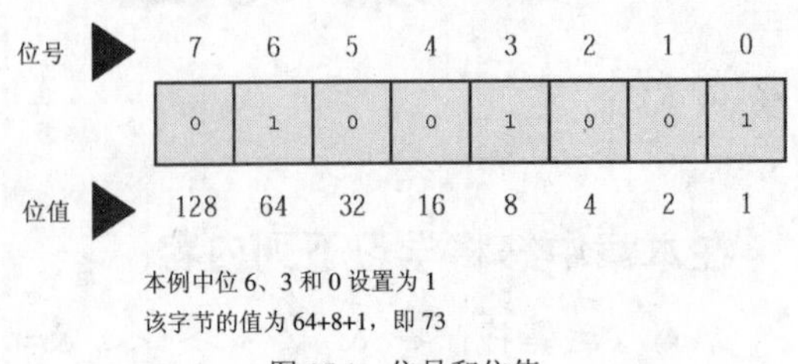

图 15.1 位号和位值

这里，128 是 2 的 7 次幂，依此类推。该字节可以保存的最大数是把所有的位都设置为 1：11111111。该二进制数的值如下：

```
128 + 64 + 32 + 16 + 8 + 4 + 2 + 1 = 255
```

最小的二进制数是 00000000，或一个简单的 0。一个字节可以存储的数的范围是 0 到 255，总共 256 个可能的值。通过改变对位模式的解释方式，一个字节可以存储从-128 到+127 之间的整数，总共还是 256 个值。例如，unsigned char 通常使用一个字节来表示 0 到 255，而 signed char 通常使用一个字节来表示-128 到+127。

15.1.2 有符号整数

有符号数的表示方法是由硬件决定，而不是由 C 决定的。或许表示有符号数最简单的方法就是保留 1 位（比如高位）来表示数的符号。在一个 1 字节值中，该方法为数字本身留下 7 位。使用这样的符号量（sign-magnitude）表示法，10000001 表示-1，00000001 表示 1。那么整个范围是-127 到+127。

这种方法的一个缺点是有两个零：+0 和-0。这会引起混淆，而且用两个位组合来表示一个值也有些浪费。

二进制补码（two's-complement）方法避免了这种问题，是当今使用最普遍的系统。我们将讨论这种方法应用于 1 字节值时的情况。在这种情形下，使用最后 7 位表示从 0 到 127 的值，同时高位设置为 0。这部分与符号量方法相同。同样地，如果高位是 1，那么该值为负。两种方法的区别在于确定该负数值的方法。从一个 9 位组合 100000000（256 的二进制形式）中减去一个负数的位组合，结果是该负数值的数量。例如，假设一个负数的位组合为 10000000。作为一个无符号字节，该组合为 128。作为一个有符号的值，该组合为负（位 7 是 1），并且值为 100000000–10000000，即 10000000（128）。因此，该数为-128（在符号量表示法中该数为-0）。与之类似，10000001 是-127，11111111 是-1。该方法表示数的范围是-128 到+127。

要对一个二进制补码数取相反数，最简单的方法是反转每一位（将 0 变为 1，将 1 变为 0），然后加 1。因为 1 是 00000001，所以-1 是 11111110 + 1，即 11111111，和前面所看到的是一致的。

二进制反码（one's-complement）方法通过反转位组合中的每一位以形成一个数的负数。例如，00000001 是 1，11111110 是-1。这种方法也有一个-0：11111111。其范围（对于 1 字节值）是-127 到+127。

15.1.3 二进制浮点数

浮点数分两部分存储：一个二进制小数和一个二进制指数。让我们了解其实现的方法。

一、二进制小数

普通的小数 0.527 代表：

```
5/10 + 2/100 + 7/1000
```

其中的分母是 10 的依次递增的幂。在二进制小数中，使用 2 的幂作为分母，因此二进制小数.101 代表：

```
1/2 + 0/4 + 1/8
```

用十进制计数法可表示为：

```
0.50 + 0.00 + 0.125
```

也即0.625。

像1/3这样的许多小数不能用十进制计数法精确地表示。同样，许多小数也不能用二进制计数法精确地表示。实际上，二进制计数法只能精确地表示多个1/2的幂的和。因此3/4和7/8可以精确地表示为二进制小数，但是1/3和2/5却不能。

二、浮点数表示法

要在计算机中表示一个浮点数，需要留出若干个位（其位数取决于系统）存放一个二进制小数，其他位存放一个指数。总之，数字的实际值是二进制小数部分乘以2的指定次幂。比如用4乘以一个浮点数，则指数增加了2，二进制小数不改变。用一个不是2的幂的数乘以一个浮点数，则会改变二进制小数，如果有必要也会改变指数部分。

15.2 其他基数

计算机世界通常使用基于八和十六的数制系统。因为8和16都是2的幂，所以这些系统比十进制系统更接近于计算机的二进制系统。

15.2.1 八进制

八进制（octal）指以8为基数的数制系统。在该系统中，一个数中的不同位表示8的幂。您可以使用数字0到7。例如，八进制数451（在C中写为0451）代表：

$4 \times 8^2 + 5 \times 8^1 + 1 \times 8^0 = 297$（以10为基数）

了解八进制的一个简便的方法是每个八进制位对应于3个二进制位。表15.1说明了这种对应关系。这种对应关系使两种系统间的转换变得容易。例如，八进制数0377在二进制中是11111111。其中我们使用011代替3，并舍去第一位的0；用111代替每个7。八进制惟一不方便的方面就是一个3位的八进制数需要用9位二进制数来表示，因此一个比0377大的八进制数需要多个字节来表示。请注意不能舍去内部的0：0173是01 111 011，而不是01 111 11。

表15.1　八进制数的等价二进制数

八 进 制	等价二进制数
0	000
1	001
2	010
3	011
4	100
5	101
6	110
7	111

15.2.2 十六进制

十六进制（hexadecimal，或hex）指以16为基数的数制系统。该系统使用16的幂，使用的数字是0到15。但是，因为没有单独的阿拉伯数字表示10到15，所以使用字母A到F来达到这个目的。例如，十六进制数A3F（在C中写为0xA3F）代表：

$10 \times 16^2 + 3 \times 16^1 + 15 \times 16^0 = 2623$（以10为基数）

原是 A 代表 10，F 代表 15。在 C 中，可以使用大写或小写字母表示附加的十六进制数字。因此，也可以将 2623 写为 0xa3f。

每个十六进制位对应于一个 4 位的二进制数，因此两个十六进制位恰好对应于一个 8 位字节。第一个十六进制位表示高 4 位，第二个十六进制位表示低 4 位。这使十六进制适于表示字节值。表 15.2 显示了这个对应关系。例如，十六进制值 0xC2 可转换为 11000010。相反，二进制值 11010101 可以被看作 1101 0101，从而可转换为 0xD5。

表 15.2　　十进制、十六进制和二进制等价数

十进制数	十六进制数	二进制等价数	十进制数	十六进制数	二进制等价数
0	0	0000	8	8	1000
1	1	0001	9	9	1001
2	2	0010	10	A	1010
3	3	0011	11	B	1011
4	4	0100	12	C	1100
5	5	0101	13	D	1101
6	6	0110	14	E	1110
7	7	0111	15	F	1111

现在您已经了解位和字节，那么让我们研究 C 对其进行的操作。C 有两个工具帮助您对位进行操作。第一个工具是一套（6 个）作用于位的位运算符。第二个工具是字段（field）数据形式，它使您可以访问一个 int 中的位。以下讨论将简述 C 的这些特性。

15.3　C 的位运算符

C 提供位的逻辑运算符和移位运算符。在以下例子中，我们将使用二进制记数法写出值，以便您可以了解对位发生的操作。在一个实际程序中，您可以使用一般形式的整数变量或常量。例如不使用 00011001 的形式，而写为 25 或 031 或 0x19。在我们的例子中，我们将使用 8 位数字，从左到右，每位的编号是 7 到 0。

15.3.1　位逻辑运算符

4 个位运算符用于整型数据，包括 char。将这些运算符称为位（bitwise）运算符的原因是它们对每位进行操作，而不影响左右两侧的位。请不要将这些运算符与常规的逻辑运算符相混淆（&&、||和!），常规的逻辑运算符对整个值进行操作。

一、二进制反码或按位取反：~

一元运算符~将每个 1 变为 0，将每个 0 变为 1，如下面的例子所示：

```
~(10011010)      // 表达式
(01100101)       // 结果值
```

假设 val 是一个 unsigned char，已赋值为 2。在二进制中，2 是 00000010。于是~val 的值为 11111101，或 253。请注意该运算符不改变 val 的值，正如 3*val 不改变 val 的值一样；val 仍为 2，但是该运算符并不创建一个可以在别处使用或被赋值的新值。

```
newval = ~val;
printf ("%d", ~val);
```

如果您想将 val 的值变为~val，请使用简单的赋值：

```
val = ~val;
```

二、位与（AND）：&

二进制运算符&通过对两个操作数逐位进行比较产生一个新值。对于每个位，只有两个操作数的对应位都为 1 时结果才为 1（用真/假来描述，只有两个位操作数都为真结果才为真）。因此：

```
(10010011) & (00111101)          // 表达式
```

的结果值是：

```
(00010001)                       // 结果值
```

原因是在两个操作数中，只有位 4 和 0 都为 1。

C 也有一个组合的位与-赋值运算符：&=。下面两个语句产生相同的最终结果：

```
val &= 0377;
val = val & 0377;
```

三、位或（OR）：|

二进制运算符|通过对两个操作数逐位进行比较产生一个新值。对于每个位，如果其中任意操作数中对应的位为 1，那么结果位就为 1（用真/假来描述，如果任意一个位操作数为真，或两个都为真，那么结果为真）。因此：

```
(10010011) | (00111101)          // 表达式
```

的结果值是：

```
(10111111)                       // 结果值
```

原因是在除了位 6 之外的所有位上，两个操作数中至少有一个为 1。

C 也有一个组合的位或-赋值运算符：|=。

```
val |= 0377;
```

该语句产生与如下语句相同的最终结果：

```
val = val | 0377;
```

四、位异或：^

二进制运算符^对两个操作数逐位进行比较。对于每个位，如果操作数中的对应位有一个为 1（但是不都为 1），那么结果为 1（用真/假来描述，如果两个位操作数中有一个为真，但是不都为真，那么结果为真）。因此：

```
(10010011) ^ (00111101)          // 表达式
```

的结果值是：

```
(10101110)                       // 结果值
```

请注意，因为两个操作数中的位 0 都为 1，因此位 0 的结果为 0。

C 也有一个组合的位异或-赋值运算符：^=。

```
val ^= 0377;
```

该语句产生与如下语句相同的最终结果：

```
valval ^0377
```

15.3.2 用法：掩码

“位与”运算符通常跟掩码一起使用。掩码是某些位设为开（1）而某些位设置为关（0）的位组合。要了解称其为掩码的原因，让我们来看使用&将一个数值与掩码相组合时所发生的情况。例如，假设您定义符号常量 MASK 为 2，即二进制的 00000010，只有位 1 是非零。那么：

```
flags = flags & MASK;
```

这个语句将导致flags的除位1之外的所有位都被设为 0，原因是它的任何位使用&运算符与 0 组合都得 0；位 1 将保持不变（如果该位为 1，则 1&1 为 1；如果该位为 0，则 0&1 为 0）。因为掩码中的零覆盖了 flags 中相应的位，所以该过程称为“使用掩码”。

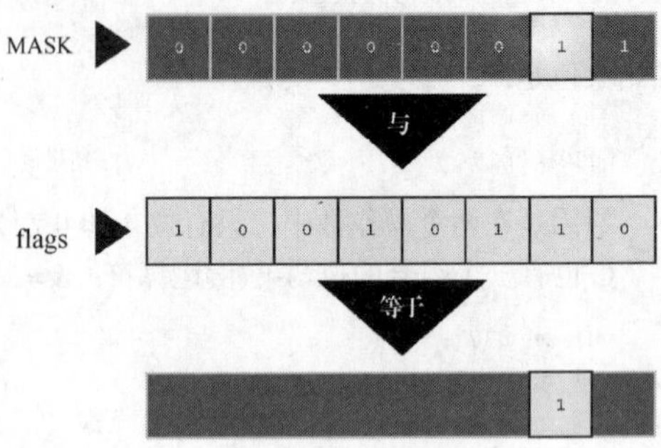

依此类推，您可以将掩码中的 0 看作不透明，将 1 看作透明。表达式 flags&MASK 就好像使用掩码覆盖 flags 位组合；flags 中的位只有在 MASK 中的对应位是 1 时才可见（请参见图 15.2）。

图 15.2 一个掩码

您可以通过使用“与-赋值”运算符来简化代码，如下：

```
flags &= MASK;
```

一种常见的 C 用法如下面语句所示：

```
ch &= 0xff; /* 或 ch &= 0377; */
```

回忆一下，值 0xff 的二进制形式为 11111111，十进制形式为 0377。该掩码留下 ch 的最后 8 位，将其余位设为 0。无论最初的 ch 是 8 位、16 位或是更多，都将最终的值修整到一个字节中。在这个例子中，掩码宽度为 8 位。

15.3.3 用法：打开位

有时，您可能需要打开一个值中特定的位，同时保持其他位不变。例如，一台 IBM PC 通过将值发送到端口来控制硬件。比如要打开扬声器，可能需要打开 1 位，同时保持其他位不变。您可以使用“位或”运算符来实现。

例如，考虑 MASK，其位 1 设为 1。下面的语句将 flags 中的位 1 设为 1，并保留其他所有位不变：

```
flags = flags | MASK;
```

这是因为任何位使用 | 运算符与 0 相组合结果为该位本身，任何位使用 | 运算符与 1 组合结果为 1。

作为缩写，您可以使用位或-赋值运算符：

```
flags |= MASK;
```

同样，这种方法根据 MASK 中打开的位将 flags 中的对应位设为 1，同时保持其他位不变。

15.3.4 用法：关闭位

不影响其他位，同时能够将特定的位关闭与能够将特定的位打开一样是有用的。假设您想关闭变量 flags 中的位 1。MASK 仍然只有位 1 是打开的。您可以做如下操作：

```
flags = flags & ~MASK;
```

因为 MASK 除了位 1 其他位都为 0，所以~MASK 除了位 1 其他位都为 1。任何位使用&与 1 组合的结果为该位本身，因此该语句除位 1 以外保留其他所有位不变。任何位使用&与 0 组合的结果为 0，因此无论位 1 的初始值为何，都将其设为 0。您可以使用以下缩写形式：

```
flags &= ~MASK;
```

15.3.5　用法：转置位

转置（toggling）一个位表示如果该位打开，则关闭该位；如果该位关闭，则打开该位。您可以使用“位异或”运算符来转置一个位。其思想是如果 b 是一个位（1 或 0），那么如果 b 为 1 则 1^b 为 0，如果 b 为 0 则 1^b 为 1。而且，无论 b 的值是 0 还是 1，0^b 为 b。因此，如果使用^将一个值与掩码组合，那么该值中对应掩码位为 1 的位被转置，对应掩码位为 0 的位不改变。要转置 flag 中的位 1，您可以使用以下任意一个语句：

```
flag = flag ^ MASK;
flag ^= MASK;
```

15.3.6　用法：查看一位的值

您已经了解改变一位的值的方法。然而，假设您希望查看一位的值。例如，flag 的位 1 是否为 1？您不应该简单地比较 flag 与 MASK：

```
if (flag == MASK)
puts ("Wow!"); /* 不能正确工作 */
```

即使 flag 中的位 1 被设为 1，flag 中的其他位也会使比较结果为非真。您必须屏蔽 flag 中的其他位，以便只把 flag 中的位 1 和 MASK 相比较：

```
if ((flag & MASK) == MASK)
    puts ("Wow!");
```

位运算符的优先级低于==，因此需要在 flag&MASK 的两侧加上圆括号。

为了避免信息漏过边界，位掩码至少应该与其所屏蔽的值具有相同的宽度。

15.3.7　移位运算符

现在让我们了解一下 C 的移位运算符。移位运算符将位向左或向右移。同样，我们仍将明确地使用二进制形式来说明该机制的工作原理。

一、左移：<<

左移运算符<<将其左侧操作数的值的每位向左移动，移动的位数由其右侧操作数指定。空出的位用 0 填充，并且丢弃移出左侧操作数末端的位。在以下例子中，每位向左移动两个位置。

```
(10001010) << 2 // 表达式
(00101000)      // 结果值
```

该操作产生一个新位值，但是不改变其操作数。例如，假设 stonk 为 1，则 stonk<<2 为 4，但是 stonk 仍为 1。您可以使用左移-赋值运算符（<<=）来实际改变一个变量的值。该运算符将变量中的位向左移动右侧值大小的位置。如下例：

```
int stonk = 1;
int onkoo;
onkoo = stonk << 2;    /* 将 4 赋值给 onkoo */
stonk <<= 2;           /* 将 stonk 变为 4  */
```

二、右移：>>

右移位运算符>>将其左侧操作数的值的每位向右移动，移动的位数由其右侧操作数指定。丢弃移出左侧操作数右端的位。对于 unsigned 类型，使用 0 填充左端空出的位。对于有符号类型，结果依赖于机器。空出的位可能用 0 填充，或者使用符号（最左端的）位的副本填充：

```
(10001010) >> 2        // 表达式，有符号值
(00100010)             // 在某些系统上的结果值
(10001010) >> 2        // 表达式，有符号值
(11100010)             // 在另一些系统上的结果值
```

对于无符号值，有以下结果：

```
(10001010) >> 2        // 表达式，无符号值
(00100010)             // 所有系统上的结果值
```

每位向右移动两个位置，空出的位用 0 填充。

右移-赋值运算符（>>=）将左侧变量的位向右移动指定数量的位置，如下所示：

```
int sweet = 16;
int ooosw;
ooosw = sweet >> 3; /* ooosw=2, sweet 仍然为 16    */
sweet >>=3;         /* sweet 变为 2                */
```

三、用法：移位运算符

移位运算符能够提供快捷、高效的（依赖于硬件）对 2 的幂的乘法和除法。

number << n	number 乘以 2 的 n 次幂
number >> n	如果 number 非负，则用 number 除以 2 的 n 次幂

这些移位运算类似于在十进制中移动小数点来乘以或除以 10。

移位运算符也用于从较大的单位中提取多组比特位。例如，假设您使用一个 unsigned long 值代表颜色值，其中低位字节存放红色亮度，下一字节存放绿色亮度，第三个字节存放蓝色亮度。假设随后您希望将每种颜色的亮度存储在各自的 unsigned char 变量中。那么您可以使用下列语句：

```
#define BYTE_MASK 0xff
unsigned long color = 0x002a162f;
unsigned char blue, green, red;
red = color & BYTE_MASK;
green = (color >> 8) & BYTE_MASK;
blue = (color >> 16) & BYTE_MASK;
```

这段代码使用右移运算符将 8 位颜色值移动到低位字节，然后使用掩码技术将低位字节赋给所需的变量。

15.3.8 编程实例

在第 9 章“函数”中，我们使用递归方法编写了一个程序，将数字转换为它的二进制表示形式，在这里我们将使用移位运算符完成同样的任务。程序清单 15.1 中的程序从键盘读取一个整数，将该整数和一个字符串地址传送给一个名为 itobs（）的函数（代表 interger to binary string）。然后，该函数使用移位运算符计算出正确的 1 和 0 的组合，并存放到字符串中。

程序清单 15.1 binbit.c 程序

```
/* binbit.c -- 使用位运算显示二进制数 */
#include <stdio.h>
char * itobs (int, char *);
void show_bstr(const char *);

int main (void)
{
    char bin_str[8 * sizeof (int) + 1];
    int number;

    puts ("Enter integers and see them in binary.");
    puts ("Non-numeric input terminates program.");
    while (scanf ("%d", &number) == 1)
    {
        itobs(number,bin_str);
        printf("%d is ", number);
```

```
        show_bstr(bin_str);
        putchar( '\n' );
    }
    puts( "Bye!" );

    return 0;
}

char * itobs (int n, char * ps)
{
    int i;
    static int size = 8 * sizeof (int);

    for (i = size - 1; i >= 0; i--, n >>= 1)
        ps[i] = (01 & n) + '0';
    ps[size] = '\0';

    return ps;
}

/* 4 位一组显示二进制字符串*/
void show_bstr(const char * str)
{
    int i = 0;
    while (str[i])  /* 不是一个空字符 */
    {
      putchar(str[i]);
      if(++i % 4 == 0 && str[i])
      putchar( ' ');
    }
}
```

程序清单 15.1 假设系统使用 8 位表示一个字节。因此，表达式 8*sizeof（int)是一个 int 的位数。考虑到结尾的空字符，bin_str 数组的元素个数为这个表达式的值再加 1。

因为 itobs（）函数返回的地址与传送给该函数的地址相同，所以您可以将该函数作为 printf（）的参数来使用。首次执行 for 循环时，该函数求 01&n 的值。01 是一个掩码的八进制表示形式，该掩码除位 0 之外的所有位都设为 0。因此，01&n 就是 n 的最后一位的值。该值为 0 或 1，但是字符数组需要的是字符'0'或字符'1'。对该值加上'0'的 ASCII 编码可以完成该转换。结果放置在数组的倒数第 2 个元素中（保留最后的元素存放空字符）。

顺便提一下，您也可以用 1&n 代替 01&n。使用八进制的 1 而不是十进制的 1 看起来会更接近计算机一些。

然后，该循环执行语句 i--和 n>>=1。第一个语句移动到数组中的前一个元素，第二个语句将 n 中的位向右移动一个位置。下次执行循环时，代码得到新的最右端的位的值。然后，将相应的数字字符放置在最后数字前面的元素中。使用这种方式，该函数从右向左填充数组。

您可以使用 printf（）或 put（）函数来显示结果字符串，而程序清单 15.1 定义了 show_bstr（）函数，它把每 4 位分成一组以便于读出字符串。

下面是一个运行示例：

```
Enter integers and see them in binary.
Non-numeric input terminates program.
7
7 is 0000 0000 0000 0000 0000 0000 0000 0111
2005
2005 is 0000 0000 0000 0000 0000 0111 1101 0101
-1
-1 is 1111 1111 1111 1111 1111 1111 1111 1111
```

```
32123
32123 is 0000 0000 0000 0000 0111 1101 0111 1011
q
Bye!
```

15.3.9 另一个实例

让我们讨论另一个例子。这次的目的是编写一个函数，该函数反转一个值中的最后 n 位，参数为 n 和要反转的值。

~运算符可以反转位，但是该运算符反转一个字节中所有的位，而不是选定的少数位。然而，正如您已经看到的，^运算符（异或）可以用于转置单个位。假设您创建一个掩码，该掩码最后 n 位设为 1，其余的位设为 0。然后，对该掩码和一个值使用^运算就可以转置（即反转）这个值的最后 n 位，同时保留该值的其他位不变。这就是下面所使用的方法：

```
int invert_end (int num, int bits)
{
    int mask = 0;
    int bitval = 1;

    while (bits-- > 0)
    {
        mask |= bitval;
        bitval <<= 1;
    }
    return num ^ mask;
}
```

while 循环创建该掩码。最初，mask 所有位都被设为 0。第一次执行该循环将位 0 设为 1，然后将 bitval 增加到 2；也就是将 bitval 的位 0 设为 0，位 1 设为 1。下次执行循环时，将 mask 的位 1 设为 1，依此类推。最后，num^mask 运算产生所需的结果。

要测试该函数，您可以将其插入前面的程序，如程序清单 15.2 所示。

程序清单 15.2 invert4.c 程序

```
/* invert4.c -- 使用位操作符来显示二进制 */
#include <stdio.h>
char * itobs (int n, char * ps);
void show_bstr(const char *);
int invert_end (int num, int bits);

int main (void)
{
    char bin_str[8 * sizeof (int) + 1];
    int number;

    puts ("Enter integers and see them in binary.");
    puts ("Non-numeric input terminates program.");
    while (scanf ("%d", &number) == 1)
   {

          itobs(number,bin_str);

          printf(“%d is\n”, number);

          show_bstr(bin_str);

          putchar(‘\n’);

          number = invert_end(number, 4);

          printf(“Inverting the last 4 bits gives\n”);

          show_bstr(itobs(number,bin_str));
```

```
        putchar( '\n' );
    }
    puts( "Bye!" );

    return 0;
}
char * itobs (int n, char * ps)
{
    int i;
    static int size = 8 * sizeof (int);

    for (i = size - 1; i >= 0; i--, n >>= 1)
        ps[i] = (01 & n) + '0';
    ps[size] = '\0';

    return ps;
}

/* 4位一组显示二进制字符串*/
void show_bstr(const char * str)
{
    int i = 0;

    while (str[i]) /* 不是一个空字符 */
    {
        putchar(str[i]);
        if(++i % 4 == 0 && str[i])
        putchar( ' ');
    }
}

int invert_end (int num, int bits)
{
    int mask = 0;
    int bitval = 1;

    while (bits-- > 0)
    {
        mask |= bitval;
        bitval <<= 1;
    }
    return num ^ mask;
}
```

下面是一个运行示例：

```
Enter integers and see them in binary.
Non-numeric input terminates program.
7
7 is
0000 0000 0000 0000 0000 0000 0000 0111
Inverting the last 4 bits gives
0000 0000 0000 0000 0000 0000 0000 1000
12541
12541 is
0000 0000 0000 0000 0011 0000 1111 1101
Inverting the last 4 bits gives
0000 0000 0000 0000 0011 0000 1111 0010
q
Bye!
```

15.4 位字段

对位进行操作的第二种方法是使用位字段（bit field），位字段是一个 signed int 或 unsigned int 中一组相邻的位（C99 还允许_Bool 类型位字段）。位字段由一个结构声明建立，该结构声明为每个字段提供标签，并决定字段的宽度。例如，以下声明建立了 4 个 1 位字段：

```
struct {
        unsigned int autfd: 1;
        unsigned int bldfc: 1;
        unsigned int undln: 1;
        unsigned int itals: 1;
} prnt;
```

该定义使 prnt 包含 4 个 1 位字段。现在，您可以使用普通的结构成员运算符将值赋给单独的字段：

```
prnt.itals = 0;
prnt.undln = 1;
```

因为每个字段都正好为 1 位，所以 1 和 0 是惟一可以用于赋值的值。变量 prnt 被存储在一个 int 大小的存储单元中，但是在本例中仅有其中的 4 位被使用。

带有位字段的结构提供一种保存设置的方便的方法。许多设置，如字体的粗体或斜体，是简单的二选一问题，例如打开或关闭，是或否，真或假。在您只需要单个位时，不需要使用整个变量。带有位字段的结构允许您在单个单元中存储多项设置。

有时，对于某个设置有两个以上的选择，因此您需要用多位来表示所有的选择。因为字段不限于 1 位大小，所以这不是一个问题。您可以使用如下代码：

```
struct {
        unsigned int code1: 2;
        unsigned int code2: 2;
        unsigned int code3: 8;
} prcode;
```

这段代码创建两个 2 位字段和一个 8 位字段。您可以使用以下方法进行赋值：

```
prcode.code1 = 0;
prcode.code2 = 3;
prcode.code3 = 102;
```

只须确保值没有超出字段的容量。

如果您所声明的总位数超过一个 unsigned int 大小，那么将会发生什么？那将会使用下一个 unsigned int 存储位置。不允许一个字段跨越两个 unsigned int 之间的边界。编译器自动地移位一个这样的字段定义，使字段按 unsigned int 边界对齐。发生这种情况时，会在第一个 unsigned int 中留下一个未命名的洞。

您可以使用未命名的字段宽度“填充”未命名的洞。使用一个宽度为 0 的未命名的字段迫使下一个字段与下一个整数对齐：

```
struct {
    unsigned int field1: 1;
    unsigned int       : 2;
    unsigned int field2: 1;
    unsigned int       : 0;
    unsigned int field3: 1;
} stuff;
```

这里，stuff.field1 和 stuff.field2 之间有一个 2 位的间隙，stuff.field3 存储在下一个 int 中。

一个重要的机器依赖性是将字段放置到一个 int 中的顺序。在有些机器上，这个顺序是从左向右；在另一些机器上顺序是从右向左。另外，不同机器在两个字段间边界的位置上也有区别。由于这些原因，位字段往往难以移植。典型地，把它们用于不可移植的用途，例如按照某个特定硬件设备所使用的确切格式来存放数据。

15.4.1　位字段实例

位字段通常作为存储数据的一个更加紧凑的方法。例如，假设您决定表示一个在屏幕上的方框的属性。让我们使问题更简单，假设方框具有如下属性：

- 框是不透明的或透明的。
- 框的填充色选自以下调色板：黑色、红色、绿色、黄色、蓝色、紫色、青色或白色。
- 边框可见或隐藏。
- 边框颜色与填充色使用相同的调色板。
- 边框可以使用实线、点线或虚线样式。

您可以使用一个单独的变量或全长结构成员来表示每个属性，但是这样做有点浪费数据位。例如，您只需要 1 位来指明方框是不透明还是透明，只需要 1 位来指明边框是显示还是隐藏。可以使用 3 位单元的 8 个可能值来表示 8 种可能的颜色值，并且 2 位单元也足以表示 3 种可能的边框样式。那么，总共 10 位就足够表示这 5 个属性所有可能的设置。

下面是这些信息的一种可能的表示方式：struct box_props 声明使用未命名字段将与填充有关的信息放置在一个字节中，将与边框有关的信息放置在第二个字节中。struct box_props 的声明如下：

```
struct box_props {
    unsigned int opaque         : 1;
    unsigned int fill_color     : 3;
    unsigned int                : 4;
    unsigned int show_border    : 1;
    unsigned int border_color   : 3;
    unsigned int border_style   : 2;
    unsigned int                : 2;
};
```

未命名字段的填充使该结构总共占用了 16 位。如果没有填充，那么该结构将为 10 位。然而，请记住，C 使用 unsigned int 作为位字段结构的基本布局单元。因此，即使一个结构的惟一成员是 1 位字段，该结构的大小也与一个 unsigned int 的大小相同，unsigned int 在我们的系统中为 32 位。

您可以令成员 opaque 使用值 1 指明该框是不透明的，使用值 0 指明该框透明。可以对成员 show_border 使用同样的方法。对于颜色，您可以使用简单的 RGB（代表 red-green-blue）表示。这些颜色是混合光的三原色。监视器混合红、绿、蓝像素以重新产生不同的颜色。在早期的计算机色彩中，每个像素可以是打开或关闭状态，所以您可以使用 1 位来表示三原色中每个二进制颜色的亮度。常用的顺序是左侧位表示蓝色亮度，中间的位表示绿色亮度，右侧位表示红色亮度。表 15.3 显示了 8 种可能的组合。这些组合可以作为成员 fill_color 和 border_color 的值来使用。最后，您可以选择让 0、1 和 2 表示实线、点线和虚线样式；它们可以作为成员 border_style 的值来使用。

表 15.3　简单的颜色表示法

位组合	十进制	颜色
000	0	黑色
001	1	红色
010	2	绿色
011	3	黄色
100	4	蓝色
101	5	紫色
110	6	青色
111	7	白色

程序清单 15.3 在一个简单的示例程序中使用结构 box_props。它使用#define 为可能的成员值创建符号常量。请注意，通过仅打开 1 位来表示三原色，可以使用三原色的组合来表示其他颜色。例如，紫色包含打开的蓝色位和红色位，因此可以使用 BLUE|RED 来表示紫色。

程序清单 15.3 fields.c 程序

```
/* fields.c -- 定义和使用字段 */
#include <stdio.h>
/* 是否透明和是否可见 */
#define YES     1
#define NO      0
/* 边框线的样式      */
#define SOLID   0
#define DOTTED  1
#define DASHED  2
/* 三原色          */
#define BLUE    4
#define GREEN   2
#define RED     1
/* 混合颜色        */
#define BLACK   0
#define YELLOW (RED | GREEN)
#define MAGENTA (RED | BLUE)
#define CYAN (GREEN | BLUE)
#define WHITE (RED | GREEN | BLUE)
const char * colors[8] = {"black", "red", "green", "yellow",
                "blue", "magenta", "cyan", "white"};
struct box_props {
    unsigned int opaque         : 1;
    unsigned int fill_color     : 3;
    unsigned int                : 4;
    unsigned int show_border    : 1;
    unsigned int border_color   : 3;
    unsigned int border_style   : 2;
    unsigned int                : 2;
};

void show_settings(const struct box_props * pb);

int main (void)
{
    /* 创建和初始化 box_props 结构 */
    struct box_props box = {YES, YELLOW, YES, GREEN, DASHED};

    printf("Original box settings:\n");
    show_settings(&box);

    box.opaque = NO;
    box.fill_color = WHITE;
    box.border_color = MAGENTA;
    box.border_style = SOLID;
    printf("\nModified box settings:\n");
    show_settings(&box);

    return 0;
}

void show_settings(const struct box_props * pb)
{
    printf("Box is %s.\n",
```

```
            pb->opaque == YES? “opaque” : “transparent”);
    printf(“The fill color is %s.\n”, colors[pb->fill_color]);
    printf(“Border %s.\n”,
            pb->show_border == YES? “shown” : “not shown”);
    printf(“The border color is %s.\n”, colors[pb->border_color]);
    printf (“The border style is “);
    switch(pb->border_style)
    {
        case SOLID : printf(“solid.\n”); break;
        case DOTTED : printf(“dotted.\n”); break;
        case DASHED : printf(“dashed.\n”); break;
        default : printf(“unknown type.\n”);
    }
}
```

下面是输出：

```
Original box settings:
Box is opaque.
The fill color is yellow.
Border shown.
The border color is green.
The border style is dashed.

Modified box settings:
Box is transparent.
The fill color is white.
Border shown.
The border color is magenta.
The border style is solid.
```

这里有几点需要注意。第一，可以使用与初始化普通的结构相同的语法来初始化一个位字段结构：

```
struct box_props box = {YES, YELLOW, YES, GREEN, DASHED};
```

类似地，您可以为位字段成员赋值：

```
box.fill_color = WHITE;
```

您还可以使用位字段成员作为 switch 语句的值表达式。您甚至可以把位字段成员用作一个数组索引：

```
printf ("The fill color is %s.\n", colors[pb->fill_color]);
```

请注意，数组 colors 的定义使得每个数组索引对应于一个表示颜色的字符串，而该颜色又将这个索引值作为其数字颜色值。例如，数组索引 1 对应于字符串"red"，并且红色的颜色值也为 1。

15.4.2 位字段和位运算符

位字段和位运算符对于同类的编程问题是两种可供选择的方法。也就是说，您通常可以使用其中任何一种方法。例如，在前面的实例中，用大小为 unsigned int 的结构存放关于一个图形框的信息。作为代替，您也可以使用 unsigned int 变量来保存相同的信息。这样，不是使用结构成员符号来访问不同的部分，而是使用位运算符来达到这个目的。通常这种方法稍微麻烦一些。让我们来研究同时使用这两种方法的实例（两种方法都使用的原因是为了解释其中的不同，而不是暗示同时使用这两种方法是一个好主意）。

您可以使用一个联合来组合使用结构方法和位方法。给定 struct box_props 类型的定义，您可以声明以下联合：

```
union Views /* 把数据看作结构或 unsigned short 变量 */
{
    struct box_props st_view;
    unsigned int ui_view;
};
```

在某些系统上，一个 unsigned int 与一个 box_props 结构都占用 16 位的内存。在其他系统上，例如作者的系统上，unsigned int 和 box_props 都为 32 位。在每种情况中，通过该联合，您都可以用成员 st_view 将一块内存看作一个结构，或者使用成员 ui_view 将相同的内存块看作一个 unsigned int。结构的哪一个位字段与 unsigned int 中的哪一位相对应？这依赖于实现和硬件。在使用 Microsoft Visual C/C++ 7.1 的 IBM PC 上，从低位端向高位端将结构载入内存。换句话说，结构中的第一个位字段放入字的 0 位（为了简单，图 15.3 使用 16 位单元解释这种思想）。

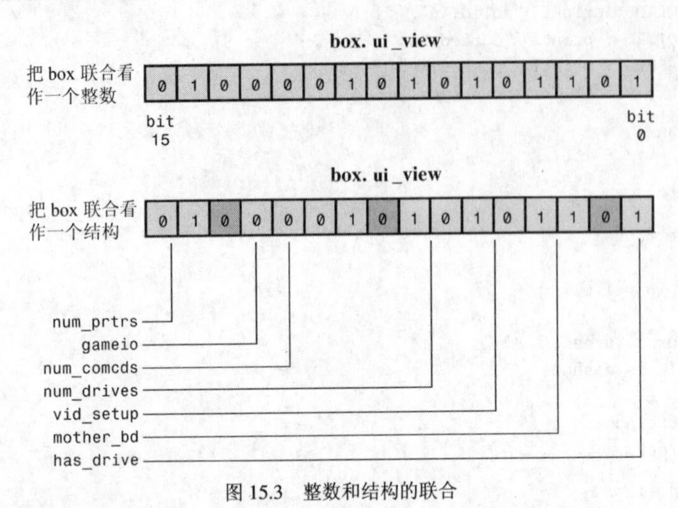

图 15.3 整数和结构的联合

程序清单 15.4 通过使用 Views 联合比较位字段方法和位运算方法。在该程序清单中，box 是一个 Views 联合，因此 box.st_view 是一个使用位字段的 box_prop 结构，box.ui_view 把相同的数据看作一个 unsigned int。

记得一个联合允许其第一个成员被初始化，因此，初始化值和结构相匹配。程序使用一个基于结构的函数和一个基于 unsigned int 的函数来显示 box 属性。两种方式都允许你访问数据，但是技术不同。该程序也使用本章前面定义的 itobs（）函数以二进制字符串形式显示数据，这样您可以看到哪些位是打开的，哪些位是关闭的。

程序清单 15.4 dualview.c 程序

```
/* dualview.c -- 位字段和位运算 */
#include <stdio.h>
/* 位字段常量          */
/*是否透明和是否可见  */
#define YES 1
#define NO 0
/* 边框线的样式        */
#define SOLID 0
#define DOTTED 1
#define DASHED 2
/* 三原色             */
#define BLUE 4
#define GREEN 2
#define RED 1
/* 混合颜色            */
#define BLACK 0
#define YELLOW (RED | GREEN)
#define MAGENTA (RED | BLUE)
#define CYAN (GREEN | BLUE)
#define WHITE (RED | GREEN | BLUE)

/* 位运算中使用的常量 */
#define OPAQUE 0x1
#define FILL_BLUE 0x8
```

```
#define FILL_GREEN 0x4
#define FILL_RED 0x2
#define FILL_MASK 0xE
#define BORDER 0x100
#define BORDER_BLUE 0x800
#define BORDER_GREEN 0x400
#define BORDER_RED 0x200
#define BORDER_MASK 0xE00
#define B_SOLID 0
#define B_DOTTED 0x1000
#define B_DASHED 0x2000
#define STYLE_MASK 0x3000

const char * colors[8] = {“black”, “red”, “green”,
“blue”, “magenta”, “cyan”, “white”};

struct box_props {
    unsigned int opaque       : 1;
    unsigned int fill_color   : 3;
    unsigned int              : 4;
    unsigned int show_border  : 1;
    unsigned int border_color: 3;
    unsigned int border_style: 2;
    unsigned int              : 2;
  };

union Views            /* 把数据看作结构或unsigned short变量 */
    {
        struct box_props st_view;
        unsigned int ui_view;
    };

void show_settings(const struct box_props * pb);
void show_settings1(unsigned short);
char * itobs (int n, char * ps); /* 把short值以二进制字符串的形式显示 */

int main (void)
{
        /* 创建Views对象，初始化结构box view */
    union Views box = {{YES, YELLOW, YES, GREEN, DASHED}};
    char bin_str[8 * sizeof (unsigned int) + 1];

    printf(“Original box settings:\n”);
    show_settings(&box.st_view);
    printf(“\nBox settings using unsigned int view:\n”);
    show_settings1(box.ui_view);

    printf(“bits are %s\n”,
        itobs(box.ui_view,bin_str));
    box.ui_view &= ~FILL_MASK;  /*把代表填充色的位清0 */
    box.ui_view |= (FILL_BLUE | FILL_GREEN);  /*重置填充色*/
    box.ui_view ^= OPAQUE;  /*转置指示是否透明的位*/
    box.ui_view |= BORDER_RED; /* 错误的方法 */
    box.ui_view &= ~STYLE_MASK; /* 清除样式位 */
    box.ui_view |= B_DOTTED; /* 把样式设置为点*/
    printf(“\nModified box settings:\n”);
    show_settings(&box.st_view);
    printf(“\nBox settings using unsigned int view:\n”);
    show_settings1(box.ui_view);
    printf(“bits are %s\n”,
```

```
    itobs(box.ui_view,bin_str));

    return 0;
}

void show_settings(const struct box_props * pb)
{
    printf( "Box is %s.\n",
           pb->opaque == YES? "opaque" : "transparent");
    printf( "The fill color is %s.\n", colors[pb->fill_color]);
    printf( "Border %s.\n",
           pb->show_border == YES? "shown" : "not shown");
    printf( "The border color is %s.\n", colors[pb->border_color]);
    printf ( "The border style is ");
    switch(pb->border_style)
    {
        case SOLID : printf( "solid.\n"); break;
        case DOTTED : printf( "dotted.\n"); break;
        case DASHED : printf( "dashed.\n"); break;
        default : printf( "unknown type.\n");
    }
}

void show_settings1(unsigned short us)
{
    printf( "box is %s.\n",
            us & OPAQUE == OPAQUE? "opaque" : "transparent");
    printf( "The fill color is %s.\n",
           colors[(us >> 1) & 07]);
    printf( "Border %s.\n",
            us & BORDER == BORDER? "shown" : "not shown");
    printf ( "The border style is ");
    switch(us & STYLE_MASK)
    {
        case B_SOLID : printf( "solid.\n"); break;
        case B_DOTTED : printf( "dotted.\n"); break;
        case B_DASHED : printf( "dashed.\n"); break;
        default : printf( "unknown type.\n");
    }
    printf( "The border color is %s.\n",
           colors[(us >> 9) & 07]);
}

/* 把 int 转换为二进制字符串 */
char * itobs (int n, char * ps)
{
    int i;
    static int size = 8 * sizeof (unsigned int);

    for (i = size - 1; i >= 0; i--, n >>= 1)
        ps[i] = (01 & n) + '0';
    ps[size] = '\0';
    return ps;
}
```

下面是输出：

```
Original box settings:
Box is opaque.
The fill color is yellow.
Border shown.
```

```
The border color is green.
The border style is dashed.

Box settings using unsigned int view:
box is opaque.
The fill color is yellow.
Border shown.
The border style is dashed.
The border color is green.
bits are 00000000000000000001001010000111

Modified box settings:
Box is transparent.
The fill color is cyan.
Border shown.
The border color is yellow.
The border style is dotted.

Box settings using unsigned int view:
box is transparent.
The fill color is cyan.
Border not shown.
The border style is dotted.
The border color is yellow.
bits are 00000000000000000001011100001100
```

这里有几点需要讨论。位字段和按位视图之间的一个区别是按位视图需要位置信息。例如，我们使用BLUE 表示蓝色。这个常量的数字值为 4。但是，由于在结构中数据的排列方式，实际保存填充色的蓝色设置的位是位 3（请记住，编号方式从 0 开始，参见图 15.1），而且保存边框颜色的蓝色设置的位是位 11。因此，该程序定义了一些新的常量：

```
#define FILL_BLUE    0x8
#define BORDER_BLUE  0x800
```

这里，如果仅把位3设为1，那么值为0x 8；如果仅把位11设为1，那么值为0x800。您可以使用第一个常量设置填充色的蓝色位，使用第二个常量设置边框颜色的蓝色位。使用十六进制的表示方法很容易看出哪些位相关。记得每个十六进制的数字代表4位。因此，0x800和0x8具有相同的位模式，只是后边8位都填上0。但在它们的等值的十进制数看来，2048和8之间的关系就不那么明显了。

如果值为 2 的幂，那么您可以使用左移运算符来提供值。例如，您可以使用以下语句来代替上面的#define 语句：

```
#define FILL_BLUE   1<<3
#define BORDER_BLUE 1<<11
```

这里，第二个操作数是 2 的幂次。也就是说，0x8 是 2 的 3 次幂，0x800 是 2 的 11 次幂。同样地，表达式 1<<n 是第 n 位设为 1 的整数的值。表达式 1<<11 是常量表达式，在编译时对其求值。

您可以使用枚举的方法代替#define 来创建符号常量。例如，您可以使用以下语句：

```
enum { OPAQUE = 0x1, FILL_BLUE = 0x8, FILL_GREEN = 0x4, FILL_RED = 0x2,
       FILL_MASK = 0xE, BORDER = 0x100, BORDER_BLUE = 0x800,
       BORDER_GREEN = 0x400, BORDER_RED = 0x200, BORDER_MASK = 0xE00,
       B_DOTTED = 0x1000, B_DASHED = 0x2000, STYLE_MASK = 0x3000};
```

如果您不想创建枚举变量，那么就不需要在声明中使用标记。

请注意，使用位运算符改变设置更为复杂。例如，考虑将填充色设为青色。仅仅打开蓝色位和绿色位是不够的：

```
box.ui_view |= (FILL_BLUE | FILL_GREEN); /* 重置填充色 */
```

问题是该颜色也依赖于红色位设置。如果已经设置了该位（比如对于黄色），这段代码保留了红色位设置，并设置了蓝色和绿色位，结果是产生白色。解决该问题最简单的方法是在设置新值之前首先将所有颜色位关闭。这就是程序使用下面代码的原因：

```
box.ui_view &= ~FILL_MASK;          /* 把代表填充色的位清 0 */
box.ui_view |= (FILL_BLUE | FILL_GREEN); /* 重置填充色 */
```

为了展示如果你不首先清除相关位的结果，程序还做了如下事情：

```
box.ui_view |= BORDER_RED; /* 错误的方法 */
```

由于 BORDER_GREEN 位已经设置过，结果颜色就是 BORDER_GREEN |BORDER_RED，这被解释为黄色。在这种情况下，使用位字段方法更简单：

```
box.st_view.fill_color = CYAN;        /* 等价的位字段方法 */
```

您不需要首先清空所有位。而且，使用位字段成员时，您可以对填充色和边框颜色使用相同的颜色值；但是对于位运算符方法，您需要使用不同的值（这些值反映实际位的位置）。

其次，比较下面两个打印语句：

```
printf("The border color is %s.\n", colors[pb->border_color]);
printf("The border color is %s.\n", colors[(us >> 9) & 07]);
```

在第一个语句中，表达式 pb->border_color 值的范围是 0 到 7，因此该表达式可以作为数组 colors 的索引。使用位运算符获得相同的信息更加复杂。一种方法是使用 ui >> 9 将边框颜色位右移到该值的最右端（位 0 到 2）。然后，将该值与掩码 07 组合，因此关闭了最右端 3 位以外所有的位。结果也是在 0 到 7 的范围内，可以作为数组 colors 的索引。

警　告

位字段和位的位置间的对应是依赖于实现的。例如，在 Macintosh 上运行程序清单 15.4 中的程序产生下列输出：

```
Original box settings:
Box is opaque.
The fill color is yellow.
Border shown.
The border color is green.
The border style is dashed.
Box settings using unsigned int view:
box is transparent.
The fill color is black.
Border not shown.
The border style is solid.
The border color is black.
bits are 10110000101010000000000000000000

Modified box settings:
Box is opaque.
The fill color is yellow.
Border shown.
The border color is green.
The border style is dashed.

Box settings using unsigned int view:
box is opaque.
The fill color is cyan.
Border shown.
The border style is dotted.
The border color is red.
bits are 10110000101010000001001000001101
```

程序代码改变了与前面相同的位，但是 Macintosh 将结构装入内存的方式是不同的。具体地，Macintosh 将第一个位字段装入最高位，而不是最低位。因此，结构表示装入了最前面的 16 位（并且按照和 PC 中不同的顺序），而 unsigned in 表示装入到最后的 16 位。因此，对于 Macintosh，程序清单 15.4 关于位的位置的假设是错误的，使用位运算符对不透明性和填充色的设置进行改变时，改变了错误的位。

15.5 关键概念

使C区别于许多高级语言的特性之一是访问整数中的个别位的能力。该特性通常是程序与硬件设备和操作系统相连接的关键。

C有两个主要的访问位的工具。一个工具是位运算符，另一个是在结构中创建位字段的能力。

典型地（但不总是），使用这些特性的程序仅限于特定的硬件平台或操作系统，并且被设计为不可移植的。

15.6 总结

因为二进制的 1 和 0 可以用于表示计算机内存和寄存器中位的打开和关闭状态，所以计算机硬件与二进制数字系统紧密相连。虽然 C 不允许以二进制形式书写数字，但是 C 识别与二进制相关的八进制和十六进制符号。正如每个二进制数字表示 1 位一样，每个八进制数字表示 3 位，每个十六进制数字表示 4 位。这种关系使二进制数字转化为八进制或十六进制形式变得相对简单。

C 提供一些位运算符，称其为位运算符的原因是这些运算符单独操作一个值中的每一位。位反运算符（~）将其操作数中每一位取反，将 1 转换为 0，反之亦然。位与运算符（&）用两个操作数形成一个值。如果两个操作数中某位都为 1，那么结果值中对应位设为 1。否则，该位设为 0。位或运算符（|）同样用两个操作数形成一个值。如果两个操作数的某位中有一位为 1，那么结果值中的对应位设为 1；否则，该位设为 0。位异或运算符（^）有类似的操作，但仅在两个操作数的对应位中只有一位设为 1 时，结果位才设为 1。

C 还提供左移（<<）和右移（>>）运算符。每个运算符产生一个值，通过将一个位组合中的所有位向左或向右移动指定数量的位形成该值。对于左移运算符，空出的位设为 0。对于右移运算符，如果值为无符号类型的，则空出的位设为 0。对于有符号值，右移运算符的行为是依赖于实现的。

您可以使用结构中的位字段编址一个值中的个别位或多组位。具体细节依赖于实现。

这些位工具帮助 C 程序处理硬件问题，因此它们通常出现在依赖于实现的场合中。

15.7 复习题

1. 将下列十进制数转化为二进制形式：
   a. 3
   b. 13
   c. 59
   d. 119
2. 将下列二进制值转化为十进制、八进制和十六进制形式：
   a. 00010101
   b. 01010101
   c. 01001100
   d. 10011101

3．计算下列表达式；假设每个值为 8 位：

```
a. ~3
b. 3 & 6
c. 3 | 6
d. 1 | 6
e. 3 ^ 6
f. 7 >> 1
g. 7 << 2
```

4．计算下列表达式；假设每个值为 8 位：

```
a. ~0
b. !0
c. 2 & 4
d. 2 && 4
e. 2 | 4
f. 2 || 4
g. 5 << 3
```

5．因为 ASCII 码仅使用最后的 7 位，所以有时需要屏蔽掉其他位。相应的二进制掩码是什么？分别以十进制、八进制和十六进制形式如何表示这个掩码？

6．在程序清单 15.2 中，可以做以下替换，把：

```
while (bits-- > 0)
    {
            mask |= bitval;
            bitval <<= 1;
    }
```

用：

```
while (bits-- > 0)
    {
            mask += bitval;
            bitval *= 2;
    }
```

替换，而程序仍将工作。这是否意味着*=2 等同于<<=1？|=和+=又怎样？

7．a．Tinkerbell 计算机有一个硬件字节，可以将该字节读入程序。该字节包括下列信息：

位	含　义
0 到 1	1.4MB 软盘驱动器数量
2	未使用
3 到 4	CD-ROM 驱动器数量
5	未使用
6 到 7	硬盘驱动器数量

Tinkerbell 和 IBM PC 一样从右向左填充结构位字段。创建一个适于存放该信息的位字段模板。

b．Klinkerbell 与 Tinkerbell 类似，但它从左向右填充结构。请为 Klinkerbell 创建相应的位字段模板。

15.8 编程练习

1．编写一个将二进制字符串转化为数字值的函数。也就是说，如果您有以下语句：

```
char * pbin = "01001001";
```

那么您可以将 pbin 作为一个参数传送给该函数，使该函数返回一个 int 值 25。

2．编写一个程序，该程序用命令行参数读取两个二进制字符串，并打印对每个数使用~运算符的结果，

以及对这两个数使用&、|和^运算符的结果。使用二进制字符串形式显示结果。

3．编写一个函数，该函数接受一个 int 参数，并返回这个参数中打开的位的数量。在程序中测试该函数。

4．编写一个函数，该函数接受两个 int 参数：一个值和一个位的位置。如果指定的位上的值是 1，则该函数返回 1，否则返回 0。在程序中测试该函数。

5．编写一个函数，该函数将一个 unsigned int 中的所有位向左旋转指定数量的位。例如，rotate_l（x，4)将 x 中的所有位向左移动 4 个位置，而且从左端丢失的位会重新出现在右端。也就是说，把从高位移出的位放入低位。在程序中测试该函数。

6．设计一个位字段结构用来存储以下信息：

Font ID：0 到 255 之间的一个数

Font Size：0 到 127 之间的一个数

Bold: Off (0)或 on (1)

Italic: Off (0)或 on (1)

Underline: Off (0)或 on (1)

在程序中使用这个结构来显示字体参数，并使用循环的菜单来让用户改变参数。例如，程序的一个运行示例如下：

```
ID SIZE ALIGNMENT B I U
1 12 left off off off

f)change font s)change size a)change alignment
b)toggle bold i)toggle italic u)toggle underline
q)quit
s
Enter font size (0-127): 36

ID SIZE ALIGNMENT B I U
  1 36 left off off off
f)change font s)change size a)change alignment
b)toggle bold i)toggle italic u)toggle underline
q)quit
a
Select alignment:
l)left c)center r)right
r

  ID SIZE ALIGNMENT B I U
    1 36 right off off off
f)change font s)change size a)change alignment
b)toggle bold i)toggle italic u)toggle underline
q)quit
i

  ID SIZE ALIGNMENT B I U
    1 36 right off on off
f)change font s)change size a)change alignment
b)toggle bold i)toggle italic u)toggle underline
q)quit
q
Bye!
```

这个程序应该使用&操作符和合适的掩码来保证 Font ID 和 Font size 信息被转换到指定的范围内。

7．编写一个与练习 6 所描述的功能相同的程序。使用一个 unsigned long 来保存字体信息，使用位运算符而不是位成员来管理这些信息。

第 16 章　C 预处理器和 C 库

在本章中您将学习下列内容：

- 预处理器指令：
  #define，#include，#ifdef，#else，#endif，#ifndef，#if，#elif，#line，#error，#pragma
- 函数：
  sqrt( )，atan( )，atan2( )，exit( )，atexit( )，assert( )，memcpy( )，memmove( )，va_start( )，va_arg( )，va_copy( )，va_end( )
- C 预处理器的更多功能。
- 类函数宏和条件编译。
- 内联函数。
- C 库概述和其中一些方便的函数。

C 语言以 C 关键字、表达式、语句，以及这些元素的使用规则为基础。但 ANSI C 标准不仅描述了 C 语言，还描述了 C 预处理器的工作机制、建立了一些组成 C 标准库的函数并详述了这些函数的工作原理。本章将从预处理器开始探讨 C 预处理器和 C 库。编译程序之前，先由预处理器检查程序（因此称为预处理器）。根据程序中使用的预处理器指令，预处理器用符号缩略语所代表的内容替换程序中的缩略语。

预处理器可以根据您的请求包含其他文件，还可以选择让编译器处理哪些代码。预处理器不能理解 C，它一般是接受一些文本并将其转换成其他文本。这样描述还无法正确评判预处理器的真正效用和价值，因此我们讨论一些实例。前面您已经遇到很多**#define** 和**#include** 这样的例子。现在我们对已经学习的预处理指令进行总结并做进一步补充。

16.1　翻译程序的第一步

对程序作预处理前，编译器会对它进行几次翻译处理。编译器首先把源代码中出现的字符映射到源字符集。该过程处理多字节字符和使 C 外观更加国际化的三元字符（**trigraph**）扩展（参考资料 7“扩展的字符支持”对这些字符扩展进行了综述）。

第二，编译器查找反斜线后紧跟换行符的实例并删除这些实例。也就是说，将类似下面的两个物理行：

```
printf ("That's wond\
erful!\n");
```

转换成一个逻辑行（**logical line**）：

```
printf ("That's wonderful\n!");
```

注意，在这种场合下，"换行符"代表按下回车键在源代码文件中新起一行所产生的字符，而不是符号\n 代表的字符。

因为预处理表达式的长度为一逻辑行，所以这个功能为预处理做了准备工作。而一个逻辑行可能会比一个物理行多。

接下来，编译器将文本划分成预处理的语言符号（token）序列和空白字符及注释序列（术语语言符号代表由空格分隔的组。本章后面部分将详细讨论语言符号）。应注意的一点是编译器用一个空格字符代替每一个注释。因此，像下面的语句：

```
int/* 这不是个空格 */ fox;
```

将变成：

```
int fox;
```

C 实现可能还会选用单个空格代替每一个空白字符（不包括换行符）序列。最后，程序进入预处理阶段。预处理器寻找可能存在的预处理指令。这些指令由一行开始处的#符号标识。

16.2　明显常量：#define

与所有预处理指令一样，预处理指令#define 用#符号作为行的开头。ANSI 标准允许#符号前有空格或制表符，而且该标准还允许在#和指令的其余部分之间有空格。但是旧版本的 C 一般要求指令在最左边一列开始，并且#和指令的其余部分之间不能有空格。指令可出现在源文件的任何地方。指令定义的作用域从定义出现的位置开始直到文件的结尾。本书的程序大量使用这个指令来定义符号常量或明显常量，但是它的应用范围远不止此。程序清单 16.1 举例说明了一些#define 指令的用法和属性。

预处理器指令从#开始，到其后第一个换行符为止。也就是说，指令的长度限于一行代码。但是正如前文提到的，在预处理开始前，系统会删除反斜线和换行符的组合。因此可以把指令扩展到几个物理行，由这些物理行组成单个逻辑行。

程序清单 16.1　preproc.c 程序

```
/* preproc.c - 简单的预处理器的例子 */
#include <stdio.h>
#define TWO 2          /* 如果喜欢，您可以使用注释      */
#define OW "Consistency is the last refuge of the unimagina\
tive. - Oscar Wilde" /* 反斜线把这个定义延续到下一行 */
#define FOUR TWO*TWO
#define PX printf("X is %d.\n", x)
#define FMT "X is %d.\n"

int main(void)
{
    int x = TWO;

    PX;
    x = FOUR;
    printf(FMT, x);
    printf("%s\n", OW);
    printf("TWO: OW\n");
    return 0;
}
```

每个#define 行（即逻辑行）由三部分组成。第一部分为指令#define 自身。第二部分为所选择的缩略语，这些缩略语称为宏（macro）。像本例中的这些宏用来代表值，它们被称为类对象宏（object-like macro，C 还有类函数宏，后面将讨论它们）。宏的名字中不允许有空格，而且必须遵循 C 变量命名规则：只能使用字母、数字和下划线（_），第一个字符不能为数字。第三部分（#define 行的其余部分）称为替换列表（replacement list）或主体（body）（请参见图 16.1）。预处理器在程序中发现了宏的实例后，总会用实体代替该宏（有一种例外，以后进行说明）。从宏变成最终的替换文本的过程称为宏展开（macro expansion）。注意，可以使用标准的 C 注释方法在#define 行中进行注释。正如前面提到的，在预处理器处理之前，每个注释都会被一个空格所代替。

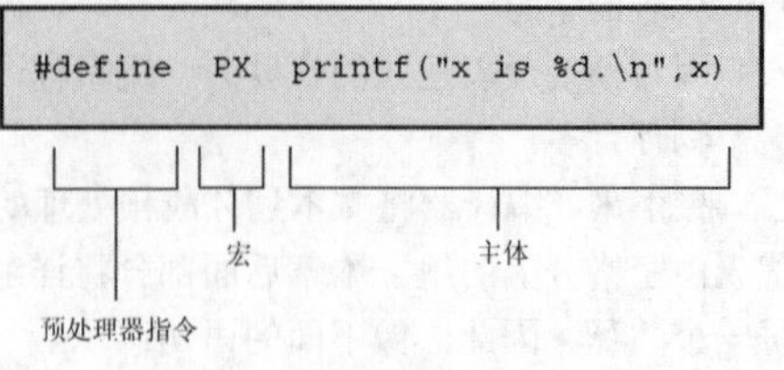

图 16.1 类对象宏定义的组成

运行示例程序，观察其工作情况：

```
X is 2.
X is 4.
Consistency is the last refuge of the unimaginative. - Oscar Wilde
TWO: OW
```

下面分析具体过程。下面的语句：

```
int x = TWO;
```

变成了：

```
int x = 2;
```

其中 2 代替了 TWO。而语句：

```
PX;
```

变成了：

```
printf ("X is %d.\n", x);
```

该句同样发生了替换。这是一个新用法，因为到目前为止，我们只是使用宏代替常量。这里您可以看到，宏可以表示任何字符串，甚至可表示整个 C 表达式。但要注意，PX 是个常量字符串，它只打印名为 x 的变量。

下面一行也提出了一些新情况。您可能认为用 4 代替了 FOUR，但实际过程是：

```
x = FOUR;
```

变成了：

```
x = TWO*TWO;
```

然后又变成：

```
x = 2*2;
```

宏展开过程在上句结束。因为 C 编译器在编译时对所有常量表达式（只包含常量的表达式）求值，所以，实际相乘过程发生在编译阶段，而不是预处理器工作阶段。预处理器不进行计算，它只是按照指令进行文字替换操作。

注意，宏定义中可包含其他宏（有些编译器不支持这种嵌套功能）。

下面一行：

```
printf (FMT, x);
```

变成了：

```
printf ("X is %d.\n", x);
```

其中，用相应字符串替换了 FMT。如果需要多次使用某个冗长的控制字符串，这种方法就比较方便。另外，也可采用下面的方法：

```
const char * fmt = "X is %d.\n";
```

接下来，就可以把 fmt 用作 printf（）的控制字符串。

下面一行中，用相应字符串代替 OW。双引号标志使替代字符串成为字符串常量。编译器把该字符串存储在以空字符结束的数组里。因此下面的语句定义了一个字符常量：

```
#define HAL 'Z'
```

而下面的语句：

```
#define HAP "Z"
```

则是定义了一个字符串（Z\0）。

示例程序中，我们在一行结尾加反斜线符号以使该行扩展至下一行：

```
#define OW "Consistency is the last refuge of the unimagina\
tive. - Oscar Wilde"
```

注意第二行要左对齐。相反，假设这样做：

```
#define OW "Consistency is the last refuge of the unimagina\
   tive. - Oscar Wilde"
```

则输出将会是：

```
Consistency is the last refuge of the unimagina tive. - Oscar Wilde
```

这行开头和 tive 之间的空格也作为字符串的一部分。

一般而言，预处理器发现程序中的宏后，会用它的等价替换文本代替宏。如果该字符串中还包括宏，则继续替换这些宏。例外情况是双引号中的宏。因此下面的语句：

```
printf（"TWO：OW"）；
```

将打印出 TWO：OW，而不是打印出：

```
2：Consistency is the last refuge of the unimaginative. - Oscar Wilde
```

要打印最后一行，可用这行代码：

```
printf（"%d：%s\n"，TWO，OW）；
```

这里的宏位于双引号之外。

什么时候应该使用符号常量呢？对大多数数字常量应该使用符号常量。如果是用于计算式的常量，那么使用符号名会更加清楚。如果数字代表数组大小，那么使用符号名后更容易改变数组大小和循环界限。如果数字是系统代码（如 EOF），那么使用符号表示会使程序更加易于移植（只须改变 EOF 的定义）。记忆值的能力、易更改性、可移植性，这些功能使得符号常量很有使用价值。

const 关键字得到 C 的支持，这确实提供了一种创建常量的更灵活的方法。使用 const 您可以创建全局常量和局部常量、数字常量、数组常量和结构常量。另一方面，宏常量可以用来指定标准数组的大小并作为 const 值得初始化值。

```
#define LIMIT 20
const int LIM = 50;
static int data1[LIMIT];          // 合法
static int data2[LIM];            // 无效
const int LIM2 = 2 *     LIMIT; // 合法
const int LIM3 = 2 *       LIM; // 无效
```

16.2.1　语言符号

从技术方面看，系统把宏的主体当作语言符号（token）类型字符串，而不是字符型字符串。C 预处理器中的语言符号是宏定义主体中的单独的“词（word）”。用空白字符把这些词分开。例如：

```
#define FOUR 2*2
```

这个定义中有一个语言符号：即序列 2*2。但是：

```
#define SIX 2 * 3
```

这个定义中有三个语言符号：2、*和 3。

在处理主体中的多个空格时，字符型字符串和语言符号类型字符串采用不同方法。考虑下面的定义：

```
#define EIGHT 4  *  8
```

把主体解释为字符型字符串时，预处理器用 4 * 8 替换 EIGHT。也就是说，额外的空格也当作替换文本的一部分。但是，当把主体解释为语言符号类型时，预处理器用由单个空格分隔的三个语言符号，即 4 * 8 来替换 EIGHT。换句话说，用字符型字符串的观点看，空格也是主体的一部分；而用语言符号字符串的观点看，空格只是分隔主体中语言符号的符号。在实际应用中，有些 C 编译器把宏主体当作字符串而非语言符号。在比这个实例更复杂的情况下，字符与语言符号之间的差异才有实际意义。

顺便提一下，C 编译器处理语言符号的方式比预处理器的处理方式更加复杂。编译器能理解 C 的规则，不需要用空格来分隔语言符号。例如，C 编译器把 2*2 当作三个语言符号。原因是 C 编译器认为每个 2 都是一个常量，而*是一个运算符。

16.2.2 重定义常量

假设您把 LIMIT 定义为 20，后来在该文件中又把 LIMIT 定义为 25。这个过程被称为重定义常量（redefining a constant）。不同编译器采用不同的重定义策略。在新定义不同于旧定义时，有的编译器认为这是错误，而有些编译器可能提出警告，但允许重定义。ANSI 标准采用第一种方式：只允许新定义与旧定义完全相同。

相同定义意味着主体具有相同顺序的语言符号。因此，下面两个定义相同：

```
#define SIX 2 * 3
#define SIX 2    *    3
```

两者都有三个相同的语言符号，而且额外的空格不是主体的一部分。下面的定义则被认为是不同的：

```
#define SIX 2*3
```

上式只有一个（而非三个）语言符号，因此与前面两个定义不相同。可以使用#undef 指令重新定义宏。稍后将讨论#undef 指令。

如果确实需要重定义常量，使用 const 关键字和作用域规则可能会更容易。

16.3 在#define 中使用参数

通过使用参数，可以创建外形和作用都与函数相似的类函数宏（function-like macro）。宏的参数也用圆括号括起来，因此，带参数的宏外形与函数非常相似。类函数宏的定义中，用圆括号括起一个或多个参数，随后这些参数出现在替换部分，如图 16.2 所示。

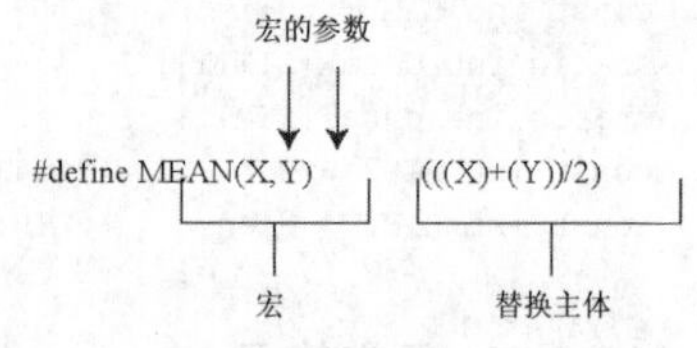

图 16.2 类函数宏定义的组成

下面是一个类函数宏定义的示例：

```
#define SQUARE(X) X *X
```

在程序中可以这样使用：

```
z = SQUARE(2);
```

这看上去就像函数调用，但它们的行为不完全相同。程序清单 16.2 举例说明这个类函数宏和另一个宏的使用方法。有些示例还指出了可能存在的缺陷，因此，应仔细阅读该程序清单。

程序清单 16.2　mac_arg.c 程序

```
/* mac_arg.c -- 带有参数的宏 */
#include <stdio.h>
#define SQUARE (X) X*X
#define PR (X) printf ("The result is %d.\n", X)
int main (void)
{
    int x = 4;
    int z;

    printf( "x = %d\n" , x);
     z = SQUARE(x);
     printf( "Evaluating SQUARE(x): ");
     PR(z);
     z = SQUARE(2);
     printf( "Evaluating SQUARE(2): ");
     PR(z);
     printf( "Evaluating SQUARE(x+2): ");
     PR(SQUARE(x+2));
     printf( "Evaluating 100/SQUARE(2): ");
     PR(100/SQUARE(2));
     printf( "x is %d.\n" , x);
     printf( "Evaluating SQUARE(++x): ");
     PR(SQUARE(++x));
     printf( "After incrementing, x is %x.\n" , x);

    return 0;
}
```

宏 SQUARE 的定义为：

```
#define SQUARE (X) X*X
```

其中，SQUARE 为宏标识符，SQUARE（x）中的 x 为宏的参数，x*x 为替换列表。程序清单 16.2 中出现 SQUARE（x）的地方都用 x*x 代替。这与前面的示例有些不同，使用这个宏时既可以使用 x，也可以自由地使用其他符号。宏定义中的 x 由程序调用的宏中的符号代替。因此，SQUARE（2）替换为 2*2，x 实际上起到了参数的作用。

但是，您即将看到，宏的参数与函数的参数不完全一样，下面是程序运行的结果。注意，有些答案与我们所期待的答案不同。实际上，您的编译器甚至会给出与下面所示不同的答案：

```
x = 4
Evaluating SQUARE(x): The result is 16.
Evaluating SQUARE(2): The result is 4.
Evaluating SQUARE(x+2): The result is 14.
Evaluating 100/SQUARE(2): The result is 100.
x is 4.
Evaluating SQUARE(++x): The result is 30.
After incrementing, x is 6.
```

头两行是我们期待的结果，但接下来是些奇特的结果。回忆一下，x 的值为 4。可能您会认为 SQUARE（x+2）应该是 6*6（即 36），但输出的结果是 14，这不像是个平方值。产生这种令人费解的输出结果的简单原因我们曾经声明过：预处理器不进行计算，而只进行字符串替换。在出现 x 的地方，预处理器都用字符串 x+2 进行替换。因此：

```
x*x
```

变成：

```
x+2*x+2
```

惟一的乘法运算为 2*x。如果 x 为 4，表达式值为：

```
4+2*4+2 = 4 + 8 + 2 = 14
```

本例指出了函数调用和宏调用之间的重要差异。程序运行时，函数调用把参数的值传递给函数。而编译前，宏调用把参数的语言符号传递给程序。这是不同时间发生的不同过程。可以修改定义使 SQUARE（x+2）输出 36 吗？可以。只须多加几个圆括号。

```
#define SQUARE(x)(x) * (x)
```

现在，SQUARE（x+2）变成了（x+2）*（x+2），在替换字符串中使用圆括号得到了期待的乘法运算。但是，这还不能解决所有问题。考虑下面输出行：

```
100/SQUARE(2)
```

它将变成：

```
100/2*2
```

根据优先级规则，从左到右对表达式求值：

```
(100/2)*2 即 50*2 即 100
```

把 SQUARE（x）定义为下面的形式可以解决这种混乱：

```
#define SQUARE(x)(x*x)
```

这样做会产生 100/（2*2），最后求出值为 100/4 即 25。

要处理前面两个示例中的情况，需要这样定义：

```
#define SQUARE(x)((x) * (x))
```

从中得到的经验是使用必需的足够多的圆括号来保证以正确的顺序进行运算和结合。

不过，这些措施还是无法避免最后一个示例中的问题。

```
SQUARE(++x)
```

变成：

```
++x*++x
```

x 进行了两次增量运算，其中一次在乘法操作前，另一次在乘法操作后。

++x*++x = 5*6 = 30

因为对这些运算的顺序没有做出规定，所以有些编译器产生乘积 6*5。而其他编译器可能在乘法运算前同时对 x 进行自加操作，从而产生 6*6。但在两种情况下，x 的开始值均为 4，终止值均为 6。然而，从代码来看，x 只进行一次增量操作。

解决这个问题的最简单的方法是避免在宏的参数中使用++x。一般来说，在宏中不要使用增量或减量运算符。注意，++x 可作为函数参数，因为会对++x 进行计算得到值 5，再把 5 传递给函数。

16.3.1 利用宏参数创建字符串：#运算符

下面是一个类函数宏：

```
#define PSQR(X) printf("The square of X is %d.\n", ((X) * (X)));
```

如果这样使用宏：

```
PSQR(8);
```

则输出为：

```
The square of X is 64.
```

注意，引号中的字符串中的 x 被看作普通文本，而不是被看作一个可被替换的语言符号。

假设您确实希望在字符串中包含宏参数，ANSI C 允许您这样做。在类函数宏的替换部分中，#符号用作一个预处理运算符，它可以把语言符号转化为字符串。例如，如果 x 是一个宏参量，那么#x 可以把参数名转化为相应的字符串。该过程称为字符串化（stringizing）。程序清单 16.3 说明了该过程。

程序清单 16.3　subst.c 程序

```
/* subst.c -- 在字符串中进行替换 */
#include <stdio.h>
#define PSQR (x) printf ("The square of " #x " is %d.\n", ((x) * (x)))

int main (void)
{
    int y = 5;

    PSQR (y);
    PSQR (2 + 4);
    return 0;
}
```

输出如下：

```
The square of y is 25.
The square of 2 + 4 is 36.
```

第一次调用宏时，用"y"代替#x；第二次调用宏时，用"2+4"代替#x。ANSI C 的字符串连接功能将这些字符串与 printf（）语句中的其他字符串组合以产生最终使用的字符串。例如，第一次调用变成：

```
printf ("The square of " "y" " is %d.\n", ((y) * (y)));
```

接着，字符串连接功能将这三个相邻的字符串转换为一个字符串：

```
"The square of y is %d.\n"
```

16.3.2　预处理器的粘合剂：##运算符

和#运算符一样，##运算符可以用于类函数宏的替换部分。另外，##还可用于类对象宏的替换部分。这个运算符把两个语言符号组合成单个语言符号。例如，可以定义如下的宏：

```
#define XNAME (n) x ## n
```

这样，下面的宏调用：

```
XNAME (4)
```

会展开成下列形式：

```
x4
```

程序清单 16.4 用这个宏和另外一个使用##的宏进行了一些语言符号的粘合操作。

程序清单 16.4　glue.c 程序

```
// glue.c -- 使用##运算符
#include <stdio.h>
#define XNAME (n) x ## n
#define PRINT_XN (n) printf ("x" #n " = %d\n", x ## n);

int main (void)
{
    int XNAME (1) = 14; // 变为 int x1 = 14;
    int XNAME (2) = 20; // 变为 int x2 = 20;
    PRINT_XN (1);       // 变为 printf ("x1 = % d n", x1);
    PRINT_XN (2);       // 变为 printf ("x2 = % d n", x2);
```

```
    return 0;
}
```

输出如下：

```
x1 = 14
x2 = 20
```

注意宏 PRINT_XN（）如何使用#运算符组合字符串、如何使用##运算符把两个语言符号组合为一个新的标识符。

16.3.3 可变宏：...和_ _VA_ARGS_ _

有些函数（如 printf（））接受可变数量的参数。本章稍后讨论的头文件 stdvar.h 提供了创建用户自定义的带可变数量参数的函数的工具。C99 对宏作同样的工作。虽然“可变”（variadic）不是标准词，但它已经成为标志这种工具的词（虽然“字符串化（stringizing）”和“可变”已经添加到 C 词汇表中，但是，固定参数的函数或宏并没有被称为固定（fixadic）函数和不变（normadic）宏）。

实现思想就是宏定义中参数列表的最后一个参数为省略号（也就是三个句号）。这样，预定义宏_ _VA_ARGS_ _就可以被用在替换部分中，以表明省略号代表什么。例如，考虑下面的定义：

```
#define PR (...) printf (_ _VA_ARGS_ _)
```

假设稍后用下面的方式调用该宏：

```
PR ("Howdy");
PR ("weight = %d, shipping = $%.2f\n", wt, sp);
```

第一次调用中，_ _VA_ARGS_ _展开为 1 个参数：

```
"Howdy"
```

第二次调用中，它展开为 3 个参数：

```
"weight = %d, shipping = $%.2f\n", wt, sp
```

因此，展开后的代码为：

```
printf ("Howdy");
printf ("weight = %d, shipping = $%.2f\n", wt, sp);
```

程序清单 16.5 显示了一个较为复杂的示例，其中使用了字符串连接功能和#运算符：

程序清单 16.5 variadic.c 程序

```
// variadic.c -- 可变宏
#include <stdio.h>
#include <math.h>
#define PR (X, ...) printf ("Message " #X ": " _ _VA_ARGS_ _)
int main (void)
{
    double x = 48;
    double y;

    y = sqrt (x);
    PR (1, "x = %g\n", x);
    PR (2, "x = %.2f, y = %.4f\n", x, y);
    return 0;
}
```

在第一个宏调用中，x 的值为 1，因此，#x 变成"1"。展开后成为：

```
print ("Message " "1" ": " "x = %g\n", x);
```

接着连接 4 个字符串，把调用简化为：

```
print ("Message 1: x = %g\n", x);
```

输出如下：

```
Message 1: x = 48
Message 2: x = 48.00, y = 6.9282
```

记住，省略号只能代替最后的宏参数。下面的定义是错误的：

```
#define WRONG (X, ..., Y) #X #_ _VA_ARGS_ _ #y
```

16.4　宏，还是函数

许多任务既可以使用带参数的宏完成，也可以使用函数完成。应该使用宏还是函数呢？没有硬性的规则，但应考虑以下几点。

在使用宏时，若不注意的话会产生一些奇怪的现象。因此，宏在某种程度上比常规的函数复杂。有些编译器限制宏只能定义成一行。即使您的编译器没有这个限制，也应遵守这个限制。

宏与函数间的选择实际上是时间与空间的权衡。宏产生内联代码；也就是说，在程序中产生语句。如果使用宏 20 次，则会把 20 行代码插入程序中。如果使用函数 20 次，那么程序中只有一份函数语句的拷贝，因此节省了空间。另一方面，程序的控制必须转移到函数中并随后返回调用程序，因此这比内联代码花费的时间多。

宏的一个优点是它不检查其中的变量类型（这是因为宏处理字符型字符串，而不是实际值）。因此，对于 int 或 float 都可使用宏 SQUARE（x）。

C99 提供了第三种可选方法：内联函数。本章后面部分将进行讨论。

程序员一般将宏用于简单函数，如下所示：

```
#define MAX (X, Y) ((X) > (Y) ? (X): (Y))
#define ABS (X) ((X) < 0 ? - (X): (X))
#define ISSIGN (X) ((X) == '+' || (X) == '-' ? 1: 0)
```

（如果 x 为一个代数符号字符，那么最后一个宏的值为 1，即为真。）

下面是需要注意的几点：

- 记住，宏的名字中不能有空格，但是在替代字符串中可以使用空格。ANSI C 允许在参数列表中使用空格。
- 用圆括号括住每个参数，并括住宏的整体定义。这样能确保被括起来的部分在下面这样的表达式中也会被正确分组：

  ```
  forks = 2 * MAX (guests + 3, last);
  ```

- 用大写字母表示宏函数名。该约定不如使用大写字母表示宏常量的约定用得广泛。但是，使用大写字母可以提醒程序员注意宏可能产生的副作用。
- 如果打算使用宏代替函数来加快程序的运行速度，那么首先应确定宏是否会引起重大差异。在程序中只使用一次的宏对程序运行时间可能不会产生明显的改善。在嵌套循环中使用宏更有助于加速程序运行。许多系统提供程序配置器以帮助程序员压缩最耗费运行时间的程序部分。

假如已经开发了一些自己喜欢的宏函数，那么，是不是每次编写新程序时都要重新输入这些宏函数呢？如果您还记得#include 指令，就不用每次重写代码了。下面我们回顾#include 指令的用法。

16.5　文件包含：#include

预处理器发现#include 指令后，就会寻找后跟的文件名并把这个文件的内容包含到当前文件中。被包含文件中的文本将替换源代码文件中的#include 指令，就像您把被包含文件中的全部内容键入到源文件中的这个特定位置一样。#include 指令有两种使用形式，请参见表 16.1。

表 16.1　　#include 指令的两种使用形式

#include <stdio.h>	文件名放在尖括号中
#include "mystuff.H"	文件名放在双引号中

在 UNIX 系统中，尖括号告诉预处理器在一个或多个标准系统目录中寻找文件。双引号告诉预处理器先在当前目录（或文件名中指定的其他目录）中寻找文件，然后在标准位置寻找文件。表 16.2 中是一些例子。

表 16.2　　使用#include 指令的一些例子

#include <stdio.h>	搜索系统目录
#include "hot.H"	搜索当前工作目录
#include "/usr/biff/p.h"	搜索/usr/biff 目录

对于系统头文件，集成开发环境（IDE）具有标准搜索路径。许多集成开发环境提供菜单选项用于指定使用尖括号时搜索的其他路径。对于 UNIX，使用双引号意味着首先搜索本地目录，但是具体搜索哪个目录依赖于编译器。有些编译器搜索源代码文件所在目录，有些则搜索当前工作目录，还有些搜索工程文件所在目录。

因为计算机系统的结构不完全相同，所以 ANSI C 不要求对文件采用一样的目录模式。一般而言，命名文件的方法依赖于系统，但是尖括号和双引号的使用则与系统无关。

为什么要包含文件呢？因为这些文件包含了编译器所需的信息。例如，stdio.h 文件通常包含 EOF、NULL、getchar（）和 putchar（）的定义。getchar（）和 putchar（）作为宏函数定义。stdio.h 文件还包含 C 的 I/O 函数的原型。

习惯上使用后缀.h 表示头文件（header file），这类文件包含置于程序头部的信息。头文件经常包含预处理器语句。有些头文件（如 stdio.h）由系统提供。但您也可以自由创建您自己的头文件。

包含大型头文件并不一定显著增加程序的大小。很多情况下，头文件中的内容是编译器产生最终代码所需的信息，而不是加到最终代码里的具体语句。

16.5.1　头文件：一个实例

假设您要开发一个存放人名的结构，并编写一些使用该结构的函数。您可以在一个头文件中集中进行各种声明。程序清单 16.6 给出了这个例子：

程序清单 16.6　names.h 头文件

```
// names_st.h -- names_st 结构的头文件
// 常量
#define SLEN 32

// 结构声明
struct names_st
{
    char first[SLEN];
    char last[SLEN];
};

// 类型定义
typedef struct names_st names;

// 函数原型
void get_names (names *);
void show_names (const names *);
```

这个文件中含有在头文件中常见的许多内容：#define 指令、结构声明、typedef 语句和函数原型。注意这些内容都不是可执行代码，而是编译器用于产生可执行代码的信息。

可执行代码通常在源代码文件中，而不在头文件中。例如，程序清单 16.7 显示了头文件中函数原型的函数定义。源文件包含了头文件，因此编译器将知道关于 names 类型的信息。

程序清单 16.7　names_st.c 源文件

```
// names_st.c -- 定义 names_st 函数
#include <stdio.h>
#include "names_st.h" // 包含头文件

// 函数定义
void get_names (names * pn)
{
    int i;

    printf ("Please enter your first name: ");
    fgets (pn->first, SLEN, stdin);
    i = 0;
    while (pn->first[i] != '\n' && pn->first[i] != '\0')
        i++;
    if (pn->first[i] == '\n')
        pn->first[i] = '\0';
    else
        while (getchar () != '\n')
            continue;

    printf ("Please enter your last name: ");
    fgets (pn->last, SLEN, stdin);
    i = 0;
    while (pn->last[i] != '\n' && pn->last[i] != '\0')
        i++;
    if (pn->last[i] == '\n')
        pn->last[i] = '\0';
    else
        while (getchar () != '\n')
            continue;
}

void show_names (const names * pn)
{
    printf ("%s %s\n", pn->first, pn->last);
}
```

get_names ( ) 函数使用 fgets ( ) 以避免目标数组溢出。如果被保存的字符串中存在换行符，则用空字符代替该换行符。如果没有换行符，表明 fgets ( ) 在到达行尾之前就被停止，代码会去掉该行中剩余的输入。

程序清单 16.8 是使用前面的头文件和源代码文件的示例程序。

程序清单 16.8　useheader.c 程序

```
// useheader.c -- 使用 names_st 结构
#include <stdio.h>
#include "names_st.h"
// 记住链接 names_st.c 文件

int main (void)
{
    names candidate;
```

```
    get_names (&candidate);
    printf("Let's welcome ");
    show_names (&candidate);
    printf(" to this program!\n");

    return 0;
}
```

下面是一个运行示例：

```
Please enter your first name: Ian
Please enter your last name: Smersh
Let's welcome Ian Smersh to this program!
```

关于该程序，应注意以下几点：

- 两个源代码文件都使用了 names_st 结构，因此，它们都必须包含头文件 names_st.h。
- 需要编译、链接 names_st.c 和 useheader.c 两个源代码文件。
- 声明及类似语句放在头文件 names_st.h 中，函数定义放在源代码文件 names_st.c 中。

16.5.2 使用头文件

浏览任何一个标准头文件都会使您对头文件中信息的类型有一个清晰的概念。头文件内容的最常见的形式包括：

- **明显常量**——例如，典型的 stdio.h 文件定义 EOF、NULL 和 BUFSIZE（标准 I/O 缓冲区的大小）。
- **宏函数**——例如，getchar（）通常被定义为 getc（stdin），getc（）通常被定义为较复杂的宏，而头文件 ctype.h 通常包含 ctype 函数的宏定义。
- **函数声明**——例如，头文件 string.h（在某些旧的系统中为 strings.h）包含字符串函数系列的函数声明。在 ANSI C 中，声明采用函数原型形式。
- **结构模板定义**——标准 I/O 函数使用 FILE 结构，该结构包含文件及文件相关缓冲区的信息。头文件 stdio.h 中存放 FILE 结构的声明。
- **类型定义**——可以使用指向 FILE 的指针作为参数调用标准 I/O 函数。通常，stdio.h 用#define 或 typedef 使得 FILE 代表指向 FILE 结构的指针。与之类似，size_t 和 time_t 类型也在头文件中定义。

许多程序员开发自己的标准头文件以便在程序中使用。如果是在开发一系列相关的函数和（或）结构，那么这种方法特别有价值。

另外，可以使用头文件来声明多个文件共享的外部变量。例如，如果开发共享某个变量的一系列函数，该变量报告某种类型（如错误情况）的状态，这种方法就很有用处。此时，可以在包含函数声明的源代码文件中定义一个具有文件作用域、外部链接的变量。

```
int status = 0;    // 文件作用域，源代码文件中
```

接着，可以在与源代码文件相关联的头文件中进行引用声明：

```
extern int status; // 头文件中
```

该行代码会出现在包含了该头文件的任何文件中，并使得使用这个函数系列的文件可以使用该变量。在源代码文件中包含该头文件后，该声明也会出现；但是只要声明类型一致，那么在同一文件中使用定义声明和引用声明就不会出现问题。

需要包含头文件的另一种情况是：使用具有文件作用域、内部链接和 const 限定词的变量或数组。使用 const 可以避免值被意外地改变。使用 static 后，每个包含该头文件的文件都获得一份该常量的副本。因此，不存在这样的问题，即需要在一个文件中进行定义声明，并且需要在其他文件中进行引用声明。

#include 和#define 指令是最常用的 C 预处理器的两个功能。下面将简要介绍其他指令。

16.6　其他指令

程序员可能需要为不同的工作环境准备不同的 C 程序或 C 库包。代码类型的选择会根据环境的不同而各异。预处理器提供一些指令来帮助程序员编写出这样的代码：改变一些#define 宏的值后，这些代码就可以被从一个系统移植到另一个系统。#undef 指令取消前面的#define 定义。#if、#ifdef、#ifndef、#else、#elif，和#endif 指令可用于选择什么情况下编译哪些代码。#line 指令用于重置行和文件信息，#error 指令用于给出错误消息，#pragma 指令用于向编译器发出指示。

16.6.1　#undef 指令

#undef 指令取消定义一个给定的#define。也就是说，假设有如下定义：

```
#define LIMIT 400
```

则指令：

```
# undef LIMIT
```

会取消该定义。现在就可重新定义 LIMIT，以使它有一个新的值。即使开始没有定义 LIMIT，取消 LIMIT 的定义也是合法的。如果想使用一个特定名字，但又不能确定前面是否已经使用了该名字，为安全起见，就可以取消该名字的定义。

16.6.2　已定义：C 预处理器的观点

关于标识符的构成，预处理器和 C 遵循相同规则：标识符只能包含大写字母、小写字母、数字和下划线字符。预处理器在预处理指令中遇到标识符时，要么把标识符当作已定义的，要么当作未定义的。这里的已定义表示由预处理器定义。如果标识符是该文件前面的#define 指令创建的宏名，并且没有用#undef 指令关闭该标识符，则标识符是已定义的。如果标识符不是宏，而是（例如）一个具有文件作用域的 C 变量，那么预处理器把标识符当作未定义的。

已定义宏可以为类对象宏（包括空宏）或类函数宏：

```
#define LIMIT 1000                    // LIMIT 是已定义的
#define GOOD                          // GOOD 是已定义的
#define A (X) ((- (X)) * (X))         // A 是已定义的
int q;                                // q 不是一个宏，因此是未定义的
#undef GOOD                           // GOOD 是未定义的
```

注意，#define 宏的作用域从文件中的定义点开始，直到用#undef 指令取消宏为止，或直到文件尾为止（由二者中最先满足的那个结束宏的作用域）。还应注意，如果用头文件引入宏，那么，#define 在文件中的位置依赖于#include 指令的位置。

本章稍后将讨论几个预定义的宏，如_ _DATE_ _和_ _FILE_ _。这些宏总被认为是已定义的，并且不能被取消定义。

16.6.3　条件编译

可使用已经提到的指令设置条件编译。也就是说，可以使用这些指令告诉编译器：根据编译时的条件接受或忽略信息（或代码）块。

一、#ifdef、#else 和#endif 指令

一个简短的示例可以阐明条件编译。考虑下面的内容：

```
#ifdef MAVIS
```

```
    #include "horse.h" // 如果已经用#define 定义了 MAVIS，则执行这里的指令
    #define STABLES   5
#else
    #include "cow.h"  // 如果没有用#define 定义 MAVIS，则执行这里的指令
    #define STABLES  15
#endif
```

这里采用了较新的实现和 ANSI 标准支持的缩排格式。如果使用旧的编译器，必须要使所有指令，或者至少使#指令符号（参阅下例）左对齐：

```
#ifdef MAVIS
#   include "horse.h" /* 如果已经用#define 定义了 MAVIS，则执行这里的指令 */
#   define STABLES 5
#else
#   include "cow.h"   /* 如果没有用#define 定义 MAVIS，则执行这里的指令 */
#   define STABLES  15
#endif
```

#ifdef 指令说明：如果预处理器已经定义了后面的标识符（MAVIS），那么执行所有指令并编译 C 代码，直到下一个#else 或#endif 出现为止（无论#else 和#endif 谁先出现）。如果有#else 指令，那么，在未定义标识符时会执行#else 和#endif 之间的所有代码。

#ifdef #else 格式非常类似于 C 中的 if else。主要差异为预处理器不能识别标记代码块的花括号（{}），因此使用#else（如果需要）和#endif（必须存在）来标记指令块。这些条件结构可以嵌套。如程序清单 16.9 所示，也可用这些指令标记 C 语句块。

程序清单 16.9　ifdef.c 程序

```
/* ifdef.c -- 使用条件编译 */
#include <stdio.h>
#define JUST_CHECKING
#define LIMIT 4

int main(void)
{
    int i;
    int total = 0;

    for (i = 1; i <= LIMIT; i++)
    {
        total += 2*i*i + 1;
#ifdef JUST_CHECKING
        printf("i=%d, running total = %d\n", i, total);
#endif
    }
    printf("Grand total = %d\n", total);
    return 0;
}
```

编译并运行该程序，产生下列输出：

```
i=1, running total = 3
i=2, running total = 12
i=3, running total = 31
i=4, running total = 64
Grand total = 64
```

如果略去 JUSR_CHECKING 的定义（或把它置于 C 注释中，或用#undef 取消它的定义）并重新编译程序，那么将会只显示最后一行。可以使用这种方法辅助调试程序。定义 JUST_CHECKING 并合理使用#ifdef，使编译器包含那些用于打印辅助调试的中间值的程序代码。程序正常工作后，可以删除定义并重新编译。如果以后还需要使用这些信息，可以重新插入定义，从而避免再次输入额外的打印语句。另外一种

应用是：使用#ifdef 选择适用于不同 C 实现的大块代码。

二、#ifndef 指令

类似于#ifdef 指令，#ifndef 指令可以与#else、#endif 指令一起使用。#ifndef 判断后面的标识符是否为未定义的，#ifndef 的反义词为#ifdef。#ifndef 通常用来定义此前未定义的常量。

```
/* arrays.h */

#ifndef SIZE
    #define SIZE 100
#endif
```

（旧的实现可能不允许使用缩排格式的#define 指令。）

一般地，当某文件包含几个头文件，而且每个头文件都可能定义了相同的宏时，使用#ifndef 可以防止对该宏重复定义。此时，第一个头文件中的定义变成有效定义，而其他头文件中的定义则被忽略。

下面是另一个应用。假设把下面这行代码：

```
#include "arrays.h"
```

放在一个文件头部，那么 SIZE 定义为 100，但如果把：

```
#define SIZE 10
#include "arrays.h"
```

放在文件头部，那么 SIZE 定义为 10。在处理 arrays.h 中的行时，SIZE 是已定义的，因此将跳过#define SIZE 100。有时候可能会这样做，例如，可以用较小的数组来测试程序。当程序令人满意后，可以去除#define SIZE 10 语句并重新编译。这样就不必担心要修改头文件数组自身了。

#ifndef 指令通常用于防止多次包含同一文件。也就是说，头文件可采用类似下面几行的设置：

```
/* things.h */
#ifndef THINGS_H_
    #define THINGS_H_
    /* 头文件的其余部分 */
#endif
```

假设多次包含了该文件。当预处理器第一次遇到该包含文件时，THINGS_H_是未定义的，因此程序接着定义 THINGS_H_，并处理文件的其余部分。预处理器下一次遇到该文件时，THINGS_H_已经定义，因此，预处理器跳过该文件的其余部分。

为什么会多次包含同一文件呢？最常见的原因是：许多包含文件自身包含了其他文件，因此可能显式地包含其他文件已经包含的文件。为什么这会成为问题呢？因为头文件中的有些语句在一个文件中只能出现一次（如结构类型的声明）。标准 C 头文件使用#ifndef 技术来避免多次包含。有一个问题是如何确保您使用的标识符在其他任何地方都没有定义过。通常编译器提供商采用下述方法解决这个问题：用文件名做标识符，并在文件名中使用大写字母、用下划线代替文件名中的句点字符、用下划线（可能使用两条下划线）作前缀和后缀。例如，检查头文件 stdio.h，可以发现许多类似这样的语句：

```
#ifndef _STDIO_H
#define _STDIO_H
// 文件内容
#endif
```

您也可这样做。但是，因为 C 标准保留使用下划线作前缀，所以您应避免这种用法。没有人希望自己定义的宏意外地与标准头文件发生冲突。程序清单 16.10 使用#ifndef 为程序清单 16.6 中的头文件提供了多次包含保护。

程序清单 16.10　names_st.h 头文件

```
// names_st.h -- 带有多次包含保护的修订版本
```

```
#ifndef NAMES_H_
#define NAMES_H_

// 常量
#define SLEN 32

// 结构声明
struct names_st
{
    char first[SLEN];
    char last[SLEN];
};

// 类型定义
typedef struct names_st names;

// 函数原型
void get_names (names *);
void show_names (const names *);

#endif
```

可以用程序清单 16.11 中的程序对该头文件进行测试。使用程序清单 16.10 所示的头文件时，程序正常工作。但是从程序清单 16.10 中删除了#ifndef 保护后，程序不能通过编译。

程序清单 16.11　doubincl.c 程序

```
// doubincl.c -- 两次包含同一头文件
#include <stdio.h>
#include "names_st.h"
#include "names_st.h"   // 不小心两次包含同一头文件

int main ()
{
    names winner = {"Less", "Ismoor"};
    printf ("The winner is %s %s.\n", winner.first,
                winner.last);
    return 0;
}
```

三、#if 和#elif 指令

#if 指令更像常规的 C 中的 if；#if 后跟常量整数表达式。如果表达式为非零值，则表达式为真。在该表达式中可以使用 C 的关系运算符和逻辑运算符。

```
#if SYS == 1
#include "ibm.h"
#endif
```

可以使用#elif（有些早期的实现不支持#elif）指令扩展 if-else 序列。例如，可以这样使用：

```
#if SYS == 1
    #include "ibmpc.h"
#elif SYS == 2
    #include "vax.h"
#elif SYS == 3
    #include "mac.h"
#else
    #include "general.h"
#endif
```

许多新的实现提供另一种方法来判断一个名字是否已经定义。不需使用：

```
#ifdef VAX
```

而是采用下面的形式：

```
#if defined(VAX)
```

这里，defined 是一个预处理器运算符。如果 defined 的参数已用#define 定义过，那么 defined 返回 1；否则返回 0。这种新方法的优点在于它可以和#elif 一起使用。下面用它重写前面的示例：

```
#if defined(IBMPC)
    #include "ibmpc.h"
#elif defined(VAX)
    #include "vax.h"
#elif defined(MAC)
    #include "mac.h"
#else
    #include "general.h"
#endif
```

如果把这几行用于 VAX 机上，那么，应在文件前面的某处用下面这行指令定义过 VAX：

```
#define VAX
```

条件编译的一个用途是可以使程序更易于移植。通过在文件开头部分改变几个关键的定义，就可以为不同系统设置不同值并包含不同文件。

16.6.4 预定义宏

表 16.3 列举了 C 标准指定的一些预定义宏。

表 16.3 预定义宏

宏	意 义
__DATE__	进行预处理的日期（"Mmm dd yyyy"形式的字符串文字）
__FILE__	代表当前源代码文件名的字符串文字
__LINE__	代表当前源代码文件中的行号的整数常量
__STDC__	设置为 1 时，表示该实现遵循 C 标准
__STDC_HOSTED__	为本机环境设置为 1，否则设为 0
__STDC_VERSION__	为 C99 时设置为 199901L
__TIME__	源文件编译时间，格式为"hh：mm：ss"

C99 标准提供一个名为__func__的预定义标识符。__func__展开为一个代表函数名（该函数包含该标识符）的字符串。该标识符具有函数作用域，而宏本质上具有文件作用域。因而__func__是 C 语言的预定义标识符，而非预定义宏。

程序清单 16.12 显示了几个使用这些预定义标识符的示例。注意有些标识符是 C99 新增的，C99 之前的编译器可能不接受它们。

程序清单 16.12 predef.c 程序

```
// predef.c -- 预定义标识符
#include <stdio.h>
void why_me ();
int main ()
{
    printf ("The file is %s.\n", __FILE__);
    printf ("The date is %s.\n", __DATE__);
    printf ("The time is %s.\n", __TIME__);
```

```
    printf ("The version is %ld.\n", __STDC_VERSION__);
    printf ("This is line %d.\n", __LINE__);
    printf ("This function is %s\n", __func__);
    why_me ();

    return 0;
}
void why_me ()
{
    printf ("This function is %s\n", __func__);
    printf ("This is line %d.\n", __LINE__);
}
```

下面是一个运行示例：

```
The file is predef.c.
The date is Jul 19 2004.
The time is 10:00:30.
The version is 199901.
This is line 11.
This function is main
This function is why_me
This is line 21.
```

16.6.5 #line 和 #error

#line 指令用于重置由__LINE__和__FILE__宏报告的行号和文件名。可以这样使用#line：

```
#line 1000           // 把当前行号重置为 1000
#line 10 "cool.c"    // 把行号重置为 10，文件名重置为 cool.c
```

#error 指令使预处理器发出一条错误消息，该消息包含指令中的文本。可能的话，编译过程应该中断。可以这样使用#error：

```
#if __STDC_VERSION__ != 199901L
        #error Not C99
#endif
```

16.6.6 #pragma

在现代的编译器中，可用命令行参数或 IDE 菜单修改编译器的某些设置。也可用#pragma 将编译器指令置于源代码中。

例如，在开发 C99 时，用 C9X 代表 C99。编译器可以使用下面的编译指示（pragma）来启用对 C9X 的支持：

```
#pragma c9x on
```

一般来说，每台编译器都有自己的编译指示集。例如，这些编译指示可能用于控制分配给自动变量的内存大小，或者设置错误检查的严格程度，或者启用非标准语言特征。C99 标准提供了 3 个标准编译指示。它们的技术性很强，我们不进行讨论。

C99 还提供了_Pragma 预处理器运算符。_Pragma 可将字符串转换成常规的编译指示。例如：

```
_Pragma ("nonstandardtreatmenttypeB on")
```

等价于下面的指令：

```
#pragma nonstandardtreatmenttypeB on
```

因为该运算符没有使用#符号，所以可将它作为宏展开的一部分：

```
#define PRAGMA (X) _Pragma (#X)
#define LIMRG (X) PRAGMA (STDC CX_LIMITED_RANGE X)
```

接着可以使用类似下面的代码：

```
LIMRG (ON)
```

顺便提一下，虽然下面的定义看上去可以正常运行，但实际并非如此：

```
#define LIMRG (X) _Pragma (STDC CX_LIMITED_RANGE #X)
```

问题在于上面的代码依赖于字符串连接功能，但是，直到预处理过程完成后编译器才连接字符串。

_Pragma 运算符完成字符串析构（destringizing）工作；也就是说，将字符串中的转义序列转换成它所代表的字符。因而：

```
_Pragma ("use_bool \"true \"false")
```

变成：

```
#pragma use_bool "true "false
```

16.7　内联函数

通常函数调用需要一定的时间开销。这意味着执行调用时花费了时间用于建立调用、传递参数、跳转到函数代码段并返回。使用类函数宏的一个原因就是可减少执行时间。C99 还提供另一方法：内联函数（inline function）。C99 标准这样叙述：“把函数变为内联函数将建议编译器尽可能快速地调用该函数。上述建议的效果由实现来定义”。因此，使函数变为内联函数可能会简化函数的调用机制，但也可能不起作用。

创建内联函数的方法是在函数声明中使用函数说明符 inline。通常，首次使用内联函数前在文件中对该函数进行定义。因此，该定义也作为函数原型。也就是说，代码应像下面这样：

```
#include <stdio.h>
inline void eatline () // 内联函数的定义/原型
{
    while (getchar () != '\n')
        continue;
}
int main ()
{
...
    eatline ();       // 函数调用
...
}
```

编译器看到内联声明后会用 eatline () 函数体代替函数调用，其效果如同您在此处键入了函数体的代码：

```
#include <stdio.h>
inline void eatline ()       // 内联函数的声明/原型
{
    while (getchar () != '\n')
        continue;
}
int main ()
{
...
    while (getchar () != '\n') // 替换了函数调用
        continue;
...
}
```

因为内联函数没有预留给它的单独代码块，所以无法获得内联函数的地址（实际上，可以获得地址，但这样会使编译器产生非内联函数）。另外，内联函数不会在调试器中显示。

内联函数应该比较短小。对于很长的函数，调用函数的时间少于执行函数主体的时间；此时，使用内联函数不会节省多少时间。

编译器在优化内联函数时，必须知道函数定义的内容。这意味着内联函数的定义和对该函数的调用必须在同一文件中。正因为这样，内联函数通常具有内部链接。因此，在多文件程序中，每个调用内联函数的文件都要对该函数进行定义。达到这个目标的最简单方法为：在头文件中定义内联函数，并在使用该函数的文件中包含该头文件。一般不在头文件中放置可执行代码，但内联函数是个例外。因为内联函数具有内部链接，所以在多个文件中定义同一内联函数不会产生什么问题。

C 提供了几种方法用于在多文件程序中使用内联函数。通常，C 只允许对函数进行惟一的一次定义，但是对内联函数却放松了这个限制。因此，最简单的方法是在使用内联函数的文件中都定义该函数。要达到这个目标的简易方式为：在头文件中定义内联函数，并在使用该函数的源代码文件中包含该头文件。

与 C++不同的是，C 允许混合使用内联函数定义和外部函数定义（具有外部链接的函数定义）。例如，考虑下面的设置：

```
// file1a.c
...
inline double square (double);
double square (double x) { return x * x; }
int main ()
{
    double q = square (1.3);
...
// file2a.c
...
extern double square (double);
double square (double x) { int y; y = x*x; return y; }
void spam (double v)
{
    double kv = square (v);
...
// file3a.c
...
extern double square (double);
void masp (double w)
{
    double kw = square (w);
...
```

这里，file1a.c 使用 file1a.c 中定义的内联函数 square（）。但是，file2a.c 和 file3a.c 则使用 file2a.c 中的外部函数定义。

C 甚至还允许在包含内联函数定义的文件中放置外部函数声明：

```
//file1b.c -- 小心!
...
extern double square (double);    // 把 square () 声明为外部函数
inline double square (double);    // 把 square () 声明为内联函数
double square (double x) { return x * x; }

int main ()
{
    double q = square (1.3) + square (1.5); // 哪一个 square () ?
...
//file2b.c
...
extern double square (double);
```

```
double square(double x){ int y; y = x*x; return y; }
...
```

此时，在 file1b.c 对 square（）的调用中，编译器可随意使用该函数的内部定义或者外部定义。甚至两次调用所使用的定义可以不一致。例如，在前面的代码中，可以对 square（1.3）使用内联函数，而对 square（1.5）使用外部函数。C 标准警告程序员不要编写依赖于所选函数版本的代码。前面提到，任何带有内联函数定义的文件使用获取该函数地址的代码后（例如，传递函数名作为实际参数），编译器都会产生外部函数定义。

16.8　C 库

最初并没有官方的 C 库，后来，基于 UNIX 的 C 实现变成了事实上的标准。于是 ANSI C 委员会主要以这个标准为基础开发出一个官方标准库。认识到 C 的应用范围不断扩展后，该委员会重新定义了这个库以使它可以在更广泛的系统上实现。

前面已经讨论了一些标准库中的 I/O 函数、字符函数和字符串函数。本章将介绍更多函数。不过，我们首先需要讨论如何使用库。

16.8.1　访问 C 库

如何访问 C 库依赖于实现，因此您需要明白应用于所用系统的更多的一般情况。首先，通常可以在多个不同位置找到库函数。例如，getchar（）通常在 stdio.h 文件中作为宏进行定义，而 strlen（）通常保存在库文件中。第二，不同系统使用不同的方法搜索这些函数。下面的内容概述了三种可能性。

一、自动访问

在许多系统上，您只需编译程序，一些常见的库函数自动可用。
记住，应该声明所使用的函数的类型，通常包含适当的头文件即可做到这一点。描述库函数的用户手册指出了应该包含哪个文件。但是在一些旧的系统上，必须自己输入函数声明，函数类型仍是到用户手册中去查找。附录B按照头文件分组，总结了ANSI C库函数。

过去，不同实现使用的头文件名不一致。ANSI C 标准把库函数分为多个系列，每个系列的函数原型都放在一个特定的头文件中。

二、文件包含

如果函数定义为宏，可使用#include 指令来包含拥有该定义的文件。通常，类似的宏放在具有适当名字的头文件中。例如，许多系统（包括所有的 ANSI C 系统）都具有 ctype.h 文件，该文件包含一些确定字符性质（如大写、数字等等）的宏。

三、库包含

在程序编译或链接的某些阶段，您可能需要指定库选项。即使在自动检查标准库的系统上，也可能有不常使用的函数库。必须使用编译时选项来显式地指定这些库。注意要把这个过程与包含头文件区分开来。头文件提供函数声明或原型，而库选项告诉系统到哪儿寻找函数代码。显然，我们无法涉及所有系统的细节，但是这些讨论可以提醒您应该注意些什么。

16.8.2　参考库描述

限于篇幅，我们无法完整地讨论库，但是可以看几个代表性的示例。不过首先我们看一下有关库的文档。

可以在几个地方找到函数文档。您的系统可能有在线手册，而集成开发环境通常有在线帮助。C 提供商可能提供描述库函数的用户指南书籍，也可能把这些材料放在参考用的 CD-ROM 上。有些出版社发行 C 库函数的参考手册。这些材料中，有些是一般性材料，有些则是面向特定实现的。前边已经说过，本书附录 B 中提供了一个小结。

阅读文档的关键技巧是解释函数头，许多内容随时间变化，下面是旧的 UNIX 文档中关于 fread（）的描述：

```
#include <stdio.h>

fread(ptr, sizeof(*ptr), nitems, stream)
FILE *stream;
```

首先给出了适当的包含文件。没有给出 fread（）、ptr、sizeof（* ptr）和 nitems 的类型。过去，它们的默认类型为 int。但是，从上下文可以看出 ptr 为指针（早期的 C 中，指针被作为整数处理）。参数 stream 声明为指向 FILE 的指针。这个函数声明看上去像是应该使用 sizeof 运算符作为第二个参数。实际上，这个参数的值应该是 ptr 指向的对象的大小。通常可以用 sizeof 作为参数，但是任何类型的整数值都合乎语法要求。

后来，形式变为：

```
#include <stdio.h>

int fread(ptr, size, nitems, stream;)
char *ptr;
int size, nitems;
FILE *stream;
```

现在明确给出了所有的类型，ptr 作为指向 char 的指针。

ANSI C 标准提供了下面的描述：

```
#include <stdio.h>
size_t fread(void *ptr, size_t size, size_t nmemb, FILE *stream);
```

首先，使用了新的原型格式；其次，修改了一些类型。size_t 类型定义为 sizeof 运算符返回的无符号整数类型，通常为 unsigned int 或 unsigned long。stddef.h 文件中包含有 size_t 类型的 typedef 或#define 定义。其他文件（包括 stdio.h）通过包含 stddef.h 来包含这个定义。包括 fread（）在内的许多函数经常把 sizeof 运算符作为实际参数的一部分。size_t 类型使形式参数与这一常见用法相匹配。

另外，ANSI C 使用指向 void 类型的指针作为通用指针。需要使用指向不同类型的指针时，可采用 void 指针。例如，fread（）的第一个实际参数可能是指向 double 数组的指针，也可能是指向某种结构的指针。假设实际参数是一个指向由 20 个元素组成的 double 数组的指针，形式参数为 void 型指针，那么，编译器会选用适当的类型，而不会出现类型冲突。

最近，C99 标准在描述中加入了新的关键字 restric:

```
#include <stdio.h>
size_t fread(void * restrict ptr, size_t size,
             size_t nmemb, FILE * restrict stream);
```

现在我们讨论一些特殊的函数。

16.9 数学库

数学库包含许多有用的数学函数。头文件 math.h 提供这些函数的函数声明或原型。表 16.4 列举了一些 math.h 中声明的函数。注意角度的单位为弧度（1 弧度＝180/π＝57.296 度）（参考资料 5“添加了 C99 的标准 ANSI C 库”提供了 C99 标准指定的函数的完整列表）。

表 16.4　ANSI C 标准数学函数原型描述

原　型	描　述
double acos（double x）	返回余弦值为 x 的角度值（0 到π弧度）
double asin（double x）	返回正弦值为 x 的角度值（－π/2 到π/2 弧度）
double atan（double x）	返回正切值为 x 的角度值（－π/2 到π/2 弧度）
double atan2（double y，double x）	返回正切值为 y/x 的角度值（－π到π弧度）
double cos（double x）	返回 x 的余弦值，x 单位为弧度
double sin（double x）	返回 x 的正弦值，x 单位为弧度
double tan（double x）	返回 x 的正切值，x 单位为弧度
double exp（double x）	返回 x 的指数函数的值（e 的 x 次方）
double log（double x）	返回 x 的自然对数值
double log10（double x）	返回 x 的以 10 为底的对数值
double pow（double x，double y）	返回 x 的 y 次幂的值
double sqrt（double x）	返回 x 的平方根
double ceil（double x）	返回不小于 x 的最小整数值
double fabs（double x）	返回 x 的绝对值
double floor（double x）	返回不大于 x 的最大整数值

我们用数学库来解决一个常见问题：把 x/y 坐标转换为长度和角度。例如，在栅格上画了一条线，该线条水平穿过 4 个单元（x 的值），垂直穿过 3 个单元（y 的值）。那么，该线的长度（或称大小，magnitude）和方向如何呢？从三角知识可得到下面两个式子：

```
magnitude = square root (x² + y²)
angle = arctangent (y/x)
```

数学库提供了平方根函数和一对反正切函数。因此，可以用 C 程序解决这个问题。平方根函数 sqrt（）接受一个 double 参数并返回该参数的平方根，返回值类型也是 double。

函数 atan（）接受一个 double 参数（正切值），并返回角度值（该角度的正切值等于参数值）。但是，当线条的 x 和 y 值均为-5 时，atan（）函数会产生混淆。因为（-5）/（-5）等于 1，所以 atan（）返回 45°。该值与 x 和 y 均为 5 时的返回值相同。换句话说，atan（）不能区分角度相同但方向相反的线（实际上，atan（）返回弧度，而非度；我们很快将讨论两者的转换）。

幸运的是，C 库还提供 atan2（）函数。它接受两个参数：x 的值和 y 的值。这样，通过检查 x 和 y 的符号就可得出正确的角度值。atan2（）和 atan（）均返回弧度值。要将弧度转化为度，只需将弧度值乘以 180，再除以 pi。pi 的值可通过计算表达式 4*atan（1）得到。程序清单 16.13 说明了这些步骤。另外，学习该程序清单还能复习结构和 typedef 工具。

程序清单 16.13　rect_pol.c 程序

```
/* rect_pol.c -- 把直角坐标转换为极坐标 */
#include <stdio.h>
#include <math.h>

#define RAD_TO_DEG (180/ (4 * atan (1)))

typedef struct polar_v {
    double magnitude;
    double angle;
} POLAR_V;
```

```
typedef struct rect_v {
    double x;
    double y;
} RECT_V;

POLAR_V rect_to_polar (RECT_V);

int main (void)
{
    RECT_V input;
    POLAR_V result;

    puts ("Enter x, y coordinates; enter q to quit: ");
    while (scanf ("%lf %lf", &input.x, &input.y) == 2)
    {
        result = rect_to_polar (input);
        printf ("magnitude = %0.2f, angle = %0.2f\n",
                result.magnitude, result.angle);
    }
    puts ("Bye.");
    return 0;
}

POLAR_V rect_to_polar (RECT_V rv)
{
    POLAR_V pv;

    pv.magnitude = sqrt (rv.x * rv.x + rv.y * rv.y);
    if (pv.magnitude == 0)
        pv.angle = 0.0;
    else
        pv.angle = RAD_TO_DEG * atan2 (rv.y, rv.x);
    return pv;
}
```

下面是一个运行示例：

```
Enter x, y coordinates; enter q to quit:
10 10
magnitude = 14.14, angle = 45.00
-12 -5
magnitude = 13.00, angle = -157.38
q
Bye.
```

如果在编译时得到类似下面的消息：

```
Undefined: _sqrt
```

或：

```
'sqrt': unresolved external
```

或其他类似消息，这表明编译器的链接器没有找到数学库。UNIX 系统要求使用-lm 标记以指示连接器搜索数学库：

```
cc rect_pol.c -lm
```

Linux 的 gnu 编译器也使用相同的形式：

```
gcc rect_pol.c -lm
```

16.10 通用工具库

通用工具库包含各种函数，其中包括随机数产生函数、搜索和排序函数、转换函数和内存管理函数。在第 12 章“存储类、链接和内存管理”中您已经见到过 rand()、srand()、malloc()和 free()。ANSI C 中，这些函数的原型在头文件 stdlib.h 中。参考资料 5 中列出了该系列的所有函数。现在我们对其中几个函数作进一步讨论。

16.10.1 exit()和 atexit()函数

我们在一些示例程序中已经显式地使用了 exit()函数。另外，从 main()返回时自动调用 exit()函数。ANSI 标准还增加了一些我们还未使用过的很好的功能。最重要的新增功能为：可以指定执行 exit()时调用的特定函数。通过对退出时调用的函数进行注册，atexit()函数也提供这项功能；atexit()函数使用函数指针作为参数。程序清单 16.14 说明了这个工作机制。

程序清单 16.14　byebye.c 程序

```
/* byebye.c -- atexit()示例程序 */
#include <stdio.h>
#include <stdlib.h>
void sign_off(void);
void too_bad(void);

int main(void)
{
    int n;

    atexit(sign_off);     /*注册 sign_off()函数*/
    puts("Enter an integer: ");
    if (scanf("%d", &n) != 1)
    {
        puts("That's no integer!");
        atexit(too_bad); /* 注册 too_bad()函数 */
        exit(EXIT_FAILURE);
    }
    printf("%d is %s.\n", n, (n % 2 == 0) ? "even": "odd");
    return 0;
}

void sign_off(void)
{
    puts("Thus terminates another magnificent program from");
    puts("SeeSaw Software!");
}

void too_bad(void)
{
    puts("SeeSaw Software extends its heartfelt condolences");
    puts("to you upon the failure of your program.");
}
```

下面是一个运行示例：

```
Enter an integer:
212
212 is even.
Thus terminates another magnificent program from
SeeSaw Software!
```

在 IDE 中运行该程序时，可能看不到最后 2 行输出。

下面是另一个运行示例：

```
Enter an integer:
what?
That's no integer!
SeeSaw Software extends its heartfelt condolences
to you upon the failure of your program.
Thus terminates another magnificent program from
SeeSaw Software!
```

在 IDE 中运行该程序时，可能看不到最后 4 行输出。

接下来我们讨论两个主要方面：atexit（）和 exit（）的参数的使用。

一、使用 atexit（）

该函数使用函数指针！要使用 atexit（）函数，只需把退出时要调用的函数地址传递给 atexit（）。因为作为函数参数时，函数名代表地址，所以使用 sign_off 或 too_bad 作为参数。于是 atexit（）把作为其参数的函数在调用 exit（）时执行的函数列表中进行注册。ANSI 保证在这个列表中至少可放置 32 个函数。通过使用一个单独的 atexit（）调用把每个函数添加到列表中。最后，调用 exit（）函数时，按先进后出（先执行最后添加的函数）的顺序执行这些函数。

注意，输入失败时既调用了 sign_off（），也调用了 too_bad（）；而输入成功时只调用了 sign_off（）。这是因为只有在输入失败时，才通过 if 语句注册 too_bad（）。还需注意，先调用最后注册的函数。

由 atexit（）注册的函数（如 sign_off（）和 too_bad（））的类型应该为不接受任何参数的 void 函数。通常它们执行内部处理任务，如更新程序监视文件或重置环境变量。

注意，main（）终止时会隐式地调用 exit（）；因此，即使未显式地调用 exit（），也会调用 sign_off（）。

二、使用 exit（）

exit（）执行了 atexit（）指定的函数后，将做一些自身清理工作。它会刷新所有输出流、关闭所有打开的流，并关闭通过调用标准 I/O 函数 tmpfile（）创建的临时文件。然后，exit（）把控制返回给主机环境（如果可能，还向主机环境报告终止状态）。习惯上，UNIX 程序用 0 表示成功终止，用非零值表示失败。UNIX 返回的代码并不适用于所有系统，因此 ANSI C 定义了可移植的表示失败的宏 EXIT_FAILURE。与之类似，ANSI C 定义 EXIT_SUCCESS 表示成功，但是 exit（）也接受用 0 代表成功。ANSI C 中，在非递归的 main（）函数中使用 exit（）函数等价于使用关键字 return。但是，在 main（）以外的函数中使用 exit（）也会终止程序。

16.10.2 qsort（）函数

快速排序（quick sort）法是最有效的排序算法之一，对大型数组而言更是如此。该算法在 1962 年由 C.A.R.Hoare 开发。它把数组不断分成更小的数组，直到变成单元素数组。首先，将数组分成两部分，其中一部分的值都小于另一部分的值。继续这个过程，直至数组完全排好序为止。

C 实现的快速排序算法的函数名为 qsort（）。qsort（）函数对数据对象数组进行排序，其 ANSI 原型为：

```
void qsort (void *base, size_t nmemb, size_t size,
        int (*compar)(const void *, const void *));
```

第一个参数为指向要排序的数组头部的指针。ANSI C 允许将任何数据类型的指针转换为 void 类型指针，因而 qsort（）的第一个实际参数可以指向任何类型的数组。

第二个参数为需要排序的项目数量。函数原型将该值转换为 size_t 类型。回忆一下前面的多次说明，size_t 是由运算符 sizeof 返回，并在标准头文件中定义的整数类型。

因为 qsort（）将第一个参数转换为 void 指针，所以会失去每个数组元素的大小信息。为补充该信息，必须把数据对象的大小明确地告诉 qsort（）。这就是第三个参数的作用。例如，如果对 double 数组排序，可使用 sizeof（double）作为 qsort（）的第三个参数。

最后，qsort（）还需要一个指向函数的指针，被指向的函数用于确定排序顺序。这个比较函数应该接受两个参数，即分别指向进行比较的两个项目的指针。如果第一个项目的值大于第二个项目的值，那么比较函数返回正数；如果两个项目的值相等，那么返回 0；如果第一个项目的值小于第二个项目的值，那么返回负数。qsort（）根据给定的其他信息计算出两个指针值，然后把它们传递给该比较函数。

比较函数采用的形式在 qsort（）原型最后的参数中声明：

```
int (*compar)(const void *, const void *)
```

这表示最后的参数是个指向函数的指针，该函数返回 int 值并接受两个参数，而每个参数均为指向 const void 类型的指针。这两个指针指向需要比较的项目。

程序清单 16.15 以及后面的讨论举例说明了定义比较函数和使用 qsort（）的方法。程序清单中的程序创建了一个由随机浮点数组成的数组，并对该数组进行排序。

程序清单 16.15　qsorter.c 程序

```
/* qsorter.c -- 使用 qsort () 对一组数字排序 */
#include <stdio.h>
#include <stdlib.h>

#define NUM 40
void fillarray (double ar[], int n);
void showarray (const double ar[], int n);
int mycomp (const void * p1, const void * p2);

int main (void)
{
    double vals[NUM];
    fillarray (vals, NUM);
    puts ("Random list: ");
    showarray (vals, NUM);
    qsort (vals, NUM, sizeof (double), mycomp);
    puts ("\nSorted list: ");
    showarray (vals, NUM);
    return 0;
}

void fillarray (double ar[], int n)
{
    int index;

    for (index = 0; index < n; index++)
        ar[index] = (double) rand () / ((double) rand () + 0.1);
}
void showarray (const double ar[], int n)
{
    int index;

    for (index = 0; index < n; index++)
    {
        printf ("%9.4f ", ar[index]);
        if (index % 6 == 5)
            putchar ('\n');
    }
    if (index % 6 != 0)
        putchar ('\n');
}
```

```
/* 按从小到大的顺序排序值 */
int mycomp (const void * p1, const void * p2)
{
    /* 需要使用指向double的指针访问值 */
    const double * a1 = (const double *)p1; /* a1是合适的指针类型 */
    const double * a2 = (const double *)p2;

    if (*a1 < *a2)
        return -1;
    else if (*a1 == *a2)
        return 0;
    else
        return 1;
}
```

下面是一个运行示例：

```
Random list:
   0.0022      0.2390      1.2191      0.3910      1.1021      0.2027
   1.3836     20.2872      0.2508      0.8880      2.2180     25.5033
   0.0236      0.9308      0.9911      0.2507      1.2802      0.0939
   0.9760      1.7218      1.2055      1.0326      3.7892      1.9636
   4.1137      0.9241      0.9971      1.5582      0.8955     35.3843
   4.0580     12.0467      0.0096      1.0110      0.8506      1.1530
   2.3614      1.5876      0.4825      6.8751

Sorted list:
   0.0022      0.0096      0.0236      0.0939      0.2027      0.2390
   0.2507      0.2508      0.3910      0.4825      0.8506      0.8880
   0.8955      0.9241      0.9308      0.9760      0.9911      0.9971
   1.0110      1.0326      1.1021      1.1530      1.2055      1.2191
   1.2802      1.3836      1.5582      1.5876      1.7218      1.9636
   2.2180      2.3614      3.7892      4.0580      4.1137      6.8751
  12.0467     20.2872     25.5033     35.3843
```

我们考虑两个主要方面：qsort（）的使用和mycomp（）的定义。

一、使用qsort（）

qsort（）函数对一个数据对象数组进行排序。我们再次给出它的ANSI原型：

```
void qsort (void *base, size_t nmemb, size_t size,
        int (*compar)(const void *, const void *));
```

第一个参数为指向要排序的数组头部的指针。本程序的实际参数为vals。vals是一个double数组名，因此是指向数组第一个元素的指针。这个ANSI原型把参数vals类型指派为void指针。这是因为ANSI C允许把任何数据类型指针类型指派为void指针，从而允许qsort（）的第一个实际参数指向任何类型的数组。

第二个参数为需要排序的项目数量。程序清单16.15中为Num，即数组元素的个数。函数原型将该值转换为size_t类型。

第三个参数为每个元素的大小。本例中为sizeof（double）。

最后的参数为mycomp，即对元素进行比较的函数的地址。

二、定义mycomp（）

前面提到，qsort（）原型规定了比较函数的形式：

```
int (*compar)(const void *, const void *)
```

这表示这个最后的参数是个指向函数的指针，该函数返回int值并接受两个参数，而每个参数均为指向 const void 类型的指针。在程序中我们使 mycomp（）函数的原型与这个原型保持一致：

```
int mycomp (const void * p1, const void * p2);
```

需要记住，函数名作参数时是指向该函数的指针。因此，mycomp 与 compar 原型相匹配。

qsort（）函数把进行比较的两个元素的地址传递给比较函数。本程序中，p1 和 p2 为进行比较的两个 doble 型数的地址。注意 qsort（）的第一个参数指整个数组，比较函数的两个参数指数组中的两个元素。这里存在一个问题：要比较指针型值，需对指针进行取值运算。因为要比较的值为 double 类型，所以应当对 double 类型的指针进行取值运算。但是，qsort（）要求 void 型指针。解决这个问题的方法是：在函数内部声明两个正确类型的指针，并把它们初始化为传递进来的参数的值：

```
/* 按从小到大的顺序排序值 */

int mycomp (const void * p1, const void * p2)
{
    /* 需要使用指向 double 的指针访问值 */
    const double * a1 =(const double *) p1;
    const double * a2 =(const double *) p2;

    if (*a1 < *a2)
        return -1;
    else if (*a1 == *a2)
        return 0;
    else
        return 1;
}
```

简而言之，为了通用性，qsort（）和比较函数使用 void 指针。因此，必须把数组中每个元素的大小明确地告诉 qsort（）；并且在比较函数的定义中，需要把指针参数转换为对具体应用而言类型正确的指针。

C 和 C++中的 void *

C 和 C++对待 Void 类型的指针是不同的。在两种语言中，你都可以把一个指向任意类型的指针赋给类型 void *。例如，程序清单 16.15 中的函数调用，把 double *类型赋给一个 double *类型的指针。但是，在把一个 void *指针赋给一个指针或另一个类型的时候，C++需要一次强制类型转换。而 C 并没有这个需要。例如，程序清单 16.15 中的 mycomp（）函数对 void *指针 p1 强制转型。

```
const double * a1 = (const double *) p1;
```

在 C 中，这种强制类型转换是可选的，在 C++中则是必须的。因为强制类型转换在两种语言中都有作用，因此，使用它比较有意义。如果你把程序转换到 C++中，你不必留意要改变这一部分。

考虑另外一个比较函数的示例。假设有这些声明：

```
struct names {
    char first[40];
    char last[40];
};
struct names staff[100];
```

如何调用 qsort（）呢？模仿程序清单 16.15 中对 qsort（）的调用，可以使用以下调用形式：

```
qsort (staff, 100, sizeof (struct names), comp);
```

其中，comp 是比较函数名。应该如何编写这个函数呢？假设先根据姓，再根据名排序，可以这样编写该函数：

```
#include <string.h>
int comp (const void * p1, const void * p2) /* 必须的形式          */
{
```

```
    /* 得到正确类型的指针 */
    const struct names *ps1 = (const struct name *) p1;
    const struct names *ps2 = (const struct name *) p2;
    int res;

    res = strcmp (ps1->last, ps2->last);    /* 比较姓          */
    if (res != 0)
        return res;
    else                                    /* 姓相同的情况，比较名字      */
        return strcmp (ps1->first, ps2->first);
}
```

该函数使用 strcmp（）函数进行比较。strcmp（）函数的可能返回值与比较函数的要求相匹配。注意：对某结构使用->运算符时，需要指向该结构的指针。

16.11 诊断库

由头文件 assert.h 支持的诊断库是设计用于辅助调试程序的小型库。它由宏 assert（）构成。该宏接受整数表达式作为参数。如果表达式值为假（非零），宏 assert（）向标准错误流（stderr）写一条错误消息并调用 abort（）函数以终止程序（在头文件 stdlib.h 中定义了 abort（）函数的原型）。assert（）宏的作用为：标识出程序中某个条件应为真的关键位置，并在条件为假时用 assert（）语句终止该程序。通常，assert（）的参数为关系或逻辑表达式。如果 assert（）终止程序，那么它首先会显式失败的判断、包含该判断的文件名和行号。程序清单 16.16 是一个简短的示例程序。在对 z 求平方根前，程序诊断 z 的值是否大于或等于 0。程序还错误地减去一个值而不是加上该值，这样使 z 有可能获取不该使用的值。

程序清单 16.16 assert.c 程序

```
/* assert.c -- 使用 assert () */
#include <stdio.h>
#include <math.h>
#include <assert.h>
int main ()
{
    double x, y, z;
    puts ("Enter a pair of numbers (0 0 to quit): ");
    while (scanf ("%lf%lf", &x, &y) == 2
                           && (x != 0 || y != 0))
    {
        z = x * x - y * y; /* should be + */
        assert (z >= 0);
        printf ("answer is %f\n", sqrt (z));
        puts ("Next pair of numbers: ");
    }
    puts( "Done" );

    return 0;
}
```

下面是一个运行示例：

```
Enter a pair of numbers (0 0 to quit):
4 3
answer is 2.645751
Next pair of numbers:
5 3
answer is 4.000000
Next pair of numbers:
```

```
3 5
Assertion failed: z >= 0, file C: \assert.c, line 14
```

具体的提示可能因为编译器的不同而不同。一个可能会使人困惑的问题是这条消息并不是声称 z>=0，而是声称 z>=0 这个条件没有得到满足。

使用 if 语句也可以完成类似的工作：

```
if (z < 0)
{
    puts ("z less than 0");
    abort ();
}
```

但是 assert（）方式有几个好处。它能自动识别文件，并自动识别发生问题的行号。另外，还有一种无需改变代码就能开启或禁用 assert（）宏的机制。如果您认为已经排除了程序的漏洞，那么可把宏定义

```
#define NDEBUG
```

放在assert.h包含语句所在位置前，并重新编译该程序。编译器将禁用文件中所有的assert（）语句。如果程序又出现问题，可以去除这个#define指令（或者把它注释掉）并重新编译，这样就重新启用了assert（）语句。

16.12　string.h 库中的 memcpy（）和 memmove（）

不能把一个数组的值直接赋予另一数组，因此，我们使用循环把数组中的元素逐个复制到另一数组。一个例外情况是：可以使用 strcpy（）和 strncpy（）函数复制字符数组。memcpy（）和 memmove（）函数为复制其他类型的数组提供了类似的便利工具。下面是这两个函数的原型：

```
void *memcpy (void * restrict s1, const void * restrict s2, size_t n);
void *memmove (void *s1, const void *s2, size_t n);
```

这两个函数均从 s2 指向的位置复制 n 字节数据到 s1 指向的位置，且均返回 s1 的值。两者间的差别由关键字 restrict 造成，即 memcpy（）可以假定两个内存区域之间没有重叠。memmove（）函数则不作这个假定，因此，复制过程类似于首先将所有字节复制到一个临时缓冲区，然后再复制到最终目的地。如果两个区域存在重叠时使用 memcpy（）会怎样呢？其行为是不可预知的，即可能正常工作，也可能失败。在不应该使用 memcpy（）时，编译器不会禁止使用 memcpy（）。因此，使用 memcpy（）时，您必须确保没有重叠区域。这是程序员的任务的一部分。

这两个函数可对任何数据类型进行操作，因此两个指针参数为 void 类型指针。C 允许将任何类型的指针赋值给 void*类型指针。接受各种类型指针导致函数无法知道要复制的数据类型。因此，这两个函数使用第三个参数来指定要复制的字节数。注意，对数组而言，字节数一般不等于元素的个数。因此，如果复制 10 个 double 值组成的数组，那么应使用 10*sizeof（double）作为第三个参数，而不应使用 10。

程序清单 16.17 显示了一些使用这两个函数的示例。

程序清单 16.17　mems.c 程序

```
// mems.c -- 使用 memcpy () 和 memmove () 函数
#include <stdio.h>
#include <string.h>
#include <stdlib.h>
#define SIZE 10
void show_array (const int ar[], int n);

int main ()
{
```

```
    int values[SIZE] = {1, 2, 3, 4, 5, 6, 7, 8, 9, 10};
    int target[SIZE];
    double curious[SIZE / 2] = {1.0, 2.0, 3.0, 4.0, 5.0};

    puts("memcpy() used: ");
    puts("values (original data): ");

    show_array(values, SIZE);
    memcpy(target, values, SIZE * sizeof(int));
    puts("target (copy of values): ");
    show_array(target, SIZE);

    puts("\nUsing memmove() with overlapping ranges: ");
    memmove(values + 2, values, 5 * sizeof(int));
    puts("values -- elements 0-5 copied to 2-7: ");
    show_array(values, SIZE);

    puts("\nUsing memcpy() to copy double to int: ");
    memcpy(target, curious, (SIZE / 2) * sizeof(double));
    puts("target -- 5 doubles into 10 int positions: ");
    show_array(target, SIZE);

    return 0;
}

void show_array (const int ar[], int n)
{
    int i;

    for (i = 0; i < n; i++)
    printf ("%d ", ar[i]);
    putchar ('\n');
}
```

输出如下：

```
memcpy() used:
values (original data):
1 2 3 4 5 6 7 8 9 10
target (copy of values):
1 2 3 4 5 6 7 8 9 10

Using memmove() with overlapping ranges:
values -- elements 0-5 copied to 2-7:
1 2 1 2 3 4 5 8 9 10

Using memcpy() to copy double to int:
target -- 5 doubles into 10 int positions:
0 1072693248 0 1073741824 0 1074266112 0 1074790400 0 1075052544
```

最后一次 memcpy（）调用把数据从 double 数组复制到 int 数组。这表明 memcpy（）不知道也不关心数据类型；它只是把一些字节从一个位置复制到另一个位置（例如，可以从结构中复制字节到字符型数组）。复制过程中也不进行数据转换。如果使用循环对元素逐个赋值，那么在赋值过程中会将 double 类型值转换为 int 类型值。此时，对字节按原样进行复制，然后程序将把数据作为 int 类型进行解释。

16.13 可变参数：stdarg.h

本章前面部分讨论了可变宏，该宏接受可变个数的参数。头文件 stdarg.h 为函数提供了类似的能力。

不过使用方法稍微复杂一些。必须按如下步骤进行：

1．在函数原型中使用省略号。

2．在函数定义中创建一个va_list类型的变量。

3．用宏将该变量初始化为一个参数列表。

4．用宏访问这个参数列表。

5．用宏完成清理工作。

现在详细讨论这些步骤。这类函数的原型应具有一个参量列表，参量列表中至少有一个后跟省略号的参量：

```
void f1 (int n, ...);                    // 合法
int f2 (int n, const char * s, ...);     // 合法
char f3 (char c1, ..., char c2);         // 无效，省略号不是最后一个参量
double f3 ();                            // 无效，没有任何参量
```

最右边的参量（省略号前）起着特殊的作用；ANSI标准使用parmN表示该参量。前例中，第一种情况下parmN为n，第二种情况下parmN为k。传递给该参量的实际参数值将是省略号部分代表的参数个数。例如，前面的f1（）函数原型可以这样使用：

```
f1 (2, 200, 400);             // 2个额外的参数
f1 (4, 13, 117, 18, 23);      // 4个额外的参数
```

接下来，在头文件stdargs.h中声明的va_list类型代表一种数据对象，该数据对象用于存放参量列表中省略号部分代表的参量。可变函数定义的起始部分应像下面这样：

```
double sum (int lim, ...)
{
    va_list ap;    // 声明用于存放参数的变量
```

本例中，lim为参量parmN，由它来指定可变参数列表中的参数个数。

然后，函数将使用stdargs.h中定义的宏va_start（）把参数列表复制到va_list变量中。宏va_start（）有两个参数：va_list类型的变量和参量parmN。我们接着前一个例子讨论，va_list类型的变量为ap，参量parmN为lim，因此，对va_start（）的调用应如下所示：

```
va_start (ap, lim); // 把ap初始化为参数列表
```

下一步是访问参数列表中的内容。这一步涉及宏va_arg（）的使用。该宏接受两个参数：一个va_list类型的变量和一个类型名。

第一次调用va_arg（）时，它返回参数列表的第一项，下次调用时返回第二项，依此类推。类型参数指定返回值的类型。例如，如果参数列表中第一个参数为double类型，第二个为int类型，那么可使用下列语句：

```
double tic;
int toc;
...
tic = va_arg (ap, double); // 取得第一个参数
toc = va_arg (ap, int);    // 取得第二个参数
```

注意，实际参数的类型必须与说明的类型相匹配。如果第一个参数为10.0，那么前面的tic部分的代码正常工作；但是如果参数为10，代码就可能无法工作。这里不会像赋值过程中那样进行double到int的自动转换。

最后，应使用宏va_end（）完成清理工作。例如，释放动态分配的用于存放参数的内存。该宏接受一个va_list变量作为参数：

```
va_end (ap);                       // 清理工作
```

此后，只有用va_start（）重新对ap初始化后，才能使用变量ap。

因为va_arg（）不提供后退回先前参数的方法，所以保存va_list变量的副本会是有用的。C99为此专门添加了宏va_copy（）。该宏的两个参数均为va_list类型变量，它将第二个参数复制到第一个参数中：

```
va_list ap;
va_list apcopy;
double
double tic;
int toc;
...
va_start (ap, lim);              // 把 ap 初始化为参数列表
va_copy (apcopy, ap);            // apcopy 是 ap 的一个副本
tic = va_arg (ap, double);       // 取得第一个参数
toc = va_arg (ap, int);          // 取得第二个参数
```

此时，虽然已从 ap 中删除了前面两项，但还可从 apcopy 中重新获取这两项。

程序清单 16.18 的简短示例程序说明了创建一个这样的函数的方法，该函数对可变参数进行求和运算。sum（）的第一个参数是要进行求和运算的项目的个数。

程序清单 16.18　varargs.c 程序

```
// varargs.c -- 使用可变个数的参数
#include <stdio.h>
#include <stdarg.h>
double sum (int, ...);
int main (void)
{
    double s, t;

    s = sum(3, 1.1, 2.5, 13.3);
    t = sum(6, 1.1, 2.1, 13.1, 4.1, 5.1, 6.1);
    printf("return value for "
        "sum(3, 1.1, 2.5, 13.3):                %g\n", s);
    printf("return value for "
        "sum(6, 1.1, 2.1, 13.1, 4.1, 5.1, 6.1): %g\n", t);

    return 0;
}

double sum (int lim, ...)
{
    va_list ap;                          // 声明用于存放参数的变量
    double tot = 0;
    int i;
    va_start (ap, lim);                  // 把 ap 初始化为参数列表
    for (i = 0; i < lim; i++)
        tot += va_arg (ap, double);      // 访问参数列表中的每一个项目
    va_end (ap);                         // 清理工作
    return tot;
}
```

输出如下：

```
return value for sum(3, 1.1, 2.5, 13.3): 16.9
return value for sum(6, 1.1, 2.1, 13.1, 4.1, 5.1, 6.1): 31.6
```

查看上面的计算，可以发现第一次调用 sum（）时对 3 个数求和，第二次调用时对 6 个数求和。

总之，可变函数的用法比可变宏更复杂，但是函数的应用范围更广。

16.14　关键概念

C 标准不仅描述了 C 语言，还描述了组成 C 语言的数据包、C 预处理器和标准 C 库。预处理器允许您

控制编译过程、列出需要置换的内容、指示应编译的代码行，以及对编译器行为的其他方面施加影响。C 库扩展了 C 语言的作用范围并为许多编程问题提供了现成的解决方案。

16.15　总结

C 预处理器和 C 库是 C 语言的两个重要附件。执行预处理器指令的 C 预处理器可以在编译源代码前对源代码进行调整。C 库提供了许多有助于完成各种任务的函数，这些任务包括：输入、输出、文件处理、内存管理、排序与搜索、数学计算、字符串处理，等等。参考资料 5 列出了完整的 ANSI C 库。

16.16　复习题

1. 下面的几个组由一个或多个宏组成，宏的后面是使用宏的源代码。在每种情况下代码的结果如何？这些代码合法吗（假设其中的 C 变量已经声明）？

```
a. #define FPM 5280  /* 每英里的英尺数 */
   dist = FPM * miles;
b. #define FEET 4
   #define POD FEET + FEET
   plort = FEET * POD;
c. #define SIX = 6;
   nex = SIX;
d. #define NEW(X) X + 5
   y = NEW(y);
   berg = NEW(berg) * lob;
   est = NEW(berg) / NEW(y);
   nilp = lob * NEW(-berg);
```

2. 修改第 1 题的 d 组中的定义，使其更可靠。
3. 定义一个宏函数，该函数返回两个值中的较小值。
4. 定义宏 EVEN_GT（X，Y），该宏在 X 为偶数并且大于 Y 时返回 1。
5. 定义一个宏函数，用于打印两个整数表达式及其值。例如，若其参数为 3+4 和 4*12，将打印出：

```
3+ 4 is 7 and 4* 12 is 48
```

6. 创建#define 语句完成下列功能：
   a. 创建一个值为 25 的命名常量。
   b. 使 SPACE 代表空格字符。
   c. 使 PS（）代表打印空格字符。
   d. 使 BIG（X）代表 X 的值加 3。
   e. 使 SUMSQ（X，Y）代表 X 和 Y 的平方和。
7. 定义一个宏，该宏按下列格式打印一个 int 变量的名字、值和地址：

```
name: fop; value: 23; address: ff464016
```

8. 假设测试程序时要暂时跳过一个代码块，但不从文件中删除该代码块。如何完成这项工作？
9. 编写一段代码：如果已定义了宏 PR_DATE，则打印执行预处理的日期。
10. 下面的程序有什么错误？

```
#include <stdio.h>
int main(int argc, char argv[])
{
    printf("The square root of %f is %f\n", argv[1],
```

```
        sqrt (argv[1]);
}
```

11．假设 scores 是由 1000 个 int 值组成的数组，要按降序对该数组的值排序。您打算使用 qsort（）和比较函数 comp（）。

a．如何正确调用 qsort（）？

b．如何正确定义 comp（）？

12．假设 data1 是由 100 个 double 值组成的数组，data2 是由 300 个 double 值组成的数组。

a．调用 memcmpy（）函数将 data2 中的前 100 个元素复制到 data1 中。

b．调用 memcmpy（）函数将 data2 中的最后 100 个元素复制到 data1 中。

16.17　编程练习

1．开发一个包含您需要使用的预处理器定义的头文件。

2．两个数的调和平均数可用如下方法得到：首先对两数的倒数取平均值，最后再取倒数。使用#define 指令定义一个宏“函数”执行这个运算。编写一个简单的程序测试该宏。

3．极坐标用向量的长度和向量相对于 x 轴的逆时针转角来描述该向量。直角坐标用向量的 x 和 y 坐标来描述该向量（请参见图 16.3）。编写程序，它读取向量的长度和角度（以度表示）然后显示 x 和 y 坐标。相关等式如下：

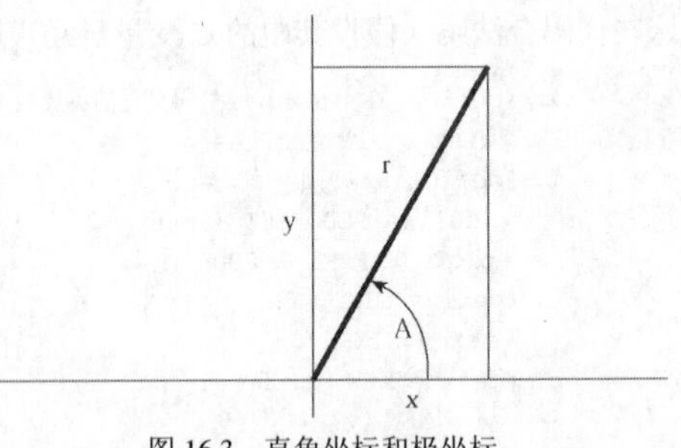

图 16.3　直角坐标和极坐标

```
x = r cos A   y = r sin A
```

要完成这个转换，需使用一个函数，该函数接受一个包含极坐标的结构作为参数，返回一个包含直角坐标的结构（也可使用指向结构的指针）。

4．ANSI 库这样描述 clock（）函数：

```
#include <time.h>
clock_t clock (void);
```

clock_t 是在 time.h 中定义的类型。clock（）函数返回处理器时间，其单位依赖于实现（如果无法得到或无法表示处理器时钟，该函数返回值−1）。而同样在 time.h 中定义的 CLOCKS_PER_SEC 是每秒的处理器时间单位个数。因此，求出两次调用函数 clock（）的返回值的差，再用 CLOCKS_PER_SEC 去除这个差值，结果就是以秒为单位的两次调用之间的时间间隔。在做除法之前，将值的类型指派为 double 类型，可以将时间精确到小数点以后。编写一个函数，接受一个时间延迟数作为参数，然后运行一个循环，直至这段时间过完。编写一个简单的程序测试该函数。

5．编写一个函数。该函数接受下列参数：一个 int 数组的名称，数组大小和一个代表选取次数的值。然后函数从数组中随机选择指定数量的元素并打印它们。每个元素最多选择一次（模拟抽奖或挑选陪审成员）。另外，如果您的实现支持 time（）（在第 12 章中介绍）或其他类似函数，可在 srand（）中使用这个函数的输出来初始化随机数生成器 rand（）。编写一个简单的程序测试该函数。

6．修改程序清单 16.15，使其使用由 struct names 元素（在程序清单后定义）组成的数组，而不是使用 double 数组。使用较少元素并显式初始化数组为由合适名字组成的数组。

7．下面是使用了可变函数的程序片断：

```
#include <stdio.h>
#include <stdlib.h>
#include <stdarg.h>
void show_array (const double ar[], int n);
```

```
double * new_d_array (int n, ...);
int main ()
{
    double * p1;
    double * p2;

    p1 = new_d_array (5, 1.2, 2.3, 3.4, 4.5, 5.6);
    p2 = new_d_array (4, 100.0, 20.00, 8.08, -1890.0);
    show_array (p1, 5);
    show_array (p2, 4);
    free (p1);
    free (p2);

    return 0;
}
```

new_d_array（）函数接受一个int参数和数量可变的double参数。该函数返回一个指向malloc（）分配的内存块的指针。int参数指定动态数组中的元素个数；double值用于初始化元素（第一个值赋予第一个元素，依此类推）。提供show_array（）和new_d_array（）的代码，使程序完整。

第 17 章 高级数据表示

在本章中您将学习下列内容：

- 用 C 表示多种数据类型。
- 新的算法，以及增强您从概念上开发程序的能力。
- 抽象数据类型（Abstract data type，ADT）。
- 函数：
  进一步学习 malloc( )。

在某种程度上，学习一门计算机语言和学习音乐、木工或工程技术是一样的。首先，您要学会使用行业工具。要学会演奏各个音阶；要了解锤子的哪一端是用来握的，哪一端是要小心的；要能解决涉及降落、滑坡以及平衡物体之类的不计其数的问题。到现在为止，您一直在学习和实践各种技能，比如创建变量、结构、函数等。但是，最后您将提高到一个更高的层次。在这个层次上，使用工具是次要的，真正的挑战是设计和创建一个工程。您将学会将工程视为一个整体。本章将重点放在这个更高的层次上。本章中涉及的内容可能比前些章中的内容略微难一些，但是您会发现它更有价值，因为它将帮助您从初学者成长为熟练的程序员。

我们将从研究程序设计的关键部分，即程序表示数据的方式入手。通常程序开发的最重要部分是找到针对程序中所使用的数据的较好的表示方法。正确地表示数据能够使得程序其余部分的编写变得简单。到目前为止，您已经了解 C 的内建数据类型：简单变量、数组、指针、结构以及联合。

但是，寻找正确的数据表示方式常常不仅仅是选择一种数据类型。还必须考虑到哪些操作是必须的。也就是说，必须确定如何存储数据，并且必须定义对数据类型来说哪些操作是有效的。例如，C 实现通常将 C 的 int 类型和指针类型都存储为整数，但是这两种类型有不同的有效操作集。比如，可以将一个整数与另一个整数相乘，但是不能将一个指针和另一个指针相乘。可以用*运算符来对一个指针取值，但是这个运算对整数来说是无意义的。C 语言为其基本类型定义了有效操作。但是，当您设计了一个方案来表示数据时，您可能需要自己来定义有效操作。在 C 中，可以通过把所需的操作编写为函数来做到这一点。简而言之，设计数据类型包括确定如何存储数据以及设计一系列函数来管理数据。

您还将看到一些算法（algorithm），即操纵数据的方法。作为一个程序员，您应该掌握这些可以反复应用于类似问题的处理方法。

本章探究设计数据类型的过程，这是一个将算法和数据表示方法相匹配的过程。在这个过程中，您将遇到一些常见的数据形式，比如队列、列表、以及二叉搜索树。

本章还将介绍抽象数据类型（Abstract Data Type，ADT）的概念。ADT 以一种面向问题而不是面向语言的方式把解决问题的方法和数据表示结合在一起。设计了一个 ADT 之后，您就可以在不同的环境中重用它。对 ADT 的理解将为您学习面向对象的程序设计（OOP）以及 C++做好概念上的准备。

17.1 研究数据表示

让我们从考虑数据开始。假设您需要创建一个地址簿程序。您将使用何种数据形式来存储信息？因为与每个项目相关的信息有很多类别，所以用一个结构来表示每一个项目显得很适合。如何表示多个项目？是标准的结构数组、动态数组，还是其他形式？各个项目需要按字母顺序排列吗？需要能够按照邮政编码（或地区编码）来搜索项目吗？需要执行的动作将影响到您对如何存储信息的决定。简而言之，在开始编写代码之前，您需要做出许多设计上的决定。

如何表示想在内存中存储的一幅位图图形？在位图图形中，屏幕上的每一个像素都单独进行设置。在黑白显示屏的时代里，可以使用计算机中的 1 位（1 或 0）来表示一个像素（开或关），因而称为位图（bitmapped）。对于彩色显示器来说，描述一个像素需要不止一位。比如，如果每一个像素使用 8 位，可以得到 256 种颜色。现在，行业标准已经发展到 65 536 色（每像素 16 位）、16 777 216 色（每像素 24 位）、2 147 483 648 色（每像素 32 位），甚至更多。如果有 1 600 万种颜色，并且显示器的分辨率为 1 024×768，将需要 1 890 万位（2.25MB）来表示一个屏幕大小的位图图形。就这样进行表示，还是开发一种压缩信息的方法？压缩应该是无损的（lossless，没有数据丢失），还是有损的（lossy，丢失相对次要的数据）？在开始编写代码之前，您再次需要做出许多设计决定。

让我们来看一个数据表示的实例。假设您想要写一个程序来输入您一年中看过的所有电影（包括录像带和 DVD）的列表。对每一部电影，您想记录各种信息，比如片名、发行年份、导演、主演、片长、影片类别（喜剧、科幻、爱情、传奇，诸如此类），您的评价等。根据这种情况，可以对每一部电影使用一个结构，对电影列表使用结构数组。为了简化，我们将结构限制为只有两个成员：片名和您的评价（分为 0 到 10 十个等级）。程序清单 17.1 是使用这种方法的简单实现。

程序清单 17.1　films1.c 程序

```
/* films1.c -- 使用结构数组 */
#include <stdio.h>
#define TSIZE 45 /* 存放片名的数组大小 */
#define FMAX   5 /* 最多的影片数        */

struct film {
    char title[TSIZE];
    int rating;
};
int main (void)
{
    struct film movies[FMAX];
    int i = 0;
    int j;

    puts ("Enter first movie title: ");
    while  (i < FMAX && gets (movies[i].title) != NULL &&
        movies[i].title[0] != '\0')
    {
        puts ("Enter your rating <0-10>: ");
        scanf ("%d", &movies[i++].rating);
        while (getchar () != '\n')
            continue;
        puts ("Enter next movie title (empty line to stop): ");
    }
    if  (i == 0)
        printf ("No data entered. ");
    else
        printf  ("Here is the movie list: \n");

    for  (j = 0; j < i; j++)
        printf ("Movie: %s Rating: %d\n", movies[j].title,
            movies[j].rating);
    printf ("Bye!\n");
```

```
    return 0;
}
```

程序创建了一个结构数组，然后把用户输入的数据填充到这个数组中。直到数组满（FMAX 判断），或者到达文件结尾（NULL 判断），或者用户在行首按下回车键（'\0'判断），输入才会终止。

这种方法有些问题。首先，程序很可能会浪费大量空间，因为大多数电影的片名并没有 40 个字符，但是有些电影片名的确很长，比如 *The Discreet Charm of the Bourgeoisie* 和 *Won Ton Ton，The Dog Who Saved Hollywood*。第二，很多人会觉得每年 5 部电影的限制太严格了。当然，可以放宽这个限制，但是，多大的值比较合适呢？有些人每年看 500 部电影，所以可以将 FMAX 增加到 500；但是，对于有的人来说，这可能仍然太小，但是对别人来说可能浪费大量的内存。同时，有些编译器对像 movies 这样的自动存储类变量可用的内存大小设置了一个默认的限制，如此之大的数组可能会超过那个值。这可以通过将数组声明为静态或外部数组，或者指示编译器使用更大的堆栈来解决，但这样并不能解决根本问题。

这里的根本问题是数据表示方法太不灵活。您必须在编译时做出决定，而事实上在运行时做这些决定会更好。这就表明您应该转向使用动态内存分配的数据表示。您可以尝试以下方法：

```
#define TSIZE 45        /* 存放片名的数组大小 */
struct film {
    char title[TSIZE];
    int rating;
};
...
int n, i;
struct film * movies; /* 指向结构的指针 */
...
printf ("Enter the maximum number of movies you'll enter: \n");
scanf ("%d", &n);
movies = (struct film *) malloc (n * sizeof (struct film));
```

这里，正如在第 12 章“存储类、链接和内存管理”中描述的那样，您可以将指针 movies 当作一个数组名：

```
while (i < FMAX && gets (movies[i].title) != NULL &&
        movies[i].title[0] != '\0')
```

通过使用 malloc（），可以将确定元素个数的时间延迟到程序运行时。所以如果只需要 20 个元素，程序就无须分配存放 500 个元素的空间。当然，这要求用户为元素个数提供正确的值。

17.2 从数组到链表

理想情况下，您会希望可以不确定地添加数据（或者不断添加数据，直到程序内存用完为止），而不用事先指定您会输入多少项目，也不用让程序分配不必要的大块内存。这一点可以通过在输入每个项目之后调用 malloc（）分配大小合适的空间以保存新的数据项来做到。如果用户输入 3 部电影，程序就调用 malloc（）函数 3 次。如果用户输入 300 部电影，程序就调用 malloc（）函数 300 次。

这个不错的主意导致了一个新问题。为了发现这个问题是什么，试比较这两种情况：调用 malloc（）函数 1 次、请求保存 300 个 film 结构的空间，和调用 malloc（）函数 300 次、每次请求保存 1 个 film 结构的空间。第一种情况将分配一个连续的内存块，用以跟踪这些内容的只是一个指向 struct film 的指针变量，它指向块中第一个结构。通过使用简单的数组符号允许这个指针访问块中的每一个结构，如前面代码段所示。第二种方法的问题是不能保证连续的 malloc（）调用产生相邻的内存块。这意味着这些结构不一定会被连续存储（请参见图 17.1）。因此，需要存储 300 个指针，其中每个指针指向一个独立存储的结构；而不是存储一个指向有 300 个结构的块的指针。

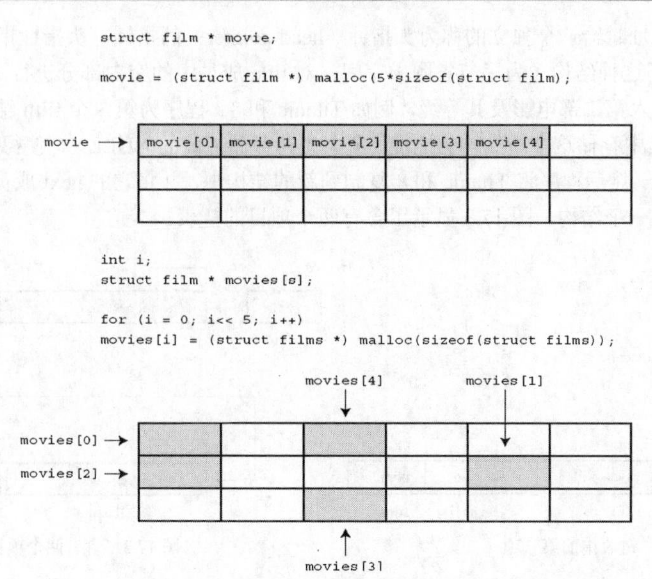
struct film * movie;
movie = (struct film *) malloc(5*sizeof(struct film);
movie
movie[0]
movie[1]
movie[2]
movie[3]
movie[4]
int i;
struct film * movies[s];
for (i = 0; i<< 5; i++)
movies[i] = (struct films *) malloc(sizeof(struct films));
movies[4]
movies[1]
movies[0]
movies[2]
movies[3]

图 17.1　按块分配结构空间和个别地分配结构空间

一种解决方法是创建一个大的指针数组，并在分配新的结构时逐个地对这些指针赋值，但我们不打算使用这种方法：

```
#define TSIZE 45              /* 存放片名的数组大小 */
#define FMAX 500              /* 最多的影片数       */
struct film {
    char title[TSIZE];
    int rating;
};
...
struct film * movies[FMAX]; /* 指向结构的指针的数组 */
int i;
...
movies[i] = (struct film *) malloc (sizeof (struct film));
```

如果用户输入的项目个数小于 500 个，这种方法将节省大量内存，因为 500 个指针的数组比 500 个结构的数组占用少得多的内存。但是，无用指针占用的空间仍然会被浪费掉，并且仍然有 500 个结构的限制。

有一种更好的方法。每次使用 malloc（）为新结构分配空间时，也为新指针分配空间。您会说："但是，然后我就需要另一个指针来跟踪新分配的指针，同时它本身也要一个指针来跟踪，依此类推。"避免这个潜在问题的方法是重新定义结构，使得每个结构包含一个指向下一个结构的指针。然后，每次创建新的结构时，就可以在前一个结构中存储它的地址。简而言之，需要这样来重新定义 film 结构：

```
#define TSIZE 45   /* 存放片名的数组大小 */
struct film {
    char title[TSIZE];
    int rating;
    struct film * next;
};
```

是的，结构本身不能含有同类型的结构，但是它可以含有指向同类型结构的指针。这样的定义是定义一个链表（linked list）的基础。链表是一个列表，其中的每一项都包含描述何处能找到下一项的信息。

在给出使用链表的 C 代码之前，让我们先从概念上理解一个链表实例。假设用户输入片名为 Modern Times、等级为 10 的一部电影。程序将为一个 film 结构分配空间，将 Modern Times 字符串复制到 title 成员中，并将 rating 成员设置为 10。为了说明这个结构后面没有别的结构，程序将把 next 成员指针设为 NULL（回忆一下，NULL 是在 stdio.h 文件中定义的符号常量，代表空指针）。显然，需要跟踪第一个结构存储在哪里，可以将其地址赋给一个独立的称为头指针（head pointer）的指针。头指针指向数据项链表中的第一项。图 17.2 示意了这种结构（为了节省图中空间，对 title 成员中的空白部分进行了压缩）。

现在假设用户输入第二部电影及其等级，例如 Titanic 和 8。程序为第二个 film 结构分配空间，并在第一个结构的 next 成员中存储这个新结构的地址（覆盖先前存储于此的 NULL），使得结构的 next 指针指向链表中的下一个结构。然后程序将 Titanic 和 8 复制到新的结构中，并将它的 next 成员设为 NULL，表示当前它是链表中的最后一个结构。图 17.3 显示了含有两个项目的链表。

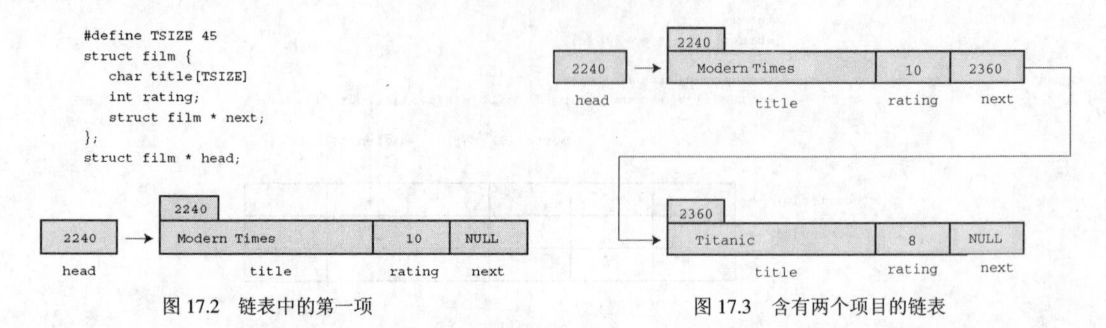

图 17.2　链表中的第一项　　图 17.3　含有两个项目的链表

每一部新电影都以同样的方式处理。其地址将被存储在前一个结构中，新信息存储在新的结构中，其 next 成员设为 NULL，从而建立起如图 17.4 所示的链表。

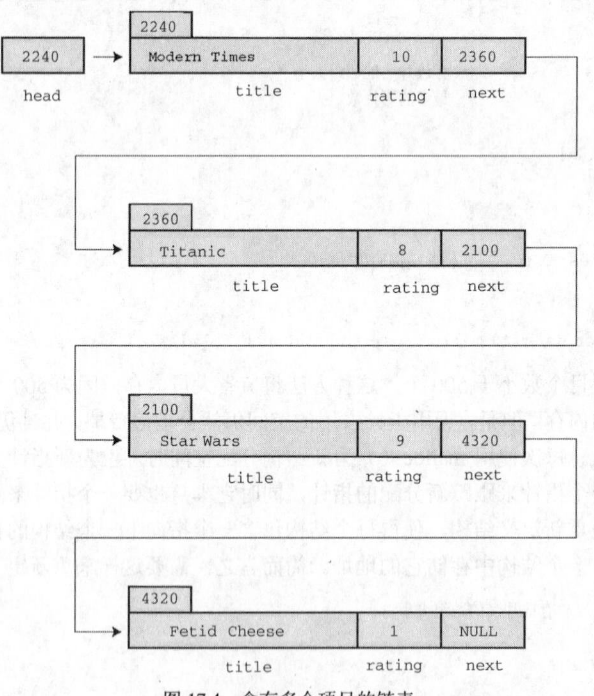

图 17.4　含有多个项目的链表

假设您想显示链表。每显示一个项目，您可以使用存储在相应结构中的地址定位要显示的下一项目。但是，要使这个方案能够工作，还需要一个指针来存储链表中第一个项目的地址，因为链表中没有一个项目存储第一个项目的地址。幸运的是，您已经用头指针完成了这个任务。

17.2.1　使用链表

现在您已从概念上理解了链表的工作原理，让我们来实现它。程序清单 17.2 修改了程序清单 17.1，这样，使用一个链表而不是数组来存放电影信息。

程序清单 17.2　films2.c 程序

```
/* films2.c -- 使用结构链表 */
#include <stdio.h>
#include <stdlib.h>         /* 提供 malloc () 原型  */
#include <string.h>         /* 提供 strcpy () 原型  */
#define TSIZE 45            /* 存放片名的数组大小    */
struct film {
    char title[TSIZE];
    int rating;
    struct film * next;     /* 指向链表的下一个结构 */
};

int main (void)
{
    struct film * head = NULL;
    struct film * prev, * current;
    char input[TSIZE];

   /* 收集并存储信息 */
    puts ("Enter first movie title: ");
    while  (gets (input) != NULL && input[0] != '\0')
    {
        current =  (struct film *) malloc (sizeof (struct film));
        if  (head == NULL) /* 第一个结构 */
            head = current;
        else              /* 后续结构    */
            prev->next = current;
        current->next = NULL;
        strcpy (current->title, input);
        puts ("Enter your rating <0-10>: ");
        scanf ("%d", &current->rating);
        while (getchar () != '\n')
            continue;
        puts ("Enter next movie title  (empty line to stop): ");
        prev = current;
    }

   /* 给出电影列表 */
    if (head == NULL)
        printf ("No data entered. ");
    else
        printf  ("Here is the movie list: \n");
    current = head;
    while  (current != NULL)
    {
        printf ("Movie: %s Rating: %d\n", current->title, current->rating);
        current = current->next;
    }
   /* 任务已完成，因此释放所分配的内存 */
    current = head;
    while  (current != NULL)
    {
        free (current);
        current = current->next;
    }
    printf ("Bye!\n");

    return 0;
}
```

程序用链表执行两个任务。第一，构造列表并用输入的数据填充。第二，显示列表。显示列表的任务相对简单，所以我们先讨论它。

一、显示列表

显示列表的方法是开始时把一个指针（名为 current）设置为指向第一个结构。因为头指针（名为 head）已经指向那里，所以下面这行代码可以完成这个任务：

```
current = head;
```

然后可以使用指针符号访问结构的成员：

```
printf ("Movie: %s Rating: %d\n", current->title, current->rating);
```

下一步是重设 current 指针以指向列表中的下一个结构。这个信息存储在结构的 next 成员中，所以下面这行代码可以完成这个任务：

```
current = current->next;
```

完成这些之后，重复整个过程。显示列表中最后一项之后，current 将被设为 NULL，因为这是最后一个结构的 next 成员的值。可以用这个事实来终止显示过程。下面是 films2.c 中用来显示列表的完整代码：

```
while (current != NULL)
{
    printf ("Movie: %s Rating: %d\n", current->title, current->rating);
    current = current->next;
}
```

为什么不是使用 head 来遍历整个列表，而是创建一个新指针 current？因为使用 head 会改变 head 的值，这样程序将不再能找到列表的开始处。

二、创建列表

创建列表包括三步：

1．使用 malloc（）函数为一个结构分配足够的空间。
2．存储这个结构的地址。
3．把正确的信息复制到这个结构中。

如果不需要，就不应该创建结构，所以程序使用临时存储（input 数组）来获取用户输入的片名。如果用户从键盘模拟了 EOF，或者输入了空行，输入循环就会退出：

```
while (gets(input) != NULL && input[0] != '\0')
```

如果有输入，程序就为一个结构请求存储空间，并将其地址赋给指针变量 current：

```
current = (struct film *) malloc (sizeof (struct film));
```

第一个结构的地址必须保存在指针变量 head 中，后续每一个结构的地址都必须保存在前一个结构的 next 成员中。因此，程序需要知道是否在处理第一个结构。一种简单的方法是在程序开始时将 head 指针初始化为 NULL。然后程序可以使用 head 的值来决定该如何做。

```
if (head == NULL) /* 第一个结构 */
    head = current;
else              /* 后续结构   */
    prev->next = current;
```

在这段代码中，prev 是指向前一个分配的结构的指针。

接下来，需要为结构成员设置合适的值。具体地，应将 next 成员设为 NULL 来表示当前结构是列表中的最后一个，将片名从 input 数组复制到 title 成员，并且要为 rating 成员获取一个值。下面的代码完成这些任务：

```
current->next = NULL;
strcpy (current->title, input);
puts ("Enter your rating <0-10>: ");
scanf ("%d", &current->rating);
```

最后，需要让程序准备接受下一轮输入。具体地，需要将 prev 设置为指向当前结构，因为在键入下一个片名和分配下一个结构之后，当前结构将成为前一个结构。程序在循环的结尾处设置这个指针：

```
prev = current;
```

程序能正常工作吗？下面是一个运行示例：

```
Enter first movie title:
Spirited Away
Enter your rating <0-10>:
8
Enter next movie title (empty line to stop):
The Duelists
Enter your rating <0-10>:
7
Enter next movie title (empty line to stop):
Devil Dog: The Mound of Hound
1
Enter your rating <0-10>:
1
Enter next movie title (empty line to stop):

Here is the movie list:
Movie: Spirited Away Rating: 8
Movie: The Duelists Rating: 7
Movie: Devil Dog: The Mound of Hound Rating: 1
Bye!
```

三、清理列表

程序在终止时会自动释放由 malloc（）分配的内存，但最好是养成调用 free（）来释放由 malloc（）分配的内存的习惯。因此，程序通过对每一个已分配的结构应用 free（）函数来清理其内存：

```
current = head;
while (current != NULL)
{
    free (current);
    current = current->next;
}
```

17.2.2　反思

films2.c 程序有一些不足。比如，它没有检查 malloc（）是否找到需要的内存，并且它不提供删除列表中的项目的功能。但是这些不足是可以解决的。比如，可以添加检查 malloc（）的返回值是否为 NULL（返回 NULL 表示它无法获得所需内存）的代码。如果需要程序删除项目，需要编写更多代码来实现。

这种用特定方法解决特定问题，并在需要时添加功能的编程方式通常不是最好的。另一方面，通常无法预料到程序要完成的所有任务。随着程序编制工程规模的扩大，一个程序员或一个编程团队事先做好一切计划的模式显得越来越不现实。可以看到很成功的大型程序往往是由一些成功的小型程序一步步发展而来的。

如果稍后需要修改计划，那么以简化修改过程的方式开发最初的设想是个好主意。程序清单 17.2 中的示例程序没有遵循这个原则。具体地，它把编码细节和概念模型混合在一起。比如，在示例程序中，概念模型是向一个列表中添加项目。但程序将诸如 malloc（）和 current->next 之类的代码置于显著位置，因而模糊了这个接口。更好的方法是：明确地表明您在向一个列表中添加项目，并隐藏那些细节性的动作，比如调用内存管理函数和设置指针等。将细节和用户接口分开将使程序更易理解和升级。通过开始编程时就使用新的方法，您可以实现这些目标。让我们看看应该如何去做。

17.3 抽象数据类型（ADT）

在编程时，您会试图使数据类型符合具体编程问题的需求。比如，您会使用 int 类型来表示您所拥有的鞋的数目，使用 float 或 double 类型来表示每双鞋的平均价格。在电影的例子中，数据形成了一个项目列表，其中每一项包含一个片名（C 的字符串）和等级（int 值）。C 中没有符合这个需求的基本类型，所以需要定义一个结构来表示每个项目，然后设计一些方法来把一系列结构链接成一个列表。实际上，我们使用 C 的功能设计了一种符合需要的新数据类型。但是，我们的做法并不系统。现在我们将用更系统的方法来定义数据类型。

类型由什么组成？一个类型（type）指定两类信息：一个属性集和一个操作集。比如，int 类型的属性是它表示一个整数值，因此它拥有整数的属性。它允许的算术操作是改变一个 int 数的符号、两个 int 数相加、两个 int 数相减、两个 int 数相乘、两个 int 数相除，以及一个 int 数对另一个取模。在声明一个变量为 int 型时，您的意思是这些操作并且只有这些操作可以对其起作用。

整数的属性

在 C 的 int 类型背后是一个更抽象的概念，即整数（integer）。数学家能够并且已经用正式的抽象方式定义了整数的属性。比如，如果 N 和 M 是整数，那么 N+M=M+N；再比如，对任何两个整数 N 和 M，有一个整数 S，使得 N+M=S。如果 N+M=S 且 N+Q=S，那么 M=Q。您可以认为数学提供了整数的抽象概念，而 C 提供了这一概念的实现。比如，C 提供存储整数和执行诸如加法和乘法之类的整数运算的手段。请注意提供对算术运算的支持是表示整数的核心部分。如果您只能存储一个值而不能在算术表达式中使用它，那么 int 类型就不是那么有用了。还要注意 C 的这一实现并没有很好地表示整数。比如，整数是无穷的，但是一个 2 字节的 int 数只能表示 65536 个整数；不要将抽象概念和具体的实现相混淆。

假设您想定义一个新的数据类型。首先，您需要提供存储数据的方式，可能是通过设计一个结构。第二，需要提供操作数据的方式。比如，考虑 films2.c 程序（程序清单 17.2）。它用一系列链接在一起的结构来保存信息，还提供了添加信息和显示信息的代码。但是这个程序并没有明确地表明我们在创建一个新的类型。应该怎么做呢？

计算机科学已经研究出一种定义新类型的成功方法。这种方法使用 3 个步骤来完成从抽象到具体的过程：

1. 为类型的属性和可对类型执行的操作提供一个抽象的描述。这个描述不应受任何特定实现的约束，甚至不应受到任何特定编程语言的约束。这样一种正式的抽象描述被称为抽象数据类型（ADT）。
2. 开发一个实现该 ADT 的编程接口。即说明如何存储数据并描述用于执行所需操作的函数集合。比如在 C 中，您可能同时提供一个结构的定义和用来操作该结构的函数的原型。这些函数对用户自定义类型的作用和 C 的内置运算符对 C 基本类型的作用一样。想要使用这种新类型的人可以使用这个接口来进行编程。
3. 编写代码来实现这个接口。当然，这一步至关重要，但是使用这种新类型的程序员无须了解实现的细节。

我们通过一个例子来了解这个过程。因为我们已经在电影列表的例子中做过一些工作，所以就让我们使用这种新方法来重新完成这个任务。

17.3.1 变得抽象

基本上，关于电影的工程所需的就是一个项目列表，每个项目包含一个影片名和一个等级。您需要能向列表末尾添加新的项目，并且能显示列表的内容。让我们把满足这些需求的抽象类型称为“列表（list）”。一个列表应有哪些属性呢？显然，列表应该能够保存项目序列。即，列表能够保存多个项目，并且这些项目以某种方式排列，从而能够谈及列表中的第一个项目或第二个项目或最后一个项目。而且，列表类型应该支持诸如向列表添加一个项目之类的操作。下面是一些有用的操作：

- 把列表初始化为空列表。
- 向列表末尾添加一个项目。
- 确定列表是否为空。
- 确定列表是否已满。
- 确定列表中有多少项目。
- 访问列表中每一个项目以执行某些任务，比如显示项目。

对此工程来说不需要对列表进行其他操作，但是通常的列表操作还包括如下内容：

- 在列表中的任何位置插入一个项目。
- 从列表中删除一个项目。
- 取出列表的一个项目（不改变列表）。
- 替换列表中的一个项目。
- 在列表中搜索一个项目。

非正式但抽象的列表定义是：它是一个能够保存项目序列并且可以对其应用任何前面的操作的数据对象。这个定义没有说明什么样的项目才能存储在列表中。它并未指定是否应该使用数组或链接的结构集或其他数据形式来保存这些项目。它并未指定使用何种方法来实现诸如获取列表中的元素个数之类的操作。这些都是留给实现的细节。

为了使例子更简单，我们采用一种简化的列表作为抽象数据类型，它只包含电影工程所需的属性。表 17.1 是此类型的一个总结：

表 17.1　列表类型总结

类 型 名 称:	简 单 列 表
类型属性:	可保存一个项目序列
类型操作:	把列表初始化为空列表
	确定列表是否为空
	确定列表是否已满
	确定列表中项目的个数
	向列表末尾添加项目
	遍历列表，处理列表中每个项目
	清空列表

下一步是为简单列表 ADT 开发一个 C 语言接口。

17.3.2　构造接口

简单列表的接口有两个部分。第一部分描述数据如何表示，第二部分描述实现 ADT 操作的函数。比如，应该有用于向列表添加项目的函数，和用于报告列表中项目数的函数。接口的设计应和 ADT 的描述尽可能密切地保持一致。因此，应该用某种通用的 Item 类型来进行表达，而不是用诸如 int 或 struct film 之类的专用类型。这样做的方法之一是使用 C 的 typedef 工具将 Item 定义为所需类型：

```
#define TSIZE 45    /* 存放片名的数组大小 */
struct film
{
    char title[TSIZE];
    int rating;
};
```

```
typedef struct film Item;
```

然后可以在其余的定义中使用 Item 类型。如果以后需要其他形式数据的列表，您可以重新定义 Item 类型，而使其余的接口定义保持不变。

定义了 Item 之后，您需要决定如何存储这种类型的项目。这一步确实应属于实现阶段，但是现在做出决定可以使例子更简单一些。在 films2.c 程序中，链接结构方法工作得很好，所以我们采用它，如下所示：

```
typedef struct node
{
    Item item;
    struct node * next;
} Node;
typedef Node * List;
```

在链表的实现中，每一个链接被称为一个节点（node）。每一个节点包含形成列表内容的信息和指向下一节点的指针。为了强调这个术语，我们对节点结构使用标记 node，并且通过 typedef 使 Node 成为 struct node 结构的类型名。最后，为了管理链表，需要一个指向其开始处的指针，我们通过 typedef 使 List 成为指向 Node 类型的指针的名称。因此：

```
List movies;
```

的声明表明 movies 是一个适合指向链表的指针。

这是定义 List 类型的惟一方法吗？不是的。比如，可以加入一个变量来保存列表中项目的数量：

```
typedef struct list
{
    Node * head;         /* 指向列表头的指针 */
    int size;            /* 列表中项目的数量 */
} List;                  /* 另一种定义列表的方法 */
```

可以添加第二个指针来保存列表末尾。稍后，您可以看到一个这样做的例子。现在，还是让我们使用 List 类型的第一种定义。重要的一点是要考虑清楚如下声明：

```
List movies;
```

是在建立一个列表，而不是在建立一个指向节点的指针或是建立一个结构。movies 的确切数据表示是应该在接口层上不可见的实现细节。

比如，启动后程序应该把头指针初始化为 NULL。但是，不应使用这样的代码：

```
movies = NULL;
```

为什么不能这样做？因为稍后您也许会发现您更喜欢 List 类型的结构实现，那将需要下面的初始化语句：

```
movies.next = NULL;
movies.size = 0;
```

任何使用 List 类型的人都应无须担心这些细节，而应能够使用下面的代码：

```
InitializeList(movies);
```

程序员只需要知道他们应该使用 InitializeList（）函数来初始化列表，不需要知道 List 变量的确切的数据实现。这是数据隐藏（data hiding）的一个例子。数据隐藏是一种对更高级编程隐藏数据表示细节的艺术。

为了引导用户，您可以用下面的行来提供函数原型。

```
/* 操作：初始化一个列表 */
/* 操作前：plist 指向一个列表 */
/* 操作后：该列表被初始化为空列表 */
void InitializeList(List * plist);
```

有三点需要注意。第一，注释概要“操作前（precondition）”是调用函数之前应具有的情形。例如，这里需要一个待初始化的列表。第二，注释概要“操作后（postcondition）”是执行函数后应具有的情形。最后，函数使用一个指向列表的指针（而不是一个列表）作为其参数，所以函数调用应像下面这样：

```
InitializeList (&movies);
```

原因是 C 按值来传递参数，所以 C 函数要想改变调用程序中的变量，惟一的途径是使用指向该变量的指针。这里，由于语言的限制使得接口和抽象描述有略微的差别。

C 语言把所有的类型和函数信息集成到一个包中的方法是将类型定义和函数原型（包括“操作前”和“操作后”注释）放入一个头文件中。这个文件将提供程序员使用该类型所需的全部信息。程序清单 17.3 显示了简单列表类型的头文件。它定义了一个特定结构作为 Item 类型，然后根据 Item 类型定义了 Node，又根据 Node 类型定义了 List 类型。然后，代表列表操作的函数用 Item 类型和 List 类型作为它们的参数。如果一个函数需要修改参数，它使用指向相关类型的指针，而不是直接使用类型。文件大写每个函数名，以表示其为接口包的一部分。另外，文件使用第 16 章“C 预处理器和 C 库”中讨论的#ifndef 技术对多次包含一个文件提供保护。如果你的编译器并不支持 C99 布尔类型，你可以在头文件中用：

```
enum bool {false, true}; /* 把 bool 定义为类型，false, true 是它的值*/
```

替换：

```
#include <stdbool.h>  /* C99 功能 */
```

程序清单　17.3　list.h 接口头文件

```
/* list.h -- 简单列表类型的头文件 */
   #ifndef LIST_H_
   #define LIST_H_
   #include <stdbool.h>  /* C99 特性 */

   /* 特定于程序的声明 */
   #define TSIZE 45 /* 存放片名的数组大小 */
   struct film
   {
       char title[TSIZE];
       int rating;
   };

   /* 一般类型定义 */
   typedef struct film Item;

   typedef struct node
   {
       Item item;
       struct node * next;
   } Node;

   typedef Node * List;
   /* 函数原型                                  */
   /* 操作：   初始化一个列表                    */
   /* 操作前：plist 指向一个列表                 */
   /* 操作后：该列表被初始化为空列表             */
   void InitializeList (List * plist);

   /* 操作：   确定列表是否为空列表              */
   /* 操作前：plist 指向一个已初始化的列表               */
   /* 操作后：如果该列表为空则返回 true；否则返回 false   */
   bool ListIsEmpty (const List * plist);

   /* 操作 ：  确定列表是否已满                  */
   /* 操作前：plist 指向一个已初始化的列表               */
   /* 操作后：如果该列表已满则返回 true；否则返回 false   */
```

```
bool ListIsFull (const List * plist);

/* 操作 : 确定列表中项目的个数                        */
/* 操作前: plist 指向一个已初始化的列表                        */
/* 操作后: 返回该列表中项目的个数                     */
unsigned int ListItemCount (const List * plist);

/* 操作 :  在列表尾部添加一个项目                     */
/* 操作前: item 是要被增加到列表的项目                   */
/*         plist 指向一个已初始化的列表               */
/* 操作后: 如果可能的话，在列表尾部添加一个新项目，   */
/*         函数返回 true; 否则函数返回 false                */
bool AddItem (Item item, List * plist);

/* 操作 : 把一个函数作用于列表中的每个项目            */
/* 操作前: plist 指向一个已初始化的列表                     */
/*         pfun 指向一个函数，该函数接受              */
/*         一个 Item 参数并且无返回值                 */
/* 操作后: pfun 指向的函数被作用到                    */
/*         列表中的每个项目一次                       */
void Traverse  (const List * plist, void  (* pfun)(Item item));

/* 操作 : 释放已分配的内存（如果有）                  */
/* 操作前:  plist 指向一个已初始化的列表              */
/* 操作后: 为该列表分配的内存已被释放                 */
/*         并且该列表被置为空列表                     */
void EmptyTheList (List * plist);

# endif
```

只有 InitializeList（）、AddItem（）和 EmptyTheList（）函数修改列表，因此，从技术上讲只有这些方法需要一个指针参数。然而，如果用户必须记住把一个 List 参数传递给某个函数并把一个 List 的地址作为参数传递给另外一个函数，那么这很容易混淆。因此，为了使用户的责任变得简单化，所有的函数都使用指针参数。

头文件中的一个原型比其他原型略复杂。

```
/* 操作 :  把一个函数作用于列表中的每个项目           */
/* 操作前: plist 指向一个已初始化的列表                     */
/*         pfun 指向一个函数，该函数接受              */
/*         一个 Item 参数并且无返回值                 */
/* 操作后: pfun 指向的函数被作用到                    */
/*         列表中的每个项目一次                       */
void Traverse  (const List * plist, void  (* pfun)(Item item));
```

参数 pfun 是指向函数的指针。具体地，它是指向将一个项目作为参数且没有返回值的函数的指针。回忆一下第 14 章“结构和其他数据形式”中的内容，可以将指向函数的指针作为一个参数传递给另一个函数，然后这个函数就可以使用被指向的函数。例如，可以让 pfun 指向用于显示一个项目的函数。然后 Traverse（）函数将此函数作用于列表中每一个项目，从而显示整个列表。

17.3.3 使用接口

我们的要求是应该能使用这个接口编写程序而不必知道太多的细节，比如，不用知道函数如何编写。在编写支持函数之前，我们编写电影程序的新版本。因为接口使用 List 和 Item 类型，所以程序也应使用这些类型。下面是一种可能的伪代码方案：

```
Create a List variable.
Create an Item variable.
Initialize the list to empty.
While the list isn't full and while there's more input:
```

```
    Read the input into the Item variable.
    Add the item to the end of the list.
Visit each item in the list and display it.
```

程序清单 17.4 显示的程序遵循了这个伪代码方案，其中加入了一些错误检查的代码。注意它如何利用 list.h 文件（程序清单 17.3）中描述的接口。还要注意程序清单中含有与 Traverse（）函数要求的原型一致的 showmovies（）函数的代码。因此，程序能够把指针 showmovies 传递给 Traverse（），从而使 Traverse（）能够对列表中的每一个项目应用 showmovies（）函数（回忆一下，函数名是指向该函数的指针）。

程序清单 17.4　films3.c 程序

```
/* films3.c -- 使用ADT风格的链表 */
/* 和list.c一同编译 */
#include <stdio.h>
#include <stdlib.h> /* 为exit()提供原型 */
#include "list.h"   /* 定义List, Item */
void showmovies(Item item);

int main(void)
{
    List movies;
    Item temp;

/* 初始化 */
    InitializeList(&movies);
    if (ListIsFull(movies))
    {
        fprintf(stderr, "No memory available! Bye!\n");
        exit(1);
    }

/* 收集并存储 */
    puts("Enter first movie title: ");
    while (gets(temp.title) != NULL && temp.title[0] != '\0')
    {
        puts("Enter your rating <0-10>: ");
        scanf("%d", &temp.rating);
        while(getchar() != '\n')
            continue;
        if (AddItem(temp, &movies)==false)
        {
            fprintf(stderr, "Problem allocating memory\n");
            break;
        }
        if (ListIsFull(movies))
        {
            puts("The list is now full.");
            break;
        }
        puts("Enter next movie title (empty line to stop): ");
    }

    /* 显示*/
    if (ListIsEmpty(movies))
        printf("No data entered. ");
    else
    {
        printf ("Here is the movie list: \n");
        Traverse(movies, showmovies);
    }
    printf("You entered %d movies.\n", ListItemCount(movies));
```

```
    /*清除*/
    EmptyTheList (&movies);
    printf ("Bye!\n");
    return 0;
}

void showmovies (Item item)
{
        printf ("Movie: %s Rating: %d\n", item.title,
            item.rating);
}
```

17.3.4 实现接口

当然，还需要实现 List 接口。C 的方法是在 list.c 文件中集中进行函数定义。整个程序由三个文件组成：list.h，定义数据结构并为用户接口提供原型；list.c，提供函数代码以实现接口；films3.c，将列表接口应用于具体编程问题的源代码文件。程序清单 17.5 显示了 list.c 的一种可能实现。要运行这个程序，必须编译并链接 films3.c 和 list.c（可以复习一下第 9 章“函数”中关于编译多文件程序的讨论）。文件 list.h、list.c 和 films3.c 共同组成了完整的程序（请参见图 17.5）。

list.h

```
/* list.h--header file for a simple list type */
/* program-specific declarations */
#define TSIZE 45 /* size of array to hold title */
struct film
{
  char title[TSIZE];
  int rating;
};
.
.
.
void Traverse (List l, void (* pfun)(Item item) );
```

list.c

```
/* list.c--functions supporting list operations */
#include<stdio.h>
#include<stdlib.h>
#include "list.h"
.
.
.
/* copies an item into node */
static void CopyToNode (Item item, Node * pnode)
{
pnode->item = item; /* structure copy */
}
```

films3.c

```
/* films3.c -- using and ADT-style linked list */
#include <stdio.h>
#include <stdlib.h> /* prototype for exit() */
#include "list.h"
void showmovies(Item item);

int main(void)
{
.
.
.
}
```

图 17.5 程序包的三个部分

程序清单 17.5　list.c 实现文件

```
/* list.c -- 支持列表操作的函数     */
#include <stdio.h>
#include <stdlib.h>
#include "list.h"

/* 局部函数原型                     */
static void CopyToNode (Item item, Node * pnode);

/* 接口函数                         */
/* 把列表设置为空列表               */
void InitializeList (List * plist)
{
    * plist = NULL;
}

/* 如果列表为空则返回真             */
bool ListIsEmpty (const List * plist)
{
    if (* plist == NULL)
        return true;
    else
        return false;
}

/* 如果列表已满则返回真 */
bool ListIsFull (const List * plist)
{
    Node * pt;
    bool full;

    pt = (Node *) malloc (sizeof (Node));
    if (pt == NULL)
        full = true;
    else
        full = false;
    free (pt);
    return full;
}

/* 返回节点数         */
unsigned int ListItemCount (const List * plist)
{
    unsigned int count = 0;
    Node * pnode = *plist; /*设置到列表的开始处 */

    while (pnode != NULL)
    {
        ++count;
        pnode = pnode ->next; /* 把 1 设置为下一个节点 */
    }
    return count;
}

/* 创建存放项目的节点，并把它添加到     */
/* 由plist 指向的列表（较慢的实现方法）尾部*/
bool AddItem (Item item, List * plist)
```

```
{
    Node * pnew;
    Node * scan = *plist;

    pnew = (Node *) malloc (sizeof (Node));
    if (pnew == NULL)
        return false;            /* 失败时退出函数            */

    CopyToNode (item, pnew);
    pnew->next = NULL;
    if (scan == NULL)            /* 空列表，因此把 pnew       */
    * plist = pnew;              /* 放在列表头部              */
    else
    {
        while (scan->next != NULL)
            scan = scan->next;   /* 找到列表结尾              */
        scan->next = pnew;       /* 把 pnew 添加到结尾处      */
    }
    return true;
}

/* 访问每个节点并对它们分别执行由 pfun 指向的函数 */
void Traverse (const List * plist, void (* pfun)(Item item))
{
     Node * pnode = *plist;          /* 设置到列表的开始处 */
    while (pnode!= NULL)
    {
         (* pfun)(pnode->item);      /* 把函数作用于列表中的项目     */
         pnode = pnode ->next;       /* 前进到下一项 */
    }
}

/* 释放由 malloc () 分配的内存 */
/* 把列表指针设置为 NULL       */
void EmptyTheList (List * plist)
{
    Node * psave;
    while (*plist != NULL)
    {
        psave = (*plist) ->next;     /* 保存下一个节点的地址 */
        free (*plist);               /* 释放当前节点         */
        *plist = psave;              /* 前进到下一个节点     */
    }
}

/* 局部函数定义 */
/* 把一个项目复制到一个节点中 */
static void CopyToNode (Item item, Node * pnode)
{
    pnode->item = item;              /* 结构复制             */
}
```

一、程序注释

list.c 文件有许多有趣的方面。其一，它说明了何时该使用内部链接函数。如 12 章中所述，内部链接函数只在定义它的文件中可见。在实现接口时，您有时会发现编写不作为正式接口一部分的辅助函数很方便。比如，示例程序中使用了 CopyToNode（）函数把一个 Item 类型值复制到一个 Item 类型变量。因为这个函数是实现的一部分但不是接口的一部分，所以我们通过使用static存储类限定词将其隐藏在list.c文件中。现在，我们来讨论其他函数。

InitializeList（）函数将列表初始化为空列表。在我们的实现中，这意味着把一个List类型变量设置为NULL。如前所述，这要求向函数传递一个指向list变量的指针。

ListIsEmpty（）函数很简单，其前提条件是当列表为空时，列表变量被设置为NULL。因此，在使用ListIsEmpty（）函数之前初始化列表很重要。而且，如果要扩展接口以包含删除项目的操作，就需要确保当列表的最后一项被删除后，删除函数将列表重置为空列表。因为这个函数不改变列表，不需要传递指针参数，所以参数的类型是List而不是指向List的指针。

对于链表而言，列表的大小受可用内存数量的限制。ListIsFull（）函数尝试为一个新项目分配足够的空间。如果这一操作失败，则列表已满；如果成功，就需要释放其刚分配的内存以使其为真正的项目所用。

ListItemCount（）函数使用常用的链表算法来遍历列表，同时统计项目个数：

```
unsigned int ListItemCount (const List *plist)
{
    Node * pnode = *plist; /*设置到列表的开始处 */
    unsigned int count = 0;

    while (pnode!= NULL)
    {
        ++count;
        pnode = pnode->next; /*设置下一个节点 */
    }
    return count;
}
```

AddItem（）函数是这些函数中所做工作最多的：

```
BOOLEAN AddItem (Item item, List * plist)
{
    Node * pnew;
    Node * scan = *plist;

    pnew = (Node *) malloc (sizeof (Node));
    if (pnew == NULL)
        return false;               /* 失败时退出函数          */
    CopyToNode (item, pnew);
    pnew->next = NULL;
    if (scan == NULL)               /* 空列表，因此把 pnew     */
    * plist = pnew;                 /* 放在列表头部            */
    else
    {
        while (scan->next != NULL)
        scan = scan->next;          /* 找到列表结尾            */
        scan->next = pnew;          /* 把 pnew 添加到结尾处    */
    }
    return true;
}
```

AddItem（）函数首先为新节点分配空间。如果成功，函数用CopyToNode（）把项目复制到新节点，然后设置节点的next成员为NULL。回忆一下，这表明该节点是链表中的最后一个节点。最后，在创建节点和对节点成员正确赋值之后，函数将该节点添加到列表结尾处。如果此项目是添加到列表中的第一项，程序把头指针设置为指向第一项（记住，头指针地址是传递给AddItem（）的第二个参数，所以*plist是头指针的值）。否则，代码继续在链表中前进，直到发现其next成员被设置为NULL的项目。这个节点就是当前的最后节点，所以函数重置其next成员以指向新的节点。

按照良好的编程惯例，您应在向列表中添加项目之前调用 ListIsFull（）函数。但是，用户可能未能遵守这一惯例，所以 AddItem（）自己检查 malloc（）是否成功。而且，用户还可能会在调用 ListIsFull（）和调用 AddItem（）之间做其他事情时分配内存，所以最好检查 malloc（）是否成功。

Traverse（）函数和 ListItemCount（）函数类似，但它还将一个函数作用于列表中的每一项：

```
void Traverse (const List * plist, void (* pfun)(Item item))
{
   Node * pnode = *plist; /*设置到列表的开始处 */
  while (pnode!= NULL)
    {
        (*pfun)(pnode ->item); /* 把函数作用于列表中的项目 */
        pnode = pnode ->next;  /* 前进到下一个项目 */
    }
}
```

回忆一下，pnode->item 表示节点中存储的数据，而 pnode->next 表示链表中的下一节点。比如，下面的函数调用将 showmovies（）函数作用于列表中的每一项：

```
Traverse(movies, showmovies);
```

最后，EmptyTheList（）函数释放先前用 malloc（）函数分配的内存：

```
void EmptyTheList(List * plist)
{
     Node * psave;
    while (*plist != NULL)
    {
        psave = (*plist)->next;       /* 保存下一个节点的地址 */
        free(*plist);                 /* 释放当前节点 */
        *plist = psave;               /* 前进到下一个节点 */
    }
}
```

实现通过把 List 变量设置为 NULL 来指示一个空列表。因此需要向这个函数传递 List 变量地址以使其能重置它。因为 List 已经是一个指针，所以 plist 是一个指向指针的指针。因此，在代码中，表达式*plist 的类型是指向 Node 的指针。当列表到达结尾处时，*plist 是 NULL，这意味着原来的实际参数现在已设为 NULL。

代码保存下一节点的地址，因为原则上调用 free（）可能使当前节点（*plist 指向的那个节点）的内容不再可用。

const 的限制

有些列表处理函数把 const List *plist 作为参数。这就暗示这些函数并不会修改列表。这里，const 确实提供某种保护，防止*plist（plist 所指向的位置的量）被修改。在这个程序里，plist 指向 movies，因此 const 防止这些函数修改 movies，而只是指向列表的第一个位置。因此，例如在 ListItemCount（）中如下代码是不允许的：

```
*plist = (*plist)->next; // 如果*plist 是常量，这个语句是不允许的
```

这很不错，因为改变*plist 从而改变 movies，将会导致程序失去对数据的跟踪。然而，*plist 和 movies 都被当作 const，并不意味着*plist 或 movies 指向的数据是 const。例如，如下代码是允许的：

```
(*plist)->item.rating = 3; // 即使*plist 是 const，也是允许的
```

这是因为上边的代码并没有改变*plist，它只是改变了*plist 所指向的数据。也就是说，你不要指望 const 能够捕获到意外修改数据的程序错误。

二、思考您的工作

现在花点时间来评估 ADT 方法给您带来了什么。首先，比较程序清单 17.2 和程序清单 17.4。两个程序使用了同样的基本方法（动态分配的链接结构）来解决电影列表问题。但是程序清单 17.2 暴露了所有编程细节，将 malloc（）和 prev->next 置于公共视野中。而程序清单 17.4 隐藏了这些细节，并用与任务直接相关的语言来表达程序。即它讨论的是创建列表和向列表添加项目这样的任务，而不是调用内存函数或者重置指针。简而言之，程序清单 17.4 表达程序的方式是根据要解决的问题，而不是根据解决问题所需的低级工具。ADT 版本是针对最终用户的，并且可读性更好。

其次，list.h 和 list.c 文件共同组成可重用的资源。如果需要另一个简单列表，仍可以使用这些文件。假设您需要存储一个您亲戚的清单：姓名、关系、地址和电话号码。您需要在 list.h 文件中重新定义 Item 类型：

```
typedef struct itemtag
{
    char fname[14];
    char lname [24];
    char relationship[36];
    char address [60];
    char phonenum[20];
}  Item;
```

这就是在这个例子中您所要做的一切，因为所有有关简单列表的函数都是根据 Item 类型定义的。有时候，还需要重新定义 CopyToNode（）函数。比如，如果项目是一个数组，就不能通过赋值进行复制。

另一个要点是用户接口根据抽象列表操作来定义，而不是根据某些专门的数据表示和算法定义的。这使您能自由地修改实现而不用改动最后的程序。比如，当前的 AddItem（）函数效率不是很高，因为它总是从列表首端开始，然后去搜索尾端。您可以通过保存列表结尾处的地址来解决这个问题。比如，可以这样重新定义 List 类型：

```
typedef struct list
{
    Node * head;       /* 指向列表头      */
    Node * end;        /* 指向列表尾      */
} List;
```

当然，您得使用这个新的定义来重新编写列表处理函数，但是不需要改变程序清单 17.4 中的任何代码。这种把实现和最终接口相隔离的做法对于大型编程工程来说尤其有用。这称为数据隐藏，因为详细的数据表示对终端用户是不可见的。

注意这个具体的 ADT 甚至不要求您以链表的方法实现简单列表。下面是另一种可以使用的方法：

```
#define MAXSIZE 100
typedef struct list
{
    Item entries[MAXSIZE];        /* 项目数组          */
    int items;                    /* 列表中项目的数目  */
} List;
```

这也将需要重新编写 list.c 文件，但是使用列表的程序不需要改动。

最后，考虑这种方法为程序开发过程带来的益处。如果有些功能运行不正常，可以将问题集中到一个函数上。如果想用更好的办法来完成一个任务，比如添加项目，您只需要重写那一个函数。如果需要新的属性，您可以考虑向包中添加一个新的函数。如果您觉得使用数组或者双向链表可能更好一些，您可以重新编写实现的代码而不用修改使用实现的程序。

17.4 队列 ADT

正如您所看到的，用抽象数据类型方法进行 C 语言编程包含下面三个步骤：

1. 以抽象、通用的方式描述一个类型，包括其操作。
2. 设计一个函数接口来表示这种新类型。
3. 编写具体代码以实现这个接口。

您已经看到如何把这种方法应用于简单列表。现在，将其应用于一个更复杂的数据类型：队列。

17.4.1 定义队列抽象数据类型

队列（queue）是具有两个特殊属性的列表。第一，新的项目只能被添加到列表结尾处，在这方面，队列与简单列表类似。第二，项目只能从列表开始处被移除。可以将队列看成是一队买电影票的人。您在队尾加入队列，在买完票后从队首离开。队列是一种“先进先出（First In，First Out，FIFO）”的数据形式，就像买电影票的队伍一样（如果没有人插队）。让我们仍然建立一个非正式的抽象定义，如表 17.2 所示：

表 17.2 队列类型总结

类型名称：	队列
类型属性：	可保存一个规则的项目序列
类型操作：	把队列初始化为空队列
	确定队列是否为空
	确定队列是否已满
	确定队列中的项目数
	向队列尾端添加项目
	从队列首端删除和恢复项目
	清空队列

17.4.2 定义接口

接口定义将包含在 queue.h 文件中。我们将使用 C 的 typedef 工具创建两个类型名：Item 和 Queue。相应结构的确切实现应该是 queue.h 文件的一部分，但从概念上讲，结构的设计属于具体实现阶段。现在，我们假设已经定义了这些类型，集中考虑函数原型。

首先考虑初始化。这将改变一个 Queue 类型的变量，所以函数应把一个 Queue 变量的地址作为参数：

```
void InitializeQueue (Queue * pq);
```

接下来，确定队列为空或满涉及到返回真或假值的函数。这里我们假设 C99 的 stdbool.h 头文件可用。如果该文件不可用，可以使用 int 类型或自定义一个 bool 类型。因为函数不改变队列，所以它可以接受一个 Queue 参数。但另一方面，如果只传递 Queue 的地址，可能会更快一些并可以节省内存，这取决于 Queue 类型对象的大小。这次我们尝试这种方法。另一个好处是，这样所有的函数都将把地址作为参数，而不像 List 例子中的情况。为了表明函数不改变队列，您可以而且也应该使用 const 限定词：

```
bool QueueIsFull (const Queue * pq);
```

```
bool QueueIsEmpty (const Queue * pq);
```

解释一下，指针 pq 指向一个不能通过 pq 改变的 Queue 数据对象。可以为返回队列中项目数的函数定义一个类似的原型。

```
int QueueItemCount (const Queue * pq);
```

向队列的尾端添加项目需要表示项目和队列。这种情况下将改变队列，所以必须（而不是可选）使用指针。函数可以是 void 类型，或者您可以使用返回值来指示添加项目操作是否成功。我们采用第二种方法：

```
bool EnQueue (Item item, Queue * pq);
```

最后，删除项目可以有多种做法。如果把项目定义为一个结构或基本类型之一，可以由函数返回项目。函数参数可以是 Queue 或者指向 Queue 的指针。因此，一种可能的原型如下：

```
Item DeQueue (Queue q);
```

但是，下面的原型更为通用：

```
bool DeQueue (Item * pitem, Queue * pq);
```

把从队列中删除的项目存放在由 pitem 指针指向的位置，并且用返回值指示操作是否成功。

用于清空队列的函数所需的惟一参数是队列的地址，可以使用下面的原型：

```
void EmptyTheQueue (Queue * pq);
```

17.4.3 实现接口的数据表示

第一步是决定队列使用哪种 C 数据形式。一种可能是数组。数组的优点是便于使用，并且向数组中已有数据的末尾添加项目很简单。但从队列首端删除项目会导致问题。在买票队伍的模型中，从队列首端删除一个项目包括复制数组首元素的值，然后将数组中剩下的每一项都向前移动一个元素。编程实现这个过程很简单，但是这会浪费计算机的大量时间（请参见图 17.6）。

另一种解决数组实现中删除问题的方法是保持剩下的元素不动，并改变队列首端的位置(请参见图 17.7)。这种方法的问题在于空出的元素变成盲区，所以队列中的可用空间将不断减少。

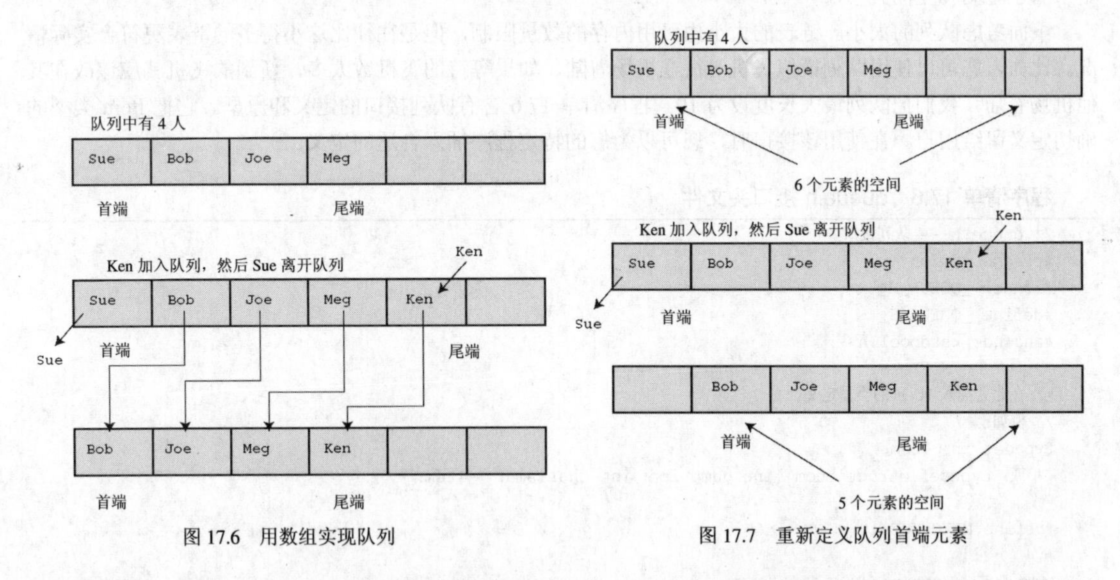

图 17.6 用数组实现队列

图 17.7 重新定义队列首端元素

解决盲区问题的一种聪明方法是使队列成为环形（circular）。这意味着将数组的首尾相连。即数组首元素直接跟在末元素后面，这样当到达数组末尾时，如果首元素空出，就可以开始把新添加的项目存放到这些空出的元素中。（请参见图 17.8）可以设想在一张条形纸上画出数组，然后将数组的首尾粘起来形成一个环。当然，现在应做一些有趣的标记来确保队列尾端没有超过首端。

另一种方法是使用链表。其优点是删除首项时不需要移动其他所有项，只须重置首指针以指向新的首元素。因为我们已经讨论过链表，所以将遵循这个思路。为了测试我们的想法，我们将从一个整数队列开始。

```
typedef int Item;
```

链表由节点组成，所以下一步定义节点：

```
typedef struct node
{
    Item item;
    struct node * next;
} Node;
```

对于队列来说，需要保存首尾项的地址，这可以通过使用指针来实现。也可以使用一个计数器来保存队列中的项目个数。因此，该结构需要有两个指针成员和一个 int 类型的成员。

```
typedef struct queue
{
    Node * front;        /* 指向队列首的指针       */
    Node * rear;         /* 指向队列尾的指针       */
    int items;           /* 队列中项目的个数       */
} Queue;
```

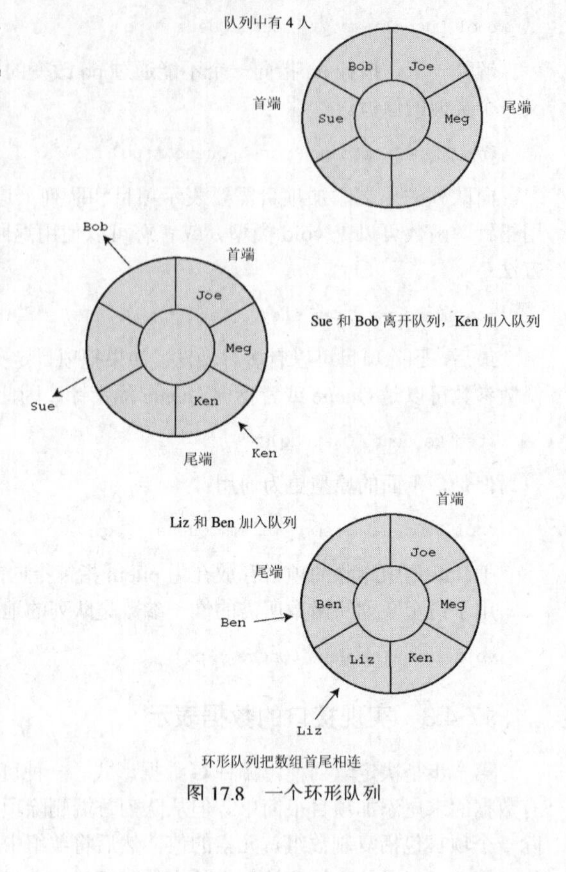

图 17.8　一个环形队列

注意 Queue 是含有 3 个成员的结构，所以前面使用指向队列的指针代替整个队列来作为函数参数的决定节省了时间和空间。

下面考虑队列的大小。链表的大小由可用内存的数量限制，但是往往比这小得多的链表更符合实际情况。比如，您可以使用队列模拟飞机等待在机场着陆。如果等待的飞机数太多，新到的飞机就应该改在其他机场着陆。我们把队列最大长度设为 10。程序清单 17.6 含有队列接口的定义和原型。它把 Item 类型的确切定义留给用户。在使用该接口时，您可以为您的特定程序插入合适的定义。

程序清单 17.6　queue.h 接口头文件

```
/* queue.h -- 队列接口 */
#pragma c9x on
#ifndef _QUEUE_H_
#define _QUEUE_H_
#include <stdbool.h>

/* 在此处插入 Item 的类型定义 */
/* 例如: */
typedef int Item;
/* 或: typedef struct item {int gumption; int charisma; } Item; */

#define MAXQUEUE 10

typedef struct node
{
   Item item;
```

```
    struct node * next;
} Node;

typedef struct queue
{
    Node * front;      /* 指向队列首的指针       */
    Node * rear;       /* 指向队列尾的指针       */
    int items;         /* 队列中项目的个数       */
} Queue;

/* 操作： 初始化队列               */
/* 操作前：pq 指向一个队列           */
/* 操作后：该队列被初始化为空队列     */
void InitializeQueue (Queue * pq);

/* 操作： 检查队列是否已满        */
/* 操作前：pq 指向一个先前已初始化过的队列                  */
/* 操作后：如果该队列已满，则返回 True；否则返回 False       */
bool QueueIsFull (const Queue * pq);

/* 操作： 检查队列是否为空                                  */
/* 操作前：pq 指向一个先前已初始化过的队列                  */
/* 操作后：如果该队列为空，则返回 True；否则返回 False       */
bool QueueIsEmpty (const Queue *pq);

/* 操作： 确定队列中项目的个数                              */
/* 操作前：pq 指向一个先前已初始化过的队列                  */
/* 操作后：返回队列中项目的个数                             */
int QueueItemCount (const Queue * pq);

/* 操作： 向队列尾端添加项目                                */
/* 操作前：pq 指向一个先前已初始化过的队列                  */
/*         item 是要添加到队列尾端的项目                    */
/* 操作后：如果队列未满，item 被添加到                      */
/*         队列尾部，函数返回 True；否则，                  */
/*         不改变队列，函数返回 False                       */
bool EnQueue (Item item, Queue * pq);

/* 操作： 从队列首端删除项目                                */
/* 操作前：pq 指向一个先前已初始化过的队列                  */
/* 操作后：如果队列非空，队列首端的项目                     */
/*         被复制到*pitem，并被从队列中删除，               */
/*         函数返回 True；如果这个操作                      */
/*         使队列为空，把队列重置为空队列                   */
/*         如果队列开始时为空，                             */
/*         不改变队列，函数返回 False                       */
bool DeQueue (Item *pitem, Queue * pq);

/* 操作： 清空队列                                          */
/* 操作前：pq 指向一个先前已初始化过的队列                  */
/* 操作后：队列被清空                                       */
void EmptyTheQueue (Queue * pq);

#endif
```

实现接口函数

现在我们开始编写接口的实现代码。首先，把队列初始化为空意味着设置首尾指针为 NULL 并设置项数（items 成员）为 0：

```
void InitializeQueue (Queue * pq)
```

```
{
    pq->front = pq->rear = NULL;
    pq->items = 0;
}
```

然后，items 成员使得对满列和空列的检查以及返回队列中的项数变得简单：

```
bool QueueIsFull (const Queue * pq)
{
    return pq->items == MAXQUEUE;
}

bool QueueIsEmpty (const Queue * pq)
{
    return pq->items == 0;
}

int QueueItemCount (const Queue * pq)
{
    return pq->items;
}
```

向队列中添加项目包括下列步骤：

1．创建新节点。

2．把项目复制到新节点。

3．设置节点的 next 指针为 NULL，表明该节点是列表中的最后一个节点。

4．设置当前尾节点的 next 指针指向新节点，从而将新节点链接到队列中。

5．把 rear 指针设置为指向新节点，以便找到最后的节点。

6．项目个数加 1。

函数还需要处理两种特殊情况。首先，如果队列为空，front 指针也应该设为指向新节点。因为如果只有一个节点，那么这个节点既是队首也是队尾。第二，如果函数不能给节点获取所需的内存，就需要执行一些动作。因为我们假设使用小型队列，这样的情况应该很少见，所以如果程序运行的内存不足，我们只是让函数中止程序。EnQueue（）的代码如下：

```
bool EnQueue (Item item, Queue * pq)
{
    Node * pnew;
    if (QueueIsFull (pq))
        return false;
    pnew = (Node *) malloc (sizeof (Node));
    if (pnew == NULL)
    {
        fprintf (stderr, "Unable to allocate memory!\n");
        exit (1);
    }
    CopyToNode (item, pnew);
    pnew->next = NULL;
    if (QueueIsEmpty (pq))
        pq->front = pnew;          /* 项目位于队列首端      */
    else
        pq->rear->next = pnew;    /* 链接到队列尾端        */
    pq->rear = pnew;              /* 记录队列尾端的位置    */
    pq->items++;                  /* 队列项目个数增 1      */

    return true;
}
```

CopyToNode（）函数是把项目复制到节点中的静态函数：

```
static void CopyToNode (Item item, Node * pn)
```

```
{
    pn->item = item;
}
```

从队列首端删除项目包括下列步骤：

1．把项目复制到一个给定的变量中。
2．释放空闲节点使用的内存。
3．重置首指针，使其指向队列中的下一项。
4．如果最后一项被删除，把首尾指针均重置为 NULL。
5．项目数减 1。

下面是完成这些步骤的代码：

```
bool DeQueue (Item * pitem, Queue * pq)
{
    Node * pt;

    if (QueueIsEmpty (pq))
        return false;
    CopyToItem (pq->front, pitem);
    pt = pq->front;
    pq->front = pq->front->next;
    free (pt);
    pq->items--;
    if (pq->items == 0)
        pq->rear = NULL;

    return true;
}
```

关于指针有些事项必须注意。第一，在删除最后一项时，代码没有明确设置 front 指针为 NULL。因为它已经把 front 指针设置为被删除节点的 next 指针。如果这个节点是最后的节点，其 next 指针就为 NULL，所以 front 指针就被设置为 NULL。第二，代码使用临时指针 pt 来保存被删除节点的位置。因为指向第一个节点的正式指针（pq->front）被重置为指向下一个节点，所以如果没有临时指针，程序将不知道该释放哪个内存块。

我们可以使用 DeQueue（）函数清空一个队列。循环调用 DeQueue（）直到队列为空：

```
void EmptyTheQueue (Queue * pq)
{
    Item dummy;
    while (!QueueIsEmpty (pq))
        DeQueue (&dummy, pq);
}
```

保持 ADT 的完整

当您定义了一个 ADT 的接口之后，您只能使用接口函数来处理数据类型。比如，注意 DeQueue ( ) 依赖 EnQueue ( ) 来正确设置指针并设置末节点的 next 指针为 NULL。如果在一个使用该 ADT 的程序中，您直接操作队列的某些部分，将有可能破坏接口包中函数之间的协作关系。

程序清单 17.7 显示了所有的接口函数，包括 EnQueue（）中用到的 CopyToItem（）函数。

程序清单 17.7　queue.c 实现文件

```
/* queue.c -- 队列类型的实现文件 */
#include <stdio.h>
#include <stdlib.h>
#include "queue.h"
```

```
/* 局部函数 */
static void CopyToNode (Item item, Node * pn);
static void CopyToItem (Node * pn, Item * pi);

void InitializeQueue (Queue * pq)
{
    pq->front = pq->rear = NULL;
    pq->items = 0;
}

bool QueueIsFull (const Queue * pq)
{
    return pq->items == MAXQUEUE;
}

bool QueueIsEmpty (const Queue * pq)
{
    return pq->items == 0;
}

int QueueItemCount (const Queue * pq)
{
    return pq->items;
}

bool EnQueue (Item item, Queue * pq)
{
    Node * pnew;

    if (QueueIsFull (pq))
        return false;
    pnew = (Node *) malloc (sizeof (Node));
    if (pnew == NULL)
    {
        fprintf (stderr, "Unable to allocate memory!\n");
        exit (1);
    }
    CopyToNode (item, pnew);
    pnew->next = NULL;
    if (QueueIsEmpty (pq))
        pq->front = pnew;         /* 项目位于队列首端      */
    else
        pq->rear->next = pnew;    /* 链接到队列尾端        */
    pq->rear = pnew;              /* 记录队列尾端的位置    */
    pq->items++;                  /* 队列项目个数增 1      */
    return true;
}

bool DeQueue (Item * pitem, Queue * pq)
{
    Node * pt;

    if (QueueIsEmpty (pq))
        return false;
    CopyToItem (pq->front, pitem);
    pt = pq->front;
    pq->front = pq->front->next;
    free (pt);
    pq->items--;
```

```
    if (pq->items == 0)
        pq->rear = NULL;
    return true;
}

/* 清空队列 */
void EmptyTheQueue (Queue * pq)
{
    Item dummy;
    while (!QueueIsEmpty (pq))
        DeQueue (&dummy, pq);
}

/* 局部函数 */

static void CopyToNode (Item item, Node * pn)
{
    pn->item = item;
}

static void CopyToItem (Node * pn, Item * pi)
{
    *pi = pn->item;
}
```

17.4.4 测试队列

在重要程序中使用一个新的设计（比如队列包）之前，应先对这个新设计进行测试。测试的一种方法是编写一个短小的程序。这样的程序有时被称为驱动程序（driver），其惟一用途是进行测试。例如，程序清单 17.8 使用一个可以添加和删除整数的队列。在运行程序之前，要确保下面这行代码出现在头文件 queue.h 中：

```
typedef int item;
```

还要记住，需要链接 queue.c 和 use_q.c。

程序清单 17.8　use_q.c 程序

```
/* use_q.c -- 测试 Queue 接口的驱动程序 */
/* compile with queue.c */
#include <stdio.h>
#include "queue.h" /* 限定 queue, Item */

int main (void)
{
    Queue line;
    Item temp;
    char ch;

    InitializeQueue (&line);
    puts ("Testing the Queue interface. Type a to add a value, ");
    puts ("type d to delete a value, and type q to quit.");
    while ((ch = getchar ()) != 'q')
    {
        if (ch != 'a' && ch != 'd') /* 定义 Queue, Item */
            continue;
        if (ch == 'a')
        {
            printf ("Integer to add: ");
            scanf ("%d", &temp);
            if (!QueueIsFull (&line))
```

```
            {
                printf ("Putting %d into queue\n", temp);
                EnQueue (temp, &line);
            }
            else
                puts ("Queue is full!");
        }
        else
        {
            if (QueueIsEmpty (&line))
                puts ("Nothing to delete!");
            else
            {
                DeQueue (&temp, &line);
                printf ("Removing %d from queue\n", temp);
            }
        }
        printf ("%d items in queue\n", QueueItemCount (&line));
        puts ("Type a to add, d to delete, q to quit: ");
    }
    EmptyTheQueue (&line);
    puts ("Bye!");

    return 0;
}
```

下面是一个运行示例，您还应该测试当队列满了之后实现是否还能做出正确的动作。

```
Testing the Queue interface. Type a to add a value,
type d to delete a value, and type q to quit.
a
Integer to add: 40
Putting 40 into queue
1 items in queue
Type a to add, d to delete, q to quit:
a
Integer to add: 20
Putting 20 into queue
2 items in queue
Type a to add, d to delete, q to quit:
a
Integer to add: 55
Putting 55 into queue
3 items in queue
Type a to add, d to delete, q to quit:
d
Removing 40 from queue
2 items in queue
Type a to add, d to delete, q to quit:
d
Removing 20 from queue
1 items in queue
Type a to add, d to delete, q to quit:
d
Removing 55 from queue
0 items in queue
Type a to add, d to delete, q to quit:
d
Nothing to delete!
0 items in queue
Type a to add, d to delete, q to quit:
```

```
q
Bye!
```

17.5　用队列进行模拟

好，队列能用了！现在我们用它来做一些更有趣的事。很多现实生活的情形都包含队列。例如，在银行或超级市场的顾客队列，在机场的飞机队列，多任务计算机系统上的任务队列等。可以用队列包来模拟这些情形。

例如，假设 Sigmund Landers 在商业街上设了一个提供建议的摊位。顾客可购买一分钟、两分钟或三分钟的建议。为确保交通通畅，商业街规章限制排成一队等待的顾客数目最多为 10（很合适地用于程序的最大队列长度）。假设人们的出现是随机的，并且他们花在咨询上的时间随机地分布于三个选择（一分钟，两分钟或三分钟）上。那么 Sigmund 平均每小时要接待多少顾客？每位顾客平均要等多长时间？队平均有多长？队列模拟能回答这类问题。

首先，让我们决定队列里面要放什么。您能够描述的是每一位顾客加入到队中的时间和他（她）需要咨询的时间。这提示我们要对 Item 类型做下面的定义：

```
typedef struct item
{
    long arrive;        /* 一位顾客加入队列的时间        */
    int processtime;  /* 该顾客需要的咨询时间          */
} Item;
```

为转化队列包来处理这个结构，您所要做的就是用这里对 Item 的 typedef 定义替换上个例子中使用的 int 类型。做完这些之后，您就不必再担心队列的具体工作机制，而是分析实际问题，即模拟 Sigmund 的等候队列。

有一种办法是这样的。让时间以 1 分钟为单位递增。在每分钟里，检查是否有一个新的顾客到来。如果有一个顾客到来并且队列未满，将此顾客添加到队列。这包括将此顾客的到达时间和他需要的咨询时间记录到一个 Item 结构中，而后将此项目添加到队列中。但如果队列已满，就拒绝此顾客加入。为了做统计，需要保存顾客的总数和被拒顾客（由于队列已满而不能进入队列的人）总数。

接下来处理队列首端。即，如果队列非空且 Sigmund 未被前面的顾客占用，则删除位于队列首端的项目。回忆一下，项目中存有此顾客加入队列的时间。通过比较这个时间和当前时间，就可得到此顾客在队列中的等待时间。这个项目还存有此顾客需要的咨询时间，这将决定此顾客占用 Sigmund 的时间。用一个变量跟踪这一等待时间。如果 Sigmund 正忙，没人可以“出列”。当然，此跟踪变量应能自动递减。

核心代码可以像下面这样，其中每一个循环对应于一分钟的活动：

```
for (cycle = 0; cycle < cyclelimit; cycle++)
{
    if (newcustomer (min_per_cust))
    {
        if (QueueIsFull (&line))
        turnaways++;
        else
        {
            customers++;
            temp = customertime (cycle);
            EnQueue (temp, &line);
        }
    }
    if (wait_time <= 0 && !QueueIsEmpty (&line))
    {
        DeQueue  (&temp, &line);
        wait_time = temp.processtime;
```

```
            line_wait += cycle - temp.arrive;
            served++;
        }
        if (wait_time > 0)
            wait_time--;
        sum_line += QueueItemCount (&line);
    }
```

以下是一些变量和函数的意义：

- **min_per_cus** 是顾客到达的平均间隔时间。
- **newcustomer**（）使用 C 的 rand（）函数确定在这一分钟里是否有顾客到达。
- **turnaways** 是被拒顾客的数目。
- **customers** 是加入到队列中的顾客数目。
- **temp** 是描述新顾客的 Item 变量。
- **customertime**（）设置 temp 结构的 arrive 和 processtime 成员。
- **wait_time** 是 Sigmund 完成当前顾客咨询还需要的时间。
- **line_wait** 是到目前为止队列中所有顾客已等待的总时间。
- **served** 是实际服务的顾客数目。
- **sum_line** 是到目前为止队列的累计总长。

想想看如果用散布在程序中的 malloc（）和 free（）函数与指向节点的指针来实现此程序的话，代码将会多么的混乱和晦涩。应用队列包使您集中精力于模拟的问题，而非编程细节。

程序清单 17.9 给出了模拟商业街建议摊队列的完整代码。按照第 12 章介绍的方法，使用了标准函数 rand()、srand（）和 time（）来产生随机数。要使用此程序，记住按照如下所示更新 queue.h 头文件中对 Item 的定义：

```
typedef struct item
{
    long arrive;        /* 一位顾客加入队列的时间        */
    int processtime;  /* 该顾客需要的咨询时间          */
} Item;
```

还要记住链接 mall.c 和 queue.c 的代码。

程序清单 17.9　mall.c 程序

```
/* mall.c -- 使用 Queue 接口 */
/* 与 queue.c 一起编译 */
#include <stdio.h>
#include <stdlib.h>                 /* 为 rand () 和 srand () 函数提供原型      */
#include <time.h>                   /* 为 time () 函数提供原型                  */
#include "queue.h"                 /* 改变 Item 的 typedef                     */
#define MIN_PER_HR 60.0

bool newcustomer (double x);        /* 有新顾客到来吗？                         */
Item customertime (long when);      /* 设置顾客参量                             */

int main (void)
{
    Queue line;
    Item temp;                      /* 关于新顾客的数据                         */
    int hours;                      /* 模拟的小时数                             */
    int perhour;                    /* 每小时顾客的平均数                       */
    long cycle, cyclelimit;         /* 循环计数器，计数器的上界                 */
    long turnaways = 0;             /* 因队列已满而被拒绝的顾客数               */
    long customers = 0;             /* 被加入队列的顾客数                       */
    long served = 0;                /* 在模拟期间得到服务的顾客数               */
    long sum_line = 0;              /* 累计的队列长度                           */
    int wait_time = 0;              /* 从当前到 Sigmund 空闲所需的时间          */
```

```
    double min_per_cust;          /* 顾客到来的平均间隔时间               */
    long line_wait = 0;           /* 队列累计等待时间                     */

    InitializeQueue (&line);
    srand (time (0));             /* 随机初始化 rand () 函数              */
    puts ("Case Study: Sigmund Lander's Advice Booth");
    puts ("Enter the number of simulation hours: ");
    scanf ("%d", &hours);
    cyclelimit = MIN_PER_HR * hours;
    puts ("Enter the average number of customers per hour: ");
    scanf ("%d", &perhour);
    min_per_cust = MIN_PER_HR / perhour;

    for (cycle = 0; cycle < cyclelimit; cycle++)
    {
        if (newcustomer (min_per_cust))
        {
            if (QueueIsFull (&line))
                turnaways++;
            else
            {
                customers++;
                temp = customertime (cycle);
                EnQueue (temp, &line);
            }
        }
        if (wait_time <= 0 && !QueueIsEmpty (&line))
        {
            DeQueue  (&temp, &line);
            wait_time = temp.processtime;
            line_wait += cycle - temp.arrive;
            served++;
        }
        if (wait_time > 0)
            wait_time--;
        sum_line += QueueItemCount (&line);
    }

    if (customers > 0)
    {
        printf ("customers accepted: %ld\n", customers);
        printf ("  customers served: %ld\n", served);
        printf ("       turnaways: %ld\n", turnaways);
        printf ("average queue size: %.2f\n",
             (double) sum_line / cyclelimit);
        printf (" average wait time: %.2f minutes\n",
             (double) line_wait / served);
    }
    else
        puts ("No customers!");
    EmptyTheQueue (&line);
    Puts ("Bye!");

    return 0;
}

/* x是顾客到来的平均间隔时间（以秒计）                                   */
/* 如果这 1 分钟内有顾客到来，则返回 true                                */
bool newcustomer (double x)
{
    if (rand () * x / RAND_MAX < 1)
```

```
        return true;
    else
        return false;
}

/* when是顾客到来的时间                                      */
/* 函数返回一个Item结构，该结构的顾客到来时间设置为when        */
/* 需要的咨询时间设置为一个范围在1到3之间的随机值             */
Item customertime (long when)
{
    Item cust;

    cust.processtime = rand () % 3 + 1;
    cust.arrive = when;

    return cust;
}
```

程序允许用户指定模拟运行的小时数和每小时顾客的平均数。选择一个数目较大的小时数会得到一个较好的平均值，而选择一个较小的小时数会显示一定程度的随时间的随机变化。下面的运行结果说明了这些要点。注意到平均队长和等待时间在80小时和800小时的情况下基本相同，但这两个量在两个1小时的情况下相差很大，同时与长期平均值相差也很大。这是因为小数量的统计示例更易受相对变化的影响。

```
Case Study: Sigmund Lander's Advice Booth
Enter the number of simulation hours:
80
Enter the average number of customers per hour:
20
customers accepted: 1633
  customers served: 1633
         turnaways: 0
average queue size: 0.46
average wait time: 1.35 minutes

Case Study: Sigmund Lander's Advice Booth
Enter the number of simulation hours:
800
Enter the average number of customers per hour:
20
customers accepted: 16020
  customers served: 16019
         turnaways: 0
average queue size: 0.44
average wait time: 1.32 minutes

Case Study: Sigmund Lander's Advice Booth
Enter the number of simulation hours:
1
Enter the average number of customers per hour:
20
customers accepted: 20
  customers served: 20
         turnaways: 0
average queue size: 0.23
average wait time: 0.70 minutes

Case Study: Sigmund Lander's Advice Booth
Enter the number of simulation hours:
1
Enter the average number of customers per hour:
```

```
20
customers accepted: 22
  customers served: 22
         turnaways: 0
average queue size: 0.75
 average wait time: 2.05 minutes
```

另一种使用程序的方法是保持小时数不变，而尝试用不同的每小时顾客平均数的情况。以下是两个探寻这种变化的示例：

```
Case Study: Sigmund Lander's Advice Booth
Enter the number of simulation hours:
80
Enter the average number of customers per hour:
25
customers accepted: 1960
  customers served: 1959
         turnaways: 3
average queue size: 1.43
average wait time: 3.50 minutes

Case Study: Sigmund Lander's Advice Booth
Enter the number of simulation hours:
80
Enter the average number of customers per hour:
30
customers accepted: 2376
  customers served: 2373
         turnaways: 94
average queue size: 5.85
average wait time: 11.83 minutes
```

注意到当顾客访问频率提高后平均等待时间急速上升。在每小时 20 个顾客（80 小时模拟时间）的情况下，平均等待时间为 1.35 分钟。在每小时 25 个顾客的情况下，此数值攀升到 3.50 分钟；而在每小时 30 个顾客的情况下更是急剧增加到 11.83 分钟。并且，被拒顾客数从 0 上升到 3 进而上升到 94。Sigmund 可以根据这个分析结果来决定他是否需要另外一个摊位。

17.6　链表与数组

很多编程问题，比如创建一个列表或队列，可以用链表（一种动态分配的结构序列链）或数组来处理。每种形式都有其优势和缺点，所以要根据具体问题的需求来决定选择哪一种形式。表 17.3 总结了链表和数组的性质。

表 17.3　　比较数组和链表

数据形式	优　点	缺　点
数组	C 对其直接支持 提供随机访问	编译时决定其大小 插入和删除元素很费时
链表	运行时决定其大小 快速插入和删除元素	不能随机访问 用户必须提供编程支持

我们仔细研究插入和删除元素的过程。向数组中插入一个元素，必须移动其他元素以便安插新元素，如图 17.9 所示。新元素离数组头越近，要移动的元素越多。而向链表插入一个节点，只需分配两个指针值，如图 17.10 所示。类似地，从数组中删除一个元素要重新安置大量元素，而从链表中删除一个节点只需重新设置一个指针并释放被删除节点使用的内存。

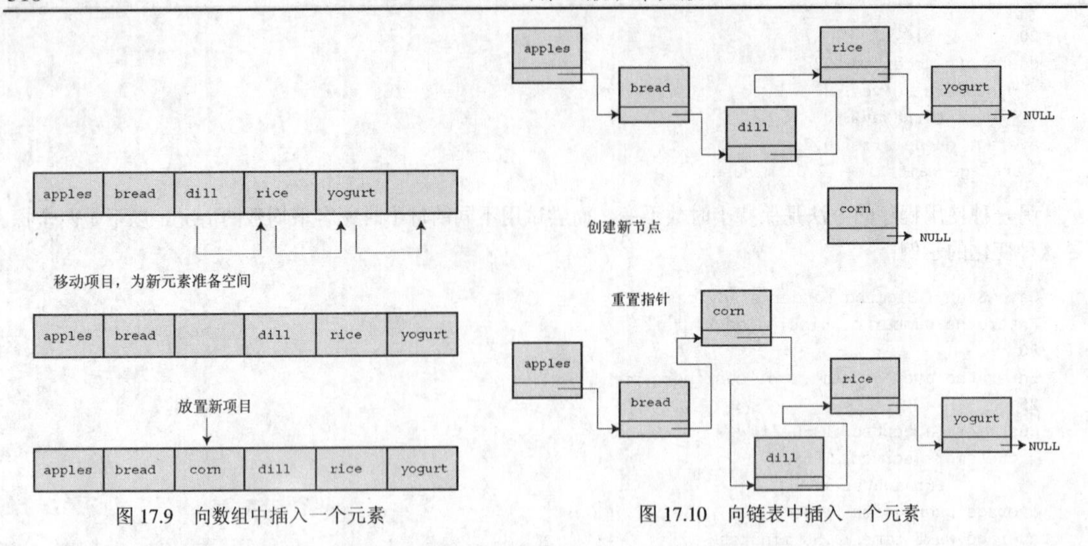

图 17.9　向数组中插入一个元素　　　　图 17.10　向链表中插入一个元素

其次，考虑如何访问列表中的成员。对数组来说，可以用数组索引直接访问任意元素。这被称为随机访问（random access）。对链表来说，必须从列表头开始，逐个节点地移动到所需的节点处，这叫做顺序访问（sequential access）。数组也可以顺序访问。只要在数组中按顺序使数组索引递增即可。在某些情况下，顺序访问就足够了。比如，如果要显示列表中的每一个项目，顺序访问就很不错。另外一些情况下随机访问更受欢迎，下面您会看到。

假设要在列表中搜索一个特定的项目。一种算法是从列表头开始顺序搜索列表，这被称为顺序搜索（sequential search）。如果项目并非以某种顺序排列，您只能使用顺序搜索。如果要搜索的项目不在列表里，您得查找完所有的项目才能得出该项目不在列表中的结论。

可以通过先对列表排序来改进顺序搜索。这样的话，当碰到一个排在待找项目后的项目时还未找到您要搜索的项目，就可以终止搜索了。例如，假设您在一个按字母排序的列表中查找 Susan。从列表头开始查找每一个项目，最后碰到了 Sylvia，而此时还没找到 Susan。这时可以退出搜索了，因为如果 Susan 在列表里的话，它将在 Sylvia 之前。平均来讲，这种方法将会使查找不在列表中的项目的时间减半。

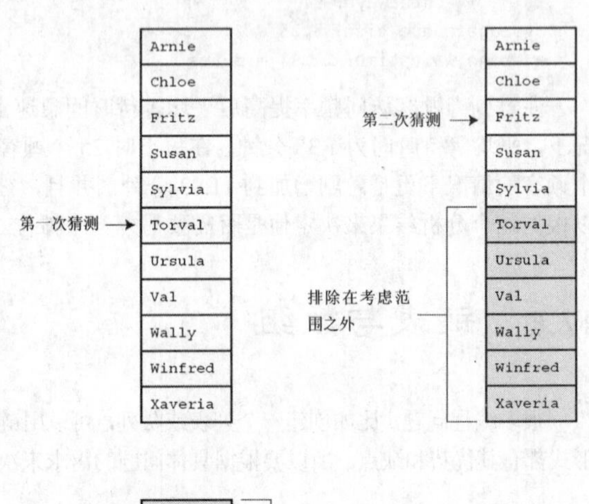

对于一个排序的列表，使用折半搜索（binary search）会比顺序搜索好得多。下面是其工作方法。首先，称您要搜索的列表项目为目标项（goal），并假设列表是按字母排序的。然后，把列表的中间项和目标项进行比较。如果两者相等，搜索结束。如果该中间项的字母比目标项靠前，则目标项若在列表中，一定在后一半。如果中间项的字母比目标项靠后，则目标项一定在前一半。任一种情况下，比较结果决定了下次搜索将在半个列表进行。而后，再次应用这种方法。即，选择剩下一半列表的中间项，同样，该方法或者找到目标项或者规定剩下列表的一半作为下次搜索的范围。照这样进行下去，直到找到目标项或排除整个列表（请参见图 17.11）。

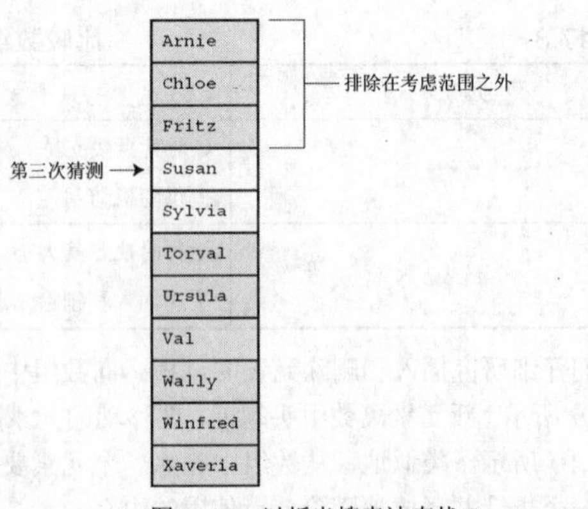

图 17.11　以折半搜索法查找 Susan

这种方法非常有效率。假如列表有 127 个项目那么长。顺序搜索平均要做 64 次比较才能找到目标项或得知其不存在。而折半搜索只需最多 7 次比较。第一次比较排除到剩下 63 种可能，第二次比较排除到还剩 31 种可能，如此下去，直到第 6 次比较后只剩下一种可能。第 7 次比较决定剩下的这个是否是目标项。一般地，n 次比较能处理具有 2^n-1 个成员的数组，所以列表越长越能体现出折半搜索的优势。

用数组实现折半搜索是很简单的，因为可以用数组索引决定任何数组或部分数组的中点。只要把数组的第一个和最后一个元素的索引相加再除以 2 即可。例如，在一个有 100 个元素的列表中，第一个索引为 0，最后一个索引为 99，则首次猜测应为（0+99）/2，即 49（整数除法）。如果索引为 49 的元素与目标项相比在字母表中太靠后，则正确的选择应在 0 到 48 范围内，所以下一次猜测应为（0+48）/2，即 24。如果索引为 24 的元素在字母表中又太靠前了，则下一次的猜测应为（25+48）/2，即 36。这就是数组的随机访问特性的体现。它使您能从一个位置直接跳到另一个而不需访问两者之间的每一个位置。而链表只支持顺序访问，不能提供直接跳到列表中点的手段，所以在链表中不能使用折半搜索。

这样的话可以看到，选择何种数据类型是取决于具体问题的。如果列表需要频繁地插入和删除元素因而不断地调整大小，并且不需要经常搜索，链表是更好的选择。而如果列表基本稳定只是偶尔插入或删除一些元素，但却需要经常搜索，则数组是更好的选择。

可是如果您需要的是一种既支持频繁地插入和删除元素又支持频繁搜索的数据类型，链表和数组都不是针对这个目标的理想选择。另一种形式，二叉搜索树，可能正是您所需要的。

17.7 二叉搜索树

二叉搜索树（binary search tree）是一种结合了折半搜索策略的链接结构。树中的每一个节点都包含一个项目和两个指向其他节点(称为子节点,child node）的指针。图 17.12 示意了二叉搜索树中的节点是如何链接的。这种构思是每一个节点都有两个子节点，左节点和右节点。其顺序按照如下规则确定：在左节点中的项目是父节点中项目的前序项，而在右节点中的项目是父节点中项目的后序项。这种关系存在于每一个有子节点的节点中。而且，所有能循其祖先回溯到左节点的项目都是该左节点的父节点项目的前序项，所有以右节点为祖先的项目都是该右节点的父节点项目的后序项。图 17.12 中的树按这种方式存储单词。很有趣的是，与植物学相反，树的顶部是根。树是一个分层的组织，这意味着数据是以等级或者说层次来组织的。一般地，每个等级都有其上和其下的等级。如果二叉搜索树是满的，那么每一层的节点数都两倍于其上层的节点数。

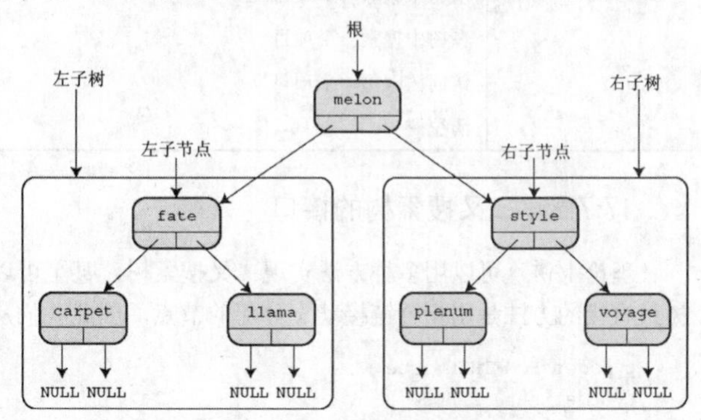

图 17.12　一个存储单词的二叉搜索树

二叉搜索树中的每一个节点本身是其后代节点的根，此节点与其后代节点构成一个子树（subtree）。例如，在图 17.12 中，包含单词 fate、carpet 和 llama 的节点组成了整个树的左子树，而单词 voyage 是 style-plenum-voyage 子树的右子树。

假设您想在这样的一个树中查找一个项目（仍称为目标项）。如果此项目在根节点项目的前面，只须查找树的左半部分；如果目标项在根节点项目后面，则只须查找树的右半部分。因而，一次比较就排除了半个树。假设您查找左半边，那意味着将目标项与左子节点的项目进行比较。如果目标项在左子节点项目的前面，只须查找其后代的左半部分，依此类推。就像折半搜索一样，每次比较都排除一半可能的匹配项。

让我们用这种方法来看一看单词 puppy 是否在图 17.12 中。比较 puppy 和 melon（根节点项目），发现 puppy 如果在树中的话，一定在树的右半部。因此，到右半部比较 puppy 和 style。这次，发现 puppy 在此节点项目的前面，就要向下到其左节点。在那里找到 plenum，它在 puppy 前面。现在需要向下到其右支，但树已经空了，所以 3 次比较就显示出 puppy 不在树中。

这样，二叉搜索树在链表结构中结合了折半搜索的效率。编程的代价是构造一棵树比创建一个链表更复杂。下面我们来创建一个二叉树，并最后建立一个 ADT 工程。

17.7.1 二叉树 ADT

像前面那样，我们从定义二叉树的常规内容开始。该定义假设树中不包含相同的项目。很多操作与列表操作相同。不同之处在于数据的层次性安排。表 17.4 是有关此 ADT 的非正式的总结。

表 17.4 二叉树类型总结

类 型 名 称：	二叉搜索树
类型属性：	二叉树或者是一个空的节点集合（空树），或者是一个指定某一节点为根的节点集合 每个节点有两个作为其后代的树，称为左子树和右子树 每一个子树本身又是一个二叉树，也包含它是个空树的可能性 二叉搜索树是有序的二叉树，它的每个节点包含一个项目，它的所有左子树的项目排在根项目的前面，而根项目排在所有右子树项目的前面
类型操作：	把树初始化为空树 确定树是否为空 确定树是否已满 确定树中项目的个数 向树中添加一个项目 从树中删除一个项目 在树中搜索一个项目 访问树中每一个项目 清空树

17.7.2 二叉搜索树的接口

理论上讲，可以用多种方法实现二叉搜索树，甚至可以通过操作索引来用数组实现。但实现二叉搜索树最直接的方法是用指针链接动态分配的节点，因此我们从如下的定义开始：

```
typedef SOMETHING Item;
typedef struct node
{
    Item item;
    struct node * left;
    struct node * right;
} Node;
typedef struct tree
{
    Node * root;
    int size;
} Tree;
```

每个节点包含一个项目，一个指向左子节点的指针和一个指向右子节点的指针。可以将 Tree 定义成指向 Node 的指针类型，因为只需知道根节点的位置即可访问整个树。不过，使用带有一个指示树大小的成员的结构可以使跟踪树的大小更为简单。

我们要开发的示例程序是维护 Nerfville 宠物俱乐部的花名册。每一个项目由宠物的名字和种类组成。据此，我们可以建立一个如程序清单 17.10 所示的接口。树的大小被限制为 10 个节点，以使我们更容易测试当树已满时程序是否正确运行。如果需要，您可以把 MAXITEMS 设置为更大的值。

程序清单 17.10 tree.h 接口头文件

```
/* tree.h -- 二叉搜索树          */
/* 树中不允许有相同的项目          */
#ifndef _TREE_H_
#define _TREE_H_
#include <stdbool.h>

/* 您可以把 Item 重新定义为合适的类型 */
typedef struct item
{
    char petname[20];
    char petkind[20];
} Item;

#define MAXITEMS 10

typedef struct node
{
    Item item;
    struct node * left;     /* 指向左分支的指针      */
    struct node * right;    /* 指向右支的指针        */
} Node;

typedef struct tree
{
    Node * root;            /* 指向树根的指针        */
    int size;               /* 树中项目的个数        */
} Tree;
/* 函数原型                                          */
/* 操作 : 把一个树初始化为空树                       */
/* 操作前: ptree 指向一个树                          */
/* 操作后: 该树已被初始化为空树                      */
void InitializeTree (Tree * ptree);

/* 操作 : 确定树是否为空                             */
/* 操作前: ptree 指向一个树                          */
/* 操作后: 如果树为空则函数返回 true; 否则返回 false */
bool TreeIsEmpty (const Tree * ptree);

/* 操作 : 确定树是否已满                             */
/* 操作前: ptree 指向一个树                          */
/* 操作后: 如果树已满则函数返回 true; 否则返回 false */
bool TreeIsFull (const Tree * ptree);

/* 操作 : 确定树中项目的个数                         */
/* 操作前: ptree 指向一个树                          */
/* 操作后: 函数返回树中项目的个数                    */
int TreeItemCount (const Tree * ptree);

/* 操作 : 向树中添加一个项目                         */
/* 操作前: pi 是待添加的项目的地址                   */
/*         ptree 指向一个已经初始化的树              */
/* 操作后: 如果可能, 函数把该项目                    */
/*         添加到树中并返回 true;                    */
/*         否则函数返回 false                        */
bool AddItem (const Item * pi, Tree * ptree);

/* 操作 : 在树中查找一个项目                         */
/* 操作前: pi 指向一个项目                           */
/*         ptree 指向一个已经初始化的树              */
/* 操作后: 如果该项目在树中, 则函数返回 true;        */
```

```
/*          否则返回 false                                   */
bool InTree (const Item * pi, const Tree * ptree);

/* 操作 ：  从树中删除一个项目                               */
/* 操作前：pi 是待删除的项目的地址                           */
/*          ptree 指向一个已经初始化的树                     */
/* 操作后：如果可能，函数从树中删除该项目                    */
/*          并返回 true；否则函数返回 false                  */
bool DeleteItem (const Item * pi, Tree * ptree);

/* 操作 ：  把一个函数作用于树中每一个项目          */
/* 操作前：ptree 指向一棵树                         */
/*          pfun 指向一个没有返回值的函数           */
/*          该函数接受一个 Item 作为参数            */
/* 操作后：pfun 指向的函数被作用于                  */
/*          树中每个项目一次                        */
void Traverse  (const Tree * ptree, void  (* pfun) (Item item));

/* 操作 ：  从树中删除所有节点                      */
/* 操作前：ptree 指向一个已经初始化的树             */
/* 操作后：该树为空树                               */
void DeleteAll (Tree * ptree);
#endif
```

17.7.3 二叉树的实现

下面的任务是实现 tree.h 中描绘的伟大的函数。InitializeTree（）、EmptyTree（）、FullTree（）和 TreeItems（）函数比较简单，与列表和队列抽象数据类型中的同类函数差不多。我们重点讨论其余的函数。

一、添加项目

在向树中添加一个项目时，应该首先检查树中是否还有空位给新节点。然后，由于二叉搜索树被定义成不含有相同的项目，所以要检查树中是否已经有该项目。如果这个新项目通过了前两步检查，就可以创建一个新的节点，将项目复制到节点中，并设置此节点的左右指针为 NULL。这表示该节点无子节点。然后要更新 Tree 结构的 size 成员，以记录添加了一个新项目。接下来，要找出该把此节点放在树中的什么位置。如果树为空，就要将根节点指针指向该新节点。否则，在树中查找到放置该新节点的位置。AddItem（）函数按照这条思路实现，并将其中一些工作交给几个尚未定义的函数：SeekItem（）、MakeNode（）和 AddNode（）。

```
bool AddItem (const Item * pi, Tree * ptree)
{
    Node * new_node;

    if  (TreeIsFull (ptree))
    {
        fprintf (stderr, "Tree is full\n");
        return false;                         /* 提前返回                 */
    }
    if  (SeekItem (pi, ptree) .child != NULL)
    {
        fprintf (stderr, "Attempted to add duplicate item\n");
        return false;                         /* 提前返回                 */
    }
    new_node = MakeNode (pi);                 /* 指向新节点               */
    if  (new_node == NULL)
    {
        fprintf (stderr, "Couldn't create node\n");
        return false;                         /* 提前返回                 */
    }
    /* 成功创建了一个新节点 */
    ptree->size++;
```

```
    if (ptree->root == NULL)                /* 情况 1：树为空树          */
        ptree->root = new_node;             /* 新节点即为树的根节点      */
    else                                    /* 情况 2：树非空            */
        AddNode (new_node, ptree->root);    /* 把新节点添加到树中        */
    return true;                           /* 成功返回 */
}
```

SeekItem（）、MakeNode（）和 AddNode（）函数并不是 Tree 类型公用接口的一部分。它们是隐藏在 tree.c 文件中的静态函数。它们处理实现的细节，例如节点、指针和结构这些不属于公用接口的部分。

MakeNode（）函数比较简单。它处理动态内存分配和节点的初始化。函数的参数是一个指向新项目的指针，函数返回值是一个指向新节点的指针。回忆一下，malloc（）在无法完成请求的分配时返回空指针，MakeNode（）函数只在内存分配成功时初始化新节点。以下是 MakeNode（）的代码：

```
static Node * MakeNode (const Item * pi)
{
    Node * new_node;

    new_node= (Node *) malloc (sizeof (Node));
    if (new_node != NULL)
    {
        new_node->item = *pi;
        new_node = NULL;
        new_node = NULL;
    }
    return new_node;
}
```

AddNode（）函数在二叉搜索树包中是很难的函数（其难度仅次于另一个函数）。它要判断新节点去向何方，并添加之。具体地，它需要比较新项目和根项目来决定新项目要添加到左子树还是右子树。如果项目是一个数字，可以用"<"和">"进行比较。如果项目是一个字符串，可以用 strcmp（）进行比较。但本例中的项目是包含两个字符串的结构，所以必须定义执行比较的函数。后面定义的 ToLeft（）函数当新项目应在左子树时返回 True，而 ToRight（）函数当新项目应在右子树时返回 True。这两个函数相当于"<"和">"。假设新项目要到左子树去。左子树可能是空的。在这种情况下，AddNode（）函数只用把左子指针指向新节点。但如果左子树非空呢？则此函数就应比较新项目和左子节点的项目，以决定新项目应到此子节点的左子树，还是右子树中去。

这一过程继续进行，直到函数到达一个空的子树，在那一点添加新节点。递归是一种实现这种搜索的方法。即，在子节点而非根节点应用 AddNode（）函数。当左子树或右子树为空，即当 root->left 或 root->right 为 NULL 时函数的递归调用序列结束。切记 root 为指向当前子树顶部的指针，所以每次递归调用使它指向一个新的下一级子树（请参见第 9 章中关于递归的讨论）。

```
static void AddNode (Node * new_node, Node * root)
{
    if (ToLeft (&new_node->item, &root->item))
    {
        if (root->left == NULL)                 /* 空子树            */
            root->left = new_node;              /* 因此把节点添加到此处 */
        else
            AddNode (new_node, root->left); /* 否则处理该子树    */
    }
    else if (ToRight (&new_node->item, &root->item))
    {
        if (root->right == NULL)
            root->right = new_node;
        else
            AddNode (new_node, root->right);
    }
    else                                        /* 不应含有相同的项目 */
    {
```

```
        fprintf (stderr, "location error in AddNode () \n");
        exit (1);
    }
}
```

ToLeft () 和 ToRight () 函数有赖于 Item 类型的特性。Nerfville 宠物俱乐部的成员以名字的字母顺序排序。如果两个宠物重名，将其按种类排序。如果它们又是相同种类的，则这两个项目是相同的，这在基本二叉搜索树中是不允许的。回忆一下标准 C 库函数 strcmp（）的用法：如果第一个参数表示的字符串在第二个字符串之前则返回负数，如果两者相等则返回零，如果第一个字符串在第二个字符串之后则返回正数。ToRight（）函数与之有相似的代码。用这两个函数进行比较，而不是直接在 AddNode（）中处理，会比较容易地适应新的需求。当需要不同形式的比较时，不必重写整个 AddNode（）函数，只须重写 ToLeft（）和 ToRight（）即可。

```
static bool ToLeft (const Item * i1, const Item * i2)
{
    int comp1;

    if  ((comp1 = strcmp (i1->petname, i2->petname)) < 0)
        return true;
    else if  (comp1 == 0 &&
                    strcmp (i1->petkind, i2->petkind) < 0 )
        return true;
    else
        return false;
}
```

二、查找项目

有 3 个接口函数需要用到搜索树中特定项目的功能：AddItem（）、InTree（）和 DeleteItem（）。在实现中由 SeekItem（）函数提供这一服务。DeleteItem（）函数还有另一个要求：需要知道被删除项目的父节点，以便子节点被删除时父节点指向该子节点的指针可以得到更新。因此，将 SeekItem（）设计成返回包含两个指针的结构，其中一个指针指向包含该项目的节点（如果没找到项目就为 NULL），另一个指向父节点（如果该节点为根节点，也即没有父节点，就为 NULL）。这个结构类型定义如下：

```
typedef struct pair {
    Node * parent;
    Node * child;
} Pair;
```

SeekItem（）函数可以通过递归的方法实现。但是，为了向您介绍更多的编程技术，我们用 while 循环来控制树中从上到下的搜索。像 AddNode（）一样，SeekItem（）使用 ToLeft（）和 ToRight（）在树中导航。开始时 SeekItem()设置 look.child 指针指向树的根节点，然后沿着目标项目应在的路径重置 look.child 到后续的子树。同时，look.parent 指向它的父节点。如果未找到匹配项目，look.child 为 NULL。如果匹配项目在根节点，look.parent 为 NULL，因为根节点无父节点。以下是 SeekItem（）的代码：

```
static Pair SeekItem (const Item * pi, const Tree * ptree)
{
    Pair look;
    look.parent = NULL;
    look.child = ptree->root;

    if  (look.child == NULL)
        return look;                                    /* 提前返回 */
    while  (look.child != NULL)
    {
        if  (ToLeft (pi, & (look.child->item)))
        {
            look.parent = look.child;
            look.child = look.child->left;
```

```
        }
        else if (ToRight(pi, &(look.child->item)))
        {
            look.parent = look.child;
            look.child = look.child->right;
        }
        else          /* 如果前面两种情况都不满足，必定为相等的情况     */
            break;    /* look.child 是目标项目节点的地址               */
    }
    return look;                                  /* 成功返回 */
}
```

注意，由于 SeekItem（）函数返回一个结构，所以它能和结构成员运算符一起使用。例如，AddItem（）函数中使用了如下代码：

```
    if (SeekItem(pi, ptree).child != NULL)
```

有了 SeekItem（）之后，编写 InTree（）公用接口函数是很简单的：

```
bool InTree(const Item * pi, const Tree * ptree)
{
    return (SeekItem(pi, ptree).child == NULL) ? false : true;
}
```

三、删除项目

删除一个项目是最困难的任务，因为要将剩下的子树重新连接起来，以形成一个合法的树。在尝试编程完成这个任务之前，我们最好考虑清楚需要做什么。

图 17.13 示意了一种最简单的情况。其中要删除的节点没有子节点，这种节点被称为叶节点（leaf）。在这种情况下我们要做的就是将父节点的相应指针置为 NULL，并用 free（）函数释放被删节点占用的内存。

接下来要删除有一个子节点的节点就复杂些了。删除该节点使其子节点子树与树的其他部分分离开了。为修复这种情况，需要把子节点子树的地址存储在先前被删节点的地址在父节点中占据的位置中（如图 17.14 所示）。

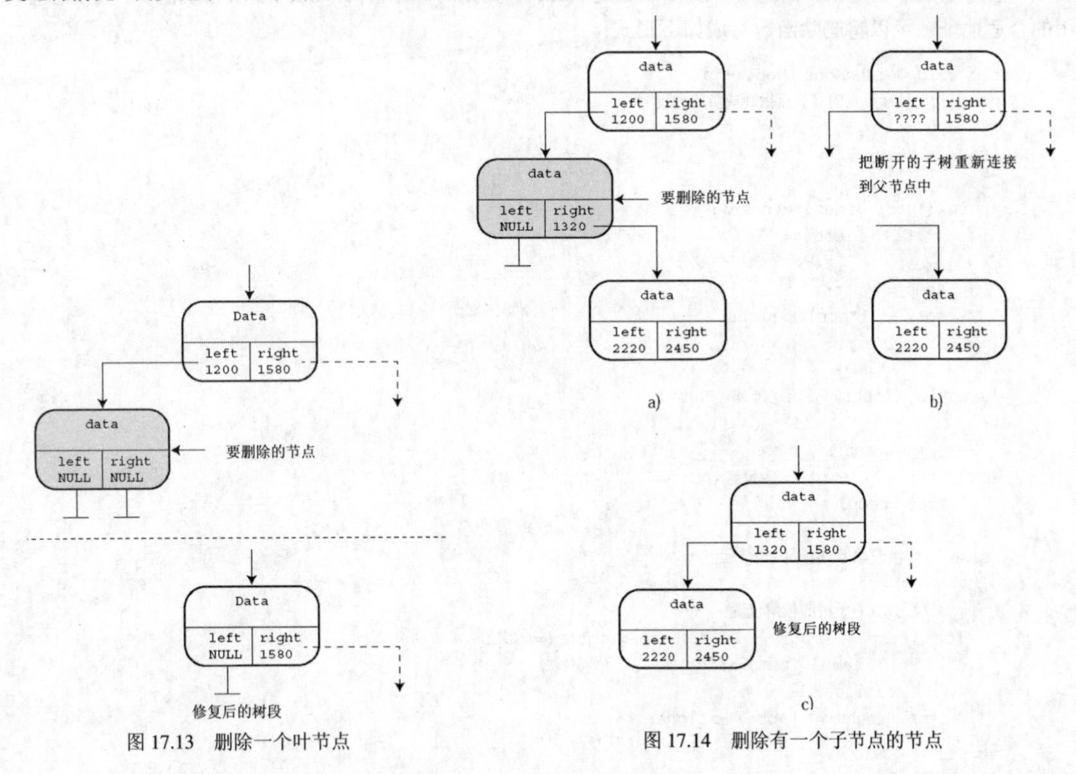

图 17.13　删除一个叶节点

图 17.14　删除有一个子节点的节点

最后，要删除有两个子树的节点。其中一个子树，例如左子树，可依附在被删节点先前依附的位置。但剩下的子树要去哪里呢？紧记树的基本设计：每一个在左子树中的项目都是父节点项目的前序项，而每一个右子树中的项目都是父节点项目的后序项。这意味着所有右子树中的项目都是所有左子树中项目的后序项。而且，因为右子树曾经是以被删项目为根的子树的一部分，所以所有右子树中的项目都是被删节点的父节点的前项。想象一下如何在树中自上而下寻找右子树的头应在的位置。它应在父节点的前面，所以要沿父节点的左支向下找。但是，它又在左子树所有项目的后面，这样就要查看左子树的右支是否有新节点的空位。如果没有，就要沿着左子树的右支向下找直到找到一个空位。图 17.15 说明了这种方法。

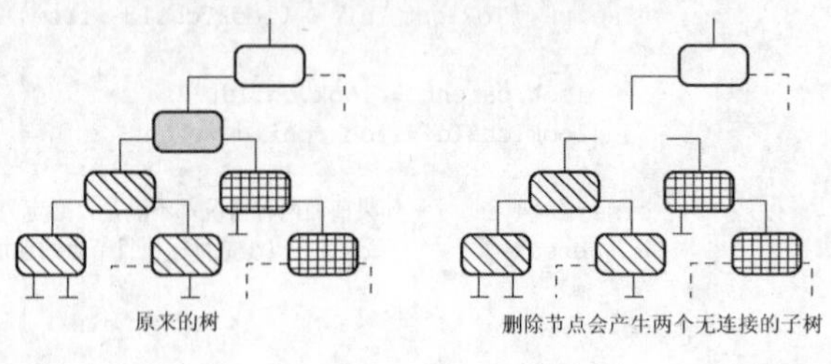
原来的树
删除节点会产生两个无连接的子树

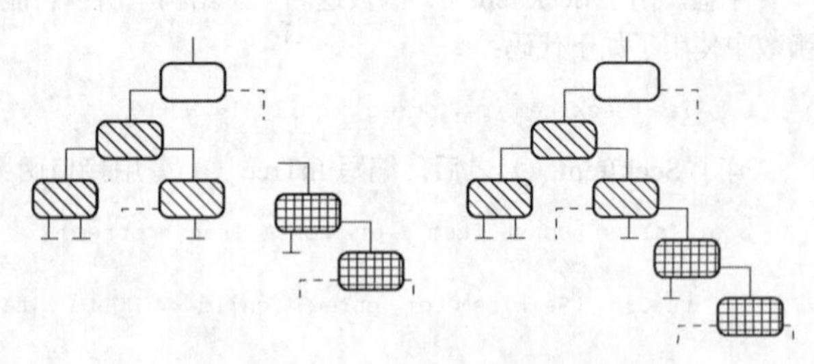
把左子树依附到原来的父节点中
沿着左子树的最右的分支查找空位置，
找到后把右子树依附在那里

图 17.15　删除有两个子节点的节点

1. 删除节点

现在可以开始设计需要的函数了。可以将工作分成两个任务：第一个任务是将一个特定的项目与待删节点联系起来，第二个任务是实际删除此节点。有一点需要注意的是，在所有的情况下都必须修改父节点的指针，这导致两个重要的结论：

- 程序要能表示待删节点的父节点。
- 要修改指针，代码必须将该指针的地址传递给执行删除任务的函数。

稍后我们会回到第一点上来讨论。同时，要修改的指针本身是 Node *类型的，也即指向 Node 的指针类型。因为函数参数是指针的地址，所以参数是 Node **类型的，即指向 Node 的指针的指针。假设您有可用的合适地址，可以将删除函数写成如下形式：

```
static void DeleteNode (Node **ptr)
/* ptr是指向目标节点的父节点指针成员的地址 */
{
    Node * temp;

    puts((*ptr)->item.petname);
    if  ((*ptr) ->left == NULL)
    {
        temp = *ptr;
        *ptr =  (*ptr) ->right;
        free (temp);
    }
    else if  ((*ptr) ->right == NULL)
    {
        temp = *ptr;
        *ptr =  (*ptr) ->left;
        free (temp);
    }
    else  /* 被删除节点有两个子节点  */
    {
         /* 找到右子树的依附位置    */
      for (temp =  (*ptr) ->left; temp->right != NULL;
               temp = temp->right)
           continue;
        temp->right =  (*ptr) ->right;
```

```
            temp = *ptr;
            *ptr = (*ptr) ->left;
            free (temp);
        }
    }
```

这个函数明确地处理三种情况：无左子节点的节点、无右子节点的节点和有两个子节点的节点。无子节点的节点可作为无左子节点的节点的特例。因为如果该节点无左子节点，程序就将右子节点的地址赋给父指针；但如果此时该节点也没有右子节点，则其指针就为 NULL，这恰好是无子节点情况的值。

注意到代码用了一个临时指针来跟踪被删除节点的地址。因为当父指针（*ptr）被重置后，程序会丢失将要被删除节点的地址，但 free（）函数还需要此信息。所以程序将*ptr 的初值存储在 temp 中，然后用 temp 来释放被删除节点占用的内存。

处理有两个子节点情况的代码首先在一个 for 循环中用 temp 指针向下查找左子树的右半边以找到一个空位。当找到一个空位的时候，将右子树依附在那儿。然后再用 temp 保存被删除节点的地址。接下来，将左子树依附到父节点上，然后释放 temp 指向的节点的内存。

注意，因为 ptr 是 Node **类型的，所以*ptr 是 Node *类型的，即和 temp 的类型相同。

2. 删除项目

剩下的问题就是将一个节点与一个特定的项目联系起来。这可以用 SeekItem（）函数来完成。回忆一下，它返回一个结构，此结构包含一个指向父节点的指针和一个指向包含项目的节点的指针。这样就可以通过使用父节点指针获得相应地址传递给 DeleteNode（）函数。DeleteItem（）函数遵循了这一思路，如下所示：

```
bool DeleteItem (const Item * pi, Tree * ptree)
{
    Pair look;
    look = SeekItem (pi, ptree);
    if (look.child == NULL)
        return false;

    if (look.parent == NULL)   /* 删除根项目 */
        DeleteNode (&ptree->root);
    else if (look.parent->left == look.child)
        DeleteNode (&look.parent->left);
    else
        DeleteNode (&look.parent->right);
    ptree->size--;
    return true;
}
```

首先把 SeekItem（）函数的返回值赋给 look 结构变量。如果 look.child 等于 NULL，表明本次查找失败，DeleteItem（）函数退出，并返回 false。如果找到该 Item，函数处理三种情况。首先，look.parent 的值为 NULL 意味着该项目在根节点中。在这种情况下，不需要更新父节点，而是需要更新 Tree 结构中的根指针。因此，函数将该指针的地址传递给 DeleteNode（）函数。否则，程序判断待删节点是其父节点的左子节点还是右子节点，然后传递适当指针的地址。

注意公用接口函数 DeleteItem（）中处理的是面向最终用户的对象（项目和树），而隐藏的 DeleteNode（）函数则完成与指针有关的实质性任务。

四、遍历树

遍历树要比遍历链表复杂，因为每个节点有两个分支。这种分支特性使得分而制之的递归方法（第 9 章）成为处理此问题的自然选择。在每一个节点，函数要做下列工作：

- 处理节点中的项目。
- 处理左子树（递归调用）。
- 处理右子树（递归调用）。

可以将此过程分给两个函数完成：Traverse（）和 InOrder（）。注意 InOrder（）函数先处理左子树，然后处理项目，最后处理右子树。这种遍历树的顺序是按字母排序的结果。如果您有时间，可以试试用不同的顺序，比如项目－左子树－右子树和左子树－右子树－项目看会发生什么。

```
void Traverse (const Tree * ptree, void (* pfun)(Item item))
{
    if (ptree != NULL)
        InOrder(ptree->root, pfun);
}

static void InOrder(const Node * root, void (* pfun)(Item item))
{
    if (root != NULL)
    {
        InOrder(root->left, pfun);
        (*pfun)(root->item);
        InOrder(root->right, pfun);
    }
}
```

五、清空树

清空树与遍历树基本上是一样的过程，即代码需要访问每个节点并用 free（）函数释放之。还需要重置 Tree 结构的成员以说明是空 Tree。DeleteAll（）函数负责处理 Tree 结构，并将释放内存的任务分配给 DeleteAllNodes（）。后者和 InOrder（）函数构造相同。它保存了指针值 root->right，以使它在根节点被释放后仍然可用。下面是这两个函数的代码：

```
void DeleteAll(Tree * ptree)
{
    if (ptree != NULL)
        DeleteAllNodes(ptree->root);
    ptree->root = NULL;
    ptree->size = 0;
}

static void DeleteAllNodes(Node * root)
{
    Node * pright;
    if (root != NULL)
    {
        pright = root->right;
        DeleteAllNodes(root->left);
        free(root);
        DeleteAllNodes(pright);
    }
}
```

六、完整的包

程序清单 17.11 给出完整的 tree.c 代码。tree.h 和 tree.c 共同组成了树程序包。

程序清单 17.11　tree.c 实现文件

```
/* tree.c -- 树类型的支持函数 */
#include <string.h>
#include <stdio.h>
#include <stdlib.h>
#include "tree.h"

/* 局部数据类型                    */
```

```
typedef struct pair {
    Node * parent;
    Node * child;
} Pair;

/* 局部函数的原型            */
static Node * MakeNode (const Item * pi);
static bool ToLeft (const Item * i1, const Item * i2);
static bool ToRight (const Item * i1, const Item * i2);
static void AddNode  (Node * new_node, Node * root);
static void InOrder (const Node * root, void  (* pfun) (Item item));
static Pair SeekItem (const Item * pi, const Tree * ptree);
static void DeleteNode (Node **ptr);
static void DeleteAllNodes (Node * ptr);

/* 函数定义                  */
void InitializeTree (Tree * ptree)
{
    ptree->root = NULL;
    ptree->size = 0;
}

bool TreeIsEmpty (const Tree * ptree)
{
    if  (ptree->root == NULL)
        return true;
    else
        return false;
}

bool TreeIsFull (const Tree * ptree)
{
    if  (ptree->size == MAXITEMS)
        return true;
    else
        return false;
}

int TreeItemCount (const Tree * ptree)
{
    return ptree->size;
}

bool AddItem (const Item * pi, Tree * ptree)
{
    Node * new_node;

    if  (TreeIsFull (ptree))
    {
        fprintf (stderr, "Tree is full\n");
        return false;                         /* 提前返回 */
    }
    if  (SeekItem (pi, ptree) .child != NULL)
    {
        fprintf (stderr, "Attempted to add duplicate item\n");
        return false;                         /* 提前返回 */
    }
    new_node = MakeNode (pi);                 /* 指向新节点                */
    if  (new_node == NULL)
    {
```

```
        fprintf (stderr, "Couldn't create node\n");
        return false;                        /* 提前返回               */
    }
    /* 成功创建了一个新节点 */
    ptree->size++;

    if (ptree->root == NULL)                 /* 情况 1：树为空树        */
        ptree->root = new_node;              /* 新节点即为树的根节点     */
    else                                     /* 情况 2：树非空          */
        AddNode (new_node, ptree->root);     /* 把新节点添加到树中       */
    return true;                             /* 成功返回               */
}

bool InTree (const Item * pi, const Tree * ptree)
{
    return (SeekItem (pi, ptree) .child == NULL) ? false : true;
}

bool DeleteItem (const Item * pi, Tree * ptree)
{
    Pair look;
    look = SeekItem (pi, ptree);
    if (look.child == NULL)
        return false;

    if (look.parent == NULL)                 /* 删除根项目              */
        DeleteNode (&ptree->root);
    else if (look.parent->left == look.child)
        DeleteNode (&look.parent->left);
    else
        DeleteNode (&look.parent->right);
    ptree->size--;

    return true;
}

void Traverse  (const Tree * ptree, void  (* pfun) (Item item))
{
    if (ptree != NULL)
        InOrder (ptree->root, pfun);
}

void DeleteAll (Tree * ptree)
{
    if (ptree != NULL)
        DeleteAllNodes (ptree->root);
    ptree->root = NULL;
    ptree->size = 0;
}


/* 局部函数 */
static void InOrder (const Node * root, void  (* pfun) (Item item))
{
    if (root != NULL)
    {
        InOrder (root->left, pfun);
        (*pfun) (root->item);
        InOrder (root->right, pfun);
    }
```

```
}

static void DeleteAllNodes (Node * root)
{
    Node * pright;

    if (root != NULL)
    {
        pright = root->right;
        DeleteAllNodes (root->left);
        free (root);
        DeleteAllNodes (pright);
    }
}

static void AddNode (Node * new_node, Node * root)
{
    if (ToLeft (&new_node->item, &root->item))
    {
        if (root->left == NULL)           /* 空子树                */
            root->left = new_node;        /* 因此把节点添加到此处    */
        else
                AddNode (new_node, root->left);    /* 否则处理该子树          */
}
else if (ToRight (&new_node->item, &root->item))
{
    if (root->right == NULL)
        root->right = new_node;
    else
        AddNode (new_node, root->right);
    }
    else                                  /* 不应含有相同的项目      */
    {
        fprintf (stderr, "location error in AddNode () \n");
        exit (1);
    }
}

static bool ToLeft (const Item * i1, const Item * i2)
{
    int comp1;

    if ((comp1 = strcmp (i1->petname, i2->petname)) < 0)
        return true;
    else if (comp1 == 0 &&
              strcmp (i1->petkind, i2->petkind) < 0 )
        return true;
    else
        return false;
}

static bool ToRight (const Item * i1, const Item * i2)
{
    int comp1;

    if ((comp1 = strcmp (i1->petname, i2->petname)) > 0)
        return true;
    else if (comp1 == 0 &&
                  strcmp (i1->petkind, i2->petkind) > 0 )
```

```
            return true;
        else
            return false;
}

static Node * MakeNode(const Item * pi)
{
    Node * new_node;

    new_node = (Node *) malloc(sizeof(Node));
    if (new_node != NULL)
    {
        new_node->item = *pi;
        new_node->left = NULL;
        new_node->right = NULL;
    }
    return new_node;
}

static Pair SeekItem(const Item * pi, const Tree * ptree)
{
    Pair look;
    look.parent = NULL;
    look.child = ptree->root;

    if (look.child == NULL)
        return look;                        /* 提前返回 */
    while (look.child != NULL)
    {
        if (ToLeft(pi, &(look.child->item)))
        {
            look.parent = look.child;
            look.child = look.child->left;
        }
        else if (ToRight(pi, &(look.child->item)))
        {
            look.parent = look.child;
            look.child = look.child->right;
        }
        else        /* 如果前面两种情况都不满足，必定为相等的情况 */
            break; /* look.child 是目标项目节点的地址 */
    }
    return look;                            /* 成功返回 */
}

static void DeleteNode(Node **ptr)
/* ptr 是指向目标节点的父节点指针成员的地址 */
{
    Node * temp;
    puts((*ptr)->item.petname);
    if ((*ptr)->left == NULL)
    {
        temp = *ptr;
        *ptr = (*ptr)->right;
        free(temp);
    }
    else if ((*ptr)->right == NULL)
    {
        temp = *ptr;
        *ptr = (*ptr)->left;
```

```
        free (temp);
    }
    else        /* 被删除节点有两个子节点        */
    {
        /* 找到右子树的依附位置 */
        for (temp = (*ptr) ->left; temp->right != NULL;
                temp = temp->right)
            continue;
        temp->right = (*ptr) ->right;
        temp = *ptr;
        *ptr = (*ptr) ->left;
        free (temp);
    }
}
```

17.7.4　试用树

现在已经有了接口和函数实现，我们来使用它们。程序清单 17.12 中的程序使用菜单来选择向俱乐部成员花名册添加宠物、显示成员列表、报告成员数、核查成员及退出。函数 main（）很简要，它集中于实质性问题的概括。支持函数完成了大部分工作。

程序清单 17.12　petclub.c 程序

```
/* petclub.c -- 使用二叉搜索树 */
#include <stdio.h>
#include <string.h>
#include <ctype.h>
#include "tree.h"

char menu (void);
void addpet (Tree * pt);
void droppet (Tree * pt);
void showpets (const Tree * pt);
void findpet (const Tree * pt);
void printitem (Item item);
void uppercase (char * str);

int main (void)
{
    Tree pets;
    char choice;

    InitializeTree (&pets);
    while ((choice = menu ()) != 'q')
    {
        switch (choice)
        {
            case 'a' : addpet (&pets);
                       break;
            case 'l' : showpets (&pets);
                       break;
            case 'f' : findpet (&pets);
                       break;
            case 'n' : printf ("%d pets in club\n",
                               TreeItemCount (&pets));
                       break;
            case 'd' : droppet (&pets);
                       break;
            default  : puts ("Switching error");
        }
    }
```

```
    DeleteAll (&pets);
    puts ("Bye.");

    return 0;
}

char menu (void)
{
    int ch;

    puts ("Nerfville Pet Club Membership Program");
    puts ("Enter the letter corresponding to your choice: ");
    puts ("a) add a pet       l) show list of pets");
    puts ("n) number of pets  f) find pets");
    puts ("d) delete a pet    q) quit");
    while ((ch = getchar ()) != EOF)
    {
        while (getchar () != '\n') /* 丢弃输入行的剩余部分 */
            continue;
        ch = tolower (ch);
        if (strchr ("alrfndq", ch) == NULL)
            puts ("Please enter an a, l, f, n, d, or q: ");
        else
            break;
    }
    if (ch == EOF)              /* 令 EOF 导致程序退出  */
        ch = 'q';

    return ch;
}

void addpet (Tree * pt)
{
    Item temp;

    if (TreeIsFull (pt))
    puts ("No room in the club!");
    else
    {
        puts ("Please enter name of pet: ");
        gets (temp.petname);
        puts ("Please enter pet kind: ");
        gets (temp.petkind);
        uppercase (temp.petname);
        uppercase (temp.petkind);
        AddItem (&temp, pt);
    }
}

void showpets (const Tree * pt)
{
    if (TreeIsEmpty (pt))
        puts ("No entries!");
    else
        Traverse (pt, printitem);
}

void printitem (Item item)
{
    printf ("Pet: %-19s Kind: %-19s\n", item.petname,
           item.petkind);
}
```

```
void findpet (const Tree * pt)
{
    Item temp;

    if  (TreeIsEmpty (pt))
    {
        puts ("No entries!");
        return;          /* 如果树为空，则退出函数 */
    }

    puts ("Please enter name of pet you wish to find: ");
    gets (temp.petname);
    puts ("Please enter pet kind: ");
    gets (temp.petkind);
    uppercase (temp.petname);
    uppercase (temp.petkind);
    printf ("%s the %s ", temp.petname, temp.petkind);
    if  (InTree (&temp, pt))
        printf ("is a member.\n");
    else
        printf ("is not a member.\n");
}

void droppet (Tree * pt)
{
    Item temp;

    if  (TreeIsEmpty (pt))
    {
        puts ("No entries!");
        return;          /* 如果树为空，则退出函数 */
    }

    puts ("Please enter name of pet you wish to delete: ");
    gets (temp.petname);
    puts ("Please enter pet kind: ");
    gets (temp.petkind);
    uppercase (temp.petname);
    uppercase (temp.petkind);
    printf ("%s the %s ", temp.petname, temp.petkind);
    if  (DeleteItem (&temp, pt))
        printf ("is dropped from the club.\n");
    else
        printf ("is not a member.\n");
}

void uppercase (char * str)
{
    while  (*str)
    {
        *str = toupper (*str);
        str++;
    }
}
```

程序将所有字母转换为大写，所以 SNUFFY、Snuffy 和 snuffy 被看作相同的名字。下面是一个运行示例：

```
Nerfville Pet Club Membership Program
Enter the letter corresponding to your choice:
a) add a pet      l) show list of pets
n) number of pets  f) find pets
q) quit
```

```
a
Please enter name of pet:
Quincy
Please enter pet kind:
pig
Nerfville Pet Club Membership Program
Enter the letter corresponding to your choice:
a) add a pet       l) show list of pets
n) number of pets  f) find pets
q) quit
a
Please enter name of pet:
Betty
Please enter pet kind:
Boa
Nerfville Pet Club Membership Program
Enter the letter corresponding to your choice:
a) add a pet       l) show list of pets
n) number of pets  f) find pets
q) quit
a
Please enter name of pet:
Hiram Jinx
Please enter pet kind:
domestic cat
Nerfville Pet Club Membership Program
Enter the letter corresponding to your choice:
a) add a pet       l) show list of pets
n) number of pets  f) find pets
q) quit
n
3 pets in club
Nerfville Pet Club Membership Program
Enter the letter corresponding to your choice:
a) add a pet       l) show list of pets
n) number of pets  f) find pets
q) quit
l
Pet: BETTY          Kind: BOA
Pet: HIRAM JINX     Kind: DOMESTIC CAT
Pet: QUINCY         Kind: PIG
Nerfville Pet Club Membership Program
Enter the letter corresponding to your choice:
a) add a pet       l) show list of pets
n) number of pets  f) find pets
q) quit
q
Bye.
```

17.7.5 树的思想

二叉搜索树有些缺点。例如，二叉搜索树只在满员（或者称为平衡）时效率最高。假设您要存储随意输入的单词。树看上去就可能比较枝繁叶茂，如图 17.12 所示。现在假设您按字母顺序输入数据，则每一个新的节点将被添加到右边，树将如图 17.16 所示。图 17.12 中的树被称为平衡的（balanced），而图 17.16 中的树则是不平衡的（unbalanced）。搜

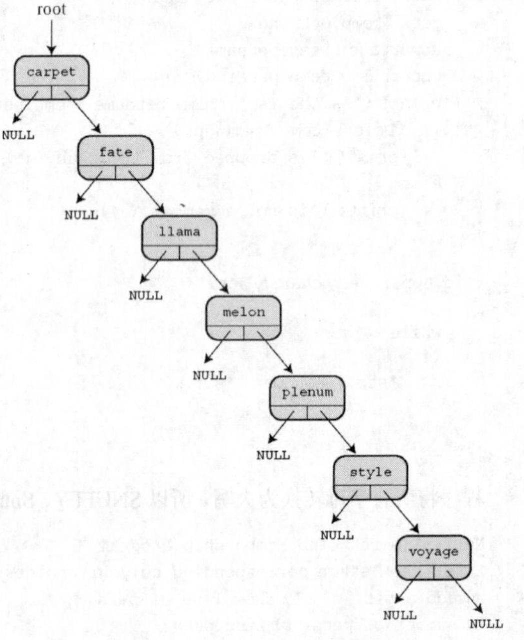

图 17.16 不平衡的二叉搜索树

索这样的树并不比顺序搜索链表来得更快。

避免串状树的方法之一是在创建树时多加注意。如果一棵树或者子树开始在一边或另一边变得不平衡，需要重新排列节点使之恢复平衡。与之类似，您可能需要在删除操作之后重新排列树。俄国数学家 Adel'son-Vel'skii 和 Landis 发明了一种完成此操作的算法，用他们的方法创建的树称为 AVL 树。由于需要额外的重构工作，所以创建一个平衡的树花费更多的时间，但这样的树可以保证最高或近乎最高的搜索效率。

您可能需要一个允许包含相同项目的二叉搜索树。例如您要分析一些文本，跟踪每个单词在文本中出现的次数。一种方法是将 Item 定义成包含一个单词和一个数值的结构。第一次碰到一个单词的时候，将其添加到树中，将其数值置为 1。下一次碰到同样的单词，程序找到包含此单词的节点，并递增其中的数值。修改基本二叉搜索树使其具有这一性质并不需要很多的工作。

另一种可能的变化，考虑 Nerfville 宠物俱乐部实例程序。该例子以名字和种类来排序，所以能在一个节点包含 Sam 和 cat，另一个节点包含 Sam 和 dog，第三个节点包含 Sam 和 goat。但您不能有两只猫叫 Sam。解决这个问题的一种方法是只以名字来排序。但只做这种变化是不够的，它将只允许一个 Sam，不管是什么种类的；还需要将 Item 定义成一个结构列表来代替单一的结构。Sally 第一次出现时，程序将创建一个新的节点，并创建一个新的列表，然后将 Sally 和它的种类添加到列表中。下一次 Sally 出现时，程序将定位到同一个节点，并把新的数据添加到列表中。

插 件 库

你可能已经得出这样的结论：实现一个像链列表或者一棵树这样的数据结构是一项艰巨的任务，有很多很多机会犯错。插件库提供了一种可供选择的方法：让某个其他的人来做这些工作和测试。在本章中学习完两个相对简单的例子，你应该能够很好地理解和认识这样的库。

17.8 其他说明

在这本书中，我们囊括了 C 的本质特性，但只是稍稍提及了库。ANSI C 库包括多种有用的函数。多数实现提供针对特定系统的大量的库函数。DOS 编译器为 IBM PC 及其兼容机提供硬件驱动控制、键盘输入和制图的函数。基于 Windows 的编译器支持 Windows 制图接口。Macintosh C 编译器提供访问 Macintosh 工具箱的函数，以便编写具有标准 Macintosh 界面的程序产品。花一些时间看看您的系统提供什么。如果没有您想要的，就自己编制函数。这是 C 的一部分。如果您认为您能做一个更好的，比如说输入函数，那就做吧。随着您不断提纯、磨练您的编程技术，您将会从 C 进入高级的 C。

如果您发现列表、队列和树的概念是振奋人心和极为有用的，您可能会想通过读书或学习课程以了解高级的编程技巧。计算机科学家们已经在发展和分析算法和表示数据的方法上投入了大量的精力和智慧。您可能会发现已经有人发明出您正需要的工具呢。

当您适应了 C 之后，您可能想要研究 C++、Objective C 或 Java。这些面向对象（object-oriented）的语言都以 C 为根基。C 已经具有从简单的 char 变量到大型而复杂的结构如此广泛范围的数据对象。面向对象的语言将对象的观点发展得更深远。例如，对象的属性不仅包括其中存放的信息的种类，还包括能对其进行何种操作。本章的 ADT 即遵循这种模式。并且，对象能从其他对象继承属性。OOP 应用的模块化比 C 具有更高级的抽象，适合编写大型程序。

您可以在参考资料 1“参阅书籍”中找到扩展您兴趣的书。

17.9 关键概念

一种数据类型是以如下几点为特征的：数据如何构建、如何存储，以及有什么可能的操作。抽象数据类型（ADT）以抽象方式指定构成某种类型特征的属性和操作。从概念上讲，可以分两步将 ADT 翻译成一种具体的程序语言。第一步是定义编程接口。在 C 中，您能通过在头文件中定义类型名并提供执行允许的操作的函数原型来实现。第二步是实现接口。在 C 中，可用源代码文件提供与原型相应的函数定义来实现。

17.10 总结

列表、队列和二叉树是 ADT 的实例，在计算机程序设计中常常用到。通常用动态内存分配和链接结构来实现它们，但有时数组是实现它们的更好选择。

当使用一种特定的类型（如队列或树）进行编程的时候，要按照该类型的接口来写程序。那样的话，修改或改进实现时就无须更改使用接口的程序。

17.11 复习题

1. 定义一个数据类型包含什么？

2. 为什么程序清单 17.2 中的链表只能沿一个方向遍历？怎样修改 struct film 的定义才能双向遍历链表？

3. 什么是 ADT？

4. QueueIsEmpty（）函数以一个指向队列的指针为参数，但它本可以编写成接受一个 queue 结构作为参数。两种方式的优缺点各是什么？

5. 栈（stack）是列表家族的另一种数据形式。在栈中进行添加和删除只能在列表的一端进行。项目被描述成“压入”栈顶和“弹出”堆栈。所以，栈是一种 LIFO 结构，即后进先出（Last In，First Out）。

   a. 设计一个栈 ADT。

   b. 为栈设计一个 C 编程接口。

6. 当在一个含有 3 个项目的列表中判断某一特定项目不在此列表中时，顺序搜索和折半搜索需要进行的比较次数最多分别为多少次？当列表中有 1023 个项目时呢？65535 个项目时呢？

7. 假设某程序使用本章介绍的算法构建了一个存储单词的二叉搜索树。假设单词按照下列顺序输入，画出每种情况下的树：

   a. nice food roam dodge gate office wave

   b. wave roam office nice gate food dodge

   c. food dodge roam wave office gate nice

   d. nice roam office food wave gate dodge

8. 考虑复习题 7 构建的二叉树。依照本章的算法，删除了单词 food 之后，各个树是什么样子的？

17.12 编程练习

1. 修改程序清单 17.2，使其既能以正序又能以逆序显示电影列表。一种方法是修改链表定义以使链表能被双向遍历；另一种方法是使用递归。

2. 假设 list.h（程序清单 17.3）如下定义列表：

```
typedef struct list
{
    Node * head; /* 指向列表首 */
```

```
    Node * end;  /* 指向列表尾 */
} List;
```

根据这个定义，重写 list.c（程序清单 17.5）函数，并用 films3.c（程序清单 17.4）测试结果代码。

3．假设 list.h（程序清单 17.3）如下定义列表：

```
#define MAXSIZE 100
typedef struct list
{
    Item entries[MAXSIZE];   /* 项目数组              */
    int items;               /* 列表中项目的个数      */
} List;
```

根据这个定义，重写 list.c（程序清单 17.5）函数，并用 films3.c（程序清单 17.4）测试结果代码。

4．重写 mall.c（程序清单 17.7）使其用两个队列模拟两个摊位。

5．编写一个程序，让您输入一个字符串。该程序将此字符串中的字符逐个地压入一个栈（请参见复习题 5），然后弹出这些字符并显示。结果是将字符串按逆序显示。

6．写一个接受 3 个参数的函数。这 3 个参数为：存有已排序的整数的数组名，数组元素个数和要查找的整数。如果该整数在数组中，函数返回 1；否则返回 0。函数用折半搜索法实现。

7．编写一个程序，能打开、读入一个文本文件并统计文件中每个单词出现的次数。用改进的二叉搜索树存储单词及其出现的次数。程序读入文件后，会提供一个有三个选项的菜单。第一个选项为列出所有的单词连同其出现的次数。第二个选项为让您输入一个单词，程序报告该单词在文件中出现的次数。第三个选项为退出。

8．修改宠物俱乐部程序，使所有同名的宠物存储在相同节点中的一个列表中。当用户选择查找一个宠物时，程序要求用户给出宠物名，而后列出所有具有此名字的宠物（连同它们的种类）。

附录A 复习题答案

A.1 第1章

1．一个程序的可移植性好，就是指它的源代码不经修改就可以在多种不同的计算机系统上编译成可以成功运行的程序。

2．源代码文件中包含着程序员使用任何语言编写的代码。目标代码文件包含着机器语言代码，它并不需要是完整的程序代码。可执行文件包含着组成可执行程序的全部机器语言代码。

3．a．定义程序目标。

b．设计程序。

c．编写程序代码。

d．编译程序。

e．运行程序。

f．测试和调试程序。

g．维护和修改程序。

4．编译器把源代码（例如，用C语言写成的代码）转换成机器语言代码，也称对象代码。

5．链接器把多个来源（例如，已编译的源代码、库代码和启动代码）的目标代码连接成一个单独的可执行程序。

A.2 第2章

1．它们被称为函数。

2．语法错误就是指违背了如何把语句或程序放置在一起的规则。这是英语中的一个例子："Me speak English good."下面是C语言中的一个例子：

```
printf "Where are the parentheses?";
```

3．语义错误是指含义上的错误。这是英语中的一个例子："This sentence is excellent Italian。"下面是C语言中的一个例子：

```
thrice_n = 3 + n;
```

4．第1行：以一个#开始，拼写出文件名stdio.h，然后把文件名放在一对尖括号中。

第2行：使用（），而不是使用{}；使用*/来结束注释，而不是使用/*。

第3行：使用{，而不是（。

第4行：使用分号来结束语句。

第5行：Indiana使这一行（空白行）正确！

第6行：使用=，而不是：=进行赋值（显然，Indiana了解一些Pascal）。每年有52周而不是56周。

第7行：应该是：

```
printf ("There are %d weeks in a year.\n", s);
```

第9行：原程序没有第9行，但是应该有，它应该包含一个结束花括号}。

在进行这些修改之后，代码如下：

```
#include <stdio.h>
int main (void) /* this prints the number of weeks in a year */
{
    int s;

    s = 52;
    printf ("There are %d weeks in a year.\n", s);
    return 0;
}
```

5. a. `Baa Baa Black Sheep.Have you any wool?`

（注意在句号之后没有空格；使用" Have"而不是"Have"，就可以得到一个空格。）

b.

```
Begone!
O creature of lard!
```

（注意光标仍留在第二行结束处。）

c.

```
What?
No/nBonzo?
```

（注意斜线符号"/"没有反斜线符号"\"所具有的作用，它只是简单地作为斜线符号被打印出来。）

d. `2 + 2 = 4`

（注意每个%d是如何被列表中对应的变量值所替换的。也要注意+的意思就是加法，可以在printf（）语句内进行计算。）

6. int和char（main是一个函数名，函数是C中的一个技术术语，=是一个运算符）。

7. `printf ("There were %d words and %d lines.\n", words, lines);`

8. 在第7行之后，a为5，b为2。在第8行之后，a和b都为5。在第9行之后，a和b还是为5。注意a不会为2；因为在执行a=b；语句时，b的值已经被改变为5。

A.3 第3章

1. a. int类型，可以是short、unsigned或unsigned short；人口数是一个整数。

b. float类型；价格不太可能正好是一个整数（您也可以使用double，但是实际上并不需要那么高的精度）。

c. char类型。

d. int类型，可以是unsigned。

2. 一个原因是在您的系统中long可以容纳比int更大的数；另一个原因是如果您确实需要处理更大的值，那么使用一种在所有系统上都保证至少是32位的类型会使程序的可移植性更好。

3. 要获得正好是32位的数，您可以使用int32_t（如果在您的系统中有这一定义的话）。要获得可存储至少32位的最小类型，可以使用int_least32_t。如果要在32位的类型中获得提供最快计算速度的类型，可以选择int_fast32_t。

4. a. char常量（但以int类型存储）。

b. int常量。

c. double常量。

d. unsigned int常量，十六进制格式。

e. double常量。

5. 第 1 行：应该是#include <stdio.h>。

第 2 行：应该是 int main（void）。

第 3 行：使用{，而不是（。

第 4 行：在 g 和 h 之间应该是逗号而不是分号。

第 5 行：无错误。

第 6 行：（空行）无错误。

第 7 行：在 e 之前应该至少有一个数字，1e21 或 1.0e21 都是正确的，尽管这个数有点大。

第 8 行：无错误，至少在语法上没有。

第 9 行：使用 }，而不是 ）。

缺少的行：首先，rate 没有被赋值。其次，变量 h 从来没有被使用。而且程序永远不会把它的计算结果通知给您。这些错误都不会阻止程序的运行（尽管可能会向您出示一个警告以说明变量没有被使用），但是它们确实减弱了程序本来就不多的功能。而且在结尾处应该有一个 return 语句。

下面是正确版本之一：

```
#include <stdio.h>
int main (void)
{
    float g, h;
    float tax, rate;

    rate = 0.08;
    g = 1.0e5;
    tax = rate*g;
    h = g + tax;
    printf ("You owe $%f plus $%f in taxes for a total of $%f.\n", g, tax, h);
    return 0;
}
```

6.

	常　量	类　型	说明符
a.	12	int	%d
b.	0X3	unsigned int	%#X
c.	'C'	char（实际上是 int）	%c
d.	2.34E07	double	%e
e.	'\040'	char（实际上是 int）	%c
f.	7.0	double	%f
g.	6L	long	%ld
h.	6.0f	float	%f

7.

	常　量	类　型	说明符
a.	012	unsigned int	%#o
b.	2.9e05L	long double	%Le
c.	's'	char（实际上是 int）	%c
d.	100000	long	%ld
e.	'n'	char（实际上是 int）	%c
f.	20.0f	float	%f
g.	0x44	unsigned int	%x

8.

```
printf("The odds against the %d were %ld to 1.\n", imate, shot);
printf("A score of %f is not an %c grade.\n", log, grade);
```

9.

```
ch = '\r';
ch = 13;
ch = '\015'
ch = '\xd'
```

10. 第0行：应该有#include <stdio.h>。

    第1行：使用/*和*/，或者使用//。

    第3行：int cows，legs；

    第4行：count?\n")；

    第5行：%d，而不是%c，用&legs代替legs。

    第7行：%d，而不是%f。

    添加一个return语句。

    下面是一个正确的版本：

```
#include <stdio.h>
int main(void) /* this program is perfect */
{
   int cows, legs;
   printf("How many cow legs did you count?\n");
   scanf("%d", &legs);
   cows = legs / 4;
   printf("That implies there are %d cows.\n", cows);
   return 0;
}
```

11. a. 换行字符

    b. 反斜线字符

    c. 双引号字符

    d. 制表字符

A.4 第4章

1. 程序不能正常工作。第一个scanf()语句只是读入您的名而没有读入您的姓，您的姓依然存储在输入“缓冲区”（缓冲区只是一块用来存放输入的临时存储区域）中。当下一个scanf()语句想要读入您的体重时，它从上次读入结束的地方开始，这样就试图把您的姓作为体重来读取。这会使scanf()失败。另一方面，如果您对姓名请求做出像Lasha 144这样的响应，程序会使用144作为您的体重，虽然您是在程序请求体重之前输入144的。

2. a. `He sold the painting for $234.50.`

   b. `Hi!`

（注意：第一个字符是一个字符常量，第二个字符是由一个十进制整数转换而来的，第三个字符是一个八进制字符常量的ASCII表示。）

   c.

```
His Hamlet was funny without being vulgar.
has 42 characters.
```

d. `Is 1.20e+003 the same as 1201.00?`

3. 使用\"。示例如下：

```
printf ("\"%s\"\nhas %d characters.\n", Q, strlen (Q));
```

4. 下面是一个正确的版本：

```
#include <stdio.h>          /* 不要忘记包含要用到的头文件        */
#define B "booboo"          /* 添加了#和双引号                  */
#define X 10                /* 添加了#                          */
int main (void)             /* 不是 main (int)                  */
{
    int age;
    int xp;                 /* 声明所有的变量                    */

    char name[40];          /* 使之成为一个数组                  */

    printf ("Please enter your first name.\n"); /* 为了可读性，使用了\n  */
    scanf ("%s", name);
    printf ("All right, %s, what's your age?\n", name); /* %s 打印字符串 */
    scanf ("%d", &age); /* %d，而不是%f；&age，而不是 age              */
    xp = age + X;
    printf ("That's a %s! You must be at least %d.\n", B, xp);
    return 0;             /* 不是 rerun                               */
}
```

5. 回忆一下：要打印%，应该使用%%。

```
printf ("This copy of \"%s\" sells for $%0.2f.\n", BOOK, cost);
printf ("That is %0.0f%% of list.\n", percent);
```

6. a. `%d`
   b. `%4X`
   c. `%10.3f`
   d. `%12.2e`
   e. `%-30s`

7. a. `%15lu`
   b. `%#4x`
   c. `%-12.2E`
   d. `%+10.3f`
   e. `%8.8s`

8. a. `%6.4d`
   b. `%*o`
   c. `%2c`
   d. `%+0.2f`
   e. `%-7.5s`

9. a.

```
int dalmations;
scanf ("%d", &dalmations);
```

b.

```
float kgs, share;
scanf ("%f%f", &kgs, &share);
```

注意：对于输入，e、f 和 g 可以交换使用。另外，除了%c 之外，在转换说明符之间留有空格不会有什么影响。

c.

```
char pasta[20];
scanf ("%s", pasta);
```

d.

```
char action[20];
int value;
scanf ("%s %d", action, &value);
```

e.

```
int value;
    scanf ("%s %d", action, &value);
```

10. 空白字符包括空格、制表符和换行符。C 使用空白字符分隔各个语言符号；scanf（）使用空白字符分隔相邻的输入项。

11. 会发生替换。但不幸的是，预处理器不能区别哪些圆括号应该被替换成花括号，哪些圆括号不应该被替换成花括号。因此：

```
#define ({
#define) }
int main (void)

 (
   printf ("Hello, O Great One!\n");
 )
```

会变为：

```
int main{void}
{
  printf{"Hello, O Great One!\n"};
}
```

A.5　第 5 章

1. a. 30。
   b. 27（不是 3）。（12+6）/（2*3）会得出 3。
   c. x=1，y=1（整数除法）
   d. x=3（整数除法），y=9。
2. a. 6（简化为 3+3.3）。
   b. 52。
   c. 0（简化为 0*22.0）。
   d. 13（简化为 66.0/5 即 13.2，然后把这个值赋给一个 int 变量）。
3. 第 0 行：应该有#include <stdio.h>。

   第 3 行：应该以分号而不是逗号结尾。

   第 6 行：while 语句建立了一个无限循环。因为 i 的值保持为 1，所以它总是小于 30。推测一下它的意思大概是要写成 while（i++<30）。

   第 6 到 8 行：这样的缩排说明我们想要使第 7 和 8 行组成一个代码块，但是缺少了花括号会使 while 循环只包括第 7 行。应该添加花括号。

   第 7 行：因为 1 和 i 都是整数，所以当 i 为 1 时除法运算的结果会是 1，而当 i 为更大的数时结果为

0。使用 n=1.0/i；会使 i 在进行除法运算之前先转换为浮点数，这样就会产生非 0 答案。

第 8 行：我们在控制语句中漏掉了换行符（\n），这会使数字只要可能就在一行中打印。

第 10 行：应该是 return 0；。

下面是一个正确的版本：

```
#include <stdio.h>
int main (void)
{
    int i = 1;
    float n;
    printf ("Watch out! Here come a bunch of fractions!\n");
    while (i++ < 30)
    {
        n = 1.0/i;
        printf (" %f\n", n);
    }
    printf ("That's all, folks!\n");
    return 0;
}
```

4．主要问题在于判断语句（sec 是否大于 0？）和获取 sec 值的 scanf（）语句之间的关系。具体地说，第一次进行判断时，程序还没有机会来获得 sec 的值，这样就会对碰巧处在那个内存位置中的一个垃圾值进行比较。一个比较笨拙的解决方法是对 sec 进行初始化，比如把它初始化为 1，这样就可以通过第一次判断。但是还有另一个问题，当最后输入 0 来停止程序时，在循环结束之前不会检查 sec，因而 0 秒的结果也被打印出来。更好的方法是使 scanf（）语句在进行 while 判断之前执行。可以通过像下面这样改变程序的读取部分来做到这一点：

```
scanf ("%d", &sec);
while (sec > 0) {
    min = sec/S_TO_M;
    left = sec % S_TO_M;
    printf ("%d sec is %d min, %d sec.\n", sec, min, left);
    printf ("Next input?\n");
    scanf ("%d", &sec);
}
```

第一次获取输入使用循环外部的 scanf（），以后就使用在循环结尾处（也即在循环再次执行之前）的 scanf（）语句。这是处理这类问题的一个常用方法。

5．输出如下：

```
%s! C is cool!
! C is cool!
11
11
12
11
```

解释一下。第一个 printf（）语句与以下语句相同：

```
printf ("%s! C is cool\n", "%s! C is cool! \n");
```

第二个打印语句首先把 num 增加为 11，然后打印这个值。第三个打印语句打印 num（值为 11），然后把它增加为 12。第四个打印语句打印 n 的当前值，现在它依然为 12，然后把 n 减小为 11。最后的打印语句打印出 n 的当前值 11。

6．输出如下：

```
SOS:4 4.00
```

表达式 c1-c2 和'S'-'O'的值相同。在 ASCII 码中，后者相当于 83-79。

7．它在一行中打印出从 1 到 10 的数字，每个数字占据 5 列的宽度，然后开始新的一行：

```
1  2  3  4  5  6  7  8  9  10
```

8．下面是一种可能性。它假定字母是连续编码的，就像 ASCII 中的情况那样。

```
#include <stdio.h>

int main (void)
{
    char c = 'a';
    while (c <= 'g')
    printf ("%5c", c++);
    printf ("\n");
    return 0;
}
```

9．每个例子的输出如下：

a. `1 2`

注意 x 先被递增然后再进行比较。光标仍留在同一行。

b.

```
    101
    102
    103
    104
```

注意这次 x 先进行比较然后再递增。在这里和在例 a 的情况中，x 都是在打印之前被递增。还要注意使第二个 printf（）语句缩进并不能使它成为 while 循环的一部分。因此它只是在 while 循环结束之后被调用一次。

c. `stuvw`

这里，直到第一次调用 printf（）之后才对 ch 进行递增。

10．这是一个构造有缺陷的程序。因为 while 语句没有使用花括号，只有 printf（）语句作为循环的一部分，所以程序无休止地打印消息 COMPUTER BYTES DOG，直到您强行关闭程序为止。

11．
```
a. x = x + 10;
b. x++'; or ++x; or x = x + 1;
c. c = 2 * (a + b);
d. c = a + 2* b;
```

12．
```
a. x--'; or --x; or x = x - 1;
b. m = n % k;
c. p = q / (b - a);
d. x = (a + b) / (c * d);
```

A.6 第 6 章

1．2，7，70，64，8，2

2．它会产生以下输出：

```
36 18 9 4 2 1
```

如果 value 是 double 类型，那么 value 变得小于 1 时判断条件仍会保持为真。循环会一直执行，直到由于浮点数下溢而产生 0 值。另外，此时%3d 说明符也是不正确的。

3. a. x > 5

   b. scanf ("%lf", &x) != 1

   c. x == 5

4. a. scanf ("%d", &x) == 1

   b. x != 5

   c. x >= 20

5. 第 4 行：应该是 list[10]。

   第 6 行：逗号应该为分号。

   第 6 行：i 的范围应该是从 0 到 9，而不是从 1 到 10。

   第 9 行：逗号应该为分号。

   第 9 行：>=应该是<=。否则，当 i 为 1 时，循环永远不会结束。

   第 10 行：在第 9 行和第 10 行之间应该还有一个花括号。一个花括号结束复合语句，另一个结束程序。在这两个花括号之间应该有这样一行代码：return 0；。

   下面是一个正确的版本：

```
#include <stdio.h>
int main (void)
{                                   /* 第 3 行  */
   int i, j, list[10];              /* 第 4 行  */

   for (i = 0; i < 10; i++)         /* 第 6 行  */
   {                                /* 第 7 行  */
      list[i] = 2*i + 3;            /* 第 8 行  */
      for (j = 1; j <= i; j++)      /* 第 9 行  */
      printf (" %d", list[j]);      /* 第 10 行 */
      printf ("\n");                /* 第 11 行 */
   }
   return 0;
}
```

6. 下面是一种方法：

```
#include <stdio.h>
int main (void)
{
    int col, row;

    for (row = 1; row <= 4; row++)
    {
      for (col = 1; col <= 8; col++)
         printf ("$");
      printf ("\n");
    }
    return 0;
}
```

7. a. 它会产生以下输出：

```
Hi! Hi! Hi! Bye! Bye! Bye! Bye! Bye!
```

   b. 它会产生以下输出：

```
ACGM
```

8. a. 它会产生以下输出：

```
Go west, youn
```

b．它会产生以下输出：

```
Hp!xftu-!zpvo
```

c．它会产生以下输出：

```
Go west, young
```

d．它会产生以下输出：

```
Go west, youn
```

9．我们得到的输出如下：

```
31|32|33|30|31|32|33|
***
1
5
9
13
***
2 6
4 8
8 10
***
======
=====
====
===
==
```

10．a．mint

b．10个元素。

c．类型为double的值。

d．ii是正确的，mint[2]是一个类型为double的值，&mint[2]是它在内存中的位置。

11．因为第一个元素的索引为0，所以循环的范围应该从0到SIZE-1，而不是从1到SIZE。但是这样改变会使第一个元素被赋值为0而不是2。所以要这样重写这个循环：

```
for (index = 0; index < SIZE; index++)
    by_twos[index] = 2 * (index + 1);
```

类似地，也应该改变第二个循环的限制条件。另外，应该在数组名后使用数组索引：

```
for (index = 0; index < SIZE; index++)
    printf ("%d ", by_twos[index]);
```

错误的循环限制条件的一个危险的方面在于程序可以运行，但是因为它把数据放在不正确的地方，所以可能在未来的某个时刻不能运行，这样就形成了一种程序中的定时炸弹。

12．函数应该把返回类型声明为long，并包含一个返回long值的return语句。

13．把num的类型指派为long，这样可以确保运算是long运算而不是int运算。在int为16位的系统上，两个int值相乘的结果在返回之前会被截尾为一个int值，这样就可能丢失数据。

```
long square (int num)
{

    return ((long) num) * num;

}
```

14. 输出如下：

```
1: Hi!
k = 1
k is 1 in the loop
Now k is 3
k = 3
k is 3 in the loop
Now k is 5
k = 5
k is 5 in the loop
Now k is 7
k = 7
```

A.7 第 7 章

1. b 表达式为 true。
2. a. `number >= 1 && number < 9`

   b. `ch != 'q' && ch != 'k'`

   c. `(number >= 1 && number <= 9) && number != 5`

   d. `!(number >= 1 && number <= 9)` 也是一种选择，但是
   `number < 1 || number > 9` 更容易理解。

3. 第 5 行：应该是 scanf（"%d %d"，&weight，&height）；。在 scanf（）中不要忘记使用&运算符。这一行前面也应该有提示输入的语句。但第 6 行已经保证 heigh>64，因此，不需要任何测试，并且 if else 应该是 else。

第 9 行：它的意思是（height<72&&height>64）。但是表达式的第一部分是不必要的，因为既然程序已经到达了这个 else if，那么 height 必然小于 72。因此一个简单的（height>64）就可以了。

第 11 行：条件冗余；第二个子表达式（weight 不是小于或等于 300 的）与第一个子表达式意义相同。所需要的只是一个简单的（weight>300）。但是这里还有更多的问题。第 11 行属于一个不正确的 if！很明显，这个 else 是与第 6 行中的 if 相匹配的。但是根据 if 的“最接近规则”，它会与第 9 行的 if 相匹配。因此会在 weight 小于 100 并且 height 小于或等于 64 时到达第 11 行。这就使得在到达该语句时 weight 不可能超过 300。

第 7 到 9 行：应该用花括号括起来。这样第 11 行就会是第 6 行而不是第 9 行的可选情况。而如果第 9 行的 else if 由一个简单的 else 替代了，就不再需要花括号了。

第 13 行：应该简化为 if（height>48）。其实这一行完全可以忽略，因为第 12 行已经作了这种测试。

第 15 行：这个 else 与第 13 行的 if 相匹配。把第 13 和 14 行括在花括号中可以强制使这个 else 与第 11 行的 if 相匹配。或者，按照建议，简单地删掉第 13 行。

下面是一个正确的版本：

```
#include <stdio.h>
int main (void)
{
    int weight, height; /* weight 以磅为单位，height 以英寸为单位 */

    printf ("Enter your weight in pounds and ");
    printf ("your height in inches.\n");
    scanf ("%d %d", &weight, &height);
    if (weight < 100 && height > 64)
```

```
    if (height >= 72)
            printf("You are very tall for your weight.\n");
        else
            printf("You are tall for your weight.\n");
    else if (weight > 300 && height < 48)
        printf("You are quite short for your weight.\n");
    else
        printf("Your weight is ideal.\n");

    return 0;
}
```

4. a. 1。该断言为真，它在数值上是1。

   b. 0。3不比2小。

   c. 1。如果第一个表达式为假则第二个为真，反之亦然；只需要一个为真的表达式，结果就为真。

   d. 6。因为6>2的值为1。

   e. 10。因为判断条件为真。

   f. 0。如果x>y为真，那么表达式的值就是y>x，这种情况下它就为假或0。如果x>y为假，那么表达式的值就是x>y，这种情况下它为假。

5. 程序打印以下内容：

```
*#%*#%$#%*#%*#%$#%*#%*#%$#%*#%*#%
```

不论怎样缩排，在每个循环中都会打印#，因为它并不是复合语句的一部分。

6. 程序打印以下内容：

```
fat hat cat Oh no!
hat cat Oh no!
cat Oh no!
```

7. 第5行到第7行的注释应该以*/结尾，或者用//来代替/*。表达式'a'<=ch>='z'应该被写成这样：

```
ch >= 'a' && ch <= 'z'
```

或者用一种更简单也更通用的方法：包含ctype.h文件并使用islower（）。顺便提一下，'a'<=ch>='z'在C中是合法的，只是不具有正确的意义。因为关系运算符是从左到右结合的，所以这个表达式被解释为（'a'<=ch）>= 'z'。圆括号中表达式的值为1或0（真或假），然后检查这个值来看它是否等于或大于'z'的数值编码。0和1都不能满足这个条件，所以整个表达式的值总是为0（假）。在第二个判断表达式中，||应该是&&。尽管!（ch<'A'）是合法的，而且意义也正确，但ch>='A'更为简单。'Z'后面需要有两个结束圆括号而不是一个。再一次，更简单的方法是使用isupper（）。应该在oc++；语句前面放置一个else，否则，每输入一个字符，它都会增加1。在printf（）调用中的控制表达式应该用双引号引起来。

下面是正确的版本：

```
#include <stdio.h>
#include <ctype.h>
int main (void)
{
    char ch;
    int lc = 0; /* 统计小写字符 */
    int uc = 0; /* 统计大写字符 */
    int oc = 0; /* 统计其他字符 */

    while ((ch = getchar ()) != '#')
    {
        if (islower (ch))
```

```
            lc++;
        else if (isupper(ch))
            uc++;
        else
            oc++;
    }
    printf("%d lowercase, %d uppercase, %d other", lc, uc, oc);
    return 0;
}
```

8. 不幸的是，它无休止地打印同一行：

```
You are 65.Here is your gold watch.
```

问题在于：

```
if (age = 65)
```

这行代码把 age 设置为 65，使得每个循环周期中判断条件都为真。

9. 这里是使用给定的输入时的运行结果：

```
q
Step 1
Step 2
Step 3
c
Step 1
g
Step 1
Step 3
 b
Step 1
Done
```

注意 b 和#都可以结束循环，但是输入 b 会引起打印 Step 1，输入#则不会。

10. 下面是一种方案：

```
#include <stdio.h>
int main (void)
{
    char ch;

    while ((ch = getchar()) != '#')
    {
        if (ch != '\n')
        {
            printf("Step 1\n");
            if (ch == 'b')
                break;
            else if (ch != 'c')
            {
                if (ch != 'g')
                printf("Step 2\n");
                printf("Step 3\n");
            }
        }
    }
    printf("Done\n");
    return 0;
}
```

A.8 第 8 章

1. 语句 putchar（getchar（））使程序读取下一个输入字符并打印它，getchar（）的返回值作为 putchar（）的参数。getchar（putchar（））则不是合法的，因为 getchar（）不需要参数而 putchar（）需要一个参数。

2. a. 显示字符 H。

   b. 如果系统使用 ASCII 字符编码，则发出一声警报。

   c. 把光标移动到下一行的开始。

   d. 退后一格。

3. count <essay >essayct or else count >essayct <essay

4. 只有 c 是合法的命令。

5. 它是由 getchar（）和 scanf（）返回的信号（一个特定的值），用来表明已经到达了文件的结尾。

6. a. 输出如下：

```
If you qu
```

注意字符 I 与字符 i 是两个不同的字符。也要注意到不会打印出 i，因为循环在检测到它之后就退出了。如果系统使用 ASCII 字符编码，则输出如下：

```
HJacrthjacrt
```

第一次 ch 的值为 H。ch++使用（打印）了这个值然后把它加 1（现在为 I）。然后++ch 先把值增加（到 J）然后再使用（打印）。接着读入下一个字符（a），重复这个过程。重要的一点是要注意到两个增量运算只在 ch 被赋值之后影响它的值；它们不会使程序在输入队列中移动。

7. C 的标准 I/O 库把不同的文件形式映射为统一的流，这样就可以按相同的方式对它们进行处理。

8. 数字输入跳过空格和换行符，但是字符输入并不是这样。假设您编写了这样的代码：

```
int score;
char grade;
printf ("Enter the score.\n");
scanf ("%s", %score);
printf ("Enter the letter grade.\n");
grade = getchar ();
```

假设您输入分数 98，然后按下回车键来把分数发送给程序，您同时也发送了一个换行符，它会成为下一个输入字符被读取到 grade 中作为等级的值。如果在字符输入之前进行了数字输入，就应该添加代码以在获取字符输入之前剔除换行字符。

A.9 第 9 章

1. 形式参量（也被称为形式参数）是一个变量，它在被调函数中进行定义。实际参数是在函数调用中出现的值，它被赋值给形式参数。可以把实际参数认为是在函数被调用时用来初始化形式参量的值。

2.
```
a. void donut (int n)
b. int gear (int t1, int t2)
c. void stuff_it (double d, double *pd)
```

3.
```
a. char n_to_char (int n)
b. int digits (double x, int n)
```

c. int random (void)

4.

```
int sum (int a, int b)
{
return a + b;
}
```

5. 用 double 代替所有的 int:

```
double sum (double a, double b)

{
    return a + b;

}
```

6. 这个函数需要使用指针:

```
void alter (int * pa, int * pb)
{
    int temp;
    temp = *pa + *pb;
    *pb = *pa - *pb;
    *pa = temp;
}
```

或者:

```
void alter (int * pa, int * pb)
{
    *pa += *pb;
    *pb = *pa - 2 * *pb;
}
```

7. 有错误。num 应该在 salami（）的参数列表中而不是在花括号之后声明，而且应该是 count++而不是 num++。

8. 下面是一种方案:

```
int largest (int a, int b, int c)
{
    int max = a;
    if (b > max)
        max = b;
    if (c > max)
        max = c;
    return max;
}
```

9. 下面是最简洁的程序，showmenu（）和 getchoice（）函数是解决问题 a 和问题 b 的可能方案。

```
#include <stdio.h>
void showmenu (void);   /* 声明要用到的函数 */
int getchoice (int, int);
main ()
{
    int res;

    showmenu ();
    while ((res = getchoice (1, 4)) != 4)
        printf ("I like choice %d.\n", res);
    printf ("Bye!\n");
    return 0;
```

```
}
void showmenu (void)
{
    printf ("Please choose one of the following: \n");
    printf ("1) copy files 2) move files\n");
    printf ("3) remove files 4) quit\n");
    printf ("Enter the number of your choice: \n");
}

int getchoice (int low, int high)
{
    int ans;
    scanf ("%d", &ans);
    while (ans < low || ans > high)
    {
        printf ("%d is not a valid choice; try again\n", ans);
        showmenu ();
        scanf ("%d", &ans);
    }
    return ans;
}
```

A.10 第 10 章

1. 打印输出如下：

```
8 8
4 4
0 0
2 2
```

2. 数组 ref 有 4 个元素，因为在初始化列表中值的个数为 4。

3. 数组名 ref 指向数组的第一个元素（整数 8），表达式 ref+1 指向第二个元素（整数 4）。++ref 不是合法的 C 表达式，因为 ref 是常量而不是变量。

4. ptr 指向第一个元素，ptr+2 指向第三个元素，它是第二行的第一个元素。

a. 12 和 16。

b. 12 和 14（因为有花括号，所以只有 12 在第一行中）。

5. ptr 指向第一行，ptr+1 指向第二行，*ptr 指向第一行中的第一个元素，而*（ptr+1）指向第二行中的第一个元素。

a. 12 和 16。

b. 12 和 14（因为有花括号，所以只有 12 在第一行中）。

6. a. `&grid[22][56]`

b. `&grid[22][0]` 或 `grid[22]`

（后者是含有 100 个元素的一维数组名，所以它就是第一个元素，即元素 grid[22][0]的地址。）

c. `&grid[0][0]` 或 `grid[0]` 或 `(int *) grid`

（这里 grid[0]是整数元素 grid[0][0]的地址，grid 是具有 100 个元素的数组 grid[0]的地址。这两个地址具有相同的数值但是类型不同，类型指派可以使它们的类型相同。）

7. a. `int digits[10];`

b. `float rates[6];`

c. `int mat[3][5];`

d. `char *psa[ 20]`

注意[]的优先级比*高，所以没有圆括号时首先应用数组描述符，然后才是指针描述符。因此这个声明与 char *（psa[20]）；相同。

e. `char (*pstr) [20];`

说　明

char *pstr[20]；是不正确的，这会使 pstr 成为指针数组而不是指向数组的指针。具体地，pstr 会指向一个单个 char（数组的第一个元素）；pstr+1 会指向下一个字节。使用正确的声明，pstr 就是一个变量而不是一个数组名，pstr+1 就指向起始字节后的第 20 个字节。

8. a. `int sextet[6] = {1, 2, 4, 8, 16, 32};`
   b. `sextet[2]`
   c. `int lots[100] = { [99] = -1};`

9. 从 0 到 9。

10. a. `rootbeer[2] = value;`

    合法

    b. `scanf ("%f", &rootbeer);`

    不合法。rootbeer 不是一个 float 变量。

    c. `rootbeer = value;`

    不合法。rootbeer 不是一个 float 变量。

    d. `printf ("%f", rootbeer);`

    不合法。rootbeer 不是一个 float 变量。

    e. `things[4][4] = rootbeer[3];`

    合法

    f. `things[5] = rootbeer;`

    不合法。不能使用数组赋值。

    g. `pf = value;`

    不合法。value 不是一个地址。

    h. `pf = rootbeer;`

    合法

11. `int screen[800][600];`

12. a.

```
void process (double ar[], int n);
void processvla (int n, double ar[n]);
process (trots, 20);
processvla (20, trots);
```

b.

```
void process2 (short ar2[30], int n);
```

```
void process2vla (int n, int m, short ar2[n][m]);
process2 (clops, 10);
process2vla (10, 30, clops);
```

c.

```
void process3 (long ar3[10[15], int n];
void process3vla (int n, int m, int k long ar3[n][m][k]);
process3 (shots, 5);
process3vla (5, 10, 15, shots);
```

13. a.

```
show ((int [4]) {8, 3, 9, 2}, 4);
```

b.

```
show2 ((int [][3]) {{8, 3, 9}, {5, 4, 1}}, 2);
```

A.11 第11章

1. 如果想得到一个字符串，就应该在初始化中包括一个'\0'。当然，另一种语法可以自动添加空字符：

```
char name[]="Fess";
```

2.

```
See you at the snack bar.
ee you at the snack bar.
See you
e you
```

3.

```
y
my
mmy
ummy
Yummy
```

4. `I read part of it all the way through.`

5. a. `Ho Ho Ho!! oH oH oH`

b. 指向 char 的指针，也就是说，char *。

c. 第一个 H 的地址。

d. *--pc 把指针减 1 并使用那里的值。--*pc 取出 pc 指向的值然后把那个值减 1（例如把 H 变为 G）。

e. `Ho Ho Ho!! oH oH o`

说　　明

在!和!之间有一个空字符，但是它不产生任何打印效果。

f. while (*pc) 检查 pc 是否指向一个空字符（也就是说字符串的结尾）。这个表达式使用指针所指向位置的值。

while (pc-str) 检查 pc 是否与 str 指向同一个地址（字符串的开始）。这个表达式使用指针本身的值。

g. 在第一个 while 循环之后，pc 指向空字符。进入第二个循环后令它指向空字符之前的存储区，也就是说 str 指向的位置之前的位置，把那个字节解释为一个字符并进行打印。然后指针再退回到前面的字节处。

永远都不会满足终止条件（pc= =str），所以这个过程会一直继续下去。

h．必须在调用程序中对 pr（）进行声明：char *pr（char *）；

6．字符变量占用一个字节，所以 sign 占用一个字节。但是字符常量是被存储在一个 int 中的，也就是说'$'通常会使用 2 个或 4 个字节；但是实际上只使用 int 的一个字节来存储'$'的编码。字符串"$"使用两个字节，一个用来保存'$'，另一个用来保存'\0'。

7．下面是您得到的输出结果：

```
How are ya, sweetie? How are ya, sweetie?
Beat the clock.
eat the clock.
Beat the clock. Win a toy.
Beat
chat
hat
at
t
t
at
How are ya, sweetie?
```

8．下面是您得到的输出结果：

```
faavrhee
*le*on*sm
```

9．下面是一种方案：

```
int strlen (const char * s)
{
    int ct = 0;

    while (*s++) // 或者 while (*s++ != '\0')
        ct++;

    return (ct);
}
```

10．下面是一种方案：

```
#include <stdio.h>  /* 提供 NULL 的定义          */
char * strblk (char * string)
{
    while (*string != ' ' && *string != '\0')
        string++;     /* 在第一个空格或空字符处停止 */
    if (*string == '\0')
        return NULL;  /* NULL 是空指针             */
    else
        return string;
}
```

下面是第二种方案，它防止函数修改字符串，但是允许使用返回值来改变字符串。表达式（char *）string 被称为“使用类型指派取消 const”。

```
#include <stdio.h>  /* 提供 NULL 的定义          */
char * strblk (const char * string)
{
    while (*string != ' ' && *string != '\0')
        string++;     /* 在第一个空格或空字符处停止 */
    if (*string == '\0')
        return NULL;  /* NULL 是空指针             */
    else
```

```
        return (char *) string;
}
```

11. 下面是一种方案：

```
/* compare.c -- 可行方案 */
#include <stdio.h>
#include <string.h> /* 声明strcmp () 函数 */
#include <ctype.h>
#define ANSWER "GRANT"
#define MAX 40
void ToUpper (char * str);
int main (void)
{
    char try[MAX];
    puts ("Who is buried in Grant's tomb?");
    gets (try);
    ToUpper (try);
    while (strcmp (try, ANSWER) != 0)
    {
        puts ("No, that's wrong. Try again.");
        gets (try);
        ToUpper (try);
    }
    puts ("That's right!");
    return 0;
}

void ToUpper (char * str)
{
    while (*str != '\0')
    {
        *str = toupper (*str);
        str++;
    }
}
```

A.12 第12章

1. 自动存储类、寄存器存储类和静态空链接存储类。
2. 静态空链接存储类、静态内部链接存储类和静态外部链接存储类。
3. 静态外部链接存储类和静态内部链接存储类。
4. 空链接。
5. 在声明中使用关键字extern表明一个变量或函数已经在其他地方被定义过了。
6. 都分配一个具有100个int值的数组。使用calloc () 的语句还把每个元素设置为0。
7. daisy对main () 是默认可见的，对petal ()、stem () 和root () 是通过extern声明可见的。文件2中的声明extern int daisy；使得daisy对该文件中的所有函数可见。第一个lily是main () 的局部变量。petal () 中对lily的引用是错误的，因为两个文件中都没有lily的外部声明。有一个外部的静态lily，但是它只对第二个文件中的函数可见。第一个外部rose对root () 可见，但是stem () 使用它自己的局部rose覆盖了外部的rose。
8. 输出如下：

```
color in main () is B
color in first () is R
```

```
color in main () is B
color in second () is G
color in main () is G
```

9．a．它告诉我们程序将使用一个变量 plink，该变量局部于包含该函数的文件。value_ct（）的第一个参数是一个指向整数的指针，并假定它指向具有 n 个元素的数组的第一个元素。这里重要的一点是不允许程序使用指针 arr 来修改原始数组中的值。

b．不会。value 和 n 已经是原始数据的拷贝，所以函数不能改变调用程序中的对应值。这样声明起到的作用只是防止在函数中改变 value 和 n 的值。例如，如果用 const 限定 n，那么函数就不能使用 n++表达式。

A.13 第 13 章

1．因为程序中有文件定义，所以应该有#include <stdio.h>。应该把 fp 声明为文件指针：FILE *fp；。函数 fopen（）需要一种模式：fopen（"gelatin"，"w"）或"a"模式。fputs（）函数中参数的次序应该反过来。为了清楚起见，输出字符串应该具有一个换行符，因为 fputs（）并不自动添加它。fclose（）函数需要一个文件指针而不是文件名：

fclose（fp）；。下面是正确的版本：

```
#include <stdio.h>
int main (void)
{
    FILE * fp;
    int k;

    fp = fopen ("gelatin", "w");
    for (k = 0; k < 30; k++)
          fputs ("Nanette eats gelatin.\n", fp);
    fclose (fp);
    return 0;
}
```

2．如果可能的话，它会打开名字与第一个命令行参数相同的文件，并在屏幕上显示文件中的每个数字字符。

3．a．`ch = getc (fp1);`

b．`fprintf (fp2, "%c"\n", ch);`

c．`putc (ch, fp2);`

d．`fclose (fp1); /* 关闭terky文件 */`

说　明

fp1 用来进行输入操作，因为它是以读模式打开的文件。类似地，fp2 是以写模式打开的，所以在输出函数中使用它。

4．下面是一种方法：

```
#include <stdio.h>
#include <stdlib.h>
/* #include <console.h> */    /* 对于Mac用户 */

int main (int argc, char * argv[])
{
    FILE * fp;
```

```
    double n;
    double sum = 0.0;
    int ct = 0;

/* argc = ccommand (&argv); */ /* 对于Mac用户 */
    if (argc == 1)
        fp = stdin;
    else if (argc == 2)
    {
        if ((fp = fopen (argv[1], "r")) == NULL)
        {
            fprintf (stderr, "Can't open %s\n", argv[1]);
            exit (EXIT_FAILURE);
        }
    }
    else
    {
        fprintf (stderr, "Usage: %s [filename]\n", argv[0]);
        exit (EXIT_FAILURE);
    }
    while (fscanf (fp, "%lf", &n) == 1)
    {
        sum += n;
            ++ct;
    }
    if (ct > 0)
        printf ("Average of %d values = %f\n", ct, sum / ct);
    else
        printf ("No valid data.\n");
    return 0;
}
```

Macintosh 上的 C 用户要记住使用 console.h 和 ccommand（）。

5. 下面是一种方法：

Macintosh 上的 C 用户要记住使用 console.h 和 ccommand（）。

```
#include <stdio.h>
#include <stdlib.h>
/* #include <console.h> */    /* 对于Mac用户 */
#define BUF 256
int has_ch (char ch, const char * line);
int main (int argc, char * argv[])
{
    FILE * fp;
    char ch;
    char line [BUF];

/* argc = ccommand (&argv); */  /* 对于Mac用户 */
    if (argc != 3)
    {
        printf ("Usage: %s character filename\n", argv[0]);
        exit (1);
    }
    ch = argv[1][0];
    if ((fp = fopen (argv[2], "r")) == NULL)
    {
        printf ("Can't open %s\n", argv[2]);
        exit (1);
    }
    while (fgets (line, BUF, fp) != NULL)
```

```
    {
        if (has_ch (ch, line))
            fputs (line, stdout);
    }
    fclose (fp);
    return 0;
}

int has_ch (char ch, const char * line)
{
    while (*line)
        if (ch == *line++)
            return (1);
    return 0;
}
```

fgets（）函数与 fputs（）函数协同工作，因为 fgets（）在字符串中保留回车键所产生的换行符，而 fputs（）并不像 puts（）那样添加一个换行符。

6. 二进制文件和文本文件之间的不同在于这两种文件格式对系统的依赖性不同。二进制流和文本流之间的不同则包括在读写流时由程序执行的转换（二进制流不进行转换，而文本流可能会转换换行符和其他字符）。

7. a. 使用 fprintf（）存储 8238201 时，把它作为在 7 个字节中的 7 个字符来保存。而当使用 fwrite（）来存储时，使用该数值的二进制表示把它保存为一个 4 字节的整数。

b. 没有不同，每种情况下都保存为一个单字节的二进制码。

8. 第一个只是第二个的速记表示；第三个写到标准错误上。通常标准错误被定向到与标准输出同样的位置，但是标准错误不受标准输出重定向的影响。

9. "r+"模式使您可以在文件中的任何位置读写，所以它是最适合的。"a+"只允许您在文件的末尾添加内容，而"w+"给您提供一个空文件，它丢弃以前的文件内容。

A.14 第 14 章

1. 正确的关键字是 struct 而不是 structure。模板需要在开始花括号前有一个标记或在结束花括号后有一个变量名。在*togs 后面和在模板结尾处都应该有一个分号。

2. 输出如下：

```
6 1
22 Spiffo Road
S p
```

3.

```
struct month {

    char name[10];

    char abbrev[4];

    int days;

    int monumb;
};
```

4.

```
struct month months[12] =
```

```
{
    {"January", "jan", 31, 1},
    {"February", "feb", 28, 2},
    {"March", "mar", 31, 3},
    {"April", "apr", 30, 4},
    {"May", "may", 31, 5},
    {"June", "jun", 30, 6},
    {"July", "jul", 31, 7},
    {"August", "aug", 31, 8},
    {"September", "sep", 30, 9},
    {"October", "oct", 31, 10},
    {"November", "nov", 30, 11},
    {"December", "dec", 31, 12}
};
```

5.

```
extern struct month months[];
int days (int month)
{
    int index, total;

    if (month < 1 || month > 12)
        return (-1); /* 错误标志 */
    else
    {
        for (index = 0, total = 0; index < month; index ++)
                total += months[index].days;
        return (total);
    }
}
```

注意 index 比月号小 1，因为数组的下标是从 0 开始的。因此使用 index<month 来代替 index<=month。

6. a. 包含文件 string.h 以提供 strcpy（）函数的原型：

```
typedef struct lens { /* 镜头描述              */
    float foclen;     /* 焦距长度，以毫米为单位 */
    float fstop;      /* 孔径                  */
    char brand[30];   /* 品牌名称              */
} LENS;

LENS bigEye[10];
bigEye[2].foclen = 500;
bigEye[2] fstop = 2.0;
strcpy (bigEye[2].brand, "Remarkatar");
```

b.

```
LENS bigEye[10] = { [2] = {500, 2, "Remarkatar"} };
```

7. a.

```
6
Arcturan
Cturan
```

b. 使用结构名并使用指针：

```
deb.title.last
pb->title.last
```

c. 下面是一个版本：

```
#include <stdio.h>
```

```
#include "starfolk.h" /* 使结构定义可用 */

void prbem (const struct bem * pbem)
{
    printf ("%s %s is a %d-limbed %s.\n", pbem->title.first,
            pbem->title.last, pbem->limbs, pbem->type);
}
```

8. a. willie.born

   b. pt->born

   c. scanf ("%d", &willie.born);

   d. scanf ("%d", &pt->born);

   e. scanf("%s", willie.name.lname);

   f. scanf("%s", pt->name.lname);

   g. willie.name.fname[2]

   h. strlen (willie.name.fname) + strlen (willie.name.lname)

9. 下面是一种可能性：

```
struct car {

    char name[20];
    float hp;
    float epampg;
    float wbase;
    int year;
};
```

10. 应该这样建立函数：

```
struct gas {
    float distance;
    float gals;
    float mpg;
};

struct gas mpgs (struct gas trip)
{
    if (trip.gals > 0)
        trip.mpg = trip.distance / trip.gals;
    else
        trip.mpg = -1.0;
    return trip;
}
void set_mpgs(struct gas &ptrip)
{
    if (ptrip->gals > 0)
        ptrip->mpg = ptrip->distance / ptrip->gals ;
    else
        ptrip->mpg = -1.0;
}
```

注意这个函数不能直接改变调用它的函数中的值，所以必须使用返回值来传递信息。

```
struct gas idaho = {430.0, 14.8};  // 设置头两个数
idaho = mpgs (idaho);              // 重置数据结构
```

第二个函数则是直接访问最初的结构：

```
struct gas ohio = {583, 17.6}; //设置头两个数
set_mpgs(ohio);                 // 设置第三个数
```

11. `enum choices {no, yes, maybe};`

12. `char * (*pfun)(char *, char);`

13.

```
double sum (double, double);
double diff (double, double);
double times (double, double);
double divide (double, double);
double (*pf1[4]) (double, double) = {sum, diff, times, divide};
```

或者用更简单的形式，把代码中的最后一行替换为：

```
typedef double (*ptype) (double, double);
ptype pf[4] = {sum, diff, times, divide};
```

A.15　第 15 章

1. a. 00000011
   b. 00001101
   c. 00111011
   d. 01110111

2. a. 21，025，0x15
   b. 85，0125，0x55
   c. 76，0114，0x4C
   d. 157，0235，0x9D

3. a. 252
   b. 2
   c. 7
   d. 7
   d. 5
   f. 3
   g. 28

4. a. 255
   b. 1（非假为真）
   c. 0
   d. 1（真与真相与，结果为真）
   d. 6
   f. 1（真与真相或，结果为真）
   g. 40

5. 掩码在二进制中为 1111111。它的十进制表示为 127，八进制表示为 0177，十六进制表示为 0x7F。

6. bitval*=2 和 bitval<<1 都把 bitval 的当前值加倍，所以它们是等效的。但是 mask+=bitval 和 mask|=bitval 只有在 bitval 和 mask 没有同时设置为打开的位时才具有相同的效果。例如，2|4 为 6，但是 3|6 也是 6。

7. a.

```
struct tb_drives {
    unsigned int diskdrives: 2;
    unsigned int:            1;
    unsigned int cdromdrives: 2;
    unsigned int:            1;
    unsigned int harddrives: 2;
};
```

b.

```
struct kb_drives {
    unsigned int harddrives: 2;
    unsigned int:            1;
    unsigned int cdromdrives: 2;
    unsigned int:            1;
    unsigned int diskdrives: 2;
};
```

A.16 第 16 章

1. a．dist=5280*miles；是合法的。

   b．plort=4*4+4；是合法的。但是如果用户实际上是想要 4*(4+4)，他应该使用#define POD（FEET+FEET）。

   c．nex= =6;; 是合法的，但是没有意义。显然，用户忘记了他是在为预处理器编写代码而不是用 C 编写代码。

   d．y=y+5；是合法的。berg=berg+5*lob；是合法的，但是可能得不到想要的结果。est=berg+5/y+5；是合法的，但是可能得不到想要的结果。nilp=lob*-berg+5；是合法的，但是可能得不到想要的结果。

2. `#define NEW(X) ((X) + 5)`
3. `#define MIN(X, Y) ((X) < (Y) ? (X): (Y))`
4. `#define EVEN_GT(X, Y) ((X) > (Y) && (X) % 2 == 0 ? 1: 0)`
5. `#define PR(X, Y) printf(#X " is %d and " #Y " is %d\n", X, Y)`

因为在这个宏中 X 和 Y 绝不会被任何运算符（例如乘法）作用，所以不需要使用圆括号。

6. a. `#define QUARTERCENTURY 25`

   b. `#define SPACE ' '`

   c. `#define PS() putchar(' ')` 或者 `#define PS() putchar(SPACE)`

   d. `#define BIG(X) ((X) + 3)`

   e. `#define SUMSQ(X, Y) ((X) * (X) + (Y) * (Y))`

7. 试试这样：

```
#define P(X) printf("name: "#X"; value: %d; address: %p\n", X, &X)
```

或者，如果您的实现不能识别地址的%p 说明符，可以使用%u 或%lu。

8. 使用条件编译指令。一种方法是使用#ifndef：

```
#define _SKIP_ /* 如果您不希望跳过代码，删除这个指令 */
#ifndef _SKIP_
   /* 要跳过的代码 */
#endif
```

9.

```
#ifdef PR_DATE
    printf ("Date = %s\n", __DATE__);
#endif
```

10. argv 参数应该被声明为 char *argv[]。命令行参数被存储为字符串，所以程序应该首先把 argv[1] 中的字符串转换为类型为 double 的值，例如，可以使用 stdlib.h 库中的 atof () 函数。应该为 sqrt () 函数包含 math.h 头文件。程序在求平方根之前应进行检查参数是否为负值。

11. a. 应该像这样进行函数调用：

```
qsort ((void *) scores, (size_t) 1000, sizeof (double), comp);
```

b. 下面是一个适用的比较函数：

```
int comp (const void * p1, const void * p2)
{
    /* 需要使用指向 int 的指针以访问值          */
    /*强制类型转换在 C 中是可选的，在 C++中是必须的*/
    const int * a1 = p1;
    const int * a2 = p2;

    if (*a1 > *a2)
        return -1;
    else if (*a1 == *a2)
        return 0;
    else
        return 1;
}
```

12. a. 应该像这样进行函数调用：

```
memcpy (data1, data2, 100 * sizeof (double));
```

b. 应该像这样进行函数调用：

```
memcpy (data1, data2 + 200, 100 * sizeof (double));
```

A.17　第 17 章

1. 定义数据类型要包括确定如何存储数据以及设计一组函数来管理数据。

2. 这个列表只能沿一个方向进行遍历，因为每个结构中包含着下一个结构的地址，但是没有包含前一个结构的地址。可以对结构定义进行修改，使每个结构包含两个指针，一个指向前一个结构，另一个指向下一个结构。当然程序也要在每次添加一个新结构时为这些指针赋予正确的地址值。

3. 一个 ADT 是一个抽象数据类型，是对一种类型的属性集和可以对这种类型执行的操作的正式定义。ADT 应该用通用的语言来表达，而不是用某种特定的计算机语言来表达，它也不应该含有实现细节。

4. **直接传递变量的好处**：这些函数查看一个列表或队列，但是不能改变它们。直接传递一个列表或队列变量意味着函数对原始值的拷贝进行工作，这可以保证函数不改变原始数据。当直接传递变量时，不需要记住使用地址运算符或指针。

直接传递变量的缺点：程序不得不分配用于存放变量的足够的空间，然后对原始数据的信息进行拷贝。如果变量是一个大型结构，使用这种方法会花费大量的时间和空间。

传递变量地址的好处：传递一个地址，可以更快地访问原始数据；如果变量是一个大型结构，这比直接传递变量需要更少的内存。

传递变量地址的缺点：必须记得使用地址运算符或指针。在 K&R C 下，函数可能会不小心改变原始数据，但是使用 ANSI C 的 const 限定词可以克服这个问题。

5．a.

类 型 名 称	栈
类型属性	可存放规则的项目序列
类型操作	把栈初始化为空
	确定栈是否为空
	确定栈是否已满
	向栈顶添加项目（压入一项）
	从栈顶删除并恢复项目（弹出一项）

b．下面以数组的形式实现了栈，但是这些信息只影响结构定义和函数定义的细节，而不影响函数原型描述的接口。

```
/* stack.h -- 栈类型的接口 */
#include <stdbool.h>
/*在这里插入项目类型*/
/*例如：typedef int Item；*/
#define MAXSTACK 100
typedef struct stack
{
    Item items[MAXSTACK]；/* 存放信息          */
    int top；             /* 第一个空位的索引  */
} Stack；

/* 操作  ：初始化栈                            */
/* 操作前：ps 指向一个栈                       */
/* 操作后：该栈被初始化为空栈                  */
void InitializeStack (Stack * ps)；

/* 操作  ：检查栈是否已满                      */
/* 操作前：ps 指向一个已初始化的栈             */
/* 操作后：如果该栈已满，返回 true；否则返回 false */
bool FullStack (const Stack * ps)；

/* 操作  ：检查栈是否为空                      */
/* 操作前：ps 指向一个已初始化的栈             */
/* 操作后：如果该栈为空，返回 true；否则返回 false */
bool EmptyStack (const Stack *ps)；

/* 操作  ：把项目压入栈顶                      */
/* 操作前：ps 指向一个已初始化的栈             */
/*         item 是要放到栈顶的项目             */
/* 操作后：如果栈不为空，把 item 放到栈顶      */
/*         函数返回 true；否则，               */
/*         不改变栈，函数返回 false            */
bool Push (Item item，Stack * ps)；

/* 操作  ：从栈顶删除项目                      */
/* 操作前：ps 指向一个已初始化的栈             */
/* 操作后：如果栈不为空，栈顶的项目            */
/*        被复制到* pitem，并被从栈顶          */
/*        删除，函数返回 true；如果            */
/*        这一操作清空了栈，栈被重置为空       */
/*        如果栈开始时就为空，                 */
/*        不改变栈，函数返回 false             */
bool Pop (Item *pitem，Stack * ps)；
```

6．比较所需的最大次数如下：

项　目	顺 序 搜 索	二 叉 搜 索
3	3	2
1023	1023	10
65535	65535	16

7．请参见图 A.1。

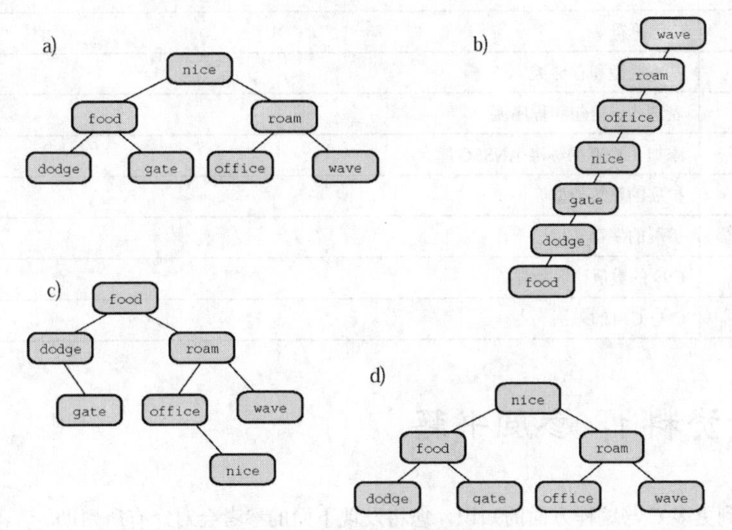

图 A.1　单词的二叉搜索树

8．请参见图 A.2。

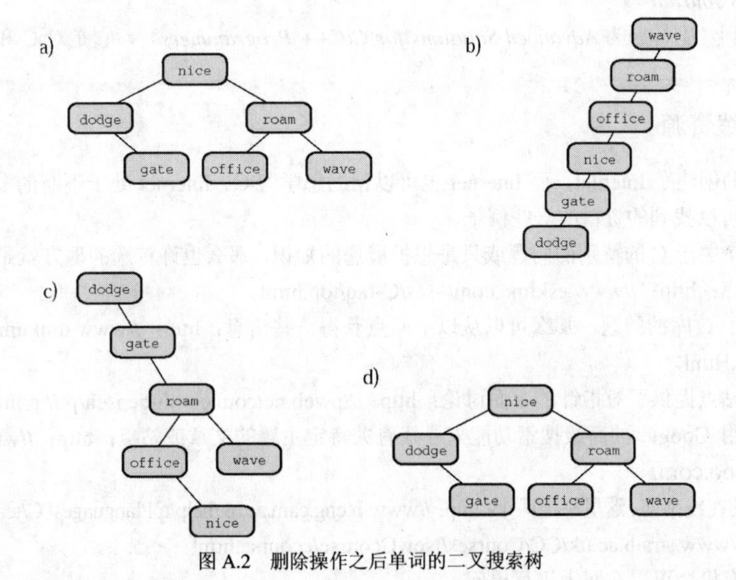

图 A.2　删除操作之后单词的二叉搜索树

附录B　参考资料

本书的这一部分提供了对基本C特性的总结以及一些特定主题的更多细节，包括以下部分：

参考资料1	参阅书籍
参考资料2	C运算符
参考资料3	基本类型和存储类
参考资料4	表达式、语句和程序流
参考资料5	添加了C99的标准ANSI C库
参考资料6	扩展的整数类型
参考资料7	扩展的字符支持
参考资料8	C99的数值计算增强
参考资料9	C与C++的差别

B.1　参考资料1：参阅书籍

如果您想学到更多C与编程方面的知识，您将发现下面的参考会对您有所帮助。

B.1.1　杂志

C/C++ Users Journal

这是一本月刊（副标题为*Advanced Solutions for C/C++ Programmers*），它是对C和C++程序员有用的资源。

B.1.2　在线资源

C程序员帮助创建了Internet，而Internet也可以帮助您学习C。Internet处于不断的发展与变化中，下面的资源只是您可以找到的资料的一些例子。

如果您有一个关于C的特别的问题或只是想扩展您的知识，那么也许首选的地方就是浏览C FAQ（常见问题解答）站点：http：//www.eskimo.com/~scs/C-faq/top.html。

如果您有关于C库的问题，那么可以从以下站点获得一些信息：http：//www.dinkumware.com/htm_cl/index.Html。

下面的这个站点提供了对指针的全面讨论：http：//pweb.netcom.com/~tjensen/ptr/ pointers.Htm。

您也可以使用Google的高级搜索功能来寻找有关特定主题的文章或站点：http：//www.google.com，http://search.yahoo.com。

有很多可用的在线指南。这里举出两个：http：//www-h.eng.cam.ac.uk/help/tpl/languages/ C/teaching_C/teaching_C.Html和http：//www.strath.ac.uk/CC/Courses/NewCcourse/ccourse.html。

新闻组使您有机会可以在网上进行提问。

新闻组通常都使用你的Internet服务提供商所提供的一个访问帐号来连接阅读。另一种访问的方法是在Web浏览器中输入以下地址：http://groups.google.com。

但是首先您应该花一些时间来阅读新闻组以知道它覆盖了什么主题。例如，如果您有一个关于如何使用C来做某事的问题，就可以试试这个新闻组：comp.lang.c。

您可以在这里找到愿意并且能够提供帮助的人。问题应该是关于标准 C 语言的。不要在这里询问如何在 UNIX 系统中获得无缓冲的输入，对特定平台的问题有专门的新闻组。最重要的是，不要向他们询问如何解答家庭作业中的问题。

如果您有关于对 C 标准进行解释的问题，试试这个新闻组：comp.std.c。

但是不要在这里询问如何声明一个指向三维数组的指针，这类问题应该到另一个新闻组：comp.lang.c 新闻组。

最后，如果您对 C 的历史感兴趣，C 的创始者 Dennis Ritchie 在以下站点的一篇文章中讲述了 C 的起源和发展：http：//cm.bell-labs.com/cm/cs/who/dmr/chist.Html。

B.1.3　C 语言的书籍

Feuer，Alan R. *The C Puzzle Book*，*second edition*. Englewood Cliffs，NJ：Prentice Hall，1989。这本书包含了很多程序，您可以对它们的输出进行预测。预测输出对测试和扩展您对 C 的理解来说是一个很好的机会。这本书也包括了答案和解释。

Kernighan，Brian W.，and Dennis M. Ritchie. *The C Programming Language*，*second edition*. Englewood Cliffs，NJ：Prentice Hall，1988。这本书是第一本关于 C 的书的第二版（注意 C 的创始者 Dennis Ritchie 是书的作者之一）。第一版给出了“K&R”C 的定义，很多年来它都是非官方的标准。第二版结合了一些基于 ANSI 草案做出的变化，在写这本书的时候该草案已经成为标准了。这本书中包含了很多有趣的例子，但是它要求读者熟悉系统编程。

Koenig，Andrew. *C Traps and Pitfalls*. Reading，MA：Addison-Wesley，1988。本书中文版《C 陷阱与缺陷》（7-115-10623-1，30 元，2002 年 11 月）已由人民邮电出版社出版。

Summit，Steve. *C Programming FAQs*. Reading，MA：Addison-Wesley，1995。这本书是 Internet FAQ 的一个扩展版本。

B.1.4　编程书籍

Kernighan，Brian W.，and P. J. Plauger. *The Elements of Programming Style*，*second edition*. New York：McGraw-Hill，1978。这本精简的巨著吸取了其他文章的一些例子，来说明什么是清晰高效的编程而什么不是。

Knuth，Donald E. *The Art of Computer Programming*，第一卷（基本算法）第三版。Reading，MA：Addison-Wesley，1997。这本标准参考书非常详细地研究了数据表示和算法分析。它是高级和精确的。第二卷（半数学算法，1997）对伪随机数进行了广泛的讨论。第三卷（排序和搜索，1998），就像书名所说明的那样介绍了排序与搜索，以伪代码和汇编语言的形式给出了例子。

Sedgewick，Robert. *Algorithms in C：Fundamentals，Data Structures，Sorting，Searching*. Reading，MA：Addison-Wesley，1995。顾名思义，这本书介绍了数据结构、排序和搜索。本书中文版《C 算法（第一卷）基础、数据结构、排序和搜索（第三版）》（7-115-12276-8，54 元，2004 年 6 月）已由人民邮电出版社出版。

B.1.5　参考手册

Harbison，Samuel P. and Steele，Guy L. *C：A Reference Manual*，*fifth edition*. Englewood Cliffs，NJ：Prentice Hall，2002。这本参考手册介绍了 C 语言的规则并描述了大多数标准库函数。它具体讨论了 C99 并提供了很多例子。《C 语言参考手册（第五版）（英文版）》（7-115-11194-4，45 元，2003 年 6 月）已由人民邮电出版社出版。

Plauger，P. J. *The Standard C Library*.　Englewood Cliffs，NJ：Prentice Hall，1992。这本大型参考手册描述了标准库函数，其中可以找到比在典型的编译器手册中更多的解释。

The International C Standard. ISO/IEC 9899：1999。在写本书的时候，可以花 18 美元从 www.ansi.org 下载这个 C 标准。不要指望可以从该文档中学会 C，因为它并不是作为指南的。这里具有代表性的一句话是：“If more than one declaration of a particular identifier is visible at any point in a translation unit，the syntactic context disambiguates uses that refer to different entities（如果一个特定标识符的多次声明在一个转换单元中的任何点处都可见，那么语法可以根据上下文来无歧义地引用不同的实体）”。

B.1.6 C++书籍

Prata，Stephen. *C++ Primer Plus*，*fourth edition*.（《C++ Primer Plus 中文版》，人民邮电出版社，2002，7）。本书向您介绍 C++语言和面向对象编程的原则。

Stroustrup，Bjarne. *The C++ Programming Language*，*third edition*. Reading，MA：AddisonWesley，1997。本书是由 C++的创始者来写的，介绍了 C++语言并包括了 C++的参考手册。

B.2 参考资料 2：C 运算符

C 具有大量的运算符。表 B.1 按优先级从高到低的顺序列出了 C 运算符并指出了它们的结合性。除非特别指明，所有的运算符都是二元的（需要两个操作数）。注意有些二元运算符和一元运算符共享相同的符号但是具有不同的优先级，例如*（乘法）和*（间接）。表之后是每个运算符的总结。

表 B.1 C 运算符

<table>
<tr><th>运算符（优先级从高到低）</th><th>结合性</th></tr>
<tr><td>++（后缀）--（后缀）（）（调用函数）
[] {}（组合文字）. →</td><td>从左到右</td></tr>
<tr><td>++（前缀）--（前缀）- + ~ !
sizeof *（取值）&（地址）
（type）（都是一元运算符）</td><td>从右到左</td></tr>
<tr><td>（type name）</td><td>从右到左</td></tr>
<tr><td>* / %</td><td>从左到右</td></tr>
<tr><td>+ -（二者都是二元运算符）</td><td>从左到右</td></tr>
<tr><td><< >></td><td>从左到右</td></tr>
<tr><td>< > <= >=</td><td>从左到右</td></tr>
<tr><td>== !=</td><td>从左到右</td></tr>
<tr><td>&</td><td>从左到右</td></tr>
<tr><td>^</td><td>从左到右</td></tr>
<tr><td>|</td><td>从左到右</td></tr>
<tr><td>&&</td><td>从左到右</td></tr>
<tr><td>||</td><td>从左到右</td></tr>
<tr><td>?:（条件表达式）</td><td>从右到左</td></tr>
<tr><td>= *= /= %= += -= <<= >>= &= |= ^=</td><td>从右到左</td></tr>
<tr><td>,（逗号运算符）</td><td>从左到右</td></tr>
</table>

B.2.1 算术运算符

+ 把右边的值加到左边的值上

+ 作为一元运算符时，产生一个大小和符号都同右边值相同的值

- 从左边的值中减去右边的值

- 作为一元运算符时，改变它右边值的符号

* 把左边的值乘以右边的值

续表

/ 把左边的值除以右边的值；如果两个操作数都是整数，结果要进行截尾

% 得出左边的值除以右边的值时的余数（只对整数）

++ 把右边的变量加 1（前缀模式）或把左边的变量加 1（后缀模式）

--与++类似，不同的是减 1

B.2.2　关系运算符

每个运算符都把左边的值与右边的值进行比较。

<	小于
<=	小于或等于
==	等于
>=	大于或等于
>	大于
!=	不等于

关系表达式

简单的关系表达式由关系运算符与它两侧的操作数组成。如果关系为真，关系表达式值就为 1；如果关系为假，关系表达式值就为 0。

5 > 2 为真，它的值为 1

（2+a）==a 为假，它的值为 0

B.2.3　赋值运算符

C 有一个基本的赋值运算符和几个组合赋值运算符。=运算符是最基本的赋值运算符。

=把它右边的值赋给它左边的左值（lvalue）

下列每个赋值运算符都使用指定的运算符，用右边的值来更新左边的左值。我们使用 R-H 来表示右边，L-H 来表示左边。

+= 把左边的变量加上右边的数，结果放在左边的变量中

-= 从左边的变量中减去右边的数，结果放在左边的变量中

*= 把左边的变量乘以右边的数，结果放在左边的变量中

/= 把左边的变量除以右边的数，结果放在左边的变量中

%= 得到左边的变量除以右边的数时的余数，结果放在左边的变量中

&= 把 L-H&R-H 的值赋给左边的数，结果放在左边的变量中

|= 把 L-H|R-H 的值赋给左边的数，结果放在左边的变量中

^= 把 L-H^R-H 的值赋给左边的数，结果放在左边的变量中

>>= 把 L-H>>R-H 的值赋给左边的数，结果放在左边的变量中

<<= 把 L-H<<R-H 的值赋给左边的数，结果放在左边的变量中

例子

rabbits*=1.6；与 rabbits=rabbits*1.6；是相同的

B.2.4 逻辑运算符

逻辑运算符通常使用关系表达式作为操作数。!运算符有一个操作数，其他运算符有两个操作数：一个在左边，另一个在右边。

&&	与
||	或
!	非

逻辑表达式

当且仅当两个表达式都为真时，expression1&&expression2 的值才为真
两个表达式至少有一个为真时，expression1||expression2 的值就为真
如果 expression 的值为假，!expression 的值就为真，反之亦然

逻辑表达式的计算顺序

逻辑表达式是按从左到右的顺序计算的。一发现可以使整个表达式为假的条件就停止计算。

例子

6>2&&3= =3 为真
!（6 >2&&3= =3）为假
x!=0&&20/x<5 只有在 x 非 0 时才计算第二个表达式

B.2.5 条件运算符

?：具有三个操作数，每个操作数都是一个表达式。它们这样进行排列：expression1? expression2：expression3。如果 expression1 为真，则整个表达式的值等于 expression2 的值；否则等于 expression3 的值。

例子

（5>3）?1：2 的值为 1
（3>5）?1：2 的值为 2
（a>b）?a：b 的值为 a 和 b 中较大的数

B.2.6 与指针有关的运算符

&是地址运算符。当后跟一个变量名时，&得到该变量的地址
*是间接或取值运算符。当后跟一个指针时，*得到存储在指针指向地址中的值

例子

&nurse 是变量 nurse 的地址。

```
nurse = 22;
ptr = &nurse; /* 指向 nurse 的指针 */
val = *ptr;
```

其效果是把 val 赋值为 22。

B.2.7　符号运算符

-是负号，它把操作数的符号变反
+是正号，它不改变操作数的符号

B.2.8　结构和联合运算符

结构和联合使用一些运算符来识别单个成员。成员运算符与结构或联合一起使用，间接成员运算符与指向结构或联合的指针一起使用。

成员运算符

“.”与结构或联合名一起使用可以表示该结构或联合的一个成员。如果 name 是一个结构的名称，member 是结构模板中说明的一个成员，那么 name.member 就表示该结构中的这个成员。name.member 的类型是为 member 指定的类型。在联合中也可以用相同的方式使用成员运算符。

例子

```
struct {
        int code;
        float cost;
} item;
item.code = 1265;
```

这个语句把一个值赋给结构 item 的成员 code。

间接成员运算符（或结构指针运算符）

“→”与指向一个结构或联合的指针一起使用来表示该结构或联合的一个成员。假定 ptrstr 是指向一个结构的指针，member 是结构模板中说明的一个成员，那么 ptrstr→member 就表示它所指向结构的成员。在联合中也可以用相同的方式来使用间接成员运算符。

例子

```
struct {
        int code;
        float cost;
} item, * ptrst;
ptrst = &item;
ptrst->code = 3451;
```

这段程序把一个值赋给 item 的成员 code。以下三个表达式是等效的：

```
ptrst->code item.code (*ptrst) .code
```

B.2.9　位运算符

除了~之外，以下的所有运算符都是二元运算符。

~是一元运算符，它把操作数的每一位都进行反转来得到一个值
&是位与运算符，只有当两个操作数中对应的位都为 1 时，它产生的值中该位才为 1
| 是位或运算符，只要两个操作数中对应的位有一位为 1，它产生的值中该位就为 1
^ 是异或运算符，只有两个操作数中对应的位中只有一位为 1（不能全为 1）时，它产生的值中该位才为 1
<<是左移运算符，它的值是把左边操作数中的位向左移动得到的，移动的位数由右边的操作数给出，空出的位用 0 来填充
>>是右移运算符，它的值是把左边操作数中的位向右移动得到的，移动的位数由右边的操作数给出。对无符号整数来说，空出的位用 0 来填充；有符号整数的行为依赖于具体的实现

例子

假定您写了以下代码：

```
int x = 2;
int y = 3;
```

那么 x&y 的值为 2，因为在 x 和 y 中只在第 1 位两者均为“1”。而 y<<x 的值为 12，因为在 y 的位组合中，3 向左移了两位得到 12。

B.2.10 混合运算符

sizeof 以 char 的大小为单位给出它右边操作数的大小。典型地，char 的大小为 1 个字节。操作数可以是圆括号中的类型说明符，例如 sizeof（float）；也可以是特定的变量、数组名等，例如 sizeof foo。sizeof 表达式的类型是 size_t。

（type）是指派运算符，它把后面的值转换成在圆括号中的关键字指定的类型。例如，（float）9 把整数 9 转换为浮点数 9.0。

“,”是逗号运算符，它把两个表达式连接到一个表达式中，并保证最左边的表达式最先被计算。整个表达式的值是左边表达式的值。这个运算符通常用来在 for 循环的控制表达式中包含更多的信息。

例子

```
for (step = 2, fargo = 0; fargo < 1000; step *= 2)
        fargo += step;
```

B.3 参考资料 3：基本类型和存储类

B.3.1 总结：基本数据类型

C 的基本数据类型可以分为两类：整数和浮点数。这些不同的种类为您提供了范围和精度上的选择。

关键字

使用以下 8 个关键字来建立基本数据类型：int、long、short、unsigned、char、float、double 和 signed（ANSI C）。

有符号整数

有符号整数可以具有正值或负值。

int 是所有系统中的基本整数类型
long 或 long int 至少可以保存与最大的 int 同样大的数，并有可能更大；long 至少为 32 位
最大的 short 或 short int 整数不会大于最大的 int，可能还要更小。short 至少为 16 位。通常 long 要比 short 大，而 int 与它们中的一种相同。例如，PC 上的 C DOS 编译器提供 16 位的 short 和 int 以及 32 位的 long。这完全依赖于系统
C99 标准提供的 long long 类型至少与 long 一样大，它至少为 64 位

无符号整数

无符号整数只有 0 值或正值，这使得它能表示的最大正数的范围更大。在所需的类型前使用关键字 unsigned：unsigned int、unsigned long、unsigned short 或 unsigned long long。单独的 unsigned 等于 unsigned int。

字符

字符是像 A、&和+这样的印刷符号。根据定义，char 变量使用 1 个字节的内存。过去 char 最通常的大小是 8 个位，但是 C 处理更大的字符集的能力允许 char 使用 16 位字节甚至 32 位字节。

char 是这种类型的关键字。某些实现使用 signed char，但是其他实现使用 unsigned char。ANSI C 允许您使用关键字 signed 和 unsigned 来指定您想要哪种形式。从技术上说，char、unsigned char 和 signed char 是三种不同的类型，其中 char 类型与其他两种表示中的一种相同。

布尔类型（C99）

C99 的布尔类型是_Bool。它是一个无符号的整数，可以保存两个值之一：0 表示假、1 表示真。包含 stdbool.h 头文件，您就可以使用 bool 表示_Bool，用 true 表示 1，用 false 表示 0，这可以使代码与 C++兼容。

实浮点数和复浮点数（C99）

C99 识别两种类型的浮点数：实数浮点数类型和复浮点数类型。两种类型共同构成了浮点类型。

实浮点数可以为正值，也可以为负值。C99 识别：

float 是系统中的基本浮点数类型。它至少可以精确地表示 6 位有效数字，通常 float 使用 32 位
double 可能保存更大的浮点数。它可能允许比 float 更多的有效数字和更大的指数。它至少可以精确地表示 10 位有效数字，通常 double 使用 64 位
long double 可能保存更大的浮点数。它可能允许比 double 更多的有效数字和更大的指数

复浮点具有两个部分：一个实部和一个虚部。C99 内部用一个二维数组来表示复数，第一个部分为实部，而第二个部分作为虚部。有 3 种复浮点类型：

float _Complex 代表实部和虚部都是 float 值
double _Complex 代表实部和虚部都是 double 值
long _Complex 代表实部和虚部都是 long double 值

在每种情况下，前缀部分的类型都叫做相应的实数类型。例如，double 是 doubl _Complex 的相应的实数类型。

复数类型在一个独立于操作系统的环境中是可选的，在这样的环境中 C 程序不需要操作系统就能运行。

同样有 3 种虚数类型，它们在独立环境和主机环境（C 程序在一种操作系统下运行的环境）中都是可选的。虚数只有虚部。这 3 种类型是：

float _Imaginary 代表虚部是 float 值
double _Imaginary 代表虚部是 double 值
long _Imaginary 代表虚部是 long double 值

复数可以使用实数和 I 来初始化。I 定义在 complx.h 文件中，代表 i，也就是-1 的平方根。

```
#include <complex.h> // for I
double _Complex z = 3.0; // real part = 3.0, imaginary part = 0
double _Complex w = 4.0 * I; // real part = 0.0, imaginary part = 4.0
double Complex u = 6.0 - 8.0 * I; // real part = 6.0, imaginary part = -8.0
```

B.3.2 总结：如何声明一个简单变量

1．选择您需要的类型。

2．为变量选择一个名称。

3．使用这种声明语句格式：type-specifier variable-name；。type-specifier 由一个或多个类型关键字组成，下面是一些例子：

```
int erest;
unsigned short cash;
```

4. 要声明同一类型的多个变量，使用逗号分隔各个变量名：

```
char ch, init, ans;
```

5. 可以在声明语句中初始化变量：

```
float mass = 6.0E24;
```

总结：存储类

关键字：

auto，extern，static，register

总体注解：

变量的存储类决定了它的作用域、链接和存储持续时间。存储类由声明变量的位置和与之相关联的关键字来决定。在所有的函数之外定义的变量是外部变量，其作用域为整个文件，具有外部链接，静态存储持续时间。除非使用了其他关键字，在函数中声明的变量是自动变量，具有代码块作用域，空链接，自动存储持续时间。在函数中使用关键字 static 定义的变量具有代码块作用域，空链接，静态存储持续时间。而在函数外使用关键字 static 定义的变量具有文件作用域，内部链接和静态存储持续时间。

属性：

下表对存储类进行了总结。

存　储　类	持续时间	作用域	链　接	声　明　方　式
自动	自动	代码块	空	代码块内
寄存器	自动	代码块	空	在代码块内使用关键字 register
具有外部链接的静态	静态	文件	外部	在所有函数之外
具有内部链接的静态	静态	文件	内部	在所有函数之外使用关键字 static
具有空链接的静态	静态	代码块	空	在代码块内使用关键字 static

说明：

关键字 extern 只用来重新声明已经在其他地方定义过的变量。在函数外定义变量会使它成为外部变量。

除了这些存储类，C 还提供了可分配内存（allocated memory）。这种内存通过调用 malloc（）函数系列中的一个函数来分配，它返回一个可以用来访问内存的指针。在调用 free（）函数或程序终止之前该内存保持已分配状态。任何可以访问指向该内存的指针的函数都可以访问这块内存。例如，一个函数可以把指针值返回给另一个函数，另一个函数就可以对内存进行访问。

B.3.3 总结：限定词

关键字

使用下列关键字来对变量起到限定作用：

```
const, volatile, restrict
```

总体注解

限定词用来限制使用变量的方式。const 变量在初始化之后就不能被改变。编译器不能假定一个 volatile

变量不被外部代理（例如一个硬件更新）改变。为restrict所限定的指针被理解为提供对一块内存的惟一访问手段（在特定的作用域中）。

属性

声明：

```
const int joy = 101;
```

建立了一个变量joy，它的值固定为101。

声明：

```
volatile unsigned int incoming;
```

表明incoming在程序中的两次出现之间它的值可能会发生改变。

声明：

```
const int * ptr = & joy;
```

表明指针ptr不能用来改变变量joy的值。但是指针可以被指向另一个位置。

声明：

```
int * const ptr = & joy;
```

表明不能对指针ptr的值进行改变，也就是说它只能指向joy。但是可以使用它来改变joy的值。

原型：

```
void simple (const char * s);
```

表明在形式参数 s 被初始化为在函数调用中传递给 simple（）的任何值之后，simple（）不能改变 s 指向的值。

原型：

```
void supple (int * const pi);
```

及其等价原型：

```
void supple (int pi[ const]);
```

表明函数supple（）不会改变参量pi的值。

原型：

```
void interleave (int * restrict p1, int * restrict p2, int n);
```

说明p1和p2是访问它们分别指向的内存块的惟一方法，这意味着这两个块之间不能重叠。

B.4 参考资料4：表达式、语句和程序流

B.4.1 总结：表达式和语句

在C中，表达式代表值，而语句代表给计算机的指令。

表达式

表达式由运算符和操作数组成。最简单的表达式只是一个不带运算符的常量或变量，例如22或beebop。复杂一些的例子是55+22和vap=2*（vip+（vup=4））。

语句

语句是对计算机的命令。任何以分号结尾的表达式都是一个语句，它不一定要有意义。语句可以是简单语句或复合语句。简单语句（simple statement）以分号结尾，下面是一些例子：

声明语句	int toes;
赋值语句	toes = 12;
函数调用语句	printf ("% dn", toes);
控制语句	while (toes < 20) toes = toes + 2;
空语句	; /* 什么都不做 */

（从技术上说，C 标准把声明归于它们自己的类别而不是把它们划为语句类别。）

复合语句（compound statement）或代码块（block）由用花括号括起来的一个或多个语句（它们本身也可以是复合语句）组成。下面的 while 语句就是一个例子：

```
while (years < 100)
{
    wisdom = wisdom + 1;
    printf ("%d %d\n", years, wisdom);
    years = years + 1;
}
```

B.4.2 总结：while 语句

关键字

while 语句的关键字是 while。

总体注解

while 语句创建一个循环，该循环在判断表达式为假（或 0）之前重复执行。while 语句是一个入口条件（entry-condition）循环，在进行一次循环之前决定是否要执行循环。因此有可能循环一次也不执行。循环的语句部分可以是一个简单语句或一个复合语句。

形式

```
while (expression)
    statement
```

在 expression 为假（或 0）之前重复执行 statement 部分。

例子

```
while (n++ < 100)
        printf (" %d %d\n", n, 2*n+1);

while (fargo < 1000)
{
        fargo = fargo + step;
        step = 2 * step;
}
```

B.4.3 总结：for 语句

关键字

for 语句的关键字是 for。

总体注解

for 语句使用由分号隔开的三个控制表达式来控制循环过程。初始化表达式只在开始执行循环语句之前执行一次。如果判断表达式为真（或非 0）就执行一次循环。然后计算更新表达式并再次检查判断表达式的值。for 语句是一个入口条件循环，在进行一次循环之前决定是否要执行循环，因此有可能循环一次也不执行。循环的语句部分可以是一个简单语句或一个复合语句。

形式

```
for (initialize; test; update)
        statement
```

循环在 test 为假（或 0）之前重复执行。

C99 允许在初始化部分中包含一个声明。变量的作用域和持续时间被限制在 for 循环内。

例子

```
for (n = 0; n < 10; n++)
      printf ("%d %d\n", n, 2 * n+1);

for (int k = 0; k < 10; k++) // C99
      printf ("%d %d\n", k, 2 * k+1);
```

B.4.4　总结：do while 语句

关键字

do while 语句的关键字是 do 和 while。

总体注解

do while 语句创建一个循环，它在判断表达式为假（或 0）之前重复执行。do while 语句是一个退出条件循环，在执行一次循环之后才决定是否要再次执行循环，因此循环至少要被执行一次。循环的语句部分可以是一个简单语句或一个复合语句。

形式

```
do
      statement
while (expression);
```

在 expression 为假（或 0）之前重复执行 statement 部分。

例子

```
do
      scanf ("%d", &number)
while (number != 20);
```

B.4.5　总结：使用 if 语句进行选择

关键字

if 语句的关键字是 if 和 else。

总体注解

在以下的每种形式中，statement 都可以是一个简单语句或一个复合语句。更一般地说，“真”表达式就是具有非零值的表达式。

形式 1

```
if (expression)
```

```
        statement
```

如果 expression 为真则执行 statement 语句。

形式 2

```
if (expression)
        statement1
else
            statement2
```

如果 expression 为真则执行 statement1 语句，否则执行 statement2 语句。

形式 3

```
if (expression1)
      statement1
else if (expression2)
      statement2
else
        statement3
```

如果 expression1 为真则执行 statement1 语句，如果 expression1 为假但 expression2 为真则执行 statement2 语句，否则就执行 statement3 语句。

例子

```
if (legs == 4)
    printf ("It might be a horse.\n");
else if (legs > 4)
      printf ("It is not a horse.\n");
else    /* legs<4 的情况 */
{
      legs++;
      printf ("Now it has one more leg.\n")
}
```

B.4.6 总结：使用 switch 进行多项选择

关键字

switch 语句的关键字是 switch。

总体注解

程序控制跳转到以表达式产生的值为标签的语句处，然后程序流将通过剩下的语句，除非又被重定向。表达式和标签都必须是整数值（包括 char 类型），标签必须是常量或只由常量组成的表达式。如果没有标签与表达式的值相匹配，那么如果有 default 标签，控制就转到以 default 为标签的语句处执行，否则控制就到达 switch 语句之后的下一个语句。当控制到达一个特定的标签时，switch 语句中后面的所有语句都要执行，除非到达 switch 语句的结尾或碰到了 break 语句。

形式

```
switch (expression)
{
      case label1: statement1
      case label2: statement2
      default: statement3
}
```

可以有两个以上带标签的语句，default 可选。

例子

```
switch (value)
      case 1 : find_sum (ar, n);
               break;
      case 2 : show_array (ar, n);
               break;
      case 3 : puts ("Goodbye!");
               break;
      default: puts ("Invalid choice, try again.");
               break;
}

switch (letter)
{
      case 'a':
      case 'e': printf ("%d is a vowel\n", letter);
      case 'c':
      case 'n': printf ("%d is in \"cane\"\n", letter);
      default : printf ("Have a nice day.\n");
}
```

如果 letter 的值为'a'或'e'，就打印所有的三条消息；为'c'或'n'时只打印最后两条消息；为其他的值时只打印最后一条消息。

B.4.7 总结：程序跳转

关键字

程序跳转的关键字是 break、continue 和 goto。

总体注解

这三条指令 break、continue 和 goto 使程序流从程序中的一个位置跳转到另一个位置。

break 命令

break 命令可以用在三种循环和 switch 语句中。它使程序控制跳过循环或 switch 语句中的剩余部分，继续执行循环或 switch 之后的命令。

例子

```
while ((ch = getchar ()) != EOF)
{
      putchar (ch);
      if (ch == ' ')
            break; // 终止循环
      chcount++;
}
```

continue 命令

continue 命令可以用在三种循环中，但是不能用在 switch 语句中。它使程序控制跳过一次循环的剩余语句。对 while 和 for 循环来说会开始下一个循环周期，而对 do while 循环来说，要判断退出条件，如果必要的话才开始下一个循环周期。

例子

```
while ((ch = getchar ()) != EOF)
{
        if (ch == ' ')
           continue;  // 转向判断退出条件
        putchar (ch);
        chcount++;
}
```

这段代码回显非空格字符并进行计数。

goto 命令

goto 语句使程序控制跳转到指定的标签处的语句。使用冒号来对标签和它后面的语句进行分隔。标签名遵循变量命名规则。带标签的语句可以在 goto 语句之前，也可以在 goto 语句之后。

形式

```
goto label;
     label: statement
```

例子

```
top: ch = getchar ();
     if (ch != 'y')
       goto top;
```

B.5 参考资料 5：添加了 C99 的标准 ANSI C 库

ANSI C 库把函数分为不同的组，每个组都具有与之相关的头文件。本附录给出了库的总览，列出了这些头文件并简单地描述了相关的函数。文中对一些函数（例如一些 I/O 函数）进行了较为详细的讨论。更一般地，如果想获得完整的说明，请参考具体实现的文档或参考手册，或试试下面的在线参考：

http：//www.dinkumware.com/htm_cl/index.html

B.5.1 诊断：assert.h

这个头文件把 assert（）定义为一个宏。在包含 assert.h 头文件之前定义宏标识符 NDEBUG 可以禁用 assert（）宏。用作参数的表达式通常是一个关系或逻辑表达式，如果程序正确执行的话，那么在程序执行到该点时该表达式应该为真。

表 B.2 诊断宏

原　型	说　明
void assert（int exprs）；	如果 exprs 为非 0（或真），宏不做任何事；如果 exprs 为 0（假），assert（）就显示该表达式、assert（）语句所在的行号和包含该语句的文件名；然后它调用 abort（）

B.5.2 复数：complex.h（C99）

C99 标准添加了对复数计算的广泛支持。除了提供_Complex 类型之外，实现还可以提供_Imaginary 类型。该头文件定义了表 B.3 中列出的宏。

表 B.3　complex.h 宏

宏	说　明
complex	展开为类型关键字_Complex
_Complex_I	展开为一个类型是 const float _Complex 的表达式，它的值平方后为-1
imaginary	如果支持虚数类型，就展开为类型关键字_Imaginary
_Imaginary_I	如果支持虚数类型，就展开为一个类型是 const float_Imaginary 的表达式，它的值平方后为-1
I	展开为_Complex_I 或_Imaginary_I

在 C 中使用 complex.h 头文件实现对复数的支持，而在 C++中是使用 complex 头文件实现。两种实现有很大的不同，C++是使用类来定义复数类型的。

可以使用 STDC CX_LIMITED_RANGE 编译指示来表明是可以使用普通的数学公式（打开时），还是要对极值进行特别的注意（关闭时）：

```
#include <complex.h>
#pragma STDC CX_LIMITED_RANGE on
```

库函数可以分为三种：double、float 和 long double。表 B.4 列出了 double 版本。float 和 long double 版本只是在函数名后面分别加上 f 和 l。这样，csinf（）就是 csin（）的 float 版本，而 csinl（）是 csin（）的 long double 版本。

角度是以弧度为单位的。

表 B.4　复数函数

原　型	说　明
double complex cacos (double complex z);	返回 z 的复数反余弦
double complex casin (double complex z);	返回 z 的复数反正弦
double complex catan (double complex z);	返回 z 的复数反正切
double complex ccos (double complex z);	返回 z 的复数余弦
double complex csin (double complex z);	返回 z 的复数正弦
double complex ctan (double complex z);	返回 z 的复数正切
double complex cacosh (double complex z);	返回 z 的复数反双曲余弦
double complex casinh (double complex z);	返回 z 的复数反双曲正弦
double complex catanh (double complex z);	返回 z 的复数反双曲正切
double complex ccosh (double complex z);	返回 z 的复数双曲余弦
double complex csinh (double complex z);	返回 z 的复数双曲正弦
double complex ctanh (double complex z);	返回 z 的复数双曲正切
double complex cexp (double complex z);	返回 e 的 z 次幂的复数值
double complex clog (double complex z);	返回 z 的自然对数（以 e 为底）的复数值
double cabs (double complex z);	返回 z 的绝对值（或长度）
double complex cpows (double complex z, double complex y);	返回 z 的 y 次幂的值
double complex csqrt (double complex z);	返回 z 的复数平方根
double carg (double complex z);	以弧度返回 z 的相位角（或辐角）
double cimag (double complex z);	以实数形式返回 z 的虚部
double complex conj (double complex z);	返回 z 的共轭复数
double complex cproj (double complex z);	返回 z 在 Riemann 域上的投影
double creal (double complex z);	以实数形式返回 z 的实部

B.5.3　字符处理：ctype.h

这些函数接受 int 参数，这些参数能够被表示为 unsigned char 值或 EOF，如果提供其他值则结果没有定义。在表 B.5 中“真”作为“非 0 值”的速记形式。对一些定义的解释要依赖于当前场所的设置，它是由 locale.h 中的函数来控制的；该表显示了在“C”场所中的解释。

表 B.5　字符处理函数

原　型	说　明
int isalnum (int c);	如果 c 是字母数字（字母或数字）则返回真
int isalpha (int c);	如果 c 是字母则返回真
int isblank (int c);	如果 c 是空格或水平制表符则返回真（C99）
int iscntrl (int c);	如果 c 是控制字符，例如 Ctrl+B，则返回真
int isdigit (int c);	如果 c 是数字则返回真
int isgraph (int c);	如果 c 是空格之外的任何打印字符则返回真
int islower (int c);	如果 c 是小写字符则返回真
int isprint (int c);	如果 c 是打印字符则返回真
int ispunct (int c);	如果 c 是标点字符（除空格或字母数字之外的任何打印字符）则返回真
int isspace (int c);	如果 c 是下列空白字符：空格、换行、走纸、回车、垂直制表、水平制表或其他由实现定义的字符，那么返回真
int isupper (int c);	如果 c 是大写字符则返回真
int isxdigit (int c);	如果 c 是十六进制数字字符则返回真
int tolower (int c);	如果参数为大写字符则返回它的小写，否则返回原始参数
int toupper (int c);	如果参数是小写字符则返回它的大写，否则返回原始参数

B.5.4　错误报告：errno.h

errno.h 支持较老的错误报告机制。这种机制提供了可以被标识符（也可能是宏）ERRNO 访问的外部静态内存位置。一些库函数在这个位置放一个值来支持错误，然后包含这个头文件的程序就可以检查 ERRNO 的值以确定是否报告了一个错误。ERRNO 机制被认为缺少艺术性，而要设置 ERRNO 值也不再需要数学函数。标准提供了三个宏值来表示特定的错误，但是有些实现可以提供更多。表 B.6 列出了标准的宏。

表 B.6　errno.h 宏

宏	含　义
EDOM	函数调用中的域错误（参数越界）
ERANGE	函数返回值的范围错误（返回值越界）
EILSEQ	宽字符转换错误

B.5.5　浮点数环境：fenv.h（C99）

C99 标准通过 fenv.h 头文件提供了对浮点数环境的访问和控制。这个特性支持对数值计算的更多控制，但是它要得到广泛的实现可能还需要一段时间。

浮点数环境（floating-point environment）包括一组状态标志和控制模式。在浮点数计算中发生的异常情形，例如被零除，可以“抛出一个异常”。这意味着该事件设置了浮点数环境标志中的一位。控制模式值可以进行一些控制，例如控制舍入的方向。fenv.h 头文件定义了一组用来表示异常和控制模式的宏，它也提供了与环境进行交互的函数原型。头文件还提供了一个 pragma 来启用或禁用对浮点数环境的访问。

下面的指令开启了对环境的访问：

```
#pragma STDC FENV_ACCESS on
```

而下面的指令则关闭了对环境的访问：

```
#pragma STDC FENV_ACCESS off
```

如果在外部，这个编译指示应该在任何外部声明之前或在复合代码块的开始处给出。它一直保持有效，直到碰到另一个编译指示，或到达文件结尾（外部指令），或到达复合语句的结尾（代码块指令）为止。

头文件定义了两种类型，在表 B.7 中显示。

表 B.7　fenv.h 类型

类　型	表　示
fenv_t	整个浮点数环境
fexcept_t	浮点数状态标志的集合

头文件定义了表示一些可能的浮点异常和控制状态的宏。不同的实现可能定义更多的宏，但是它们要以 FE_开头，后跟大写字符。表 B.8 说明了标准异常宏。

表 B.8　fenv.h 类型

宏	表　示
FE_DIVBYZERO	抛出被零除异常
FE_INEXACT	抛出不精确值异常
FE_INVALID	抛出非法值异常
FE_OVERFLOW	抛出上溢异常
FE_UNDERFLOW	抛出下溢异常
FE_ALL_EXCEPT	位异常或被实现所支持的所有浮点数异常
FE_DOWNWARD	向下舍入
FE_TONEAREST	向最近的值舍入
FE_TOWARDZERO	趋 0 舍入
FE_UPWARD	向上舍入
FE_DFL_ENV	表示默认的环境，类型为 const fenv_t *

表 B.9 说明了 fenv.h 头文件中的标准函数原型。注意，通常参数值和返回值与表 B.8 中的宏相符。例如，FE_UPWARD 是 fesetround（）函数的一个适当参数。

表 B.9　fenv.h 类型

原　型	说　明
void feclearexcept (int excepts);	清除 excepts 表示的异常
void fegetexceptflag (t * flagp, int excepts);	在 flagp 指向的对象中存储由 excepts 说明的浮点数状态标志
void feraiseexcept (int excepts);	抛出 excepts 说明的异常
void fesetexceptflag (const fexcept_t * flagp, int excepts);	把由 excepts 表明的浮点数状态标志设置为 flagp 提供的值，flagp 应该通过事先调用 fegetexceptflag（）进行设置
int fetestexcept (int excepts);	excepts 指明要查询的状态标志，函数返回指定的状态标志位
int fegetround (void);	返回当前的舍入方向
int fesetround (int round);	把舍入方向设置为 round 指定的值，当且仅当设置成功时函数返回 0
void fegetenv (fenv_t * envp);	在 envp 指向的位置中存储当前环境

续表

原　型	说　明
int feholdexcept (fenv_t * envp);	在 envp 指向的位置中存储当前的浮点数环境，清除浮点数状态标志，然后如果可能的话就设置非停模式，在这种模式中即使发生异常也继续执行。当且仅当执行成功时函数返回 0
void fesetenv (const fenv_t * envp);	建立 envp 表示的浮点数环境，envp 应该指向一个数据对象，该对象通过事先调用 fegetenv（）或 feholdexcept（）或一个浮点数环境宏进行设置
void feupdateenv (const fenv_t * envp);	函数在自动存储区中存储当前抛出的浮点数异常，建立由 envp 指向的对象表示的浮点数环境，然后抛出所存储的浮点数异常，envp 应该指向一个数据对象，该对象通过事先调用 fegetenv（）或 feholdexcept（）或一个浮点数环境宏进行设置

B.5.6　整数类型的格式转换：inttypes.h（C99）

这个头文件定义了一些宏，可以使用它们作为扩展的整数类型的格式说明符。这个头文件还声明了以下类型：

```
imaxdiv_t
```

这是一个结构类型，它表示 idivmax（）函数的返回值。

这个头文件还包含了 stdint.h 并声明了一些使用最大长度的整数类型的函数，这种整数类型在 stdint.h 中声明为 intmax。表 B.10 列出了这些函数。

表 B.10　　使用最大长度整数的函数

原　型	说　明
intmax_t imaxabs (intmax_t j);	返回 j 的绝对值
imaxdiv_t imaxdiv (intmax_t numer , intmax_t denom);	在一个单独的运算中计算 numer/denom 的商和余数，并把这两个值存储在一个返回结构中
intmax_t strtoimax (const char * restrict nptr, char ** restrict endptr, int base);	除了把字符串转换为 intmax_t 类型并返回这个值之外，等价于 strtol（）函数
uintmax_t strtoumax (const char * restrict nptr, char ** restrict endptr, int base);	除了把字符串转换为 uintmax_t 类型并返回这个值之外，等价于 strtoul（）函数
intmax_t wcstoimax (const wchar_t * restrict nptr, wchar_t ** restrict endptr, int base);	strtoimax（）的 wchar_t 版本
uintmax_t wcstoumax (const wchar_t * restrict nptr, wchar_t ** restrict endptr, int base);	strtoumax（）的 wchar_t 版本

B.5.7　本地化：locale.h

场所（locale）是一组设置，它控制着例如小数点所使用的符号这样的事情。场所值被存放在一个类型为 struct lconv 的结构中，这个结构在 locale.h 头文件中定义。场所可以由一个字符串来指定，这个字符串指定了该结构成员值的一个特定集合。默认的场所由字符串"C"指示。表 B.11 列出了本地化函数，之后是一个简单的说明。

表 B.11　本地化函数

原型	说　明
char * setlocale (int category, const char * locale);	这个函数把一些场所值设置为由 locale 指定的值。category 的值控制要设置哪些场所值（请参见表 B.5.11）。如果不能完成请求，函数就返回一个空指针；否则返回与新场所中的指定类别相联系的指针
struct lconv * localeconv (void);	返回一个指向结构 struct lconv 的指针，该结构由当前的场所值进行填充

setlocale（）函数的 locale 参量要求的值可能是"C"，它是默认的值；也可能是" "，它表示实现所定义的本地环境。实现可以定义更多的场所。setlocale（）函数的 category 参量可能的值由表 B.12 中列出的宏来表示。

表 B.12　category 宏

宏	说　明
NULL	不改变场所，并返回指向当前场所的指针
LC_ALL	改变所有的场所值
LC_COLLATE	按 strcoll（）和 strxfrm（）使用的编码顺序改变场所值
LC_CTYPE	对字符处理函数和多字节函数改变场所值
LC_MONETARY	对货币格式信息改变场所值
LC_NUMERIC	对小数点符号和由格式化 I/O 以及字符串转换函数使用的非货币格式改变场所值
LC_TIME	对 strftime（）使用的时间格式改变场所值

表 B.13 列出了结构 struct lconv 要求的成员。

表 B.13　结构 struct lconv 要求的成员

宏	说　明
char * decimal_point	非货币值的小数点字符
char * thousands_sep	用来分隔非货币的数值中小数点前的数字组的字符
char * grouping	一个字符串，它的元素用来表明非货币的数值中的每组数字的大小
char * int_curr_symbol	国际货币符号
char * currency_symbol	本地货币符号
char * mon_decimal_point	货币值中的小数点字符
char * mon_thousands_sep	用来分隔货币值中小数点前的数字组的字符
char * mon_grouping	一个字符串，它的元素用来表明货币值中每组数字的大小
char * positive_sign	用来表明非负格式化货币值的字符串
char * negative_sign	用来表明负格式化货币值的字符串
char int_frac_digits	国际格式化的货币值中小数点之后的数字个数
char frac_digits	本地格式化的货币值中小数点之后的数字个数
char p_cs_precedes	根据 currency_symbol 是在一个非负格式化货币值前面还是后面设置为 1 或 0
char p_sep_by_space	根据 currency_symbol 是否用空格与一个非负格式化货币值分隔开设置为 1 或 0
char n_cs_precedes	根据 currency_symbol 是在一个负格式化货币值前面还是后面设置为 1 或 0
char n_sep_by_space	根据 currency_symbol 是否用空格与一个负格式化货币值分隔开设置为 1 或 0
char p_sign_posn	设置为表明 positive_sign 字符串的位置的值 0 说明数值和货币符号用圆括号括起来 1 说明字符串在数值和货币符号之前 2 说明字符串在数值和货币符号之后 3 说明字符串就在货币符号前面 4 说明字符串紧跟在货币符号后面

续表

宏	说　明
char n_sign_posn	设置为表明字符串 negative_sign 位置的值，含义与 char p_sign_posn 相同
char int_p_cs_precedes	根据 int_currency_symbol 在一个非负格式化货币值之前还是之后设置为 1 或 0
char int_p_sep_by_space	根据 int_currency_symbol 是否用空格与一个非负格式化货币值分隔开设置为 1 或 0
char int_n_cs_precedes	根据 int_currency_symbol 在一个负格式化货币值之前还是之后设置为 1 或 0
char int_n_sep_by_space	根据 int_currency_symbol 是否用空格与一个负格式化货币值分隔开设置为 1 或 0
char int_p_sign_posn	设置为一个表明 positive_sign 相对于一个非负国际格式化货币值的位置的值
char int_n_sign_posn	设置为一个表明 positive_sign 相对于一个负国际格式化货币值的位置的值

B.5.8 数学库：math.h

在 C99 中，math.h 头文件定义了两种类型：

```
float_t
double_t
```

这两种类型分别至少与 float 和 double 同样宽，而 double_t 至少与 float_t 同样宽。它们分别是进行 float 和 double 计算时效率最高的类型。

这个头文件也定义了一些宏，在表 B.14 中对它们进行了描述，其中除了 HUGE_VAL 之外的都是 C99 新增的。在“参考资料 8：C99 的数值计算增强”中会对其中一些进行更详细的讨论。

表 B.14　　math.h 宏

宏	说　明
HUGE_VAL	一个正的双精度常量，不一定能用浮点数表示它；在过去，函数的结果大小超过了可表示的最大值时就使用它来作为函数的返回值
HUGE_VALF	与 HUGE_VAL 类似，但类型为 float
HUGE_VALL	与 HUGE_VAL 类似，但类型为 long double
INFINITY	如果有的话，就展开为一个表示正的或无符号的无穷大的常量 float 表达式；否则展开为一个在编译时溢出的正的浮点数常量
NAN	当且仅当实现支持 float 的 NaN（一个表示“不是一个数”的值）时被定义
FP_INFINITE	表示一个无穷大的浮点数值的分类号
FP_NAN	表示不是一个数的浮点数值的分类号
FP_NORMAL	表明一个正常的浮点数值的分类号
FP_SUBNORMAL	表示一个低于正常（精度被降低）的浮点数值的分类号
FP_ZERO	表示一个为 0 的浮点数值的分类号
FP_FAST_FMA	（可选）如果有定义，它就表示一个与 double 操作数的乘法和加法同样快或更快的函数 fma（）
FP_FAST_FMAF	（可选）如果有定义，它就表示一个与 float 操作数的乘法和加法同样快或更快的函数 fmaf（）
FP_FAST_FMAL	（可选）如果有定义，它就表示一个与 long double 操作数的乘法和加法同样快或更快的函数 fmal（）
FP_ILOGB0	一个整数常量表达式，它表示 ilogb（0）返回的值
FP_ILOGBNAN	一个整数常量表达式，它表示 ilogb（NaN）返回的值
MATH_ERRNO	展开为整数常量 1
MATH_ERREXCEPT	展开为整数常量 2
math_errhandling	值为 MATH_ERRNO 或 MATH_ERREXCEPT 或这两个值的按位或（OR）

数学函数通常对类型为 double 的值进行操作。C99 添加了这些函数的 float 和 long double 版本，分别在函数名前加上 f 前缀和 l 前缀来表示。例如，C99 现在提供这些原型：

```
double sin (double);
float sinf (float);
long double sinl (long double);
```

为了简短起见，表 B.15 只列出了数学库中这些函数的 double 版本。该表引用了 FLT_RADIX。这个常量是在 float.h 中定义的，它用做内部浮点数表示中幂次的底数。最常用的值是 2。

表 B.15　ANSI C 标准数学函数

原　型	说　明
int classify (*real-floating* x);	返回对 x 适当的浮点数分类值的 C99 宏
int isfinite (*real-floating* x);	当且仅当 x 有穷时返回非 0 值的 C99 宏
int isfin (*real-floating* x);	当且仅当 x 无穷时返回非 0 值的 C99 宏
int isnan (*real-floating* x);	当且仅当 x 为 NaN 时返回非 0 值的 C99 宏
int isnormal (*real-floating* x);	当且仅当 x 为正常数时返回非 0 值的 C99 宏
int signbit (*real-floating* x);	当且仅当 x 的符号为负时返回非 0 值的 C99 宏
double acos (double x);	返回余弦为 x 的角度（0 到π弧度）
double asin (double x);	返回正弦为 x 的角度（−π/2 到π/2 弧度）
double atan (double x);	返回正切为 x 的角度（−π/2 到π/2 弧度）
double atan2(double y, double x);	返回正切为 y/x 的角度（−π到π弧度）
double cos (double x);	返回 x（弧度）的余弦值
double sin (double x);	返回 x（弧度）的正弦值
double tan (double x);	返回 x（弧度）的正切值
double cosh (double x);	返回 x 的双曲余弦值
double sinh (double x);	返回 x 的双曲正弦值
double tanh (double x);	返回 x 的双曲正切值
double exp (double x);	返回 x 的指数函数值（e^x）
double exp2 (double x);	返回 2 的 x 次幂（C99）
double expm1 (double x);	返回 e^x-1（C99）
double frexp (double v, int * pt_e);	把 v 的值分为两部分，一个是规范化小数，返回它的值；另一个是 2 的幂次，它被放在 pt_e 指向的位置中
int ilogb (double x);	用一个 signed int 返回 x 的指数（C99）
double ldexp (double x, int p);	返回 2 的 p 次幂乘以 x 的结果
double log (double x);	返回 x 的自然对数
double log10 (double x);	返回 x 的以 10 为底的对数
double logp1 (double x);	返回 log（1+x）（C99）
double log2 (double x);	返回 x 的以 2 为底的对数（C99）
double logb (double x);	返回参数的有符号指数，底数是用来表示系统中的浮点数的值（FLT_RADIX）（C99）
double modf (double x, double * p);	把 x 分为整数部分和小数部分；它们的符号相同，返回小数部分，把整数部分存储在 p 指向的位置中
double scalbn (double x, int n);	返回 x×FLT_RADIX^n（C99）
double scalbln(double x, long n);	返回 x×FLT_RADIX^n（C99）
double cbrt (double x);	返回 x 的立方根（C99）

续表

原　型	说　明
double hypot(double x, double y);	返回 x 的平方与 y 的平方之和的平方根（C99）
double pow (double x, double y);	返回 x 的 y 次幂
double sqrt (double x);	返回 x 的平方根
double erf (double x);	返回 x 的误差函数（C99）
double erfc (double x);	返回 x 的补余误差函数（C99）
double lgamma (double x);	返回 x 的 gamma 函数的绝对值的自然对数（C99）
double tgamma (double x);	返回 x 的 gamma 函数（C99）
double ceil (double x);	返回不小于 x 的最小的整数值
double fabs (double x);	返回 x 的绝对值
double floor (double x);	返回不大于 x 的最大整数值
double nearbyint (double x);	以浮点数的形式把 x 舍入为最近的整数；使用由浮点数环境（如果可用）指定的舍入方向。不会抛出"inexact"异常（C99）
double rint (double x);	除了会抛出"inexact"异常之外，与 nearbyint（）相同（C99）
long int lrint (double x);	以 long int 的形式把 x 舍入为最近的整数；使用由浮点数环境（如果可用）指定的舍入方向（C99）
long long int llrint (double x);	以 long long int 的形式把 x 舍入为最近的整数；使用由浮点数环境（如果可用）指定的舍入方向（C99）
double round (double x);	以浮点数的形式把 x 舍入为最近的整数，它总是进行“四舍五入”（C99）
long int lround (double x);	与 round（）类似，但是结果以 long int 类型返回（C99）
long long int llround (double x);	与 round（）类似，但是结果以 long long int 类型返回（C99）
double trunc (double x);	以浮点数的形式把 x 舍入为最近的整数，结果的绝对值不会大于 x 的绝对值（C99）
int fmod (double x, double y);	返回 x/y 的小数部分，如果 y 非 0，结果的符号与 x 相同，它的绝对值要小于 y 的绝对值
double remainder (double x, double y);	返回 x 除以 y 的余数，在 IEC 60559 中它定义为 x-n*y，n 是与 x/y 最接近的整数，如果（n-x/y）的绝对值是 1/2，则 n 应该取偶数（C99）
double remquo (double x, double y, int * quo);	返回值与 remainer（）相同，把与 x/y 符号相同的值放到 quo 指向的位置中，把 x/y 的整数大小对 2^k 取模，k 是一个依赖于实现的整数，它的值至少为 3（C99）
double copysign (double x, double y);	返回一个绝对值与 x 相同，符号与 y 相同的值（C99）
double nan (const char * tagp);	返回 NaN 的类型为 double 的表示：nan（"*n-char-seq*"）等价于 strtod（"NAN（*n-char-seq*）"，（char **）NULL）；nan（""）等价于 strtod（"NAN（）"，（char **）NULL）；对其他参数字符串来说，调用等价于 strtod("NAN",（char**）NULL）。如果不支持 NaN，那么函数返回 0（C99）
double nextafter (double x, double y);	在 y 的方向上返回 x 之后下一个可表示的类型为 double 的值，如果 x 等于 y 返回 x（C99）
double nexttoward(double x, long double y);	与 nextafter（）相同，只是第二个参数为 long double 类型，而且如果 x 等于 y，返回转换为 double 的 y（C99）
double fdim(double x, double y);	返回参数之间的差的绝对值（C99）
double fmax(double x, double y);	返回参数中最大的数值，如果参数是一个 NaN 和一个数字，就返回那个数字（C99）

续表

原 型	说 明
double fmin (double x, double y);	返回参数中最小的数值，如果参数是一个 NaN 和一个数字，就返回那个数字（C99）
double fma (double x, double y, double z);	作为一个三重运算，返回（x*y）+z 的值，只在最后舍入一次（C99）
int isgreater (real-floating x, real-floating y);	一个 C99 宏，它返回（x）>（y）的值，如果有参数为 NaN，它不会抛出“非法浮点数”异常
int isgreaterequal (real-floating x, real-floating y);	一个 C99 宏，它返回（x）>=（y）的值，如果有参数为 NaN，它不会抛出“非法浮点数”异常
int isless (real-floating x, real-floating y);	一个 C99 宏，它返回（x）<（y）的值，如果有参数为 NaN，它不会抛出“非法浮点数”异常
int islessequal (real-floating x, real-floating y);	一个 C99 宏，它返回（x）<=（y）的值，如果有参数为 NaN，它不会抛出“非法浮点数”异常
int islessgreater(real-floating x, real-floating y);	一个 C99 宏，它返回（x）<（y）‖（x）>（y）的值，如果有参数为 NaN，它不会抛出“非法浮点数”异常
int isunordered (real-floating x, real-floating y);	如果参数不是按序排列的（至少有一个 NaN）函数返回 1，否则返回 0

B.5.9 非本地跳转：setjmp.h

setjmp.h 头文件使您可以不遵守通常的函数调用和函数返回的顺序。setjmp（）函数存储关于当前执行环境的信息。例如，在类型为 jmp_buf 的变量（这个头文件中定义的一个数组类型）中存储指向当前指令的指针，然后 longjmp（）函数使执行转到这个环境中。这些函数是有助于处理错误情况的，而不是作为通常的程序流控制的一部分。表 B.16 列出了这些函数。

表 B.16　　setjmp.h 函数

原 型	说 明
int setjump (jmp_buf env);	在 env 数组中存储调用它时的环境；如果是直接调用那么返回 0，如果是从对 longjmp（）的调用中返回那么返回非 0 值
void longjmp (jmp_buf env, int val);	恢复由最近执行的 setjmp（）存储的环境；结束这个改变之后，程序继续执行，除了不允许返回值为 0（如果是 0，会转换为 1）之外，就好像 setjmp（）的执行返回 val 一样

B.5.10 信号处理：signal.h

信号（signal）是在程序执行期间可以被报告的一种情形。它由正整数来表示。raise（）函数发出（或抛出）一个信号，而 signal（）函数设置对特定信号的响应。

标准提供了在 B.17 中列出的宏，它们表示可能的信号；实现可以添加更多的值。它们可以用做 raise（）和 signal（）的参数。

表 B.17　　信号宏

宏	说 明
SIGABRT	异常终止，例如由 abort（）调用发出的信号
SIGFPE	错误的数学运算
SIGILL	检测到非法功能（例如非法的指令）

续表

宏	说　明
SIGINT	接收到交互式的注意信号（例如一个 DOS 中断）
SIGSEGV	对存储区的非法访问
SIGTERM	发送给程序的终止请求

signal（）函数的第二个参数是一个指针，它指向一个接受 int 参数的 void 函数。它也返回一个同样类型的指针。作为对信号的响应来调用的函数被称为信号处理器（signal handler）。标准定义了三个满足这种原型的宏：

```
void (*funct)(int);
```

表 B.18 列出了这些宏。

表 B.18　void（*f）（int）类型宏

宏	说　明
SIG_DFL	当这个宏与一个信号值一起用做 signal（）的参数时，表示发生该信号时进行默认的处理
SIG_ERR	如果 signal（）不能返回它的第二个参数，就用这个宏作为 signal（）的返回值
SIG_IGN	当这个宏与一个信号值一起用做 signal（）的参数时，表示将忽略该信号

如果产生了信号 sig 而且 func 指向一个函数（请参见表 B.19 中的 signal（）原型），大多数情况下首先调用 signal（sig，SIG_DFL）来把信号处理重置为默认的处理，然后调用（*func）（sig）。func 指向的信号处理函数可以通过执行 return 语句来终止，也可以调用 abort（）、exit（）或 longjmp（）来终止。

表 B.19 列出了信号函数。

表 B.19　信号函数

原　型	说　明
void（*signal（int sig，void（*func）（int）））（int）；	如果产生信号 sig，就执行由 func 指向的函数；如果可能就返回 func，否则返回 SIG_ERR
int raise（int sig）；	向正在执行的程序发送信号 sig；如果成功就返回 0，否则返回非 0 值

B.5.11　可变参数：stdarg.h

stdarg.h 头文件提供了一种方法来定义具有可变数目的参数的函数。这样的函数的原型应该具有一个参量列表，其中至少要有一个参量后面跟有省略号：

```
void f1 (int n, ...);                  /* 合法        */
int f2 (int n, float x, int k, ...);   /* 合法        */
double f3 (...);                       /* 不合法      */
```

下面用 parmN 来表示省略号前面的最后一个参量的标识符。在前面的例子中，第一种情况里 parmN 为 n，第二种情况 parmN 为 k。

这个头文件声明了一个 va_list 类型，该类型表示用于存放对应于参量列表的省略号部分的参量的数据对象。表 B.20 列出了三个要用在具有可变参量列表的函数中的宏。在使用这些宏之前应该声明一个类型为 va_list 的对象。

表 B.20　可变参数列表宏

原　型	说　明
void va_start(va_list ap, parmN);	这个宏在 va_arg（）和 va_end（）使用 ap 之前对 ap 进行初始化，parmN 是参数列表中最后一个命名参量的标识符
void va_copy（va_list dest，va_list src）；	这个宏把 dest 初始化为当前状态的 src 的一份拷贝（C99）

续表

原　型	说　明
type va_arg（va_list ap，*type*）；	这个宏展开为一个表达式，该表达式的值和类型都与由 ap 表示的参数列表中的下一项相同；type 就是该项的类型。每次调用这个宏都前进到 ap 中的下一项
void va_end（va_list ap）；	这个宏关闭这个过程，使 ap 在再次调用 va_start（）之前不可用

B.5.12 布尔支持：stdbool.h（C99）

这个头文件定义了表 B.21 中列出的 4 个宏。

表 B.21　stdbool.h 宏

宏	说　明
bool	展开为_Bool
false	展开为整数常量 0
true	展开为整数常量 1
__bool_true_false_are_defined	展开为整数常量 1

B.5.13 通用定义：stddef.h

这个头文件定义了一些类型和宏，如表 B.22 和表 B.23 中所列。

表 B.22　stddef.h 类型

类　型	说　明
ptrdiff_t	一个有符号整数类型，表示一个指针减去另一个指针的结果
size_t	一个无符号整数类型，表示 sizeof 运算符的结果
wchar_t	一个整数类型，可以表示由支持场所来指定的最大的扩展字符集

表 B.23　stddef.h 宏

宏	说　明
NULL	一个由实现定义的常量，表示空指针
offsetof（type，*member-designator*）	展开为一个 size_t 值，以字节来表示指定成员相对于类型为 type 的结构的开始处的偏移量；如果指定成员是一个位字段，那么这个宏的行为没有定义

例子

```
#include <stddef.h>

struct car
{
   char brand[30];
   char model[30];
   double hp;
   double price;
};
int main(void)
{
   size_t into = offsetof(struct car, hp); /* offset of hp member */
...
```

B.5.14 整数类型：stdint.h

这个头文件使用 typedef 工具创建一些指定了整数属性的整数类型名。这个头文件被包含在 inttypes.h 头文件中，后者提供了在输入/输出函数调用中使用的宏。

一、确切长度类型

一组 typedef 定义标识了一些确切大小的类型。表 B.24 列出了它们的名字和大小，但是要注意不是所有的系统都能支持所有这些类型。

表 B.24 确切长度类型

typedef 名称	属　性
int8_t	8 位有符号
int16_t	16 位有符号
int32_t	32 位有符号
int64_t	64 位有符号
uint8_t	8 位无符号
uint16_t	16 位无符号
uint32_t	32 位无符号
uint64_t	64 位无符号

二、最小长度类型

最小长度类型保证一种类型的大小至少为某个确定的位。表 B.25 列出了最小长度类型。这些类型总是存在的。

表 B.25 最小长度类型

typedef 名称	属　性
int_least8_t	至少 8 位有符号
int_least16_t	至少 16 位有符号
int_least32_t	至少 32 位有符号
int_least64_t	至少 64 位有符号
uint_least8_t	至少 8 位无符号
uint_least16_t	至少 16 位无符号
uint_least32_t	至少 32 位无符号
uint_least64_t	至少 64 位无符号

三、最快最小长度类型

对于特定的系统，有些整数表示可以比其他整数表示更快。所以 stdint.h 也为表示至少某些特定的位定义了最快的类型。表 B.26 列出了最快最小长度类型。这些类型总是存在的。在有些情况下，哪种类型最快可能没有明显的选择，那么系统就简单地指定其中一种。

表 B.26 最快最小长度类型

typedef 名称	属　性
int_fast8_t	至少 8 位有符号
int_fast16_t	至少 16 位有符号

续表

typedef 名称	属　性
int_fast32_t	至少 32 位有符号
int_fast64_t	至少 64 位有符号
uint_fast8_t	至少 8 位无符号
uint_fast16_t	至少 16 位无符号
uint_fast32_t	至少 32 位无符号
uint_fast64_t	至少 64 位无符号

四、最大长度类型

stdint.h 头文件也定义了最大长度类型。这种类型的变量中可以存放系统中任何可能的整数值，它要考虑符号。表 B.27 列出了这些类型。

表 B.27　　最大长度类型

typedef 名称	属　性
intmax_t	最长的有符号类型
uintmax_t	最长的无符号类型

五、可以保存指针值的整数

这个头文件还具有在表 B.28 中列出的两种整数类型，它们可以精确地保存指针值。也就是说，如果您为这些类型之一赋一个 void *的值，然后把这个整数再赋回给指针，不会丢失任何信息。这两种类型都有可能不存在。

表 B.28　　用于保存指针值的整数类型

typedef 名称	属　性
intptr_t	可以保存指针值的有符号类型
uintptr_t	可以保存指针值的无符号类型

六、已定义的常量

stdint.h 头文件定义了一些常量，它们用来表示该头文件中所定义类型的限制值。这些常量是根据类型命名的。用_MIN 或_MAX 代替类型名中_t，然后大写所有的字符就得到了表示该类型的最小值或最大值的常量名。例如，int32_t 类型的最小值为 INT32_MIN，uint_fast16_t 的最大值为 UINT_FAST16_MAX。表 B.29 总结了这些常量，其中 N 表示位数；表中还总结了与 intptr_t、uintptr_t、intmax_t 以及 uintmax_t 类型相关的已定义的常量。这些常量的绝对值应该等于或大于（除非指明了一定要等于）所列出的数的绝对值。

表 B.29　　整数常量

常量标识符	最小值（绝对值）
INTN_MIN	等于-（$2^{N-1}-1$）
INTN_MAX	等于 $2^{N-1}-1$
UINTN_MAX	等于 $2^{N}-1$
INT_LEASTN_MIN	-（2^{N-1}）-1

续表

常量标识符	最小值（绝对值）
INT_LEASTN_MAX	$2^{N-1}-1$
UINT_LEASTN_MAX	$2^{N-1}-1$
INT_FASTN_MIN	$-(2^{N-1})-1$
INT_FASTN_MAX	$2^{N-1}-1$
UINT_FASTN_MAX	$2^{N-1}-1$
INTPTR_MIN	$-(2^{15}-1)$
INTPTR_MAX	$2^{15}-1$
UINTPTR_MAX	$2^{16}-1$
INTMAX_MIN	$-(2^{15}-1)$
INTMAX_MAX	$2^{63}-1$
UINTMAX_MAX	$2^{64}-1$

这个头文件也为一些在别处定义的类型定义了常量。表 B.30 列出了它们。

表 B.30　　更多整数常量

常量标识符	含　义
PTRDIFF_MIN	ptrdiff_t 类型的最小值
PTRDIFF_MAX	ptrdiff_t 类型的最大值
SIG_ATOMIC_MIN	sig_atomic_t 类型的最小值
SIG_ATOMIC_MAX	sig_atomic_t 类型的最大值
WCHAR_MIN	wchar_t 类型的最小值
WCHAR_MAX	wchar_t 类型的最大值
WINT_MIN	wint_t 类型的最小值
WINT_MAX	wint_t 类型的最大值
SIZE_MAX	size_t 类型的最大值

七、扩展的整数常量

stdint.h 头文件定义了一些宏来指定各种扩展整数类型的常量。从根本上说这些宏就是到底层类型的类型指派，即到在特定实现中代表扩展类型的基本类型的指派。

在类型名中用_C 来代替_t，然后把所有的字母大写就形成了宏名。例如，要使 1000 为 uint_least64_t 类型的常量，使用表达式 UINT_LEAST64_C（1000）。

B.5.15　标准 I/O 库：stdio.h

ANSI C 的标准库包括了一些与流相关的标准 I/O 函数和 stdio.h 文件。表 B.31 列出了这些函数的 ANSI 原型以及对它们功能的简单解释（很多都在第 13 章“文件输入/输出”中进行了完整的描述）。这个头文件也定义了 FILE 类型、值 EOF 和 NULL 以及标准 I/O 流 stdin、stdout 和 stderr，还有一些库中的函数所使用的常量。

表 B.31 ANSI C 的标准 I/O 函数

原 型	说 明
void clearerr (FILE *);	清除文件结尾和错误指示器
int fclose (FILE *);	关闭指定的文件
int feof (FILE *);	测试文件结尾
int ferror (FILE *);	测试错误指示器
int fflush (FILE *);	刷新指定的文件
int fgetc (FILE *);	从指定的输入流中获取下一个字符
int fgetpos (FILE * restrict, fpos_t * restrict);	存储文件位置指示器的当前值
char * fgets (char * restrict, FILE * restrict);	从指定的流中获取下一行（或指定数目的字符）
FILE * fopen (const char * restrict, const char * restrict);	打开指定的文件
int fprintf (FILE * restrict, const char * restrict, ...);	把格式化输出写到指定的流中
int fputc (int, FILE *);	把指定的字符写到指定的流中
int fputs (const char * restrict, FILE * restrict);	把第一个参数指向的字符串写到指定的流中
size_t fread (void * restrict, size_t, size_t, FILE * restrict);	从指定的流中读取二进制数据
FILE * freopen (const char * restrict, const char * restrict, FILE * restrict);	打开指定的文件并把它与指定的流相关联
int fscanf (FILE * restrict, const char * restrict, ...);	从指定的流中读取格式化输入
int fsetpos (FILE *, const fpos_t *);	把文件位置指针设置为指定的值
int fseek (FILE *, long, int);	把文件位置指针设置为指定的值
long ftell (FILE *);	获得当前的文件位置
size_t fwrite (const void * restrict, size_t, size_t, FILE * restrict);	把二进制数据写到指定的流中
int getc (FILE *);	从指定的流中读取下一个字符
int getchar ();	从标准输入中读取下一个字符
char * gets (char *);	从标准输入中获取下一行
void perror (const char *);	把系统错误信息写到标准错误中
int printf (const char * restrict, ...);	把格式化输出写到标准输出中
int putc (int, FILE *);	把指定的字符写到指定的输出中
int putchar (int);	把指定的字符写到标准输出中
int puts (const char *);	把字符串写到标准输出中
int remove (const char *);	删除指定的文件

续表

原　型	说　明
int rename (const char *, constchar *);	为指定的文件重命名
void rewind (FILE *);	把文件位置指针设置到文件的开始
int scanf (const char * restrict, …);	从标准输入中读取格式化输入
void setbuf (FILE * restrict, char * restrict);	设置缓冲区大小和位置
int setvbuf (FILE * restrict, char * restrict, int, size_t);	设置缓冲区大小、位置和模式
int snprintf (char * restrict, size_ t n, const char * restrict, …);	把格式化输出的前 n 个字符写到指定的字符串中
int sprintf (char * restrict , const char * restrict, …);	把格式化输出写到指定的字符串中
int sscanf (const char * restrict, const char * restrict, …);	从指定的字符串中读取格式化输入
FILE * tmpfile (void);	创建一个临时文件
char * tmpnam (char *);	为临时文件产生一个惟一的名字
int ungetc (int, FILE *);	把指定的字符放回到输入流中
int vfprintf (FILE * restrict, const char * restrict, va_list);	与 fprintf（）类似；但它使用一个由 va_start 进行初始化的 va_list 类型的列表参数，而不是一个变量参数列表
int vprintf (const char * restrict, va_list);	与 printf（）类似；但它使用一个由 va_start 进行初始化的 va_list 类型的列表参数，而不是一个变量参数列表
int vsprintf(char * restrict,size_t n,const char * restrict, va_list);	与 snprintf（）类似；但它使用一个由 va_start 进行初始化的 va_list 类型的列表参数，而不是一个变量参数列表
int vsprintf (char * restrict , const char * restrict, va_list);	与 sprintf（）类似；但它使用一个由 va_start 进行初始化的 va_list 类型的列表参数，而不是一个变量参数列表

B.5.16　通用工具：stdlib.h

ANSI C 标准库包括了各种类型的实用函数，它们在 stdlib.h 中被定义。这个头文件定义了表 B.32 中列出的类型。

表 B.32　stdlib.h 中定义的类型

类　型	说　明
size_t	sizeof 运算符返回的整数类型
wchar_t	用来表示宽字符的整数类型
div_t	div（）返回的结构类型；它具有 quot 和 rem 成员，两个成员都为 int 类型
ldiv_t	ldiv（）返回的结构类型，它具有 quot 和 rem 成员，两个成员都为 long 类型
lldiv_t	lldiv（）返回的结构类型，它具有 quot 和 rem 成员，两个成员都为 long long 类型（C99）

这个头文件还定义了表 B.33 中列出的常量。

表 B.33 stdlib.h 中定义的常量

类 型	函 数
NULL	空指针（等于0）
EXIT_FAILURE	可以作为 exit（）的参数来使用，表示没有成功地执行一个程序
EXIT_SUCCESS	可以作为 exit（）的参数来使用，表示成功地执行了一个程序
RAND_MAX	rand（）返回的最大值（一个整数）
MB_CUR_MAX	对应于当前场所的扩展字符集中的多字节字符的最大字节数

表 B.34 列出了 stdlib.h 中的函数原型。

表 B.34 通用工具

原 型	说 明
double atof（const char * nptr）；	返回把 nptr 的开始部分转换为 double 类型的值；在碰到第一个不是数字的字符时结束转换；跳过开始的空格；如果没有数字则返回 0
int atoi（const char * nptr）；	返回把 nptr 的开始部分转换为 int 类型的值；在碰到第一个不是数字的字符时结束转换；跳过开始的空格；如果没有数字则返回 0
int atol（const char * nptr）；	返回把 nptr 的开始部分转换为 long 类型的值；在碰到第一个不是数字的字符时结束转换；跳过开始的空格；如果没有数字则返回 0
double strtod（const char * restrict npt，char ** restrict ept）；	返回把 nptr 的开始部分转换为 double 类型的值；在碰到第一个不是数字的字符时结束转换；跳过开始的空格；如果没有数字则返回 0；如果转换成功，把数字之后第一个字符的地址赋值给 ept 指向的位置；如果转换失败，把 npt 赋值给 ept 指向的位置
float strtof（const char * restrict npt，char ** restrict ept）；	与 strtod（）相同，只是把 nptr 指向的字符串转换为 float 类型的值（C99）
long double strtols（const char * restrict npt，char ** restrict ept）；	与 strtod（）相同，只是把 nptr 指向的字符串转换为 long double 类型的值（C99）
long strtol（const char * restrict npt,char ** restrict ept，int base）；	返回把字符串 nptr 的开始部分转换为 long 类型的值；在碰到第一个不是数字的字符时结束转换；跳过开始的空格；如果没有数字则返回 0；如果转换成功，把数字之后第一个字符的地址赋值给 ept 指向的位置；如果转换失败，把 npt 赋值给 ept 指向的位置。假定字符串中的数字是以 base 指定的数为基数的
long long strtoll（const char * restrict npt，char ** restrict ept，int base）；	与 strtol（）相同，只是把 nptr 指向的字符串转换为 long long 类型的值（C99）
unsigned long strtoul（const char * restrict npt，char ** restrict ept，int base）；	返回把字符串 nptr 的开始部分转换为 unsigned long 类型的值；在碰到第一个不是数字的字符时结束转换；跳过开始的空格；如果没有数字则返回 0；如果转换成功，把数字之后第一个字符的地址赋值给 ept 指向的位置；如果转换失败，把 npt 赋值给 ept 指向的位置。假定字符串中的数字是以 base 指定的数为基数的
unsigned long long strtoull（const char * restrict npt，char ** restrict ept，int base）；	与 strtoul()相同，只是把 nptr 指向的字符串转换为 unsigned long long 类型的值(C99)
int rand（void）；	返回 0 到 RAND_MAX 范围内的一个伪随机整数
void srand（unsigned int seed）；	把 seed 设置为随机数生成器的种子；如果在调用 srand（）之前调用 rand（），则种子为 1

续表

原　型	说　明
void * calloc (size_t nmem, size_t size) ;	为具有 nmem 个成员的数组分配空间，其中每个元素的大小都为 size 个字节；空间中所有位都初始化为 0；如果成功函数返回数组的地址，否则返回 NULL
void free (void * ptr) ;	释放 ptr 指向的空间；ptr 应该是以前对 calloc（）、malloc（）或 realloc（）的调用返回的值；ptr 也可以是空指针，这种情况下不进行任何动作；如果是其他的指针值则其行为没有定义
void * malloc (size_t size) ;	在内存中分配一块大小为 size 字节的未初始化的块；如果成功函数返回数组的地址，否则返回 NULL
void * realloc (void * ptr, size_t size) ;	把 ptr 指向的内存块大小改变为 size 字节；从块开始一直到新旧大小中较小值的部分中的内容不被改变；函数返回块的位置，它可能被移动。如果空间不能被重分配，函数返回 NULL 并且不改变原始的块；如果 ptr 为空，就相当于调用参数为 size 的 malloc（）；如果 size 为 0 而 ptr 不为空，就相当于调用参数为 ptr 的 free（）函数
void abort (void) ;	除非信号 SIGABRT 被捕获而且对应的信号处理器没有返回，否则会使程序异常终止；对 I/O 流和临时文件的关闭要依赖于实现；该函数执行 raise（SIGABRT）
int atexit (void (* func) (void)) ;	注册 func 指向的函数，使它在程序正常结束时被调用；实现应该至少支持注册 32 个函数，按照它们注册的相反顺序进行调用；如果注册成功，函数返回 0，否则返回一个非 0 值
void exit (int status) ;	使程序正常退出：首先调用由 atexit（）注册的函数，然后刷新所有打开的输出流，关闭所有的 I/O 流，关闭所有由 tmpfile（）创建的文件，然后把控制返回到主机环境中。如果 status 为 0 或 EXIT_SUCCESS，就向主机环境返回一个实现定义的表示成功结束的值；如果 status 为 EXIT_FAILURE，就向主机环境返回一个实现定义的表示不成功结束的值；其他 status 值的效果要由实现来定义
void _Exit (int status) ;	类似于 exit（）；只是不调用由 atexit（）注册的函数，也不调用 signal（）注册的信号处理器，并且对已打开的流的处理方法要由实现定义（C99）
char * getenv (const char * name) ;	返回指向一个字符串的指针，这个字符串表示由 name 指向的环境变量的值；如果没有相匹配的名字则返回 NULL
int system (const char * str) ;	把 str 指向的字符串传递给由像 DOS 或 UNIX 这样的命令处理器执行的主机环境；如果 str 是空指针，那么如果命令处理器可用，函数就返回一个非 0 值，否则返回 0；如果 str 不是空指针，返回值要依赖于实现
void * bsearch (const void * key, const void * base, size_t nmem, size_t size, int (* comp) (const void *, const void *));	搜索由 base 指向的具有 nmem 个大小为 size 的元素的数组，来寻找与 key 指向的对象相匹配的元素。项目的比较由 comp 指向的比较函数执行：如果 key 对象小于一个数组元素，那么比较函数就返回一个小于 0 的值；如果它们相等则返回 0；如果 key 对象比数组元素大就返回一个大于 0 的值。函数返回指向匹配元素的指针；如果没有匹配的元素，函数就返回 NULL；如果有多个元素与 key 对象匹配，那么不指定选中哪个匹配的元素
void qsort (void * base, size_t nmem , size_t size, int(* comp) (const void *, const void *));	把 base 指向的数组按 comp 指向的函数提供的顺序进行排序，这个数组具有 nmem 个大小为 size 个字节的元素；如果第一个参数指向的对象小于第二个参数指向的对象比较函数返回一个小于 0 的值，如果两个对象相等返回 0，如果第一个对象大就返回一个大于 0 的值

续表

原 型	说 明
int abs（int n）；	返回n的绝对值；如果n是一个负数而且没有与它对应的正数，那么返回值没有定义，在两个数都用补码表示而n为INT_MIN时就会发生这种情况
div_t div（ int numer， int denom）；	计算number除以denom的商和余数，把商放在一个div_t结构的quot成员中，把余数放在它的rem成员中；对于不精确的除法，商是大小小于算术商而距离算术商最近的整数（也就是说，趋零截尾）
long labs（int n）；	返回n的绝对值；如果n是一个负数而且没有与它对应的正数，那么返回值没有定义，在两个数都用补码表示而n为LONG_MIN时就会发生这种情况
ldiv_t ldiv（long numer，long denom）；	计算number除以denom的商和余数，把商放在一个ldiv_t结构的quot成员中，把余数放在它的rem成员中；对于不精确的除法，商是大小小于算术商而距离算术商最近的整数（也就是说，趋零截尾）
long long llabs（int n）；	返回n的绝对值；如果n是一个负数而且没有与它对应的正数，那么返回值没有定义，在两个数都用补码表示而n为LONG_LONG_MIN时就会发生这种情况（C99）
lldiv_t lldiv(long numer，long denom）；	计算number除以denom的商和余数，把商放在一个lldiv_t结构的quot成员中，把余数放在它的rem成员中；对于不精确的除法，商是大小小于算术商而距离算术商最近的整数（也就是说，趋零截尾）（C99）
int mblen（const char * s，size_t n）；	返回组成s指向的多字节字符的字节数（最大为n）；如果s指向空字符返回0；如果s没有指向一个多字节字符返回-1；如果s为NULL，那么如果多字节字符是根据状态进行编码则返回非0值，否则返回0
int mbtowc(wchar_t * pw，const char * s，size_t n)；	如果s不为空，就确定组成s指向的多字节字符的字节数（最大为n），并确定这个多字节字符的wchar_t编码类型；如果pw不是空指针，就把这个编码类型赋值给pw指向的位置；返回与mblen（s，n）相同的值
int wctomb（char * s，wchar_t wc）；	把wc中的字符编码转换为对应的多字节字符表示，并把它存储在s指向的数组中（除非s是空指针）。如果s不是空指针，那么如果wc不对应一个合法的多字节字符，就返回-1；如果wc合法，就返回组成多字节字符的字节数。如果s是空指针，那么如果多字节字符是根据状态进行编码就返回非0值，否则返回0
size_t mbstowcs（ wchar_t * restrict pwcs，const char * s restrict，size_t n）；	把s指向的多字节字符数组转换为一个存储在从pwcs开始的位置中的宽字符编码数组；转换过程在到达pwcs的第n个元素或碰到s数组中的空字节时停止；如果碰到一个非法的多字节字符就返回（size_t）（-1），否则返回填充了的数组元素个数（不包括空字符，如果有的话）
size_t wcstombs （ char * restrict s，const wchart_t * restrict pwcs，size_t n）；	把存储在pwcs指向的数组中的宽字符编码序列转换为一个多字节字符序列，并把它复制到s指向的位置。在存储了n个字节或碰到空字符时停止转换过程。如果碰到一个非法的宽字符编码，就返回（size_t）（-1），否则返回填充的数组字节数（不包括空字符，如果有的话）

B.5.17 字符串处理：string.h

string.h库定义了sisze_t类型，并为空指针定义了NULL宏。它提供了一些分析和操作字符串的函数，其中的一些函数以更通用的方式处理内存。表B.35列出了这些函数。

表 B.35 字符串函数

原　型	说　明
void * memchr (const void * s, int c, size_t n);	在 s 指向的对象的开始 n 个字符中搜索 c（转换为 unsigned char）的第一次出现；返回指向第一次出现处的指针，如果没有找到则返回 NULL
int memcmp(const void * s1, const void * s2, size_t n);	比较 s1 指向对象的前 n 个字符与 s2 指向对象的前 n 个字符，把每个值都解释为 unsigned char。如果所有 n 个值都匹配就说两个对象相等；否则，对两个对象的第一个不匹配的对进行比较：如果二者相等返回 0，如果第一个在数值上小于第二个则返回小于 0 的值，如果第一个较大则返回大于 0 的值
void * memcpy(void * restrict s1, const void * restrict s2, size_t n);	从 s2 指向的位置复制 n 个字节到 s1 指向的位置，如果两个位置重叠则其行为没有定义；返回 s1 的值
void * memmove (void * s1, const void * s2, size_t n);	从 s2 指向的位置复制 n 个字节到 s1 指向的位置，行为类似于复制；首先把 s2 的字节复制到一个临时位置，这样当源位置和目标位置有重叠时，仍可完成复制；返回 s1 的值
void * memset (void * s, int v, size_t n);	把 v 的值（转换为 unsigned char 类型）复制到 s 指向的前 n 个字节中；返回 s
char * strcat(char * restrict s1, const char * restrict s2);	把 s2 指向的字符串（包含空字符）追加到 s1 指向的字符串之后，字符串 s2 的第一个字符覆盖字符串 s1 中的空字符；返回 s1
char * strncat (char * restrict s1, const char * restrict s2, size_t n);	把 s2 指向的字符串中的前 n 个字符或直到空字符为止（由二者中最先得到满足的那个决定）的一个拷贝添加到 s1 指向的字符串之后，s2 的第一个字符覆盖 s1 中的空字符；总是要在最后添加一个空字符；函数返回 s1
char * strcpy(char * restrict s1, const char * restrict s2);	把 s2 指向的字符串（包括空字符）复制到 s1 指向的位置；返回 s1
char * strncpy (char * restrict s1, const char * restrict s2, size_t n);	把 s2 指向的字符串的前 n 个字符或直到空字符为止的字符（由二者中最先得到满足的那个决定）复制到 s1 指向的位置。如果拷贝 n 个字符之前 s2 中出现了空字符，就添加若干空字符以使总长度为 n；如果在达到空字符之前拷贝了 n 个字符，就不添加空字符。函数返回 s1
int strcmp(const char * s1, const char * s2);	比较 s1 和 s2 指向的字符串，如果完全匹配那么两个字符串相等，否则就比较两个字符串的第一个不匹配的字符对；使用字符编码值对字符进行比较；如果字符串相同，函数返回 0；如果第一个字符串小于第二个就返回一个小于 0 的值；如果第一个字符串较大就返回一个大于 0 的值
int strcoll (const char * s1, const char * s2);	与 strcmp () 类似，不过该函数使用由当前场所的 LC_COLLATE 类别所指定的编码顺序，它是由 setlocale () 函数进行设置的
int strncmp (const char * s1, const char * s2, size_t n);	比较 s1 和 s2 指向的数组的前 n 个字符或直到第一个空字符为止；如果所有的测试对都匹配就说这两个数组相等，否则就比较两个数组的第一对不匹配的字符；字符使用字符编码值进行比较；如果数组相同，函数返回 0；如果第一个数组小于第二个就返回一个小于 0 的值；如果第一个数组较大就返回一个大于 0 的值
size_t strxfrm (char * restrict s1, const char * restrict s2, size_t n);	转换 s2 中的字符串，并把包括结束空字符在内的前 n 个字符拷贝到 s1 指向的数组中；转换的标准是两个转换后的字符串按与 strcmp () 相同的顺序来放置，就像 strcoll () 放置未转换的字符串那样；函数返回转换后的字符串长度（不包括结束空字符）

续表

原 型	说 明
char * strchr (const char * s, int c) ;	在 s 指向的字符串中搜索 c（转换为 char）的第一次出现；空指针是字符串的一部分；函数返回指向第一个出现的 c 的指针，如果没有找到则返回 NULL
size_t strcspn (const char * s1, const char * s2) ;	返回不包含 s2 中任何字符的 s1 的最大起始段的长度
char * strpbrk (const char * s1, const char * s2) ;	返回一个指针，它指向 s1 中第一个与 s2 中的任何字符相同的字符位置，如果没有一个相同则返回 NULL
char * strrchr (const char * s, int c) ;	在 s 指向的字符串中搜索 c（转换为 char）的最后一次出现；空指针是字符串的一部分；函数返回指向最后一个出现的 c 的指针，如果没有找到则返回 NULL
size_t strspn (const char * s1, const char * s2) ;	返回 s1 中完全由 s2 中的字符组成的最大起始段的长度
char * strstr (const char * s1, const char * s2) ;	返回一个指针，它指向 s1 中第一次出现 s2 中字符序列（不包括结束空字符）的位置，如果没有匹配则返回 NULL
char * strtok(char * restrict s1, const char * restrict s2) ;	这个函数把字符串 s1 分为单独的元组，s2 包含着被用做元组分隔符的字符。这个函数是顺序调用的，对开始的调用，s1 应该指向要被分隔为元组的字符串。函数查找非分隔符之后的第一个元组分隔符，并用一个空字符来替换它。它返回指向保存着第一个元组的字符串的指针。如果没有找到任何元组就返回 NULL。要在字符串中找到更多的元组，要再次调用 strtok ()，但是使用 NULL 作为第一个参数。每个调用都返回指向下一个元组的指针，如果没有更多的元组就返回 NULL。请参见本表后面的例子
char * strerror (int errnum) ;	返回指向对应于存储在 errnum 中的错误号的错误信息字符串的指针，这个字符串是依赖于实现的
int strlen (const char * s) ;	返回字符串 s 中的字符数（不包括结束空字符）

strtok () 函数在使用方面有些不同寻常，所以下面给出一个简短的例子：

```
#include <stdio.h>
#include <string.h>

int main (void)
{
    char data[] = " C is\t too#much\nfun!";
    const char tokseps[] = " \t\n#";        /* 分隔符           */
    char * pt;

    puts (data);
    pt = strtok (data, tokseps);            /* 开始的调用        */
    while (pt)                              /* 如果 pt 为 NULL 则退出 */
    {
        puts (pt);                          /* 显示元组          */
        pt = strtok (NULL, tokseps);        /* 获取下一个元组     */
    }
    return 0;
}
```

输出如下：

```
 C is too#much
```

```
fun!
C
is
too
much
fun!
```

B.5.18 通用类型数学：tgmath.h（C99）

math.h 和 complex.h 库提供了很多类型不同但功能类似的函数的例子。例如，下面的 6 个函数都是计算正弦的：

```
double sin (double);
float sinf (float);
long double sinl (long double);
double complex csin (double complex);
float csinf (float complex);
long double csinl (long double complex);
```

tgmath.h 头文件定义了展开为通用调用的宏，这种调用可以根据参数类型来调用适当的函数。以下的代码说明了 sin（）宏的使用，它展开为正弦函数的不同形式。

```
#include <tgmath.h>
...
double dx, dy;
float fx, fy;
long double complex clx, cly;
dy = sin (dx);   // 展开为 dy = sin (dx)（函数）
fy = sin (fx);   // 展开为 fy = sinf (fx)
cly = sin (clx); // 展开为 cly = csinl (clyx)
```

这个头文件为三种类型的函数定义了通用的宏。第一类由在 math.h 和 complex.h 中定义的 6 个函数变种组成，它们就像前面的 sin（）例子中那样使用 l、f 后缀和 c 前缀。在这种情况中，通用宏的名字与该函数的类型为 double 的版本相同。

第二类由 math.h 中定义的 3 个函数变种组成，它们使用 l 和 f 后缀，没有对应的复数函数，例如 erf（）。这种情况中，宏的名字与没有后缀的函数相同，例如前面的函数例子的宏应为 erf（）。把这类宏用于复数参数的结果没有定义。

第三类由 complex.h 中定义的 3 个函数变种组成，它们使用 l 和 f 后缀，没有对应的实数函数，例如 cimag（）。这种情况中，宏的名字与例子中没有后缀的函数相同，例如前面的函数例子的宏应为 cimag（）。把这类宏用于实数参数的结果没有定义。

B.5.19 日期和时间：time.h

time.h 头文件定义了两个宏。第一个是表示空指针的 NULL，它也在很多其他的头文件中进行了定义。第二个宏是 CLOCKS_PER_SEC；用这个宏去除 clock（）的返回值将产生以秒为单位的时间值。这个头文件定义了在表 B.36 中列出的类型。

表 B.36 time.h 中定义的类型

类　型	说　明
size_t	sizeof 运算符返回的整数类型
clock_t	适合于表示时间的算术类型
time_t	适合于表示时间的算术类型
struct tm	用于保存组成日历时间各个部分的结构类型

日历的各个组成部分被称为分解时间（broken-down time）。表 B.37 列出了结构 struct tm 中所需的成员。

表 B.37　　结构 struct tm 的成员

成　员	说　明
int tm_sec	分后的秒（0-61）
int tm_min	小时后的分（0-59）
int tm_hour	午夜后的小时（0-23）
int tm_mday	月中的天（0-31）
int tm_mon	一月后的月数（0-11）
int tm_year	1900 年后的年数
int tm_wday	星期日以后的天数（0-6）
int tm_yday	一月一日后的天数（0-365）
int tm_isdst	夏令时标志（大于 0 的值说明夏令时有效，0 说明无效，负数说明信息不可用）

术语日历时间（calendar time）表示当前的日期和时间，例如它可以是自从 1900 年的第 1 秒以来经过的秒数。术语本地时间（local time）是表达为本地时区的日历时间。表 B.38 列出了时间函数。

表 B.38　　时间函数

原　型	说　明
clock_ t clock (void)；	返回实现中自从调用程序以来经过的处理器时间的最近近似；除以 CLOCKS_PER_SEC 可以得到以秒计算的时间，如果时间不可用或不能表示则返回（clock_t）（-1）
double difftime (time_t t1， time_t t0)；	计算两个日历时间之间的不同（t1-t0），结果以秒表示并返回该结果
time_t mktime (struct tm * tmptr)；	把 tmptr 指向的结构中的分解时间转换为日历时间；使用与 time（）函数相同的编码，结构会被改变，以便对结构中超出范围的值进行调整（例如 2 分 100 秒会变为 3 分 40 秒），并且 tm_wday 和 tm_ yday 被设置为根据其他成员确定的值；如果日历时间不可表示则返回（time_t）（-1），否则以 time_t 格式返回日历时间
time_t time (time_t * ptm)	如果 ptm 不为 NULL，就返回当前日历时间，并且把它放在 ptm 指向的位置中，如果日历时间不可用就返回（time_t）（-1）
char * asctime (const struct tm * tmpt)；	把 tmpt 指向的结构中的分解时间转换为如下格式的字符串：Thu Feb 26 13：14：33 1998\n\0，并返回指向该字符串的指针
char * ctime (const time_ t * ptm)；	把 ptm 指向的日历时间转换为如下格式的字符串：Wed Aug 11 10：48：24 1999\n\0，并返回指向该字符串的指针
struct tm * gmtime (const time_t * ptm)；	把 ptm 指向的日历时间转换为用国际标准时间（Coordinated Universal Time，UTC，更正规的名字叫做格林威治时间，Greenwich Mean Time，GMT）表示的分解时间，并返回指向保存该信息的结构的指针；如果 UTC 不可用则返回 NULL
struct tm * localtime (const time_t * ptm)；	把 ptm 指向的日历时间转换为用本地时间表示的分解时间，结果存储在一个 tm 结构中并返回指向该结构的指针
size_t strftime (char * restrict s， size_t max， const char * restrict fmt， const struct tm * restrict tmpt)；	把字符串 fmt 复制到字符串 s 中，使用由 tmpt 指向的结构中的分解时间得出的适当数据来替换 fmt 中的格式说明符（请参见表 RS.V.39）；最多有 max 个字符被放到 s 中；函数返回放入 s 的字符数（不包括空字符）；如果结果字符串（包括空字符）有多于 max 个字符，函数返回 0，而且 s 的内容不能确定

表 B.39 列出了 strftime（）函数中使用的格式指定符。很多替换值，例如月名，都依赖于当前场所。

表 B.39　　strftime（ ）函数使用的格式说明符

格式说明符	替换内容
%a	场所中的缩写周日（weekday）名
%A	场所中周日的全名
%b	场所中的缩写月名
%B	场所中月的全名
%c	场所中适当的日期和时间表示
%d	一个月中的日，用十进制数表示（01-31）
%D	等价于"%m/%d%y"
%e	一个月中的日，用十进制表示，单数字的日在数字前有一个空格
%F	等价于"%Y-%m-%d"
%g	基于周的年的最后两位数字（00-99）
%G	基于周的年，用十进制数表示
%h	等价于"%b"
%H	小时数（24 小时制），用十进制数表示（00-23）
%I	小时数（12 小时制），用十进制数表示（01-12）
%j	一年中的天，用十进制数表示（001-366）
%m	用十进制表示的月（01-12）
%n	换行字符
%M	用十进制表示的分（00-59）
%p	在 12 小时制中 am/pm 的场所等价表示
%r	场所的 12 小时制时间
%R	等价于"%H：%M"
%S	用十进制数表示的秒（00-60）
%t	水平制表字符
%T	等价于"%H：%M：%S"
%u	ISO 8601 的周日数（1-7），星期一为 1
%U	一年中的星期数，把星期日作为一周的第一天（00-53）
%V	ISO 8601 的一年中的星期数，把星期日作为一周的第一天（00-53）
%w	用十进制数表示的星期，从星期日开始（0-6）
%W	一年中的星期数，把星期一作为一周的第一天（00-53）
%x	场所的日期表示
%X	场所的时间表示
%y	用十进制数表示的不带世纪的年（00-99）
%Y	用十进制数表示的带有世纪的年
%z	按照 ISO 8601 格式的相对 CUT 的偏移（"-800"意味着 Greenwich 之后 8 小时，这样就是向西 8 小时），如果没有信息可用则没有字符
%Z	时区名，如果没有信息可用则没有字符
%%	%（也就是百分号符号）

B.5.20　扩展的多字节字符和宽字符工具：wchar.h（C99）

每种实现都有一个基本的字符集，要求 C 的 char 类型足够宽以便能处理这个集。实现可能也支持扩展的字符集，表示这些字符时可能要求每个字符使用多个字节。多字节字符可以与单字节字符一起存放在普通的 char 数组中，使用特定的字节值来指示一个多字节字符的存在并说明它的大小。多字节字符的解释要依赖于偏移状态（shift state）。在初始的偏移状态中，单字节字符保持它们通常的解释。特定的多字节字符可以改变偏移状态。在显式改变它之前一个特定的偏移状态保持有效。

wchar_t 类型提供了表示扩展字符的另一种方法，这种类型足够宽，可以用来表示扩展字符集中任何成员的编码。这种宽字符表示允许单个字符存储在 wchar_t 变量中，宽字符的字符串存储在 wchar_t 数组中。一个字符的宽字符表示不需要与它的多字节表示相同，因为后者可能使用偏移状态而前者不使用。

wchar.h 头文件提供了处理扩展字符的两种表示形式的工具。它定义了表 B.40 中列出的类型（其中一些类型也在其他头文件中进行了定义）。

表 B.40　　wchar.h 中定义的类型

类　型	说　明
wchar_t	一种整数类型，可以表示支持的场所指定的最大扩展字符集
wint_t	一种整数类型，可以保存扩展字符集的任何值和至少一个不是扩展字符集成员的值
size_t	由 sizeof 运算符返回的整数类型
mbstate_t	一个非数组类型，可以保存在多字节字符和宽字符之间转换所需的转换状态信息
struct tm	一个用来保存日历时间组成部分的结构类型

这个头文件也定义了表 B.41 中列出的一些宏。

表 B.41　　wchar.h 中定义的宏

宏	说　明
NULL	空指针
WCHAR_MAX	wchar_t 的最大值
WCHAR_MIN	wchar_t 的最小值
WEOF	类型为 wint_t 的一个常量表达式，不与任何扩展字符集成员对应；EOF 的宽字符等价表示，它用来表示宽字符输入的文件结尾

这个库提供了类似于 stdio.h 中标准 I/O 函数的输入/输出函数。在标准 I/O 函数返回 EOF 的情况中，对应的宽字符函数返回 WEOF。表 B.42 列出了这些函数。

表 B.42　　宽字符 I/O 函数

函数原型
int fwprintf (FILE * restrict stream, const wchar_t * restrict format, …);
int fwscanf (FILE * restrict stream, const wchar_t * restrict format, …);
int swprintf (wchar_t * restrict s, size_t n, const wchar_t * restrict format, …);
int swscanf (const wchar_t * restrict s, const wchar_t * restrict format, …);
int vfwprintf (FILE * restrict stream, const wchar_t * restrict format, va_list arg);
int vfwscanf (FILE * restrict stream, const wchar_t * restrict format, va_list arg);
int vswprintf (wchar_t * restrict s, size_t n, const wchar_t * restrict format, va_list arg);

续表

函数原型
int vswscanf (const wchar_t * restrict s, const wchar_t * restrict format, va_list arg);
int vwprintf (const wchar_t * restrict format, va_list arg);
int vwscanf (const wchar_t * restrict format, va_list arg);
int wprintf (const wchar_t * restrict format, …);
int wscanf (const wchar_t * restrict format, …);
wint_t fgetwc (FILE * stream);
wchar_t * fgetws (wchar_t * restrict s, int n, FILE * restrict stream);
wint_t fputwc (wchar_t c, FILE * stream);
int fputws (const wchar_t * restrict s, FILE * restrict stream);
int fwide (FILE * stream, int mode);
wint_t getwc (FILE * stream);
wint_t getwchar (void);
wint_t putwc (wchar_t c, FILE * stream);
wint_t putwchar (wchar_t c);
wint_t ungetwc (wint_t c, FILE * stream);

还有一个没有对应的标准 I/O 函数的宽字符 I/O 函数：

```
int fwide(FILE *stream, int mode);
```

如果 mode 为正，它首先尝试把参量 stream 表示的流定位于宽字符；如果 mode 为负就首先尝试使流定位于单字节字符；如果 mode 为 0，则不对流的定位进行改变。它只有在流开始没有定位时才改变它。在所有的情况下，如果流定位于宽字符函数返回一个正值，如果流定位于字节则返回一个负值，如果流没有定位就返回 0。

这个头文件也按照 string.h 中的模式提供了一些字符串转换和操作函数。一般地，string.h 中的 str 标识符被 wcs 替换，这样 wcstod（）就是 strtod（）函数的宽字符版本。表 B.43 列出了这些函数。

表 B.43　　宽字符字符串工具

函数原型
double wcstod (const wchar_t * restrict nptr, wchar_t ** restrict endptr);
float wcstof (const wchar_t * restrict nptr, wchar_t ** restrict endptr);
long double wcstold (const wchar_t * restrict nptr, wchar_t ** restrict endptr);
long int wcstol (const wchar_t * restrict nptr, wchar_t ** restrict endptr, int base);
long long int wcstoll (const wchar_t * restrict nptr, wchar_t ** restrict endptr, int base);

续表

函数原型
unsigned long int wcstoul (const wchar_t * restrict nptr, wchar_t ** restrict endptr, int base)；
unsigned long long int wcstoull (const wchar_t * restrict nptr, wchar_t ** restrict endptr, int base)；
wchar_t * wcscpy (wchar_t * restrict s1, const wchar_t * restrict s2)；
wchar_t * wcsncpy (wchar_t * restrict s1, const wchar_t * restrict s2, size_t n)；
wchar_t * wcscat (wchar_t * restrict s1, const wchar_t * restrict s2)；
wchar_t * wcsncat (wchar_t * restrict s1, const wchar_t * restrict s2, size_t n)；
int wcscmp (const wchar_t * s1, const wchar_t * s2)；
int wcscoll (const wchar_t * s1, const wchar_t * s2)；
int wcsncmp (const wchar_t * s1, const wchar_t * s2, size_t n)；
size_t wcsxfrm (wchar_t * restrict s1, const wchar_t * restrict s2, size_t n)；
wchar_t * wcschr (const wchar_t * s, wchar_t c)；
size_t wcscspn (const wchar_t * s1, const wchar_t * s2)；
size_t wcslen (const wchar_t * s)；
wchar_t * wcspbrk (const wchar_t * s1, const wchar_t * s2)；
wchar_t * wcsrchr (const wchar_t * s, wchar_t c)；
size_t wcsspn (const wchar_t * s1, const wchar_t * s2)；
wchar_t * wcsstr (const wchar_t * s1, const wchar_t * s2)；
wchar_t * wcstok (wchar_t * restrict s1, const wchar_t * restrict s2, wchar_t ** restrict ptr)；
wchar_t * wmemchr (const wchar_t * s, wchar_t c, size_t n)；
int wmemcmp (wchar_t * restrict s1, const wchar_t * restrict s2, size_t n)；
wchar_t * wmemcpy (wchar_t * restrict s1, const wchar_t * restrict s2, size_t n)；
wchar_t * wmemmove (wchar_t * s1, const wchar_t * s2, size_t n)；
wchar_t * wmemset (wchar_t * s, wchar_t c, size_t n)；

这个头文件还按照 time.h 中的 strftime（）函数的模式声明了一个时间函数：

```
size_t wcsftime(wchar_t * restrict s, size_t maxsize,
const wchar_t * restrict format,
const struct tm * restrict timeptr);
```

最后，这个头文件声明了一些函数来把宽字符字符串转换为多字节字符串以及进行相反方向的转换，在表 B.44 中列出了这些函数。

表 B.44 宽字符和多字节字符的转换函数

原　型	说　明
wint_t btowc(int c);	如果在初始偏移状态中（unsigned char）c 是合法的单字节字符，函数返回宽字符表示，否则返回 WEOF
int wctob(wint_t c);	如果 c 是扩展字符集的成员，它在初始偏移状态中的多字节字符表示是单字节，函数就返回一个转换为 int 的 unsigned char 的单字节表示，否则返回 EOF
int mbsinit(const mbstate_t * ps);	如果 ps 为空指针或指向一个指定初始转换状态的数据对象，函数返回非 0 值，否则返回 0
size_t mbrlen(const char * restrict s, size_t n, mbstate_t * restrict ps);	除了由 ps 表示的表达式只计算一次，mbrlen（）函数相当于调用 mbrtowc（NULL，s，n，ps!=NULL?ps：&internal），其中 internal 是 mbrlen（）函数的 mbstate_t 对象
size_t mbrtowc(wchar_t * restrict pwc, const char * restrict s, size_t n, mbstate_t * restrict ps);	如果 s 为空指针，函数等价于把 pwc 设置为空指针，把 n 设置为 1。如果 s 非空，函数检查最多 n 个字节来确定要结束下一个多字节字符所需的字节数(包括任何偏移序列）。如果函数确定了下一个多字节字符的结束处而且合法，它就确定对应的宽字符的值，然后如果 pwc 不为空就把值存储在 pwc 指向的对象中。如果对应的宽字符为空的宽字符，描述的结果状态就是初始转换状态。如果检测到空的宽字符，函数就返回 0；如果检测到另一个合法的宽字符就返回结束该字符需要的字节数；如果 n 个字节不足以说明合法的宽字符，而像是一个宽字符的组成部分，函数返回-2；如果有编码错误，函数返回-1，在 errno 中存储 EILSEQ，并且不存储任何值
size_t wcrtomb(char * restrict s, wchar_t wc, mbstate_t * restrict ps);	如果 s 为空指针，调用等价于把 wc 设置为空的宽字符并为第一个参数使用内部缓冲区。如果 s 不为空指针，wcrtomb（）函数确定要表示对应于 wc 给出的宽字符的多字节字符需要的字节数（包括任何偏移序列），并把这个多字节字符表示存放在由 s 指向其第一个元素的数组中。最多存储 MB_CUR_MAX 个字节。如果 wc 是空的宽字符，就在存储初始偏移状态所需要的任何偏移序列之后存储一个空字节；描述的结果状态是初始转换状态。如果 wc 是一个合法的宽字符，函数返回存储它的多字节版本所需的字节数（包括指定偏移状态的字节）。如果 wc 不合法，函数在 errno 中存储 EILSEQ 并返回-1
size_t mbsrtowcs(wchar_t * restrict dst, const char ** restrict src, size_t len, mbstate_t * restrict ps);	mbstrtowcs（）函数对以 ps 指向的对像所描述的转换状态开头的一系列多字节字符进行转换，从由 scr 间接指向的数组转换为一个对应的宽字符序列。如果 dst 不为空，转换过的字符就被存储在 dst 指向的数组中。转换继续进行到包括结束空字符，这个空字符也要进行存储。在两种情况下停止进行转换：当遇到一个不能组成合法多字节字符的字节序列或（如果 dst 不为空）已经在 dst 指向的数组中存储了 len 个宽字符时。每次发生的转换都好像是对 mbrtowc（）函数的调用。如果 dst 不为空，src 指向的指针对象就被赋值为空指针（如果转换是由于到达结束空字符而停止）或最后一个转换的多字节字符的地址。如果转换是由于到达结束空字符而停止而且 dst 不为空，描述的结果状态就为初始转换状态。如果执行成功，函数就返回成功转换的多字节字符个数（不包括空字符）否则返回-1

续表

原　型	说　明
size_t wcsrtombs (char * restrict dst, const wchar_t ** restrict src, size_t len, mbstate_t * restrict ps)；	wcsrtombs（）函数把 src 间接指向的数组中的宽字符序列转换为对应的以 ps 指向的对象所描述的转换状态开头的多字节字符序列。如果 dst 不为空，转换后的字符就被存储在 dst 指向的数组中。转换继续进行到包括结束空字符，这个空字符也要进行存储。在两种情况下停止进行转换：当遇到一个不能对应于合法的多字节字符的宽字符或（如果 dst 不为空）存储在由 dst 指向的数组中的下一个多字节字符会超过 len 个字节的限制。每次发生的转换都好像是对 wcrtomb（）函数的调用。如果 dst 不为空，src 指向的指针对象就被赋值为空指针（如果转换是由于到达结束空字符而停止）或最后一个转换的宽字符地址。如果转换是由于到达结束空字符而停止，描述的结果状态就为初始转换状态。如果执行成功，函数就返回结果多字节序列中的多字节字符个数（不包括空字符），否则返回-1

B.5.21　宽字符分类和映射工具：wctype.h（C99）

wctype.h 库提供了类似于 ctype.h 中的字符函数的一些宽字符函数，以及其他一些函数。它也定义了表 B.45 中列出的三种类型和宏。

表 B.45　wctype.h 中的类型和宏

宏	说　明
wint_t	一个整数类型，可以保存扩展字符集的任何值，还至少可以保存一个不是扩展字符集成员的值
wctrans_t	一种标量类型，可以表示场所特定的字符映射
wctype_t	一种标量类型，可以表示场所特定的字符分类
WEOF	一个类型为 wint_t 的常量表达式，它不对应于扩展字符集中的任何成员，宽字符中与之对应的是 EOF，它用来表示宽字符输入的文件结尾

这个库中的字符分类函数在宽字符参数满足函数所说明的条件时返回真（非 0 值）。一般地说，因为单字节字符对应于宽字符，所以在对应的 ctype.h 函数返回真时宽字符函数也返回真。表 B. 46 列出了这些函数。

表 B.46　宽字符分类函数

原　型	说　明
int iswalnum (wint_t wc)；	如果 wc 是表示字母数字（字母或数字）的字符则返回真
int iswalpha (wint_t wc)；	如果 wc 是表示字母的字符则返回真
int iswblank (wint_t wc)；	如果 wc 表示空白则返回真
int iswcntrl (wint_t wc)；	如果 wc 表示控制字符则返回真
int iswdigit (wint_t wc)；	如果 wc 是表示数字的字符则返回真
int iswgraph (wint_t wc)；	如果 iswprint（wc）为真而 iswspace（wc）为假则返回真
int iswlower (wint_t wc)；	如果 wc 表示小写字符则返回真
int iswprint (wint_t wc)；	如果 wc 表示可打印字符则返回真
int iswpunct (wint_t wc)；	如果 wc 表示标点字符则返回真
int iswspace (wint_t wc)；	如果 wc 表示制表、空格或换行符则返回真
int iswupper (wint_t wc)；	如果 wc 对应于大写字符则返回真
int iswxdigit (wint_t wc)；	如果 wc 表示十六进制数字则返回真

这个库也包括了两个可扩展（extensible）的分类函数，因为它们使用当前场所的 LC_CTYPE 值来对字符进行分类。表 B.47 列出了这些函数。

表 B.47 可扩展的宽字符分类函数

原　型	说　明
`int iswctype (wint_t wc, wctype_t desc);`	如果 wc 具有 desc 所描述的属性则返回真（请参见正文中的相关讨论）
`??? Awctype_t wctype (const char * property);`	wctype 函数建立了一个类型为 wctype_t 的值，它描述了由字符串参数 property 所确定的宽字符种类。如果根据当前场所的 LC_CTYPE 类别，property 表示一个合法的宽字符类别，wctype（）函数就返回一个非 0 值，它可以作为 iswctype（）函数的第二个参数，否则函数返回 0

wctype（）的合法参数由宽字符分类函数名去掉 isw 前缀组成。例如，wctype（"alpha"）就表现为由 iswalpha（）函数进行判断的字符类别。因此，调用：

```
iswctype (wc, wctype ("alpha"))
```

就等价于调用：

```
iswalpha (wc)
```

除了其中的字符使用 LC_CTYPE 类别进行分类之外。

这个库提供了 4 个与转换相关的函数。两个是 ctype.h 库中 toupper（）和 tolower（）的对应函数。第 3 个是一个可扩展的版本，使用场所中的 LC_CTYPE 设置来确定字符是大写还是小写。第 4 个则提供了适用于第 3 个函数的分类参数。表 B.48 列出了这些函数。

表 B.48 宽字符转换函数

原　型	说　明
`wint_t towlower (wint_t wc);`	如果 wc 为大写则返回它的小写形式，否则返回 wc
`wint_t towupper (wint_t wc);`	如果 wc 为小写则返回它的大写形式，否则返回 wc
`wint_t towctrans ( wint_t wc, wctrans_t desc);`	如果 desc 等于 wctrans（"lower"）的返回值则返回 wc 的小写形式（由 LC_CTYPE 设置确定），如果 desc 等于 wctrans（"upper"）的返回值则返回 wc 的大写形式（由 LC_CTYPE 设置确定）
`wctrans_t wctrans (const char * property);`	如果参数为"upper"或"lower"，函数返回一个 wctrans_t 值，它可用作 towctrans（）的参数并反映 LC_CTYPE 设置，否则函数返回 0

B.6 参考资料 6：扩展的整数类型

正如第 3 章“数据和 C”中介绍的那样，C99 头文件 inttypes.h 为不同的整数类型提供了一系列可选的名字。这些名字比标准名更清楚地描述了类型的属性。例如，int 类型可能是 16 位、32 位或 64 位，但是 int32_t 类型总是 32 位。

更准确地说，inttypes.h 头文件定义了一些可以被用在 scanf（）和 printf（）中读写这些类型整数的宏。这个头文件包含了 stdlib.h 头文件，实际上是它提供了类型定义。格式化宏是可以与其他字符串进行连接来形成适当的格式化指示的字符串。

这些类型使用 typedef 进行定义。例如，具有 32 位 int 的系统可能会使用这样的定义：

```
typedef int int32_t;
```

使用#define 指令来定义格式说明符。例如，使用前面 int32_t 定义的系统可以这样定义：

```
#define PRId32 "d" // 输出说明符
#define SCNd32 "d" // 输入说明符
```

使用这些定义，就可以像下面这样声明一个扩展的整数变量，输入一个值并进行显示：

```
int32_t cd_sales; // 32位整数
scanf("%" SCNd32, &cd_sales);
printf("CD sales = %10" PRId32 " units\n", cd_sales);
```

如果需要，会把字符串进行连接来得到最后的控制字符串。这样，前面的代码就可以转换成下面这样：

```
int cd_sales; // 32位整数
scanf("%d", &cd_sales);
printf("CD sales = %10d units\n", cd_sales);
```

如果把原始的代码移植到 16 位 int 的系统中，该系统可能把 int32_t 定义为 long，把 PRId32 定义为"d"，把 SCND32 定义为"ld"。但是您可以使用同样的代码，只要知道它使用的是 32 位的整数就行了。

本参考资料的剩余部分列出了扩展类型及其格式说明符以及表示类型限制的宏。

B.6.1 确切长度类型

一组 typedef 定义标识了具有确切大小的类型。通常为有符号类型使用 intN_t 格式，而无符号类型使用 uintN_t 格式，其中 N 表明了位数。但是要注意不是所有的系统都支持所有这些类型。例如，可能有一种系统，它最小的可用内存大小是 16 位，这样的系统就不支持 int8_t 和 uint8_t 类型。格式宏可以使用 d 或 i 来表示有符号类型，所以 PRIi8 和 SCNi8 都有效。对无符号类型而言，可以使用 o、x 或 X 以得到% o、%x 或%X 说明符用来代替%u。例如，可以使用 PRIX32 来以十六进制格式打印一个 uint 32_t 类型的值。表 B.49 列出了确切长度类型、格式说明符和限制值。

表 B.49 确切长度类型

类 型 名	printf() 说明符	scanf() 说明符	最 小 值	最 大 值
int8_t	PRId8	SCNd8	INT8_MIN	INT8_MAX
int16_t	PRId16	SCNd16	INT16_MIN	INT16_MAX
int32_t	PRId32	SCNd32	INT32_MIN	INT32_MAX
int64_t	PRId64	SCNd64	INT64_MIN	INT64_MAX
uint8_t	PRIu8	SCNu8	0	UINT8_MAX
uint16_t	PRIu16	SCNu16	0	UINT16_MAX
uint32_t	PRIu32	SCNu32	0	UINT32_MAX
uint64_t	PRIu64	SCNu64	0	UINT64_MAX

B.6.2 最小长度类型

最小长度类型可以保证一种类型的大小至少为某个确定的位。这些类型总是存在的。例如，不支持 8 位单元的系统可以把 int_least_8 定义为 16 位的类型。表 B.50 列出了最小长度类型、格式说明符和限制值。

表 B.50 最小长度类型

类 型 名	printf() 说明符	scanf() 说明符	最 小 值	最 大 值
int_least8_t	PRILEASTd8	SCNLEASTd8	INT_LEAST8_MIN	INT_LEAST8_MAX
int_least16_t	PRILEASTd16	SCNLEASTd16	INT_LEAST16_MIN	INT_LEAST16_MAX
int_least32_t	PRILEASTd32	SCNLEASTd32	INT_LEAST32_MIN	INT_LEAST32_MAX
int_least 64_t	PRILEASTd64	SCNLEASTd64	INT_LEAST64_MIN	INT_LEAST64_MAX
uint_least 8_t	PRILEASTu8	SCNLEASTu8	0	UINT_LEAST8_MAX
uint_least 16_t	PRILEASTu16	SCNLEASTu16	0	UINT_LEAST16_MAX
uint_least 32_t	PRILEASTu32	SCNLEASTu32	0	UINT_LEAST32_MAX
uint_least 64_t	PRILEASTu64	SCNLEASTu64	0	UINT_LEAST64_MAX

B.6.3 最快最小长度类型

对于特定的系统，有些整数表示可能比其他表示更快。例如，int_least16_t 可能实现为 short，但是系统在进行算术运算时使用 int 类型会更快一些。所以 inttypes.h 定义了表示至少某个位数的最快类型。这些类型总是存在的，在某些情况下哪种类型最快可能没有明显的选择，这时系统会简单地选择其中的一种。表 B.51 列出了最快最小长度类型、格式说明符和限制值。

表 B.51 最快最小长度类型

类 型 名	printf（）说明符	scanf（）说明符	最 小 值	最 大 值
int_fast8_t	PRIFASTd8	SCNFASTd8	INT_FAST8_MIN	INT_FAST8_MAX
int_fast16_t	PRIFASTd16	SCNFASTd16	INT_FAST16_MIN	INT_FAST16_MAX
int_fast32_t	PRIFASTd32	SCNFASTd32	INT_FAST32_MIN	INT_FAST32_MAX
int_fast64_t	PRIFASTd64	SCNFASTd64	INT_FAST64_MIN	INT_FAST64_MAX
uint_fast8_t	PRIFASTu8	SCNFASTu8	0	UINT_FAST8_MAX
uint_fast16_t	PRIFASTu16	SCNFASTu16	0	UINT_FAST16_MAX
uint_fast32_t	PRIFASTu32	SCNFASTu32	0	UINT_FAST32_MAX
uint_fast64_t	PRIFASTu64	SCNFASTu64	0	UINT_FAST64_MAX

B.6.4 最大长度类型

有时您可能想要使用可用的最大整数类型。表 B.52 列出了这些类型。实际上，它们可以比 long long 或 unsigned long long 更长，因为系统可能会提供比所要求的类型更长的附加类型。

表 B.52 最大长度类型

类 型 名	printf（）说明符	scanf（）说明符	最 小 值	最 大 值
Intmax_t	PRIdMAX	SCNdMAX	INTMAX_MIN	INTMAX_MAX
uintmax_t	PRIuMAX	SCBuMAX	0	UINTMAX_MAX

B.6.5 可以保存指针值的整数

inttypes.h 头文件（通过包含 stdint.h 头文件）定义了表 B.53 中列出的两种整数类型，它们可以精确地保存指针值。也就是说，如果您把类型为 void *的值赋值给这种类型变量，然后又把该整数赋回给指针，不会丢失任何信息。这两种类型都有可能不存在。

表 B.53 可以保存指针值的整数类型

类 型 名	printf（）说明符	scanf（）说明符	最 小 值	最 大 值
intptr_t	PRIdPTR	SCNdPTR	INTPTR_MIN	INTPTR_MAX
uintptr_t	PRIuPTR	SCBuPTR	0	UINTPTR_MAX

B.6.6 扩展的整数常量

您可以使用 L 后缀来表示一个 long 常量，例如 445566L。但是如何表示一个类型为 int 32_t 的常量呢？可以使用 inttypes.h 中定义的宏。例如，表达式 INT32_C（445566）展开为一个类型为 int 32_t 的常量。本质上说，这些宏是到低层类型的类型指派，也就是说，到特定实现中表示 int 32_t 的基本类型的指派。

宏的名称是用_C 替换类型名中的_t，然后把所有字母大写得到的。例如要使 1000 成为 uint_least64_t 类型的常量，使用表达式 UINT_LEAST64_C（1000）。

B.7 参考资料7：扩展的字符支持

C最初并没有被设计为一种国际化的编程语言。它的字符选择或多或少是基于标准的美国键盘的。但是C在国际上的流行导致产生了一些扩展来支持不同而且是更大的字符集。这部分参考内容提供了对这些附加功能的总览。

B.7.1 三元字符序列

有些键盘不提供C中使用的所有符号。因此C使用一组三字符序列为一些符号提供了可选的表示方法，这称为三元字符序列（trigraph sequence）。表B.54列出了这些三元字符。

表B.54 三元字符序列

三元字符	符号	三元字符	符号	三元字符	符号
??=	#	??(	[	??/	\
??)	]	??'	^	??<	{
??!	|	??>	}	??-	~

C使用对应的符号来替换源代码文件中出现的所有这些三元字符，即使它们是在引用字符串中也是如此。这样：

```
??=include <stdio.h>
??=define LIM 100
int main()
??<
    int q??(LIM??);
    printf("More to come.??/n");
    ...
??>
```

就变成了下面的样子：

```
#include <stdio.h>
#define LIM 100
int main()
{
    int q[LIM];
    printf("More to come.\n");
    ...
}
```

您可以通过开启一个编译器标志来激活这个特性。

B.7.2 二元字符

由于认识到了三元字符系统的笨拙，C99提供了称为二元字符（digraph）的双字符语言符号，可以使用它们来代替标准C中的某些标点。表B.55列出了这些二元字符。

表B.55 二元字符

二元字符	符号	二元字符	符号	二元字符	符号
<:	[	:>	]	<%	{
%>	}	%:	#	%:%:	##

与三元字符不同，引号中的字符串里的二元字符没有特别的含义。所以：

```
%: include <stdio.h>
%: define LIM 100
int main ()
<%
    int q<: LIM: >;
    printf ("More to come.: >");
    ...
%>
```

与下面的代码相同：

```
#include <stdio.h>
#define LIM 100
int main ()
{
    int q[LIM];
  printf ("More to come.: > ");  //: > 只是字符串的一部分
    ...
}                                //: > 与 } 相同
```

B.7.3 可选的拼写：iso646.h

使用三元字符序列，可以把||运算符写作??!??!，这可能看上去有些不大舒服。C99 通过 iso646.h 头文件提供了表 B.56 中列出的可展开为运算符的宏。标准把这些宏称为可选的拼写（alternative spelling）。

表 B.56　　可选的拼写

宏	运算符	宏	运算符	宏	运算符
and	&&	and_eq	&=	bitand	&
bitor	|	compl	~	not	!
not_eq	!=	or	||	or_eq	|=
xor	^	xor_eq	^=		

如果包含了 iso646.h 头文件，下面的语句：

```
if (x == M1 or x == M2)
    x and_eq 0XFF;
```

就被展开成这样：

```
if (x == M1 || x == M2)
    x &= 0XFF;
```

B.7.4 多字节字符

标准把多字节字符说明为一个单字节序列或多字节序列，它代表源环境或执行环境中扩展字符集的成员。源环境是您在其中准备源代码的环境，而执行环境是您在其中运行编译过的程序的环境。这两个可以不同，例如，您可以在一个环境中开发在另一个环境中运行的程序。扩展字符集是 C 所需的基本字符集的超集。

例如，一种实现可以提供一个扩展的字符集来允许您输入不对应于基本字符集的键盘字符。它们可以用在字符串或字符常量中，也可以出现在文件中。一种实现也可以提供基本字符集中字符的多字节等价物，可以使用它们来代替二元字符或三元字符。

例如，德国的一种实现也许会允许您在字符串中使用日尔曼语系字符：

```
puts ("eins zwei drei vier fünf");
```

B.7.5 通用字符名（UCN）

多字节字符可以用在字符串中，但是不能用在标识符中。通用字符名（UCN）是 C99 的增加功能，它允许您使用扩展字符集中的字符作为标识符名的一部分。系统扩展了转义序列的概念，允许对 ISO/IEC 10646 标准中的字符编码。这个标准是国际标准化组织（ISO）和国际电工委员会（IEC）共同制订的，它为大量的字符提供了数值编码。

有两种形式的 UCN 序列。第一种是\u hexquad，其中 hexquad 是 4 个十六进制数字的序列，例如\u00F6。第二种是\U hexquad hexquad，例如\U0000AC01。因为每个十六进制数字都对应 4 个位，所以\u 形式可以用作 16 位整数表示的编码，而\U 形式可以用作 32 位整数表示的编码。

如果您的系统实现了 UCN 并包含了扩展字符集中想要的字符，您就可以在字符串、字符常量和标识符中使用 UCN：

```
wchar_t value\u00F6\u00F8 = '\u00f6';
```

B.7.6 宽字符

C99 通过 wchar.h 和 wctype.h 库中对宽字符的使用对更大的字符集提供了更多的支持。这些头文件把 wchar_t 定义为整数类型，确切的类型要依赖于实现。它用来保存扩展字符集中的字符，这个字符集是基本字符集的超集。根据定义，char 类型已经足够处理基本字符集。wchar_t 类型需要更多位数来处理更大范围的编码值。例如 char 可能是 8 位的字节，wchar_t 可能是 16 位的 unsigned short。

宽字符常量和字符串使用 L 前缀来表示，可以使用%lc 和%ls 修饰符来显示宽字符数据：

```
wchar_t wch = L'I';
wchar_t w_arr[20] = L"am wide!";
printf ("%lc %ls\n", wch, w_arr);
```

例如，如果 wchar_t 实现为 2 个字节单元，那么'I'的单字节编码就存储在 wch 的低位字节中。不是来自标准集的字符需要使用两个字节来存储字符编码。例如，可以使用通用字符编码来表示编码值超出 char 的范围的字符：

```
wchar_t w = L'\u00E2'; /* 16位编码值 */
```

wchar_t 数组可以保存宽字符的字符串，其中每个元素保存单个宽字符编码。编码值为 0 的 wchar_t 值是空字符的 wchar_t 等价字符，它被称为空的宽字符（null wide character）。它用来结束宽字符的字符串。

可以使用%lc 和%ls 修饰符读入宽字符：

```
wchar_t wch;
wchar_t w_arr[20];
puts ("Enter your grade: ");
scanf ("%lc", &wch);
puts ("Enter your first name: ");
scanff ("%ls", w_arr);
```

wchar.h 头文件提供了更多的宽字符支持。具体地，它提供了宽字符 I/O 函数、宽字符转换函数和宽字符字符串的操作函数。它们中大多数都是现有函数在宽字符中的对应。例如，可以使用 fwprintf（）和 wprintf（）函数进行输出，使用 fwscanf（）和 wscanf（）函数进行输入。主要的不同在于这些函数要求宽字符控制字符串，而且处理宽字符的输入输出流。例如，下列代码把信息作为宽字符序列显示：

```
wchar_t * pw = L"Points to a wide-character string";
int dozen = 12;
wprintf (L"Item %d: %ls\n", dozen, pw);
```

与之类似，存在 getwchar（）、putwchar（）、fgetws（）和 fputws（）函数。这个头文件定义了一个 WEOF 宏，它与 EOF 在面向字节的 I/O 中所起的作用相同。要求它是一个不对应于合法字符的值。因为有可能所有 wchar_t 类型的值都是合法的字符，所以库中定义了一个 wint_t 类型，它包括所有的 wchar_t 值和 WEOF。

也存在与 string.h 中的库函数对应的函数。例如，wcscopy（ws2，ws1）把 ws1 指向的宽字符字符串复制到 ws2 指向的宽字符数组中。类似地，也有用来比较宽字符串的 wcscmp（）函数，等等。

wctype.h 头文件还为宽字符增加了字符分类函数。例如，如果参数是一个数字，iswdigit（）函数就返回真；如果参数为空白，iswblank（）函数就返回真。空白的标准值是空格和水平制表符，分别写作 L'' 和 L'\t'。

B.7.7 宽字符和多字节字符

宽字符和多字节字符是处理扩展字符集的两种不同方法。例如，多字节字符可以具有一个、两个、三个或更多的字节，而所有的宽字符都只有一个宽度。多字节字符可以具有一个偏移状态，也就是一个用来确定后续字节如何解释的字节，而宽字符没有。一个多字节字符的文件可以使用标准的输入函数来读入到普通的 char 数组中，一个宽字符的文件也可以使用宽字符输入函数之一来读入到宽字符数组中。

C99 通过 wchar.h 库提供了在这两种表示方法之间进行转换的函数。mbrtowc（）函数把多字节字符转换成宽字符，而 wcrtomb（）函数把宽字符转换成多字节字符。类似地，mbstrtowcs（）函数把多字节字符串转换为宽字符的字符串，而 wcstrtombs（）函数把宽字符的字符串转换为多字节字符串。

B.8 参考资料 8：C99 的数值计算增强

在历史上，FORTRAN 是进行数学科学计算和工程计算的首选语言。C90 使 C 的计算方法更加接近于 FORTRAN。例如，float.h 中使用的浮点数说明规范就是基于 FORTRAN 标准委员会开发的模型的。C99 标准继续进行了增强 C 的计算能力的工作。

B.8.1 IEC 浮点数标准

IEC（International Electotechnical Committee，国际电工委员会）已经发布了浮点数计算的标准（IEC 60559）。这个标准包括了关于浮点数格式、精度、NaN、无穷值、舍入惯例、转换、异常以及推荐的函数和算法等等的讨论。C99 接受了这个标准，把它作为 C 中实现浮点数计算的指导方针。C99 中增加的大多数浮点数工具（例如 fenv.h 头文件和一些新的数学函数）都是这种努力的结果。

但是有的实现可能不满足 IEC 60559 中的所有要求；例如，可能底层的硬件无法完成这些任务。因此 C99 定义了两个可以用作预处理器指令的宏来进行检查。首先，如果实现符合 IEC 60559 的浮点数规范，下面的宏：

```
__STDC_IEC_559__
```

就根据条件被定义为常量 1。其次，如果实现支持 IEC 60559 的可兼容复数计算，那么宏：

```
__STDC_IEC_559_COMPLEX__
```

就根据条件被定义为常量1。

如果一个实现中并没有定义这些宏，那就不能保证符合 IEC60559。

B.8.2 fenv.h 头文件

fenv.h 头文件提供了一种与浮点数环境进行交互的方式。也就是说，它允许您设置管理浮点数如何执行计算的浮点数控制模式值（control mode value）；也允许您确定浮点数状态标志（status flag）或异常（exception）的值，这些值可以报告有关数学计算效果的信息。举个例子来说，控制模式设置可以指定进行舍入的方法，而如果操作产生了浮点数溢出的话就设置一个状态标志。一个设置状态标志的操作被描述为抛出一个异常。

状态标志和控制模式只有在得到硬件支持时才有意义。例如，如果硬件没有相应的选项，那么就不能改变舍入方法。

可以使用预处理器指令来开启支持：

```
#pragma STDC FENV_ACCESS ON
```

在程序到达包含该编译指示的代码块的结尾处之前该支持一直有效，或者如果该编译指示是外部的，那么就要到该文件或单元的结尾处。或者也可以使用以下的指令来关闭支持：

```
#pragma STDC FENV_ACCESS OFF
```

也可以使用以下的编译指示：

```
#pragma STDC FENV_ACCESS DEFAULT
```

它恢复编译器的默认状态，这是依赖于实现的。

如果涉及到关键的浮点数计算，这个工具就是重要的。但是一般用户对它的兴趣有限，所以在本附录中不对它进行深入讨论。

B.8.3 STDC FP_CONTRACT 编译指示

某些浮点数处理器可以把多运算符的浮点表达式合并为一个单独的运算。例如，处理器可能在一步之内就求出以下表达式的值：

```
x*y - z
```

这提高了计算速度，但是它会降低计算的可预测性。STDC FP_CONTRACT 允许您开启或关闭这个特性。默认的状态依赖于实现。

要对一个特定的计算关闭这一特性，之后再次开启它，可以这样来做：

```
#pragma STDC FP_CONTRACT OFF
val = x * y - z;
#pragma STDC FP_CONTRACT ON
```

B.8.4 对 math.h 库的增补

C90 数学库中的大部分都声明了具有 double 类型的参数和 double 类型的返回值的函数，例如：

```
double sin (double);
double sqrt (double);
```

C99 库为所有这些函数都提供了类型为 float 和 long double 的版本。这些函数在名称中使用 f 或 l 后缀，如下所示：

```
float sinf (float);                /* sin () 函数的 float 版本       */
long double sinl (long double);   /* sin () 函数的 long double 版本 */
```

具有不同精度的函数系列使您可以针对特定的用途来选择所需的最有效的类型和函数。

C99 也添加了一些通常用在科学、工程和数学计算中的函数。表 B.15 列出了所有这些函数的类型为 double 的版本。在很多情况下，这些函数的返回值都可以使用现有的函数来计算得出，但是新的函数可以更快或更准确。例如，log1p（x）表示的值与 log（1+x）相同，但是 log1p（x）使用了一种不同的算法，对于较小的 x 值来说它会更加精确。所以您可以使用 log（）函数进行通常的计算，但是如果精度很关键而且 x 的值较小，就可以使用 log1p（）函数。

除了这些函数，数学库还定义了一些与对数值进行分类和舍入有关的常量和函数。例如一个值可以被归类为无穷、不是数（NaN）、正常、低于正常和真 0（NaN 是一个特别的值，用来表示一个值不是一个数，例如 asin（2.0）就返回 NaN，因为 asin（）的参数被定义为是-1 到 1 范围内的值。一个低于正常的数是那些其大小比使用全部精度所能表示的最小值还要小的数）。还有一些专用的比较函数，当一个或多个参数是非正常值时函数的行为与标准的关系运算符不同。

可以使用 C99 的分类方案来检测计算中的无规律性。例如，对于来自 math.h 的 isnormal（）宏，如果它的参数是一个正常的数字，它就返回真。当一个数字变得不正常的时候，如下代码通过该函数结束：

```
#include <math.h> // 为了使用 isnormal()
float num = 1.7e-19;
```

```
float numprev = num;

while (isnormal (num)) // 当num具有全部浮点精度时
{
    numprev = num;
    num /= 13.7f;
}
```

简单地说，有一些扩展支持对如何处理浮点数计算的详细控制。

B.8.5 对复数的支持

复数（complex number）具有一个实部和一个虚部。实部就是普通的实数，例如用浮点数类型表示的数。虚部表示一个虚数。虚数是-1的平方根的倍数。在数学中，复数通常写为类似4.2+2.0i的形式，其中i象征性地表示-1的平方根。

C99支持三种复数类型：

- float Complex
- double Complex
- long double _Complex

存储类型为float _Complex的值时使用的内存布局与具有两个元素的float数组相同，实部的值存储在第一个元素中，而虚部的值存储在第二个元素中。

C99的实现也支持三种虚数类型：

- float _Imaginary
- double _Imaginary
- long double _Imaginary

包含了complex.h头文件，就可以使用complex代替_Complex，使用imaginary代替_Imaginary。

为复数类型定义的数学运算遵循一般的数学规则。例如（a+b*I）*（c+d*I）的值就等于（a*c-b*d）+（b*c+a*d）*I。

complex.h头文件定义一些宏和一些接受复数参数并返回复数的函数。特别地，宏I表示-1的平方根。它使您可以进行以下工作：

```
double complex c1 = 4.2 + 2.0 * I;
float imaginary c2= -3.0 * I;
```

complex.h头文件提供了一些复数函数的原型，很多都对应于math.h中的函数并使用c前缀。例如csin（）函数返回它的复数参数的复正弦。其他的函数与特定的复数特性相关。例如，creal（）函数返回一个复数的实部，cimag（）函数返回复数的虚部。也就是说，给定一个类型为double complex的z，下面的式子成立：

```
z = creal (z) + cimag (z) * I;
```

如果您熟悉复数而且需要使用它们，就要仔细阅读complex.h中的内容。

如果您使用C++，就应该知道C++的complex头文件提供了一种与C的complex.h头文件不同的处理复数的方法，前者的处理方法是基于类的。

B.9 参考资料9：C和C++的差别

在很大程度上，C++就是C的超集，这意味着合法的C程序也是合法的C++程序。C++与C之间的主要不同在于C++支持很多附加特性。但是也有一些领域中C++规则与C有稍微的不同。这些不同使得C程序被作为C++程序编译时可能会以不同的方式工作或根本就不能工作。本附录讨论了这些不同。如果您使用 C++而不是 C 编译器编译您的程序，就需要知道这些不同。尽管这些不同对本书中的例子影响很小，但是如果 C 代码作为 C++程序进行编译的话，在有些例子中这些不同就会导致产生错误消息。

C99 标准的发布使得问题更加复杂，因为有些情况下它使得 C 更接近于 C++。例如，它允许在代码中随时进行声明，也可以识别注释指示符//。在其他方面，C99 增加了与 C++的差异，例如添加了变长数组和关键字 restrict。C99 依然还处于它的成长期，我们要面对 C90 和 C99、C90 和 C++以及 C99 和 C++之间的不同。但是 C99 最后要完全取代 C90，本节要面对未来，所以只讨论 C99 与 C++之间的一些不同。

B.9.1　函数原型

函数原型在 C++中是必需的，但是在 C 中它是可选的。如果在声明一个函数时使圆括号为空，就可以看出这个不同。在 C 中，空圆括号意味着前向原型声明，但是在 C++中则意味着函数没有原型。也就是说，在 C++中，原型：

```
int slice ();
```

与下面的相同：

```
int slice (void);
```

例如，以下的语句在 C 的旧风格中是可以接受的，但是在 C++中就会产生一个错误：

```
int slice ();
int main ()
{
...
    slice (20, 50);
...
}
int slice (int a, int b)
{
...
}
```

在 C 中，编译器假定您在声明函数时使用的是旧的形式。在 C++中，编译器假定 slice（）等于 slice（void），并且您未能在使用 slice（int，int）函数之前声明它。

C++也允许声明函数名相同的多个函数，只要它们具有不同的参数列表。

B.9.2　char 常量

char 常量在 C 中被作为 int 类型看待，而在 C++中被作为 char 类型。例如，考虑下面的语句：

```
char ch = 'A';
```

在 C 中，常量'A'被存储在一块大小与 int 相同的内存中，更准确地说，它的字符编码存储为一个 int 值。相同的数值也被存储在变量 ch 中，但是在 ch 中它只占据内存中的一个字节。

另一方面，C++为'A'和 ch 都使用一个字节。其中的不同并不影响本书中的任何例子。但是有些 C 程序使用字符符号来表示整数值，这样就把 char 常量作为 int 类型来使用。例如，如果系统中的 int 为 4 个字节，就可以在 C 中这样做：

```
int x = 'ABCD'; /* 对于 int 为 4 字节的系统，这个语句在 C 中可以，但在 C++中不可以 */
```

'ABCD'意味着一个 4 字节的 int 值，其中第一个字节存储字母 A 的字符编码，第二个字节存储 B 的字母编码，等等。注意'ABCD'与"ABCD"有很大的不同。前者只是书写 int 值的一种方式，而后者是一个字符串，它对应于内存中 5 个字节的内存块的地址。

考虑下列代码：

```
int x = 'ABCD';
char c = 'ABCD';
```

```
printf ("%d %d %c %c\n", x, 'ABCD', c, 'ABCD');
```

在我们的系统上，它产生以下输出：

```
1094861636 1094861636 D D
```

这个例子说明，如果把'ABCD'看作一个 int 值，它就是一个 4 字节的整数值；但是如果把它看作 char 类型，程序就只使用最后一个字节。尝试使用%s 说明符打印'ABCD'会使程序崩溃，因为'ABCD'（1094861636）的值是一个越界的地址。

使用像'ABCD'这样的值是因为它提供了一种方式来单独设置 int 中的每个字节，因为每个字符都对应于一个字节。但是因为它要依赖于特定的字符码，而每两位十六进制数对应于一个字节，所以更好的方法是对整数常量使用十六进制值。第 15 章“位操作”讨论了这种技术（C 的早期版本不提供十六进制符号，这可能也是多字符的字符常量技术首先得到发展的原因）。

B.9.3 const 修饰符

在 C 中，全局 const 具有外部链接，但是在 C++中它具有内部链接。也就是说 C++中的声明：

```
const double PI = 3.14159;
```

就相当于 C 中的声明：

```
static const double PI = 3.14159;
```

前提是这两个声明都在所有函数的外部。C++规则的意图是使得在头文件中使用 const 更加简单。如果常量是内部链接的，每个包含头文件的文件都会得到该常量的一份拷贝。如果常量是外部链接的，那么就必须在一个文件中进行定义声明，而在其他文件中使用关键字 extern 进行引用声明。

顺便说一句，C++可以使用关键字 extern 来使一个 const 值具有外部链接，所以两种语言都可以创建具有内部链接的常量和具有外部链接的常量。它们的不同只是在于默认使用哪种链接。

C++中 const 的一个附加属性是可以使用它来声明普通数组的大小：

```
const int ARSIZE = 100;
double loons[ARSIZE]; /* 在C++中该语句与double loons[100]; 相同 */
```

可以在 C99 中使用相同的声明，但是在 C99 中这样的声明会创建一个变长数组。

在 C++中，你可以使用 const values 来初始化 const 值，但在 C 中不可以：

```
const double RATE = 0.06; // C++和C中都合法
const double STEP = 24.5; // C++和C中都合法
const double LEVEL = RATE * STEP; // C++中合法,C中不合法
```

B.9.4 结构和联合

在您声明了一个带有标记的结构或联合之后，就可以在 C++中使用这个标记作为类型名：

```
struct duo
{
    int a;
    int b;
};
struct duo m;     /* 在C和C++中都可以              */
duo n;            /* 在C中是非法的，但在C++中合法    */
```

结果是结构名可能与变量名相冲突。例如，以下的程序可以作为 C 程序进行编译，但是作为 C++程序编译时会失败，因为 C++把 printf（）语句中的 duo 解释为结构类型而不是外部变量：

```
#include <stdio.h>
float duo = 100.3;
int main (void)
```

```
{
    struct duo { int a; int b; };
    struct duo y = { 2, 4};
    printf ("%f\n", duo); /* 在C中可以，但在C++中不可以 */
    return 0;
}
```

在 C 和 C++中都可以在一个结构内部声明另一个结构：

```
struct box
{
    struct point {int x; int y; } upperleft;
    struct point lowerright;
};
```

在 C 中，随后可以使用任何一个结构，但是在 C++中使用嵌套结构时要求一个特殊的符号：

```
struct box ad;          /* 在C和C++中都可以              */
struct point dot;       /* 在C中合法，但在C++中是非法的   */
box:: point dot;        /* 在C中非法，但在C++中是合法的   */
```

B.9.5　枚举

在枚举的使用中，C++比 C 更加严格。使用 enum 变量可以做的惟一有用的事是为它赋一个 enum 常量然后与其他值进行比较。不经过显式的类型转换，就不能把 int 值赋给 enum 变量，而且也不能递增一个 enum 变量。下列代码说明了这一点：

```
enum sample {sage, thyme, salt, pepper};
enum sample season;
season = sage;                  /* 在C和C++中都可以              */
season = 2;                     /* 在C出会发出警告，在C++中是一个错误 */
season = (enum sample) 3;       /* 在C和C++中都可以              */
season++;                       /* 在C中可以，但在C++中是一个错误   */
```

C++也允许在声明一个枚举变量时不用关键字 enum：

```
enum sample {sage, thyme, salt, pepper};
sample season;                /* 在C中是非法的，但在C++中合法     */
```

与结构和联合的情况类似，如果一个变量和 enum 类型具有相同的名字就会引起冲突。

B.9.6　指向 void 的指针

与在 C 中相同，在 C++中可以把任意类型的指针赋值给指向 void 的指针。但是与 C 中不同的是，除非使用了显式的类型转换，否则不能把指向 void 的指针赋值给其他类型的指针。下列代码说明了这一点：

```
int ar[5] = {4, 5, 6, 7, 8};
int * pi;
void * pv;
pv = ar;          /* 在C和C++中都可以              */
pi = pv;          /* 在C中可以，但在C++中是非法的    */
pi = (int *) pv;  /* 在C和C++中都可以              */
```

C++中的另一个不同是可以把派生类对象的地址赋值给基类指针，但是这里涉及到的特性在 C 中不存在。

B.9.7　布尔类型

C++中的布尔类型是 bool，并且 true 和 false 都是关键字。在 C 中，布尔类型是_Bool，但是包含了 stdbool.h 头文件就可以使用 bool、true 和 false。

B.9.8 可选的拼写

C++中可以使用 or 来代替||，还有其他一些可选拼写，它们都是关键字。在 C99 中它们被定义为宏，需要包含 iso646.h 头文件才能使用它们。

B.9.9 宽字符支持

在 C++中，wchar_t 是一种内建的类型，并且 wchar_t 是一个关键字。在 C99 中，wchar_t 类型是在一些头文件中进行定义的（stddef.h、stdlib.h、wchar.h 和 wctype.h）。

C++通过 iostream 头文件提供宽字符的 I/O 支持，而 C99 通过 wchar.h 头文件提供了一种完全不同的 I/O 支持包。C99 也支持多字节字符及其与宽字符之间的转换，而 C++不支持。

B.9.10 复数类型

C++通过在 complex 头文件中提供一个复数类来支持复数类型。C 具有内建的复数类型并通过 complex.h 头文件来支持它们。这两种方法差别很大，它们是不兼容的。C 版本更关心数值计算的需要和惯例。

B.9.11 内联函数

C99 中添加了对内联函数的支持，这是 C++已经支持的特性。但是，C99 中的实现更加灵活。在 C++中，内联函数默认是内部链接的。如果 C++中的一个内联函数在多个文件中出现，它就必须具有相同的定义，使用相同的语言符号。例如，不允许在一个文件中的定义里使用 int 参量而在另一个文件中的定义里使用 int32_t 参量，即使使用 typedef 把 int32_t 定义为 int 也不能这样做。但是 C 中就允许这样的定义。而且像第 15 章中描述的那样，C 也允许混合使用函数的内联和外部定义，而 C++不允许。

B.9.12 C++中没有的 C99 特性

尽管传统上 C 或多或少可以看作是 C++的子集，但是 C99 标准添加了一些 C++中没有的特性。这里列出一些只存在于 C99 中的特性：

- 指定初始化项目；
- 复合初始化项目；
- 受限指针；
- 变长数组；
- 伸缩型数组成员；
- long long 和 unsigned long long 类型；
- 可移植的整数类型（inttypes.h 和 stdint.h）；
- 通用字符名；
- 附加的数学库函数；
- 通过 fenv.h 访问浮点数环境；
- 预定义的标识符，例如__func__；
- 具有可变数目参数的宏。

其中的一些，例如 long long 类型，可能会成为常用 C++的扩展，还有一些可能会被加入到 C++标准的下一版本中。